De bleke koning

David Foster Wallace

De bleke koning

EEN ONVOLTOOIDE ROMAN

Vertaald door Iannis Goerlandt en Daniël Rovers

MEULENHOFF

De personages en gebeurtenissen in dit boek zijn fictief. Elke over-
eenkomst met bestaande personen, levend of dood, berust op toeval
en is niet beoogd door de auteur.

Oorspronkelijke titel *The Pale King*
Alle rechten voorbehouden.
Copyright © 2011 David Foster Wallace Literary Trust
Copyright Nederlandse vertaling © 2013 Iannis Goerlandt, Daniël
Rovers en J.M. Meulenhoff bv, Amsterdam
Omslagbeeld Karen Green
Omslagontwerp DPS Design & Prepress Studio, Amsterdam
Vormgeving binnenwerk Text & Image, Gieten

ISBN 978-90-290-8764-3
ISBN 978-94-6023-395-1 (e-boek)
NUR 302
www.meulenhoff.nl

Woord vooraf bij deze uitgave

In 2006, tien jaar na het verschijnen van David Foster Wallace' *Infinite Jest*, plande uitgeverij Little, Brown een jubileumuitgave van deze grandioze roman. Deze uitgave zou feestelijk worden gepresenteerd in boekhandels in New York en Los Angeles, maar naarmate die festiviteiten dichterbij kwamen, aarzelde David steeds meer of hij wel aanwezig zou zijn. Toen ik hem opbelde om hem over te halen, zei hij: 'Je weet dat ik kom als je erop aandringt, dus doe dat alsjeblieft niet. Ik werk aan iets langs en zit er helemaal in, en als ik eruit word gehaald is het lastig om er weer in te komen.'

'Iets langs' en 'iets diks', dat waren de woorden die David gebruikte als hij het had over de roman waar hij in de jaren na *Infinite Jest* aan werkte. In de tussentijd publiceerde hij meerdere boeken – verhalenbundels in 1999 en 2004, essaybundels in 1997 en 2005. Altijd was er wel die vraag naar een nieuwe roman, maar David sprak daar niet graag over. Toen ik op een keer doorvroeg, omschreef hij het werk aan zijn nieuwe roman als een worsteling met platen balsahout bij windkracht 10. Bonnie Nadell, zijn literair agent, bracht me af en toe verslag uit: David volgde cursussen accountancy ter voorbereiding op de roman. Die zou zich afspelen op een belastingkantoor van de IRS waar er aangiften worden verwerkt. Ik had de grote eer gehad om als redacteur met David aan *Infinite Jest* te werken, en had toen gezien welke werelden hij wist op te roepen uit een tennisschool en een afkickcentrum, dus als er iemand was die belastingen interessant kon maken, bedacht ik, was hij het wel.

Toen David in september 2008 stierf, had ik van deze roman nog geen woord gelezen, behalve de paar verhalen die hij in tijdschriften had gepubliceerd, verhalen die op het eerste gezicht niets met accountancy of belastingen te maken hadden. In november nam Bonnie Nadell samen met Karen Green, zijn weduwe, Davids nalatenschap door in zijn werkruimte, een garage met één klein raam bij hun huis in Claremont, Californië. Op Davids bureau trof Bonnie een manuscript aan, twaalf keurig gestapelde hoofdstukken, zo'n 250 pagina's in totaal. Op het etiket van een schijfje waar die hoofdstukken op stonden had hij geschreven: 'Voor voorschot LB?' Bonnie had David voorgesteld een paar hoofdstukken uit zijn roman te lichten en die naar Little, Brown te sturen om onderhandelingen te beginnen over een nieuw contract en een voorschot op de royalty's. Dit stapeltje was dat – nog niet verstuurde – deel van het manuscript.

Gaandeweg vonden Bonnie en Karen in Davids werkruimte vele honderden pagina's van de roman in wording, die de werktitel *De bleke koning* [*The Pale King*, vert.] droeg. Harde schijven, bestanden, ringmappen, notitieblokken met spiraalband en floppydisks bevatten onder meer geprinte hoofdstukken, stapels handgeschreven bladzijden en aantekeningen. Op verzoek van Bonnie en Karen vloog ik naar Californië om twee dagen later huiswaarts te keren met een grote groene weekendtas en twee grote supermarkttassen van Trader Joe's boordevol manuscripten. Een doos met boeken die David bij zijn voorbereidingen gebruikt had, werd per post nagestuurd.

In de maanden daarna bleek ik bij het lezen van dit materiaal een verbluffend rijke roman in handen te hebben, geschreven met de nietaflatende vindingrijkheid en humor die David zo typeerden. Toen ik deze hoofdstukken las, ervoer ik onverwachts een grote vreugde, omdat ik me in de wereld die David had gecreëerd in zijn nabijheid kon wanen en even het vreselijke feit van zijn dood kon vergeten. Sommige delen waren netjes uitgetypt en al in talloze versies geredigeerd. Andere stukken betroffen schetsen in Davids minuscule handschrift. Aan sommige hoofdstukken – waaronder die op het bureau – was onlangs nog geschaafd. Andere waren veel ouder en bevatten verhaallijnen die David had laten varen of die door later toegevoegde plotwendingen werden doorkruist. Er waren notities en probeersels bij, namenlijsten, geheugensteuntjes en ideeën voor de plot. Al het materiaal sprankelde van het leven en stond vol rake observaties; toen ik dat allemaal las, wist ik weer hoe die wonderlijke, speelse geest de wereld tot de zijne maakte. Tussen de bladzijden van een in leer gebonden kladboek zat nog een groene viltstift waarmee David onlangs nog had geschreven. Nergens op al deze pagina's was er een overzicht of een andere aanwijzing te vinden voor de structuur die David voor deze hoofdstukken in gedachten had. Er waren slechts een paar algemene aantekeningen over de lijn die de roman zou volgen, en vroege versies van sommige hoofdstukken werden voorafgegaan of gevolgd door schetsen en aantekeningen over de achtergrond van een personage en wat er met hem of haar zou gaan gebeuren. Maar er was geen lijst met de volgorde van de scènes, geen enkele indicatie van wat het begin of het slot moest worden, en niets wat je een reeks richtlijnen en instructies voor *De bleke koning* zou kunnen noemen. Toen ik al dit materiaal las en herlas, werd me niettemin duidelijk dat David met deze roman al ver gevorderd was en niet alleen een levendige, ingenieuze wereld had geschapen – het Regionale Controlecentrum van de IRS in Peoria, Illinois, anno 1985 – maar ook een opmerkelijke verzameling personages die strijd leverden met de dreigende, angstaanjagende demonen van het leven van alledag.

Karen Green en Bonnie Nadell vroegen me uit deze pagina's de best mogelijke versie van *De bleke koning* samen te stellen. Ik stond voor de grootste uitdaging van mijn leven. Maar nu ik alle bladzijden en notities van het manuscript had gelezen, wilde ik iedereen die zich aangesproken voelt door Davids werk de kans geven om te lezen wat hij geschreven had – om eens te meer te kunnen zien wat er in die briljante geest van hem omging. Hoewel *De bleke koning* beslist geen voltooide roman is, vind ik dit werk zeker even diepzinnig en moedig als al het andere wat David geschreven heeft. Door aan dit project te werken kon ik hem het meest liefdevolle eerbetoon brengen dat ik in me had.

Bij het samenstellen van dit boek ben ik uitgegaan van de aanwijzingen in Davids notities en de hoofdstukken zelf. Het was zeker geen eenvoudige opdracht: zelfs een hoofdstuk dat overduidelijk het beginpunt van de roman leek, moest pas ruim na aanvang van de roman een plaats krijgen, zo bleek uit een voetnoot en (nog duidelijker) uit een eerdere versie van dat hoofdstuk. Een andere notitie in hetzelfde hoofdstuk schetst de roman als een vertelling vol 'wisselende vertelperspectieven, structurele fragmentatie, welbewuste incongruenties'.

Veel hoofdstukken vertoonden echter een centrale verhaallijn die een vrij duidelijke chronologie aanhield. Deze verhaallijn volgt de aankomst van verschillende personages op het Regionale Controlecentrum in Peoria op een en dezelfde dag in 1985. Ze doorlopen hun oriëntatieronde, gaan bij de IRS aan het werk en leren de immense wereld van de belastingaangifteverwerking kennen. Deze hoofdstukken en de personages die daarin terugkomen hebben een logische volgorde die de ruggengraat van de roman vormt.

Andere hoofdstukken staan dan weer op zichzelf en maken geen deel uit van welke chronologie ook. Deze losstaande delen inpassen in het geheel bleek uiteindelijk het moeilijkste onderdeel van de redactie van *De bleke koning*. Tijdens het lezen werd me duidelijk dat David een structuur voor de geest stond die leek op die van *Infinite Jest*, waar de lezer lange stukken met schijnbaar onsamenhangende informatie voorgeschoteld krijgt voordat zich de contouren van de hoofdlijn in het verhaal aftekenen. In verschillende persoonlijke notities in de marge noemde David de roman 'tornadisch'; de roman zou een 'tornadogevoel' opwekken – hiermee suggererend dat de verschillende delen van het verhaal met de snelheid van een wervelwind op de lezer afkomen. De meeste van de niet-chronologische hoofdstukken gaan over het dagelijkse reilen en zeilen op het Regionale Controlecentrum en over de werkzaamheden en tradities van de IRS, en bevatten ideeën over verveling, herhaling en gewenning. Sommige hoofdstukken gaan over de moeilijke en ongewone jeugd van de diverse personages, waarvan de portee stapsgewijs duidelijk wordt. Wat me onder het rangschikken van deze hoofdstukken voor ogen stond, was ervoor te zorgen dat de verstrekte informatie de chronologie van de verhaallijn zou ondersteunen. In sommige gevallen is de volgorde essentieel voor het verhaal dat zich ontrolt; in andere gevallen is het een kwestie van tempo en stemming, bijvoorbeeld door iets langere en meer serieuze hoofdstukken af te wisselen met korte, komische hoofdstukken.

Het hoofdverhaal van de roman heeft geen duidelijk einde, wat onvermijdelijk leidt tot de vraag: hoe onaf is deze roman eigenlijk? Hoeveel meer had er kunnen zijn? Omdat er geen gedetailleerde samenvatting bestaat van de nog te schrijven scènes en verhalen, valt dit niet meer te achterhalen. Sommige aantekeningen die deel uitmaken van het manuscript dat David naliet, suggereren dat hij niet van plan was de roman een plot mee te geven die verder reikte dan wat in de hier opgenomen hoofdstukken zichtbaar wordt. In een aantekening wordt de roman voorgesteld als 'een reeks voorbereidingen van zaken die gaan gebeuren, maar uiteindelijk gebeurt er niets'. Een andere notitie heeft het over drie 'grote spelers ... maar we krijgen ze nooit te zien, alleen hun medewerkers en wegbereiders'. Nog weer een andere notitie vermeldt dat er in de roman 'iets enorms [dreigt] te gebeuren, maar uiteindelijk gebeurt er niets'. Deze regels zouden het vermoeden kunnen schragen dat de onvolledigheid intentioneel is. David liet *De bezem van het systeem*, zijn debuutroman, eindigen in het midden van een zin in een dialoog, en *Infinite Jest* roept belangrijke vragen op omtrent de plot, vragen die maar gedeeltelijk en indirect beantwoord worden. In *De bleke koning* beschrijft een personage een door hem geschreven toneelstuk, waarin een man net zo lang zwijgend aan zijn bureau zit te werken totdat het publiek wegloopt – dat is het moment waarop het stuk begint. Maar, zo vervolgt hij: 'Ik raakte er nooit uit waar de handeling uit moest bestaan, als die al nodig was.' In het gedeelte getiteld 'Aantekeningen en marginalia' achter in dit boek heb ik een greep uit Davids aantekeningen over de personages en het verhaal opgenomen. Deze aantekeningen en citaten uit de tekst geven een idee omtrent de richting en de vorm van de roman, maar geen ervan lijkt me definitief. Ik geloof dat David de wereld die hij had geschapen nog steeds aan het verkennen en uitdiepen was en er nog geen vaste vorm aan had gegeven.

Het manuscript is slechts licht geredigeerd. Een van de doelstellingen daarbij was de namen van de personages (David bedacht voortdurend nieuwe namen) en de plaatsnamen, functieomschrijvingen en andere feitelijkheden in de loop van het boek consistent te maken. Voorts zijn duidelijke grammaticale fouten en woordherhalingen gecorrigeerd. Sommige hoofdstukken waren in het manuscript aangeduid als 'nulversies' of 'Vrijuit schrijven', zoals David zijn eerste schetsen omschreef, met opmerkingen als: 'Met 50% inkorten in volgende versie.' Soms heb ik passages geschrapt ter wille van het tempo, of om een eindpunt te vinden voor een onaf hoofdstuk dat uitwaaierde en nergens heen ging. Mijn achterliggende intentie bij het samenstellen en redigeren was datgene wat voor onbedoelde afleiding en verwarring zou zorgen te laten vervallen, opdat de lezers hun aandacht zouden kunnen richten op de belangwekkende kwesties die David wilde aansnijden, en het verhaal en de personages zo bevattelijk mogelijk zouden zijn. Alle oorspronkelijke versies van deze hoofdstukken, net als al het materiaal dat aan deze roman ten grondslag ligt, zullen uiteindelijk voor iedereen te raadplegen zijn in het Harry Ransom Center van de Universiteit van Texas, waar het complete archief van David Foster Wallace een plaats heeft gekregen.

David was een perfectionist van het zuiverste water, en het lijdt geen twijfel dat *De bleke koning* er totaal anders zou hebben uitgezien als hij het boek had kunnen voltooien. In bepaalde hoofdstukken worden woorden en beelden herhaald die hij, daar ben ik van overtuigd, in een latere fase zou hebben herzien: uitdrukkingen als 'ballenknijper' en 'de schoen wringen' bijvoorbeeld zouden minder vaak voorkomen dan nu het geval is. Minstens twee personages beschikken over een dobermannhandpop. Deze en tientallen andere herhalingen en slordigheden uit eerdere versies zouden zijn gecorrigeerd en bijgevijld als David verder had geschreven aan *De bleke koning*. Maar het heeft niet zo mogen zijn. Voor de keuze gesteld om deze onafgewerkte tekst te bewerken en als boek beschikbaar te stellen, dan wel het manuscript op te bergen in een bibliotheek waar alleen letterkundigen het zouden kunnen lezen en becommentariëren, heb ik geen seconde geaarzeld. Zelfs als onvoltooid werk is het een briljant boek, een verkenning van de grootste uitdagingen waarvoor het leven ons plaatst, een artistiek waagstuk dat zijn gelijke niet kent. David wilde een roman schrijven over een van de moeilijkste onderwerpen die er bestaan – droefheid en verveling – maar die roman moest tegelijk aangrijpend, grappig en diep ontroerend zijn. Iedereen die met David heeft samengewerkt weet hoe huiverig hij ervoor was om werk de wereld in te sturen dat nog niet aan zijn eigen, hoge maatstaven voldeed. Maar een onvoltooide roman is het enige wat we hebben, en hoe zouden we die gesloten kunnen laten? David is er helaas niet meer om ons ervan te weerhouden hem te lezen, of ons te vergeven omdat we dat willen doen.

– MICHAEL PIETSCH

We vullen voorgegeven vormen en als we ze vullen
veranderen we ze en worden veranderd.

– FRANK BIDART, 'Borges en ik'

§1

Langs de flanellen vlakten en asfaltgrafieken en skylines van hellend roest, en langs de tabaksbruine rivier met zijn overhangende treurbomen en munten zonlicht die er stroomafwaarts op het water doorheen flonkeren, naar de plek aan de andere kant van het windschut, waar braakliggende velden schril zengen in de vroege hitte: kafferkoren, ganzenvoet, rijstgras, sarsaparilla, aardamandel, doornappel, akkermunt, paardenbloem, vossenstaart, muskadel, rijnkool, guldenroede, hondsdraf, fluweelblad, nachtschade, ambrosia, oot, wikke, muizendoorn, ingestulpte wilde bonen, alle kopjes lijzig knikkend in een ochtendbries als een zachte moederhand op je wang. Een pijl spreeuwen afgeschoten van boven op het schut. Glinsterende dauw die blijft liggen en de hele dag dampt. Een zonnebloem, daar nog vier, één gebogen, en in de verte paarden, stram als speelgoed. Allemaal knikken ze. Elektrische geluiden van bedrijvige insecten. Alekleurig zonlicht, een bleke hemel en cirrusspiralen zo hoog dat ze geen schaduw werpen. Insecten altijd een en al bedrijvigheid. Kwarts en vuursteen en schist en chondrietijzeren korsten in graniet. Oeroud land. Kijk om je heen. De horizon trillend, vormloos. Wij zijn allen broeders.

Dan komen hoog een paar kraaien overvliegen, een drietal, geen vlucht, zwijgend en beslist, richting de maïs en het prikkeldraad van het weiland waarachter een paard snuffelt aan het achterste van een ander paard, dat gedienstig zijn staart optilt. Het merk van je schoenen in de dauw gegrift. Een luzernen bries. Klissen aan je sokken. Droog geschraap in een duiker. De verroeste draad en verzakte palen eerder

een symbool van beteugeling dan een echte omheining. VERBODEN TE
JAGEN. Achter het schut het zoeven van de snelwegafrit. De kraaien in
het weiland staan schuin en keren vlaaien om op zoek naar wormen,
en de hele dag bakt de zon hun sporen in de omgewoelde drek, tot ze
hard zijn en er voor altijd in gegrift, rijen kleine lege lijnen met daartussen kringen die niet sluiten, omdat kop nooit helemaal staart raakt.
Lees ze.

§2

Vanuit Midway vloog Claude Sylvanshine daarna door naar Peoria met een regionale maatschappij die Consolidated Thrust heette, in een vervaarlijk toestel met dertig plaatsen en een piloot met pukkels in zijn nek die achter zijn rug een smoezelig stoffen gordijntje dichttrok om de cockpit af te schermen, met in de drankbediening een wankele jonge dame die je onderhands pinda's toestopte terwijl je een Pepsi achteroversloeg. Sylvanshine zat ergens in rij 8 bij het raam, tussen een nooduitgang en een oudere dame met een kin als een hangmat die ondanks verwoede pogingen haar zakje pinda's niet open kreeg. De boekhoudkundige basisvergelijking A = P + EV kan worden ontbonden en herschikt tot EV = A – P en zo verder. Het toestel zeilde op de opwaartse en neerwaartse luchtstromen als een rubberbootje in een storm. De enige verbindingen naar Peoria waren regionale vluchten vanuit St. Louis of een van de twee Chicago's. Sylvanshine had iets aan zijn binnenoor en kon niet lezen in een vliegtuig, maar de gelamineerde noodprocedure las hij twee keer. Die bevatte vooral plaatjes; om juridische redenen moest de maatschappij ervan uitgaan dat de passagiers analfabeten waren. Zonder het te beseffen herhaalde Sylvanshine het woord *analfabeet* in gedachten tientallen keren tot het niets meer betekende en alleen nog een ritmisch geluid was, niet onaangenaam, maar uit de pas met de veranderlijke trillingen van de propellers. Het was iets wat hij deed als hij stress had en zich er niet door wilde laten kisten. Hij was vertrokken vanuit Dulles, na een rit met een Dienstbusje vanuit Shepherdstown/Martinsburg. De drie belangrijkste codificaties van de Amerikaanse belastingwetgeving waren vanzelfsprekend die van '16, '39 en '54, maar de bepalingen inzake indexering en fraudebestrijding uit '81 en '82 waren eveneens relevant. Uiteraard zou het feit dat er opnieuw een belangrijke hercodificatie op til was geen deel uitmaken van het CPA-examen. Sylvanshine had zich ten doel gesteld te slagen voor het CPA-examen, waardoor hij in één klap twee salarisschalen zou opschuiven. De reikwijdte van de hercodificatie zou natuurlijk deels afhangen van de mate waarin de Dienst erin zou slagen de richtlijnen van het Plan te implementeren. Het werk en het examen moesten twee aparte sferen van zijn gedachten beslaan; het was cruciaal de scheiding der machten in stand te houden. De scheiding van de twee domeinen. Het berekenen van de heffing op het afgeschreven gedeelte bij de verkoop van eigendommen conform §1231 is een vijf stappen tellend proces. De vlucht duurde vijftig minuten, maar leek veel langer. Er was niets te doen, en bij al dat omsloten lawaai kon niets in zijn hoofd rust vinden; zodra de pinda's op waren had Sylvanshine niets anders om zijn gedachten te verzetten, hij kon hooguit proberen uit het raam naar de grond te kijken, die dichtbij genoeg leek om de kleuren van de huizen en de verschillende soorten auto's te onderscheiden op de vaalgrijze snelweg waarboven het vliegtuig leek te laveren. De figuurtjes op de kaart die de nooddeuren openden, aan linten trokken en met hun zitkussen tegen hun borst gedrukt als opgebaarde lijken hun armen gekruist hielden, leken amateuristisch getekend, hun gelaatstrekken weinig meer dan een paar knobbels; op hun gezicht geen spoor van angst, opluchting of wat dan ook terwijl ze op de tekening de noodglijbanen afgleden. De hendels van de nooddeuren gingen op één bepaalde manier open, de noodluiken boven de vleugels op een totaal andere. Tot het eigen vermogen behoren gewone aandelen, de winstreserves en daarnaast ook de volgende verschillende soorten beurstransacties. Beschrijf het verschil tussen een permanente en een periodieke inventaris en verklaar het (de) verband(en) tussen een fysieke inventaris en de kostprijs van de omzet. Het donkergrijze hoofd voor hem rook naar Brylcreem die op dit moment ongetwijfeld het papieren antimakassartje op de hoofdsteun doorweekte en bevlekte. Opnieuw wenste Sylvanshine dat Reynolds hier bij hem aan boord was. Sylvanshine en Reynolds waren allebei assistenten van het boegbeeld van Systeembeheer, Merrill Errol ('Mel') Lehrl, hoewel Reynolds een S-11 was en Sylvanshine maar een zielige en armzalige S-9. Sinds het debacle van '82 in het RCC in Rome hadden Sylvanshine en Reynolds steeds samengewoond en waren ook steeds samen verhuisd. Ze waren niet homoseksueel; ze woonden gewoon samen en waren beiden naaste medewerker van dr. Lehrl bij Systeembeheer. Reynolds was al een CPA en had ook een diploma in Informatiesysteembeheer, hoewel hij nauwelijks twee jaar ouder was dan Claude Sylvanshine. Deze asymmetrie was maar een van de redenen dat Sylvanshines zelfrespect sinds Rome een knauw had gekregen en waardoor hij er tegenover chef Systeembeheer Lehrl des te loyaler en dankbaarder op werd, omdat die hem na de catastrofe uit de puinhoop had gered en geloofde in Sylvanshines mogelijkheden zodra hij zijn plek had gevonden, als radertje in het systeem. De voordelen van dubbelboekhouden, een ten tijde van C. Columbus et al. door de Italiaan Pacioli ontwikkelde methode. Op de kaart stond vermeld dat dit het type vliegtuig was waarin de zuurstof bij noodgevallen uit een brandblusserachtig apparaat onder de stoelen zou moeten komen, en niet uit iets wat naar beneden kwam. De primitieve onbestemdheid op het gezicht van de figuurtjes was eigenlijk angstaanjagender dan angst of een andere zichtbare uitdrukking geweest zou zijn. Het was niet duidelijk of de kaart in de eerste plaats juridische of pr-doeleinden diende, of beide. Een ogenblik lang probeerde hij zich de definitie van *gieren* te herinneren. Toen Sylvanshine deze winter voor het examen studeerde, moest hij af en toe zo boeren dat het meer leek dan gewoon een boer; het smaakte dan haast alsof hij een beetje had moeten overgeven. Wat lichte regen trok een beweeglijk kantwerk over het raam, waardoor de kruisarcering van het land waar ze overheen vlogen opbolde. Diep in zijn hart beschouwde Sylvanshine zichzelf als een wankelmoedige prutser met in het beste geval één marginaal talent, dat zelf ook maar in de marge met hem te maken had.

In het Regionale Controlecentrum Noord-Oost van de Belastingdienst in Rome, New York, op of omstreeks de bewuste datum, was het volgende gebeurd: twee afdelingen waren achteropgeraakt en hadden op een jammerlijk onprofessionele manier gereageerd, zodat een sfeer van extreme stress hun inschattingsvermogen vertroebelde en de overhand kreeg op de geldende procedures; de afdeling had getracht de groeiende stapel aangiften, W-2-/1099-formulieren en vergelijkende auditrapporten te verbergen in plaats van de achterstand te rapporteren en een verzoek in te dienen om een deel van het overschot naar andere centra door te sluizen. De achterstand was niet openbaar gemaakt en er waren niet onmiddellijk herstelmaatregelen getroffen. Waar het systeem precies in de soep was gelopen vormde nog steeds een twistpunt, ondanks de ijverige zoektocht naar een zondebok op de hoogste niveaus van Compliance; de eindverantwoordelijkheid lag weliswaar bij de Directeur van het RCC in Rome, maar het was nooit echt helemaal duidelijk geworden of de diensthoofden haar wel een compleet beeld van de omvang van de achterstand hadden geschetst. Daarna deed over die Directeur de vileine grap de ronde dat op haar bureau een houten bordje prijkte met daarop MEVR. HAAS. Pas drie weken later hadden de auditafdelingen op Districtsniveau de noodklok geluid over het tekort aan gecontroleerde aangiften om door te lichten en/of als invoer voor de Geautomatiseerde Invorderingssystemen, en langzaam hadden de klachten hun weg naar boven gevonden tot bij Inspectie, wat zoals iedereen had kunnen bedenken maar een kwestie van tijd was geweest. In Rome was de Directeur met vervroegd pensioen gegaan en één Groepsmanager was, zeer uitzonderlijk voor een S-13, op staande voet ontslagen. Uiteraard was het belangrijk dat de herstelmaatregelen in alle stilte werden getroffen om te voorkomen dat het onvoorwaardelijke geloof en vertrouwen van het publiek in de Dienst door onnodige ruchtbaarheid werd ondermijnd. Niemand had formulieren weggegooid. Verstopt, dat wel, maar niet vernietigd of zoekgemaakt. Zelfs op het hoogtepunt van de desastreuze departementale psychose had niemand het over zijn hart verkregen formulieren te verbranden, door de papierversnipperaar te halen of in vuilniszakken verpakt ergens te dumpen. Dat zou een regelrechte ramp zijn geweest; zoiets was zeker uitgekomen. Het raam in het noodluik bestond uit niet meer dan een paar laagjes plastic, zo leek het; de binnenkant gaf onheilspellend mee als je er met je vinger tegenaan drukte. Boven het raam hing een mededeling het noodluik onder geen beding te openen, naast een iconische triptiek die illustreerde hoe je dit luik precies moest openmaken. Als systeem was het met andere woorden niet weldoordacht. Wat nu *stress* heette, noemde men vroeger *spanning* of *druk*. Vandaag was druk eerder iets wat je op iemand anders uitoefende, zoals sommige verkopers iemand onder druk kunnen zetten. Reynolds vertelde dat een van dr. Lehrls contacten op een andere afdeling het RCC in Peoria als een 'echte hogedrukpan' had omschreven, hoewel dat Controle en niet Personeelszaken betrof, de afdeling waar Sylvanshine aan was toegewezen om de fundamenten te leggen voor *een mogelijke revolutie bij Systeembeheer*. De waarheid, die Reynolds nog net in die vorm voor zich had kunnen houden, was dat het niet zo'n precaire opdracht kon zijn als ze er Sylvanshine mee hadden belast. Als zijn informatie klopte, kon je je voor het CPA-examen inschrijven bij het Peoria College of Business op 7 en 8 november, en bij het Joliet Community College op 14 en 15 november. Duur van deze detachering: onbekend. Een van de meest doeltreffende isometrische oefeningen voor zittende beroepen is je rug rechten, je grote bilspieren spannen, die houding acht tellen aanhouden, en ontspannen. Dat maakt de spieren strakker, stimuleert de doorbloeding, houdt alert en kan, anders dan andere isometrische oefeningen, zelfs in het openbaar worden uitgevoerd, aangezien de materiële massa van je bureau je bewegingen grotendeels aan het zicht onttrekt. Zorg er bij het ontspannen wel voor geen grimassen te maken of zwaar uit te ademen. Preferente en concurrente crediteuren, liquidatiebepalingen, boedelschulden conform hfst. 7 van de faillissementswetgeving. Zijn hoed lag in zijn schoot, op de riem. Chef Systeembeheer Lehrl was vóór de revelatie en zijn steile opmars begonnen als S-9-auditeur in Danville, Virginia. Hij was tien man waard. Het ergste wanneer Sylvanshine voor het examen studeerde was dat er, wat hij ook bestudeerde, in zijn hoofd een storm opstak over alle andere dingen waar hij nog niet op had gestudeerd en zich onzeker over voelde, waardoor hij zich haast onmogelijk kon concentreren en nog meer achterstand opliep. Al drieënhalf jaar bereidde hij zich voor op het CPA-examen. Het was alsof hij een maquette probeerde te bouwen bij harde wind. 'Het belangrijkste element bij het organiseren van een structuur voor een efficiënt studieproces is:' iets. Waar hij altijd de mist mee inging, waren vragen in verhaalvorm. Reynolds was de eerste keer al geslaagd voor het examen. Gieren betekende lichtjes zijwaarts heen en weer slingeren. Het woord voor op- en neergaan was iets anders. Het had iets met de assen te maken. Telkens als hij op Lombard High ergens Donagan zag, die jongen die later in het commandocentrum van de laatste twee *Apollo's* zou belanden en met zijn foto in een vitrinekast bij het secretariaat van Lombard kwam te staan, was hem iets wat 'cardanas' heette te binnen geschoten. Het ergste was dat hij toen al kon zeggen welke leraren het minst geschikt waren voor hun baan, terwijl zij op hun beurt wel doorhadden dat hij er zo over dacht en het slechtst pres-

teerden als hij toekeek. Het was een vicieuze cirkel. Sylvanshines jaar-
boek, opgeslagen in een kist in Philadelphia, was bijna helemaal blanco. Zijn bejaarde gezelschap ondernam nog steeds pogingen om haar
zakje pinda's met haar tanden open te krijgen, maar had er geen misverstand over laten bestaan dat ze geen hulp wilde of nodig had. De
geprojecteerde backserviceverplichtingen zijn gelijk aan de huidige
waarde van alle pensioenverplichtingen berekend op basis van de pen-
sioenformule voor door de werknemer geleverde diensten voorafgaand aan die datum. Spel je het snel met de klemtoon op de tweede
a en de *d* en dan de *c* en de *t*, dan wordt *aandacht* een melodieus kin-
derrijmpje, iets om op te touwtjespringen. Zeg tien keer snel na elkaar
'zes geiten in de gang'. Een van de tieners voor de speelhal naast de
toiletten op Midway droeg een zwart T-shirt met daarop de woorden
SYMPATHY FOR NIXON TOUR, gevolgd door een waslijst namen van steden in kleine applicatieletters. De tiener, die niet op deze vlucht zat,
had daarna bij de gate een tijdje recht tegenover Sylvanshine aan zijn
gezicht zitten pulken met een concentratie die totaal niet leek op de
afwezigheid waarmee er bij de Dienst tijdens geconcentreerd werk aan
gezichten en delen daarvan werd gepulkt en gevoeld. Nog steeds
droomde Sylvanshine van bureauladen en luchtkokers volgestouwd
met formulieren, van ventilatieroosters waaruit hoeken van formulieren staken, van de tot de nok met hollerithkaarten gevulde bezemkast
en de dame van Inspectie die, toen ze er daar eindelijk achter waren
gekomen dat ze in het RCC in Rome met de vergelijkende auditrapporten hopeloos achterop waren geraakt, als in een sketch van Fibber
McGee de deur forceerde en onmiddellijk werd bedolven onder de
ponskaarten. In zijn dromen zag hij nog steeds hoe Grecula en Harris
het Fornix-mainframe onklaar maakten door iets uit een thermoskan
in het achterste ventilatierooster te gieten, tot er gesis opklonk en er
wat blauwige rook ontsnapte. De tiener straalde geen enkele roeping
uit; bij sommige mensen had je dat. Deontologie behelsde het volledige eerste deel van het examen, en ook daarover deden er bij de Dienst
veel grappen de ronde. Naar grote waarschijnlijkheid was er sprake
van een inbreuk op de beroepsethiek wanneer: Het onaardse geluid
van de propellers was zo sterk dat Sylvanshine nu niets anders meer
kon horen dan een paar zwevende lettergreepflarden van de gesprekken om hem heen. De klauw van de dame op de stalen armleuning
tussen hen in bood een gruwelijke aanblik waar hij geen aandacht aan

wenste te schenken. Handen van oude mensen vond hij angstaanjagend en afstotelijk. De handen van zijn grootouders, zo herinnerde hij
zich, lagen soms als buitenaardse klauwen in hun schoot. Bij de op-
richting geeft Jones, Inc. gewone aandelen uit tegen een prijs die hoger
ligt dan hun nominale waarde. Het was moeilijk je niet de gezichten
voor te stellen van degenen die deze vragen moesten opstellen. Waar
ze over nadachten, wat hun carrièreambities en -dromen waren. Veel
van de vragen waren net kleine verhalen waar al het menselijke vlees
uit was weggesneden. Op 1 december 1982 least Clark Co. gedurende
drie jaar kantoorruimte voor een maandelijkse som van $20.000. Hon-
derd tellen lang probeerde Sylvanshine eerst zijn ene en daarna zijn
andere bil te spannen, in plaats van beide billen tegelijk, wat concentratie en een vreemd soort non-controle vergde, alsof je voor de spiegel
met je oren probeerde te wiegelen. Nu probeerde hij de spieren van
zijn nek te stretchen door zijn hoofd beurtelings naar elke zijde te laten
overhellen, heel zachtjes en geleidelijk, maar toch kreeg hij een vuile
blik van de oudere dame, die met haar donkere jurk en gedeukte gezicht steeds meer op een doodshoofd begon te lijken en als een soort
omen des doods of voorteken van een ontzettend fiasco op het CPA-
examen almaar huiveringwekkender werd, twee zaken die in Sylvanshines geest tot één enkel beeld waren samengesmolten: hij die stil en
uitdrukkingsloos een brede industriële zwabber door een gang vol
matglazen deuren duwde waarop de namen van andere mannen prijk-
ten. Alleen al de aanblik van een zwabber, een rolemmer of een conciërge met op het borstzakje van zijn grijze overall zijn in zwierige,
rode scriptletters geborduurde naam (zoals op Midway, bij de heren-
toiletten, waar een klein geel bord in twee talen waarschuwde voor
natte vloeren, de naam in lopend schrift, iets met een M, Morris of
Maurice, de man geknipt voor zijn baan zoals een mens voor precies
de kruimel ruimte die hij inneemt) bracht Sylvanshine zo van streek
dat hij kostbare tijd verloor voor hij ook nog maar kon beginnen na
te denken over hoe hij een werkbaar schema moest opstellen om de
examenstof zo efficiënt mogelijk te herhalen, al was het maar mentaal,
iets wat hij elke dag deed. Zijn grote zwakte was het strategisch organiseren en indelen van zijn tijd, en Reynolds liet geen gelegenheid on-
benut hem daarop te wijzen – hij drukte Claude op het hart om in hemelsnaam toch gewoon een boek van de stapel te pakken en te gaan
studeren in plaats van daar maar machteloos over de beste studieme-

thode te zitten piekeren. Aangiften achter kasten en in luchtkokers proppen. Bureauladen op slot draaien waar zo veel kruiscontroleformulieren in gepropt zaten dat ze sowieso niet meer open te krijgen waren. Dingen wegmoffelen onder andere dingen in de vakjes van de Tingles. Reynolds was simpelweg voorafgaand aan de hoorzitting bij het kantoor van de Directeur verschenen, en heel de ramp die hem aankleefde was als het ware opgegaan in een bureaucratische wolk violette rook; een week later kon Sylvanshine bij Systeembeheer in Martinsburg zijn dozen uitpakken bij dr. Lehrl. Het hele voorval voelde aan alsof je op een haar na aan een dodelijk verkeersongeval was ontsnapt waar je later niet eens aan kunt terugdenken zonder dat je begint te beven en niet meer kunt functioneren, zo'n bijna-ramp was het geweest. De vleugel Zware Gevallen was volledig geïmplodeerd. Het iele geluid van een nagebootst klokje begeleidde het oplichten of doven van het symbooltje met de gordels en sigaretten boven zijn hoofd; elke keer weer keek Sylvanshine onwillekeurig op. Om bewijsmateriaal te verkrijgen ter ondersteuning van een beoordeling van een financiële staat ontwikkelt de auditeur specifieke auditdoelstellingen in het licht van die beoordeling. Ergens in een rij achter hem dreinde een baby; Sylvanshine stelde zich voor hoe de moeder haar gesp losmaakte, in een andere rij plaatsnam en het kind achterliet. In Philadelphia, na de heisa rond de introductie van inflatie-indexen, waarvoor in '81 nieuwe sjablonen moesten worden uitgewerkt, was bij hem in zijn nek en de bovenkant van zijn rug een stressgerelateerde beknelde zenuw vastgesteld, waarop de gedwongen onnatuurlijke houding in de onmogelijk krappe 8-B en de doodse klauw op de armsteun naast hem niet bepaald een gunstig effect hadden, nu hij erop begon te letten. Het was waar: wat telde, en dat gold zowel voor het examen als voor het leven in het algemeen, was waar je aandacht aan schonk resp. dat op pure wilskracht juist niet deed. Qua wilskracht vond Sylvanshine zichzelf tekortschieten en zwak. Het leeuwendeel van wat anderen in hem respecteerden of waardeerden stond los van zijn wil, was een gegeven, zoals iemands lengte of gezichtssymmetrie. Reynolds noemde hem wankelmoedig, en dat klopte. Hij had een reeks herinneringen aan hoe hun buurman, meneer Satterthwaite, met een pen slijtplekken op de schoenen van zijn postuniform zwart maakte, en die reeks dijde voor hij het wist uit tot een integraal verhaal over meneer en mevrouw Satterthwaite, die kinderloos waren gebleven en bij een eerste kennismaking niet bijzonder aardig of in kinderen geïnteresseerd leken, maar desondanks toestonden dat hun tuin het de facto hoofdkwartier voor alle kinderen in de wijk werd, en zelfs dat Sylvanshine en de rooms-katholieke jongen met een tic die zowat een chronische huivering leek in een van hun bomen een wankele hut timmerden, en Sylvanshine kon zich niet herinneren of die boomhut niet af was gekomen omdat het gezin van die jongen was verhuisd, of dat die verhuizing pas later plaatsvond en de hut gewoon te wankel en met te veel boomsap doordrenkt was geweest om hem af te maken. Mevrouw Satterthwaite had lupus en was vaak onwel. Deviatieverhoudingen, nauwkeurigheidslimieten, gelaagde steekproeven. Volgens dr. Lehrl was entropie een maateenheid voor een bepaald soort informatie die je sowieso niet hoefde te kennen. Lehrls axioma luidde dat de enige doorslaggevende test voor de efficiëntie van om het even welke organisatorische structuur bestond uit informatie en het filteren en verspreiden van informatie. Met temperatuur had echte entropie geen bal te maken. Een ander effectief hulpmiddel om je te concentreren was je een rustgevend landschap met weinig prikkels voor de geest te halen, fictief of uit je herinnering, wat nog effectiever was als het tafereel ook een vijver meer beek of riviertje omvatte, want op het autonome zenuwstelsel had water een aantoonbaar kalmerend en concentratiestimulerend effect, maar na de bilspieroefeningen kon Sylvanshine, hoe hij het ook probeerde, niet meer dan een grillig patroon van primaire kleuren oproepen dat eruitzag als een psychedelische poster of als wat je zo'n beetje ziet als je een vinger in je oog hebt gekregen en het dichtknijpt van de pijn. Wat klonk dat woord toch vreemd: *onwel*. Toon aan dat de relatie tussen de fiscale tarieven voor obligatiekoersen op lange termijn en vermogenswinst op lange termijn niet inverteerbaar is. Hij wist wie in het vliegtuig verliefd was, wie zou zeggen dat hij verliefd was omdat je geacht werd dat te zeggen, en wie zou zeggen dat hij niet verliefd was. Reynolds' zelfverklaarde visie op het huwelijk / het gezinsleven was dat hij van jongs af aan nooit veel met vaders had opgehad en er niets voor voelde er zelf een te worden. Op drie verschillende plekken op de diverse luchthavens had Sylvanshine vandaag oogcontact gehad met dertigers die in een soort hightech papoosebuidel een baby op hun rug droegen, geflankeerd door hun vrouw met een doorgestikte tas vol babyspullen, de mannen duidelijk in het gareel en diep vanbinnen week of op een bepaalde manier verweekt, gelaten wanhopig, hun tred net geen sjokken, en hun ogen leeg en overmild van het vermoeide stoïcisme dat jonge vaders zo eigen is. Reynolds zou niet van stoïcisme spreken, maar van berusting in een levensgrote, verpletterende waarheid. 'Personen ten laste' waren alle personen voor wie een bepaalde vrijstelling toegekend kon worden, of voor wie een vrijstelling toegekend had kunnen worden indien het bruto-inkomen en de gezamenlijke aangifte aan de voorwaarden hadden voldaan. Noem twee standaardmethoden waarmee een fiduciaire instelling de belastingverplichtingen legaal naar een begunstigde kan doorschuiven. 'Passieve verliezen' behoorden niet eens tot de stof van het CPA-examen. Het was van levensbelang de prioriteiten voor de Dienst en die voor het Examen in twee afzonderlijke modules of netwerken onder te verdelen. Een van de vier vermelde doelstellingen bestond erin Peoria 047 scherper het onderscheid te helpen maken tussen legale investeringspartnerships en constructies die alleen maar waren opgezet om belasting te ontwijken. Van doorslaggevend belang was het onderscheid tussen passieve en actieve verliezen. Het eigenlijke project behelsde zowel het uitwerken van een goed onderbouwd plan als het opzetten van een controlestructuur voor de automatisering van enkele cruciale functies binnen de afdeling Controle in Peoria. Het doel was de automatisering achter de rug te hebben als volgend jaar in de fiscale wetgeving nieuwe regelgeving inzake de voorwaarden voor bepaalde passieve verliezen gecodificeerd zou zijn. De rouge van zijn oudere buurvrouw was heel erg rood, een paperback met de lip van een boekenlegger lag ongeopend in haar schoot; de dooraderde klauw vol levervlekken. Sylvanshines stoelnummer was op het geborstelde staal van de armleuning gebosseleerd, naast de klauw. Haar nagels waren volmaakt dieprood. De geur van zijn moeders nagellakremover, van haar poederdoos, hoe er uit haar knotje sliertjes haar ontsnapten die in de dampende keuken langs haar nek omlaag krulden als hij en O'Dowd uit de tuin van de Satterthwaites terugkeerden met blauw geslagen duimen en boomsap aan hun wimpers. Slierten en plukken kleurloze wolken flitsten langs het raam. Erboven en eronder was het een ander verhaal, maar wolken hadden altijd iets teleurstellends als je er middenin zat. Het waren geen wolken meer; het werd gewoon erg mistig. Gieren waren ook vogels, bedacht hij ineens. Toen probeerde Sylvanshine een tijdje het feit te ervaren dat zijn lichaam zich met dezelfde snelheid voortbewoog als het toestel waarin het zich bevond. In een jumbojet voelde het alsof je gewoon in een lawaaierige smalle ruimte zat; hier ervoer hij wel enige beweging, als gevolg van de veranderingen in de druk die zijn stoel en riem op hem uitoefenden, en in dat openlijk fysieke school een bepaalde zekerheid, die deels de kwetsbaarheid en het potentiële gesputter van het propellergeluid compenseerde, een geluid dat Sylvanshine zich probeerde voor te stellen, maar waarbij hij niet verder kwam dan een knagend hypnotisch en zo alomvattend gedruis dat het evengoed totale stilte had kunnen zijn. Bij een lobotomie werd er via de oogkas een soort staaf of sonde ingebracht; men had het altijd over 'frontale' lobotomie, maar of dat wilde zeggen dat er ook een andere vorm bestond? Het enige gevolg van weten dat innerlijke stress tot een slecht examen kon leiden, was innerlijke stress bij het vooruitzicht van innerlijke stress. Er moest een andere manier bestaan om met het besef van de desastreuze gevolgen die angst en stress met zich meebrachten om te gaan. Een antwoord of trucje van de wil: het vermogen er niet aan te denken. Stel dat iedereen dat trucje kende, behalve Claude Sylvanshine? Meestal verbeeldde hij zich ultieme, platonische Verschrikking als een roofvogel met een dreigende schaduw die volstond om de prooi te grijpen en te verlammen; de prooi sidderend op de grond, terwijl de schaduw groeide en de onontkoombaarheid zelve werd. Hij had dat gevoel wel vaker: stel dat er met Claude Sylvanshine iets fundamenteel mis was wat bij andere mensen niet mis was? Dat hij gewoonweg ongeschikt was, zoals sommige mensen geboren worden zonder ledematen of bepaalde organen? De neurologie van de mislukking. Stel dat hij domweg geboren en voorbestemd was om in de schaduw van Totale Angst en Wanhoop te leven, en dat al zijn zogenaamde activiteiten jammerlijke pogingen waren om hem af te leiden van het onvermijdelijke? Bespreek de belangrijkste boekhoudkundige verschillen tussen werken met een reserve en werken met afschrijvingen bij de fiscale behandeling van dubieuze vorderingen. Angst is zonder twijfel een vorm van stress. Eentonigheid lijkt op stress, maar is een afzonderlijke Categorie van Rampspoed. Telkens als er op zijn werk iets misliep – en dat gebeurde best vaak – had Sylvanshines vader de gewoonte 'Wee u, Sylvanshine' te zeggen. Er bestaat een antistresstechniek die Gedachtestop heet. De verhouding tussen de contante waarde van de verwachte nettokasstroom en het initiële investeringsbedrag wordt uitgedrukt in het indexcijfer van de overwaarde. Bedrijfsonderdeel, significant bedrijfsonderdeel, gecombineerde omzet per bedrijfsonderdeel, absolute gecombineerde omzet per bedrijfsonderdeel, bedrijfsresultaat. Prijsverschil materiaalverbruik. Prijsverschil direct materiaalverbruik. Hij dacht aan het afneembare rooster van de luchtkoker boven zijn en Ray Harris' bureau in het RCC in Rome en het geluid van het rooster dat verwijderd en daarna weer op zijn plaats geduwd en gehamerd werd met de muis van Harris' hand, en deinsde vervolgens zo sterk voor die gedachte terug dat het toestel leek te versnellen. De snelweg beneden verdween en verscheen daarna soms weer op een plek waarvoor Sylvanshine zijn wang tegen het plastic binnenraam moest drukken om hem te kunnen zien, en toen het opnieuw begon te regenen en hij merkte dat ze de daling inzetten, verscheen de weg opnieuw in het midden van het raam – het weinige verkeer kroop vooruit met een futiel en zinloos pathos waar je op de grond nooit erg in had. Stel dat het ook echt even traag aanvoelde om te rijden als het er vanuit dit perspectief uitzag? Alsof je probeerde te rennen onder water. Alles welbeschouwd kwam het uiteindelijk neer op je perspectief, je filter, op kiezen wat je waarnam. Sylvanshine probeerde zich het vliegtuigje voor te stellen zoals het er vanaf de grond uit zou zien, als een kruisbeeld tegen de wolkendeken met de kleur van oud badwater, de lichten complex knipperend in de regen. Hij stelde zich regen voor op zijn gezicht. Het was lichte regen, zoals die in West Virginia valt; hij had nog geen donder horen rollen. Ooit was Sylvanshine een avond uit geweest met een vertegenwoordigster van Xerox die in haar vrije tijd een bevlogen en semiprofessioneel banjospeelster was en daardoor op haar vingers een ingewikkeld en ietwat afstotelijk eeltpatroon had; en terwijl boven zijn hoofd opnieuw het klokje klonk en de symbooltjes oplichtten, herinnerde hij zich het diepgeel van de eeltbedden op de muis van haar handen in het gedempte tafellicht toen hij de muzikante vertelde over de fijne kneepjes van forensische accountancy en de bijenkorfachtige organisatie van het RCC Noord-Oost, dat slechts een klein onderdeel van de IRS was, en over de geschiedenis en de vaak verkeerd begrepen idealen van de Dienst en het gevoel een missie te hebben, en over de flauwe grap (vond hij) over belastingambtenaren die zich bij sociale gelegenheden in duizend bochten wrongen om anderen toch maar niet te hoeven vertellen dat ze voor de fiscus werkten, omdat dat wegens het imago van de IRS en zijn werknemers vaak zo'n domper betekende, ondertussen zijn blik aldoor gericht op de eeltplekken van de vrouw die met haar mes en vork in de weer was, en dat hij zo nerveus en gespannen was geweest dat hij maar bleef ratelen over zichzelf en haar nooit echt naar haar eigen verhaal had gevraagd, naar haar ervaringen met die banjo en wat die voor haar betekende, en daarom had ze hem niet leuk genoeg gevonden en was er tussen hen geen klik geweest. Hij had de vrouw met de banjo nooit een kans gegeven, begreep hij nu. Wat egoïsme lijkt, is dat vaak niet. In bepaalde opzichten was Sylvanshine nu bij Systeembeheer een totaal ander mens. Dat ze daalden betekende voornamelijk een verscherping van de specificiteit van de dingen beneden op de grond – akkers bleken in loodrechte voren geploegd, silo's waren verbonden met hellende stortkokers en transportbanden, een industrieterrein bestond uit afzonderlijke gebouwen met reflecterende ramen en samengeklonterde auto's op de parkeerterreinen. Elke auto was niet alleen door een afzonderlijk menselijk individu geparkeerd, maar ook bedacht, vormgegeven en geassembleerd uit onderdelen die stuk voor stuk waren vormgegeven en gemaakt, getransporteerd, verkocht, gefinancierd, gekocht en verzekerd door mensen, individuen, ieder met zijn eigen zelfbeeld en levensverhaal, die allemaal in het grotere feitenplaatje pasten. Reynolds placht te zeggen dat de werkelijkheid uit een feitenpatroon bestond dat grotendeels entropisch en willekeurig was. De truc bestond erin je te richten op de feiten die van belang waren – Reynolds was een buks vergeleken bij Sylvanshines jachtgeweer. Het gevoel dat er een straaltje bloed uit zijn rechterneusgat liep was een hallucinatie en moest absoluut worden genegeerd; het gevoel bestond gewoon niet. Bij Sylvanshine in de familie had iedereen vaak ontzettende last van zijn sinussen. Aurelius uit het oude Rome. Grondbeginselen. Vrijstellingen tegenover aftrekposten, op het ABI vs. van het ABI. Een verlies geleden door een niet-bedrijfsmatige dubieuze vordering wordt altijd beschouwd als een kapitaalverlies op korte termijn en mag derhalve op Annex D in mindering worden gebracht conform de volgende § van de Belastingcodex: Op het dak van een van de gebouwen bevond zich een gemarkeerd heliplat of een ingewikkeld visueel signaal voor de dalende vliegtuigen, de toonhoogte van het verdubbelde geraas van de propellers was nu anders, zijn rechtersinus bolde rood op in zijn schedel nu ze echt daalden, een gecontroleerde daling werd dat genoemd, de snelweg vertakte zich in rococostijl met zijn vele uitritten en halve klaverbladen en het verkeer werd drukker en had iets hardnekkigs over

zich; de klauw kwam van de stalen armsteun omhoog terwijl er beneden een watermassa verscheen, een delta of een meer, en Sylvanshine
voelde dat een van zijn voeten sliep, terwijl hij zich de eigenaardige
houding met gekruiste armen voor de geest trachtte te halen waarin
de figuren op de kaart hun zitkussen tegen hun borst drukten in het
onwaarschijnlijke geval van een landing op het water, en nu gierden
ze ontegenzeggelijk, hun snelheid werd duidelijker door de vaart waarmee beneden de dingen voorbijvlogen van wat een oudere wijk van
het menselijke Peoria moest zijn, opeengepakte blokken roetbruine
baksteen en schuine daken en een televisieantenne met daaraan een
vlag, en een flits van een bourbonkleurige rivier die niet de vorige watermassa was, maar er misschien wel mee in verbinding stond, onver-
gelijkbaar met het statige en bruisende stuk Potomac dat zich opdrong
door de ramen van Systeembeheer op de heilige grond van het kantoor
in Antietam, en het viel hem op dat de stewardess op haar klapstoeltje
haar hoofd naar beneden en haar armen rond haar eigen benen hield
waar op het eind van het jaar de totale marktwaarde van Browns ver-
handelbare effecten groter was dan de totale boekwaarde aan het begin
van het jaar, toen uit het niets en zonder waarschuwingsklokje of mededeling een uitgestrekte strook vaalgrijs beton hun tegemoetkwam
terwijl zijn colablikje klem zat in het opbergnet en de grijze doodskop
naast hem naar rechts en links zwiepte en het flakkerende geluid van
de propellers van toonhoogte of van timbre veranderde en de oudere
dame in haar stoel verstijfde en van angst haar lubberige kin hief en
een woord herhaalde dat in Sylvanshines oren als *oen* klonk, en er blauwige aders verschenen op de vuist die de geplette en gebolde, maar
nog steeds ongeopende folieverpakking pinda's van een onbestemd
merk vastgeklemd hield.

'Het vijfde effect heeft meer met jou te maken, met hoe mensen je
zien. Het is krachtig, maar beperkter inzetbaar. Hou je hoofd erbij,
jongen. Bij het eerstvolgende daartoe geschikte type met wie je oppervlakkig in gesprek bent stop je opeens midden in het gesprek, je
kijkt hem recht in de ogen en je zegt: "Wat scheelt er?" Je moet erg
bezorgd klinken. Hij zal zoiets zeggen als: "Hoe bedoel je?" En dan
zeg jij: "Er scheelt iets. Dat zie ik gewoon. Wat is er aan de hand?"
En hij zal stomverbaasd kijken en zeggen: "Hoe wist je dat?" Wat hij
niet doorheeft, is dat er bij iedereen altijd wel iets scheelt. Vaak meer

dan één ding. Hij heeft niet door dat iedereen altijd wel iets dwarszit en dat bovendien iedereen in de overtuiging leeft dat voor anderen, bij wie er volgens hen nooit iets scheelt, per krachtig wilsbesluit verborgen te kunnen houden. Zo zit de mens in elkaar. Vraag zomaar ineens wat er scheelt, en of ze nu hun hart luchten of het ontkennen en doen alsof je het mis hebt, ze zullen toch denken dat je attent en begripvol bent. Ofwel zijn ze dankbaar, ofwel zijn ze bang en zullen ze je in het vervolg uit de weg gaan. Beide reacties hebben hun nut, zoals we zullen zien. Met beide kun je je voordeel doen. Het werkt in meer dan 90 procent van de gevallen.'

En stond – nadat hij zich langs de bepoederde oudere dame had gewurmd, het type dat in haar stoel bleef wachten tot alle anderen het vliegtuig hadden verlaten om dan alleen en met geveinsde waardigheid uit te stappen – met zijn spullen in een gangpad, met in de voorste, volgepropte gelederen louter regionale zakenreizigers, zakenlieden, weloverwogen pretentieloze Midden-Westerlingen die ergens in de provincie een afspraak hadden of op de terugweg waren uit Chicago en zijn hoofdkantoren van bedrijven met namen eindigend op '-co', mannen voor wie landingen zoals dat afschuwelijk gierende gezwalk van daarnet aan de orde van de dag waren. Dikbuikige en coupereuze mannen in een dubbelgebreid bruin of beige pak, met een attachékoffertje dat ze op eerdere vluchten uit de catalogus hebben besteld. Mannen met een week gezicht dat bij hun baan past als een worst in zijn darm. Mannen die een zakrecorder de opdracht geven een memo op te nemen, mannen die uit automatisme op hun horloge kijken, mannen met een rood voorhoofd, opeengepakt in een metalen koker, terwijl het geraas van de propellers de toonladder afdaalt en de ventilatie stilvalt. Dit was zo'n passagiersvliegtuig waarvan de trappen om juridische redenen langszij moesten worden aangerold voordat de deur openging. Het glazige ongeduld van zakenmannen die veel dichter naast onbekenden staan dan ze ooit uit eigen beweging zouden doen, elkaars geur inademend, borst net niet aan rug, met over schouders gegooide kostuumhoezen, botsende koffertjes, meer schedel dan haar. Mannen die een hekel hebben aan wachten of stilstaan, die gedwongen worden allemaal samen stil te staan en te wachten, mannen met een kalfslederen Day-Timer-agenda en een Franklin-Quest-timemanagementcertificaat op zak en met de klassieke uitdrukking van onvrijwillige, be-

nauwende opsluiting op hun gezicht, de uitdrukking van een plaatselijke middenstander die, ondergekapitaliseerd en illiquide als hij is, in
een poging de maandelijkse eindjes aan elkaar te knopen overweegt
voor één keer geen arbeidsongeschiktheidspremies te betalen – vissen
spartelend in de netten van hun eigen verplichtingen. Twee uiteinde-
lijke zelfmoorden op deze vlucht, één daarvan voor altijd gekwalifi-
ceerd als ongeval. In Philadelphia was er een hele subgroep onver-
murwbare S-9-dikkoppen geweest die uitsluitend de opdracht had
achter kleine ondernemingen met achterstallige arbeidsongeschiktheidspremies aan te gaan, terwijl bij Compliance in Rome het enige
personeelslid dat daarover vanuit Martinsburg bijna een jaar lang
waarschuwingen binnenkreeg Eloise Prout was geweest, bijgenaamd
Dr. Yes, een met een macraméhoedje getooide S-9 van ergens in de
veertig die haar middagmaal nuttigde aan haar bureau uit een ingewikkeld systeem van Tupperwaredozen, een tafelschuimster van het
zieligste slag; de jongens bij Controle hadden haar Dr. Yes gedoopt
nadat ze naar verluidt met Sherman Garnett naar bed was gegaan louter op grond van de tijdens een etentje uitgesproken – maar niet na-
gekomen – belofte in het park te gaan wandelen nu het gestopt was
met sneeuwen en alles er kraakwit bij lag. Eloise Prout, die elke maand
zo ver achterbleef met haar doorverwijzings- en terugvorderingsquo-
ta's dat iedere andere S-9 zeker een bruine helm zou hebben gehaald,
maar die door die lobbes van een Orkney bij het RCC in dienst was
gehouden. Prout, die klaarblijkelijk een auto-ongelukweduwe was met
een S-9-salaris waar ze amper kattenvoer van kon kopen, wat Sylvanshine, die zijn voet voelde kloppen door de verse bloedtoevoer en zich
steeds weer excuseerde als er iemand tegen zijn handbagage stootte,
maar al te goed besefte: het was zijn derde filiaal in vier jaar tijd, en
nog altijd zat hij in schaal 9 met uitzicht op 11, mits hij dit voorjaar
voor het CPA-examen slaagde en zich op zijn nieuwe Filiaal goed
kweet van zijn taak als de ogen en oren van Systeembeheer tijdens de
vennootschapsaangiften van 15 maart en daarna op 15 april bij de tsunami van 1040's en EST-kwartaalaangiften die onder auspiciën van
Peoria 047 vielen, want hij had het CPA-examen al twee keer afgelegd
en tot nog toe alleen, en dat slechts met een krappe voldoende, Bestuurlijke Verslaglegging gehaald, en zijn reputatie, die hem uit Philadelphia tot in Rome achternagesneld was, hield hem stevig in Aangiften Klasse 1 gekluisterd – voor hem zelfs geen Zware Gevallen of

Inspectie – waardoor hij weinig meer dan een veredelde briefopener was, en Soane, Madrid e.a. waren niet te beroerd geweest dat ook op te merken.

Zijn bureauwerk verrichtte Sylvanshine gewoonlijk haast in een soort razernij, en dus niet met de trage, ernstige, methodische instelling van topaccountants, zo was hem gezegd door zijn eerste groepschef in Rome, een eeuwige nachtbraker die het RCC nooit verliet zonder zijn excentrieke jas en een romboïdaal doosje bezorgchinees voor zijn vrouw, die naar het scheen een soort kluizenares was. Deze S-11 was vroeg in zijn carrière naar het Ontvangkantoor in St. Louis gedetacheerd, letterlijk in de schaduw van dat rare, griezelige, gigantische metalen booggeval aldaar, waar dagelijks de post aankwam in puffende tientonners die in hun achteruit enorme opleggers naar de lange sorteerband op het laadperron reden, en tijdens pauzes in de pauzeruimte had de groepsleider maar wat graag steunend op zijn paraplu naar achteren geleund en zilveren wolken sigarenrook naar de tl-lampen blazend herinneringen opgehaald aan de zomers in het Midden-Westen, een streek die Sylvanshine en de andere jonge S-9's van de Oostkust niet kenden, en de groepsleider legde bij hen de kiem voor visioenen van blootsvoets vissen op de oevers van roerloze rivieren en een maan waar je de krant bij kon lezen en iedereen die altijd tegen iedereen Hallo zei als je elkaar in een soort vrolijke slow motion tegenkwam. Bussy noemden ze hem, meneer Vince of Vincent Bussy. Hij droeg een goedkope parka met een met nepbont afgezoomde capuchon en kon eetstokjes over zijn knokkels laten lopen zoals een goochelaar een blinkend muntstuk. Hij verdween na Sylvanshines tweede RCC-kerstfeestje, toen zijn echtgenote (mevrouw Bussy) ineens te midden van alle jolijt was opgedaagd in een grijswitte nachtpon en een opengeritste parka in dezelfde kleur en op de Adjunct-Regiocommissaris voor Controle was afgestapt om hem unverfroren, atonaal en vol overtuiging te verkondigen dat haar echtgenoot, meneer Bussy, had gezegd dat hij (de ARCC) het in zich had om een inslecht mens te worden, als hij tenminste eens wat ballen zou kweken, en een week later was Bussy zo onverhoeds in rook opgegaan dat zijn paraplu bijna een vol kwartaal aan de gemeenschappelijke kapstok van zijn vleugel bleef hangen, totdat iemand hem daar uiteindelijk van afhaalde. Ze verlieten het vliegtuig, gingen de trap af en haalden de stukken handbagage op die op Midway in bewaring genomen en gelabeld waren en die nu in een bonte rij op het natte tarmac naast het vliegtuig lagen; vervolgens stonden ze even en masse op een druk beschilderde betonstrook, terwijl iemand met oranje oorbeschermers en een klembord de koppen telde en de som toetste aan die van de vorige telling op Midway. De hele procedure leek enigszins ad hoc en nattevingerwerk. Op de verrijdbare steile trap had Sylvanshine met één hand zijn hoed in de juiste stand op zijn hoofd gezet en daar zoals altijd bevrediging uit geput. Zijn rechteroor plofte en kraakte lichtjes als hij slikte. De wind was warm en vochtig. Een grote slang liep van een kleine vrachtwagen naar de buik van het passagiersvliegtuig en leek het toestel bij te tanken voor de retourvlucht naar Chicago. De lucht in en terug, opnieuw en opnieuw, de hele dag. Er hing een sterke geur van brandstof en nat beton. De oudere dame – ongeteld, dat spreekt voor zich – kwam nu de angstaanjagende trap af en liep naar een limousineachtig voertuig dat aan stuurboordzijde naast het vliegtuig geparkeerd stond en dat Sylvanshine daarvoor niet had opgemerkt. Een vleugel belemmerde enigszins het zicht, maar Sylvanshine kon zien dat ze niet haar eigen deur openmaakte. De toppen van een verre bomenrij bogen door de wind naar links en weer terug. Wegens eerdere problemen in Philadelphia na verkeerde, op het allerlaatste moment genomen beslissingen reed Sylvanshine geen auto meer. Hij was er meer dan 75 procent zeker van dat het zakje pinda's nu in de handtas van de oudere dame zat. Er was een soort overleg gaande tussen de werknemer met het klembord en nog iemand met oranje oorbeschermers. Van de overige passagiers keken er een paar ostentatief op hun horloge. De lucht was zo warm en drukkend dat de omschrijving zwoel of benauwd tekortschoot. Allemaal werden ze klam aan de kant die wind ving. Inmiddels viel het Sylvanshine op dat de donkere overjassen die de meeste zakenlui droegen sterk op elkaar leken, net als hun stoer rechtopstaande kragen. Niemand droeg een hoofddeksel. Door goed op zijn omgeving te letten probeerde hij zijn gedachten en angsten uit te schakelen. De administratieve of logistieke vertraging vond plaats onder een doorhangende hemel en in een regen zo fijn dat hij eerder samen met de wind van opzij leek te komen dan te vallen. Op Sylvanshines hoed weerklonk geen geluid van vallende regen. De bontkraag van meneer Bussy's capuchon was op een misselijkmakende manier vuil geweest, wat er in zijn twee jaar als Sylvanshines groepschef bij Aangifteverwerking alleen maar erger op geworden was. Een paar van de wat assertievere passagiers wandelden onbegeleid het rood afgelijnde pad af dat door de opening in de omheining naar de terminal liep. Sylvanshine, die ingecheckte bagage had, was bang voor een boete wegens het zonder toestemming verlaten van het tarmac. Aan de andere kant: hij had een vastgesteld schema te volgen. Het was deels vanwege een zekere verlamming als gevolg van zijn getob over de logistieke moeilijkheden om Peoria 047 te bereiken dat Sylvanshine in de rusteloze groep mannen bleef staan wachten op toestemming om de luchthaven binnen te gaan – de vraag of het RCC een shuttlebusje zou inzetten dan wel of Sylvanshine vanaf het kleine vliegveld een taxi zou moeten nemen was niet afdoende beantwoord – en ook wist hij niet hoe hij in het RCC moest komen en zich moest aanmelden of waar hij zijn drie tassen zou laten als hij zich aanmeldde en zijn aankomst-, filiaalcode-, loon- en loonheffingsformulieren invulde en zijn welkomstmap kreeg, en hoe hij daarna een wegbeschrijving moest zien te krijgen om naar het appartement te vertrekken dat Systeembeheer tegen een gunstig tarief voor hem had gehuurd en te proberen daar op tijd te zijn om nog ergens op wandelafstand iets te eten te vinden, want anders zou hij opnieuw een taxi nodig hebben – behalve dat de telefoon in dat zogenaamde appartement nog niet aangesloten was en de kans in de buurt van het appartementencomplex een taxi te kunnen aanhouden hem vrij klein leek, en als hij de ene taxi die hij naar het appartement had genomen vroeg op hem te wachten zou dat problemen opleveren, want hoe moest hij de taxichauffeur ervan overtuigen dat hij, zodra hij zijn tassen had gedropt en even vlug steekproefsgewijs de staat en geschiktheid van het appartement had gecontroleerd, echt meteen zou terugkomen, en dat het dus geen trucje was om de chauffeur de ritprijs door de neus te boren door hem via de achterkant van die zogeheten Residentie Vissersbaai te smeren of zich eventueel in zijn appartement te barricaderen en niet te reageren als de chauffeur aanklopte, of aanbelde, tenminste als Sylvanshines appartement een deurbel had, wat beslist niet het geval was in zijn en Reynolds' huidige appartement in Martinsburg, of vragen/dreigementen uitte vanachter de voordeur, een list die alleen bij Claude Sylvanshine opkwam omdat een paar onafhankelijke commerciële vervoerders in Philadelphia op Annex C verliezen hadden ingediend onder het proviso 'verliezen door diefstal van diensten' en deze truc op de slordig getypte of soms zelfs handgeschreven bijlagen vereist om dergelijke ongewone of specifieke C-aftrekposten te motiveren als veelvoorkomend hadden opgegeven, terwijl als Sylvanshine de rit betaalde en de chauffeur een fooi en misschien zelfs een voorschot gaf om hem zo wat betreft het tweede deel van de rit hopelijk van zijn eerbare bedoelingen te overtuigen, dat nóg geen harde garantie zou bieden dat de gemiddelde taxichauffeur – een cynische en ethisch gezien onderontwikkelde soort, ritselaars, zoals in Philadelphia al bleek uit de uiterst lage verhouding inkomsten-uit-fooien-t.o.v.-het-aantal-ritten-in-een-doorsneedienst op hun beduimelde aangiften – niet zomaar met Sylvanshines geld weg zou scheuren, wat een enorm gedoe qua in te vullen interne formulieren zou opleveren wilde hij een percentage van zijn dagvergoeding voor reisonkosten laten restitueren, en waardoor Sylvanshine bovendien alleen zou achterblijven in het steriele, nieuwe, ongemeubileerde appartement, uitgehongerd (voor hij vertrok kreeg hij geen hap door zijn keel), zonder telefoon, verstoken van Reynolds' advies en logistiek inzicht, met een maag die dermate in de knoop zat dat Sylvanshine weinig anders kon doen dan uitpakken, op een min of meer gestructureerde manier, en wat proberen te slapen op het nylon veldbed op de kale vloer in het mogelijke gezelschap van exotisch lokaal ongedierte, nog afgezien van het in te passen uurtje studeren voor het CPA-examen dat hij zichzelf deze ochtend had beloofd, nadat hij zich wat had verslapen en daarna op het allerlaatste moment inpakproblemen had gekregen, waardoor het onmogelijk was geworden zich te houden aan het kordaat ingeplande ochtendlijke studie-uurtje vooraleer een van de onopvallende busjes van Systeembeheer voor zou rijden om hem en zijn bagage via Harpers Ferry en Ball's Bluff naar het vliegveld te brengen, om nog te zwijgen van een gelegenheid om de berg informatie over het Filiaal, zijn functie, Personeelszaken en de Systeembeheerprotocollen die hij onmiddellijk na zijn registratie en het invullen van allerlei formulieren in zijn nieuwe Filiaal zou ontvangen enigszins systematisch te ordenen en te verwerken; iedere Directeur Personeelszaken met gezond verstand zou ervan uitgaan dat een nieuwe controleur zich dat allemaal grondig eigen maakte alvorens zich aan te melden voor de eerste dag dat hij echt met de RCC-controleurs zou samenwerken, maar realistisch gezien kon Sylvanshine met de beste wil van de wereld niet van zichzelf verwachten dat hij dat allemaal zou kunnen doornemen en zich eigen maken na zestien uur vasten dan wel een nachtje op een veldbed met alleen zijn klamme regenjas als kussen – zijn speciale, aangepaste orthetische kussen voor de chronisch beknelde of ontstoken zenuw in zijn nek had hij niet kunnen inpakken, want daar was een aparte koffer voor nodig geweest waarmee hij de bagagelimiet zou hebben overschreden, met als gevolg een buitensporige toeslag waarvan Reynolds niet wilde dat Sylvanshine die betaalde, gewoon uit principe – met als bijkomend probleem 's ochtends zonder telefoon ergens een deugdelijk ontbijt te moeten vinden of vervoer voor de terugrit naar het RCC te regelen, en hoe moest je zonder telefoon eigenlijk te weten komen of en wanneer de telefoon in het appartement zou worden aangesloten, plus natuurlijk de onheilspellend grote kans zich de volgende ochtend te verslapen vanwege reisvermoeidheid en omdat hij zijn reiswekker was vergeten in te pakken – of in ieder geval niet zeker wist of hij hem had ingepakt en hij dus niet in een van de drie grote dozen was beland die hij had ingepakt en gelabeld, maar waarvan de inventarislijsten, bedoeld om ze in Peoria weer systematisch uit te kunnen pakken, heel haastig waren neergekrabbeld op de dozen die Reynolds plechtig had beloofd toe te vertrouwen aan de transportsystemen van de Facilitaire Dienst van de IRS, op ongeveer hetzelfde ogenblik dat Sylvanshines vlucht vanaf Dulles zou vertrekken, wat betekende dat het twee of zelfs drie dagen zou duren voordat de dozen met alle belangrijke spullen die Sylvanshine niet in zijn tassen kwijt had gekund zouden aankomen, en dan nog zouden ze bij het RCC aankomen en was het onduidelijk hoe Claude ze naar het appartement zou moeten krijgen – en die reiswekker was de belangrijkste reden geweest waarom Sylvanshine zich die ochtend verplicht had gezien alle zorgvuldig ingepakte bagage weer uit te pakken, en dat na al een halfuur te laat te zijn opgestaan, om op zoek te gaan naar de draagbare wekker of na te gaan of hij hem überhaupt bij zich had, maar tevergeefs – en het hele gebeuren leverde zo'n cycloon van logistieke problemen en verwikkelingen op dat Sylvanshine zich gedwongen zag een Gedachtestop in te lassen, zomaar op het natte tarmac, omgeven door rusteloos ademende lichamen, en meerdere keren een draai van 360 graden te maken in een poging zijn bewustzijn te laten versmelten met het panoramische uitzicht, dat de kleur van oud zilvergeld had en op een paar vliegveldgerelateerde zaken na eenvormig, karakterloos en zo opmerkelijk vlak was dat het leek alsof een kosmische laars de aarde had platgestampt, want in alle richtingen werd het zicht slechts onderbroken door de horizon, die dezelfde kleur en textuur had als de lucht en de spiegelende indruk wekte in het midden van een soort immense stilstaande watermassa te liggen, een oceanische indruk die werkelijk zo vernietigend was dat Sylvanshine op zichzelf teruggeworpen of -geslingerd werd en opnieuw de rand van de schaduw van de vleugel van Totale Verschrikking en Ongeschiktheid over zich heen voelde glijden, de wetenschap dat hij vast en zeker ontzettend slecht toegerust was voor wat er ook in het verschiet mocht liggen, en dat het slechts een kwestie van tijd was voordat dit aan het licht kwam en duidelijk werd voor iedereen die aanwezig zou zijn op het ogenblik dat Sylvanshine het uiteindelijk, en voorgoed, begaf.

§3

'Nu we het er toch over hebben: waar denk jij aan als je masturbeert?'

'...'

'...'

'Wat?'

Geen van beiden had het eerste halfuur een woord gezegd. Voor de zoveelste keer maakten ze de monotone, afstompende rit naar het Regiohoofdkantoor in Joliet. In een van de Gremlins uit het wagenpark, gevorderd tijdens een risicobeslaglegging bij een AMC-dealer, nu vijf kwartalen geleden.

'Kijk, ik denk dat we ervan uit kunnen gaan dat je masturbeert. Ongeveer 98 procent van alle mannen doet dat wel eens. Daar is onderzoek naar gedaan. Het grootste deel van die andere 2 procent heeft een of andere handicap. Ontkennen heeft dus geen zin. Ik masturbeer, jij masturbeert. Dat is nu eenmaal zo. We doen het allemaal en we weten dat we het allemaal doen, alleen praat niemand er ooit over. Het is een ongelooflijk saaie rit, er valt niets te beleven, we zitten hier vast in deze belachelijke auto – laten we eens buiten de lijntjes kleuren. We kunnen het er toch gewoon over hebben?'

'Welke lijntjes?'

'Waar denk je dan aan? Denk er eens over na. Het is iets heel intiems. Een van de weinige keren dat je echt op jezelf bent in het leven. Buiten jezelf heb je er niets voor nodig. Genot op grond van enkel en alleen je eigen gedachten. Die gedachten verraden een heleboel over jezelf: waar droom je over als je zelf kunt kiezen waar je over droomt.'

'...'

'...'

'Tieten.'

'Tieten?'

'Jij stelt me een vraag. Ik geef antwoord.'

'En dat is alles? Tieten?'

'Wat wil je dan dat ik zeg?'

'Alleen maar tieten? Los van de persoon? Een stel abstracte tieten?'

'Oké, flikker op.'

'Zie je ze daar dan zweven, twee tieten in de ruimte? Of met je handen eromheen of zo? Zijn het altijd dezelfde tieten?'

'Laat dit een les voor me wezen. Jij stelt me zo'n vraag en ik denk kan mij het schelen en ik geef antwoord, en dan laat jij er een hele DIF-3 op los.'

'Tieten.'

'...'

'...'

'En waar denk jij *zelf* dan aan, meneer Buiten De Lijntjes?'

§4

Uit de *Peoria Journal Star*,
maandag 17 november 1980, p. C-2:

BELASTINGAMBTENAAR VIER DAGEN DOOD

In het regiokantoor van de IRS in de gemeente Lake James onderzoekt de directie hoe het mogelijk is dat een van de personeelsleden vier dagen lang onopgemerkt dood aan zijn bureau zat, totdat iemand hem vroeg of hij zich wel lekker voelde.

Frederick Blumquist (53), al meer dan dertig jaar belastingcontroleur bij de IRS, kreeg in het Regionale Controlecentrum op Self-Storage Parkway een hartaanval in de kantoorruimte die hij deelde met vijfentwintig collega's. Afgelopen dinsdag stierf hij in alle stilte aan zijn bureau, maar niemand merkte iets ongewoons, tot zaterdagavond laat, toen een schoonmaker vroeg hoe de controleur nog aan het werk kon zijn in een kantoor waar alle lichten gedoofd waren.

Het diensthoofd van dhr. Blumquist, Scott Thomas, zei: 'Frederick kwam elke ochtend als eerste binnen en ging 's avonds altijd als laatste weg. Hij was erg op zijn werk gericht en zeer toegewijd, en daarom vond niemand het vreemd dat hij al die tijd in dezelfde houding zat en geen woord sprak. Zijn werk nam hem altijd volledig in beslag. Hij was erg op zichzelf.'

Uit een autopsie door de patholoog-anatoom van Tazewell County bleek gisteren dat Blumquist vier dagen eerder gestorven was aan de gevolgen van een hartaanval. Ironisch genoeg, aldus Thomas, maakte Blumquist tot zijn overlijden deel uit van een speciale eenheid van IRS-inspecteurs belast met de controle van de fiscale dossiers van medische maatschappen in de regio.

§5

Het is zo'n jongen die de feloranje bandelier omdoet en de kinderen uit de lagere klassen veilig over het zebrapad naar school loodst, maar niet voordat hij in de binnenstad zijn tafeltje-dek-je-ontbijtronde heeft afgewerkt bij een liefdadigheidsinstelling voor bejaarden, waar de directrice opspringt om haar deur op slot te doen zodra ze de wieltjes van zijn trolley in de gang hoort. Uit eigen zak heeft hij het metalen fluitje betaald en de witte handschoenen die hij in de richting van de auto's de lucht in steekt, handpalm vooruit, terwijl kinderen die zich niet zelf hebben aangekleed achter hem oversteken; een paar proberen er te hollen, ondanks het RUSTIG OVERSTEKEN!! op het sandwichbord met de smiley dat hij ook zelf heeft gemaakt. Hij zwaait naar de auto's waarvan hij de bestuurders kent, roept af en toe een bemoedigend woord en glimlacht nog breder als het zebrapad weer vrijkomt en de auto's optrekken, doorjakkeren en soms voor de grap opeens uitwijken en hem op een haar missen, waar hij dan om lacht, opzij springt en gezichten van geveinsde doodsangst trekt naar de flanken en achterbumpers. (De keer dat die stationwagen hem niet miste was écht een ongeluk, en hij heeft die mevrouw verschillende briefjes gestuurd om er absoluut zeker van te zijn dat zij wist dat hij dat wel begreep, en een heleboel mensen met wie hij helaas nog geen vrienden had kunnen worden vroeg hij hun handtekening op zijn gips te zetten, en hij besteedde veel zorg aan de versiering van zijn krukken, met gekleurde linten, slingers en plakglitter, en nog voordat de periode van minstens zes weken die de onverbiddelijke dokter hem had voorgeschreven verstreken was, schonk hij de krukken aan de afdeling Pediatrie van het Calvin Memorial Hospital om zo het herstel van een ander, minder fortuinlijk en gelukkig kind wat kleur te geven, en uiteindelijk inspireerde het hem tot het schrijven van een heel lang opstel voor de jaarlijkse Opstelwedstrijd voor Maatschappijleer, over hoe zelfs een pijnlijke en slepende blessure als gevolg van een stom ongeluk nieuwe mogelijkheden biedt vrienden te maken en iets voor een ander te betekenen, en dat zijn opstel niet won en zelfs geen eervolle vermelding kreeg, dat kon hem eerlijk gezegd niets schelen, omdat hij het schrijven van het opstel op zich al als een beloning had beschouwd en enorm veel had geleerd van de negen versies die hij had gemaakt, en hij was oprecht blij voor de kinderen die met hun opstel in de prijzen vielen, en hij zei hun dat hij er meer dan honderd procent zeker van was dat ze het verdienden, en dat hij, als ze hun winnende opstel wilden bewaren of misschien zelfs inlijsten voor hun ouders, best bereid was het uit te typen en te lamineren en er zelfs eventuele spelfouten uit te halen als ze dat graag wilden, en thuis legt zijn vader een hand op de schouder van de kleine Leonard en zegt dat hij trots is dat zijn zoon zo'n goeie jongen is, en stelt hem als beloning een softijsje in de Dairy Queen voor, waarop Leonard zijn vader bedankt en zegt dat het gebaar heel veel voor hem betekent, maar tevens te kennen geeft dat hij het eerlijk gezegd nog meer zou waarderen als ze het geld dat zijn vader anders aan de ijsjes zou besteden aan Voor het Gehandicapte Kind konden doneren, of beter nog, aan Unicef, om de door hongersnood getroffen kinderen in Biafra te steunen, van wie hij heel zeker weet dat ze nog nooit van softijs gehoord hebben, en zegt dat hij durft te wedden dat dat hun uiteindelijk een nog beter gevoel zal geven dan een bezoekje aan de DQ. En als de vader de munten in de gleuf van de speciale feloranje kartonnen Unicef-spaarpompoen stopt, neemt Leonard de gelegenheid te baat zijn bezorgdheid te uiten over zijn vaders gelaatstic en hem plagerig te wijzen op zijn koppige weigering bij hun huisarts langs te gaan, en hij merkt nog maar eens een keertje op dat vader volgens de tabel die aan de binnenkant van zijn slaapkamerdeur hangt drie maanden te laat is voor zijn jaarlijkse check-up en bijna acht maanden voor zijn aanbevolen tetanusherhalingsvaccinatie.)

Tijdens het eerste en tweede uur is hij gangsurveillant (qua credits ligt hij een halfjaar voor op de anderen), maar hij deelt veel vaker officiële waarschuwingen uit dan daadwerkelijke berispingen – hij is er om te helpen, vindt hij, niet om anderen te kleineren. Bij een waarschuwing glimlacht hij meestal dat je in je leven maar één keer jong bent en er dus maar beter van kunt genieten – en nu wegwezen, en maak er wat van als het even kan. Hij collecteert voor Unicef en voor Voor het Gehandicapte Kind en start in drie opeenvolgende klassen een recyclingproject op. Hij blaakt van gezondheid en zorgt ervoor dat hij altijd netjes voor de dag komt, omdat hij vindt dat hij zo beleefdheid en respect toont voor de gemeenschap waar hij deel van uitmaakt. In de klas steekt hij keurig bij iedere vraag zijn vinger op, op voorwaarde dat hij niet alleen zeker is van het antwoord, maar ook van de manier waarop de juf hoopt dat het antwoord geformuleerd wordt, zodat de uitwerking van het centrale thema die dag optimaal kan verlopen, en vaak blijft hij na lestijd nog even na om bij de juf te informeren of zijn inschatting van de achterliggende leerdoelen correct was en haar te vragen of zijn antwoorden in de les op bepaalde punten beter of nuttiger hadden kunnen zijn.

De moeder van de jongen raakt levensgevaarlijk gewond bij het schoonmaken van de oven en wordt in allerijl naar het ziekenhuis overgebracht, en hoewel hij waanzinnig bezorgd is en blijft bidden dat haar toestand zal stabiliseren en ze spoedig zal herstellen, biedt hij aan thuis te blijven en de telefoon ter hand te nemen om een alfabetisch opgestelde lijst van kennissen en bezorgde vrienden van de familie op de hoogte te houden, de post en de krant tijdig uit de brievenbus te halen, de lichten in huis 's nachts in willekeurige volgorde aan en uit te doen (een wijze raad die agent Chuck heeft gegeven in het kader van een educatief misdaadpreventieprogramma van de staat Michigan voor het geval de ouders plotseling worden weggeroepen), het storingsnummer van het gasbedrijf te bellen (dat hij uit het hoofd kent), zodat ze voordat een ander familielid wordt blootgesteld aan het risico van een huis-tuin-en-keukenongeluk kunnen komen kijken naar wat best eens een kapotte klep of schakeling in de oven zou kunnen zijn, en ook (in het grootste geheim) te werken aan een grandioos vertoon van vlaggetjes en vaantjes en borden met WELKOM THUIS en DE LIEFSTE MAMA VAN DE HELE WERELD die hij met behulp van de uitschuifbare ladder uit de garage (welteverstaan onder toezicht van een volwassene uit de buurt die ook de ladder vasthoudt) heel voorzichtig met wateroplosbare lijm aan de gevel van het huis wil bevestigen om zijn moeder feestelijk te verwelkomen als ze is ontslagen uit de intensive care en volkomen gene-

zen verklaard. Via de munttelefoon op de ic-afdeling belt Leonard herhaaldelijk met zijn vader om hem ervan te verzekeren dat hij er niet
aan twijfelt dat ze volledig zal herstellen; precies om elk heel uur belt
hij hem op, totdat er in de munttelefoon een mechanisch defect optreedt en hij alleen nog maar een hoge pieptoon hoort als hij het nummer belt, wat hij plichtsgetrouw doorgeeft aan het speciale storingsnummer van de telefoonmaatschappij, inclusief de specifieke achtcijferige
productlocatiecode van de munttelefoon (die hij heeft opgeschreven;
je weet immers maar nooit), zoals in de kleine lettertjes met technische
info over het storingsnummer helemaal achter in het telefoonboek
wordt aangeraden voor een snelle en efficiënte service.

Hij beheerst verschillende varianten kalligrafisch schrift, is (twee
keer) op origamikamp geweest, maakt uit de losse pols indrukwekken-
de schetsen van de lokale flora, fluit de zes *Nouveaux Quatuors* van Te-
lemann uit het hoofd en kan praktisch elk vogelgezang imiteren, zelfs
van exemplaren uit Audubons stoutste dromen. Af en toe schrijft hij
educatieve uitgeverijen aan over mogelijke categoriefouten en/of syn-
tactische onzorgvuldigheden in hun schoolboeken. En dan hebben we
het nog niet eens over zijn prestaties bij spellingwedstrijden. Van gewoon krantenpapier kan hij meer dan twintig verschillende soorten
admiraals-, cowboy-, priester- en multi-etnische hoeden fabriceren,
en hij biedt aan bij de kleuterklassen langs te gaan om het ook aan de
kleintjes te leren, een voorstel dat de directeur van de lagere school
Carl P. Robinson zegt op prijs te stellen, maar waar hij uiteindelijk na
ampel beraad toch niet op in kan gaan. De directeur heeft een bloed-
hekel aan het joch, maar kan niet precies zeggen waarom. Hij ziet hem
in zijn slaap, aan de schimmige randen van zijn nachtmerries – dat gesteven ruitjeshemd, die strakke scheiding in zijn haar, die sproeten en
die ijverige, gulle glimlach: *alles* wil hij voor je doen. De directeur stelt
zich voor hoe hij in Leonard Stecyks kiene gezichtje een vleeshaak
ramt en de jongen op zijn buik achter zijn Volkswagen Kever mee-
sleept over de ruwe, pas geasfalteerde wegen van de buitenwijken van
Grand Rapids. De fantasieën komen telkens uit het niets opzetten en
vervullen de directeur, een devoot mennoniet, met afschuw.

Iedereen haat het joch. Het is een complexe haat, een haat die er
vaak voor zorgt dat de haatdragenden zich gemeen en schuldig voelen,
een haat waardoor ze zichzelf gaan haten omdat ze zulke gevoelens
koesteren voor zo'n talentvolle jongen, die het bovendien zo goed be-

doelt, en omdat hij een dergelijke zelfhaat opwekt, gaan ze de jongen ongewild nog meer haten. Het is allemaal ontzettend naar en verwarrend. Er wordt flink wat aspirine geslikt als hij in de buurt is. Zijn enige echte vrienden zijn de kwetsbaren, de gehandicapten, de dikzakken, de muurbloempjes, de *non-grata* – hij weet ze te vinden. Alle 316 uitnodigingen voor de *KNALFUIF* ter gelegenheid van zijn elfde verjaardag – 322 als je de uitnodigingen op cassette voor de blinden meetelt – zijn offset gedrukt op kwaliteitsvelijn en verstuurd in bijpassende geschepte enveloppen, kalligrafisch geadresseerd in een sierlijk Filips II-handschrift waar hij drie weekeinden lang aan heeft gewerkt; elke uitnodiging bevat een Romeins genummerde opsomming van het middagprogramma in Six Flags, een rondleiding door een postdoc in het Blanford Natuureducatiecentrum, en Eten & Spelplezier à Volonté bij Shakee's Pizza & Arcade op Remembrance Drive (de hele dag gratis en voor niets, betaald van de inzamelingen oud papier en aluminium die de jongen heeft georganiseerd en in goede banen geleid – een zomer lang is hij om vier uur 's ochtends opgestaan – waarvan het batig saldo overigens naar het Rode Kruis is gegaan en naar de ouders van een terminaal zieke derdeklasser met een open rug uit Kentwood, wiens innigste wens het was een keer vanuit zijn elektrische rolstoel Dick 'Night Train' Lane van de Detroit Lions in levenden lijve op het veld in actie te zien), en de uitnodigingen noemen het feest ook uitdrukkelijk zo – een *KNALFUIF* – in een ballonvormig lettertype, als onderschrift bij een afbeelding van een opgewekte en uitgelaten gooi-alle-remmen-los-en-ren-je-rot-explosie van pure *FUN*, met daarbij het vetgedrukte, dringende verzoek **S.V.P. – CADEAUS NIET NODIG** op elk van de vier hoeken van de kaart; en van de 316 uitnodigingen, per snelpost verzonden aan alle leerlingen, onderwijzers, invalkrachten, vrijwilligers, administratief medewerkers en conciërges op C.P. Robinson, dagen uiteindelijk in totaal negen feestvierders op (ouders of begeleiders van de mindervaliden niet meegerekend), maar niemand laat het hoofd hangen en ze beleven een vreselijk leuke middag, wat ook de consensus is op de Geef-je-eerlijke-mening-en/of-suggesties-kaartjes (eveneens op velijn) die op het einde van het feest rondgaan, en de enorme hoeveelheden overgebleven chocoladetaart, Napolitaans roomijs, pizza, chips, gekaramelliseerde popcorn en negerzoenen, pamfletten van het Rode Kruis en agent Chuck over respectievelijk orgaan- en weefseldonatie en wat te doen als je benaderd wordt door een vreemde, koosjere pizza voor de orthodoxen, designservetten en reformlimonade geserveerd in plastic glazen incl. ingebouwde lemniscaatrietjes met de opdruk *De knalfuif ter ere van Leonard Stecyks elfde verjaardag – ik was erbij in 1964!* die de gasten als aandenken mochten houden, worden allemaal gedoneerd aan het kindertehuis van Kent County, waarvoor de jarige job al tijdens het afsluitende massale Twistergevecht de praktische afhandelingen en het transport regelt, bezorgd als hij is om gesmolten ijs, uitgedroogde taart en slappe prik, alsook om de gelegenheid mis te lopen de minderbedeelden te helpen; en zijn vader, die de met houtvinyl beklede stationwagen bestuurt en met één hand zijn wang in bedwang houdt, moet opnieuw bekennen dat de jongen die naast hem zit een goed en groot hart heeft, en dat hij trots is, en dat hij weet dat z'n moeder, als ze ooit weer bij bewustzijn komt, zoals ze allebei nog steeds zo ontzettend hopen, net zo ongelooflijk trots zal zijn als hijzelf.

De jongen haalt tienen en net voldoende sporadische negens om vanwege zijn cijfers niet naast zijn schoenen te gaan lopen; zijn leraren sidderen al bij het horen van zijn naam. In de vijfde klas organiseert hij in de wijde omgeving een collecte ten bate van een stuiverfonds bestemd voor iedereen die in de middagpauze zijn melkgeld al heeft uitgegeven maar die niettemin om wat voor reden dan ook nog altijd trek heeft in of behoefte voelt aan meer melk. Jolly Holly Melkunie krijgt er lucht van en laat op de zijkant van sommige van hun kwartliterpakken info over het fonds drukken naast een lijntekening van de jongen. Op school drinkt twee derde van de leerlingen opeens geen melk meer. Het fonds zelf groeit ondertussen echter zo sterk dat de directeur een compacte kantoorkluis moet bestellen. De directeur slikt tegenwoordig Seconal om de slaap te kunnen vatten, heeft last van lichte tremors en krijgt tot twee keer toe een officiële berisping voor het Niet Verlenen van Voorrang bij toch duidelijk als zodanig aangegeven zebrapaden.

Een onderwijzeres aan wie de jongen tijdens het kringgesprek een al volledig uitgewerkte reorganisatie van de kapstokken en het laarzenrek bij de muur voorlegt, opdat de jas en overschoenen van de leerling die het dichtst bij de deur zit ook zelf het dichtst bij de deur te vinden zijn, en die van de een-na-dichtste het een-na-dichtst, enzovoorts, waardoor het naar buiten gaan bij de pauzes vlotter kan verlopen en het oponthoud alsmede het mogelijke geruzie van de kluitjes half ingeduffelde leerlingen bij de deur van het klaslokaal kan worden teruggedrongen (de jongen heeft de moeite genomen het oponthoud en de kluitjes van het afgelopen kwartaal in een statistisch overzicht te verwerken, inclusief relevante grafieken en vectoren, maar vanzelfsprekend volledig geanonimiseerd), deze binnen de school vastbenoemde en al jarenlang bijzonder gewaardeerde onderwijzeres gaat ten langen leste met een botte schaar staan zwaaien en dreigt ermee eerst de jongen en daarna zichzelf te doden, waarop ze met ziekteverlof wordt gestuurd. Tijdens haar verlof krijgt ze drie keer per week een beterschapskaart, met in de envelop steevast ook een keurig getypt overzicht van de klassikale activiteiten en de voortgang die de leerlingen boeken in haar afwezigheid, dit alles bestrooid met plakglitter en gevouwen tot een volmaakte diamantvorm die opengaat bij de minste aanraking van de twee langwerpige facetten aan de binnenzijde (d.w.z. van de verstuurde kaarten), tot de doktoren van de onderwijzeres besluiten dat ze geen post meer mag ontvangen tot er verbetering of tenminste een zekere stabilisatie in haar toestand optreedt.

In 1965, net voor de grote Unicef-collecte met Halloween, wordt de jongen na het vierde uur in de zuidoostelijke toiletten te grazen genomen door drie zesdeklassers die onzeglijke dingen met hem doen en hem in een van de hokjes met het elastiek van zijn onderbroek aan het haakje laten hangen; nadat hij is opgenomen in en weer ontslagen uit het ziekenhuis (een ander ziekenhuis dan waar zijn moeder op de afdeling Langdurig Herstel verblijft) weigert de jongen de namen van zijn belagers te noemen; later stuurt hij ieder van hen in alle discretie een persoonlijke brief om hun te verzekeren dat hij na het incident geen enkele wrok koestert, en om zijn excuses aan te bieden voor de mogelijk onbewuste provocatie die eventueel de aanleiding voor hun handelen was, en hij drukt zijn aanvallers op het hart het hele gebeuren te laten rusten en zich niet over te geven aan zelfverwijt – nu niet en ook later niet, want de jongen wist heel goed dat dit soort dingen je later als volwassene pas goed parten konden gaan spelen, en hij citeert een of twee wetenschappelijke artikelen die de aanvallers eens kunnen inkijken, mochten ze wat documentatie zoeken met betrekking tot de psychologische langetermijneffecten van zelfverwijt – en in ieder schrijven spreekt hij voor zichzelf de hoop uit dat er vriendschap mag ontstaan uit het betreurenswaardige incident, waarbij hij ook een uitnodiging voegt voor een korte bijeenkomst, de komende dinsdag na schooltijd, van een in samenwerking met het plaatselijke gemeenschapscentrum georganiseerd Rondetafelgesprek Conflictbemiddeling '*(Voor een hapje en drankje wordt gezorgd!)*', waarna de gymzaallocker van de jongen én vier lockers aan weerszijden vernield worden als gevolg van een staaltje pyrotechnisch vandalisme dat, daarover zijn beide partijen het tijdens de rechtszitting volmondig eens, ontzettend uit de hand gelopen is en beslist geen poging met voorbedachten rade was om de nachtwaker te verwonden of ook maar een fractie van de ravage in de jongenskleedruimte aan te richten die er uiteindelijk werd aangericht, en tijdens de zitting verzoekt Leonard Stecyk herhaaldelijk alle aanwezige raadslieden om ten faveure van de verdachten te mogen spreken, al was het maar als karaktergetuige. Een groot percentage van zijn klasgenoten verstopt zich – duikt daadwerkelijk weg – als ze de jongen zien aankomen. Uiteindelijk bellen zelfs de randfiguren en hulpbehoevenden hem niet meer terug. Twee keer per dag moet zijn moeder worden omgedraaid en moeten haar ledematen worden gemobiliseerd.

§6

Ze zaten op een picknicktafel in dat ene park daar bij het meer, aan de rand van het meer, met in het ondiepe, half verscholen achter de oever, een stuk van een omgewaaide boom. Lane A. Dean jr. en zijn vriendin droegen allebei een blauwe spijkerbroek en een hemd met lange mouwen. Ze zaten op het tafelblad, met hun voeten op het gedeelte van de bank waarop in zorgelozer tijden mensen zaten te picknicken. Ze waren niet naar dezelfde school gegaan maar wel naar dezelfde universiteit, en hadden elkaar daar leren kennen via het studentenpastoraat. Het was lente, het gras van het park erg groen en de lucht doordrongen van zowel kamperfoelie als seringen, wat bijna te veel van het goede was. Bijen gonsden en het water bij de oever leek donker door de schuin invallende zon. Het had die week veel gestormd, met als resultaat een paar omgewaaide bomen en het gejank van kettingzagen in de straat van zijn ouders. Ze zaten allebei in dezelfde, naar voren gerichte houding op de picknicktafel, hun schouders gebogen en de ellebogen op hun knieën. Het meisje wiegde lichtjes; één keer legde ze haar gezicht in haar handen, maar ze huilde niet. Lane tuurde star en zonder te bewegen voorbij de oever naar de omgewaaide boom in het ondiepe, naar de kluwen blootliggende wortels die alle richtingen uit staken en naar de wolk van takken, allemaal half in het water. Er was niemand in de buurt, behalve een man alleen, zo'n tien picknicktafels verderop. Bij de omgevallen boom stond hij het opengereten gat in de grond te bekijken. Het was nog steeds erg vroeg; de schaduwvormen werden kleiner en verschoven naar rechts. Het meisje droeg een oud en dun katoenen ruitjeshemd met parelmoeren drukknopen, met de mouwen naar beneden gerold. Ze rook altijd erg lekker en schoon, als iemand op wie je kon vertrouwen en om wie je zielsveel kon geven, ook als je niet verliefd was. Haar geur, daar had Lane Dean meteen al van gehouden. Zijn moeder zei dat ze *met haar beide benen op de grond stond* en mocht haar graag; ze vond haar een goed mens, dat merkte je zo – op allerlei kleine manieren liet ze dat blijken. Het ondiepe water kabbelde van verschillende kanten tegen de boom, alsof het erop sabberde. Soms, als hij alleen was en nadacht, of tijdens een gebed, als hij worstelde met iets wat hij aan Jezus Christus wilde toevertrouwen, merkte hij dat hij met zijn gebalde vuist in zijn handpalm maalde, alsof hij nog steeds in het spel opging en in zijn handschoen sloeg om scherp en alert te blijven in het buitenveld. Maar dat deed hij nu niet, dat zou grof en onfatsoenlijk zijn. De oudere man bleef naast zijn picknicktafel staan en ging niet zitten; hij zag er ook wat misplaatst uit in zijn colbert of jas en met precies zo'n oudemannenhoed op als Lane Deans grootvader die als jonge verzekeringsagent op oude foto's droeg. Het leek erop dat hij naar de overkant van het meer stond te kijken. Als hij al bewoog, dan zag Lane dat niet. Hij leek eerder een afbeelding dan een man. Nergens was er een eend te bekennen.

Wat Lane Dean wel deed, was haar nogmaals verzekeren dat hij er samen met haar heen zou gaan en bij haar zou zijn. Het was eigenlijk een van de weinige dingen die hij met goed fatsoen durfde te zeggen. Nu hij het voor de tweede keer herhaalde, schudde ze haar hoofd en lachte een vreugdeloze lach, eigenlijk was het niet meer dan lucht die ze via haar neus liet ontsnappen. Haar echte lach klonk anders. In de wachtkamer, ja, daar zou hij zijn, zei ze. Dat hij zich zorgen om haar zou maken en het heel erg voor haar zou vinden, dat wist ze wel, maar hij kon niet mee naar binnen om bij haar te zijn. Dit was zo ontegenzeggelijk waar dat hij zich een uilskuiken voelde omdat hij er maar over door was blijven gaan en nu besefte wat ze gedacht had telkens als hij erover begonnen was. Het had haar allesbehalve getroost of haar geholpen de last te dragen. Hoe rottiger hij zich voelde, hoe starrer hij daar zat. Alsof alles op een koord of het scherp van de snede balanceerde; als hij zijn arm uitstrekte of haar aanraakte, zou het al kunnen omkiepen. Hij haatte het dat hij er zo versteend bij zat. Hij zag het plaatje helemaal voor zich, hij die op de punten van zijn tenen door een mijnenveld liep, als een figuurtje in een stomme tekenfilm. Zo was het al heel deze inktzwarte week gegaan, en dat was niet goed. Hij wist dat het niet goed was, hij wist dat er iets van hem verlangd werd en dat het niet deze bezorgde, ijzige behoedzaamheid was, maar hij maakte zichzelf wijs dat hij niet wist wat er dan wel van hem verlangd werd. Hij maakte zichzelf wijs dat hij er geen woorden voor had. Dat hij om haar bestwil, vanwege haar gevoelens en behoeften niet zei wat hij werkelijk dacht en voelde. Naast zijn studie werkte hij ook nog als magazijnbediende en routeplanner bij UPS, maar na hun gezamenlijke beslissing had hij geruild om vandaag vrijaf te krijgen. Twee dagen terug was hij heel vroeg wakker geworden en had willen bidden, maar het was hem niet gelukt. Hij had het gevoel dat hij steeds meer versteende, maar dacht daarbij niet aan zijn vader of aan diens wezenloze, versteende houding, tot in de kerk toe, wat hem vroeger met zo veel mededogen vervuld had. Dit was de waarheid. Lane Dean jr. voelde de zon op zijn arm en stelde zich een trein voor van waaruit hij werktuigelijk zwaaide naar iets wat steeds kleiner werd naarmate de trein zich verder verwijderde. Zijn vader en zijn moeders vader waren op dezelfde dag jarig, twee Kreeften. Sheri's haar was korenblond en keurig verzorgd; bij de scheiding in het midden gaf het licht haar hoofdhuid een roze schijn. Ze zaten hier nu al zo lang dat alleen hun rechterzijde nog schaduw ving. Hij kon naar haar hoofd kijken, maar haar aankijken, dat lukte niet. De delen waaruit hij bestond leken niet met elkaar in verbinding te staan. Ze wisten alle twee dat zij van hun beiden de slimste was. En niet alleen qua studie – Lane Dean deed accountancy en bedrijfskunde, wat redelijk ging, hij sloeg zich er wel doorheen. Zij was twintig, een jaar ouder dan hij, maar dat was niet het enige – Lane vond dat ze altijd zo goed in haar vel zat, iets wat niet alleen met haar leeftijd te maken had. Zijn moeder had eens gezegd dat ze *wist wat ze wilde*, namelijk verpleegkundige worden, beslist niet de gemakkelijkste richting aan Peoria Junior College, en daarnaast werkte ze in Het Komfoor, waar ze de mensen ontving en naar hun tafeltje begeleidde, en had ze een eigen autootje gekocht. De ernst waarmee ze in het leven stond, daar hield Lane van. Op haar dertiende of veertiende was haar nichtje gestorven, met wie ze echt close was geweest en van wie ze zielsveel had gehouden. Ze had er alleen die ene keer over verteld. Hij hield van haar geur, de donshaartjes op haar armen en de manier waarop ze het uitgierde van het lachen als ze iets echt grappig vond. Hij had het fijn gevonden om gewoon bij haar te zijn en te praten. Ze hield vast aan haar geloof en principes, en ook dat had hij fijn gevonden, maar nu, hier naast haar op de bank, merkte hij dat het hem angst inboezemde. En dat was echt heel erg. Hij kreeg steeds sterker het idee dat hij het wat zijn geloof aanging niet echt meende. Het zou best eens kunnen dat hij een beetje een hypocriet was, zoals de Assyriërs in Jesaja, wat een nog grotere zonde zou zijn dan de afspraak – hij had besloten dit te geloven. Hij wilde ontzettend graag een goed mens zijn en zich een goed mens kunnen blijven voelen. Tot nog toe had hij maar heel zelden aan de hel en aan verdoemenis gedacht. Dat aspect sprak hem niet echt aan, en tijdens de kerkdienst hield hij er zich doof voor, hij zette gewoon de knop om als de hel ter sprake kwam en onderging het gelaten, zoals je dat ook doet bij de baan die je nodig hebt om te krijgen wat je hebben wilt. Op haar tennisschoenen stonden teksten en figuurtjes die ze daar tijdens de les op had gekrabbeld. Ze bleef maar naar de grond staren. Minuscule aantekeningen en huiswerkopdrachten, met Bic geschreven in haar nette, ronde handschrift op de rubberen rand van haar schoen. Lane A. Dean keek naar de haarspeldjes in de vorm van blauwe lieveheersbeestjes aan de zijkant van haar gebogen hoofd. De afspraak stond gepland voor laat in de middag, maar toen er zo vroeg werd aangebeld en zijn moeder hem van onder aan de trap had geroepen, wist hij meteen hoe het zat en was er een vreselijke wezenloosheid over hem gekomen.

Hij zei haar dat hij niet wist wat hij moest doen; dat hij wist dat het verkeerd en heel erg zou zijn als hij het haar als een gewiekste verkoper opdrong. Hij probeerde het gewoon te begrijpen – ze hadden samen om raad gebeden en het met elkaar doorgesproken. Lane zei dat ze wist hoeveel het hem speet en dat ze het hem alsjeblieft moest zeggen als hij ongelijk had te geloven dat ze echt samen een beslissing namen toen ze besloten de afspraak te maken, omdat hij echt dacht te weten hoe ze zich gevoeld moest hebben toen het moment steeds dichterbij kwam, en hoe bang ze nu wel niet zou zijn, maar dat hij niet kon weten of er meer aan de hand was. Het was alsof hij op zijn mond na compleet verlamd was. Ze gaf geen antwoord. Dat mocht het nodig zijn om langer om raad te bidden en erover te praten, nou, dan deed hij dat graag, zei hij, hij was er voor haar. Hij zei dat de afspraak kon worden uitgesteld; ze hoefde het maar te zeggen, dan zouden ze gewoon opbellen en alles uitstellen en meer tijd nemen voor hun beslissing. Hij zei dat ze allebei wel wisten dat ze er heel vroeg bij waren. Dit was waar, zo voelde hij het, maar hij wist ook dat hij bezig was dingen te zeggen waardoor ze eindelijk haar stugge houding zou laten varen en tenminste iets terug zou zeggen, zodat hij in haar ziel kon kijken om te zien wat haar bewoog en zou weten wat hij moest zeggen om haar er toch mee in te laten stemmen. Dit wist hij allemaal zonder aan zichzelf te willen toegeven dat hij dat wilde, want dan zou hij een hypocriet en een leugenaar zijn. Diep vanbinnen wist hij wel waarom hij niet om advies en hulp had gevraagd en er met niemand in alle openheid over had gesproken, met pastor Steve noch met de andere vaste bezoekers van het studentenpastoraat, en ook niet met zijn UPS-vrienden of de medewerkers van de diaconale advies- en hulpverlening, die hij kende uit de vroegere kerk van zijn ouders. Maar hij wist niet waarom Sheri niet zelf met pastor Steve gesproken had – hij kon niet in haar ziel kijken. Ze was als een gesloten boek. Hij wilde zo ontzettend graag dat het nooit gebeurd was. Hij had sterk het gevoel dat hij nu wist waarom het echt zondig was en niet zomaar een overgebleven religieuze regel van vroeger. Hij had het gevoel dat hij erdoor in het stof was geworpen en met deemoed geslagen, en hij begreep en geloofde nu dat de regels er niet voor niets waren. Dat de regels hem persoonlijk aangingen, als individu. Hij had God gezworen dat hij zijn les wel geleerd had. Maar stel dat ook dat een loze belofte was van een hypocriet die alleen achteraf berouw toonde, die ootmoed beloofde maar in feite alleen op vergeving uit was? Misschien wist hij niet wat er in zijn eigen hart leefde, was hij niet bij machte zichzelf te begrijpen of te kennen. Hij moest ook steeds denken aan de leugensprekers en hun *woordenstrijd* in 1 Timoteüs 6. Hij voelde een enorme innerlijke weerstand, maar hij kon niet zeggen waartegen die zich richtte. Dit was de waarheid. In geen enkele van de verschillende gezichtspunten en overwegingen die hen tot hun gezamenlijke beslissing hadden gevoerd was dat ene woord gevallen – want had hij het wel uitgesproken, al was het maar één keer, en erkend dat hij van haar, van Sheri Fisher hield, dan zou het er helemaal anders voor staan: het zou niet alleen een ander gezichtspunt of perspectief hebben opgeleverd, maar radicaal hebben veranderd waar ze gezamenlijk voor hadden gebeden en waartoe ze gezamenlijk hadden besloten. Soms hadden ze samen gebeden via de telefoon, in een soort halve codetaal, mocht iemand per ongeluk het tweede toestel

53

opnemen. Ze bleef in gedachten verzonken zitten, ongeveer in de na-
denkende pose van dat ene standbeeld. Ze zaten daar op die ene tafel.
Hij was het die langs haar heen keek naar de boom in het water. Maar
hij kon het niet zeggen, want het was niet waar.

Maar evenmin had hij haar ooit rechtuit en in alle openheid gezegd
dat hij niet van haar hield. Het was best mogelijk dat dit een *stille leugen*
was. Dit zou de massieve weerstand kunnen verklaren – als hij haar
recht in de ogen keek en zei dat hij niet van haar hield, zou ze de afspraak niet afzeggen en gaan. Dat wist hij. Maar iets in hem, een vreselijke zwakte of een gebrek aan overtuiging, weerhield hem ervan het
te zeggen. Als een spier die bij hem ontbrak, zo voelde het. Hij wist
niet waarom, maar hij kon het niet, kon zelfs niet bidden om het wel
te doen. Ze geloofde dat hij goed van karakter was, iemand die vasthield aan zijn principes. Iets in hem leek bereid om iemand die zo veel
geloof en vertrouwen koesterde in zekere zin eenvoudig voor te liegen – en wat zei dat over hem? Hoe zou zo'n persoon zelfs nog maar
durven bidden? Het voelde echt aan als een voorproefje van hetgeen
het woord hel betekende. Lane Dean had nooit veel geloof gehecht
aan de voorstelling van de hel als een vuurpoel, of van een liefhebbende
God die zondaars tot een poel van vuur en zwavel veroordeelt – in zijn
hart wist hij wel dat dat niet waar was. Hij geloofde in een levende
God vol mededogen en liefde en in de mogelijkheid van een persoonlijke band met Jezus Christus, in wie de liefde op aarde belichaamd
werd. Maar terwijl hij hier naast dit meisje zat, dat hem op dit ogenblik
even vreemd was als de koudste uiteinden van het heelal, en wachtte
op wat ze zou kunnen zeggen om zijn verstarring te doorbreken, kreeg
hij het gevoel dat hij de rand of de contouren ontwaarde van wat wel
eens een heel reëel beeld van de hel zou kunnen zijn. Een beeld van
twee ijzingwekkende, gigantische legers in zijn binnenste, doodstil tegenover elkaar opgesteld. Het zou tot een strijd komen, een strijd zonder overwinnaar. Of het zou niet eens tot een strijd komen – de legers
zouden tegenover elkaar blijven staan, naar de overkant kijken en daar
iets zien wat zo vreemd was en zo van henzelf verschilde dat ze het
niet konden bevatten, wat ze zeiden herkende de andere kant niet eens
als woorden, van elkaars versteende gezichten konden ze niets aflezen,
en zo zouden ze tegenover elkaar blijven staan, in wederzijds onbegrip,
tot het einde der tijden. Dubbelhartig, en hoe dan ook hypocriet tegenover jezelf.

Als hij zijn hoofd bewoog, weerkaatste de zon in het verafgelegen deel van het meer. Het water bij de oever was niet langer zwart; je kon tot op de bodem kijken en al het water naar alle kanten in beweging zien, in alle rust, en zo probeerde hij ook weer tot zichzelf te komen terwijl naast hem Sheri haar been bewoog en aanstalten maakte om zich naar hem toe te draaien. Hij kon nu zien dat de man in het pak met de grijze hoed iets onder zijn ene arm droeg en dat hij vanaf de oever van het meer roerloos naar de overkant stond te kijken, waar kleine silhouetten op campingstoelen zaten, op een rijtje, wat betekende dat ze op baars aan het vissen waren, iets wat je normaal alleen zwarten uit de East Side zag doen, en de kleine witte vorm aan het einde van de rij was een box van piepschuim. Uitgerekend op dit moment daar bij het meer had Lane voor het eerst het gevoel dat hij dit alles in zijn geheel kon overzien; ieder voorwerp leek apart uitgelicht – de schaduwcirkel van de moeraseik was weggedraaid en nu zaten ze in de zon, hun schaduw als een tweekoppig wezen in het gras aan hun linkerkant. Hij tuurde of staarde opnieuw naar het ondiepe waar de takken net onder het oppervlak een knik leken te maken, toen het hem duidelijk werd dat hij – of een klein deel van zijn hart dat hij niet kende of kon horen – in werkelijkheid gedurende heel die afschuwelijke tijd van versteend zwijgen in gebed verzonken was geweest, want hij werd verhoord met een visioen of iets wat hij later bij zichzelf een visioen of een *moment van genade* zou noemen. Hij was geen hypocriet, alleen maar geknakt en gespleten zoals ieder ander mens. Later geloofde hij dat dat het moment was waarop hij hen beiden bijna zo had gezien als Jezus hen wellicht zag – blind maar tastend, met de wil om God te behagen ondanks hun aangeboren zondige natuur. Want op datzelfde ogenblik keek hij met de snelheid van het licht in Sheri's ziel en kreeg daar te zien wat er hier zou gebeuren nu ze zich eindelijk naar hem had toegekeerd, de man met de hoed naar de vissers keek en de omgewaaide iep cellen losliet in het water. Dit meisje, dat zo lekker rook en verpleegster wilde worden en met beide benen stevig op de grond stond, zou zijn ene hand in de hare nemen opdat hij los zou breken uit zijn verstarring en haar zou aankijken – en ze zou zeggen dat ze het echt niet kan. Dat het haar spijt dat ze dit niet eerder heeft ingezien, dat het nooit haar bedoeling is geweest tegen hem te liegen en dat ze heeft ingestemd omdat ze wou geloven dat ze het kon, maar ze kan het niet. Dat ze het zal houden en ter wereld brengen, dat is ze aan zichzelf verplicht. Haar oogopslag kalm en lucide. Dat ze de hele afgelopen nacht gebeden heeft en bij zichzelf te rade is gegaan en besloten heeft dat dit is wat de liefde haar gebiedt. Dat Lane haar alsjeblieft alsjeblieft schat moet laten uitpraten en naar haar luisteren – dit is haar eigen besluit en verplicht hem tot niets. Dat ze weet en altijd al geweten heeft dat hij niet van haar houdt, in ieder geval niet op die manier, en dat dat oké is. Het is zoals het is, en dat is oké. Ze zal het houden en met liefde ter wereld brengen, zonder ook maar iets van hem te verwachten behalve dat hij haar het beste wenst en haar keuze respecteert. Dat ze hem laat gaan, alle aanspraken opgeeft, en dat ze hoopt dat hij het PJC afmaakt en een succesvol leven zal leiden vol vreugde en goede dingen. Haar stem zal helder en kalm klinken, maar ze zal niet de waarheid spreken, want Lane heeft in haar ziel mogen kijken. Heeft háár mogen zien. Een van de zwarten aan de overkant steekt zijn arm de lucht in bij wijze van groet, of om een bij weg te jagen. Ergens ver achter hen is een grasmaaier aan het werk. Het zal een vreselijke gok zijn, alles of niets, voortspruitend uit de wanhoop in de ziel van Sheri Fisher en de wetenschap dat ze dat daar vandaag echt niet kan, maar dat ze evenmin haar familie te schande kan maken door het kind te houden, helemaal in haar eentje. De uitweg wordt in beide richtingen door haar overtuiging geblokkeerd, dat ziet Lane heel scherp; ze heeft geen andere keuze of mogelijkheden, deze leugen is niet zondig. Galaten 4,16: *Ben ik dan uw vijand geworden?* Ze vertrouwt erop dat hij een goed mens is. Lane Dean jr. zit daar op de tafel en ziet het allemaal gebeuren, niet meer versteend maar nog steeds niet bewegend, en hij voelt medelijden en ook nog iets anders, iets wat hij niet kan benoemen, een gevoel in de vorm van een vraag die deze hele week van denken en tweedracht zelfs niet één keer bij hem is opgekomen – waarom is hij er eigenlijk zo zeker van dat hij niet van haar houdt? Wat maakt één vorm van liefde zo anders? Wat als zijn idee van liefde totaal ongegrond was? Wat zou ook Jezus doen? Want nu voelde hij haar twee kleine, sterke, zachte handen op de zijne, ze wilde dat hij haar kant zou opkijken. Wat als hij gewoon bang is, wat als dat de hele waarheid is, dat het niet eens liefde is waar hij om moet bidden, maar louter de moed om haar als ze het zegt in de ogen te kijken en zich op zijn hart te verlaten?

§7

'Nieuw?' Aan weerszijden van hem zaten belastingambtenaren, en Sylvanshine vond het enigszins vreemd dat het degene met het roze timide hamstergezichtje was die zich naar hem toekeerde alsof hij hem wilde aanspreken, terwijl het degene aan de andere kant die wegkeek was die had gesproken. 'Nieuw?' Ze zaten vier rijen achter de chauffeur, die wat vreemd op zijn stoel zat.

'In tegenstelling tot?' Tot onder zijn schouderblad stond Sylvanshines nek in lichterlaaie, en hij voelde hoe er in een van zijn oogleden een spiertje begon te trekken. Bespreek het verschil in fiscale behandeling tussen iemand die getaxeerde aandelen aan een goed doel schenkt en diezelfde persoon die de aandelen verkoopt en de opbrengsten aan dat goede doel schenkt. De randen van de landelijke weg zagen er afgekauwd uit. Het licht buiten was het soort licht waarbij je je koplampen aandoet maar wat dan geen enkel effect sorteert omdat het strikt genomen nog altijd licht is buiten. Het was niet duidelijk of dit een busje was of een minibus voor maximaal 24 personen. De man die de vraag had gesteld had een bakkebaard en de ongenaakbare glimlach van iemand die twee luchthavencocktails ophad met uitsluitend pinda's als bodem. De chauffeur van het laatste busje, waarin Sylvanshine als S-9 moest meerijden, zat achter het stuur alsof zijn schouders te zwaar wogen voor zijn rug. Alsof hij zich ter ondersteuning aan het stuur vastklampte. Welke chauffeur droeg er nu een witte papieren muts? Een riem was het enige wat de wiebelige stapel bagage op zijn plaats hield. 'Ik ben de persoonlijke secretaris van het nieuwe Vicehoofd Systeembeheer voor Personeel & Organisatie, Merrill Lehrl, die binnen afzienbare tijd zal aankomen.'

'Nieuw in het Filiaal. Nog maar pas gedetacheerd bedoel ik.' De stem van de man was helder, al leek hij zich te richten tot het raam, dat niet schoon was. Sylvanshine voelde zich ingesloten; de zitplaatsen waren een soort beklede bank en hadden geen armsteunen die een zekere illusie of indruk van persoonlijke ruimte hadden kunnen wekken. Daarbij slingerde het busje ook nog eens op de weg, een gewone weg ofwel een soort landelijke snelweg, en je hoorde de vering van het chassis. Het knaagdier met zijn verlegen maar sympathieke aura was een droevige, sympathieke man die in een kooi van angst leefde en zijn hoed in zijn schoot hield. Maximumcapaciteit 24 en helemaal vol. De gistende geur van natte mannen. Het energiepeil was laag; allemaal keerden ze ergens van terug wat heel wat energie had gekost. Sylvanshine zag het roze mannetje zowat letterlijk Pepto-Bismol uit de fles drinken en huiswaarts keren naar een vrouw die hem behandelde als een saaie onbekende. Of de twee mannen werkten samen, of ze kenden elkaar erg goed; ze praatten als een tandem, overigens zonder zich daar bewust van te zijn. Een alfa-bètatandem: Audits of CID dus. Het viel Sylvanshine opeens op dat het raam hem zijdelings en zwakjes weerspiegelde en dat de alfa van de twee mannen er schik in had Sylvanshines reflectie aan te spreken alsof hij daar zelf zat, terwijl de hamster een conversabel gezicht opzette maar geen woord zei. Giften in aandelen worden beschouwd als verborgen vermogenswinsten – er was ook een geluid, puffend en tingelend als een halve maat van een kermisorgel telkens als de chauffeur terugschakelde, of toen het compacte busje opeens hard ging slingeren op de omgekeerde S naast een billboard met daarop INKRIMPEN? AMMEHOELA en een afbeelding die Sylvanshine ontging, en ook terwijl de hoffelijke man hen tussen neus en lippen aan elkaar voorstelde (Sylvanshine ving de namen niet op en wist dat dit voor problemen zou zorgen, omdat het beledigend was als je namen vergat, vooral als rechterhand van een zogenaamd wonderkind bij Personeelszaken en als Personeelszaken je werkterrein was, en vanaf nu zou hij zich in duizend bochten moeten wringen om hun namen niet te hoeven noemen, en God verhoede dat het strebers waren die verwachtten dat hij hen op een dag aan Merrill zou voorstellen, ook al was dat minder waarschijnlijk als ze bij de CID zaten, aangezien Onderzoek en Fraude doorgaans over eigen infrastructuur en kantoorruimte beschikten, vaak in een apart gebouw – zo was dat althans in Rome en Philadelphia – omdat forensische accountants zichzelf eerder als sterke arm van de wet dan als deel van de reguliere Dienst beschouwden en ze in de regel ook weinig contact zochten, en de grootste van de twee, Bondurant, maakte zichzelf en Britton inderdaad bekend als S-9-CID'ers, wat bij Sylvanshine vanwege zijn gêne over het feit dat hij hun namen niet had meegekregen pas later op de avond volledig doordrong, toen hij zich de inhoud van het gesprek herinnerde en een moment van opluchting ervoer). De timide man loog zelden, maar de hoffelijke CID-agent behoorlijk vaak, zo voelde Sylvanshine aan. Fijne regen tikte tegen het raam, regen die prikt maar je niet nat maakt. Kleine druppels – minuscule druppels – rikketikten op het glas, waarin de minder op-en-top betrouwbare van de twee met zijn hand onder zijn kin een zucht slaakte, minstens ook deels voor het effect. Ergens achter hem klonk het geluid van een videospelletje, en de nauwelijks hoorbare geluiden van de andere agenten die over de schouder van de zwijgende man die het spel speelde het verloop ervan volgden. Bij elke tweede zwiep slaakten de ruitenwissers van het busje / de bus een gilletje – het viel Sylvanshine op dat het was alsof de chauffeur zijn kin op de bovenkant van het stuur liet rusten; hij leunde naar voren om dichter op de voorruit te zitten, zoals mensen die nerveus zijn of slechte ogen hebben plegen te doen als ze de weg niet goed kunnen zien. De meer gelikte van de twee CID-agenten had in het raam een haast vliegervormig gezicht, vierkant en tegelijk puntig bij zijn jukbeenderen en kin; Bondurant voelde het afgetekende gewicht van zijn kin in zijn handpalm, en de rand van het raamprofiel die zich in een rechte lijn tussen de beentjes van zijn elleboog groefde. Op Sylvanshine na wist iedereen waar ze geweest waren en wat ze in Joliet hadden uitgevoerd, maar geen van hen dacht daar op een inhoudelijke manier aan terug, want mensen denken nu eenmaal niet op die manier terug aan wat ze zojuist hebben gedaan. Van buitenaf was duidelijk wat voor voertuig het was – zowel door de vorm als door het geslinger, en ook vanwege het feit dat de bovenste laag beige verf slordig was aangebracht en de koplampen van de auto's achter hen hier en daar glimpen oppikten van de felle kleuren eronder, en van de ballonvormige letters en de op schuine ijsstokjes geprikte afbeeldingen die op een mysterieuze manier die alleen kinderen snappen mjammie leken te zeggen. Binnen hoorde je het geluid van de motor en fluctuerend smalltalkgemurmel dat smolt in de verwachting van iets wat op zijn eind liep – van een conferentie of bezinningsdag misschien, of anders een bijscholingscursus; in Rome ging het personeel voor bijscholing steevast naar Buffalo of Manhattan – en het computerspelletje, en een licht ruisen of tjilpen in de ademhaling van die bleke roze kerel, die Sylvanshine naar de rechterkant van zijn gezicht kon voelen kijken, en het geluid van Bondurant die Sylvanshine naar de CID-afdeling van het kantoor in Rome vroeg, en van één plek naar voren en één achter hem rechts het blikkerige gefluister van mensen die mogelijk naar een koptelefoon luisterden – wat op een jonger iemand wees, en het schoot Sylvanshine te binnen dat de laatste keer dat hij een zwarte of latino had gezien op het vliegveld van Chicago was geweest – niet O'Hare – waarvan hij de naam niet gelassood kreeg, maar het zou raar overkomen om voor zoiets zijn betalingsbewijs uit zijn koffertje te halen – terwijl de kleinere man hem net zo lang in de gaten leek te houden totdat hij iets zou doen wat zijn ongeschiktheid of een hiaat in zijn geheugen zou verraden. Bespreek de voordelen van octale machinetaal t.o.v. binaire machinetaal bij het ontwerp van een programma op Niveau 2 voor het opsporen van regelmatigheden in de kasstroomoverzichten van soortgelijke bedrijven, noem twee belangrijke voordelen die een franchisenemer heeft bij het indienen van een aangifte als dochteronderneming van het moederbedrijf via Annex 20/50 die hij niet heeft als zelfstandige bedrijfsentiteit – en daar was ze weer, de flard stoommuziek die Sylvanshine niet kon plaatsen maar die hem zin gaf om op te springen en samen met de andere kinderen uit de buurt op straat ergens achteraan te rennen, kinderen die allemaal uit hun voordeur gestormd kwamen en er zwaaiend met kleingeld als de wiedeweerga achteraan gingen, en voor hij het wist zei Sylvanshine: 'Dit kan bizar klinken, maar hoort een van jullie ook af en toe –?'

'Mister Squishee,' zei de agent rechts van hem met een bariton die volstrekt niet bij zijn lichaam paste. 'Veertien bestelbusjes voor de ambulante verkoop van ijslekkernijen, in Oost-Peoria in beslag genomen bij Mister Squishee, samen met kantooruitrusting, de uitstaande rekeningen en de aandelen van vier van de zeven familieleden die eigenaar waren van een categorie-S-bedrijf dat, zo wist de raadsman van deze Regio het Hof van Beroep in Chicago te overtuigen, wel degelijk vennootschapsbelasting verschuldigd was,' aldus Bondurant, 'en waarvan de eigenaars de winst niet in hun personenbelasting hadden mogen

opnemen. Een ontevreden personeelslid vervalste de afschrijvingstabellen van de hele rimram, van vrieskisten tot bestelwagens zoals deze
hier –'

'Risicobeslaglegging,' zei Sylvanshine, vooral om te laten zien dat
hij kon meepraten. De plaats vlak voor Sylvanshine was niet bezet, en
hij keek uit op de vlezige, bozige nek van de man op de plek daar nog
eens voor, wiens hoofd schuilging onder een naar achteren geduwde
pet van Busch Beer, wat ontspanning en ongedwongenheid moest uitstralen.

'Dit is een ijscowagen?'

'Enorm motiverend, hè? Alsof door dat likje verf niemand zou merken dat onze crème de la crème naar het werk wordt gereden in een
wagen die vroeger sinassticks en chocoblokken verkocht met een ijs-
coman achter het stuur die met zijn grote plompe witte kiel en rubberen gezicht veel weg had van een blanc-manger.'

'De chauffeur ging hier vroeger voor Mister Squishee mee de baan
op.'

'Daarom rijden we ook zo langzaam.'

'We kunnen niet harder dan negentig; moet je eens kijken wat voor
rij er achter ons met groot licht zit te seinen.'

Britton, de kleinere, rozere man, had een rond, donzig gezicht. Hij
was in de dertig, maar het was niet duidelijk of hij zich schoor. Het
vreemde was dat Sylvanshine in King of Prussia was opgegroeid in een
nieuwbouwwijk, met verkeersdrempels en een buurtcomité dat elke
vorm van ambulante handel had verboden, vooral als daar een stoom-
orgel aan te pas kwam – Sylvanshine had in zijn leven nog nooit achter
een ijscowagen aan gerend.

'De chauffeur ligt nog steeds onder beslag – de beslaglegging da-
teert pas van het vorige kwartaal, en omdat het DH heeft becijferd dat
de opbrengst uit een openbare verkoop niet opweegt tegen het in bedrijf houden van het wagenpark en de bestuurders voor de volledige
duur van het beslag, rijdt iedereen onder S-11 nu rond in een bestelwagen van Mister Squishee,' zei Bondurant. Als hij sprak bewoog zijn
hand samen met zijn kin, wat Sylvanshine er lastig en onecht vond uitzien.

'Mevrouw Kortetermijnvisie.'

'Vreselijk demotiverend. Om nog te zwijgen van het pr-debacle toen
kinderen en hun ouders de wagens die ze met onschuld en heerlijke

napolitana's en apollo's associeerden door de fiscus als het ware gekaapt zagen worden. Ook voor observaties trouwens.'

'Het is haast niet te geloven, maar we voeren in deze bestelwagens dus ook observatieopdrachten uit.'

'Je krijgt nog net geen stenen naar je kop.'

'Mister Squishee.'

'Soms is de muziek nog erger; in sommige bestelwagens hoor je bij het schakelen elke keer zo'n riedel.'

Ze passeerden nog een bord, aan de rechterkant nu, maar dit keer kon Sylvanshine het wel lezen: HET IS LENTE, WERK VEILIG OP HET LAND.

Bondurant, bekaf na twee dagen op een klapstoel, keek zonder echt te kijken naar vijf hectare maïs – ze waren bezig de stengels onder te ploegen en egden tegelijk het veld voor het zaaigoed in april; ze hadden het in de herfst kunnen omploegen zodat de stengels de hele winter konden rotten om de grond te bemesten, maar met die moderne kunstmest vol organofosfaten en dergelijke, bedacht Bondurant, was het waarschijnlijk die twee dagen omploegwerk in de herfst niet waard, en bovendien lieten ze om een of andere reden die Higgs d'r paps hem ooit verteld had maar die hij was vergeten in de winter graag de grond in kluiten liggen, ter bescherming van iets in de grond – en zonder het te beseffen moest hij opeens denken aan het stoppelveld dat hem herinnerde aan de oksel van een meisje dat haar oksels niet vaak schoor, en zonder de verbanden te zien tussen het veld dat nu voorbijschoof en achter de ruit plaatsmaakte voor een opstand wilde eiken en de oksel en het meisje, dacht hij verkeerdelijk aan Cheryl Ann Higgs, inmiddels Cheryl Ann Standish en datatypiste bij American Twine, een gescheiden moeder van twee kinderen, woonachtig in een dubbelbrede trailer waarvoor haar ex blijkbaar was gearresteerd toen hij die in de fik had proberen te steken, kort nadat Bondurant als S-9 werd overgeplaatst naar de CID, en die hij in '71 had meegevraagd naar het schoolbal van Central Catholic High in Peoria, waar ze allebei waren genomineerd en Bondurant werd verkozen tot tweede onderkoning en hij een kobaltblauwe smoking en te nauwe, gehuurde schoenen droeg en zij zich die avond niet liet neuken, zelfs niet na het bal toen de andere jongens met hun meisjes omstebeurt gingen neuken in de zwartgouden Chrysler New Yorker waarmee ze waren gekomen en die ze voor de gelegenheid gehuurd hadden bij de korte stop z'n pa die bij Hertz werkte en waar vlekken in kwamen zodat de korte stop de hele zomer op het vliegveld achter de Hertz-balie stond om de bekleding van de New Yorker af te betalen. Danny dinges, wiens pa kort daarop was overleden, maar daardoor kon hij dus die zomer niet in de juniorencompetitie honkballen, raakte uit vorm, haalde op NIU maar net de selectie, verspeelde zijn beurs en God mag weten wat er van hem geworden is, maar niet één vlek kon op het conto van Bondurant en Cheryl Ann Higgs worden geschreven, al zijn smeekbeden ten spijt. De fles sterkedrank had hij niet durven inzetten, want als hij haar dronken thuisbracht zou d'r paps ofwel hem hebben afgemaakt ofwel haar huisarrest hebben opgelegd. Het mooiste moment in Bondurants leven tot op heden dateerde van 18-5-1973 in zijn tweede jaar op de universiteit: zijn driehonksslag als pinchhitter tijdens de laatste thuiswedstrijd in Bradley die Oznowiez, de toekomstige Triple-A-catcher, naar het achterveld dwong en die hun de overwinning tegen SIU-Edwardsville opleverde en Bradley naar de play-offs in Missouri Valley loodste, zonder succes weliswaar, maar aan zijn bureau, met zijn voeten omhoog en een stapel klemborden op zijn schoot, gaat er amper een dag voorbij zonder dat hij die vuurpijl van een SIU-slider voor zich ziet zweven en de trillingloze tink voelt als de barrel contact maakt en het tweetonige gekletter van de vallende aluminium bat hoort en ziet hoe de bal praktisch van de paal van het verreveldhek links flippert en van het hek aan de overkant af ploinkt, en ziet en hij zou zweren ook hoort hoe beide hekken tjingelen door de kracht van de bal, die hij zo hard had geraakt dat hij het altijd zal blijven voelen, terwijl hij niet bij machte is een zelfs maar half zo sterke herinnering op te halen aan Cheryl Ann Higgs en hoe ze aanvoelde toen hij bij haar naar binnen gleed op een deken bij de vijver achter het bosje voorbij de grens van het kleine stuk weiland waarop meneer Higgs en een van zijn ontelbare broers melkvee hielden, hoewel hij zich goed herinnert welke kleren ze droegen en de geur van de verse algen in de vijver bij de afvloeiingspijp die bijna klaterde als een beek, en de uitdrukking op Cheryl Ann Higgs' gezicht toen ze zich in haar ruggelingse houding en positie schikte en Bondurant wist dat hij, zoals men zegt, vrij spel had, maar elk oogcontact meed omdat de blik in Cheryl Ann Higgs' ogen, die Tom Bondurant zonder daar ooit nog aan terug te denken nooit vergeten is, er een was van ongeneeslijke, wezenloze verslagenheid, niet zozeer van een fazant tussen de kaken van een hond als wel van iemand die een bedrag overmaakt en op voorhand weet dat het rendement daarop nooit voldoende zal zijn. Het jaar daarna waren ze in een waanzinnig obsessieve liefdesspiraal terechtgekomen: ze gingen uit elkaar en vervolgens lukte het hun niet om afstand te houden, tot het haar op een keer wel lukte, en dat was het dan.

De kleine, lichtroze CID-agent Britton had, zonder ook maar zijn keel te schrapen of een bruggetje te maken, aan Sylvanshine gevraagd waar hij aan dacht, wat Sylvanshine belachelijk en ongehoord ongepast en intimiderend vond, alsof je gevraagd werd hoe je vrouw er naakt uitzag of hoe je wc na gebruik rook, maar natuurlijk was het onmogelijk zoiets hardop te zeggen, vooral voor iemand die als opdracht had te zorgen voor een goede verstandhouding en ruisvrije communicatiekanalen waar Merrill Lehrl na zijn aankomst zijn voordeel mee zou kunnen doen – om te bemiddelen voor Merrill Lehrl en tegelijk ook informatie te vergaren over zo veel mogelijk aspecten en zaken in verband met de aangiftecontrole, aangezien er een paar moeilijke en delicate beslissingen zouden moeten vallen, beslissingen met een impact die veel verder reikte dan dit provinciale filiaal en die hoe dan ook hard zouden aankomen. Sylvanshine, die zich een beetje maar niet volledig draaide (wegens een oranje opflakkering in zijn linkerschouderblad) om toch in ieder geval met Gary Brittons linkeroog contact te maken, besefte dat hij Britton en alle anderen in de bus in emotioneel of ethisch opzicht amper kon 'lezen', met uitzondering van Bondurant, die nu een soort weemoedige herinnering beleefde en zwolg in zijn weemoed, er zich zo ongeveer in onderdompelde zoals je dat in een warm bad zou doen. Als er een zware tegenligger passeerde, lichtte de brede rechthoek van de voorruit een tel fel en mat op door het water, dat aan de kant werd geschoven door de heroïsch zwoegende ruitenwissers. Brittons starende blik – hij keek eerder *naar* dan *in* zijn rechteroog, vond Sylvanshine. (Op dat moment, terwijl hij uit het raam naar buiten keek maar in feite terugblikte naar binnen, op zijn eigen herinnering, schoot het Thomas Bondurant door zijn hoofd, waar het nogal eens wilde wervelen, dat je *uit* een raam kon kijken, en *in* het raam naar de gouden paardenstaart en een glimp van een roomblanke schouder, *door* [bijna 'uit'] een raam of zelfs *naar* een raam, zoals bij het controleren van de transparantie van het glas, en of het schoon was.) Maar toch had dat staren iets verwachtingsvols, en opnieuw merkte Sylvanshine ondanks zijn lege maag en de beknelde zenuw in zijn sleutelbeen hoe mat de algemene stemming in de bus was en hoe die verschilde van de afgrijselijke spanning bij de honderdzeventig agenten in Philadelphia 0104 of de manische apathie bij het kleine tiental in 408 in Rome. Zijn eigen stemming, een complex amalgaam van bestemmingsvermoeidheid en de anticiperende angst die je eerder aan het eind van een verhuizing dan van een reis voelde, strookte op geen enkele manier met de stemming van de voormalige Squishee-bestelwagen of de weemoedige oudere agent links van hem of de menselijke lege vlek die een intimiderende vraag had gesteld waarop een eerlijk antwoord het intimiderende ervan aan de orde zou stellen, waarmee Sylvanshine nog voor zijn aankomst op kantoor al in een aan personeelszaken rakend dilemma verwikkeld was, wat Sylvanshine een ogenblik lang verschrikkelijk oneerlijk vond en wat hem met zelfmedelijden vervulde: het gevoel was niet zo zwart als de vleugel der wanhoop, maar kleurde karmijn door een rancune die tezelfdertijd beter en slechter was dan gewone angst, omdat ze nergens specifiek op was gericht. Hij kon niemand de schuld geven; iets in Gary of Gerry Brittons uitstraling maakte duidelijk dat zijn vraag domweg in het verlengde van zijn karakter lag en dat hij er niet meer schuld aan had dan een mier die tijdens een picknick op je aardappelsalade kroop – het was gewoon de aard van het beestje.

§8

Onder het spandoek HET IS LENTE, WERK VEILIG OP HET LAND dat in mei altijd boven de parallelweg wordt gespannen en voorbij de noordelijke toegangsweg met z'n verweerde naam, ventverbod en verkeersborden met snelheidsbeperkingen en het universele symbool voor spelende kinderen, en langs het asfalt en het spervuur van dubbelbrede pronkstukken voorbij de rottweiler die met manische spasmen aan het uiteinde van zijn ketting de leegte in beult en het geluid van opspattend vet dat via het raam van de kitchenette uit de trailer komt bij de haarspeldbocht rechts en dan bij de verkeersdrempel scherp naar links het kreupelhout in dat nog steeds niet gekapt is om plaats te maken voor nieuwe standaardtrailers en het geluid van knappende droge dingen en sjirpende insecten in de onderlaag van het kreupelhout en de twee flessen en felgekleurde plastic verpakking aan een twijg van de moerbeiboom gespietst, kijkend door een steeds veranderende parallax van de loten van jonge boompjes naar een groep trailers aan weerszijden van de kronkelige paden en wegen aan de noordkant van het terrein die langs de golfplaten trailer lopen waar naar het schijnt een man zijn gezin achterliet om later terug te komen met een geweer en ze allemaal te vermoorden toen ze *Dragnet* zaten te kijken, en naar de verlaten en opengereten smalle trailer, half overwoekerd door de uitlopers van het kreupelhout, waar jongens met hun meisjes op geïmproviseerde bedden vreemde agnatische figuren uitvoerden en felgekleurde aangebroken pakjes lieten liggen tot een ongeluk met een kachel de gasleiding opblies en in de zuidelijke wand van de trailer een forse labiale scheur sloeg waardoor het ontweide binnenste vanaf de uitlopers van het kreupelhout nu voor menig oog blootligt daar waar na een lange winter onder menige schoen dennennaalden en plantenstengels kraken en het kreupelhout ineens ophoudt, voorbij het einde van een braakliggende cul-de-sac waar ze nu in de schemering komen kijken naar de geparkeerde auto die staat te schudden op zijn veringen. De ruiten zowat opaak van de condens en met zo veel leven in het chassis dat hij bijna lijkt te bewegen zonder dat de motor draait, deze hulk van een auto met zijn piepende veerpoten en schokdempers en een schommeling waar net geen echt ritme in zit. De vogels in de schemering, de geur van afgebroken naaldhout en de kaneelkauwgom van een jonger iemand. De hotsende bewegingen doen denken aan een auto die met hoge snelheid over een slecht wegdek rijdt, waardoor de stilstaande Buick onwezenlijk lijkt en beladen met iets als romantiek of dood in de starende blik van de neergehurkte meisjes aan de rand van het kreupelhout, hun ogen ernstig en anderhalve keer zo groot, wachtend tot af en toe de bleke schim van een ledemaat achter de ruit passeert (op een keer een blote voet plat en trillend ertegenaan), en in de laatste week voor het echt lente wordt sluipen ze iedere nacht haast dyadisch steeds verder de helling af en dagen elkaar geruisloos uit om tot vlak bij de verende auto te kruipen en naar binnen te kijken, maar degene die dat uiteindelijk durft, ziet niet meer dan de weerspiegeling van haar eigen grote ogen als aan de andere kant van het glas een kreet opklinkt die ze maar al te goed kent en die haar elke keer weer van achter de bordkartonnen trailerwand uit haar slaap haalt.

Het brandde in de gipsheuvels in het noorden, de rook bleef hangen en stonk naar zout; toen verdwenen de tinnen oorringen zonder geruzie of een onvertogen woord. Daarna een hele nacht niet thuisgekomen, toen twee. Het kind als moeder van de vrouw. Dit waren omina, voortekenen: Toni Ware en haar moeder opnieuw op weg in de eindeloze nacht. Routes die geen enkele zinnige vorm of figuur opleveren als je ze nagaat op de kaart.

Vanaf het trailerpark gezien lag er 's nachts een vuiloranje gloed over de heuvels; het geluid van machtige bomen die in de vurige hitte ontploften droeg ver, net als het lawaai van vliegtuigen die boven door de ondulaties in de lucht ploegden en hun dikke talktongen uitwierpen. Soms regende het 's nachts fijne as die in grijm veranderde zodra ze ergens neersloeg, waardoor alle bewoners binnenbleven en elke trailerruit op het terrein baadde in de onderwatergloed van televisies, en als iedereen op dezelfde zender had afgestemd kon het meisje ondanks de as de geluiden van de programma's goed verstaan, alsof ze nog steeds hun eigen televisie hadden. Die was voor hun laatste verhuizing zonder enig commentaar verdwenen. Het voorteken, de vorige keer.

De jongens van het park droegen brede deukhoeden en leren halsveters, sommigen ook iets turkoois. Een van hen hielp haar de toilettank van de trailer leeg te maken en eiste daarna als wederdienst dat ze hem oraal bevredigde, waarop zij hem verzekerde dat wat er ook uit zijn broek mocht komen daar niet in zou terugkeren. Geen jongen van haar grootte had haar met succes overweldigd sinds Houston en die twee die iets in haar limonade hadden gedaan waardoor ze opzij de lucht in draaiden en ze zich niet kon verzetten en naar de lucht lag te kijken terwijl zij in de verte hun zaakjes afhandelden.

Bij zonsondergang hadden het noorden en het westen dezelfde kleur. Op heldere nachten kon ze lezen bij het smeulende licht van de nacht, zittend op de plastic bak die als kruk diende. In de deur zat geen hor meer, maar het was nog steeds een hordeur, wat haar tot nadenken stemde. Ze kon vingerverven in het grijm op de kookplaat in de kitchenette. In opvlammend oranje tegen de steeds dieper wordende schemering, in de geur van creosoot dat brandde in de spitse bovenwindse heuvels.

Haar innerlijk rijkgeschakeerd en veelzijdig. Ze had romantische fantasieën waarin zij het was die strijd leverde en zegevierde om voorwerpen of gestalten te redden, die in haar dagdromen nooit concreet werden, een vaste vorm aannamen of een naam kregen.

Na Houston was haar favoriete pop niet meer dan een poppenhoofd geweest, met getoupeerd haar en rijggaten in het gat van de nek wachtend op de draden van de nek zelf; ze was acht toen het lijfje zoekraakte en nu lag het voor eeuwig ruggelings en onwetend in het onkruid terwijl het hoofd voortleefde.

De relationele vaardigheden van de moeder waren pover, en wat ze vertelde was zelden waarheidsgetrouw of consistent. De dochter had geleerd op daden af te gaan en tekens te zien in details waar de meeste kinderen geen besef van hebben. Toen was de stukgebladerde wegenatlas opgedoken. Hij lag dwars op de middelste barst in het aanrecht, opengeslagen bij de thuisstaat van de moeder, met op de weergave van haar geboorteplaats een spoor opgedroogd slijm doorschoten met een rode draad bloed. De atlas bleef zo bijna een week zonder commentaar openliggen; ze aten eromheen. Hij verzamelde as die door de gescheurde hor naar binnen waaide. Mieren waren een plaag in alle trailers op het terrein, er zat iets in de as van de branden waar ze gek op waren. Het zwaartepunt van hun gewriemel lag bij het hoge gedeelte waar de fineerplaten van de kitchenette in het verleden door de hitte waren losgeraakt en nu doorbogen en waarlangs twee parallelle pulserende kolommen zwarte mieren naar beneden kwamen. Staand aan de geanodiseerde gootsteen uit blik eten. Twee zaklampen en een lade met verschillende kaarsstompjes waar de moeder weigerde haar sigaretten mee aan te steken vormden haar licht op de wereld. In elke hoek van de kitchenette een doosje borax. Het water in emmers uit de kraan met het muntslot, de trailer vrijstaand en met loshangende elektriciteitsdraden opzij, de verblijfplaats van de eigenaar onbekend bij de oudere bewoners van het terrein, van wie de tuinstoelen door de as ongemoeid in de centrale schaduw van de pruikenboom stonden. Een van hen, Moeder Tia, was een waarzegster met een verweerde huid en een tremor; haar gezicht leek een gepelde pecannoot onder een zwarte kap, met daarin twee eenzame tanden als een spare bij ABC Bowling. Ze bezat haar eigen set kaarten en een plateau waarop wat as ving wit uitsloeg. Ze noemde haar *chulla* en bracht haar niets in rekening vanwege het Boze Oog waar ze naar eigen zeggen bang voor was telkens als het meisje door het gat van de hordeur met een tot telescoop opgerold tijdschrift naar haar keek. Twee uitgemergelde geelogige honden lagen amechtig in de schaduw van de pruikenboom en stonden slechts sporadisch op om te blaffen tegen de vliegtuigen die het vuur bestreden.

De zon hoog in de lucht als een kijkgat naar het zichzelf verterende hart van de hel.

En nog een ander teken was toen Moeder Tia geen voorspellingen meer wilde doen maar in plaats van gewoon te weigeren om genade smeekte, wat de andere ouderlingen en weduwen in de schaduw op schril gelach onthaalden; niemand begreep waarom ze bang was voor het meisje, en zij wilde het niet zeggen en tekende onophoudelijk, haar lip achter een enkele tand geklemd, die ene magische letter in het niets van de lucht voor haar. Haar zou ze missen, en het poppenhoofd zou dan ook de dierbare herinnering aan haar met zich meedragen.

De relationele vaardigheden van de moeder waren zo pover sinds haar verblijf op de gesloten afdeling van de kliniek in University City, Missouri, toen de moeder achttien werkdagen lang geen bezoek mocht ontvangen en het meisje al die tijd de jeugdzorg had ontlopen en in een afgedankte Dodge sliep waar de deuren van konden worden vergrendeld met vakkundig verbogen kleerhangers.

Het meisje bestudeerde vaak de openliggende wegenatlas met daarin de door een niesbui aangestipte stad. Zij was er geboren, net erbuiten, in de stad die haar eigen naam droeg. Haar tweede ervaring in de categorie die haar boeken met hun nietszeggende beschrijvingen zo mooi voorspiegelden, vond plaats in die achtergelaten auto in University City, Missouri, door toedoen van een man die wist hoe je de ene kleerhanger kon verwijderen met behulp van de rechtgebogen haak van een andere en die in haar gezicht onder zijn vingerloze handschoen snauwde dat dit hierzo op twee manieren kon aflopen.

Het langste dat ze op niets dan gestolen voedsel had geleefd was acht dagen. Een bekwame winkeldief, meer niet. Tijdens hun verblijf in Moab, Utah, zei een compagnon op een keer dat haar zakken geen verbeelding hadden en werd vlak daarna gesnapt en verplicht afval te prikken langs de snelweg waarover zij en haar moeder wegreden in een omgebouwde camper met 'Kick' achter het stuur, de verkoper van pyriet en zelfgemaakte pijlpunten bij wie de moeder nooit een woord sprak maar zittend voor de radio al haar nagels in een verschillende kleur lakte en die haar ooit zo hard in haar maag had gestompt dat ze sterren zag en van heel dichtbij de zandige bodem van het tapijt rook en hoorde wat haar moeder deed om 'Kick' ervan te weerhouden nog meer aandacht te besteden aan dat meisje met haar grote mond. Het was toen ook dat ze leerde een remkabel zo te saboteren dat het moment van de breuk werd bepaald door de diepte van de inkeping.

's Nachts op het provisorische bed in de roodaarden gloed droomde ze ook over een bank bij een vijver en doezelig eendengekwaak terwijl het meisje de lijn in haar handen hield van iets wat met een geschilderd gezicht in de lucht zweefde, een vlieger of een ballon. Over een ander meisje dat ze nooit zou zien of kennen.

Ergens onderweg op een snelweg had de moeder haar op een keer verteld over een pop zonder hoofd die ze zelf had bewaard en waar ze zich tijdens de hel op aarde van haar meisjesjaren in Peoria aan had vastgeklampt, en over de *zenuwziekte* (bij het uitspreken van dat woord kromp ze ineen) van haar eigen moeder, toen de moeder van de moeder haar verboden had nog naar buiten te gaan en rondtrekkende arbeiders had aangenomen om aan de buitenkant van hun huis op iedere vierkante centimeter gevonden achtergelaten wieldoppen te spijkeren als afweer tegen de straling van ene Jack Benny, een rijke vent die, daar was de grootmoeder gaandeweg van overtuigd geraakt, krankzinnig was en streefde naar *wereldwijde gedachtemanipulatie* door middel van radiogolven met een speciale frequentie en schakering. ('"Iemand die zo gemeen is, zal de wereld niet loslaten"', zo luidde een indirect citaat of overgeleverde wijsheid onder het rijden, wat de moeder deed terwijl ze rookte en tegelijkertijd een kartonnen nagelvijl hanteerde.) Het meisje ging het als haar taak beschouwen om tekens te vinden en de feiten te kennen van haar eigen geschiedenis tot op vandaag. Het duurt een uur om met een brok baksteen gebroken glas op een harde ondergrond tot poeder te slaan. Ze had broodjes en rundergehakt gestolen en het glaspoeder door het vlees gekneed en het achter de afgedankte Dodge boven een vuurkorf op een metalen hor gebakken, en dagenlang lag er een adembenemende lading broodjes op de voorste zitting, tot de man die haar overweldigd had de wagen met zijn kleerhangergereedschap openbrak en ze meegriste, waarna hij nooit meer terugkwam; de moeder werd kort daarop aan de zorg van het meisje overgedragen. Schijven dakpansgewijs aanbrengen is onmogelijk, maar de grootmoeder eiste dat elke wieldop alle omliggende doppen langs alle kanten zou raken. Stond er spanning op één dop, dan kwamen ze allemaal onder stroom te staan en konden ze het bombardement van golven afweren. Het zo bereikte levensgevaarlijke elektrische veld stoorde in de hele buurt de radio-ontvangst. Na twee officiële waarschuwingen wegens het omleiden van de amperage in haar huis had de oude vrouw ergens een generator opgedoken die, zij het erg luidruchtig, op kerosine draaide en naast de bomvormige propaantank buiten bij de keuken hevig schudde en stuiterde. De jonge moeder mocht soms naar buiten om de mussen te begraven die op het huis neerstreken en in een enkele flits en rookpluim hun ziel hemelwaarts zonden.

Het meisje las verhalen over paarden, biografieën, wetenschappelijke en psychiatrische studies, en *Popular Mechanics* als ze eraan kon komen. Ze las heel gericht geschiedenisboeken. Ze las *Mijn kamp* en begreep al dat gedoe eromheen niet zo goed. Ze las Wells, Steinbeck,

Keene, Laura Wilder (twee keer) en Lovecraft. Ze las nogal wat halve delen van gescheurd en weggegooid spul. Ze las een exemplaar zonder kaft van *Het teken van moed* en wist instinctief dat de schrijver van dat boek nooit een oorlog had meegemaakt en evenmin wist dat je voorbij een zekere grens net boven je angst uit zweefde en er dan naar kon kijken zonder ook maar met je ogen te knipperen terwijl je deed of toeliet wat nodig was om in leven te blijven.

De jongen van het trailerpark die haar had proberen te overweldigen in de penetrante lucht van hun eigen drek hing nu 's nachts met zijn vrienden bij de trailer rond; in de asregen maakten ze onmenselijke geluiden terwijl de dochter van de dochter op de kaart rond haar eigen voornaam en de verkeersaders die ernaartoe leidden cirkel na cirkel trok. De gipsbranden en het verlichte bord van het terrein waren de bakens in de woestijnnacht. De jongens boerden en huilden naar de maan, maar het gehuil leek nergens naar en hun gelach klonk gemaakt, hun woorden strookten niet met de liefde waarvan ze beweerden over te lopen en die haar nog lang zou heugen.

Op dagen dat de moeder met mannen op stap was, vroeg het meisje catalogi en Gratis Aanbiedingen aan die dagelijks per post werden bezorgd samen met monsters van producten die mensen met een huis kopen om er in alle rust van te genieten, net als het meisje, dat van zichzelf vond dat ze thuisonderwijs genoot en niet de bus naar school nam zoals de andere kinderen van het park. Die boden allemaal de verbaasd-vuile aanblik van arme, hokvaste mensen; de trailers, het bord en de voorbijrijdende vrachtwagens stoffeerden hun wereld, die weliswaar omwentelingen maakte, maar niet ronddraaide. Het meisje stelde zich vaak voor dat ze hen zag in een achteruitkijkspiegel, waarin ze ten afscheid met beide armen zwaaiden en uit het zicht verdwenen.

De asbestdoek, voorzichtig in repen geknipt, waarvan er één in de wasserettedroger werd gestopt nadat de moeder van de pseudo-aanrander er haar wasgoed had ingeduwd en naar de Circle K was teruggegaan om meer bier te halen, zorgde ervoor dat de jongen noch de moeder ooit nog werd gezien buiten hun dubbelbrede trailer, die op blokken stond. Ook aan de serenades van de jongens kwam een eind.

Een soepblik vol rioolprut of een kadaver van een aangereden beest, strategisch onder de blokken of het geplastificeerde lattenwerk van een prefab veranda-aanbouw geplaatst, kon de trailer in kwestie op een plaag van weeklijvige vliegen trakteren. Een schaduwboom kon je vellen door een handbreedte boven de grond een kleine koperen buis in de stam te boren; de bladeren verbruinden dan meteen. De truc met een remkabel of benzineleiding bestond erin ze met een striptang bijna helemaal af te schrapen in plaats van ze gewoon doormidden te knippen. Je moest er wat gevoel voor hebben. Een paar klontjes suiker in de benzinetank en je maakte elk voertuig onklaar, geen kunst aan. Net als een stuiver in de schakelkast of rode verf in de watertank, bij alle trailermodellen bereikbaar via het sanitairluik, op die van vorig jaar na, maar daar stond er hier op Vista Verde niet één van.

Verwekt in de ene auto en geboren in een andere. In haar dromen kroop ze omhoog om te zien hoe ze gemaakt was.

De woestijn had geen echo en leek hierin op de zee waaruit ze was ontstaan. 's Nachts droegen de geluiden van het vuur soms ver, net als die van de cirkelende vliegtuigen en de zware trucks met hun lange opleggers op de 54 richting Santa Fe waarvan het bandengejammer leek op het gebrabbel van een verre branding; ze lag te luisteren op haar planken bed en stelde zich de zee noch voorbijrijdende vrachtwagens voor, maar wat ze op dat moment maar wilde. In tegenstelling tot de moeder of de lijfloze pop was zij in haar hoofd vrij. Een tomeloos genie, groter dan welke zon ook.

Het meisje las een biografie van Hetty Green, de wegens valsheid in geschrifte aangeklaagde moedermoordenares die Wall Street domineerde en tezelfdertijd stukjes zeep bewaarde in een gebutst tinnen doosje dat ze altijd bij zich droeg, en die voor niets of niemand bang was. Ze las *Macbeth* als kleurenstrip met tekstballonnen.

De manier waarop de entertainer Jack Benny zijn kin op zijn hand liet rusten, zo vertelde de moeder op heldere momenten, vond ze vertederend, ze smachtte ernaar en droomde ervan in het huis met het geëlektrificeerde doppenpantser terwijl haar eigen moeder gecodeerde brieven schreef aan de FBI.

Vlak voor zonsopgang klaarden de rode vlakten in het oosten op en begon de verschrikkelijke, drukkende hitte van de dag zich te roeren in haar ondergrondse burcht; het meisje zette het poppenhoofd op de vensterbank om te zien hoe het rode oog openging en steentjes en stukken afval manslange schaduwen wierpen.

In vijf staten niet één keer een jurk of leren schoenen gedragen.

Toen de achtste dag van de branden aanbrak, verscheen haar moeder in een voertuig dat door de geribde camperunit extra groot leek, met

achter het stuur een onbekende man. Op de zijkant van de cabine stond
LEER.

Gedachteblokkades, overinclusie. Vaagheid, overspeculatie, wollig
denken, confabulatie, woordsalade, zich afsluiten, afasie. Achtervol-
gingswaan. Catatonische stupor, automatische volgzaamheid, affectieve vervlakking, verzwakt ik/jij-besef, verstoord bewustzijn, losse of
duistere associaties. Depersonalisatie. Grootheids- of centrumwaan.
Dwangstoornissen, ritualisme. Hysterische blindheid. Promiscuïteit.
Solipsisme of extatische buien (zeldzaam).

Geb.dat./pl. v.h. meisje: 4-11-60, Anthony, Illinois.
Geb.dat./pl. moeder v.h. meisje: 8-4-43, Peoria, Illinois.
Meest recente adres: Doswallips 17, blok E, Vista Verde Woon-
wagenpark, 88502, Organ, New Mexico.
L.G.O./H. v.h. meisje: 1,62 m, 43 kg, bruin/bruin.
Betrekkingen opgegeven door de moeder, 1966–1972 (op basis
van IRS-formulier 669-D [Certificaat Vrijstelling Federaal Belas-
tingsbeslag, District 063(a)], 1972): schoonmaakhulp voor kantine (spoelkeuken en zaal), Rayburn-Thrapp Agronomics, Anthony, Illinois; senior operateur zeefdrukpers (tot polsblessure), All
City Uniforms, Alton, Illinois; kassabediende, Convenient Super-
markets, Norman, Oklahoma en Jacinto City, Texas; serveerster,
Stuckey's Restaurants Corp., Limon, Colorado; assistent-planner
mix hechtende materialen, National Starch and Chemical Com-
pany, University City, Missouri; ontvangstdame en serveerster
(drankjes), Double Deuce livepodium/nachtclub, Lordsburg,
New Mexico; contractverkoper, uitzendbureau Cavalry, Moab,
Utah; organisatie en schoonmaak hondenkennel, Best Friends
hondenpension en -toilettage, Green Valley, Arizona; kaartjesver-
koper en plv. nachtmanager, Riské's live-erotiekclub 18+, Las
Cruces, New Mexico.

En weer reden ze 's nachts. Onder een maan die rond voor hen oprees.
De zogeheten achterbank van de pick-up was niet meer dan een smalle
plank waar het meisje op kon slapen als ze haar benen opvouwde in
de tussenruimte achter de echte zittingen, waarvan de hoofdsteunen
dof glansden als ongewassen haar. De troep en de gistende lucht ver-

raadden dat er in de pick-up gewoond was of werd; de pick-up en zijn eigenaar roken hetzelfde. Het meisje ging gekleed in een katoenen lijfje en een bij de knieën verschoten spijkerbroek. De moeder beschouwde mannen als hulpstukken die ze kon gebruiken zoals een tovenares willoze dieren, als teken en voorwerp van haar bovennatuurlijke krachten. *Bekenden* was het woord dat ze gebruikte en het meisje maakte daar geen punt van. Het waren donkere mannen met bakkebaarden die op houten lucifers kauwden en blikjes platdrukten in hun handen. Die hoeden droegen met zweetranden als de jaarringen van bomen. Die hun ogen over je heen lieten glijden in de achteruitkijkspiegel. Mannen bij wie je je niet kon voorstellen dat ze ooit zelf kind waren geweest en dat ze ooit, bloot met een stuk speelgoed in de hand, vol vertrouwen naar iemand hadden opgekeken. Tot wie de moeder in babytaal sprak en die haar mochten behandelen als een pop zonder hoofd, *overmannen*.

In een Amarillo-motel kreeg het meisje haar eigen kamer die op slot kon, buiten gehoorsafstand. De hangers in de kast zaten vast aan de roede. Het poppenhoofd droeg lippenstift van roze waskrijt en keek naar de tv. Het meisje wenste vaak dat ze een kat of een ander klein huisdier had dat ze te eten kon geven en kon troosten door het over zijn kopje te aaien. De moeder was bang voor gevleugelde insecten en droeg altijd spuitbussen bij zich. Een ploertendoder, gesmolten cosmetica en een nepleren etui voor sigaretten en een aansteker zaten samen in een handtas van over elkaar genaaide rode lovertjes waarmee het meisje met Kerstmis in Green Valley was komen aanzetten en die alleen een klein scheurtje vertoonde onderaan waar het alarmlabel was geforceerd met een vijl en waarin vervolgens het lijfje was meegenomen dat het meisje nu droeg, met roze hartjes erop gestikt die op borsthoogte een omheining vormden.

De pick-up rook ook naar gemorste etensresten en had een raam waarvan de slinger was verdwenen en dat hij nu open- en dichtdeed met een tang. Aan een van de zonnekleppen was een kaart getapet die beweerde dat een beetje kapster alles omhoog krijgt. Aan één kant had hij geen tanden; het handschoenkastje zat op slot. Op haar dertigste had de moeder al een gezicht waarop zich de vage omtrekken begonnen af te tekenen van het tweede gezicht dat het leven voor haar in petto had en dat, vreesde ze, op dat van haar eigen moeder zou lijken, en tijdens haar opname in University City zat ze wiegend met opgetrokken knieën aan zichzelf te krabben in een poging de plannen van dat gezicht te verijdelen. De sepiafoto van de moeder van de moeder in een schort op een stoel bekleed met paardenhaar toen ze zo oud was als het meisje nu, zat opgerold in het poppenhoofd, samen met de zeepresten en drie lenerspassen op haar naam. Haar dagboek in de dubbele voering van de ronde koffer. En de enige foto van haar moeder als kind buiten in het schelle winterlicht, met zo veel jassen en mutsen aan dat zij en de propaantank familie van elkaar leken. Buiten beeld het geëlektrificeerde huis met een dooicirkel eromheen en achter de kleine moeder de moeder die haar rechtop hield. Het kind had kroep en zo'n hoge koorts dat men vreesde voor haar leven; haar moeder was tot het besef gekomen dat ze geen foto's van haar kindje bezat als het zou sterven en had haar warm ingeduffeld naar buiten gestuurd waar ze in de sneeuw moest wachten tot de moeder bij de buren om een kiekje met hun Polaroid had gesmeekt, zodat haar kindje niet zou worden vergeten als het stierf. De foto was vervormd door het vele vouwen en nergens in beeld zag het meisje een voetafdruk in de sneeuw; de mond van het kind wijd open en haar ogen op de man met de camera gericht in de overtuiging dat dit klopte, dat het in het leven zo ging. De plannen die het meisje met de grootmoeder had en die naarmate ze ouder en bedrevener werd steeds beter uitgewerkt werden, vulden grotendeels het eerste derde van haar meest recente dagboek.

Haar moeder en niet de man zat achter het stuur toen knerpend grind haar wakker maakte in Kansas. Een truckstop verdween uit het zicht terwijl op de weg iets rechtopstaands zwaaiend met zijn hoed achter hen aan rende. Ze vroeg waar ze waren maar niet naar de man die drie staten lang hun chauffeur was geweest, met steeds dezelfde opdringerige hand op de dij van de moeder die haar had aangeraakt, een hand die vanuit de opening tussen de voorste stoelen door het omhooggehouden poppenhoofd aandachtig was bestudeerd, en hoe dat werd afgepakt en door de lucht vloog in dezelfde droom waar het optrekken en het geluid eerst deel van leken uit te maken. Dertien was de dochter inmiddels en zo zag ze er onderhand ook uit. In het gezelschap van mannen keek haar moeder met halfgeloken ogen afwezig voor zich uit; eenmaal in Kansas trok ze met kauwgom in haar mond gekke bekken in de achteruitkijkspiegel. 'Kom kruip maar naar voren hier vooraan waarom kom je niet hier vooraan zitten.' De kauwgom rook naar kaneel en met het gevouwen foliepapiertje kon je als je het rond de punt van een nagelvijl wikkelde een handschoenkastje kraken.

In Portales, onder een bladgouden zon op een stopplaats langs de snelweg, had het meisje, dat op haar rug op de smalle plank achterin in een oppervlakkige halfslaap lag te soezen, moeten ondergaan hoe de man, die zich achter het stuur van de pick-up had omgedraaid, zijn hand tot een weinig sensuele klauw had gevormd en die op verkenning naar de achterbank had gestuurd om daar haar borstjes aan te raken, om in een van de borstjes te knijpen. Zijn ogen waren bleek en onwellustig, en zij deed alsof ze dood was en keek zonder met haar ogen te knipperen langs hem heen, hij ademde hoorbaar en zijn kaki pet stonk, terwijl hij het borstje schijnbaar afwezig en onbewogen overmande, waarmee hij pas ophield bij het geluid van hoge hakken op het asfalt. Nog altijd een grote vooruitgang vergeleken met Cesar van het jaar daarvoor, die de bewegwijzering langs snelwegen schilderde en daardoor permanent groene korreltjes in de poriën van zijn gezicht en handen had zitten en die eiste dat zowel het meisje als de moeder de deur van de badkamer altijd openliet, ongeacht hun bezigheden, en hij alweer een verbetering ten opzichte van 'Murray de Maaier', hun huisgenoot tijdens de twee maanden in de verkrotte pakhuizen van Houston, de semiprofessionele lasser met verborgen onder het vastgespte mes op zijn onderarm een tatoeage van datzelfde mes tussen twee anonieme blauwe borsten die aan de zijkanten opzwollen als hij een vuist maakte, wat hij zelf heel grappig vond. Mannen met leren vesten, heethoofden die in beschonken toestand zo teder gingen doen dat het je koud over de rug liep.

De 54 in oostelijke richting was geen federale weg en de windstoten van de tegemoetkomende tientonners sloegen tegen de cabine van de pick-up, waardoor hij ging slingeren en de moeder tegenstuur moest geven. Alle raampjes open om de hardnekkige geur van de man te verdrijven. Een onbenoembaar voorwerp in het handschoenkastje dat weer dicht moest van de moeder, ze kon er niet naar kijken. De dubbelzinnige kaart trok pijpenkrullen in hun zog en verdween in de zindering van de weg achter hen.

Ten westen van Pratt, Kansas, kochten en aten ze supermarktburrito's die ze opwarmden in het daartoe bestemde apparaat. Een enorm lekkere maar veel te grote Slushee.

Achter haar pantser van wieldoppen en folie beweerde de moeder

van de moeder dat wanneer de gestoorde Jack Benny of zijn spiraal-
ogige slaven hen kwamen halen de best mogelijke verdediging erin bestond te doen alsof je dood was en met opengesperde ogen wezenloos
te blijven liggen en niet te knipperen of adem te halen als de mannen
met getrokken straalpistolen door het huis liepen en naar je keken,
hun hoofd schudden en elkaar vertelden dat ze te laat waren want kijk
hier eens die vrouw en haar manbare dochter zijn al overleden dus laat
maar zo. Gedwongen om samen te oefenen in het dubbele bed met de
open flesjes met pillen op het tafeltje tussen hen in, handen over hun
borst gevouwen, ogen opengesperd en zo licht ademend dat de borst
zich niet verhief. De oudere vrouw kon haar ogen heel lang openhou-
den zonder te knipperen; de moeder kon dat als kind niet; ze sloten
zich al heel snel uit zichzelf, want een echt kind is geen pop en moet
knipperen en ademhalen. De oudere vrouw zei dat je oogvocht kon
produceren als je dat echt wilde en dat het een kwestie van concentratie, discipline en tijd was. Ze bad haar tientje met behulp van een
kralenketting en op haar brievenbus zat een klein nikkelen slot. Met
folie afgeplakte ruiten in de halvemanen tussen de zwarte doppencir-
kels. De moeder had druppels bij zich en beweerde altijd dat ze droge
ogen had.

Voorin zitten was fijn. Ze vroeg niet naar de man van de pick-up.
Ze zaten in zijn pick-up maar hijzelf zat niet in de pick-up; het was
moeilijk een reden te bedenken waarom dat erg zou zijn. Wat haar
moeder vertelde klonk het minst onverschillig als ze getweeën met
hetzelfde probleem te kampen hadden; ze maakte grapjes en zong en
wierp nu en dan een snelle blik in de richting van haar dochter. De
wereld buiten het bereik van de koplampen lag in duisternis gehuld.
De meisjesnaam van haar grootmoeder was ook die van haar – Ware.
Ze kon haar zolen tegen het zwarte dashboard van de pick-up zetten
en tussen haar knieën naar buiten kijken, met de hele tong koplamp-
licht daartussen. De onderbroken middenstreep vuurde morse op hen
af, en de beenwitte maan was rond en er gleden wolken voorlangs, die
dan vorm aannamen. Eerst waren er vingers weerlicht, vervolgens
complete handen en bomen die opflakkerden aan de westelijke horizon; achter hen kwam er niets. Ze bleef uitkijken naar lichten of tekens
die zouden volgen. De lippenstift van de moeder was te fel voor de
vorm van haar mond. Het meisje vroeg er niet naar. Ze speelden hoog
spel. De man was of van het soort dat aangifte deed, of een tweede

'Kick' die hen wel zou weten te vinden omdat ze hem zwaaiend met zijn hoed op de weg hadden achtergelaten. Als ze ernaar vroeg zou het gezicht van de moeder betrekken omdat ze niet wist wat ze moest zeggen, want ze had er eigenlijk helemaal niet bij stilgestaan. Het was het geluk en het lot van het meisje om hun beider bewustzijn te doorgronden als was het één, en het stuur vast te houden op momenten dat er opnieuw Murine in de ogen werd gedruppeld.

Ze ontbeten aan een tafel in Plepler, Missouri, waar de regen de dakgoten in schuimde en tegen de ruiten sloeg. De serveerster, in verpleegsterswit, had een gecraqueleerd gezicht en noemde hen allebei 'schat'; ze droeg een button met de tekst Werken, oké, maar niet op mijn zenuwen en flirtte met de werklui van wie ze de namen kende terwijl er stoom uit de keuken kwam boven het buffet waarboven ze de velletjes van haar blocnote bevestigde. Het meisje poetste haar tanden in een toilet met een slot waar geen knip op zat. De bel boven de ingangsdeur rinkelde bij elke nieuwe klant. De moeder wilde broodjes, aardappelpannenkoeken en maïsbrij met stroop en dat bestelden ze en de moeder zocht naar een droge lucifer en al gauw hoorde het meisje haar lachen om iets wat de mannen aan het buffet zeiden. De regen spoelde door de straat en auto's reden langzaam voorbij en hun pick-up stond met zijn cabine naar hun tafel gekeerd, het parkeerlicht aan, en dat alles zag ze, en in haar verbeelding zag ze nog steeds de rechtmatige eigenaar van de pick-up op de weg net buiten Kismet met handen als klauwen die hij uitstrekte naar de plaats waar de pick-up uit het zicht verdwenen was terwijl de moeder op het stuur sloeg en het haar uit haar gezicht blies. Het meisje haalde haar toast door het eigeel. Van de twee mannen die binnenkwamen en aan het tafeltje naast hen gingen zitten had er een precies dezelfde bakkebaarden en ogen die schuilgingen onder een rode, zwartgeregende pet. De serveerster met haar potloodstompje en haar blocnote zei:

'Waarom nemen jullie een tafel die nog niet afgeruimd is?'

'Om dichter bij jou te zitten, mop.'

'Dan had je beter die kunnen nemen, had je nog dichterbij gezeten.'

'Verrek.'

§9

VOORWOORD VAN DE AUTEUR

De auteur hier. De echte auteur, een mens van vlees en bloed met het potlood in zijn hand, niet een of andere abstracte vertelinstantie. Jawel, soms ís er zo'n instantie in *De bleke koning*, maar dat is dan voornamelijk een statutaire pro-formaconstructie, een entiteit die louter juridische en commerciële doeleinden dient, min of meer zoals een bedrijf, zonder direct, aantoonbaar verband met mij als persoon. Maar hier ben ik dus echt zelf aan het woord, David Wallace, veertig jaar oud, burgernummer 975-04-2012,[1] vanuit mijn met Formulier 8829 aftrek-

---

[1] Wat slechts weinigen weten: de enige Amerikaanse staatsburgers met een burgernummer beginnend met het cijfer 9 zijn huidige of voormalige werknemers bij de Internal Revenue Service. Via zijn nauwe band met de dienst Sociale Zekerheid reikt de IRS je op de dag waarop je contract ingaat een nieuw burgernummer uit. Begin bij de Belastingdienst en je wordt opnieuw geboren, qua identiteit. Heel weinig gewone burgers zijn hiervan op de hoogte. Waarom zouden ze ook? Maar kijk eens naar je eigen burgernummer, of dat van de mensen die dicht genoeg bij je staan om je hun burgernummer toe te vertrouwen. Er is slechts één cijfer waar die burgernummers nooit mee beginnen, en dat is een 9. 9's zijn gereserveerd voor de Dienst. En heb je er ooit zo een gekregen, dan blijft dat je nummer voor de rest van je leven, zelfs al werk je al jaren niet meer bij de IRS. Het tekent je voor het leven, numeriek gesproken. Elk jaar in april – en voor zelfstandigen die een kwartaalaangifte van hun geschatte inkomen indienen uiteraard ieder kwartaal – worden de aangiften waarvan de indiener een burgernummer heeft dat met 9 begint automatisch uit de stapel gelicht en doorgestuurd

bare kantoorruimte, op mijn thuisadres 725 Indian Hill Blvd., Claremont 91711, Californië, op deze vijfde lentedag van het jaar 2005, om het volgende mee te delen:
Dit is allemaal waargebeurd. Alles in dit boek is echt gebeurd. Uiteraard vraagt dit om nadere toelichting. Blader eerst even terug en bekijk de disclaimer die je vindt in het colofon, op de linkerpagina, vier bladzijden na de enigszins ongelukkig gekozen en misleidende kaft. De disclaimer is het stukje dat niet inspringt en als volgt begint: 'De personages en gebeurtenissen in dit boek zijn fictief.' Ik ben me er ten volle van bewust dat gewone burgers dergelijke disclaimers bijna nooit lezen, net zoals we geen acht slaan op copyrightbepalingen, NUR-codes of andere saaie gestandaardiseerde pro-formafrases in verkoopcontracten en advertenties waarvan iedereen weet dat ze er alleen uit juridische overwegingen staan. Maar nu moet je hem een keer wel lezen, die disclaimer, om te begrijpen dat het initiële 'De personages en gebeurtenissen in dit boek ...' ook dit 'Voorwoord van de auteur' omvat. Dit voorwoord wordt met andere woorden door de disclaimer als fictie gedefinieerd, wat betekent dat het binnen het speciale, door die disclaimer afgebakende en juridisch beschermde domein valt. Ik heb deze juridische bescherming nodig om te kunnen zeggen dat wat volgt[2] in feite helemaal geen fictie is, maar in essentie waargebeurd en waarheidsgetrouw. Dat *De bleke koning* in feite eerder als een soort memoires moet worden gelezen dan als een verzonnen verhaal.

Op het eerste gezicht lijkt dit tot een knap irritante paradox te leiden. De disclaimer definieert alles wat erna komt als fictie, ook dit voorwoord, maar hier in dit voorwoord kom ik nu doodleuk beweren dat het hele boek eigenlijk non-fictie is; dus als je geloof hecht aan het een, kun je geen geloof hechten aan het ander etc. etc. Neem van mij aan dat ik dit soort slimmige, autoreferentiële paradoxen ook knap irritant

---

naar een speciale verwerkings- en controle-eenheid in het Computercentrum van Martinsburg. Je status binnen het systeem is voorgoed gewijzigd. De Dienst kent de zijnen, altijd en overal.
2 Dit is een kunstgreep; wat ik eigenlijk bedoel te zeggen is dat alles wat met dit voorwoord te maken heeft in principe waargebeurd is. Dat het voorwoord nu tachtig pagina's naar achteren is verplaatst is te wijten aan de zoveelste oprisping van voorzichtigheid die de uitgever op het allerlaatste moment kreeg, waarover in extenso cf. *infra*.

vind – zeker nu ik de dertig gepasseerd ben – en dat dit boek allesbehalve een of andere gekunstelde metafictionele ballenknijper wil zijn.
Daarom lap ik het protocol bewust aan mijn laars en richt ik me rechtstreeks, en als mezelf, tot jou, en vandaar ook de opsomming aan het
begin van dit voorwoord met al die specifieke identiteitsgegevens van
mij als een mens van vlees en bloed. Dat alles om je de waarheid te
kunnen vertellen, namelijk dat de enige onvervalste 'fictie' hier de disclaimer in het colofon is – die, zoals gezegd, een juridische spitsvondigheid is: de disclaimer is er volledig op gericht om mij, de uitgever
van het boek en de door de uitgever aangewezen distributeurs te vrijwaren van wettelijke aansprakelijkheid. De reden dat een dergelijke bescherming hier een dwingende noodzaak is – en tevens de reden voor
de uitgever3 om een dergelijke ingreep te eisen voordat hij het manu-

3 Op advies van de juridische dienst wenst de uitgeverij in dit 'Voorwoord van de auteur' niet bij naam te worden genoemd, ondanks het feit dat iedereen die de rug of de
kaft van het boek bekijkt in een oogopslag kan zien om welke uitgeverij het gaat. Het
is met andere woorden een irrationele voorwaarde, maar het zij zo. Zoals mijn eigen
raadsman opmerkte: bedrijfsjuristen worden niet betaald om volkomen rationeel te
zijn – ze worden betaald om zich volkomen in te dekken. En het is niet moeilijk te begrijpen waarom een bonafide Amerikaanse vennootschap als de uitgeverij van dit boek
zich wil indekken, al was het maar tegen de mogelijke verdenking met dit boek een
lange neus te willen maken naar de Belastingdienst, of (aldus enkele van de eerste hysterische memo's die de juridische dienst aanvankelijk stuurde) een auteur te hebben
'aangezet' tot een inbreuk op het Geheimhoudingsbeding dat alle werknemers bij de
Thesaurie moeten ondertekenen. De versie van het Geheimhoudingsbeding waar *alle*
werknemers van de Thesaurie aan gebonden zijn (en niet zoals vroeger alleen de inspecteurs van het Bureau voor Alcohol, Tabak en Vuurwapens en de Inlichtingendienst)
werd echter – zoals mijn advocaat en ik het de juridische medewerkers van de uitgeverij
ongeveer 105 keer hebben moeten uitleggen voordat het tot hen leek door te dringen –
pas van kracht in 1987, het jaar waarin in de VS voor het eerst ook computers en een
krachtige statistische formule bekend onder het acroniem ANADA ('Audit/Non-Audit
Differentiërend Algoritme') werden ingezet bij de controle van zowat alle belastingaangiften van particulieren. Ik besef dat het een behoorlijke berg ingewikkelde en verwarrende gegevens is om je (nota bene in het voorwoord) in de maag te splitsen, maar
het punt is dat het dit ANADA[a] is, samen met de componenten van de onderliggende
formule waarmee wordt vastgesteld welke aangiften bij een audit naar alle waarschijnlijkheid de meeste extra inkomsten zullen genereren, dat de Belastingdienst koste wat
het kost wil beschermen, en dat is de reden waarom het Geheimhoudingsbeding in
1987 in één klap werd uitgebreid naar het personeel van de Dienst. Maar in 1987 was

ik al weg bij de IRS. Het ergste van een onverkwikkelijke privékwestie was overgewaaid, ik mocht me inschrijven aan een andere universiteit, en tegen de herfst van 1986 was ik terug aan de Oostkust en ging ik weer aan de slag in de private sector, zij het vanzelfsprekend nog steeds met mijn nieuwe burgernummer. Mijn hele loopbaan bij de Dienst duurde van mei 1985 tot en met juni 1986. Vandaar dat ik niet aan het Beding gebonden ben. Om nog maar te zwijgen van het feit dat ik me niet echt in een positie bevond waarin ik iets compromitterends of specifieks over ANADA te weten kon komen. Mijn hele loopbaan bij de Dienst speelde zich af in de onderste regionen van het regionale niveau. Het grootste deel van mijn tijd was ik een routinecontroleur, in de nomenclatuur van de Dienst een 'wiegelaar'. Als contractmedewerker was ik ingeschaald als S-9, destijds de laagste salarisschaal voor fulltimers; er waren secretariaatsmedewerkers en conciërges die meer verdienden dan ik. En ik werd uitgezonden naar Peoria in Illinois, wat denk ik nauwelijks verder van Driemaal Zes en het Centrum in Martinsburg vandaan had kunnen liggen. Tegelijk moet ik toegeven dat Peoria op dat moment – en hierover maakte de juridische dienst van de uitgeverij zich met name zorgen – een RCC was, bij de IRS een van de zeven knooppunten van Controle, uitgerekend de afdeling die werd opgedoekt of, beter gezegd (hoewel dat discutabel is), vanuit Compliance werd ondergebracht bij de onlangs uitgebreide Afdeling Techniek, als gevolg van de komst van ANADA en een digitaal Fornix-netwerk. Dit is aanzienlijk méér esoterische en contextloze informatie over de Belastingdienst dan ik gehoopt had je meteen aan het begin te moeten laten behappen, en ik kan je verzekeren dat dit alles in veel elegantere en dramatisch meer passende bewoordingen uitgelegd en/of geopenbaard zal worden in de eigenlijke memoires, als die eenmaal op dreef komen. Om je niet helemaal met stomheid en verveling te slaan is het voor nu voldoende hieraan toe te voegen dat Controle de IRS-afdeling is die als opdracht heeft verschillende soorten belastingaangiften te ziften en te schiften en sommige als een '20' te classificeren – Dienstjargon voor belastingaangiften die naar het desbetreffende Districtskantoor moeten worden doorgestuurd voor een audit. De audits zelf worden uitgevoerd door gespecialiseerde inspecteurs, normaliter S-9's of -11's in dienst bij Audits. Het is moeilijk dit alles soepeltjes of elegant te verwoorden – en neem van mij aan dat al deze abstracte informatie niet echt van primordiaal belang is voor wat dit voorwoord beoogt. Het staat je dus vrij om wat volgt niet of slechts diagonaal te lezen. En denk niet dat het er in het hele boek zo aan toe zal gaan, want dat is niet zo. Maar voor wie echt brandt van nieuwsgierigheid: elke belastingaangifte die een eerstelijnscontroleur om wat voor reden(en) dan ook (sommige daarvan waren rationeel en inzichtelijk, andere eerlijk gezegd duister of compleet van de pot gerukt, afhankelijk van de wiegelaar) uit de stapel viste, werd doorgestuurd voor een audit, als het goed was vergezeld van een Interne Memo type 20, en daar komt die '20' vandaan. Net zoals de meeste andere insulaire en (laten we wel wezen) verfoeide overheidsdiensten is de IRS vergeven van een uniek jargon en idioom dat aanvankelijk overweldigend lijkt, maar dat je je daarna zo snel eigen maakt en gebruikt dat het haast je tweede natuur wordt. Nog altijd droom script wilde aanvaarden en het voorschot wilde uitbetalen – is ook de reden dat de disclaimer op de keper beschouwd een leugen is.4

Maar de waarheid is en blijft: wat volgt is grotendeels waar en waarheidsgetrouw. Of liever gezegd: het is een grotendeels waar en waarheidsgetrouw subjectief verslag van wat ik zag, hoorde en deed, van wie ik kende en met en onder wie ik werkte, en hoe het allemaal afliep op Filiaal 047 van de IRS, het Regionale Controlecentrum Midden-West, in Peoria, Illinois, in 1985/86. Veel in dit boek is werkelijk gebaseerd op meerdere notitieboekjes en dagboeken die ik bijhield tijdens mijn dertien maanden als routinecontroleur in het RCC Midden-West. ('Gebaseerd' wil zeggen er min of meer rechtstreeks uitgelicht, om redenen die ongetwijfeld duidelijk zullen worden.) *De bleke koning* moet je m.a.w. lezen als een soort memoires van een loopbaan. Daarnaast wil het boek een beeld schetsen van een bureaucratie – wellicht de belang-

---

ik af en toe in Fiscusspeak. Maar om terug te komen op het punt dat ik wilde maken: Controle en Audits waren twee hoofdafdelingen van Compliance, en de grootste zorg van de juridische dienst van de uitgeverij was dat de juridische adviseurs van de IRS, indien ze dermate verongelijkt waren dat ze over dat befaamde Geheimhoudingsbeding moeilijk wilden gaan doen, zouden kunnen aanvoeren dat ik en verscheidene collega's en administratief medewerkers in het RCC Peoria 047 die in dit verhaal voorkomen, toch niet waren uitgesloten van de beperkingen van dat Beding, omdat we niet alleen werkten voor Compliance, maar bovendien werkzaam waren in het RCC dat uiteindelijk een zo prominente rol zou spelen in de aanloop naar wat 'de Nieuwe IRS', 'het plan-Spackman' of kortweg 'het Plan' zou gaan heten, dat weliswaar op papier tot stand kwam door de Fiscale Hervormingswet van 1986, maar in feite het resultaat was van langdurig en uiterst ingewikkeld bureaucratisch gekissebis tussen Compliance en de Afdeling Techniek m.b.t. Controle en de functie die controles hadden binnen de werkzaamheden van de Belastingdienst. Tot zover het in de maag splitsen. Ben je er nog, dan hoop ik dat die hele uitleg toch in zoverre duidelijk was dat je begrijpt waarom de kwestie al dan niet expliciet de naam van de uitgeverij te noemen er geen was waar ik in discussies al te veel tijd en redactionele goodwill aan wilde opofferen. Als het om non-fictie gaat, kun je niet op alle fronten tegelijk vechten.

(a) De naam van die formule is overigens geen grap. Waren de statistici bij de Afdeling Techniek zich ervan bewust dat ze het algoritme zo'n gewichtig, bijna thanatisch klinkend acroniem gaven? Dat is lang niet zeker. Zoals veel Amerikanen vandaag maar al te goed weten zijn computerprogramma's zo volstrekt letterlijk en niet-connotatief dat je er tegen de muren van zou opvliegen; hetzelfde gold voor de mensen bij Techniek.

4 (vanzelfsprekend met uitzondering van het stukje 'Alle rechten voorbehouden')

rijkste federale bureaucratie in het leven van iedere Amerikaan – tijdens een periode waarin er een enorme interne strijd woedde en er diep gewetensonderzoek plaatsvond: het waren de barensweeën van wat onder fiscalisten bekend kwam te staan als 'de Nieuwe IRS'.

Om volkomen open kaart te spelen moet ik er evenwel expliciet aan toevoegen dat de bijwoordelijke bepaling '*grotendeels* waar en waarheidsgetrouw' niet alleen verwijst naar de onvermijdelijke subjectiviteit en partijdigheid die je in elk type memoires aantreft. De waarheid is dat er in dit non-fictieverslag een paar kleine veranderingen en strategische verschuivingen zijn doorgevoerd: de meeste daarvan ontstonden in de achtereenvolgende versies als antwoord op de feedback van de redacteur van dit boek, die zich soms in een uitermate precaire positie bevond, omdat hij de literaire en journalistieke prioriteiten moest afwegen tegen de juridische bekommernissen en bedrijfsbelangen. Meer hoef ik daarover eigenlijk niet te zeggen. Het spreekt voor zich dat daar een ingewikkeld achtergrondverhaal bij hoort; zo werden onder meer de laatste drie versies van het manuscript juridisch doorgelicht. Maar het meeste daarvan zal ik je besparen, al was het maar omdat, als die vertrouwelijke zaken open en bloot op tafel kwamen te liggen, het eigenlijke doel van het repetitieve en microscopisch behoedzame doorlichtingsproces zou worden tenietgedaan, wat ook geldt voor de talloze kleine wijzigingen en verschuivingen waar sommige (noodzakelijke) veranderingen toe noopten, bv. toen bepaalde personen weigerden een vrijwaring te ondertekenen, of toen een middelgroot bedrijf dreigde met juridische stappen indien de werkelijke naam of identificerende details van de feitelijke toenmalige fiscale situatie van dat bedrijf vermeld zouden worden, disclaimer of geen disclaimer.[5]

Aan het eind van de rit blijken er echter heel wat minder van zulke kleine anonimiserende wijzigingen en temporele verschuivingen in te

---

[5] Dat laatste is een mooi voorbeeld van het soort zaken waardoor de juristen van de uitgever in een ware maalstroom van anale fixatie en omzichtigheid verzeild raakten. Mensen begrijpen vaak niet hoe bloedserieus Amerikaanse bedrijven worden bij de geringste dreiging met juridische stappen. Zoals ik uiteindelijk besefte is het niet eens zozeer de vraag of de uitgever een rechtszaak zou verliezen; waar ze zich pas echt zorgen om maken zijn de kosten om zich ertegen in te dekken, en het effect dat die kosten hebben op de premies van de bedrijfsaansprakelijkheidsverzekering, die sowieso al behoorlijk in de papieren loopt. Juridisch gelazer beïnvloedt met andere woorden

zitten dan misschien te verwachten viel. Als je in je memoires de vertelde tijd beperkt tot één enkele episode (inclusief relevante voorgeschiedenis) van wat ons nu allemaal een ver verleden lijkt, zijn daar
immers ook voordelen aan verbonden. Het kan de mensen bv. niet zo
veel meer schelen, om maar iets te noemen. De mensen in dit boek,
bedoel ik. De juridisch medewerkers van de uitgeverij hadden veel
minder moeite om vrijwaringen te laten ondertekenen dan hun raadslieden hadden voorspeld. Daar zijn verschillende redenen voor, die
echter allemaal (zoals al veel eerder aangevoerd door mijzelf en mijn
advocaat) voor de hand liggen. Van al diegenen die in *De bleke koning*
genoemd, beschreven en soms zelfs in het bewustzijn van zogenaamde
'personages' geprojecteerd worden, werkt de meerderheid al niet meer
bij de IRS. Van hen die dat wel doen, hebben er verschillende een salarisschaal bereikt die hen zo goed als onschendbaar maakt.[6] Gelet op
de tijd van het jaar waarin de voorlopige versies van het boek ter inzage
werden voorgelegd, vermoed ik dat sommige anderen die nog bij de
Belastingdienst werkzaam zijn, zo druk bezet waren dat ze het manuscript niet eens hebben gelezen en dat ze, weliswaar na een redelijke

het jaarresultaat, en een redacteur of juridisch adviseur die een uitgeverij aan eventuele
schadeclaims blootstelt kan er maar beter zeker van zijn dat hij desgevallend zijn CFO
kan aantonen dat er aan het manuscript de grootst mogelijke omzichtigheid en zorgvuldigheid is besteed, want anders zou hij ongetwijfeld 'een bruine helm halen', zoals
we dat bij Controle plachten te noemen. Maar tegelijk is het niet eerlijk om elke di-
plomatieke wijziging en discrepantie in dit boek in de schoenen van de uitgever te
schuiven. Ikzelf (waarmee, nogmaals, de mens David Wallace bedoeld is) ben evengoed
bang om in een juridisch geschil terecht te komen. Zoals zo veel Amerikanen ben ik
al eens aangeklaagd – twee keer zelfs, hoewel beide zaken onontvankelijk bleken, en
er één nietig werd verklaard nog voor ik gehoord werd – en ik weet wat velen met mij
weten: rechtszaken zijn allesbehalve aangenaam, en het loont de tijd en de moeite te
proberen ze waar mogelijk te voorkomen. En laten we niet uit het oog verliezen dat
over heel dat (overigens volstrekt volgens het zorgvuldigheidsbeginsel afgehandelde)
doorlichtingsproces van *De bleke koning* de schaduw van de Belastingdienst hing, die
niemand bij zijn volle verstand onnodig in de zeik wil zetten, laat staan dat je de volgspot van dat instituut op je gericht wil weten, omdat de IRS, net zo goed als een civiele
procedure, je het leven flink zuur kan maken zonder ook ooit maar een cent méér bij
je te rapen.

6 Een van hen is nu bv. Assistent-Regiocommissaris voor Belastingbetalerondersteu-
ning in het Kantoor van de Regiocommissaris West in Oxnard, Californië.

termijn, zodat ze de indruk konden wekken dat ze het hadden gewikt, gewogen en nageplozen, de vrijwaring zonder meer hebben ondertekend om zo het gevoel te krijgen dat er op hun takenlijst alvast één ding was dat ze konden afvinken. Een paar leken er zich gevleid te voelen door het vooruitzicht dat er blijkbaar iemand was die hun voldoende aandacht had geschonken om zich jaren later hun bijdragen nog te herinneren. Een handjevol tekende omdat we door de jaren heen vrienden zijn gebleven; een van hen is waarschijnlijk de beste, dierbaarste vriend die ik ooit heb gehad. Sommigen zijn overleden. Twee bleken er in de gevangenis te zitten, een van hen iemand van wie je dat nooit had kunnen bevroeden.

Niet iedereen ondertekende een vrijwaring, die indruk wil ik zeker niet wekken. Maar de meesten wel. Een aantal personen was ook bereid een interview af te laten nemen. Van hun op band geregistreerde antwoorden werden, indien voldoende relevant, occasioneel enkele stukken rechtstreeks overgenomen in de tekst. Anderen waren zo vriendelijk aanvullende vrijwaringen te ondertekenen en stemden in met het gebruik van bepaalde audiovisuele opnamen die in 1984 van hen waren gemaakt in het kader van een vruchteloze motivatie- en wervingscampagne van de afdeling Personeelszaken van de IRS.[7] Grosso modo droegen zij herinneringen en concrete details aan die, indien gecombineerd met bepaalde journalistieke reconstructietechnieken,[8] uitzonderlijk betrouwbare en realistische passages hebben op-

---

7 Een ondertekend, notarieel bekrachtigd, in 2002 met een beroep op de openbaarheid van bestuur ingediend verzoek om kopieën van deze videobanden bevindt zich in het archief van de Informatiedienst van de IRS, 666 Independence Avenue, Washington DC. ... En jazeker: het huisnummer van het nationale hoofdkwartier van de Belastingdienst is werkelijk '666'. Voor zover ik weet was dat niet meer dan een ongelukkig toeval bij de toewijzing van kantoorruimte door de Thesaurie na de ratificatie van het Zestiende Amendement in 1913. Op regionaal niveau noemt het IRS-personeel het nationale kantoor 'Driemaal Zes' – de betekenis van de term ligt voor de hand, maar van degenen die ik heb gesproken leek niemand te weten wanneer die benaming precies in zwang raakte.

8 Met deze wat vage term verwijs ik naar de gedramatiseerde reconstructie van een empirisch gezien waargebeurd feit. Het is een veelgebruikte en alom geaccepteerde moderne werkwijze, toegepast in zowel film (q.v. *The Thin Blue Line, Forrest Gump, JFK*) als literatuur (q.v. *In koelen bloede* van Capote, *Muiterij op de Caine* van Wouk, *Zombie* van Oates, *Het teken van moed* van Crane, *Pure klasse* van Wolfe etc., etc.).

geleverd, ongeacht of de auteur daar op dat moment zelf lijfelijk bij aanwezig was.

Het punt dat ik probeer te maken is dat het in principe werkelijk allemaal waargebeurd is – te weten het boek waar dit voorwoord deel van uitmaakt – ongeacht de manier waarop de volgende §'en verdraaid, gedepersonaliseerd, gepolyfoniseerd of in andere opzichten verplicht zijn opgesmukt om aan de bepalingen van de disclaimer te voldoen. Waarmee ik niet gezegd wil hebben dat al die ingrepen alleen maar gratuite ballenknijperij zouden zijn; gelet op de aangehaalde juridische-schuine streep-commerciële beperkingen zijn ze uiteindelijk een integrerend deel van dit boekproject geworden. Het idee is, zo luidde aan beide zijden de conclusie van de juridische adviseurs, dat men zaken als wisselende vertelperspectieven, structurele fragmentatie, welbewuste incongruenties etc. simpelweg zal interpreteren als de moderne literaire tegenhangers van formules als 'Er was eens ...', 'In een land hier ver vandaan ...' of andere traditionele literaire technieken die de lezer er vroeger op wezen dat wat volgde fictie was en navenant moest worden gerecipieerd. Iedereen weet immers, al dan niet bewust, dat er tussen de auteur van een boek en de lezer steeds een soort impliciet contract bestaat, en dat de voorwaarden in dit contract steeds afhangen van bepaalde codes en tekens die de auteur gebruikt om de lezer duidelijk te maken om welk soort boek het gaat, nl. verzonnen dan wel waargebeurd. En deze codes zijn erg belangrijk, omdat het subliminale contract voor non-fictie nogal afwijkt van dat voor fictie.[9] Wat ik hier probeer te doen, binnen de bescherming die de disclaimer in het colofon me biedt, is die onuitgesproken codes terzijde te schui-

---

[9] Dat deze twee contractvormen wel degelijk verschillen, kun je zien aan onze reacties als ze worden geschonden. Het gevoel bij de lezer te zijn verraden of bedrogen als blijkt dat een ogenschijnlijk non-fictieboek verzonnen elementen bevat (zoals aan het licht kwam bij recente literaire schandalen, bv. rond Kosinski's *De geverfde vogel* of dat beruchte boek van Carcaterra), ontstaat juist doordat de voorwaarden van het non-fictiecontract geschonden zijn. Er bestaan natuurlijk manieren om de lezer ook in fictie (uiteraard tussen aanhalingstekens) te piepelen, maar die zijn behoorlijk technisch en houden verband met de intratekstuele genreconventies van het verhaal zelf (neem bv. een ik-verteller die in een misdaadroman tot op de laatste bladzijde wacht voor hij onthult dat hij de moordenaar is, hoewel hij dat uiteraard bij aanvang al wist en die informatie alleen maar achterhield om ons op de hak te kunnen nemen), en de lezer voelt zich dan eerder esthetisch tekortgedaan dan persoonlijk vernacheld.

ven en volstrekt open te zijn over de voorwaarden in het onderhavige contract. Op de keper beschouwd is *De bleke koning* een non-fictieboek, een verzameling memoires met daarin ook elementen van reconstructiejournalistiek, organisatiepsychologie, elementaire lessen in burgerzin, fiscale theorie etc. Het onderlinge contract dat we hier met elkaar sluiten berust op vooronderstellingen over (a) mijn oprechtheid en (b) jouw inzicht in het feit dat ieder kenmerk of semion dat die oprechtheid lijkt te ondergraven eigenlijk een beschermende juridische spitsvondigheid is die op zich niet erg verschilt van de obligate frases in sweepstakes en civiele overeenkomsten, en dat je die eerder dan te decoderen of te 'lezen' gewoon dient te aanvaarden, als deel van het prijskaartje dat aan onze onderlinge transactie hangt, zoals dat in het huidige commerciële klimaat heet.[10]

En dan heb je natuurlijk nog het autobiografische gegeven dat ik, zoals zo veel nerderige en opstandige jongeren destijds, ervan droomde 'kunstenaar' te worden, d.w.z. een volwassene met een loopbaan die creatief en origineel is, en niet saai en afstompend. Het was mijn diepste wens een groot en onsterfelijk schrijver te worden à la Gaddis of Anderson, Balzac of Perec etc.; en de meeste aantekeningen waarop delen van deze memoires gebaseerd zijn waren oorspronkelijk op zich al opgesmukt en gefragmenteerd, want zo zag ik mezelf nu eenmaal destijds. In zekere zin ben ik voornamelijk vanwege mijn literaire ambities bij het RCC Midden-West in Peoria aan de slag gegaan, als entr'acte in mijn universitaire carrière, hoewel die voorgeschiedenis maar een paar raakpunten heeft met de rest van dit boek en alleen hier in het voorwoord (terloops) aan bod zal komen, te weten:

In een notendop komt het erop neer dat het eerste stuk fictie dat me geld opbracht betrekking had op bepaalde medestudenten aan de universiteit waar ik aanvankelijk op zat, die peperduur en ontzettend highbrow was en voornamelijk alumni van particuliere elitescholen uit New York en New England aantrok. Laat ik het er zonder al te veel in detail te treden op houden dat ik voor bepaalde studenten bepaalde prozastukken over bepaalde academische onderwerpen schreef, en dat elk werkstuk in die zin fictioneel was dat de stijl, stellingen, ductus en auteursnaam ervan niet de mijne waren. Je begrijpt wel waar ik op

10 Mijn excuses voor de vorige zin, het resultaat van veel gebakkelei en menig compromis met het juridische team van de uitgever.

doel. De belangrijkste beweegreden voor dit handeltje was, zoals zo vaak in de echte wereld, van financiële aard. Niet dat ik als student straatarm was, maar zwemmen in het geld deed mijn familie nu ook weer niet, en dus zag ik me genoodzaakt een aanzienlijke studielening aan te gaan. Ik was me er ook van bewust dat een uitstaande studielening voor iemand die na zijn studie een artistieke carrière ambieerde doorgaans geen al te best vooruitzicht betekende, aangezien het genoegzaam bekend is dat de meeste kunstenaars jarenlang een ascetisch en obscuur bestaan leiden voor ze eindelijk (hopelijk) een stuiver overhouden aan hun werk.

Aan de andere kant waren er aan de universiteit veel studenten uit families die niet alleen het inschrijvingsgeld voor hun rekening namen, maar die hun kinderen kennelijk een zak geld meegaven voor alle mogelijke onverwachte onkosten, zonder dat daar veel vragen over werden gesteld. Onder 'onverwachte onkosten' vielen dan zaken als een weekendje skiën, baldadig dure stereo-installaties, feestjes voor het hele studentencorps inclusief een tot de nok toe gevulde bar etc. En dan heb ik het nog niet over het feit dat de hele campus nog geen hectare groot was, maar de meeste studenten wel allemaal een eigen auto bezaten, wat hun per semester nog eens $400 extra kostte als ze een van de universitaire parkeerterreinen wilden gebruiken. Het was echt buiten alle proporties. In menig opzicht maakte ik op deze universiteit kennis met de harde werkelijkheid van klasse, economische stratificatie en de zeer verschillende financiële werelden waarin Amerikanen zich bewegen.

Deze rijkeluisstudenten waren soms inderdaad strontverwende patsers en/of cretins die zich aan ethische kwesties weinig of niets gelegen lieten liggen. Anderen stonden onder grote druk van hun familie en slaagden er, om wat voor redenen dan ook, niet in de cijfers te halen die hun ouders voor hen in gedachten hadden. Sommigen konden niet goed omgaan met hun tijd en verantwoordelijkheden, en stonden opeens met hun rug tegen de muur als de deadline van een opdracht dichterbij kwam. Je ziet het plaatje wel voor je. Laat ik het er gewoon op houden dat ik, om sommige van mijn leningen versneld te kunnen aflossen, bepaalde diensten aanbood. Goedkoop waren die diensten niet, maar ik was er best goed in, en secuur. Zo vroeg ik aan de cliënt altijd voldoende voorbeelden van eigen schrijfsels om zijn denktrant en toon te achterhalen, en ik maakte nooit de fout iets af te leveren wat onrealistisch veel beter was dan zijn eerder ingeleverde werk. Je begrijp waarschijnlijk wel waarom dit soort oefeningen een goede leerschool vormden voor iemand met belangstelling voor wat dan 'creatief schrijven' heet.[11] Wat mijn handeltje opbracht, plaatste ik op een hoogrentende bankrekening. En in die tijd lagen de rentepercentages erg hoog, terwijl de rente op studieleningen pas begint te lopen op het moment dat je student af bent. In het algemeen was mijn strategie conservatief te noemen, zowel in financieel als in academisch opzicht. Maar denk nu niet dat ik elke week een paar van die stukken in opdracht schreef. Ik had tenslotte zelf ook werk zat.

Om op een voor de hand liggende vraag te anticiperen: ik ben de eerste om toe te geven dat ik hiermee ethisch gezien in het gunstigste geval een grijze zone betrad. Daarom wilde ik er hierboven zojuist ook eerlijk over zijn, nl. over het feit dat ik niet aan de grond zat of extra inkomen nodig had om eten te kunnen kopen of iets dergelijks. Mijn toestand was niet rampzalig. Maar ik probeerde wel te sparen voor wat, zo verwachtte ik,[12] een onoverzienbare postacademische schuldenberg zou zijn. Strikt genomen is dit geen excuus, dat besef ik, maar ik geloof wel dat het in ieder geval als verklaring kan dienen; er waren bovendien nog andere, meer algemene factoren en omstandigheden die als verzachtend zouden kunnen gelden. Zo bleek ook de universiteit zelf niet gespeend van enige morele hypocrisie, bv. door te pochen op haar diversiteit en de linkse piëteit van haar beleid, terwijl ze in werkelijkheid niets anders deed dan de kinderen van de elite voorbereiden op elitaire beroepen waar ze veel geld mee zouden gaan verdienen, om zo het reservoir aan welgestelde schenkers onder haar alumni te vergroten. Zonder dat iemand er ooit iets over zei of zich er zelfs maar bewust van wilde zijn, was de universiteit een ware tempel van de mammon. Dat is geen grap. Om een voorbeeld te geven: het populairste hoofdvak was economie, en de beste en knapste koppen van mijn jaar waren allemaal geobsedeerd door een carrière op Wall Street, waar het onverholen ethos destijds 'Graaien is goed' luidde. En dan heb ik het nog niet gehad over de kleinhandel van de cocaïnedealers op de campus, die heel wat meer opstreken dan ik. Om maar een paar zaken te noemen die ik, als ik moet kiezen, als verzachtende om-

11 (waar, dit even ter info, in die tijd niet of nauwelijks officieel les in werd gegeven)
12 (en terecht, zoals zou blijken)

standigheden zou aanvoeren. Mijn eigen houding tegenover dit alles was ongeveer die van een advocaat: afstandelijk en professioneel. Ik ging ervan uit dat, hoewel men van oordeel kon zijn dat bepaalde aspecten van mijn onderneming strikt genomen een cliënt sterkten in zijn beslissing de Code van Academische Eerlijkheid te schenden of hem er mogelijk toe aanzetten, die beslissing, en ook de praktische en morele verantwoordelijkheid ervoor, finaliter toch bij de cliënt berustte. Ik nam op freelancebasis en tegen betaling bepaalde schrijfopdrachten aan; waarom bepaalde studenten bepaalde werkstukken van een bepaalde lengte over bepaalde onderwerpen bestelden, en wat ze er na oplevering mee uitvoerden, was mijn zaak niet.

Het volstaat te vermelden dat het departement Juridische Zaken van de universiteit eind 1984 een andere mening was toegedaan. Op dit punt wordt het verhaal ingewikkeld en enigszins onsmakelijk, en gangbare memoires zouden nu waarschijnlijk de details, de stuitende oneerlijkheid en de hypocrisie van de hele affaire breed uitmeten. Dat ga ik niet doen. Ik haal al deze zaken tenslotte alleen maar aan om wat context te schetsen voor de zogenaamd 'fictioneel' ogende formele elementen van de niet-alledaagse memoires die je (hoop ik) gekocht hebt en waarvan je nu aan het genieten bent. En natuurlijk ook om uit te leggen waarom ik tijdens wat mijn derde jaar aan een elite-universiteit had moeten worden[13] een van de meest eentonige en afstompende kantoorbaantjes in Amerika had, opdat die evidente vraag niet heel het boek lang in de lucht blijft hangen, want dat leidt alleen maar af (iets waar ik zelf als lezer een gloeiende hekel aan heb). Gelet op de beperkte doelstellingen van deze toelichting verdient het wellicht de voorkeur het hele Code-van-AE-fiasco in een paar pennenstreken te schetsen, te weten:

(1a) Naïeve mensen zijn er zich, min of meer per definitie, niet van bewust dat ze naïef zijn. (1b) Ik was, achteraf beschouwd, naïef. (2)

---

13 Het derde jaar bood trouwens andere, meer geprivilegieerde studenten van de universiteit, onder wie verschillende voormalige freelancecliënten van mij, de gelegenheid te genieten van hun traditionele 'semester in het buitenland', onder meer in Cambridge en aan de Sorbonne. Ik zeg het maar even. Ik verwacht niet dat je al handenwringend de hypocrisie en oneerlijkheid gaat aanklagen die je hierin wellicht ontwaart. Met dit voorwoord wil ik zeker niet naar sympathie hengelen. En uiteraard nemen gedane zaken geen keer.

Om uiteenlopende persoonlijke redenen was ik lid van geen enkel studentencorps, en wist daarom niets af van de bizarre stamgebruiken en
-praktijken in de zogeheten 'Griekse' vereniging. (3a) Een van de
corpsen had het kolossaal idiote en kortzichtige plan opgevat om in
de biljartzaal achter de bar een middelgrote hangmappenkast te plaatsen met daarin kopieën van bepaalde recente examens, oefenreeksen,
labverslagen en werkstukken die een goed cijfer hadden gekregen en
waaruit vrijelijk geplagieerd kon worden. (3b) Van kolossaal idioot gesproken: het bleek dat niet één, maar wel *drie* verschillende leden van
dat corps een paar van deze werkstukken, die strikt genomen niet van
hen waren, zonder voorafgaand overleg met de partij bij wie ze in opdracht waren gegeven en die ze had aangeleverd, in die gemeenschappelijke hangmappen hadden gestopt. (4) De paradox van het plagiëren
is dat je er veel zorg en tijd aan moet besteden wil je ermee wegkomen,
omdat je de stijl, inhoud en logische opbouw van het origineel voldoende moet aanpassen om er zeker van te zijn dat de professor die
het opstel nakijkt het niet onmiddellijk als zuiver plagiaat herkent, wat
hij/zij als een belediging zal ervaren. (5a) Het slag strontverwende,
cretineuze corpsbal dat in de gemeenschappelijke hangmappenkast
gaat graven naar een werkstuk over het gebruik van impliciete bnp-
prijsdeflatoren in macro-economisch perspectief, is ook het slag dat
geen weet heeft of wil hebben van het extra werk waar goed plagiaat
paradoxaal genoeg om vraagt. Hij zal, ongelooflijk maar waar, het hele
geval domweg woord voor woord overtypen. (5b) Noch zal hij, nog
ongelooflijker maar waar, de moeite nemen na te gaan of een van zijn
corpsvriendjes van plan is met dezelfde tekst voor hetzelfde vak plagiaat te plegen. (6) De morele structuur van een universitair studentencorps blijkt klassiek tribaal te zijn, d.w.z. gekarakteriseerd door
diepgewortelde opvattingen over eer, discretie en trouw aan de zogeheten 'dispuutgenoten', gecombineerd met een volstrekt, sociopa-
thisch gebrek aan respect voor de belangen of zelfs maar de mense-
lijkheid van iedereen buiten het eigen dispuut.

Tot zover de schets. Ik vermoed dat je geen detailtekening nodig
hebt om te raden hoe het afliep, of een snelcursus Amerikaanse klas-
sendynamiek om te begrijpen wie van de vijf studenten die uiteindelijk
onder strenge voorwaarden hun studie konden voortzetten of gedwongen werden bepaalde vakken over te doen, versus die ene student die
formeel geschorst werd in afwachting van een beslissing tot definitieve

verwijdering en een mogelijke[14] doorverwijzing van de zaak naar de officier van justitie van Hampshire County, ondergetekende was, de auteur in levenden lijve, David Wallace uit Philo, Illinois, een slaapverwekkend, uitgestorven stadje van niks waarnaar noch ik noch mijn familie me graag zag terugkeren om er wat voor de tv te hangen gedurende de minstens één, mogelijk zelfs twee semesters die het universiteitsbestuur kennelijk nodig achtte om over mijn lot te beslissen.[15] Ondertussen begon, per 1 januari 1985, conform de bepalingen in §106(c-d) van de Wet op de Federale Schuldinvordering uit 1966, de aflossingsklok van mijn Gegarandeerde Studieleningen te tikken, tegen een rente van 6,25%.

Nogmaals: als het voorgaande soms vaag of lacuneus klinkt, dan komt dat doordat ik je een zeer uitgeklede, op deze gelegenheid toegesneden versie heb gegeven van wie ik was en in welk parket ik me zo ongeveer bevond tijdens mijn dertien maanden als controleur bij de IRS. Bovendien, zo ben ik bang, is de manier waarop ik in die overheidsfunctie ben beland een deel van de voorgeschiedenis die ik alleen indirect kan verhalen, nl. door zogenaamd uit te leggen waarom ik het er niet over kan hebben.[16] Ten eerste zou ik willen vragen je het reeds aangehaalde gebrek aan animo in je achterhoofd te houden bij de gedachte dat ik naar Philo zou terugkeren om daar mijn tijd in het vage-

14 (wat echter, gezien de zorg die de universiteit besteedde aan haar imago en pr, erg onwaarschijnlijk was)

15 Sorry voor deze zin. De waarheid is dat ik me over dat hele corpshangmappenkast-veroorzaakt-uitdijend-schandaal-met-zoektocht-naar-zondebok-gebeuren nog steeds behoorlijk kan opwinden, emotioneel gezien dan. Twee feiten die de hardnekkigheid van deze emoties wellicht wat begrijpelijker maken: (a) van de vijf andere studenten van wie JZ te weten kwam dat ze werkstukken hadden gekocht of er plagiaat mee hadden gepleegd, studeerden er twee summa cum laude af, en (b) een derde zetelt nu in de universitaire Raad van Bestuur. Ik geef gewoon de naakte feiten en laat het aan jou over om uit heel die onzalige affaire conclusies te trekken. *Mendacem memorem esse oportet.*

16 En het spijt me dat ik het zo ingewikkeld moet maken. Rekening houdend met de hieronder toegelichte familiaal-juridische restricties is deze anti-uitleg voor mij de enige acceptabele manier om te beletten dat mijn aanwezigheid in Filiaal 047 van de IRS een enorme, onverklaarde en ongemotiveerde leemte oplevert, wat in bepaalde soorten fictie misschien (strikt genomen) mogelijk is, maar wat in memoires zou neerkomen op een fundamentele en wezenlijke contractbreuk.

vuur uit te zitten; de terughoudendheid kwam van beide kanten en had op haar beurt te maken met een lange geschiedenis van oud zeer tussen mijn familie en mij waar ik hier, mocht ik dat al willen, niet op kan ingaan (cf. *infra*). Ten tweede wil ik je meegeven dat Peoria slechts 150 km ten noordwesten van Philo ligt, waardoor mijn familie een oogje in het zeil kon houden zonder me al te dicht op de huid te hoeven zitten en het soort details te weten te komen die mogelijk gevoelens van bezorgdheid en verantwoordelijkheid met zich mee zouden brengen. Ten derde zou ik je kunnen wijzen op §1101 van de in 1977 door het Congres aangenomen Wet op de Uitvoering van de Schuldinvordering, die voorrang bleek te hebben op §106(c-d) van de Wet op de Federale Schuldinvordering, en die de mogelijkheid bood om de aflossing van een Gegarandeerde Studielening op te schorten bij *de facto* personeelsleden van bepaalde overheidsinstellingen, waaronder drie keer raden welke. Ten vierde mag ik hier vermelden – na lang marchanderen met de juridische dienst van de uitgever – dat mijn contract (duur: dertien maanden), mijn werklocatie en de salarisschaal waarin ik viel het resultaat waren van zekere *sub rosa* handelingen van een zeker familielid dat onbekend wenst te blijven,[17] maar dat zekere connecties had op het kantoor van de Regiocommissaris voor het Midden-Westen van een zekere overheidsinstelling. Ten slotte mag ik hier ook het belangrijkste aspect noemen, zij het in bewoordingen die niet helemaal de mijne zijn, nl. dat mijn familieleden haast unaniem weigerden een vrijwaring te ondertekenen voor elke andere of meer gedetailleerde vermelding, weergave of gebruikmaking van de genoemde familieleden alsmede elke gelijkenis met hen, in welke hoedanigheid, setting, vorm of voorkomen dan ook, met inbegrip van verwijzingen *sine damno*, in het geschreven werk dat tot hierentoe *De bleke koning* als titel draagt – wat ook de reden is dat ik geen nadere details kan geven over het hoe en waarom van dit alles. Einde uitleg over het ontbreken van een echte uitleg die, hoe irritant of duister ook, (nogmaals) echt te verkiezen valt boven het gedurende heel de hierna volgende tekst rond de spreekwoordelijke hete brij heen draaien en met geen woord reppen over hoe/waarom ik in het Regionale Controlecentrum Midden-West aan de slag ging.[18]

Wellicht is dit ook het geschikte moment om even in te gaan op een

---

17 (evenwel géén ouder)
18 Q.v. noot 2, *supra*.

andere essentiële waaromvraag, die teruggaat op de enkele ¶'s hierboven aangehaalde kwesties rond waarschijnlijkheid en vertrouwen, nl.
waarom eigenlijk memoires en non-fictie, terwijl ik toch in de eerste
plaats een fictieschrijver ben? Nog afgezien van de vraag waarom uitgerekend memoires over slechts dat ene en al lang vervlogen jaar dat
ik in ballingschap doorbracht met zaken waarvoor ik geen enkele interesse of betrokkenheid voelde, en waarin ik nooit meer was dan een
onbetekenend, efemeer en afgesleten radertje in een immense bureaucratie.[19] Hierop zijn er twee correcte antwoorden mogelijk, het ene
persoonlijk, het andere eerder literair/humanistisch van aard. Ik ben

19 Het woord *bureaucratie* verschijnt hier niettegenstaande er in de aanloop naar dat
gedoe rond 'de Nieuwe IRS' zowel bij Driemaal Zes als in de Regio's een steeds ma-
nifestere anti-, ja zelfs postbureaucratische stemming opgang maakte. Zie bv. het volgende fragment uit een interview met dhr. Donald Jones, een S-13 en van 1984 t/m
1990 Teamleider van de vleugel Zware Gevallen van het RCC Midden-West:
    Misschien is het goed *bureaucratie* te definiëren. Als begrip. Waar we het hier over
    hebben. Ze zeiden dat je er gewoon het woordenboek op moest naslaan. Bestuur
    gekenmerkt door het opsplitsen van verantwoordelijkheden en het rigoureus vast-
    houden aan ambtelijke maatstaven en voorschriften, einde citaat. Rigoureus vast-
    houden aan ambtelijke maatstaven en voorschriften. Bestuurlijk systeem waarin de
    noodzaak of het verlangen ingewikkelde procedures te volgen efficiënt handelen in
    de weg staat, einde citaat. Die definitie projecteerden ze tijdens vergaderingen met
    behulp van een overheadprojector op de muur. Volgens hen moesten ze die van hem
    allemaal opdreunen, bijna als een soort catechismus.
In discursieve termen wil dit zeggen dat in de paar jaar waar het hier over gaat een van
de grootste bureaucratieën ter wereld zichzelf stuiptrekkend probeerde opnieuw uit te
vinden als een non- of zelfs een antibureaucratie, wat op het eerste gezicht misschien
niet meer dan het zoveelste stompzinnige bureaucratische idee lijkt. Maar in werkelijkheid was het beangstigend; alsof je er getuige van was hoe een enorme machine tot
bewustzijn kwam en probeerde te denken en te voelen als een mens. Het schrikbeeld
van vergelijkbare films als *Terminator* en *Blade Runner* was gebaseerd op precies deze
premisse ... maar in het geval van de Dienst hadden de stuiptrekkingen, evenals de gevolgen ervan, natuurlijk wel een reële weerslag op het leven van de Amerikaanse burger,
zij het meer diffuus en minder spectaculair.
    N.B. De 'ze' waar dhr. Jones naar verwijst zijn enkele hooggeplaatste figuren, expo-
nenten van het zogenaamde 'Plan', dat om praktische redenen hier onmogelijk in abstracte termen kan worden uitgelegd (q.v. echter Opname 951458221 in §14, een reeks
documentaire interviews, die een lange en wellicht niet helemaal pertinente versie omvat van precies zo'n uitleg door dhr. Kenneth ['Ken, Bij Wijze Van Spreken'] Hindle,

al snel geneigd te zeggen dat het persoonlijke aspect je geen mallemoer aangaat ... behalve dan dat als ik jou in de culturele context anno 2005 rechtstreeks en persoonlijk aanspreek, dat als nadeel heeft dat er, zoals jij en ik maar al te goed weten, geen duidelijke grens meer bestaat tussen het persoonlijke en het publieke, of beter nog: tussen het private en het performatieve. Een paar voor de hand liggende voorbeelden zijn weblogs, reality-tv, camera's in mobieltjes, chatrooms ... en uiteraard de nog altijd groeiende populariteit van memoires als literair genre. Het spreekt voor zich dat in deze context *populariteit* synoniem is met winstgevendheid; dat feit alleen al zou, qua persoonlijke motivatie, eigenlijk moeten volstaan. Bedenk ook dat het gemiddelde voorschot[20]

een van de oudste wiegelaars in de routinegroep waar ik uiteindelijk [na de aanvankelijke verwarring en verkeerde toewijzingen] in terechtkwam), behalve door te zeggen dat de enige van dat stel die iemand van ons bescheiden niveau ooit met eigen ogen te zien kreeg, die man van de Afdeling Techniek was, M.E. Lehrl, samen met zijn bizarre team van intuïtisten en occulte efeben, die (zo bleek) opdracht hadden het Plan te helpen implementeren, althans voor zover het Controle betrof. Kun je er vooralsnog geen touw aan vast knopen, dan is er nog geen man overboord. Het heeft me heel wat hoofdbrekens gekost om af te wegen wat ik hier zou uitleggen, en waar ik er beter aan deed het zich op een meer natuurlijke, dramatisch verantwoorde manier te laten ontvouwen in de memoires zelf. Uiteindelijk heb ik besloten een paar beknopte en mogelijkerwijs verwarrende toelichtingen ad hoc in te lassen, erop speculerend dat je ze, mochten ze in dit stadium te obscuur of buitenissig zijn, gewoon zult negeren, iets wat ik, nogmaals, uiteraard echt helemaal prima vind.

20 Voor de geïnteresseerden: deze term verwijst in verkorte vorm naar een niet terugvorderbaar voorschot op het verwachte royaltyhonorarium (via een reeks progressieve marges tussen de 7,5 en 15%) op de boekenverkoop. Omdat de feitelijke verkoopcijfers moeilijk te voorspellen zijn, is het in het financieel belang van de schrijver een zo groot mogelijk voorschot te bedingen, hoewel de betaling van dat bedrag in het aanslagjaar van ontvangst tot problemen met de fiscus kan leiden (grotendeels dankzij de Fiscale Hervormingswet van 1986, waarbij het inkomstengemiddelde werd afgeschaft). Houden we verder rekening met het feit dat het voorspellen van de actuele verkoopcijfers ook allesbehalve een exacte wetenschap is, dan is de grootte van het voorschot dat een uitgeverij bereid is op tafel te leggen voor de rechten van een boek de beste tastbare indicatie van haar bereidheid dat boek te 'ondersteunen', een begrip dat zowat alles omvat, van het aantal gedrukte exemplaren tot de grootte van het promotiebudget. En deze 'ondersteuning' is praktisch de enige manier waarop een boek de aandacht van het grote publiek kan trekken en behoorlijke verkoopcijfers kan halen – want of je het nu leuk vindt of niet, dat is vandaag de dag de commerciële realiteit.

dat een auteur in 2003 voor memoires kreeg bijna 2,5 keer hoger lag dan dat voor fictie. De waarheid is simpel: zoals zo veel Amerikanen heb ook ik de laatste jaren veel tegenslagen te verwerken gekregen als gevolg van de kwakkelende economie, en dat terwijl mijn financiële verplichtingen samen met mijn leeftijd en verantwoordelijkheden alleen maar zijn toegenomen[21]; en ondertussen hebben verschillende Amerikaanse schrijvers – van wie ik er een aantal persoonlijk ken, o.a. iemand die ik nog in de lente van 2001 geld heb geleend om in enkele basisbehoeften te voorzien – de kassa flink doen rinkelen met memoires,[22] en het zou wel erg hypocriet zijn als ik pretendeerde minder gevoelig en ontvankelijk voor marktmechanismen te zijn dan ieder ander.

Maar wij volwassen mensen weten dat er in de menselijke ziel verschillende soorten motieven en emoties tegelijk kunnen huizen. Het is ondenkbaar dat een boek met memoires als *De bleke koning* geschreven had kunnen worden louter met het oog op financieel gewin. Een van de paradoxen van het schrijversbestaan is dat boeken die uitsluitend voor het geld en/of de roem worden geschreven bijna nooit goed genoeg zijn om een van beide op te leveren. Het overkoepelende verhaal waarin dit voorwoord is ingebed bezit wel degelijk aanzienlijke sociale en artistieke merites. Dat klinkt allicht arrogant, maar neem gerust van me aan dat ik geen drie jaar (plus nog eens vijftien maanden juridisch en redactioneel gesteggel) op *De bleke koning* had willen of

21 Kunstenaar of niet, zodra men de veertig gepasseerd is, beginnen alleen onverbeterlijke flierefluiters niet te sparen en te beleggen voor hun naderende pensioen, zeker in deze tijden van pensioensparen en groepsverzekeringen die zulke royale jaarlijkse belastingverminderingen opleveren – en zeker als je boven op je persoonlijke pensioenspaarplan nog aanvullende pensioenbijdragen kunt wegzetten bij je eigen vennootschap als contractueel 'extralegaal voordeel' waarvan je het bedrag ook nog eens van je persoonlijk belastbare inkomen kunt aftrekken. Op dit moment vraagt de belastingwetgeving er gewoon om, nog net niet smekend op de knieën, dat Amerikanen met een bovengemiddeld inkomen van deze mogelijkheid gebruikmaken. De kunst bestaat er natuurlijk in ervoor te zorgen dat je inkomen hoog genoeg is om als bovengemiddeld te gelden – *Deos fortioribus adesse*.

22 (Ondanks zijn plotse roem en rijkdom wacht ik nu bijna vier jaar later nog steeds op de dag dat deze verder anonieme schrijver de hoofdsom van de lening terugbetaalt, wat ik trouwens niet vermeld uit rancune of om iets te zeuren te hebben, maar gewoon als een bijkomend element van mijn financiële situatie en bijgevolg ook motivatie.)

kunnen zitten zwoegen als ik er niet van overtuigd was geweest dat dit het geval was. Neem bv. het volgende citaat, dat ik heb opgetekend uit de mond van meneer DeWitt Glendenning jr., gedurende het grootste deel van mijn aanstelling aldaar Directeur van het Regionaal Controlecentrum Midden-West:

> Als je weet hoe iemand over belastingen denkt, kun je daaruit [zijn] hele levensbeschouwing afleiden. Weet je eenmaal hoe de fiscale wetgeving werkt, dan belichaamt die de essentie van het [menselijk] leven: hebzucht, politiek, macht, goedheid, vrijgevigheid.

Aan al deze kwaliteiten die meneer Glendenning de belastingwetgeving toedichtte, wil ik er graag nog een toevoegen: verveling. Ondoorzichtigheid. Gebruiksonvriendelijkheid.

Dit laat zich ook anders formuleren. Waarschijnlijk klinkt het wat droog en frikkerig, maar dat is omdat ik de kwestie herleid tot haar abstracte geraamte:

1985 was een sleuteljaar voor de Amerikaanse belastingen, de fiscale wetgeving en de handhaving ervan door de IRS. Kort gezegd onderging de Dienst dat jaar niet alleen diepgaande veranderingen in zijn uitvoeringsmandaat, maar beleefde hij ook het hoogtepunt van een ingewikkelde interne strijd tussen voor- en tegenstanders van een in toenemende mate geautomatiseerd, gecomputeriseerd aanslagsysteem. Om complexe, administratieve redenen was het Regionaal Controlecentrum Midden-West een van de tonelen waar de beslissende slag in deze strijd werd geleverd.

En dat is niet eens het hele verhaal. Zoals aangegeven in een noot een heel eind *supra*, ging achter dit operationele gevecht, met als inzet een menselijke dan wel digitale handhaving van de wet, een fundamenteler conflict schuil over de missie en de raison d'être van de Belastingdienst an sich, een conflict dat vanuit de machtscenakels bij de Thesaurie en Driemaal Zes tot helemaal onderaan in de meest achterlijke en godvergeten Districtskantoren nazinderde. Traditionele of 'conservatieve'[23] topambtenaren die de belastingen en het bijbehorende uitvoeringsorgaan als een politieke arena van sociale rechtvaardig-

---

23 (wat hier, en dat is inderdaad wat verwarrend, liberaal in de klassieke zin betekent)

heid en burgerlijke deugd beschouwden, streden op de hoogste niveaus tegen meer progressieve, 'pragmatisch' georiënteerde beleidsmakers die pleitten voor de principes van de vrije markt, meer efficiency en een zo groot mogelijke return op het jaarlijkse budget van de Belastingdienst. In essentie luidde de vraag of en tot op welke hoogte de IRS moest worden bestierd als een bedrijf met winstoogmerk.

Als samenvatting kan dit wel volstaan, denk ik. Als je weet hoe je overheidsarchieven moet uitspitten en ontsluiten, zijn er meters ontstaansgeschiedenis en theorie beschikbaar over zowat ieder mogelijk aspect van de zaak. Alles is vrij en publiek toegankelijk.

Maar daar zit het hem nu juist. Net als toen hebben ook nu maar heel weinig gewone Amerikanen hier weet van. Wat ook geldt voor de verstrekkende veranderingen die de Dienst medio jaren 80 onderging, veranderingen die vandaag een directe weerslag hebben op de manier waarop de belastingverplichtingen van iedere burger bepaald en gehandhaafd worden. En geheimhouding is niet de reden voor deze onwetendheid bij het grote publiek. Ondanks zijn goed gedocumenteerde paranoia en afkerigheid van publiciteit[24] had geheimhouding door de fiscus er in dit geval niets mee te maken. De echte reden waarom Amerikaanse staatsburgers zich van deze conflicten, veranderingen en belangen niet bewust waren/zijn, is dat de hele problematiek rond de fiscale wetgeving en de uitvoeringspraktijk uitermate saai is. Verpletterend, spectaculair saai.

Deze factor is van niet te overschatten belang. Bekijk het eens vanuit het standpunt van de fiscus en bedenk welke voordelen er verbonden zijn aan saaiheid en esoterische, geestdodende complexiteit. De IRS was een van de eerste overheidsinstellingen die inzagen dat ze zich met dergelijke kwaliteiten konden indekken tegen zowel protesten van burgers als politieke tegenwind, en dat abstruse saaiheid een effectiever afweermechanisme is dan volstrekte geheimhouding. Het grote nadeel van geheimhouding is dat mensen er nieuwsgierig van worden. We voelen ons nu eenmaal aangetrokken tot geheimen. Bedenk ook dat de gebeurtenissen waar het hier om draait zich amper tien jaar na Watergate afspeelden. Had de Dienst geprobeerd deze conflicten en

24 (en niet geheel ten onrechte, gelet op de vijandigheid van bb's jegens de Belastingdienst, en de gewoonte van politici om de fiscus de zwartepiet toe te spelen als er weer eens wat populistische punten moeten worden gescoord etc.)

stuiptrekkingen te verbergen of te verdoezelen, dan hadden een of meer ondernemende journalisten allerlei onthullingen kunnen doen, wat tot een heleboel aandacht, interesse en ophef zou hebben geleid. Maar dat gebeurde dus allemaal niet. Integendeel: twee jaar lang werden de beleidslijnen op het hoogste niveau in volle openbaarheid besproken in o.m. publieke hoorzittingen van de Gezamenlijke Commissie Belastingheffing in het Congres, de Subcommissie Procedures en Statuten van de Thesaurie in de Senaat, en de Raad der Assistent- en Adjunct-Commissarissen van de IRS. Deze hoorzittingen waren bijeenkomsten van anaerobe heerschappen in vaalbruine pakken die een werkwoordloos bureaucratees hanteerden – met termen als 'strategisch implementatiesjabloon' en 'heffingsvector' in plaats van 'plan' en 'belasting' – en die dagenlang vergaderden alleen al om consensus te bereiken over de precieze agendering van de discussiepunten. Zelfs in de vakpers las je er nauwelijks iets over. Enig idee hoe dat kwam? Zo niet, bedenk dan dat alle afschriften, dossiers, studies, witboeken, heffingsamendementen en procedurele memoranda haast tot op de laatste snipper publiek toegankelijk zijn, en dat al sinds hun uitgiftedatum. Zelfs een verzoekschrift is niet nodig. Maar geen enkele journalist is blijkbaar ooit in die archieven gedoken, en daar zijn goede redenen voor: je bijt er keihard je tanden op stuk. Al na de tweede of de derde ¶ ploppen je ogen uit hun kassen. Je moest echt eens weten.²⁵

Feit is: de barensweeën van de Nieuwe IRS leidden tot een van de grootste en afschuwelijkste pr-vondsten die ooit in een moderne democratie werden gedaan, nl. dat indien je gevoelige overheidskwesties maar voldoende saai en esoterisch maakt, ambtenaren niet eens meer iets hoeven te verbergen of verhullen, omdat niemand buiten de direct betrokkenen er aandacht aan zal besteden, laat staan moeilijk zal doen.

---

25 Ik weet zo goed als zeker dat ik de enige levende Amerikaan ben die daadwerkelijk al die archieven heeft doorgeploegd. Ik betwijfel of ik kan uitleggen hoe ik dat heb klaargespeeld. Dhr. Chris Acquistipace, een van de Sectieleiders in onze groep bij Routine, een S-11 gezegend met flink wat intuïtie en sensibiliteit, zag een analogie tussen de openbare archieven over het Plan en de reusachtige boeddha's van massief goud die in het oude Khmer-rijk sommige tempels flankeerden. Deze onschatbare beelden werden nooit bewaakt of beveiligd, maar bleven gevrijwaard van diefstal, niet ondanks, maar dankzij hun waarde – ze waren te groot en te zwaar om te verplaatsen. Op de een of andere manier putte ik daar moed uit.

Niemand schenkt er aandacht aan, omdat niemand er zich voor interesseert, dat is min of meer *a priori* gegeven vanwege de monumentale saaiheid van de hele kwestie. Of deze pr-vondst wegens haar ondermijnende effect op het democratische ideaal te betreuren dan wel toe te juichen valt omdat de overheid hierdoor efficiënter wordt, hangt af van de partij die je kiest in het hierboven op p. 100 aangehaalde fundamentele debat over idealen versus efficiency, zo lijkt me – een evolverende lus waar ik hier maar beter niet verder op in- of mee aan de slag ga; ik wil je geduld niet nog langer op de proef stellen.

Voor mij is de werkelijk interessante vraag, achteraf gezien althans,[26] waarom saaiheid altijd zo'n zware belemmering voor aandacht vormt. Waarom we terugdeinzen voor het saaie. Misschien wel omdat pijn inherent is aan saaiheid; misschien ligt dat aan de basis van uitdrukkingen als 'ondraaglijk' of 'dodelijk' saai. Maar misschien is er meer aan de hand. Misschien associëren we saaiheid met psychisch leed omdat wat saai of eentonig is ons te weinig prikkels biedt die ons kunnen afleiden van een andere, diepere pijn, een pijn die altijd aanwezig is, al was het maar als vervelende achtergrondruis die de meesten van ons[27] uit alle macht proberen niet te horen, althans niet rechtstreeks of met ons volle besef. Ik geef toe dat het allemaal behoorlijk verwarrend is, en lastig om er zo abstract over te praten ... maar er moet toch een verklaring zijn voor het feit dat je tegenwoordig op saaie of monotone plekken niet alleen muzak te horen krijgt, maar dat je in wachtkamers, in de rij voor een supermarktkassa, bij de gate op de luchthaven, op de achterbank van SUV's etc. nu zelfs tv kunt kijken. Walkmans, iPods, BlackBerry's, mobiele headsets. De panische angst voor stilte zonder verstrooiing. Het gaat er bij mij niet in dat het in die zogenoemde 'informatiemaatschappij' van vandaag alleen maar om informatie draait. We weten allemaal[28] dat het uiteindelijk ergens anders om gaat.

Relevant i.v.m. deze memoires is dat ik tijdens mijn verblijf bij de Dienst een en ander heb geleerd m.b.t. saaiheid, informatie en irrelevante complexiteit. Over hoe verveling door te komen, als was het een terrein vol niveauverschillen, bossen en eindeloze woestenijen. Een

26 (want daar gaat het in memoires per slot van rekening om)
27 (of we ons daar nu van bewust zijn of niet)
28 (nogmaals: of we ons daar nu van bewust zijn of niet)

uitgebreide en intensieve leerperiode was het, dat tussenjaar. En wat me sinds die tijd is opgevallen, bij mijn werk, in mijn vrije tijd of in de uren die ik met vrienden of familie doorbreng, is dat mensen niet vaak praten over wat saai is. Over die delen van het leven die saai zijn en dat ook horen te zijn. Vanwaar dat stilzwijgen? Misschien omdat het onderwerp op zich ook saai is ... en zo zijn we terug bij af, hoe vervelend en irritant dat ook moge zijn. Er zou wel eens meer aan de hand kunnen zijn, volgens mij ... enorm veel meer zelfs, met die saaiheid hier pal voor onze ogen, onzichtbaar dankzij haar omvang.

§10

Niettegenstaande de befaamde uitspraak van rechter H. Harold Mealer, opgenomen in de meerderheidsopinie van het Hof van Beroep voor het 4e Circuit in de zaak *Atkinson et al. vs. De Verenigde Staten*, waarin hij een overheidsbureaucratie karakteriseerde als 'de enige ons bekende parasiet die groter is dan het organisme waarop hij teert', is een dergelijke bureaucratie in werkelijkheid eerder een parallelle wereld die met onze wereld verbonden is en er tegelijk onafhankelijk van bestaat, en waar een andere causaliteit en andere fysische wetten van kracht zijn. Je zou je een groot, ingewikkeld systeem moeten voorstellen van gekoppelde stangen, riemschijven, raderwerken en hefbomen die zich vanuit een centrale aandrijving in alle richtingen vertakken, zodat de kleinste bewegingen van de vinger van de machinedrijver overgedragen worden op het systeem en uitgroeien tot de reusachtige kinetische verplaatsingen van de stangen aan de periferie. Het is aan deze periferie dat de wereld van de bureaucratie inwerkt op de onze.

Een cruciaal aspect van de analogie is het inzicht dat de machinedrijver van het ingewikkelde systeem zelf niet zonder oorzaak is. Een bureaucratie is geen gesloten systeem; juist dat maakt het tot een wereld in plaats van een ding.

§11

Uit: Afdeling Personeelszorg & Personeelstoezicht o.l.v. de
Adjunct-Commissaris van de IRS voor Personeel &
Organisatie, Management & Ondersteuning / Interne
Memo 4123-78(b)

Conclusie van Onderzoek/Studie 1-76 t/m 11-77 van de APPACI-
POMO: AMA/DSM(II)-erkende syndromen/symptomen gerelateerd
aan een betrekking bij Controle van langer dan 36 maanden (gemiddeld opgegeven duur van de betrekking: 41,4 maanden), in omgekeerde incidentie (cfm. medische/EAP-claim cfm. BH §743/12.2(f-r)):

Chronische paraplegie
Acute paraplegie
Acute paralysis agitans
Paracatatonische vluchten
Paresthesie
Intracraniale oedemen
Spasmodische dyskinesieën
Paramnesie
Parese
Fobische angst (numeriek)
Lordose
Renale neuralgie
Tinnitus

Perifere hallucinaties
Torticollis
Teken van Cantor (rechts)
Lumbago
Dihedrale lordose
Dissociatieve vluchten
Kern-Børglundt-syndroom (radiaal)
Hypomanie
Ischias
Spasmodische torticollis
Verhoogde schrikachtigheid
Syndroom van Krendler
Hemorroïden
Ruminerende vluchten
Ulceratieve colitis
Hypertensie
Hypotensie
Teken van Cantor (links)
Diplopie
Nyctalopie
Vasculaire hoofdpijn
Cyclothymie
Wazig zicht
Kleine tremors
Faciale en digitale tics
Specifieke angststoornissen
Gegeneraliseerde angststoornis
Kinesthetische aandoeningen
Onverklaarbaar bloedverlies

§12

Stecyk begon op de hoek van de straat, liep met zijn aktetas het eerste tegelpaadje op en belde aan. 'Goedemorgen,' zei hij tegen de oudere dame die de deur opende in hetzij een duster, hetzij een erg ruime huisjurk (het was 7.20 uur, dus een peignoir was niet alleen voor de hand liggend, maar op dat moment ronduit gepast) waarvan ze de kraag met één hand ferm dichthield terwijl ze door de kier tussen deur en deurlijst meerdere blikken over Stecyks schouders wierp, alsof ze ervan overtuigd was dat er nog iemand achter hem stond. Stecyk zei: 'Mijn naam is Leonard Stecyk, ik zeg zelf Leonard maar Len is wat mij betreft ook prima, en ik ben pas verhuisd en betrek nu appartement 6F van Residentie Vissersbaai hier in de straat, u zult het wel eens gezien hebben op weg van of naar huis, daar op nummer 121 even verderop in de straat, en ik zou graag van de gelegenheid gebruikmaken om goedendag te zeggen en me voor te stellen en te zeggen dat ik me gelukkig prijs hier in deze buurt te mogen wonen, en als kleine blijk van waardering en ter begroeting wil ik u dit gratis exemplaar van de officiële postcodegids jaargang 1979 aanbieden, waarin u, in alfabetische volgorde, alle postcodes vindt voor iedere gemeente en ieder district in alle Amerikaanse staten, en verder' – de aktetas klemde hij onder zijn arm om de gids open te slaan en die aan de vrouw te tonen – er leek iets mis met een van haar ogen, alsof ze last had van een contactlens of een vuiltje onder het bovenste ooglid, wat bijzonder onaangenaam kon zijn – 'hier op de achterzijde van de laatste pagina en de binnenkant van de achterkaft, op de kaft gaat het dus verder, vindt u een aanvullende lijst met de adressen en gratis telefoonnummers van meer dan 45 overheidsinstellingen en -diensten waar u gratis informatiebrochures kunt aanvragen, waarvan er sommige van haast onschatbare waarde zijn, kijk, van de diensten waar ik asteriskjes bij heb gezet weet ik absoluut zeker dat ze nuttig zijn en dat u er uw voordeel mee zult doen, al zijn ze per slot van rekening uiteindelijk natuurlijk met uw belastinggeld betaald, dus waarom zou u er dan niet uw profijt mee doen, nietwaar, hoewel u dat natuurlijk helemaal zelf mag weten' – de vrouw hield ook haar hoofd wat naar hem toegekeerd, als iemand van wie het gehoor niet meer was wat het ooit geweest was, merkte Stecyk, en hij zette de aktetas op de grond om nog een paar asteriskjes extra te tekenen bij de nummers die in dat geval van pas konden komen. Daarop overhandigde hij met een groots gebaar de postcodegids, die hij vlak voor de deur omhoogheld, waarbij de vrouw een grimas trok en zich leek af te vragen of ze het kettinkje van de deur moest doen om de gids in ontvangst te nemen. 'Misschien kan ik hem beter hier tegen uw melkkrat zetten' – en hij wees naar de krat met flessen melk – 'dan kunt u hem later vandaag eens op uw gemak doornemen, maar dat beslist u natuurlijk zelf,' zei Stecyk. Hij hield ervan om voor de grap, bij wijze van kwinkslag, net te doen alsof hij tegen de rand van zijn hoed tikte, hoewel zijn hand de hoed nooit echt raakte; hij vond dat beleefd én grappig. 'Toedeledoei dan,' zei hij. Hij liep terug over de tegels van het paadje zonder op de brede voegen te stappen en hoorde de deur achter zich pas dichtgaan toen hij de stoep bereikte, waar hij een kwartslag draaide en de achttien stappen tot het volgende tuinpaadje zette en opnieuw een kwartslag draaide naar de voordeur toe, die was voorzien van een smeedijzeren veiligheidsdeur en waaruit ook na drie keer aanbellen en een krachtig *klopperdieklopklop* geen enkele reactie kwam. Hij liet zijn visitekaartje achter met daarop zijn nieuwe adres en in het kort zijn aanbod en hartelijke groeten, samen met nog een postcodegids van het jaar 1979 (die van 1980 kwam pas uit in augustus; hij had hem al aangevraagd), waarna hij met verende tred het paadje afliep, met zo'n brede glimlach dat het hem bijna, zou je zeggen, pijn leek te doen.

§13

Het was op de middelbare school dat de jongen de vreselijke macht van aandacht leerde kennen en van datgene waar je aandacht aan schenkt. De manier waarop dat gebeurde was heel absurd, en dat was juist wat er zo vreselijk aan was. Want vreselijk was het.

Zestienenhalf was hij toen hij in het openbaar te maken kreeg met ontzettende zweetaanvallen.

Als kind was hij al een hevige zweter. Hij zweette enorm bij het sporten of wanneer het warm was, maar daar zat hij niet zo mee. Hij droogde zich gewoon wat vaker af. Hij kon zich niet herinneren dat iemand er ooit iets van had gezegd. Bovendien leek het niet vies te ruiken; het was niet dat hij stonk of zo. Het zweten was gewoon iets wat bij hem hoorde. Sommige kinderen waren dik, andere waren ongewoon klein of lang of hadden gekke tanden, of stotterden, of roken naar schimmel, wat voor kleren ze ook droegen – hij was gewoon iemand die hevig zweette, vooral in klamme zomers, dan hoefde hij maar in een tuinbroek in Beloit rond te fietsen om als een gek te gaan zweten. Voor zover hij zich kon herinneren, had hij er toen amper op gelet.

Maar in zijn zeventiende levensjaar begon hij er last van te krijgen; hij begon zich ongemakkelijk te voelen over al dat zweten. Ongetwijfeld had dit te maken met de puberteit, de fase waarin je je opeens veel vaker afvraagt hoe je op andere mensen overkomt. Of er iets zichtbaar akeligs of walgelijks aan je is. Al in de eerste weken van het nieuwe schooljaar werd hij zich er meer en op verschillende manieren van bewust dat hij meer zweette dan de anderen. De eerste maanden van het schooljaar was het altijd heet, en veel van de oude klaslokalen hadden geeneens een ventilator. Zonder dat hij dat probeerde of wilde, begon hij zich voor te stellen hoe zijn gezweet er in de klas uit zou zien: zijn gezicht glimmend van een mengeling van talg en zweet, zijn shirt doorweekt bij de hals en de oksels, zijn haar samengeklit tot kleine natte vieze pieken door het zweet dat van zijn hoofd gutste. Het ergst was het op plaatsen waar hij dacht dat meisjes het misschien konden zien. De schoolbanken stonden allemaal op elkaar gepropt. Als er een mooi of populair meisje in zijn gezichtsveld opdook, schoot zijn inwendige temperatuur gelijk omhoog – hij merkte dat het ongewild en zelfs tegen zijn wil gebeurde – en begon hij hevig te zweten.[1]

Niet meteen, maar naarmate de herfst van dat zeventiende jaar vorderde en het koeler en droger werd en de bladeren verkleurden en vielen en voor een zakcentje konden worden aangeharkt, had hij voldoende reden te denken dat het zweetprobleem verminderde, dat het echte probleem de hitte was geweest, of dat er nu de broeierige zomerhitte voorbij was niet zo veel aanleiding zou zijn voor het probleem. (Hij dacht er in de meest algemene en abstracte termen over na. Het woord *zweet* probeerde hij uit zijn gedachten te bannen. Je moest je er tenslotte, dat was tenminste het idee, zo min mogelijk bewust van proberen te zijn.) 's Ochtends was het nu frisjes, en op school was het in de lokalen niet heet meer, behalve in de buurt van de tikkende radiatoren achterin. Zonder het volledig te willen beseffen begon hij zich tussen de lesuren een beetje te haasten om vroeg genoeg in het volgende lo-

---

[1] Als subject ontwikkelde hij psychodynamisch gezien een laat en daardoor traumatisch besef van zichzelf als zijnde tevens een object, als een lichaam te midden van andere lichamen, iets wat kon zien, maar ook gezien kon worden. Het was het soort binaire zelfbeeld waartoe veel kinderen soms al rond hun vijfde levensjaar komen, vaak dankzij een toevallige confrontatie met een spiegel, een poel, een raam of een foto gezien in het juiste licht. Ondanks het feit dat de jongen gedurende zijn kindertijd een gemiddelde hoeveelheid reflectoren ter beschikking had, was dit ontwikkelingsstadium in zijn geval om de een of andere reden vertraagd. Het besef van zichzelf als zijnde tevens een object voor anderen werd in zijn geval uitgesteld tot de knop der volwassenheid – en toen het eenmaal ontlook, zoals geldt voor de meeste verdrongen waarheden, verscheen het als iets overweldigends, iets vreselijks, als een vuurspuwend ding met vleugels.

kaal te zijn en niet vast te zitten aan een tafeltje bij een radiator, waar het heet genoeg was om een zweetaanval in gang te zetten. Maar dat was een precaire balans, want als hij tussen de lessen te gehaast door de gangen liep, kon het gebeuren dat hij van deze inspanning licht begon te zweten, wat zijn angstvalligheid vergrootte en het zweten kon verergeren als hij dacht dat anderen het zouden zien. Er bestonden nog andere voorbeelden van zulke angstvallige afwegingen, die hij meestal zo veel mogelijk uit zijn gedachten probeerde te weren, zonder volledig te beseffen waarom.[2]

Tegen deze tijd had hij last van verschillende niveaus en gradaties van zweten in het openbaar, variërend van een lichte glans tot en met verpletterend, onstuitbaar, ziekelijk en voor iedereen zichtbaar zweten. Het ergste was dat het ene niveau in het volgende kon overvloeien als hij zich er te veel zorgen over maakte, als hij bang werd dat het weinige zweten zou verergeren en dan al te zeer zijn best deed om het te bedwingen of te vermijden. Zijn angst kon het uitlokken. Hij begon er pas echt onder te lijden toen hij dit besefte, een besef dat hem eerst maar langzaam daagde en daarna plotseling pijnlijk duidelijk werd.

Wat hij zag als de met afstand ergste dag van zijn leven volgde op een week van winterse kou begin november, op het moment dat het probleem langzamerhand zo beheersbaar en onder controle leek dat hij het gevoel had er binnenkort misschien nog nauwelijks over te hoeven inzitten. Gekleed in een tuinbroek en een roestkleurig shirt van velours zat hij tijdens Cultuurexploratie in het midden van de middelste rij schoolbanken te luisteren en aantekeningen te maken bij een of andere module in het leerboek, toen er als uit het niets een angstaanjagende gedachte bij hem opkwam: *wat als ik nu plots begin te zweten?* En die dag maakte deze gedachte, die zich vooral manifesteerde als een plotse, vreselijke angst die als een warme vloedgolf door hem heen spoelde, dat het zweet hem hevig en onhoudbaar aan alle kanten uitbrak, wat de volgende gedachte dat het zweten nog akeliger moest lijken als verder niemand anders het warm had alleen nog maar erger

2 In klinische termen uitgedrukt probeerde hij uit alle macht een waarheid opnieuw te verdringen die sowieso al te lang verdrongen was geweest en daaraan veel te veel psychische energie had ontleend om, nu ze bij wijze van spreken door de spiegel heen was gebroken, ooit nog uit zijn bewustzijn te worden verdreven. Zo werkt het bewustzijn nu eenmaal niet.

en erger maakte terwijl hij met gebogen hoofd zo stil mogelijk, bijna bewegingloos bleef zitten en al gauw straaltjes zweet over zijn gezicht voelde lopen, verscheurd door het verlangen het zweet van zijn gezicht te vegen voordat het daadwerkelijk begon te druppelen en iemand het zou zien, en de angst dat zelfs de kleinste vegende beweging al de aandacht van de anderen zou trekken en ertoe zou leiden dat degenen in de banken aan weerszijden van hem zouden merken wat er aan de hand was, namelijk dat hij zonder reden als een gek zat te zweten. Zo ellendig had hij zich zijn hele leven in de verste verte niet gevoeld. De aanval duurde in totaal bijna veertig minuten, en de rest van die dag verkeerde hij in een soort tranceachtige post-adrenalineshock, en die dag was het eigenlijke begin van het syndroom waarbij hij besefte dat hoe groter zijn angst om in het openbaar ontzettend te gaan zweten, des te groter de kans werd dat hem nog een keer zoiets zou overkomen als tijdens Cultuurexploratie, misschien wel elke dag, misschien wel meerdere keren op een dag – en dit besef bezorgde hem meer schrik en frustratie en innerlijk leed dan hij in een mensenleven ooit voor mogelijk had gehouden, en het compleet stupide en bizarre van het hele probleem maakte het er alleen maar erger op.

Vanaf die dag bij Cultuurexploratie legden de verlammende angst dat het opnieuw zou gebeuren en zijn pogingen om die angst te voorkomen, vermijden of bedwingen beslag op zowat elk moment van zijn dag. Die angst en angstvalligheid overvielen hem alleen in het klaslokaal of tijdens de middagpauze op school – niet tijdens LO, want zweten tijdens LO zou niemand raar hebben gevonden, en dat boezemde daarom niet die speciale soort angst in die hem rijp maakte voor een aanval. Maar het gebeurde ook bij drukke bijeenkomsten, zoals op scoutsmiddagen, of tijdens het kerstdiner in de muffige, te heet gestookte eetkamer in het huis van zijn grootouders in Rockton, waar hij de extra hittebronnen van de brandende kaarsen op tafel en de lichaamswarmte van al die opeengepakte familieleden lijfelijk kon voelen terwijl hij naar voren boog en probeerde te doen alsof hij het patroon van zijn bord bestudeerde en de hitte van de angst voor de hitte zich als adrenaline of brandy in hem verspreidde, die inwendige hitte die door zijn lichaam zinderde en waar hij uit alle macht geen angst voor probeerde te voelen. Het gebeurde niet als hij alleen was en thuis in zijn kamer wat zat te lezen – in zijn kamer met de deur op slot dacht hij er vaak niet eens aan – net zomin als in de bibliotheek, in een van de afgezonderde studienissen, van die open kubussen waar niemand hem kon zien of waar hij gemakkelijk elk moment kon opstaan en weggaan.3 Het gebeurde alleen in het openbaar, als er mensen bij waren, ergens in het midden van een rij, of rond een helverlichte tafel waar je je nieuwe rode kersttrui moest dragen en je schouders en ellebogen je neven die links en rechts tegen je aan geklemd zaten net niet raakten, en waar iedereen boven de dampende schotels door elkaar praatte en elkaar aankeek, zodat er grote kans bestond dat ze op zijn voorhoofd en het bovenste deel van zijn gezicht de eerste opwellende speldenknoppen al zouden zien die als de angst dat het uit de hand liep te groot werd zouden aanzwellen tot parelende, onmiskenbaar rollende druppels, en het was onmogelijk zijn gezicht met een servet af te vegen, want hij was bang dat de rare aanblik van iemand die 's winters zijn gezicht afveegt de aandacht van de hele familie zou vestigen op wat er aan de hand was, en hij zou zijn ziel verkocht hebben om dat te voorkomen. Het kon praktisch overal gebeuren waar hij moeilijk weg kon gaan zonder aandacht te trekken. Tijdens de les je hand opsteken en toestemming vragen om naar de wc te gaan terwijl alle hoofden zich nieuwsgierig naar je omdraaiden – de gedachte alleen al vervulde hem met afgrijzen.

Hij kon maar niet begrijpen waarom hij zo bang was dat anderen hem eventueel zouden zien zweten of zouden denken dat het raar was of goor. Wat maakte het uit wat anderen dachten? Dit hield hij zichzelf steeds opnieuw voor; hij wist dat het waar was. Voor zichzelf herhaalde hij ook – meestal na een matige of ernstige aanval tussen twee lessen door in een van de hokjes op de jongenstoiletten, waar hij dan met zijn broek omhoog op het deksel zat terwijl hij probeerde zich met het in het hokje aanwezige toiletpapier af te drogen zonder dat het toiletpapier op zijn voorhoofd in kleine nurnies en klonters uit

---

3 Het gebeurde met name nooit als hij alleen boven in de badkamer voor de spiegel stond en probeerde een aanval op te wekken, die hij dan in de spiegel kon bestuderen, zodat hij zelf objectief kon beoordelen hoe erg en opvallend het er vanuit verschillende perspectieven uitzag en vanaf welke afstand het zichtbaar was. Hij hoopte en geloofde in zekere zin ook dat het misschien minder in het oog sprong of bizar leek dan hij tijdens een echte aanval altijd vreesde, maar het lukte hem niet dit te verifiëren, omdat hij er nooit in slaagde een echte aanval op te wekken als hij dat zelf wilde – het gebeurde alleen als hij het zelf absoluut niet wilde.

elkaar viel, dit door een dikke laag toiletpapier stevig tegen zijn haargrens aan te drukken om het te deppen – Franklin Roosevelts toespraak uit Amerikaanse Geschiedenis II in de tweede klas: *Het enige waarvoor we angst moeten hebben is de angst zelf.* In zijn hoofd herhaalde hij deze zin keer op keer. Franklin Roosevelt had gelijk, maar dat hielp niets – weten dat de angst het probleem vormde was niet meer dan een feitelijke constatering; daardoor ging de angst niet weg. Integendeel, hij begon te denken dat hij door zo vaak aan die zin uit de toespraak te denken alleen maar banger werd voor de angst. Dat waar hij echt angst voor voelde in feite de angst voor de angst was, als een eindeloos lachpaleis vol angstspiegels, allemaal even lachwekkend en raar. Hij begon zich er soms op te betrappen dat hij op een heel snelle fluistertoon onbewust tegen zichzelf aan het praten was over de zweetaanvallen en de angst, waardoor hij er voor het eerst rekening mee ging houden dat hij misschien krankzinnig aan het worden was. De krankzinnigen die hij kende van tv lachten allemaal maniakaal, wat hem nu volkomen bizar leek, als een grap die niet alleen niet leuk was, maar gewoon nergens op sloeg. Het idee de aanvallen of de angst weg te lachen kwam hem even absurd voor als het idee op iemand af te stappen, bijvoorbeeld de schooldecaan of zijn hopman bij de scouts, en uit te leggen wat er aan de hand was – het was onvoorstelbaar; geen denken aan.

De middelbare school werd een dagelijkse kwelling, zelfs toen zijn cijfers nog beter werden door de extra tijd die hij aan lezen en studeren besteedde omdat hij alleen op zijn gemak was als hij in de beslotenheid van zijn kamer ergens volkomen geconcentreerd in op kon gaan. Hij hield zich steeds vaker bezig met woordzoekers en getallenpuzzels, daar kon hij helemaal in opgaan. In de klas of de kantine was hij constant bezig er niet aan te denken en zijn angst vooral niet het punt te laten bereiken waarop zijn temperatuur steeg en zijn aandacht telescopeerde tot hij niets anders meer voelde dan onbedwingbare hitte en zweet dat opwelde uit zijn gezicht en rug, waardoor, zodra hij het zweet voelde opwellen en druppels voelde vormen, zijn angst zou ontbranden en hij nog maar aan één ding zou kunnen denken, namelijk hoe hij zonder aandacht te trekken kon ontsnappen richting wc. Het gebeurde maar af en toe, maar de hele tijd dacht hij er met afgrijzen aan, hoewel hij maar al te goed besefte dat dat in combinatie met zijn angstvalligheid hem juist rijp maakte voor deze aanvallen. Hij beschouwde ze als *aanvallen*, zij het niet van buitenaf, maar van iets binnen in hem dat hem pijnigde of op een bepaalde manier verraadde, iets als een *hartaanval*. En zo ook werd *rijp* zijn persoonlijke codewoord voor de licht ontvlambare toestand van angst en afgrijzen die bij hem op haast elk denkbaar moment in het openbaar een aanval kon uitlokken.

Zijn manier om op school om te gaan met de angst voor de angst en het gevoel rijp te zijn voor een aanval bestond voornamelijk uit een reeks trucs en tactieken voor het geval een beginnende zweetaanval volledig uit de hand dreigde te lopen. Weten waar alle uitgangen van elke ruimte die hij binnenliep zich bevonden was geen truc maar een automatisme, net als inschatten wat de afstand tot de dichtstbijzijnde uitgang was en of hij die kon bereiken zonder al te veel aandacht te trekken. De kantine bijvoorbeeld was een plek die je gemakkelijk kon verlaten zonder dat het iemand opviel. De klas uitlopen tijdens een aanval was echter uitgesloten. Als hij gewoon opstond en de klas uitrende, wat hij tijdens een aanval altijd zielsgraag wilde doen, zou dat problemen met de leraar opleveren, en iedereen, inclusief zijn ouders, zou een verklaring eisen – en daar kwam bij dat als hij de volgende dag weer in de klas zat, iedereen zou weten dat hij was weggerend en zou willen weten waarom hij zo geflipt was, met als gevolg dat hij in de klas heel wat aandacht zou krijgen en weer zou vrezen dat iedereen hem zag en naar hem keek, wat hem rijp kon maken voor een volgende aanval. En als hij het al zou aandurven zijn hand in de lucht te steken om te vragen of hij naar de wc mocht gaan, zouden alle verveelde leerlingen in het lokaal hun aandacht richten op degene die iets had gezegd, en hun hoofden zouden zich nieuwsgierig omdraaien en hem daar druipend van het zweet zien zitten, een bizar gezicht. Zijn enige hoop zou dan zijn dat hij er ziek uitzag, dat ze zouden denken dat hij ziek was of misschien wel op het punt stond over te geven. Dit was een van zijn trucs – hoesten of zijn neus ophalen, of met een pijnlijk gezicht aan zijn klieren voelen, zodat hij als het uit de hand liep nog kon hopen dat ze misschien gewoon zouden denken dat hij ziek was en die dag eigenlijk niet naar school had moeten komen. Dat hij niet raar was, maar gewoon ziek. Een vergelijkbare tactiek was om tijdens de middagpauze te doen alsof hij zich niet lekker voelde en geen trek had – soms at hij helemaal niets en schoof een vol dienblad in het afruimrek, waarna hij wegliep om in een wc-hokje een boterham te eten die hij van thuis had meegebracht. Op die manier zouden de anderen wellicht sneller geneigd zijn te denken dat hij ziek was.

Andere tactieken bestonden er onder meer in om zo ver mogelijk achter in het klaslokaal te gaan zitten, zodat de meeste anderen voor hem zouden plaatsnemen en hij zich geen zorgen hoefde te maken dat ze hem zouden zien als hij een aanval kreeg, wat alleen lukte tijdens lessen zonder vaste plaatsen[4] en wat, in het doemscenario waar hij met alle macht niet aan probeerde te denken, ook een averechts effect kon hebben. En natuurlijk ook de hete radiatoren vermijden en de tafeltjes tussen twee meisjes en een plekje proberen te bemachtigen aan het uiteinde van een rij, zodat hij in geval van nood zijn hoofd kon afwenden van de rest van de rij, maar heel subtiel zodat het niet raar leek – met twee benen uit de rij in het gangpad, enkels gekruist, benen gestrekt. Hij fietste niet meer naar school, omdat de inspanning van het fietsen zijn temperatuur deed stijgen, wat hem rijp kon maken voor een aanval nog voor het eerste uur goed en wel begonnen was. Een andere truc, aan het begin van het derde kwartaal, was zonder winterjas naar school te lopen zodat hij het koud zou krijgen en zijn zenuwstelsel zo ongeveer zou bevriezen, wat hem alleen lukte als hij de laatste was die van huis vertrok, want zijn moeder zou een beroerte krijgen als hij zonder jas naar buiten probeerde te gaan. Dan was er nog de mogelijkheid om verschillende laagjes te dragen die hij dan kon uittrekken als hij het tijdens de les voelde opkomen, al zou het misschien bizar overkomen om kleren uit te trekken als hij tegelijkertijd hoestte en aan zijn klieren voelde – bij zijn weten trokken zieke mensen in de regel geen laagjes uit. Hij was er zich ergens wel van bewust dat hij gewicht verloor, maar hoeveel, dat had hij niet kunnen zeggen. Hij begon ook de tic te cultiveren om telkens zijn haar van zijn voorhoofd te strijken, wat hij in de badkamer voor de spiegel oefende om het er als een automatisme uit te laten zien, terwijl het in werkelijkheid bedoeld was om bij een aanval het zweet onopvallend van zijn voorhoofd in zijn haren te strijken – maar ook hier ging het om een precaire balans, omdat het gebaar voorbij een zekere grens niet meer hielp, want dan werd de voorkant van zijn haar zo nat dat het tot akelige kleine natte pieken en strengen samenklitte, wat het feit dat hij aan het zwe-

---

4 De achternaam van de jongen luidde *Cusk*, wat hem bij lessen met vaste plaatsen doorgaans een plaats op de eerste rij opleverde.

ten was nog duidelijker maakte, gesteld dat men in zijn richting keek. Het doemscenario dat hem met het meeste afgrijzen vervulde was dat waarin hij op de achterste rij zo'n ontzettende, onbedwingbare aanval kreeg dat de leraar, helemaal vooraan in de klas, zag dat hij doorweekt was en zichtbaar droop van het zweet en de les onderbrak om hem te vragen of hij zich wel lekker voelde, waardoor iedereen zich omdraaide om te zien wat er aan de hand was. In zijn nachtmerries werd er letterlijk een volgspot op hem gericht terwijl ze zich allemaal in hun stoel omdraaiden om te zien wat de leraar zo dwarszat en/of deed walgen.5

In februari maakte zijn moeder een luchthartige, grappig bedoelde opmerking over zijn liefdesleven en of er dit jaar geen meisjes waren op wie hij stiekem een oogje had, en hij moest zowat de kamer ontvluchten, hij barstte bijna in tranen uit. Het idee alleen al ooit een meisje mee uit te vragen, met een meisje af te spreken dat hem dan van heel erg dichtbij zou aankijken en ervan uit zou gaan dat hij aan haar dacht in plaats van aan hoe rijp hij was en of hij al dan niet zou gaan zweten – die gedachte vervulde hem met afgrijzen en stemde hem tegelijkertijd bijzonder treurig. Hij was pienter genoeg om te beseffen dat er iets treurigs in school. Zelfs toen hij opgelucht vertrok bij de scouts, amper vier insignes voordat hij kroonverkenner werd, en een verlegen, onopvallend meisje uit zijn voorbereidingscursus Algebra en Trigonometrie afwees toen ze hem meevroeg naar het Schrikkelbal, en met Pasen deed alsof hij ziek was zodat hij alleen thuis verder kon lezen in *Dorian Gray*, en in de badkamer van zijn ouders voor de spiegel een aanval in gang probeerde te zetten in plaats van met hen mee te rijden naar het paasmaal bij zijn grootouders, voelde hij zich daar een beetje treurig bij, en tevens opgelucht en schuldig, schuldig over alle

5 In elke gedegen diepteanalyse geldt een volgspot of zoeklicht als een manifest droomsymbool van intermenselijke aandacht. Op het niveau van de latente inhoud echter zou de terugkerende nachtmerrie op verschillende manieren geïnterpreteerd kunnen worden, onder meer als een onderdrukt narcistisch verlangen naar de aandacht van anderen of een onbewuste erkenning van de excessieve preoccupatie van de jongen met zichzelf als zijnde de directe oorzaak van het geleden leed. Klinisch gezien gaat het dan om vragen naar de oorsprong van de gedroomde volgspot, de figuur van de leraar als hetzij imago of archetype (of wellicht als geprojecteerd zelfbeeld, omdat in deze figuur de hevige onrust geëxternaliseerd wordt als affect) en de eigen associaties van het subject met betrekking tot begrippen als *walgelijk*, *aanval* en *ontzettend*.

leugens die hij als uitvlucht had verzonnen, en bovendien eenzaam en een beetje tragisch, als iemand die buiten in de regen door een raam naar binnen kijkt, maar ook walgelijk en akelig, alsof hij diep vanbinnen walgelijk was en de aanvallen niet meer dan een symptoom waren van zijn ware zelf dat letterlijk uit hem weglekte – al was voor hem niets van dit alles zichtbaar in de badkamerspiegel, waarin zijn spiegelbeeld onwetend leek van alles wat er door hem heen ging terwijl hij het bestudeerde.[6]

6 Geheimen bevatten echter geheimen – altijd.

§14

Een belastingcontroleur op een stoel, in een kamer. Voor de rest valt er weinig te zien. Ze richten zich tot een camera op een statief, de ene controleur na de andere. Het is een leeggemaakte bergruimte voor ponskaarten niet ver van de atriumzaal in de vleugel Gegevensverwerking van het Regionale Controlecentrum, dus de airconditioning werkt goed en van een zomerse glans op de gezichten is er geen sprake. Per twee worden ze uit de wiegelzalen binnengeleid – de controleur die niet meteen aan de beurt is, wordt gebrieft achter een tussenwand van vinyl. Die briefing vooraf heeft niet veel meer om het lijf dan het bekijken van de intro. Ze krijgen te horen dat de intro bij de documentaire uitgaat van Driemaal Zes, via het Hk van de Regiocommissaris in Joliet; op de hoes van de cassette prijken het zegel van de IRS en een disclaimer. De voorgestelde werktitel luidt *De IRS van vandaag is er ook voor U.* Mogelijk voor de publieke omroep. Sommigen wordt verteld dat de film voor scholen bedoeld is, voor de lessen maatschappijleer. Tijdens de briefing vooraf dus. De interviews worden aangeduid als pr met een belangwekkende boodschap. Om de Belastingdienst te demystificeren en een menselijk gezicht te geven, om de burgers duidelijk te maken hoe moeilijk en belangrijk hun taak wel niet is. Hoeveel er op het spel staat. Dat belastingambtenaren geen vijanden of machines zijn. De persoon die de briefing geeft, leest de instructies af van een stel voorgedrukte steekkaarten; in de meest nabije hoek hangt een spiegel waarin de volgende in de rij alvast zijn das kan fatsoeneren of haar rok kan gladstrijken. Er dient een vrijwaring te worden ondertekend, speciaal voor deze gelegenheid opgesteld – alle controleurs lezen die eerst grondig door, een reflex: ze zijn immers aan het werk. Sommigen hebben er echt zin in. Zitten te popelen. Het idee dat er aandacht aan je wordt besteed, het eigenlijke doel van het hele project. Op conceptueel niveau is het een geesteskind van DPZ Tate, maar eigenlijk heeft Stecyk er al het werk voor verricht.

Er is ook een videoscherm waarop ze de voorlopige intro kunnen bekijken, maar tijdens de briefing wordt ruiterlijk toegegeven dat het nog om een ruwe versie gaat, polijsten is nodig. Allemaal stereotiepe filmpjes en foto's uit de beeldarchieven met een gestileerde hartelijkheid die niet past bij de toon van de voice-over. Het werkt desoriënterend, niemand weet wat hij met de intro aan moet; de instructeurs benadrukken dat die hen alleen maar op weg moet helpen.

'De Internal Revenue Service is de afdeling van de Amerikaanse Thesaurie belast met de tijdige invordering van alle onder de huidige wetgeving geldende federale heffingen. Met meer dan honderdduizend personeelsleden in meer dan duizend kantoren op nationaal, regionaal, districts- en lokaal niveau is uw IRS de grootste wetshandhavende instantie van het land. Maar uw IRS van vandaag is méér. In het politieke bestel van de Verenigde Staten van Amerika hebben velen de IRS vergeleken met het kloppende hart van de natie dat de middelen die onze federale overheid in staat stellen efficiënt te werken ontvangt en verdeelt, ten dienste en ter verdediging van alle Amerikanen.' Beelden van een troep wegwerkers, het Congres gezien vanaf de galerij van het Capitool, een postbode bij de voordeur die samen met de huiseigenaar ergens om lacht, een helikopter, zonder enige context, met rechts onderaan nog de archiefcode, een welzijnswerkster die aan een zwarte vrouw in een rolstoel een cheque overhandigt, een troep wegwerkers die lachend hun helm de lucht in steken, een ontwenningskliniek in Virginia enz. 'Het hart ook van de Verenigde Staten als een hecht team, waar alle kostwinners hun steentje bijdragen om de middelen te verdelen en de principes te belichamen die onze natie zo groot maken.' Op een van de steekkaarten staat dat ze hier naar voren moet leunen en eraan moet toevoegen dat er aan het voice-overscript nog wordt gewerkt en dat de voice-over in het eindproduct zal beschikken over een menselijke intonatie – dat ze hun fantasie moeten gebruiken. 'Het bloed van dit kloppende hart, dat zijn de mannen en vrouwen van de IRS van vandaag.' Dan een reeks beelden van misschien wel echt, maar dan toch buitengewoon aantrekkelijk belastingpersoneel, voornamelijk S-9's en -11's in hemdsmouwen, maar met das, die belastingbetalers de hand schudden, glimlachend over de boeken van een auditontvanger gebogen zitten of staan te glunderen voor een Honeywell 4C3000 die in feite alleen maar een leeg chassis is. 'Deze [onverstaanbaar] mannen en vrouwen van de IRS van vandaag zijn allesbehalve bureaucraten zonder gezicht, maar burgers, belastingbetalers, ouders, buren en actieve leden van de gemeenschap, en allen hebben ze een roeping, namelijk zorg dragen voor de goede doorbloeding van een slagvaardige overheid.' Een groepsfoto van een team van Controle of Audits, niet gerangschikt op salarisschaal maar op lengte, en allemaal aan het wuiven. Een shot van het gegraveerde zegel en het motto die de zijkant van de noordelijke gevel van het RCC sieren. 'Net als *E pluribus unum* als spreuk voor onze natie zegt het stichtende motto van de Dienst, *Alicui tamen faciendum est*, eigenlijk al alles – iemand moet deze moeilijke en complexe taak op zich nemen. Het is de IRS van vandaag die de handen uit de mouwen steekt en aan de slag gaat.' Het is te belachelijk voor woorden, vandaar dat het op de wiegelaars heel authentiek overkomt, inclusief het onvertaald laten van het motto voor een bb-publiek dat op de aangiften al te vaak niet eens zijn eigen naam correct schrijft, waarna ze dan opduiken in de systemen van de Ontvangkantoren en naar Controle worden doorgestuurd en iedereen er zijn kostbare tijd mee verknoeit. Maar dat blijkbaar wel geacht wordt klassiek Latijn te kennen. Misschien wil men gewoon testen of de controleurs die de briefing hebben gehad deze fout eruit halen – het is soms moeilijk in te schatten waar Tate precies op uit is.

De stoel heeft geen bekleding. Heel spartaans allemaal. Het licht komt van de tl-lampen in het RCC; er staan geen extra lampen of reflectieschermen. Geen make-up ook, hoewel tijdens de briefing de haren van de controleurs zorgvuldig worden gekamd, hun mouwen netjes drie keer worden omgeslagen, het bovenste knoopje van hun blouse wordt losgemaakt en het naamkaartje van hun borstzak wordt verwijderd. Er is niet echt wat je zou noemen een regisseur aanwezig in de kamer; niemand die zegt dat ze niet op de camera moeten letten of die hun vertelt wat ze tijdens de montage nog kunnen rechtbreien. Een technicus bij de camera op het statief, een geluidsman met een microfoonhengel en een koptelefoon om het geluid te regelen, en de documentairemaker. Vanwege de akoestiek zijn de platen van het systeemplafond verwijderd. Buiten beeld hangen buizen en vierkleurige bedrading open en bloot boven het raster van het voormalige plafond. De shot toont alleen de controleur op zijn of haar klapstoel, voor een crèmekleurig scherm dat een muur van kartonnen dozen vol lege hollerithkaarten aan het zicht onttrekt. De kamer zou zich overal en nergens kunnen bevinden. Sommige dingen worden uitgelegd en op voorhand onderbouwd en toegelicht; de briefing is zorgvuldig georkestreerd. Een close-up, aldus hun uitleg, alleen van de romp en het hoofd – overbodige bewegingen worden afgeraden. Controleurs zijn het gewend stil te zitten. In een voormalige kast staan monitors opgesteld; Toni Ware kijkt toe, samen met een technicus die al is uitgeklokt. Ze beschikken over een videomonitor en zijn via een microfoon verbonden met het oortje dat de documentairemaker/interviewer uitdoet wanneer blijkt dat het een snerpend feedbackgeluid produceert telkens als de Fornix-ponskaartlezer tegen de andere muur een bepaalde subroutine uitvoert. De monitor is video, net als de camera, zonder belichting of make-up. Bleek en perplex, het gezicht vol vreemde schaduwen – dat maakt allemaal niet uit, al hebben een paar gezichten op het scherm een bleke, grijswitte schijn. Ogen vormen wel een probleem. Als de controleur niet in de camera, maar naar de documentairemaker kijkt, komt dat al snel ontwijkend of geforceerd over, wat niet goed is. Het advies van de instructrice luidt dan ook: in de camera kijken zoals je in de ogen van een goede vriend zou kijken, of anders in een spiegel.

De instructeurs zelf, twee S-13's uitgeleend door een Filiaal waar Tate een vinger in de pap heeft, kregen hun briefing in Stecyks kantoor. Allebei komen ze geloofwaardig over, het bruin en marineblauw dat ze dragen is op elkaar afgestemd; achter de charmes van de vrouw gaat iets hards schuil, wat een bliksemcarrière bij Invordering doet vermoeden. De man is voor Ware echter een blinde vlek – hij zou overal vandaan kunnen komen.

Zoals te verwachten viel, zijn sommige controleurs beter dan andere. Hierin. Sommigen raken op dreef, vergeten de setting, de opgeblazen gekunsteldheid, en spreken als het ware recht uit het hart. Bij hen vergeten de opnametechnici heel even de verschrikkelijke eentonigheid van hun werk, de machinaties, hoe stijf ze zijn door stil te staan bij apparaten die de klus ook alleen zouden kunnen klaren. De technici raken met andere woorden in de ban van degenen die er beter in zijn;

aandacht opbrengen kost dan geen enkele moeite. Al zijn er slechts een paar positieve uitzonderingen ... en de vraag bij de monitor luidt waarom dat zo is, en wat dat te betekenen heeft, en of wat het te betekenen heeft er met het oog op het resultaat iets toe zal doen, als al het materiaal aan Stecyk wordt overgedragen voor verdere analyse.

Videoband Archiefnr. 047804(r)
© 1984, IRS
Gebruikt met toestemming
945645233
'Het is lastig werk. Mensen denken vaak: een kantoorbaantje, een beetje papieren heen en weer schuiven, was is daar nu moeilijk aan? Een baan bij de overheid, werkzekerheid, een beetje met papieren hannesen. Ze snappen niet waarom het zo lastig is. Drie jaar werk ik hier nu. Dat zijn twaalf kwartalen. Al mijn evaluaties waren goed. Wees gerust, ik ga heus niet de rest van mijn leven routinecontroles zitten doen. Sommige collega's in onze groep zijn de vijftig of zestig al voorbij. Die draaien al dertig jaar mee. Dertig jaar lang formulieren bekijken, formulieren vergelijken, bij steeds dezelfde formulieren altijd maar dezelfde memo's invullen. En dan die ogen van sommigen. Ik weet niet hoe ik het moet uitleggen. In het flatgebouw van mijn grootouders hadden ze een conciërge die verantwoordelijk was voor de ketel. In de buurt van Milwaukee was dat. Ze stookten toen nog met kolen, en die ouwe baas moest om de paar uur kolen in de oven scheppen. Hij deed dat al sinds mensenheugenis; hij was zowat blind door steeds in de gapende mond van die oven te kijken. Zijn ogen waren ... Net de oude garde hier – hun ogen zien er haast net zo uit.'

968223861
'Drie of vier jaar geleden werd de nieuwe president, de huidige, verkozen met de belofte dat hij het defensiebudget aanzienlijk zou verhogen en de belastingen drastisch zou verlagen. Dat is bekend. De verwachting was dat de belastingverlaging de economische groei zou stimuleren. Ik weet niet hoe ze zich dat voorstelden – veel beleidsplannen van hogerhand bereikten ons niet rechtstreeks, maar sijpelden via organisatorische veranderingen geleidelijk door naar de Dienst.

Zoals je weet dat de zon is gedraaid doordat de schaduwen in je kamer anders zijn, zoiets. Je begrijpt wel wat ik bedoel.'

V.

'Opeens waren er voortdurend reorganisaties, de ene na de andere soms, en ook een heleboel overplaatsingen. Sommigen pakten hun dozen niet eens meer uit. Zelf ben ik nog nooit ergens langer gestationeerd geweest dan hier. Ik had helemaal geen ervaring bij Controle. Mijn werkervaring had ik opgedaan in Ontvangkantoren. Voor mijn overplaatsing was ik werkzaam in 029, het Ontvangkantoor Noord-Oost in Utica, New York, in het noorden. In het derde kwartaal van '82 was dat. New York is prachtig daar, maar het Filiaal in Utica had nogal wat problemen. Ik werkte er bij algemene gegevensverwerking, als zeg maar een soort troubleshooter. Daarvoor werkte ik in Subfiliaal 0127 van het Ontvangkantoor in Hanover, New Hampshire – aanvankelijk bij Betalingsverwerking, daarna bij Terugbetalingsverwerking. In Noord-Oost werkten de districten nog allemaal in octale code en met kettingformulieren waar Vietnamese meisjes, die ze daar speciaal voor hadden ingehuurd, de randen af scheurden. In Hanover woonden toen veel vluchtelingen. Het is nog maar een jaar of acht, negen geleden, maar het waren echt andere tijden toen. De organisatie is veel complexer nu.'

V.

'Ik ben alleenstaand, en alleenstaande mannen worden bij de Dienst het vaakst van allemaal overgeplaatst. Een overplaatsing is sowieso een hoop gedoe voor Personeelszaken, en een gezin overplaatsen betekent nog meer ellende. Want je moet mensen met een gezin natuurlijk ook verhuispremies toekennen, een interne regel bij Financiën. Maar als je alleenstaand bent, tja, dan pak je je dozen niet eens meer uit.

Het is niet gemakkelijk om vrouwen te ontmoeten als je bij de fiscus werkt. We zijn niet bepaald populair. Er bestaat een grap over – zal ik die vertellen?'

V.

'Op een feestje sta je zeg maar wat met een vrouw te praten. En dan vraagt zij: wat doe je voor werk? Zeg jij: iets in de financiële sector. Vraagt zij: wat precies? Zeg jij: ik ben een soort accountant, een lang verhaal. Zegt zij: je meent het! Bij welk bedrijf? Zeg jij: bij de overheid. Vraagt zij: jeetje, lokaal of federaal? Zeg jij: federaal. Zegt zij: je meent het! Bij welke dienst? Zeg jij: Financiën. Enzovoort, en zo verder. En op een gegeven moment heeft ze door waar je al de hele tijd omheen draait, en dan kun je het wel schudden natuurlijk.'

928874551

'Er zijn veel redenen waarom er suiker in een cake zit. Zo absorbeert suiker het vocht van de boter, of eventueel van een andere vetstof, en geeft het dan geleidelijk aan weer vrij, zodat je cake lekker smedig blijft. Gebruik je minder suiker dan er in het recept staat, dan vraag je gewoon om een droge cake. Moet je dus niet doen.'

973876118

'Stel dat je de kant kiest van de zittende macht en het gezag. Het on-afwendbare. Vandaag de dag heb je welbeschouwd maar twee soorten mensen. Aan de ene kant heb je van die opstandige types die met hun hele levensstijl, overtuiging en wat weet ik allemaal tegen de macht ageren en in opstand komen. Het soort dat straal tegen de wind in pist en sterk genoeg denkt te zijn om tegen de macht, het establishment en wat weet ik allemaal in te gaan. En dan heb je het tweede soort, het soort met een commandomentaliteit dat gelooft in macht en orde, en de kant kiest van de zittende macht, en de heersende orde respecteert, het gezag en hoe het in het belang van een goed draaiend systeem al-lemaal behoort te lopen. Dus stel je behoort tot dat tweede soort. Daar zijn er meer van dan ze zelf denken. De dagen van de rebel zijn geteld. We leven in de jaren tachtig nu. "Hoor je bij het tweede soort, kom dan snel aan boord" – dát zou hun slogan moeten zijn, inclusief zo'n priemende vinger. Aan boord bij de Dienst, bedoel ik. Kijk, je moet gewoon met de wind mee waaien. Kies de kant die *altijd* aan het langste eind trekt. Dat is geen slap gelul. De kant van de wet en de macht van de wet, de kant van de getijden en de zwaartekracht en die ene wet die zegt dat alles geleidelijk aan warmer en warmer wordt totdat opeens de zon ontploft. Want het klopt wat ze zeggen: er zijn maar twee din-gen in het leven die je niet kunt ontlopen. Het onafwendbare – kijk, dat is pas echte macht. Als je aan de kant van de macht wilt staan, dan heb je maar twee opties: je wordt begrafenisondernemer, of je gaat bij de fiscus. Als je de wind in je rug wilt hebben. Kijk, je moet gewoon zeggen: pis met de wind *mee* en je komt al een heel eind verder. Neem dat nou maar van deze jongen aan.'

917229047

'Ik liep al lang te broeden op een toneelstuk. Mijn stiefmoeder was gek op toneel; in het weekend sleurde ze ons allemaal mee naar de matinees in het wijkcentrum. En daarom wist ik wel het een en ander van toneel en theater. Het stuk zelf, daar vroegen ze me altijd naar – mijn familie, vrienden bij de golfclub – ze wilden weten waar het over zou gaan. Het zou honderd procent realistisch zijn, uit het leven gegrepen. En onspeelbaar, dat was deel van de clou. Om je een idee te geven: het idee is dat een wiegelaar, een routinecontroleur dus, gebogen zit over een stapel 1040's met annexen en die vergelijkt met W-2's en 1099's en meer van dat spul. Een kale, minimalistische setting – op die ene wiegelaar na valt er niets te zien – hij beweegt niet en slaat alleen maar om de zoveel tijd een blad om of maakt een aantekening op zijn notitieblok. Hij zit niet achter een Tingle, maar aan een gewoon bureau, zodat je hem kunt zien. Meer niet. Eerst hing er een klok achter hem, maar die klok heb ik geschrapt. Hij zit daar maar, eindeloos lang, tot de toeschouwers zich steeds meer beginnen te vervelen en steeds ongeduriger worden, en uiteindelijk verlaten ze de zaal, eerst een paar en daarna het hele publiek, ze fluisteren hoe saai en slecht het stuk wel niet is. En dan, als iedereen weg is, kan het stuk pas echt beginnen. Dat was de opzet – ik had het helemaal uitgelegd aan mijn stiefmoeder; het zou een realistisch stuk moeten worden. Maar ik raakte er nooit uit waar de handeling uit moest bestaan, als die al nodig was in een realistisch stuk. Zo vat ik het altijd samen. Beter kan ik het echt niet uitleggen.'

965882433

'Er is al veel onderzoek naar gedaan. Twee derde van de belastingbetalers denkt dat een aftrekpost hetzelfde is als een heffingskorting. Weet niet wat meerwaarde is. Elk jaar ondertekent vier procent zijn aangifte niet. Ik zweer het, twee derde van de mensen weet niet eens hoeveel senatoren een staat heeft. Ongeveer driekwart kan de drie verschillende machten binnen de staat niet benoemen. Het is toch geen hogere wiskunde waar we hier mee bezig zijn? Eerlijk gezegd verdoen we hier vaak onze tijd. Het systeem schotelt ons grotendeels bagger voor. Bij elke niet-ondertekende aangifte ben je tien minuten bezig om 20-C in te vullen, vervolgens gaat die terug naar het OK, en dan krijgt de persoon in kwestie een brief in de bus waarin hem om een handtekening wordt gevraagd. Wat heeft dat nou helemaal voor zin? En dan worden wij hier bij Routine tegenwoordig afgerekend op basis van de gestegen inkomsten die uit dat soort idiote audits voortvloeien. Het is echt te bespottelijk voor woorden. Het meeste spul dat we voor onze neus krijgen, kún je niet eens auditen, zo achterlijk is het. Of het moet onverschilligheid zijn. Je zou het handschrift van sommige mensen eens moeten zien – doodnormale mensen, mensen met een diploma. Als ik eerlijk ben: ze verdoen onze tijd. Ze hebben een beter systeem nodig.'

981472509
'Tate is een mot die fladdert rond de booglampen van de macht. Men zegge het voort.'

951458221
'Het is fascinerende materie. Met een interessante achtergrond, als je een beetje dieper gaat graven. Bij wijze van spreken. De aantredende regering was ervan overtuigd de marginale belastingdruk te kunnen verminderen, vooral die in de bovenste schijven, en dat zonder een rampzalig verlies aan inkomsten. Dat was een belangrijk onderdeel van de verkiezingscampagne. Als programmapunt, bij wijze van spreken. Ik ben geen econoom, maar de theorie was dat lagere marginale tarieven investeringen zouden aanmoedigen en de productiviteit zouden stimuleren. De daaropvolgende groei zou dan de fiscale grondslag dusdanig vergroten dat die de lastenverlaging ruimschoots zou compenseren. Daar zit een ingewikkelde technische theorie aan vast, al deden sommigen die af als voodoowetenschap. Bij wijze van spreken. En zo gebeurde het ook: tegen het eind van dat eerste jaar was de wetgeving veranderd en werden de heffingsvoeten voor de hogere schijven verlaagd. En dat ging zo een tijdje door. Maar na pakweg een jaar of twee viel niet meer te ontkennen dat de resultaten niet strookten met de theorie. De inkomsten waren sterk gedaald; het ging om harde cij-

fers die ze niet zomaar konden oppoetsen of onder de mat vegen. En bovendien ging het als ik me niet vergis ook nog eens gepaard met een enorme verhoging van het defensiebudget, en het grootste federale begrotingstekort uit de geschiedenis. Mét inflatiecorrectie. Je begrijpt denk ik wel dat dat zich allemaal in veel hogere overheidsregionen afspeelde dan de onze. Maar het kleinste kind kon zien dat ze zich budgettair hadden klemgereden, dat ze bij wijze van spreken moesten kiezen tussen de pest en de cholera, omdat het politiek en ideologisch gezien onaanvaardbaar was terug te krabbelen en de marginale tarieven weer te verhogen. Maar de defensie-uitgaven terugschroeven was ook geen optie, en als ze nog meer in de sociale voorzieningen gingen snoeien, dan werd de relatie met het Congres onwerkbaar. Als je wist waar je moest kijken, kon je dat trouwens ook allemaal gewoon in de krant lezen.'

V.

'Jawel, maar ik bedoelde zoals wij dat hier wisten, op ons niveau hier bij de Dienst. Over sommige zaken zwegen de kranten in alle talen, bij wijze van spreken. De regering overwoog verschillende plannen en voorstellen om het probleem aan te pakken. De tekorten, de pest, bij wijze van spreken. Maar volgens mij waren die geen van alle echt aantrekkelijk. Je moet begrijpen dat dat van de hoogste regionen uitging en langzaam en druppelsgewijs tot ons doorsijpelde. Hier op regionaal niveau kregen we te horen dat er iemand ergens helemaal boven aan de ladder, dicht bij wat we hier de Drievoudige God noemen, een beleidsdocument nieuw leven had ingeblazen dat in 1969 of 1970 was opgesteld door een macro-econoom of een systeemconsulent in de entourage van de voormalige Adjunct-Commissaris voor Planning & Research in Driemaal Zes. De man die dat plan nieuw leven inblies, zo kregen wij te horen, was Vice-Adjunct-Commissaris bij Systeembeheer, dat destijds Planning & Research al had opgeslorpt en een nieuwe afdeling binnen Systeembeheer ging vormen, hoewel die vorige AC voor Planning & Research nu ook de ACS was.'

V.

'Met nu bedoel ik het moment dat het plan-Spackman een tweede leven kreeg, in of omstreeks het vierde kwartaal van 1981.'

V.

'De ACS hoort bij wat we hier de Drievoudige God noemen, de [onverstaanbaar] term voor het driemanschap dat de touwtjes in han-

den heeft: de Commissaris, de Adjunct-Commissaris voor Systeembeheer, en het Hoofd van de Juridische Dienst. Bij wijze van spreken de
drie hoge omes in de organisatorische structuur van de Dienst. En
Driemaal Zes, dat is het nationale hoofdkantoor van de Dienst. Zo genoemd vanwege het adres.'

V.

'Op dat niveau produceren ze dat soort voorstellen en draaiboeken
bij wijze van spreken aan de lopende band. Bij Planning & Research
hebben ze daar zogeheten denktanks voor. Dat is algemeen bekend.
Teams die zich fulltime en exclusief bezighouden met langetermijn-
studies en -voorstellen. Er bestaat een beroemd beleidsdocument van
een P&R-groep uit de jaren zestig over de implementatie van fiscale
procedures na een kernoorlog. "Fiscaal plannen in tijden van chaos"
was de titel, wat bij ons al snel een gevleugelde uitdrukking werd als
het hier weer eens hectisch werd en de poppen aan het dansen waren,
bij wijze van spreken. In het algemeen worden er niet veel openbaar
gemaakt. Van die voorstellen van midden jaren zestig bedoel ik. En
dat allemaal dankzij úw belastinggeld, bij wijze van spreken. Maar de
tekst die ze in dit geval nieuw leven inbliezen was veel minder ambi-
tieus en controversieel. De precieze titel weet ik niet. Soms spreekt
men van het plan-Spackman of de nota-Spackman, maar ik ken niemand die weet wie die Spackman, de naamgever dus, precies was, of
hij de schrijver van dat beleidsdocument was of de functionaris bij
P&R voor wie het ding geschreven werd. Het dateerde tenslotte al
van 1969, een eeuwigheid in het institutionele bestaan van de Dienst.
Uiteindelijk worden de meeste van die documenten bij wijze van spreken verticaal geklasseerd. Je moet begrijpen: de organisatie van de
Dienst heeft een doorgedreven hokjesstructuur. Met veel procedures
en prioriteiten van Driemaal Zes hebben wij hier hoegenaamd niets
uit te staan. Maar de reorganisaties als gevolg van het Plan, en iemand
anders zal dat vast al verteld hebben, hadden wel een directe impact.
Het oorspronkelijke document, zo ging het verhaal, was honderden
pagina's dik en inhoudelijk nogal technisch, wat bij economische materie nog wel eens wil voorkomen. Maar het deel of die delen die later
aan het licht kwamen, daarvan was het werkingsprincipe redelijk eenvoudig, of dat was tenminste de algemene teneur, en – [onverstaan-
baar] – via duistere wegen kwam het onder de aandacht van de top van
de Dienst of bij Financiën – er was vooral veel belangstelling voor om-

dat het de huidige regering een betere politieke uitweg uit de budget-
taire impasse leek te bieden, die zoals gezegd bestond uit het harde
gelag van onverwacht lage belastinginkomsten, het verhoogde defensiebudget en sociale voorzieningen waarin niet verder gesnoeid kon
worden. De algemene teneur was dat het voorstel in beginsel heel eenvoudig was, en eenvoud past natuurlijk bij wijze van spreken helemaal
in de kraam van de huidige regering, omdat die zelf een soort van back-
lash of verlate reactie was op de Great Society onder Johnson, en dat
waren qua regering en fiscaal beleid echt nog andere tijden. Het is algemeen bekend dat de regering een voorliefde heeft voor simpele, in-
stinctieve redeneringen. Bij wijze van spreken. Is er soms iets, ik zie u
steeds ineenkrimpen?'

V.

'Vanzelfsprekend.'

V.

'Voor zover wij begrepen veronderstelde de nota-Spackman in beginsel dat een efficiëntere handhaving van de vigerende belastingwet
de netto inkomsten voor de Schatkist aantoonbaar zou verhogen, zonder dat daarvoor een wetswijziging nodig was of de marginale tarieven
moesten worden opgeschroefd. Het Plan vestigde bij wijze van spreken de aandacht op het belang van het nalevingstekort en het toezicht
door Compliance. Moet ik "nalevingstekort" even definiëren? Of heeft
iemand anders dat al gedaan? Stellen jullie bij wijze van spreken iedereen dezelfde vragen? Of heeft de Dienst liever niet dat ik op die
materie inga?'

V.

'Het spreekt eigenlijk voor zich, denk ik. Het nalevingstekort is het
verschil tussen de som van alle belastingen waar de Schatkist in een
bepaald jaar wettelijk gezien recht op heeft, en de som van de in dat
jaar de facto door de Dienst geïnde belastingen. Er wordt zelden openlijk over gesproken, vooral [onverstaanbaar]. Qua fiscale focus is dat
nu bij wijze van spreken de gebeten hond. Maar in die tijd lag dat helemaal anders. Het plan-Spackman becijferde dat de Schatkist in 1968
tussen de zes en zeven miljard dollar niet-geïnde inkomsten was misgelopen. Volgens Spackmans econometrische schattingen lag de omvang van het nalevingstekort voor 1980 op net geen 27 miljard, wat,
toen het document weer opdook, nog uiterst optimistisch bleek. Nog
afgezien van rechtszaken en lopende procedures werd het nalevings-

tekort voor 1980 in werkelijkheid op meer dan 31,5 miljard dollar begroot. Opvallend genoeg kwam het nalevingstekort nauwelijks aan de orde – niemand die er veel aandacht aan schonk. Dat is denk ik ook de reden dat er bijna nooit openlijk over gesproken wordt, vanwege die institutionele faux pas, bij wijze van spreken. Dat is ook de reden dat de nota-Spackman lang onopgemerkt bleef, hoewel Systeembeheer, zoals ik al zei, bij wijze van spreken aan de lopende band dergelijke beleidsdocumenten produceert. Sommige diensten zijn veel minder intelligent dan de mensen die er de dienst uitmaken. Bij wijze van spreken. Daar komt nog bij dat de Dienst graag heeft dat de belastingbetaler de fiscus als een volstrekt efficiënt en alwetend instrument voor belastinginvordering ziet – bij de belastingheffing en de bereidheid van het publiek om de fiscale wetgeving na te leven spelen er nu eenmaal ingewikkelde psychodynamische processen. Een al te grote efficiëntie kan de fiscus kwalijk worden genomen en als een daad van buitensporige agressie worden opgevat, wat de bb's tegen ons in het harnas jaagt, bij wijze van spreken, en wat een negatieve uitstraling heeft op de naleving en op het mandaat en het budget van de Dienst. Een echt mijnenveld dus, met psychodynamische processen die bij wijze van spreken buiten ons boekje vallen. Wat ik ervan begrijp blijft tamelijk vaag en algemeen, maar zeker is wel dat ze het bij Driemaal Zes nauwlettend in de gaten houden. Spackmans rapport, of althans de paragraaf waar het hier om gaat, werd nieuw leven ingeblazen door een naaste medewerker – of naaste medewerkers – van de Drievoudige God. Wie dat dan was, daar hoor je bij wijze van spreken overal een andere klok over luiden. Ik spreek nu van zo'n tweeënhalf jaar geleden.'

V.

'In beginsel was het tekort, althans volgens dat document, een kwestie van correcte naleving – van compliance, bij wijze van spreken. En dat is logisch, want het tekort kwam voort uit een bepaald percentage non-compliance. Maar de genoemde subsectie van de nota had betrekking op die delen van het nalevingstekort waar de Dienst wel iets aan kon doen. Door het tekort te verminderen, te optimaliseren, te rentabiliseren. Bij wijze van spreken. Met als doel natuurlijk een stijging van de inkomsten. Tot op zekere hoogte was het jaarlijkse nalevingstekort te wijten aan een ondergrondse casheconomie, zwart geld, barterhandel en andere ruilsystemen, en bepaalde, zeer verfijnde mechanismen met behulp waarvan de gefortuneerden de belasting konden ontlopen, maar die men niet op korte termijn kon aanpakken. Maar uit de analyse van Spackman bleek dat een aanzienlijk deel van het tekort het gevolg was van foutieve aangiften, waaronder ook de 1040's voor particulieren, en als je die aanpakte – een haalbare kaart – kon je op korte termijn resultaten boeken, was zijn stelling. Op korte termijn – dat klonk de huidige regering om begrijpelijke redenen natuurlijk als muziek in de oren. En vandaar dat technologische innovatie speerpunt van beleid werd. Op die manier komen veranderingen op nationaal niveau nu eenmaal tot stand. Pas daarna sijpelde dat allemaal door tot in de loopgraven, bij wijze van spreken, via reorganisaties en wijzigingen in de Prestatie-Evaluatiecriteria, want 1040's vallen onder Routinecontrole. Is het nuttig als ik hier kort iets zeg over de verschillende domeinen waarin we werkzaam zijn en de soorten controles die we hier verrichten?'

V.

'Helemaal niet. In beginsel deelde de nota-Spackman de 1040-gerelateerde en reparabele onderdelen van het nalevingstekort op in drie grote domeinen of categorieën – niet-aangifte, onvolledige aangifte en gebrekkige betaling. Niet-aangifte is in de meeste gevallen een zaak voor de CID. De fiscale inlichtingen- en opsporingsdienst. Gebrekkige betaling wordt afgehandeld door Invordering, filosofisch en operationeel gesproken bij wijze van spreken heel andere koek dan wat wij hier bij Controle doen, al lag het zwaartepunt van het Plan op onze twee afdelingen, Controle en Invordering, en natuurlijk bij Audits. Dat zijn overigens de diensten die samen Compliance vormen. In beginsel richten wij van Controle ons op gevallen van onvolledige aangifte. Bij wijze van spreken. Te laag opgegeven inkomens, onterechte aftrekposten, te hoog opgegeven onkosten, ten onrechte aangevraagde tegemoetkomingen. Discrepanties, bij w –'

V.

'In beginsel luidde de stelling van het Plan, zoals wij het zijn gaan noemen, en dat op zowel filosofische als organisatorische gronden, dat men deze drie elementen van het nalevingstekort kon aanpakken via een efficiencyverhoging van de IRS bij Compliance. Het is niet moeilijk te bedenken waarom de politiek dit idee als een mogelijke derde weg omarmde, als een manier om het almaar groeiende begrotingstekort het hoofd te bieden zonder de tarieven te verhogen of op de uit-

gaven te beknibbelen, bij wijze van spreken. Natuurlijk is dat een sim-
plificatie. Ik probeer gewoon uit te leggen welke ongelooflijke veranderingen er qua structuur en organisatie hier bij ons in de Regio's allemaal zijn doorgevoerd. Het minste wat je kunt zeggen is dat het een
buitengewoon spannend jaar is geweest. En aan de basis van die spanning, alsmede van een zekere controverse, lag het Plan. Zo zijn we het
hier gaan noemen. Een verregaande, zeer ingrijpende herijking van
het institutionele zelfbeeld van de Belastingdienst en de manier waarop de Dienst invloed uitoefent op het beleid. Bij wijze van spreken.
Maar wacht – voelt u zich wel goed?'

V. [Pauze, een poosje ruis]

'– van spreken, iets waar Driemaal Zes ook voor te vinden was, stelde
dat, indien aan bepaalde technische voorwaarden was voldaan, iedere
dollar die ze jaarlijks méér aan de Dienst uitgaven, de Schatkist mogelijk meer dan zestien dollar aan extra inkomsten zou opleveren. Deze redenering was vooral gebaseerd op de speciale status van de IRS
in de hoedanigheid van federale overheidsdienst. Een federale overheidsdienst is per definitie een instituut. Een bureaucratie. Maar de
IRS was ook het enige onderdeel van het federale overheidsapparaat
dat voor influx moest zorgen. Voor inkomsten. Dat met andere woorden elke dollar van het jaarlijkse budget maximaal moest laten rende-
ren. Meer dan welke andere dienst ook waren er, althans volgens het
gerevitaliseerde plan-Spackman, dwingende redenen om de IRS te
concipiëren, constitueren en consolideren als een bedrijf – als een geoliede en op winst gerichte onderneming – en niet als een bureaucratisch instituut. In beginsel was de nota in hoge mate antibureaucra-
tisch. Het uitgangspunt was bij wijze van spreken het klassieke
vrijemarktdenken. Dat de vrijemarktconservatieven in de huidige regering erg gecharmeerd waren van dit voorstel ligt voor de hand. We
leven nu eenmaal in tijden van deregulering. Hoe en tot op welke
hoogte de IRS in zekere zin gedereguleerd kon worden – want als federale overheidsdienst is de IRS opgezet en werkzaam als een geheel
van wettelijke regelingen en handhavingsmechanismen – dat was en
is bij wijze van spreken een netelige en veelbesproken kwestie. Sommigen beschouwden Spackman als een ideoloog. Niet alle voorstellen
uit het oorspronkelijke document werden opgepikt – niet alles werd
deel van het Plan. Maar politiek gezien waren de geesten bij wijze van
spreken rijp om toch minstens de wezenlijke onderdelen van Spack-

mans voorstel in beleid om te zetten. De gevolgen van deze verschuiving zijn voor degenen die het bij wijze van spreken handen en voeten
moeten geven moeilijk te overschatten, zowel in filosofisch opzicht als
wat onze opdracht aangaat. Het Plan, bedoel ik. Zoals de verwoede
werving en aanstelling van nieuw personeel voor de Dienst, resulte-
rend in een personeelstoename van bijna 20 procent, de eerste toename van die orde sinds de Belastingverlichting van '78. Daarnaast waren
er de enorme en eindeloos lijkende herstructureringen binnen Compliance. De meest relevante [onverstaanbaar] daarvan voor ons was dat
de zeven Regiocommissarissen op grond van de meer gedecentrali-
seerde operationele opzet van het plan-Spackman meer autonomie en
zeggenschap kregen.'
V.
'Dat is nog zo'n ingewikkeld onderwerp dat een grondige kennis vereist van de Amerikaanse fiscale wetgeving en van de geschiedenis van
de IRS, die weliswaar deel uitmaakt van de uitvoerende macht, maar
tegelijk ook onder toezicht staat van het Congres. Een cruciaal onderdeel van wat vandaag het Plan heet, bestond erin een gulden midden-
weg te vinden tussen twee tegengestelde krachten die een goede werking van de Dienst al decennialang in de weg stonden: de decentralisatie
zoals die in 1952 werd opgelegd door de commissie-King in het Congres, en het verregaande bureaucratische en politieke centralisme van
de nationale overheid bij Driemaal Zes. In de institutionele geschiedenis van de Dienst waren de jaren zestig de gouden jaren van de Districten. Zoals de jaren tachtig de gouden jaren van de Regio's lijken te
worden. Bij wijze van spreken. Als een organisatorisch compromis tussen de talloze Districten en het unitaristische beleid bij Driemaal Zes.
De administratieve, structurele, logistieke en procedurele beslissingen
liggen nu veel meer in de handen van de Regiocommissaris en zijn ad-
juncten, die op hun beurt bepaalde verantwoordelijkheden delegeren
op basis van flexibele, maar coherente operationele richtsnoeren, bij
wijze van spreken, wat in beginsel tot meer basisautonomie voor de
filialen leidt.'
V.
'Iedere Regio bestaat momenteel uit één Ontvangkantoor en, op
één uitzondering na, één Controlecentrum. Zal ik die uitzondering
even toelichten?'
V.

'In beginsel hebben de Regionale Ontvangkantoren en Controlecentra als gevolg van het Plan aanzienlijk meer armslag gekregen inzake organisatiestructuur, personeelsbeleid, systeembeheer en operationele protocollen, waardoor de Directeuren van die filialen nu ook meer zeggenschap en verantwoordelijkheid dragen. Het leidende beginsel in dezen is dat de grote, centrale verwerkingsfaciliteiten bij wijze van spreken worden bevrijd van het juk van bekrompen regelgeving, een juk dat efficiënt werken in de weg staat. Maar tegelijk staan we onder extreme druk om te voldoen aan slechts één overkoepelend, allesomvattend doel: resultaten. Meer inkomsten. Minder non-compliance. Het tekort wegwerken. Niet echt via quota's natuurlijk – dat natuurlijk niet, om redenen van billijkheid en de publieke perceptie – maar het komt in de buurt. U en ik kijken allebei naar het nieuws, en ja, een agressievere vorm van auditen past in het plaatje. Bij wijze van spreken. Maar de verschuivingen en veranderende accenten bij Audits zijn gradueel, kwantitatief – met inbegrip van de geautomatiseerde audits per brief, opnieuw iets wat buiten ons boekje valt. Maar voor ons, hier bij Controle, hebben er in de operationele richtlijnen en protocollen ingrijpende, kwalitatieve verschuivingen plaatsgevonden. Zelfs een bescheiden S-9-ponstypiste ondervindt dat bij wijze van spreken aan den lijve. Als Audits speerpunt van het Plan is, dan zitten wij bij Controle bij wijze van spreken aan de telemeter: wij onderzoeken waar die speer het best op kan worden gericht. Nu we de deregulering achter de rug hebben, is er operationeel gezien nog maar één vraag die telt: welke aangiften zijn het lucratiefst voor een audit, en hoe kunnen we die aangiften het efficiëntst opsporen?'

947676541
'Ik heb een uitzonderlijk hoge pijngrens.'

928514387
'Ons pa vond het prettig het gazon stukje bij beetje te maaien. Eerst maaide hij bijvoorbeeld de oostelijke hoek van de voortuin, en dan kwam hij een tijdje binnen. Daarna maaide hij een strook in het zuidwesten van de achtertuin en een klein vierkant bij het zuidelijke hek, kwam weer een tijdje binnen, en zo ging dat maar door. Hij had veel

van dat soort kleine rituelen, zo zat hij in elkaar, snap je? Het duurde even voor ik doorhad dat hij het gazon op die manier maaide omdat hij het een fijn gevoel vond als iets af was. Om een karwei te hebben en dat te klaren en dat het dan af was. Het is een prettig gevoel, alsof je een geoliede machine bent die weet dat ze doet waarvoor ze gemaakt is, snap je? Door het gazon in zeventien kleine vakken op te delen, wat weer zoiets was wat ons ma compleet gestoord vond, kon hij van dat gevoel ergens mee klaar te zijn zeventien keer genieten in plaats van maar één keer. Zo van: "Het is af. Het is weer af. Kijk eens aan, het is weer af."

In sommige opzichten heeft ons werk daar wel iets van weg. Hier bij Routine. Ik hou van mijn werk. Gemiddeld kost het je ongeveer tweeëntwintig minuten om een 1040 door te nemen, te controleren en er de memo over in te vullen. Misschien iets langer, afhankelijk van de criteria; sommige teams geven een eigen draai aan de criteria. Je snapt het wel. Maar nooit langer dan een halfuur. Iedere keer als je een 1040 afwerkt, heb je even dat prettige gevoel.

En het punt is: de stroom aangiften houdt nooit op. Er ligt er altijd nog eentje op je te wachten. Je bent nooit echt klaar. Maar aan de andere kant: zo was het met het gazon ook. Als het genoeg regende tenminste. Tegen de tijd dat hij met de laatste strook klaar was, kon hij alweer aan de eerste beginnen. Ons pa hield zijn gazon graag kort en netjes. Hij was er eigenlijk best wel vaak te vinden, nu ik erover nadenk. Best wel vaak eigenlijk.'

951876833

'Het was in *Twilight Zone* of in *Outer Limits* – een van de twee. Een aflevering over een claustrofobische kerel met wie het steeds sneller bergaf gaat tot hij zo claustrofobisch wordt dat hij alleen nog maar kan schreeuwen en ze hem moeten afvoeren naar een psychiatrische inrichting, en in die inrichting stoppen ze hem in een dwangbuis en sluiten ze hem op in een isoleercel, een piepklein kamertje niet veel groter dan een kast, met midden in de vloer zo'n afvoerputje, wat zowat het ergste moet zijn wat iemand met claustrofobie kan overkomen, maar door een gleuf in de deur leggen ze hem uit dat dat nu eenmaal de regels en de procedures zijn en dat ze hem in die isoleercel zullen moeten houden tot hij ophoudt met schreeuwen. Het is duidelijk dat die man gedoemd is daar voor de rest van zijn leven te blijven – zolang hij blijft schreeuwen en zich bewusteloos probeert te slaan door met zijn hoofd tegen de muren te bonken zullen ze hem in die cel houden, en zolang hij in die cel zit, kan hij niet ophouden met schreeuwen, omdat hij nu eenmaal claustrofobisch is. Hij is er het levende voorbeeld van dat je bij de toepassing van de regels en procedures in sommige gevallen toch een beetje ruimte moet laten, een beetje speling, anders krijg je op zeker moment zo'n krankzinnige misser en heb je iemands leven tot een ware hel gemaakt. De titel van de aflevering luidde nota bene "Regels en procedures", en niemand van ons is dat verhaal ooit vergeten.'

987613397

'Ik geloof niet dat ik iets te zeggen heb wat niet in de wet of het Handboek staat.'

943756788

'Mijn moeder noemde het gapen. Dat zei ze over mijn vader, die dat vaak deed, eigenlijk bij bijna alles wat hij deed. Het was een heel aardige man – hij deed de boekhouding voor het schooldistrict. Gapen wilde zeggen: glazig, uitdrukkingsloos en gedurende lange tijd gefixeerd ergens naar staren. Soms heb je dat als je te weinig of juist te lang geslapen hebt, of als je te veel gegeten hebt, als je verstrooid bent, of als je zit te dagdromen. Maar dagdromen is nog net iets anders, want als je aan het gapen bent, tuur je echt ergens naar. Je staart naar iets. Meestal naar iets recht voor je – een plank van een boekenkast, een decoratief tafelstuk, je dochter of je kind. Als je zit te gapen, kijk je niet echt naar datgene waar je naar lijkt te staren, je ziet het niet eens – maar je denkt ook niet aan iets anders. Mentaal gezien doe je helemaal niets, maar je doet dat wel gefixeerd, zo op het oog in opperste concentratie. Het is alsof je concentratie zich vastrijdt, zoals wanneer je auto zich vastrijdt in de sneeuw en je wielen gaan spinnen zonder dat je vooruitgaat, ogenschijnlijk in opperste concentratie. En nu doe ik hetzelfde. Ik betrap me er soms op. Het is niet vervelend, maar wel raar. Alsof er iets uit je wegvloeit – je voelt hoe je gezicht helemaal slap gaat hangen, zonder spieren of uitdrukking. Ik weet dat mijn kinderen er bang van worden. Alsof je gezicht, net als je concentratie, niet meer van jou is. Soms als ik in de badkamer in de spiegel kijk, kom ik weer tot mezelf en betrap ik me erop dat ik aan het gapen ben, gedachteloos en zonder iets te herkennen. Hij is al twaalf jaar dood.

Dat is voor ons de nieuwe uitdaging nu. Buiten de controleur zelf was er geen instantie die het verschil kon zien tussen je werk goed doen en wat mijn moeder gapen noemde, dat wil zeggen naar de aangiftedossiers zitten gapen zonder er echt mee bezig te zijn of je aandacht erbij te houden. Zolang je het voorgeschreven aantal aangiftes voor die dag verwerkt kreeg, konden ze er nooit zeker van zijn. Niet dat ik dat deed – dat gapen overkomt me alleen na mijn werk, of ervoor, als ik me klaarmaak om te vertrekken. Maar ik wist dat ze ermee bezig waren: waar zaten de goede controleurs, en wie belazerde de kluit door de hele dag te zitten gapen of aan andere dingen te denken. Want dat komt voor. Maar dit jaar kunnen ze het weten, kunnen ze weten wie er goed werk aflevert. Tegenwoordig valt het verschil namelijk altijd te achterhalen. Want nu houden ze in plaats van het aantal verwerkte aangiftes je inkomstenbalans bij. Voor ons is dat dé grote verandering. Nu is het er gemakkelijker op geworden, nu zoeken we gewoon naar de dingen die een betere IB opleveren, het gaat er niet meer om hoeveel aangiftes iemand kan verwerken. Dat helpt ons de aandacht erbij te houden.'

984057863

'We woonden buiten de stad, langs een geasfalteerde weg. We hadden een grote hond die mijn vader in de voortuin aan de ketting legde. Een mooie grote Duitse herder. Ik haatte die ketting, maar er was geen hek en ons huis stond dicht aan de weg. Onze hond haatte die ketting. Maar hij bezat een zekere waardigheid. Hij ging nooit verder dan zijn ketting lang was. Zelfs nooit zo ver dat zijn ketting strak kwam te staan. Ook niet als de postbode langskwam, of een colporteur. Hij gedroeg zich waardig en deed alsof het zijn eigen keuze was om op het gebied te blijven dat toevallig binnen het bereik van de ketting lag. Wat daarbuiten lag, interesseerde hem niet. Interesseerde hem voor geen ene meter. En daarom zag hij die ketting ook niet meer. Hij haatte hem niet. Die ketting. Voor hem deed dat ding er gewoon niet toe. Misschien deed hij niet eens alsof – misschien koos hij er echt gewoon voor om zijn wereld te beperken tot die kleine cirkel. Sterk dat die hond was. Heel zijn leven aan die ketting. Ik hield verdomme van dat beest.'

§15

Een obscuur maar authentiek paranormaal weetje: er bestaat zoiets als een *feitenhelderziende*, in de literatuur ook wel bekend onder de naam *datamysticus*; het syndroom zelf wordt WFH (= *Willekeurige Feiten-Helderziendheid*) genoemd. De plotselinge flitsen van inzicht of bewustzijn die deze individuen ervaren zijn structureel gelijk aan, maar meestal veel vervelender en banaler dan de schokkend relevante voorkennis die bekendstaat onder de naam buitenzintuiglijke waarneming (ESP) of paragnosie. Dit is meteen ook de reden waarom dit fenomeen zo weinig bestudeerd of bekend is, en waarom mensen met WFH er bijna zonder uitzondering over spreken als een aandoening of ziekte. De paar betrouwbare studies en monografieën die erover bestaan, bieden niettemin voorbeelden te over; juist die overvloed, samen met de irrelevantie van de flitsen en hun verstorende effect op iemands normale gedachtegang en concentratie, maakt de essentie uit van het fenomeen WFH. De tweede naam van de jeugdvriend van een onbekende die ze voorbijlopen in de gang. Het feit dat iemand in dezelfde rij in de bioscoop ooit zestien auto's achter hen reed op de I-5 bij McKittrick, Californië, op een warme, regenachtige dag in oktober 1971. Ze komen uit het niets, en zoals alle paranormale invallen leiden ze tot ongemak en verwarring. Ze zijn immers efemeer, onbruikbaar, onspectaculair en storend. Hoe de Cointreau iemand met een lichte verkoudheid smaakte op de esplanade van de Weense Staatsopera op 2 oktober 1874. Hoeveel mensen naar het zuidoosten keken om te zien hoe Guy Fawkes in 1606 werd opgehangen. Het aantal frames in

À bout de souffle. Dat in 1959 de Grand Prix werd gewonnen door iemand met de naam Fangi of Fangio. Het percentage Egyptische goden met de kop van een dier. De lengte en gemiddelde omtrek van de dunne darm toebehorend aan minister van Defensie Caspar Weinberger. De exacte (niet geschatte) hoogte van de berg Erebus, maar niet wat dat voor berg is of waar die ligt.

En in het geval van feitenhelderziende Claude Sylvanshine (S-9) op laten we zeggen 12 juli 1981: het precieze gewicht en de exacte snelheid van een trein die in zuidwestelijke richting door het Tsjecho-Slowaakse Prešov rijdt, juist op het moment dat hij geacht wordt de renteopgaven vermeld op verschillende 1099-INT's te vergelijken met de belastingaangifte van Edmund en Willa Kosice, die hun Franse luiken in 1978 lieten vervangen door iemand wiens vrouw ooit drie bingoronden op een rij won in de St. Bridget-kerk in Troy, Michigan, hoewel het thuisadres van de familie Kosice in Urbandale, Iowa, ligt – de reden van deze WFH-incongruentie ontgaat Sylvanshine, voor wie de onzinnige feiten de zoveelste afleiding betekenen die hij van zich af moet schudden in het kabaal en de opwinding van het compleet gedemotiveerde RCC van Philadelphia. Gevolgd door de maïsgod van de Tolteken, maar dan in Tolteekse hiëroglifen, zodat Sylvanshine niet meer ziet dan een abstracte tekening van onbekende origine. De winnaar van de Nobelprijs voor de fysiologie schuine streep geneeskunde in 1950.

Feit is: ten minste een derde van de helderzienden of magiërs in dienst van de oude heersers werd vroeg in hun ambtsperiode ontslagen of vermoord, omdat bleek dat het meeste wat ze voorspelden of voorvoelden irrelevant was. Niet fout, maar simpelweg irrelevant en onbetekenend. De eigenlijke ontstaansgrond van het wormvormig aanhangsel. De naam die Norbert Wiener als ziekelijk kind aan het leren balletje gaf dat toen zijn enige vriend was. Het aantal grashalmen in het gazon voor het huis van iemands postbode. Ze dringen zich op, komen binnenvallen, ratelen maar door. Een van de redenen dat Sylvanshine altijd zo geconcentreerd en getroebleerd kijkt, is dat hij probeert allerhande paranormaal ervaren opdringerige feiten buiten te sluiten. De hoeveelheid parenchym van een bepaalde varen in de wachtkamer bij een orthodontist in Athens, Georgia, maar nooit ofte nimmer wat parenchym dan wel moge wezen. Dat de wereldkampioen in het vedergewicht van de WBA een milde vorm van scoliose had ter hoogte van Th10, Th11 en Th12. Hij zoekt ze ook niet op – dit soort feiten achterhaal je niet; het zijn dwaallichten die nergens heen leiden. Dat heeft hij met vallen en opstaan moeten leren. De snelheid, berekend in astronomische eenheden, waarmee het ML435-stelsel zich van de Melkweg verwijdert. Hij vertelt niemand over deze inbreuken. Bij sommige is er een verband, maar slechts zelden leveren ze iets op wat iemand met een authentieke vorm van ESP betekenisvol zou achten. Het gewicht in milligram van alle pluis in de zakken van alle aanwezigen in het observatorium van Fort Davis, Texas, op de dag in 1974 dat de aanstaande zonsverduistering door wolken aan het zicht onttrokken werd. Hoogstens een op de vierduizend van zulke feiten is relevant of nuttig. De meeste ervan geven je het gevoel alsof iemand 'The Star-Spangled Banner' in je oor staat te zingen terwijl je een gedicht voordraagt waarmee je straks een prijs in de wacht hoopt te slepen. Claude Sylvanshine kan er niets tegen beginnen. Dat het jongste zusje van de betoudovergrootmoeder van een voorbijganger dat in 1844 is gestorven aan kinkhoest, Hesper heette. De kosten verbonden aan bovengenoemde aan het zicht onttrokken zonsverduistering, met inflatiecorrectie; de door de FCC verstrekte frequentielicentie van de christelijke radiozender waar de directeur van het observatorium naar luisterde toen hij naar huis reed, alwaar hij zijn echtgenote verfomfaaid aantrof en de pet van de melkboer nog op het aanrecht lag. De vorm van de wolken op de middag dat twee mensen die hij nooit heeft ontmoet hun kind verwekten, een zwangerschap die zes weken later eindigde in een miskraam. Dat de geestelijke vader van de rolkoffer de ex-echtgenoot was van een stewardess bij PEOPLExpress, die achttien maanden lang als een bezetene research deed naar de reguleringen in het bagagetransport en naar mogelijk nog hangende patentaanvragen omdat hij maar niet kon geloven dat nog niemand eerder op het idee was gekomen dit product op de markt te brengen. Het octrooinummer bij het Amerikaans Octrooibureau van de machine die de kartonnen klep aan de pet van de melkboer bevestigde. Het gemiddelde moleculaire gewicht van turf. Zijn aandoening had hij voor alles en iedereen geheimgehouden, al sinds de vierde klas, toen Sylvanshine wist hoe de vroegere kat heette van de jeugdliefde van de echtgenoot van zijn lerares in het groepslokaal op zijn basisschool, die aan één kant van haar snoet haar snorharen was kwijtgeraakt na een ongeluk met de kolenkachel in Ashtabula, Ohio; bevestiging volgde pas toen hij een boekje met tekeningen maakte en de echtgenoot de naam en de potloodtekening van de snorhaarloze Morrie onder ogen kreeg, lijkwit werd en drie opeenvolgende nachten heftige dromen had, zonder dat iemand het wist.

De feitenhelderziende leeft gedeeltelijk in een wereld van gefragmenteerde, kolkende trivia waar niemand weet van heeft of, als de mogelijkheid daartoe bestond, weet van zou willen hebben. Het aantal inwoners van Brunei. Het verschil tussen slijm en sputum. Hoe lang een stuk kauwgom al aan de onderkant kleeft van de vierde stoel van links op de derde rij in het Virginia Theater, Cranston, Rhode Island, maar niet wie het daar heeft vastgeplakt en waarom. Welke feiten zich zullen opdringen valt niet vooraf te zeggen. Hoofdpijn en concentratieproblemen, constant. De informatie verschijnt soms heel beeldend, in eigenaardig tegenlicht, als van een oneindig felle lichtbron oneindig ver weg. De hoeveelheid onverteerd rood vlees in de dikke darm van een doorsnee 43-jarige mannelijke inwoner van het Belgische Gent, in grammen. De wisselkoers tussen de Turkse lira en de Joegoslavische dinar. Het sterfjaar van William Beebe, diepzeeonderzoeker.

Proeft een cakeje van Hostess; weet waar het gemaakt is; weet wie de machine bediende die de bovenkant van een dun laagje chocoladeglazuur heeft voorzien; kent zijn gewicht, schoenmaat, bowlinggemiddelde en slaggemiddelde in de jeugdcompetitie door de jaren heen; kent de afmetingen van de kamer waar die persoon zich op dit moment bevindt. Overweldigend.

§16

Lane Dean jr. en twee oudere controleurs van een andere vleugel staan
buiten bij een van de onbeveiligde uitgangen tussen twee vleugels, op
een zeshoek van cement omgeven door onderhouden stroken gras, en
kijken hoe de onbebouwde velden ten zuiden van het RCC liggen te
blaken in de zon. Geen van hen rookt; ze staan gewoon even buiten.
Lane Dean is niet samen met de twee anderen naar buiten gekomen;
het toeval wilde dat hij tijdens de pauze op hetzelfde moment een
luchtje ging scheppen. Hij zoekt nog altijd een geschikte plek om zijn
gedachten te verzetten tijdens de pauzes, want die zijn zo ontzettend
belangrijk. De twee andere mannen kennen elkaar of werken in hetzelfde team; ze zijn samen naar buiten gekomen; het is duidelijk dat
dit traditie is.

Een van de mannen geeuwt theatraal en rekt zich opzichtig uit.
'Goh,' zegt hij. 'Nou gingen Midge en ik afgelopen zaterdag op bezoek
bij Bodnar. Je weet wel, Hank Bodnar, van Team K bij Vermogens-
controle, met zo'n bril met van die glazen, hoe noem je dat, die buiten
vanzelf donker worden.' De man houdt zijn handen op zijn rug en
staat wat op zijn tenen te wiebelen, als iemand die op de bus wacht.

'Mmh.' De andere man, zo'n vijf jaar jonger dan de man die bij Bodnar op bezoek is geweest, bestudeert een goedaardige cyste of gezwel
of iets in die trant aan de binnenkant van zijn pols. Zo halverwege de
ochtend neemt de hitte hand over hand toe, en in de opgeschoten gras-
sen, daar waar de zon de velden schroeit, zwelt het elektrische geluid
van de cicaden aan. Geen van de mannen heeft zich aan Lane Dean

voorgesteld, die verder van hen af staat dan zij van elkaar, maar niet zo ver dat men zou kunnen denken dat hij niet deelneemt aan het gesprek. Misschien gunnen ze hem wat ruimte omdat ze merken dat hij nieuw is en zich nog moet aanpassen aan de onvoorstelbare eentonigheid van het werk als controleur. Misschien zijn ze verlegen en voelen ze zich ongemakkelijk en onzeker bij het idee zich te moeten voorstellen. Lane Dean, wiens pantalon zo ver is opgekropen dat hij naar een hokje in het herentoilet zal moeten om hem weer goed te trekken, voelt de sterke neiging opkomen om de velden in te sprinten en daar in de hitte klapwiekend met zijn armen rondjes te gaan rennen.

'Eigenlijk zouden we al een weekend eerder gaan, op de hoeveelste zal dat geweest zijn, de zevende,' zegt de eerste man, die een uitzicht bewondert dat eigenlijk niets bijzonders te bieden heeft, 'maar hun jongste had koorts en een beetje keelpijn. Vandaar dat ze belde om het af te zeggen, en toen sprak Midge met Alice Bodnar af om het een week te verzetten, precies zeven dagen later, dat was dan makkelijk te onthouden. Je weet hoe een moederkloek is als een van haar tjiepen weer eens verhoging heeft.'

'Vertel mij wat.' Lane Dean zegt het vanaf een paar meter afstand, waarna hij net iets te hartelijk lacht. Eén schoen vangt de oversteekschaduw van de vleugel, de andere de ochtendzon. Lane merkt hoe hij langzaam wanhopig wordt in de wetenschap dat de vijftien minuten pauze onverbiddelijk wegtikken en hij dadelijk weer naar binnen moet om opnieuw aangiften te controleren, twee uur lang, tot de volgende pauze. Boven op een kleine vuilnisbak in de nis ligt een leeg bekertje van piepschuim op zijn kant in de uitdoofplaat. Als je een gesprek voert, verandert het tijdsverloop; ten goede of ten kwade, dat is niet duidelijk. De andere man bestudeert nog steeds die knobbel op zijn pols; hij houdt zijn onderarm omhoog als een chirurg net voor iemand hem latex handschoenen aantrekt. Als je bedenkt dat die cicaden in werkelijkheid schreeuwen, wordt het opeens veel verontrustender allemaal. In de regel hoor je ze niet; je merkt ze na een tijdje gewoon niet meer op.

'Maar goed,' zegt de eerste controleur. 'We gaan dus op visite, drinken wat. Midge en Alice Bodnar hebben het over nieuwe gordijnen voor in de woonkamer, en dat gaat maar door. Hartstikke oninteressant allemaal, vrouwenpraat. Dus Hank en ik verkassen naar zijn hobbykamer, want Hank die verzamelt munten – neenee, eerlijk waar: een rasechte muntenverzamelaar, en niet alleen met van die kartonnen albums met ronde gaten erin. Voor zover ik kan beoordelen heeft hij er echt verstand van. Hij wilde me namelijk een afbeelding laten zien van een munt die hij wel wilde aanschaffen, voor zijn verzameling.' De andere man had voor het eerst echt opgekeken toen de kerel die aan het woord was sprak over munten verzamelen, een hobby die Lane Dean, als christen, om meerdere redenen altijd als iets liederlijks en verdorvens heeft beschouwd.

'Een stuiver, denk ik,' zo zegt de eerste vent. Hij lijkt steeds af te glijden naar een soort zelfgesprek, terwijl de tweede man af en toe die knobbel bestudeert. Je krijgt de indruk dat de twee mannen al sinds jaar en dag dit soort pauzegesprekken met elkaar voeren – het is zo'n gewoonte geworden dat het niet eens meer bewust gebeurt. 'Niet zo'n stuiver met een bizon erop, maar een vijfcentstuk met een andere opdruk die toch heel bekend is; ik heb weinig verstand van munten, maar als ík er al van gehoord heb wil dat zeggen dat het echt een bekende is. Maar de naam ervan ...' Hij lacht, nog net niet gepijnigd. 'Die is me helemaal ontschoten, die herinner ik me niet meer.'

'Alice Bodnar kan een aardig potje koken,' zegt de andere vent. De plastic lipjes van een lichtbruine clipdas steken uit bij de rand van zijn boord. De dasknoop zelf zit muurvast; hem losmaken lijkt welhaast onmogelijk. Van waar hij staat heeft Lane Dean een beter, onopvallender zicht op deze tweede controleur. Het gezwel aan de binnenkant van zijn pols heeft de grootte van een kinderneusje en bestaat uit iets wat eelt of wild vlees zou kunnen zijn; het ziet er rood en wat ontstoken uit, al kan dat ook komen omdat hij er zo vaak aanzit. Probeer daar maar eens af te blijven. Lane Dean beseft dat hij voor de pols van de man een ziekelijke fixatie zou kunnen opvatten als ze in dezelfde vleugel aan naburige Tingles werkten – ernaar proberen te kijken zonder dat het in de gaten loopt, je voornemen er niet meer naar te kijken enz. Ergens vindt hij het beangstigend dat hij haast jaloers wordt op degene die wel aan die tafel werkt, en hij stelt zich de rood geworden cyste voor en of die zou kunnen functioneren als voorwerp van afleiding en aandacht; een soort struingoed, zoals een ekster glimmende nutteloze dingen sprokkelt die hij tegenkomt, zelfs repen aluminiumfolie en schakeltjes van een gebroken medaillonketting. Hij voelt de vreemde aandrang om de man te vragen naar het gezwel, hoe het zo gekomen is, hoe lang al enz. Het is precies gegaan zoals de man voorspeld heeft: Lane hoeft niet langer op zijn horloge te kijken tijdens de pauze. Nog zes minuten te gaan.

'Ja, goh, het plan was om wat zalmfilets te pocheren en die dan buiten op de veranda op te eten met een of ander nieuw salieglazuur dat Midge en Alice wilden uitproberen, en met gegratineerde aardappelen – ja, ik denk dat het gegratineerd was; ze hadden het denk ik over *gratin dauphinois*. En een berg salade zo groot dat je de kom niet kon doorgeven; die stond op een apart tafeltje.'

De tweede man rolt nu heel zorgvuldig zijn hemdsmouw naar beneden en maakt die weer vast bij de pols met de knobbel, maar als hij straks over de aangiften gebogen zit en de mouw wat omhoogschuift zal bij de manchet een stuk van de penumbra van de cyste toch nog zichtbaar zijn, vermoedt Dean, en dat – het heen en weer wrijven van de manchet langs het gezwel tijdens een werkdag bij Controle – zou wel eens mede de reden kunnen zijn waarom die plek er zo rood en geïrriteerd uitziet – misschien doet het wel op een nauwelijks merkbare, maar toch ziekmakende manier pijn telkens als de manchet van de man over het kleine hoorngezwel naar boven of onderen schuift.

'Maar het was zo'n mooie dag. Hank en ik waren in de hobbykamer, die een paar van die grote ramen heeft die uitkijken op een hoek van het gazon en de straat; een paar buurtkinderen hadden er enorm veel schik in schreeuwend de straat op en af te fietsen. We besloten, of nee, Hank besloot dat het zo'n verdomd mooie dag was dat we de dames zouden vragen of ze wilden barbecueën. Dus we haalden Hanks grill van stal, een groot model Weber, met van die wielen eronder waarop je hem naar buiten kunt rollen door hem wat achterover te hellen – je weet wel wat ik bedoel.'

De tweede man buigt wat naar voren en spuugt keurig tussen zijn tanden door in het gras aan de rand van de zeshoek. Hij is een jaar of veertig en heeft zilvergrijze haren aan de zijkant van zijn hoofd waar de zon op valt, ziet Lane Dean. Lane Dean stelt zich voor hoe hij met een grote boog het veld in rent, met zijn armen klapwiekend als Roddy McDowall.

'Zo gezegd, zo gedaan, dus we rollen die Weber naar buiten,' zegt de eerste man. 'En we barbecueën de zalm in plaats van hem te pocheren, maar verder geen gekke dingen, en Midge en Alice praten over waar ze die slakom hebben gekocht, met allemaal van die kleine inkepingen aan de bovenkant bij de rand – dat ding woog minstens twee kilo. Hank grilde ze op de patio, terwijl wij vanwege de muggen aan tafel gingen op de veranda.'

'Hoe bedoel je?' vraagt Lane Dean, die zich bewust is van de bijna hysterische toon in zijn stem.

'Nou,' zegt de eerste, wat forsere kerel, 'de zon ging onder. De neefjes komen dan rechtstreeks van die golfbaan net buiten Fairhaven. Dan gaan we dus mooi niet buiten op de patio zitten, dan word je helemaal lek geprikt. Daar was iedereen het allang over eens.' De man ziet dat Lane Dean hem nog steeds aankijkt, zijn hoofd overdreven scheef, uit een nieuwsgierigheid die hij volstrekt niet voelde.

'Het is een veranda met horramen.' De tweede man kijkt Lane aan, zo van: wie is die kerel?

De man die bij andere mensen thuis gegeten heeft lacht. 'Het beste van twee werelden. Een veranda met horramen.'

'Moet het wel niet regenen natuurlijk,' zegt de tweede man. Allebei lachen ze, meesmuilend.

§17

'Als kind al dacht ik geloof ik dat de mannen van de fiscus in zekere
zin leken op al die andere institutionele helden: bureaucraten, helden
met een kleine h die – zoals politieagenten, brandweermannen, wel-
zijnswerkers, medewerkers van het Rode Kruis en organisaties voor
armoedebestrijding zoals VISTA, degenen die de administratie doen
van de arbeidsongeschiktheidsuitkeringen, zelfs sommige geestelijken
en religieus geïnspireerde vrijwilligers – alle wonden proberen te
hechten of te verbinden die de meer zelfgerichte, drukdoenerige, on-
verschillige ikke-en-de-rest-kan-stikken-types voortdurend in de gemeenschap slaan. En dan heb ik eerder het kantoorpersoneel van de
politie en de brandweer en de kerk op het oog dan degenen die iedereen kent en die met hun daden de krant halen. Ik bedoel niet het soort
held dat "zijn leven in de waagschaal stelt". Ik wil geloof ik gewoon
zeggen dat er nog een ander soort helden bestaat. En zo wilde ik ook
worden. Het soort dat alleen maar aan heroïek leek te winnen omdat
niemand applaudisseerde of zelfs maar aan hen dacht, en deden ze dat
wel, dan meestal op een vijandige manier. Het type dat in de werkgroep
afvalreductie zit in plaats van de schoolband, en dat op het bal niet kan
lopen pronken met het mooiste meisje van de school, als je begrijpt
wat ik bedoel. Het stille type, snap je, het type dat opruimt en het vuile
werk opknapt.'

§18

'En de bureaunamen zijn ook terug van weggeweest. Nog een pre van Glendenning. Niets tegen de Bleke Koning, hoor, maar de algemene opinie is toch wel dat meneer Glendenning meer belang hecht aan het moreel van zijn personeel, en bureaunamen zijn daar een mooi voorbeeld van.'

[Teken buiten beeld.]

'Gewoon wat het woord zegt eigenlijk. Ter vervanging van je echte naam. Op je bureau staat dan een bordje met je bureaunaam. Je *nom de guerre* zeg maar. Moet je een burger eens een beetje de schoen wringen, dan hoef je op die manier niet bang te zijn dat hij je naam kent en jou en je gezin komt lastigvallen – denk niet dat dat nooit door ons hoofd spookt.'

[Teken buiten beeld.]

'Maar het is natuurlijk niet zo erg als in de tijd voor de Bleke Koning. Toen liep het echt de spuigaten uit. Echt al te jolige bureaunamen zie je niet meer. En om eerlijk te zijn: de lol was er al snel af. Niemand die ze mist: niemand wil dat een belastingbetaler hem voor een onnozelaar houdt. Want onnozel zijn wij hier bepaald niet. Claude Zack, Benny Schnell en Shaun Darm, die tijd is voorbij. Hoewel niemand beweert – en meneer Glendenning al helemaal niet – dat je je bureaunaam niet meer mag gebruiken. Als wapen in de heroïsche strijd om de gunst van de belastingbetaler. Als je slim bent, doe je er je voordeel mee. De namen rouleren; je anciënniteit bepaalt wie welk bordje krijgt. Dit kwartaal is mijn bureaunaam Eugene Hagy – zo staat het ook op mijn bordje hier. Ze klinken echt goed nu. Een bureaunaam is bijvoorbeeld erg nuttig als de persoon die je voor je hebt niet zeker weet hoe hij hem moet uitspreken. Zeg je *haggie*, of is het *hadj*, of *hat-sjie*, of nog iets anders? De burger is natuurlijk bang om je voor het hoofd te stoten. Andere goede namen zijn Manczyk, Snyckle, Puppi, Mrdja, Sluym, LaBeouf, Meyhui en Preaut. Er zijn meer dan drieënveertig van die bordjes in omloop. Pusz, Kötél. Umlauten doen het altijd goed, van umlauten worden ze helemaal gek. Een van de vele mogelijkheden die je hebt om ze even van hun stuk te brengen. En een glimlach op een grijze dag is natuurlijk ook altijd meegenomen. Voor het derde kwartaal heeft Hanratty een Peníze-bordje aangevraagd – meneer Rosebury zei dat men het in overweging neemt. Er zijn tenslotte grenzen, nu met Glendenning. Het gaat hier wel om belastingen. Het is hier de lach-of-ik-schiet-show niet.'

§19

'Tussen burgerzin en egoïsme bestaat er een eigenaardige spanning, en vandaag is die groter dan ooit. Hier in de VS verwachten we van de overheid en de wet dat ze ons geweten vormen. Ons superego zijn, als het ware. Dat heeft te maken met liberaal individualisme, en ook met het kapitalisme, maar eerlijk gezegd snap ik niet zo goed hoe dat theoretisch allemaal zit. Ik zie gewoon wat er om me heen gebeurt. In zekere zin zijn wij Amerikanen niet goed wijs. We infantiliseren onszelf. We zien onszelf niet als burgers – als delen van een groter geheel waarvoor we een zware verantwoordelijkheid dragen. We zien onszelf wel als burgers als op het onze rechten en voorrechten aankomt, maar niet wat onze verantwoordelijkheden betreft. Onze maatschappelijke verantwoordelijkheden schuiven we af naar de overheid, in de veronderstelling dat die de moraal wel even voor ons in wetten zal gieten. En dan heb ik het vooral over de economie en het bedrijfsleven, want dat is mijn specialiteit.'

'En wat kunnen we doen om het verval tegen te gaan?'

'Geen flauw idee. Als burgers staan we steeds meer van onze autonomie af, maar als wij als overheid de burgers beroven van de vrijheid hun autonomie af te staan, beroven we ze eigenlijk van hun autonomie. Het is een paradox. Burgers hebben de grondwettelijke macht verstek te laten gaan en de beslissingen over te laten aan bedrijven en aan een overheid die die bedrijven normaliter moet controleren. Bedrijven slagen er steeds beter in ons te verleiden tot hun manier van denken – dat winst het *telos* is, en verantwoordelijkheidszin iets wat men symbolisch op een voetstuk plaatst om er vervolgens in een grote boog omheen te lopen. Niet wijs maar gewiekst. Niet denken en maken maar willen en hebben. Dat kunnen we niet tegenhouden. Ik vrees dat we op een catastrofe afstevenen – een depressie, hyperinflatie – en dan is de gort gaar. We hebben de keus: wakker worden en onze vrijheid heroveren of volledig te gronde gaan. Net als Rome – zegevierend ten koste van het eigen volk.'

'Ik begrijp wel dat belastingplichtigen hun geld liever niet afdragen. Dat is een natuurlijke, menselijke reactie. Ik vond het ook niet leuk toen ik geaudit werd. Maar daar staat toch ook heel wat tegenover – we hebben verdomme op die lui gestemd, we kiezen ervoor hier te wonen, we willen goede wegen en een goed leger dat ons beschermt. Dus dok je.'

'Is dat niet een beetje kort door de bocht?'

'Nou, stel je gewoon eens voor dat je samen met een stel andere mensen in een reddingsboot zit met maar weinig eten aan boord, en dat moet je verdelen. Er is niet veel en daar moeten jullie het allemaal mee zien te rooien, terwijl iedereen omkomt van de honger. Natuurlijk wil je alles voor jezelf; je bent uitgehongerd. Maar dat geldt ook voor de anderen. Als je al dat eten alleen opat, dan zou je daarna niet meer met jezelf kunnen leven.'

'Los van het feit dat de anderen je dan de kop zouden inslaan.'

'Goed, maar het gaat hier even om de psychologische kant van de zaak. Natuurlijk wil je alles voor jezelf, natuurlijk wil je iedere cent die je verdient houden. Maar dat doe je niet, je dokt, want iedereen zit nu eenmaal in hetzelfde schuitje. Je hebt zeg maar een plicht tegenover de anderen in de boot. Een plicht tegenover jezelf om niet zo iemand te zijn die wacht tot iedereen slaapt en dan alles opschrokt.'

'Je klinkt als een les maatschappijleer.'

'Die jij nooit gekregen hebt, neem ik aan. Hoe oud ben jij, achtentwintig? Had je vroeger maatschappijleer op school? Weet je eigenlijk wel wat maatschappijleer inhoudt?'

'Het was zo'n typisch Koude-Oorlogvak. De Bill of Rights, de Grondwet, de vlag begroeten, hoe belangrijk het is dat je gaat stemmen, dat soort dingen.'

'Maatschappijleer is de tak van de politicologie die, en ik citeer, zich concentreert op burgerschap en de rechten en plichten van alle Amerikaanse staatsburgers.'

'*Plicht* is een tamelijk heftig woord. Ik zeg niet dat iedereen de plicht heeft om belasting te betalen. Ik zeg gewoon dat het nergens op slaat om dat niet te doen. Los van het feit dat we je toch wel weten te vinden.'

'Je zit vast niet op zo'n discussie te wachten, maar als je echt mijn mening wilt weten ...'

'Hou je vooral niet in.'

'Het is denk ik geen toeval dat maatschappijleer niet meer onderwezen wordt, of dat een jongen zoals jij steigert bij het woord *plicht*.'

'We zijn watjes geworden, bedoel je.'

'Ik bedoel dat de jaren zestig – waardoor godzijdank op heel wat gebieden veel meer bewustzijn is ontstaan, bijvoorbeeld over zaken als racisme en feminisme –'

'Om nog maar te zwijgen van Vietnam.'

'Nee, juist ook Vietnam, want toen stond er een hele generatie op waarvan de meesten voor het eerst kritiek hadden op het gezag en vonden dat hun eigen opvattingen over de oorlog zwaarder wogen dan de plicht te gaan vechten omdat hun wettig verkozen vertegenwoordigers hun dat opdroegen.'

'De belangrijkste plicht hadden ze met andere woorden in feite tegenover zichzélf.'

'Ja, maar tegenover zichzelf als wát?'

'Dat klinkt mij allemaal behoorlijk simplistisch in de oren hoor, jongens. Heus niet iedereen die betoogde deed dat uit plichtsbesef. Na een tijdje werd het gewoon hip om te gaan betogen tegen de oorlog.'

'Noch het mijn-ultieme-plicht-heb-ik-tegenover-mezelf-aspect, noch het aspect hipheid is irrelevant.'

'Zeg je nou dat de Vietnamprotesten rechtstreeks verband houden met belastingontduiking?'

'Nee, hij zegt dat die protesten tot het soort egoïsme hebben geleid waardoor we aan boord allemaal proberen al het eten voor onszelf te houden.'

'Nee, maar ik denk wel dat demonstreren opeens zo hip werd door iets wat nu de deur heeft opengezet voor wat ons land aan de rand van de afgrond zal brengen. Het betekent het einde van het democratische experiment.'

'Zei ik al dat hij conservatief is?'

'Dat is zo'n onmogelijke dooddoener. Je hebt allerlei soorten conservatieven, afhankelijk van wat ze precies willen behouden.'

'In de jaren zestig verwerd Amerika tot een decadent en op zichzelf gericht individualistisch land – het tijdperk van de ik-generatie brak aan.'

'De jaren twintig waren echt wel decadenter dan de jaren zestig.'

'Weet je wat ik vind? Ik vind de Grondwet van dit land en de *Federalist Papers* ongelooflijke morele en visionaire prestaties. Voor de allereerste keer in de moderne geschiedenis hebben de machthebbers van een land daarmee een systeem in het leven geroepen waarin de macht van de burgers over hun eigen regering niet langer symbolisch was, maar van primordiaal belang. Die prestatie is van onschatbare waarde, en zal in de geschiedenisboeken in één adem genoemd worden met Athene en de Magna Carta. Het feit dat de utopie al tweehonderd jaar werkelijk *gefunctioneerd* heeft, maakt de waarde van die prestatie meer dan onschatbaar – het is een wonder, anders kun je het niet noemen. En – en dan heb ik het over Jefferson, Madison, Adams, Franklin, onze echte kerkvaders – wat het Amerikaanse experiment meer dan alleen maar visionair maakte, en waardoor het alles welbeschouwd redelijk functioneerde, was niet alleen de intelligentie van die verlichte geesten, maar ook hun diepgevoeld moreel besef – hun gevoel voor burgerzin. Ze gaven nu eenmaal meer om de natie en de burgers dan om zichzelf. Ze hadden van Amerika een oligarchie kunnen maken waar machtige industriëlen uit het oosten en grootgrondbezitters uit het zuiden alle macht in handen hadden en met ijzeren vuist regeerden, ongeacht de fluwelen handschoen van liberale retoriek. Robespierre, de bolsjewieken, de ayatollah, om maar een paar voorbeelden te noemen. De Founding Fathers waren genieën van burgerlijke deugdzaamheid. Helden. Hun belangrijkste aandachtspunt was de inperking van de macht van de overheid.'

'Checks-and-balances.'

'De macht aan het volk.'

'Ze wisten dat macht corrumpeert –'

'Jefferson die naar het schijnt zijn slavinnen neukte en een hele roedel halfbloedjes had rondlopen.'

'Als ze de macht centraliseerden en tegelijk verdeelden onder een betrokken en ontwikkeld electoraat met voldoende burgerzin, dan kon worden vermeden, zo geloofden ze, dat Amerika zou vervallen in de aloude opdeling in adel en boeren, heersers en onderdanen.'

'Dat ontwikkelde electoraat bestond toevallig wel mooi alleen maar uit blanke, mannelijke grondbezitters.'

'En dit is een van de grote paradoxen van de twintigste eeuw, met als hoogtepunt de jaren zestig. Is het goed om het allemaal eerlijker te maken en alle burgers een stem te geven? Jazeker, althans in theorie. Maar toch is het wel heel gemakkelijk onze voorouders te beoordelen door de bril van het heden, en niet eens te proberen de wereld te zien zoals zij dat wellicht deden. De Founding Fathers verleenden alleen aan rijke, ontwikkelde, mannelijke grondbezitters stemrecht omdat ze op die manier de macht in handen gaven van mensen die het meest op henzelf leken –'

'In mijn oren klinkt dat eerlijk gezegd allesbehalve nieuw of experimenteel, meneer Glendenning.'

'Ze vertrouwden op rationaliteit – ze geloofden dat bevoorrechte, geletterde en gecultiveerde mensen, mensen die over een zekere morele verfijning beschikten, in staat zouden zijn in navolging van hen oordeelkundig en met de nodige zelfdiscipline beslissingen te nemen die de belangen van het land dienden, en niet alleen die van zichzelf.'

'Het is in ieder geval een behoorlijk visionaire en ingenieuze rationalisatie van racisme en mannelijk chauvinisme, zoveel is zeker.'

'Het waren helden, en zoals het echte helden betaamt waren ze bescheiden en beschouwden ze zichzelf helemaal niet als zulke uitzonderlijke personen. Ze gingen ervan uit dat hun nazaten net zo zouden zijn als zij – rationeel, eerbaar, vol burgerzin. Mannen die minstens even begaan zouden zijn met het algemeen belang als met hun persoonlijk belang.'

'Hoe zijn we van de jaren zestig opeens hier aanbeland?'

'En wie staan er vandaag aan het roer? Mannen zonder ballen en achterbakse gladjakkers.'

'We kiezen wat we verdienen.'

'Ik blijf het toch raar vinden. Dat ze zo vooruitziend en wijs waren om controlemechanismen in te bouwen die ervoor moesten zorgen dat geen van de machten de overhand zou krijgen, dat ze een gezonde angst voor de overheid koesterden, maar dat ze tegelijkertijd zo naïef geloofden in de burgerdeugd van de gewone man.'

'Onze politieke leiders, onze overheid, dat zijn wij, wij allemaal – en als zij zwak en corrupt zijn, dan komt dat omdat wij dat ook zijn.'

'Ik kan hier eigenlijk niets op zeggen, behalve dat ik er een gruwelijke hekel aan heb als je het punt dat ik wil maken helemaal verkeerd samenvat. Het gaat namelijk over iets veel groters. Volgens mij ligt het probleem niet bij onze politici. Ik heb op Ford gestemd en ga waarschijnlijk op Bush stemmen, of misschien op Reagan, een stem waar ik helemaal achter sta. Maar we zien het hier, bij de bb's. Wij zíjn de overheid, haar lelijkste gezicht – de inhalige schuldeiser, de strenge ouder.'

'Ze haten ons.'

'Ze haten de overheid – wij zijn gewoon de meest tastbare en voor de hand liggende belichaming van wat ze haten. Maar met die haat is er iets eigenaardigs aan de hand. Als we een paar mitsen en maren even buiten beschouwing laten, dan ís de overheid het volk, maar wij splitsen ons ervan af en doen alsof we daarbuiten staan; we doen alsof de overheid een soort dreigende Ander is die niets liever wil dan onze vrijheden afnemen, ons het geld uit de zakken kloppen om het te herverdelen en ons moreel besef een wettelijk keurslijf aanmeten, of het nu gaat om drugs, verkeer, abortus of het milieu – Big Brother, het Establishment –'

'Vadertje Staat.'

'En het eigenaardige is dat we de overheid haten juist omdat die zich – schijnbaar onrechtmatig – de maatschappelijke functies toe-eigent die we aan haar hebben afgestaan.'

'Wat dus tegengesteld is aan de wil van de Founding Fathers, die de macht juist aan het volk afstonden, en niet aan de overheid.'

'Instemming van de onderdanen.'

'Maar inmiddels gaat het al een stuk verder, en volgens mij hebben de idealen van de jaren zestig – van persoonlijke vrijheid, aan je trekken komen, een lossere moraal – daar iets mee te maken, hoewel ik bij God niet precies weet hoe. Ik weet alleen dat er in dit land iets vreemds aan de hand is qua burgerzin en egoïsme, en dat manifesteert zich voor ons hier bij de Dienst in zijn meest extreme vorm. Als burgers, zakenmensen, consumenten en wat weet ik nog allemaal verwachten wij vandaag de dag dat de overheid en de wet als ons geweten fungeren.'

'Daar zijn de wetten toch voor?'

'U bedoelt als ons superego? *In loco parentis?*'

'Het heeft te maken met liberaal individualisme, en de overschatting van de individuele burger als moreel wezen in de Grondwet, en met het consumentenkapitalisme –'

'Dat is behoorlijk vaag.'

'Het is inderdaad vaag. Ik ben geen politicoloog. Maar de consequenties zijn allesbehalve vaag; de concrete realiteit van de consequenties, daar draait het om in ons beroep.'

'Maar de Dienst bestaat toch al veel langer dan sinds de decadente jaren zestig?'

'Laat hem uitspreken.'

'Ik denk dat de Amerikanen anno 1980 over het algemeen gek zijn. Gek geworden zijn. Dat er een soort regressie heeft plaatsgevonden.'

'Het tussen aanhalingstekens gebrek aan discipline en autoriteit in de decadente jaren zeventig.'

'Als je niet gauw je mond houdt, schop ik je het dak van de lift op. Kun je daar gaan staan mekkeren.'

'Ik weet dat het wat reactionair kan klinken. Maar we voelen allemaal wel aan dat we tegenwoordig anders tegen ons burgerschap aankijken. We zien onszelf niet langer als burgers in de oude zin, dat wil zeggen als kleine onderdelen van een groter geheel dat oneindig veel belangrijker is en waarvoor we een zware verantwoordelijkheid dragen. We zien onszelf nog steeds als burgers in de zin van begunstigden – we zijn ons heel bewust van onze rechten als Amerikaans staatsburger en de verplichtingen die de staat heeft om ervoor te zorgen dat we ons deel van de koek krijgen. We beschouwen onszelf vandaag niet langer als degenen die de koek bakken, maar als degenen die de koek eten. Maar wie bakt die koek dan?'

'Vraag niet wat je land voor jou kan doen ...'

'Het zijn de bedrijven die de koek bakken. Zij bakken hem en wij eten hem op.'

'Het is waarschijnlijk naïef van me dat ik de zaak niet in politieke zin wil formuleren, terwijl het, hoe je het ook wendt of keert, waarschijnlijk wel een politieke kwestie is. Ergens is er iets gebeurd waardoor we voor onszelf hebben besloten dat het geen probleem is onze individuele verantwoordelijkheid voor het algemeen belang van ons af te schuiven en die zorg aan de overheid uit te besteden, terwijl wij gewoon onze eigen egoïstische gang gaan en er alles aan doen om zo veel mogelijk aan onze trekken te komen.'

'Dat kun je deels wel wijten aan de bedrijven en de reclame.'

'Maar ik beschouw bedrijven niet als burgers. Bedrijven zijn ingenieuze winstmachines – dat is hun enige bestaansreden. Het is belachelijk bedrijven een vorm van burgerplicht of morele verantwoordelijkheid toe te dichten.'

'Maar wat bedrijven zo ingenieus en doortrapt maakt, is dat ze ons een individuele beloning in het vooruitzicht stellen zonder enige individuele verplichting. Werknemers hebben verplichtingen tegenover de directie, de directie tegenover de CEO, de CEO tegenover de Raad van Bestuur, en de Raad van Bestuur tegenover de aandeelhouders – en dus tegenover de klanten die ditzelfde bedrijf zal naaien bij de eerste de beste mogelijkheid om winst te maken, winst die het vervolgens als dividend uitkeert aan precies dezelfde aandeelhouders annex klanten die het van achteren heeft gepakt – en dat allemaal in hun eigen naam. Een waanwereld van afgeschoven verantwoordelijkheid.'

'En dan vergeet je nog de vakbonden, die pleiten voor eigen financiële reserves en onderlinge fondsen, en het effect van de SEC op de uitoefenprijzen.'

'Als het op het irrelevantie aankomt ben jij een hele grote, X. Wat dacht je dat dit was, een seminar? DeWitt probeert tot de kern van de zaak te komen.'

'Bedrijven zijn geen burgers, buren of ouders. Ze kunnen niet stemmen of onder de wapens geroepen worden. Ze hoeven de vlag niet te groeten. Ze hebben geen ziel. Het zijn pure winstmachines. En daar heb ik geen problemen mee. Het is absurd ervan uit te gaan dat ze morele of burgerlijke verplichtingen zouden hebben. Hun enige verplichtingen zijn strategisch van aard, en ondanks hun soms zeer complexe structuur zijn het in beginsel geen burgerlijke entiteiten. Bij bedrijven vind ik het geen probleem dat de overheid statuten en regelgeving oplegt die als een soort geweten kunnen fungeren. Maar wat ik wel een probleem vind is dat ik de indruk heb dat wij als individuele burgers die bedrijfsmentaliteit hebben overgenomen. Dat we uiteindelijk alleen onszelf iets verplicht zijn. En dat, tenzij iets illegaal is of directe praktische gevolgen voor onszelf heeft, zo goed als alles geoorloofd is.'

'Dit gesprek staat me steeds meer tegen. Het – hou je van films?'
'Ik dacht het wel, ja.'
'Wat is dat nou voor een vraag?'
'Niets fijners dan je op een regenachtige avond op de sofa installeren met een Betamax en een goede film.'
'Stel dat er een aantoonbaar verband bestond tussen de almaar ge-

welddadigere Amerikaanse films en een statistische toename van het aantal geweldsdelicten. Ik bedoel: stel dat statistisch onderzoek niet alleen *suggereerde*, maar onweerlegbaar *aantoonde* dat er een oorzakelijk verband bestond tussen het groeiende aanbod extreem gewelddadige films zoals *A Clockwork Orange* of *The Godfather* of *The Exorcist* en de steeds grotere ontwrichting van het echte leven.'

'Je vergeet *The Wild Bunch*. En *A Clockwork Orange* was Brits.'

'Mond houden.'

'Maar hoe definieer je *gewelddadig*? Betekent dat niet voor iedereen iets anders?'

'Als je niet oppast, flikker ik je linea recta de lift uit, X, ik zweer het je.'

'Maar wat kun je nou helemaal verwachten van de bedrijven in Hollywood die die films maken? Mag je echt verwachten dat ze zich afvragen of hun films leiden tot meer geweld in de maatschappij? Natuurlijk, we kunnen inderdaad in de pen klimmen en giftige brieven schrijven. Maar ze zullen antwoorden, naast het bekende pr-geblaat, dat ze hard werken om geld te verdienen voor hun aandeelhouders, en dat ze geen ene moer om dat statistische onderzoek naar hun producten zullen geven zolang de overheid ze niet dwingt het geweld aan banden te leggen.'

'Wat sowieso een hoop gedonder met het Eerste Amendement zou opleveren.'

'Ik denk niet dat Hollywoodstudio's in handen zijn van aandeelhouders; de meeste zijn vermoedelijk in handen van moederbedrijven.'

'Ja, zeker zolang gewone bioscoopgangers in drommen naar die extreem gewelddadige films blijven gaan. De filmindustrie kan zeggen dat ze alleen maar doet waar bedrijven nu eenmaal voor zijn opgericht, namelijk aan een bepaalde vraag voldoen en zo veel winst maken als wettelijk mogelijk is.'

'Heel deze discussie is slaapverwekkend saai.'

'Soms is wat van belang is nu eenmaal saai. Soms moet je er iets voor doen. Soms is wat van belang is geen kunstwerk dat louter ter ontspanning en vermaak dient, X.'

'Het punt is het volgende. En X, het spijt me, als ik er meer van wist kon ik mijn punt sneller maken, maar ik ben niet gewend erover te praten en ik ben er nooit in geslaagd het enigszins bevattelijk onder woorden te brengen – als ik 's ochtends in mijn auto nadenk over wat er voor die dag allemaal op de plank ligt, lijkt het wel een wervelwind in mijn hoofd. Het enige punt dat ik met betrekking tot die films wil maken is het volgende: zou dergelijk statistisch onderzoek er nou echt voor zorgen dat het publiek voortaan niet meer in zulke drommen naar extreem gewelddadige films gaat kijken? Hou toch op. En dat is juist het geschifte aan de hele zaak. Dat is mijn punt. En wat doen wij eraan? Bij de waterkoeler een beetje staan afgeven op al de zielloze bedrijven die schijt hebben aan de samenleving en alleen maar nog meer winst willen maken. Een paar schrijven er misschien een opiniestuk voor de *Journal Star*, of sturen een brief aan hun Congreslid. Dat er een wet zou moeten komen. Leg het aan banden, zouden we zeggen. Maar op zaterdagavond gaan ze gewoon weer naar die ene gewelddadige schijtfilm die zij en het vrouwtje nu eenmaal willen zien.'

'Alsof ze de overheid beschouwen als een ouder die een gevaarlijk stuk speelgoed afpakt, en dat ze er tot die tijd mee verder kunnen spelen. Gevaarlijk voor *de anderen*, uiteraard.'

'Ze zien niet in dat ze zelf verantwoordelijk zijn.'

'Mensen voelen zich niet langer *persoonlijk* verantwoordelijk, dat is er denk ik veranderd. Als ze zelf, elk van hen individueel, een kaartje kopen voor *The Exorcist*, beseffen ze niet dat ze daarmee bijdragen aan de vraag die die bedrijfsmachines ertoe aanzet steeds gewelddadiger films uit te brengen om aan de vraag te voldoen.'

'Ze verwachten dat de overheid er iets aan doet.'

'Of dat bedrijven opeens een ziel krijgen.'

'Door dat voorbeeld snap ik uw punt veel beter, meneer Glendenning,' zei ik.

'Ik weet niet of *The Exorcist* wel zo'n goed voorbeeld is. *The Exorcist* is niet zozeer gewelddadig als gewoon gestoord. *The Godfather* – die is pas gewelddadig.'

'*The Exorcist* heb ik niet gezien. Mevrouw G. zei dat ze liever met een botte schaar al haar vingers en tenen zou laten afknippen dan naar die troep te gaan kijken. Maar voor zover ik gehoord en gelezen heb was hij toch behoorlijk gewelddadig.'

'Ik denk dat het als syndroom meer lijkt op niet gaan stemmen, zo'n houding van ik-ben-maar-alleen-en-de-anderen-zijn-met-zo-veel-dus-wat-zou-ik-nou-voor-verschil-kunnen-maken, en daarom blijven ze maar thuis en kijken naar *Charlie's Angels* in plaats van te gaan stemmen.'

'En dan maar steen en been klagen over de politici.'

'Dus misschien is het niet zo dat individuele burgers geen verant-woordelijkheidsgevoel meer hebben, maar dat ze in hun ogen zo klein zijn en de overheid en de rest van het land zo groot dat ze denken geen schijn van kans te maken om echt invloed uit te oefenen, en daarom zorgen ze in de eerste plaats voor zichzelf.'

'En vergeet niet hoe groot bedrijven soms zijn; hoe zou één iemand door geen kaartje voor *The Godfather* te kopen nou het beleid van Pa-ramount Pictures kunnen beïnvloeden? Maar het is en blijft flauwe-kul – zo rationaliseer je alleen maar voor jezelf dat je je niet verant-woordelijk hoeft te voelen voor jouw bijdrage aan de toekomst van dit land.'

'Dat heeft er denk ik inderdaad allemaal mee te maken. En het is moeilijk er de vinger op te leggen waar het verschil hem precies in zit. En om nou als een ouwe lul te zeggen dat de goeie ouwe tijd toen de mensen nog burgerzin hadden definitief voorbij is en het land naar de knoppen gaat ... Maar volgens mij hadden burgers – en of het nou om belastingen gaat, of zwerfvuil, of noem maar op – vroeger wél het ge-voel dat ze deel uitmaakten van het Grotere Geheel, en dat De Rest die het beleid, de mode en het algemeen belang bepaalde in feite be-stond uit individuen die op hen leken, dat ze feitelijk allemaal een *deel* waren van het Grotere Geheel, en dat iedereen zijn duit in het zakje moest doen en ervan moest uitgaan dat zijn bijdrage, net als die van De Rest, het verschil kon maken, als je tenminste wilde dat het hier een aangenaam land bleef om in te wonen.'

'Vandaag voelen de burgers zich vervreemd. Ik-tegen-de-rest, die houding zie je nu overal.'

'*Vervreemd* is weer zo'n groot woord uit de jaren zestig.'

'Maar hoe kan de oorzaak van die vervreemde, egoïstische en klein-zielige het-maakt-allemaal-geen-zak-uit-houding nou in de jaren zes-tig liggen? Als er iets is wat de jaren zestig hebben aangetoond, is het toch wel dat gelijkgestemde burgers zelfstandig kunnen denken en niet gewoon moeten slikken wat de gevestigde orde hun voorkauwt en dat ze zich kunnen organiseren en kunnen demonstreren en strijden voor verandering, en dat dat tot echte veranderingen kan leiden? We trek-ken ons terug uit Vietnam, de sociale zekerheid wordt uitgebouwd, de burgerrechtenbeweging en de vrouwenbeweging boeken successen ...'

'Omdat de bedrijven zich ermee gingen bemoeien en alle oprechte principes, idealen en ideologie in modes en poses hebben veranderd – rebelleren werd een modetrend in plaats van een drijvende kracht.'

'Het is wel heel gemakkelijk om de bedrijven de schuld te geven, X.'

'Maar bedrijven zijn toch rechts*personen*? Dat wil toch zeggen dat ze privaatrechtelijk als een soort mensen worden beschouwd? Was het niet het Veertiende Amendement waarmee bedrijven dezelfde rechten en verplichtingen als burgers hebben gekregen?'

'Nee, het Veertiende Amendement kwam er in het kader van de Reconstructie en was bedoeld om bevrijde slaven het volledige staatsburgerschap te verlenen. En toen was er een of andere slinkse bedrijfsadvocaat die de rechtbank ervan wist te overtuigen dat bedrijven ook voldeden aan de criteria ervan.'

'We hebben het nu toch over categorie-C-bedrijven, of niet?'

'Want dat is inderdaad zo – als je het over bedrijven hebt, is het niet eens duidelijk of het nu om categorie-C's of S'en, LLC's of andere vennootschapsvormen gaat, en dan heb je nog het verschil tussen besloten en naamloze vennootschappen, en commanditaire vennootschappen die op zich niet meer behelzen dan fiscale constructies om zo veel mogelijk onverhaalbare schulden op te stapelen en zo op papier gigantische verliezen te boeken – in wezen parasiteren die gewoon op het belastingstelsel.'

'En bovendien worden categorie-C's twee keer belast, dus je kunt moeilijk zeggen dat ze niets zouden bijdragen aan de belastinginkomsten.'

'Laat hoon en spot je deel zijn, X. Wat denk je eigenlijk dat we hier doen?'

'Om nog te zwijgen van fiduciaire instrumenten die haast op dezelfde manier functioneren als bedrijven. En dan heb je nog marges op franchises, doorsluistrusts, stichtingen die als bedrijfsvehikels fungeren.'

'Dat doet er allemaal niet toe. En ik heb het in feite niet eens over wat we hier doen, behalve dan in die zin dat het ons in staat stelt bepaalde vormen van burgerschap in de praktijk te zien functioneren: er is nu eenmaal weinig dat zo concreet is als belasting betalen, want het gaat tenslotte om jouw geld, terwijl de daaraan gekoppelde verplichtingen en wat je verwacht ervoor terug te krijgen erg abstract zijn, op het abstracte niveau van het hele land, de overheid en het algemeen welzijn. Daarom komt je burgerzin het scherpst tot uitdrukking in je belastingmoraal.'

'Was het niet het Dertiende Amendement waar zowel zwarten als bedrijven van profiteerden?'

'Mag ik hem nu alstublieft de lift uit gooien, meneer G.?'

'Laten we liever het gesprek op iets belangrijks gooien. Het was in de jaren dertig en veertig van de negentiende eeuw dat de staten aan bepaalde grote en gereglementeerde bedrijven per decreet rechtspersoonlijkheid verleenden. En in 1840 of 1841 publiceerde De Tocqueville zijn boek over Amerika – hij schrijft daarin ergens dat individualistische democratieën onder meer als kenmerk hebben dat ze van nature de gemeenschapszin van de burgers aantasten, en dat die burgers met andere woorden steeds minder het gevoel hebben dat ze met hun medeburgers dezelfde belangen en zorgen delen. Wat als je erbij stilstaat wrang en ironisch is: een regeringsvorm die bedoeld is om gelijkheid te creëren maakt zijn burgers zo individualistisch en egocentrisch dat het solipsisten en navelstaarders worden.'

'De Tocqueville heeft het ook over het kapitalisme en de markt, die zowat hand in hand gaan met democratie.'

'Dat is geloof ik niet waar ik het over wilde hebben. Het is al te gemakkelijk om de bedrijven de schuld te geven. De Witt bedoelt dat wie denkt dat bedrijven slecht zijn en het de taak van de overheid acht om ze moraal bij te brengen, zijn burgerlijke verantwoordelijkheid afschuift. Je dwingt de overheid in de rol van grote broer en het bedrijfsleven in die van gemene pestkop waar je grote broer je tijdens de pauze tegen moet beschermen.'

'De kern van De Tocquevilles betoog is dat de democratische burger zich van nature gedraagt als een blad dat niet gelooft in de boom waar het deel van uitmaakt.'

'Op een deprimerende manier is die stilzwijgende hypocrisie wel interessant – ik, de burger, blijf doodgemoedereerd enorme, bomen vernietigende benzineslurpers en kaartjes voor *The Exorcist* kopen zolang de overheid daartegen geen wet uitvaardigt, maar wanneer ze dat eindelijk toch doet, begin ik te kankeren over Big Brother en te roepen dat de overheid ons met rust moet laten.'

'Het beste voorbeeld is het aantal fraudegevallen en het percentage bezwaarschriften na een audit.'

'Anders gezegd: ik wil een wet die jou verbiedt benzine te slurpen en naar *The Wild Bunch* te gaan kijken, maar mij niet.'

'Niet in mijn achtertuin, wordt er dan getoeterd.'

'Een vrouw krijgt meerdere messteken bij de rivier, ze schreeuwt de hele wijk bij elkaar, maar geen mens die ook maar een voet buiten de deur zet.'

'Vooral niet mee bemoeien!'

'De mensen zijn veranderd.'

'Rokers die schelden op de tabaksindustrie.'

'Het is niet eerlijk om elke vorm van kritiek op de rol van bedrijven in de teloorgang van onze burgerzin af te doen als de zoveelste demonisering van het bedrijfsleven. Winstmaximalisatie, dát is het streefdoel van het bedrijfsleven, en ondertussen meer vraag creëren en proberen de vraag inelastisch te maken. En dat streefdoel kan ook als katalysator werken voor het syndroom dat meneer Glendenning probeert te omlijnen, zonder dat het bedrijfsleven de baarlijke duivel zou zijn of uit op de wereldheerschappij.'

'Alweer een punt voor Nichols.'

'Wacht even, ik geloof dat hij iets duidelijk wil maken.'

'Want ik denk dat burgerzin verder gaat dan de politiek.'

'Mijn aandacht heb je, Stuart.'

'Het zijn niet zozeer bladeren aan een boom, maar eerder bladeren op de grond die de wind nu eens deze en dan weer die kant op blaast, en elke keer als het gaat waaien zegt de burger: "Nu kies ik ervoor om die kant op te waaien; dat is mijn beslissing."'

'Die wind, dat is de dreiging die Nichols van het bedrijfsleven ziet uitgaan.'

'Zo wordt het bijna iets metafysisch.'

'Allememaggies.'

'Halleluja.'

'Volgens mij bevinden we ons momenteel in een soort economische en maatschappelijke overgangsperiode van het tijdperk van de industriële democratie naar het tijdperk erna, waarbij het in de industriële democratie om productie draaide en de economie afhankelijk was van een voortdurende groei van de productie, en er een grote spanning bestond tussen de behoefte van de industrie aan een beleid dat productieondersteunend was en de behoeften van de burgers om de vruchten te plukken van die productie, maar tegelijk ook hun fundamentele rechten en belangen te beschermen tegen de kortzichtige nadruk die de industrie legt op productie en winst.'

'Ik snap niet helemaal in welke zin dat metafysisch zou zijn, Nichols.'

'Misschien is het niet metafysisch. Misschien is het eerder iets existentieels. Namelijk de fundamentele angst van iedere Amerikaanse burger, dezelfde diepgewortelde angst die jij en ik ervaren, die iedereen ervaart, maar waar niemand ooit over praat, behalve dan een handvol existentialisten in labyrintisch Frans proza. Of Pascal. Onze onbeduidendheid, onze nietigheid en sterfelijkheid, die van jou en die van mij, datgene waar we uit alle macht niet direct aan proberen te denken, dat we onbeduidend zijn, uitgeleverd aan grotere machten, en dat de tijd altijd verder gaat en dat we elke dag een dag meer kwijt zijn die nooit meer terugkomt, dat onze kinderjaren onherroepelijk voorbij zijn, onze jeugd, de bloei van ons leven, en weldra ook ons volwassen bestaan, dat alles wat we om ons heen zien altijd in verval is en langzaam vergaat, want alles vergaat, net als wij, net als ik, en als ik zie hoe snel de eerste tweeënveertig jaar zijn voorbijgevlogen, dan duurt het niet lang meer of ook mijn tijd zal voorbij zijn, en wie had ooit kunnen denken dat er een waarachtiger manier bestond om het onder woorden te brengen dan "doodgaan" – "eens zal mijn tijd voorbij zijn", door de klank alleen al voel ik me zoals bij het invallen van de schemering op een winterse zondag –'

'Weet iemand hoe laat het is? Hoe lang zitten we hier nu al vast, een uur of drie?'

'En sterker nog: iedereen die mij kent of zelfs maar weet heeft van mijn bestaan zal doodgaan, en daarna ook iedereen die die mensen kent en misschien ooit iets over me gehoord heeft, en zo verder, en de grafstenen en monumenten waar we geld aan uitgeven om de herinnering aan ons levendig te houden, hoe lang blijven die bestaan – honderd jaar? tweehonderd? – voor ze afbrokkelen en onleesbaar worden, en het gras en de insecten die mijn verterende lichaam zal voeden zullen doodgaan, net als hun nageslacht, en als ik gecremeerd word dan zullen de bomen die gevoed worden door mijn in de wind uitgestrooide as doodgaan of omgehakt worden en vergaan, en mijn urn zal vergaan, en al na drie of vier generaties is het dan alsof ik er nooit ben geweest, dan ben ik niet alleen dood, maar zal het lijken alsof ik nooit heb bestaan, en de mensen in, zeg, 2104 zullen net zomin aan Stuart A. Nichols jr. denken als jij of ik aan ene John T. Smith uit Livingston, Virginia, geboren in 1790, gestorven in 1864. Dat alles verteerd wordt door een vuur, een traag, eeuwig brandend vuur, en dat we allemaal slechts een miljoen ademtochten verwijderd zijn van een vergetelheid zo totaal dat we niet eens een poging willen doen om de reikwijdte ervan te bevatten, en nu ik erover nadenk is dat waarschijnlijk de reden voor de Amerikaanse obsessie met produceren, almaar produceren, een stempel drukken op de wereld, bijdragen, vormgeven: allemaal om er niet aan te denken hoe klein, volkomen onbeduidend en vergankelijk we zijn.'

'Alsof dat nieuws is. Hallo: natuurlijk gaan we dood.'

'Waarom denk je dat mensen een levensverzekering nemen?'

'Laat hem uitspreken.'

'Het was al strontsaai, en nou wordt het ook nog eens deprimerend.'

'Het post-productiekapitalisme heeft inderdaad iets te maken met de teloorgang van onze burgerzin. En dat geldt evenzeer voor onze angst voor onze nietigheid en de dood en het feit dat alles door het vuur verzwolgen wordt.'

'En nu tover je Rousseau uit je hoge hoed, net zoals je daarnet met De Tocqueville kwam aanzetten.'

'Zoals gebruikelijk is DeWitt me weer een stap voor. De oorsprong zou inderdaad best wel eens bij Rousseau en de Magna Carta en de Franse Revolutie kunnen liggen. Want toen verschoof het zwaartepunt van het individu en zijn verantwoordelijkheden naar de mens als individu met rechten en aanspraken. Maar vervolgens bedrijven, marketing en pr, en het opwekken van een verlangen en de noodzaak om die hele manische productie op gang te houden, de manier waarop reclame en marketing het individu verleiden door in te spelen op allerlei waanbeelden waarmee we ons voor onze eigen verschrikkelijke nietigheid en vergankelijkheid proberen te behoeden, en zo alleen maar het waanbeeld voeden dat het individu het centrum van het heelal en het aller-, allerbelangrijkste is – het individuele individu bedoel ik, de kleine man die voor zijn tv zit of naar de radio luistert of in een glossy tijdschrift bladert of langs de weg naar een reclamebord kijkt of op een van de andere miljoen mogelijke manieren in contact komt met de leugen van Burson-Marsteller of Saatchi & Saatchi, namelijk dat hijzelf de boom is, dat hij in de eerste plaats verantwoordelijk is voor zijn eigen geluk, en dat de rest de grote, grijze, naamloze massa vormt waartegen hij zich moet afzetten om echt te kunnen leven, om als persoon *gelukkig* te zijn.'

'Je eigen ding doen.'

'Dat is jouw pakkie-an, ja.'

'De ketenen van autoriteit en conformisme, van het autoritaire conformisme afwerpen.'

'Ik vrees dat ik zo langzamerhand echt wel dringend moet, jongens.'

'Dat neigt toch meer naar de jaren zestig dan naar de Franse Revolutie, als je het mij vraagt.'

'Maar als ik DeWitt goed begrijp, lag het startpunt in de jaren zestig, op het moment dat non-conformisme een mode werd, een pose, een manier om cool te doen tegenover je generatiegenoten, omdat je indruk wilde maken en geaccepteerd wilde worden.'

'En niet te vergeten van bil wilde gaan.'

'Want toen het van zomaar een houding een modetrend werd, zagen bedrijven en hun reclamejongens de kans schoon om daarop in te spelen en er mensen mee te verleiden om de dingen te kopen die die bedrijven produceren.'

'De eerste keer was het 7Up, met al die *Sgt. Pepper*-psychedelica en van die bakkebaarden die het over "the Uncola" hadden.'

'Ja maar, het verzet van de jaren zestig was toch in veel opzichten juist tegen het bedrijfsleven en het militair-industriële complex gericht?'

'De man in het grijsflanellen pak.'

'Grijs flanel, wat moet ik me daar eigenlijk bij voorstellen? Heeft iemand van jullie eigenlijk ooit ergens iemand in grijs flanel gezien?'

'Man, het enige flanel dat ik in de kast heb liggen is mijn pyjama.'

'Is meneer Glendenning eigenlijk wel wakker?'

'Hij ziet er ontzettend bleek uit.'

'In het donker ziet iedereen er bleek uit, toch?'

'Ik bedoel: kun je een krachtiger symbool van conformisme en als kettinggangers in de pas lopen noemen dan het bedrijfsleven? De lopende band, de prikklok, en steeds hogerop richting directie-etage? Gaines, jij hebt Rayburn-Thrapp toch doorgelicht? Die gasten kunnen zonder beleidsmemo hun kont nog niet afvegen.'

'Maar dan heb je het over het reilen en zeilen binnen één bedrijf, dat is iets anders. We hadden het over het gezicht en de stem die reclamemensen van een bedrijf vanaf eind jaren zestig zijn gaan opzetten om de klant wijs te maken dat hij al die dingen nodig heeft. Dat de psyche van de klant door het conformisme in een wurggreep wordt gehouden, en dat hij zich niet uit dat conformisme los kan maken door bepaalde dingen te *doen*, maar door bepaalde dingen te *kopen*. Een bepaald merk kleren, frisdrank, auto of das kopen wordt een gebaar met dezelfde ideologische lading als je baard laten staan of tegen de oorlog protesteren.'

'Virginia Slims en de vrouwenbeweging.'

'Alka-Seltzer.'

'Kan het zijn dat ik het verband met het we-gaan-er-allemaal-aan-gejammer gemist heb?'

'Ik denk dat Stuart zinspeelt op de omschakeling in de Amerikaanse democratie van een productiemodel naar laten we zeggen een consumptiemodel, waarbij de bedrijfsproductie teamgericht is, terwijl de klant er alleen voor staat. Dat we van producerende in consumerende burgers veranderen.'

'Wacht gewoon nog zestien kwartalen tot in '84. Wacht tot we verzuipen in de vloedgolf van reclame en pr waarin allemaal producten worden aangeprezen om aan het grijze totalitarisme van het orwelliaanse heden te ontsnappen.'

'Hoe kan de aanschaf van deze ene typemachine en niet die andere in hemelsnaam de overheidscontrole ondermijnen?'

'Binnen een paar jaar is het geen overheidscontrole meer, snap je dat dan niet?'

'En typemachines kunnen dan ook bij het grofvuil. Dan is iedereen via zijn eigen toetsenbord en een kabel verbonden met een soort centrale VAX. En papier zul je ook nergens meer zien.'

'Het papierloze kantoor.'

'En onze Stu kan met pensioen.'

'Nee, dan snap je niet hoe briljant het allemaal is. Wat gaat tellen, is het imago. De politieke consensus zal luiden dat we het rigide en beklemmende conformisme achter ons moeten laten, weg van onze opsluiting in een dode, tl-verlichte kantoorwereld van verslagen en balansen waar je een das moet dragen en naar muzak moet luisteren, maar tegelijk zullen bedrijven erin slagen consumptiepatronen voor te stellen als de beste manier om daaraan te ontsnappen – gebruik dit type rekenmachine, luister naar dat genre muziek, draag die soort schoenen, want de rest draagt conformistische schoenen. Er zit een periode aan te komen van onvoorstelbare welvaart, conformisme en doelgroepgerichte reclame vol symbolen en retoriek over revolutie, crisis en stoer vooruitblikkende einzelgängers die buiten de gebaande paden durven te treden, onder de banier van merken die zwaar inzetten op een rebels imago. Die massale pr-campagne, toegespitst op de verheerlijking van het individu, zal een enorme markt creëren van mensen die allemaal rotsvast geloven dat ze solitair zijn, buiten de gemeenschap staan en hun gelijke niet kennen, en zal hen bij elke gelegenheid sterken in dat geloof.'

'Maar welke rol is er in dit 1984-scenario dan weggelegd voor de overheid?'

'De overheid zal – precies zoals DeWitt eerder al zei – als een soort ouder fungeren, met alle ambivalente gevoelens die in een puberhoofd zoal met zo'n ouderfiguur verbonden zijn: liefde, haat, afhankelijkheid, opstandigheid, noem maar op. En in die zin ben ik het, met alle respect, niet eens met DeWitt, omdat ik denk dat Amerika vandaag de dag eerder puberaal dan infantiel is – of beter gezegd ambivalent in zijn verlangen naar enerzijds een autoritaire structuur en anderzijds de beëindiging van het ouderlijk gezag.'

'Wij worden de politie die ze bellen als het feestje uit de hand loopt.'

'Je kunt al voorspellen waar het op zal uitdraaien. Het kan alleen maar erger worden: de ongelooflijke politieke apathie in de nasleep van Watergate en Vietnam, en de institutionalisering van het burgerverzet onder minderheden. Politiek bedrijven betekent consensus zoeken, en dankzij de commerciële erfenis van de jaren zestig is consensus synoniem geworden met repressie. Gaan stemmen raakt uit de mode: Amerikanen stemmen nu al met hun portefeuille. De enige rol die in deze cultuur nog voor de overheid is weggelegd is die van de tirannieke ouder die we haten, maar niettemin nodig hebben. Je zult zien dat we iemand zullen kiezen die zich zal opwerpen als de Grote Rebel, misschien zelfs als cowboy, maar van wie we diep vanbinnen weten dat hij een rasbureaucraat is die binnen het overheidsapparaat prima zal functioneren en niet zo naïef zal zijn om telkens met zijn hoofd tegen de muur te lopen, zoals we die duts van een Jimmy dat vier jaar lang hebben zien doen.'

'In die optiek is Carter de laatste stuiptrekking van een oprecht jarenzestig-New Frontier-idealisme. In de geest van de kiezer is zijn overduidelijke fatsoen versmolten met zijn politieke onmacht.'

'Het moet een kandidaat zijn die de kiezer weet te benaderen zoals bedrijven dat steeds meer doen, zodat de overheid – of beter gezegd:

overheidsinmenging, overheidsbemoeienis, Big Brother – de achtergrond wordt waartegen die kandidaat zich kan profileren. Hoewel de slaagkansen van zo'n figuur paradoxaal genoeg ook afhangen van de mate waarin hij zich kan opwerpen als een product van het overheidsapparaat, als een insider, met een nietsontziende entourage van bureaucraten en implementeerders van wie we erop aan kunnen dat ze de machine draaiende zullen houden. En natuurlijk van een gigantisch campagnebudget met dank aan drie keer raden wie.'

'Maar nu zijn we wel heel ver afgedwaald van waarover ik het wilde hebben, namelijk hoe ik de relatie tussen de belastingbetaler en de overheid zie.'

'Dat geldt eigenlijk nog meer voor Reagan dan voor Bush.'

'Als je het mij vraagt, is de symboliek die Reagan hanteert gewoon veel te opzichtig. Hoewel Reagan als president natuurlijk geweldig zou zijn voor de Dienst; hij maakt er nu al geen geheim van dat hij mordicus tegen belastingen is. Op de man af, zonder gedraai. Geen belastingverhoging – in New Hampshire heeft hij zelfs publiekelijk gezegd dat hij de marginale tarieven wil verlagen.'

'Hoe bedoel je, goed voor de Dienst? Dat is toch gewoon de zoveelste politicus die probeert te scoren ten koste van het belastingsysteem?'

'Ik zie het zo: Bush wint en Reagan wordt zijn running mate. Reagan als symbool, als de Cowboy, en Bush als zwijgzame insider die het vuile werk opknapt door de tent te runnen.'

'Nog los van zijn pleidooi voor een verhoging van het defensiebudget. Hoe kun je nu de marginale tarieven verlagen en tegelijk het defensiebudget verhogen?'

'Het kleinste kind snapt dat dat niet kan.'

'Stuart bedoelt dat het goed zou zijn voor de Dienst omdat je bij een verhoging van de uitgaven de marginale tarieven alleen maar kunt verlagen door een efficiëntere inning.'

'Wat betekent dat ze de teugels zullen laten vieren. En dat de quota's van de Dienst zullen stijgen.'

'Maar ook dat er stilzwijgend minder beperkingen aan onze audit- en invorderingsmechanismen zullen worden gesteld. Reagan zal ons afschilderen als de inhalige Big Brother met de zwarte hoed – die hij in het geheim nodig heeft. Wij – accountants in saaie pakken, zaagselpoppen met een dichtgenaaide mond en een bril met jampotglazen, hamerend op de toetsen van onze telmachines – wij wórden de overheid: de autoriteit die iedereen naar hartenlust mag haten. En ondertussen verdrievoudigt Reagan ons budget en maakt hij werk van technologische innovatie en efficiëntieverhoging. Voor de IRS breekt de beste periode sinds '45 aan.'

'Maar ondertussen gaan de belastingbetalers de fiscus nog meer haten.'

'Iets wat zo'n figuur als Reagan paradoxaal genoeg juist nodig heeft. Als de Dienst de bb's harder aanpakt, en vooral als dat demonstratief gebeurt, houdt dat in de geest van de kiezer het bruikbare en beklijvende beeld van een Bemoeizieke Overheid in stand waar de president zich als Rebelse Outsider tegen kan afzetten, namelijk die vermaledijde overheidsinmenging in het privéleven en de portefeuille van de hardwerkende Amerikaan die hij tijdens zijn campagne heeft beloofd te zullen bestrijden.'

'Zeg je nu dat de volgende president zich zelfs ín het Witte Huis zal blijven opwerpen als een Outsider en een Rebel?'

'Je onderschat nog altijd hoeveel behoefte de belastingbetalers hebben aan die leugen, aan de oppervlakkige retoriek gericht tegen de Dienst, terwijl ze er diep vanbinnen gerust op kunnen zijn dat papa de touwtjes stevig in handen heeft en niemand zich zorgen hoeft te maken. Net zoals pubers met veel misbaar rebelleren tegen het ouderlijk gezag, maar tegelijk papa's auto lenen en papa's creditkaart gebruiken om de tank vol te gooien. De volgende president zal de mensen niets wijsmaken, maar doen wat volgens de pioniers in het bedrijfsleven veel efficiënter werkt: hij zal een persona en een retoriek aanwenden waardoor de mensen zichzélf iets kunnen wijsmaken.'

'Om nog even terug te komen op het idee dat zo'n Bush of Reagan het budget van de Dienst zou verdrievoudigen. Is dat goed voor ons hier op Districtsniveau? Wat zijn de implicaties van zoiets voor pakweg Peoria of Creve Coeur?'

'De schitterende dubbele ironie van een kandidaat die zich tegen overheidsinmenging kant, is natuurlijk dat hij gefinancierd wordt door die bedrijven, en dus de nek waar de overheid het fanatiekst in pleegt te hijgen. Bedrijven, zoals DeWitt eerder al zei, die met hun garnalenverstand door niets anders gestuurd worden dan door nettowinst en groeicijfers, en die de overheid in toom moet houden, zo vinden we diep vanbinnen, omdat wijzelf door een stuitend gebrek aan karakter niet zijn opgewassen tegen hun consumptieverleidingen, en die dankzij hun aantrekkingskracht op de *faux rebel* de huidige retorische voedingsbodem vormen waarmee de tandem Bush-Reagan aan de overwinning zal worden geholpen, bedrijven die enorm zullen profiteren van de laissez-faire-dereguleringen die, dat zullen Bush en Reagan de kiezers tenminste laten geloven, alleen maar in hun eigen belang worden doorgevoerd – met andere woorden, als president krijgen we een symbolische Rebel die strijdt tegen zijn eigen macht en die verkozen is met de steun van onmenselijke en zielloze winstmachines die het maatschappelijke en spirituele leven in Amerika dermate hebben ingepalmd dat wij zullen geloven dat rebelleren tegen de zielloze onmenselijkheid van het bedrijfsleven betekent dat je producten moet kopen van die bedrijven die er het best in slagen het bedrijfsleven als leeg en zielloos voor te stellen. We krijgen een tirannie van conformistisch non-conformisme met aan het hoofd een symbolische outsider die alleen maar is verkozen als gevolg van onze diepste overtuiging dat zijn publieke persona gebakken lucht is. De hegemonie van het imago, dat zo leeg is dat het iedereen de stuipen op het lijf zal jagen – we zijn tenslotte nietig, en ooit gaan we allemaal dood –'

'Jezus christus, daar heb je hem weer met zijn doodgaan.'

'– en de angst niet eens echt te hebben bestaan maakt ons nog veel vatbaarder voor bedrijven met hun ontologische sirenenzang van de consumeer-val-op-en-besta-gestalt.'

§20

Het rustige, sympathieke gezin dat bij Lotwis (gepensioneerd na dertig dienstjaren bij het kadaster) en zijn echtgenote twee huizen verderop in de straat woonde, maakte toen plaats voor een alleenstaande vrouw zonder duidelijke herkomst of baan, met twee grote honden die samen een heidens kabaal konden maken. Wat helemaal prima was. Lotwis had zelf een hond die soms behoorlijk kon blaffen, en dat gold ook voor nog een paar andere buurtbewoners. Het was nu eenmaal zo'n buurt met blaffende honden achter het hek, een buurt ook waar de bewoners af en toe hun afval verbrandden en autowrakken voor hun huis lieten staan. De buurt was op het kadaster inmiddels geclassificeerd als semi-landelijk, maar ten tijde van Eisenhower, Kennedy en Johnson was het nog een Verkavelingstype II geweest, een woonuitbreidingsgebied, overigens de allereerste verkaveling die de stad had vastgelegd. De zaak had geen vlucht genomen, de buurt was niet gegroeid en welgesteld geworden zoals Hawthorne 1 en 2 of Yankee Ridge, gebouwd in de jaren zeventig op onteigende landbouwgrond ten oosten van de stad. Er waren maar achtentwintig huizen en twee haaks op elkaar staande asfaltwegen, en het stadsdeel dat zich naar het zuiden uitbreidde en steeds dichterbij kwam was niet welgesteld, het bestond uit lichte industrie, een paar loodsen en een paar bedrijven in zaaigoed, en de enige ontwikkeling in de nabije omgeving qua huisvesting bestond uit een groot en een klein trailerpark die de voormalige verkaveling in het noorden en westen omsloten; in het zuiden lag de snelweg en een flinke lap landbouwgrond, helemaal tot aan het sympathieke graanstadje

Funk's Grove, twintig kilometer naar het zuiden langs de 51. Maar dus. Als Lotwis op het dak van zijn huis de goten of het rooster op de schoorsteen onderhield, had hij zicht op een autokerkhof en op Southtown Groothandel & Fijne Vleesverwerking, wat, als je door die mooie woorden heen prikte, in wezen gewoon een abattoir was. Maar de lui die hier dus woonden en zich onder het toeziend oog van de familie Lotwis met de loop der jaren in de buurt hadden gevestigd, dat waren dus mensen die op hun vrijheid gesteld waren en bereid om naast een trailerpark en een slachthuis te wonen, met een plattelands- postbode die in zijn eigen auto zijn ronde maakte en uit zijn raampje moest hangen om de post in de brievenbussen langs de kant van de weg te steken, en dat allemaal vanwege de voordelen van een woning in een Type II-zone, zonder op elkaar gepropte huizen en ingewikkel- de richtlijnen over het verbranden van afval of het feit dat de afvoerpijp van je wasmachine uitmondde in de greppel naast de weg of dat hon- den waar een beetje pit in zat de wacht hielden en 's nachts de buurt bij elkaar blaften.

'Goed dat je het zegt,' zei ze. Ze heette Toni; ze stelde zich voor toen hij bij haar aan de deur kwam. 'Dan weet ik dat voortaan. Voor als mijn honden iets overkomt. Als ze weglopen, als ze mank worden, maakt niet uit – dan maak ik je af, jou en je gezin, en steek ik je huis in de fik en spuug op de as. Mijn honden zijn mijn leven. Als ze willen draven dan mogen ze dat. Als je daar problemen mee hebt moet je bij mij wezen. Maar als die honden iets overkomt, weet ik wie ik moet hebben en dan heb ik er mijn leven en mijn vrijheid voor over om jou en iedereen die je dierbaar is kapot te maken.'

Dus toen liet Lotwis haar maar met rust.

§21

Wrijft vermoeid in zijn ogen. 'Goed, laten we even alles op een rijtje zetten. Op een bruto omzet van $218.000 op uw Annex C boekt u een nettowinst van $37.000.'

'Alles is gedocumenteerd. Ik heb er alle reçuutjes en W-2's bij gedaan.'

'Ja, die W-2's. Ik heb hier $175.471 aan W-2's voor zestien werknemers – onderzoekers, ondersteunend personeel, onderzoeksassistenten.'

'Alles zit erbij. U hebt kopieën van hun aangiften.'

'Zeker, al viel het me op dat ze allemaal in ontzettend lage schijven vallen. Ze worden vreselijk slecht betaald. Waarom geen vier of vijf goedbetaalde werknemers?'

'Mijn bedrijf heeft een hele ingewikkelde logistiek. Veel van het werk is slecht betaald, maar heel tijdsintensief.'

'Zeker, maar ik ben eens langsgegaan bij een van uw onderzoekers – een zekere mevrouw Thelma Purler.'

'Glp.'

'In Rusthuis Eikenhof, de instelling voor begeleid wonen waar ze verblijft.'

'Glp.'

'In een rolstoel, met zo'n ouderwetse oorhoorn, die ze nodig had om ook maar iets van mijn vragen te verstaan, waarop ze antwoordde met – laat me even kijken' – slaat er zijn notities op na – 'Rom rom rommeldebom.'

'Ik mmh euh.'

Zet zijn recorder uit, waar geen tape in zit. 'We hebben dus te maken met een mogelijk strafrechtelijke vorm van fraude, wat geen zaak is voor mijn afdeling, maar meer iets voor de CID. We zouden nog met die andere werknemers kunnen gaan praten – of ze laten opgraven. Dan draait u geheid de gevangenis in. Dus ik stel het volgende voor. U krijgt een uur de tijd om voor vorig jaar een aangepaste 1040 in te vullen. Waarop u de salarissen van uw zogenaamde personeel niet opvoert als aftrekpost. U betaalt de belasting die u verschuldigd bent, plus een verzuimboete voor onvolledige betaling en laattijdig indienen. U begeeft zich, begeleid door een werknemer van mijn afdeling, naar uw bank, waar u een bankcheque ter waarde van het totaalbedrag laat uitschrijven. Waarna ik uw oorspronkelijke aangifte vernietig, en uw dossier niet bij de CID belandt.'

§22

Ik weet niet goed wat ik moet vertellen. Veel ervan herinner ik me eerlijk gezegd niet meer. Ik geloof niet dat mijn geheugen nog precies zo werkt als vroeger. Misschien verander je wel door dit soort werk. Ook al doe je dan alleen routinecontroles. Misschien leidt het tot veranderingen in je hersenen. Tegenwoordig heb ik vaak haast het gevoel dat ik vastzit in het heden. Stel dat ik nu bijvoorbeeld een glas Tang zou drinken, dan zou me dat nergens aan herinneren – ik zou gewoon die Tang proeven.

Als ik het goed begrijp, word ik verondersteld te vertellen hoe ik bij de IRS ben terechtgekomen. Iets meer over mijn achtergrond, zeg maar, en over wat de Dienst voor mij betekent.

In feite was ik denk ik een nihilist van het ergste soort – het type dat niet eens beseft dat hij een nihilist is. Ik was als een stuk papier op straat dat wordt meegenomen door de wind en dat denkt: 'Ik denk dat ik nu maar eens die kant opwaai, en nu waai ik denk ik maar eens die kant op.' Mijn instelling toentertijd kwam meestal neer op: 'Kan mij het schelen.'

Dat was zeker zo na de middelbare school, toen ik een paar jaar aan wel drie verschillende universiteiten maar wat heb aangeklooid. Aan een ervan heb ik me zelfs twee keer ingeschreven, en in totaal had ik maar liefst vier of vijf verschillende majors. Misschien dat een ervan een minor was, dat zou kunnen. Ik was een behoorlijke slomo. Het kwam erop neer dat ik niet gemotiveerd was, dat ik, in de woorden van mijn vader, 'geen initiatief toonde'. Ik herinner me ook dat alles toen erg vaag en abstract was. Psychologie, politicologie, literatuur, daar volgde ik vakken in. En die vakken waren behoorlijk vaag en abstract en vatbaar voor interpretatie, interpretaties die zelf ook weer vatbaar waren voor interpretatie. Ik schreef mijn werkstukken altijd op de dag dat ze moesten worden ingeleverd, rechtstreeks op de typemachine, en meestal kreeg ik een ruime voldoende met als begeleidend commentaar 'Soms verrassende inzichten' of 'Zeker niet slecht!' Het was een verplicht nummer, meer niet; het had allemaal niets te betekenen – en in de colleges werd dan ook nog eens benadrukt dat niets echt iets betekende, dat alles abstract was en eindeloos vatbaar voor interpretatie. Al bestond er natuurlijk geen discussie over dat je je werkstukken op tijd moest inleveren: je moest zorgen dat alles formeel in orde was, zij het dat niemand ooit wist te zeggen waarom – waarom je het eigenlijk allemaal deed. Ik ben er 99 procent zeker van dat ik in heel die periode maar één introductievak in accountancy heb gevolgd en dat ik daar wel mee uit de voeten kon, tenminste tot het over afschrijvingsmethoden ging, meer bepaald over het verschil tussen lineair en versneld afschrijven, en de moeilijkheidsgraad in combinatie met de onvoorstelbare saaiheid van die afschrijvingstabellen drukte mijn motivatie de kop in, al helemaal toen ik een paar lessen miste en achteropraakte, iets wat bij afschrijvingen funest is – uiteindelijk heb ik geen examen afgelegd en het vak laten vallen. Op Lindenhurst College was dat – het latere introductievak op DePaul had dezelfde naam, maar was wat anders van opzet. Ik weet ook nog dat mijn vader logischerwijs meer gepikeerd was als ik een vak liet vallen dan wanneer ik een laag cijfer haalde.

Ik herinner me dat ik de universiteit tijdens die aanmodderperiode wel drie keer voor gezien hield en een zogenaamd echte baan uitprobeerde. Ik werkte onder meer als bewaker in een parkeergarage aan North Michigan Avenue, scheurde bij evenementen kaartjes aan de ingang van de Liberty Arena, bediende heel even de kaasvullingspuitmond in de productiehal van een Cheese Nabs-fabriek, en werkte een poos voor een bedrijf dat gymzaalvloeren fabriceerde en plaatste. Maar in al die gevallen kon ik na een tijdje niet meer tegen de verveling, want stuk voor stuk waren die baantjes onvoorstelbaar saai en zinloos. Dus dan nam ik ontslag en schreef me in aan een andere universiteit om te proberen daar min of meer een nieuwe start te maken. Mijn overzicht van gevolgde vakken leek wel een collage. Logischerwijs kreeg mijn vader daar op den duur genoeg van. Hij was hoofd Kostencalculatie van de stad Chicago, hoewel hij in die jaren in het noorden woonde, in Libertyville, dat zich nog het best laat omschrijven als een buitenwijk voor de hogere middenklasse. Met een uitgestreken gezicht zei hij dan droogjes dat ik goed op weg was me te ontwikkelen tot een uitstekende korteafstandsloper. Dat was zo zijn manier om me de schoen te wringen. Hij was een fervent lezer en maakte graag droge, sardonische opmerkingen. Al herinner ik me ook die ene keer, toen ik weer eens een examen niet had afgelegd of er helemaal de brui aan had gegeven en weer thuis zat, dat ik in de keuken iets te eten wilde halen en hem tijdens een woordenwisseling met mijn moeder en Joyce hoorde zeggen dat ik mijn verstand in mijn luie kont had zitten. Zo kwaad heb ik hem tijdens die wazige fase denk ik nooit meer meegemaakt. De exacte omstandigheden herinner ik me niet meer, maar aangezien mijn vader zich normaal gezien erg waardig en gereserveerd gedroeg, weet ik wel zeker dat ik iets ongelooflijk lamlendigs moet hebben gedaan om hem zo op de kast te jagen. Ik herinner me niet hoe mijn moeder reageerde of hoe het precies kwam dat ik die opmerking hoorde, want je ouders afluisteren is toch eigenlijk meer iets wat je van een klein kind zou verwachten.

Mijn moeder toonde meer begrip, en telkens als mijn vader mij weer eens de schoen wrong over mijn gebrek aan richting verdedigde ze mij door te zeggen dat ik gewoon mijn weg nog aan het zoeken was in het leven, dat niet ieders weg met neonlichten is aangegeven zoals een landingsstrook op een vliegveld, en dat ik het aan mezelf verplicht was om mijn eigen weg te vinden en dat alles zich mettertijd vanzelf wel zou uitwijzen. Afgaande op wat ik van psychologie afweet, is dat een behoorlijk typische gezinsdynamiek – een lamzak van een zoon, een begripvolle moeder die in zijn mogelijkheden gelooft en hem verdedigt, een ontstemde vader die eindeloos kritiek levert en hem de schoen wringt maar die, als het erop aankomt, toch met zijn hand over zijn hart en zijn portefeuille strijkt als die zoon zich voor de zoveelste keer aan de universiteit wil inschrijven. In verband met dat inschrijvingsgeld herinner ik me nog dat mijn vader geld 'het universele oplosmiddel voor weifelachtigheid' noemde. Hier moet ik wel bij zeggen dat mijn moeder en vader toen al als vrienden uit elkaar waren gegaan, iets wat ook best wel typisch was voor die tijd, waardoor ook die typische scheidingspsychologie ging meespelen. Dezelfde strubbelingen trof je toen waarschijnlijk hier te lande in zo'n beetje alle huiskamers aan – het kind dat zeg maar passief in opstand probeert te komen, terwijl het nog steeds financieel afhankelijk is van zijn ouders, en alle andere typische psychologische processen die daarbij komen kijken.

Maar goed, dat speelde zich dus allemaal af in en om Chicago in de loop van de jaren 70, een periode die me nu even abstract en vaag voorkomt als de persoon die ik toen was. Misschien is dat wat de Dienst en ik gemeen hebben – dat het voorbije decennium door wat er in de tussentijd allemaal gebeurd is veel langer geleden lijkt dan in werkelijkheid het geval is. Wat mezelf betreft had ik al moeite genoeg om mijn hoofd erbij te houden, en de dingen die ik me wel herinner lijken nu merendeels totaal onbelangrijk. En dan bedoel ik: me iets echt herinneren, en er niet alleen maar een algemene indruk van hebben. Ik herinner me dat ik redelijk lang haar had, dat aan alle kanten even lang was, maar wel met een scheiding links, die ik verstevigde met lak uit een donkerrode spuitbus. De kleur van die bus herinner ik me nog goed. Als ik aan mijn haar uit die tijd terugdenk, loopt het me zowat koud over de rug. Ik herinner me mijn kleren – veel siena en bruintinten, paisley met flink wat rood, olifantenpijpen, kunstzijde en nylon, puntkragen, spijkerhemden, noem maar op. Ik had een ketting met een metalen vredesteken van een kwart kilo. Docksides en gele Timberlands en een paar blinkende bruine leren enkellaarzen met een rits aan de zijkant, waarvan onder mijn olifantenpijpen alleen de spitse neuzen uitstaken. Een subtiele, smaakvolle leren halsveter. Allerhande commerciële psychedelica. De obligate bukskinjekker. Spijkerbroeken met omgeslagen pijpen die over de grond sleepten en uitrafelden in witte draden. Brede riemen, spiraalsokken, spikes uit Japan. Zo liep iedereen erbij in die tijd. Ik herinner me de bolle, met dons gewatteerde nylon winterjassen waarin iedereen wel een reusachtige luchtballon leek. Jeukerige witte schildersbroeken met lussen aan weerszijden van de dijen, zogezegd voor 'gereedschap'. Ik herinner me dat niemand nog iets van Gerald Ford moest hebben, niet zozeer omdat hij Nixon van rechtsvervolging had ontslagen, maar wel omdat hij voortdurend tegen de vlakte ging. Iedereen keek op hem neer. Diepblauwe designerjeans. Ik herinner me hoe de feministische tennisspeelster Billie Jean King op tv een op het eerste gezicht oude, krachteloze man versloeg, en dat mijn moeder en haar vriendinnen daar heel enthousiast over waren. 'Seksistische macho's', 'de vrouwenbeweging' en 'stagflatie', die begrippen kwamen mij in die tijd allemaal vaag en onscherp voor, alsof je met een half oor naar achtergrondruis zat te luisteren. Ik weet niet meer waar ik dan wel aandacht voor had, waar die zoal naar uitging. Ik voerde geen klap uit, maar tegelijk kon ik nooit gewoon eens stilzitten om me bewust te worden van wat er werkelijk rondom mij aan de gang was. Het is lastig uit te leggen. Ik herinner me vaag Walter Conkrite in zijn jongere jaren, Barbara Walters, Harry Reasoner – veel nieuwsbulletins heb ik indertijd niet gezien, geloof ik. Maar nogmaals, ik vermoed dat dat typischer voor die periode was dan ik toen dacht. Als je één ding leert bij Routine, dan is het wel hoe ongeorganiseerd en onoplettend de meeste mensen zijn en hoe weinig aandacht ze schenken aan wat er buiten hun eigen kleine luchtbel gebeurt. Ene Howard K. Smith was toen ook een heel bekende journalist, herinner ik me. Vandaag gebruikt bijna niemand het woord *getto* nog. Ik herinner me Acapulco Gold versus Colombia Gold, Ritalin versus Ritadex, Cylert en Obetrol, Laverne & Shirley, instantontbijt van Carnation, John Travolta, Disco Fever, en T-shirts voor kinderen met 'The Fonz' erop. En T-shirts met 'Keep On Truckin'', die vond mijn moeder geweldig, met van die mannetjes erop met abnormaal grote schoenen en schoenzolen. Zoals de meeste kinderen van mijn leeftijd dronk ik liever Tang dan echt sinaasappelsap. Mark Spitz en Johnny Carson, de Bicentennial in 1976 met hele vloten historische schepen die op tv een haven binnenliepen. Na schooltijd wiet roken en daarna tv kijken en met je vinger Tangpoeder uit de pot eten – mijn vinger natmaken en hem erin steken, steeds opnieuw, net zo lang tot ik omlaag keek en stomverbaasd zag hoe leeg die pot al was. Zomaar wat rondhangen met mijn vrienden, en ga zo maar door – en niets daarvan had iets te betekenen. Alsof ik dood was of lag te slapen zonder me daar ook maar bewust van te zijn. In Wisconsin zeggen ze: 'Ik wist van voren niet dat ik van achteren leefde.'

Ik weet nog hoe ik op school Dexedrine kocht bij een jongen wiens moeder die pillen op doktersvoorschrift slikte als pepmiddel, en hoe raar die smaakten, en hoe ze ervoor zorgden dat dat eeuwige getel onder het lezen of praten eindelijk ophield – 'dexies' noemden we ze – maar ook dat je er op den duur pijn in je onderrug van kreeg en er vreselijk van uit je bek ging stinken. Je mond smaakte dan als zo'n morsdode kikker bij biologie, als je de beslagen glazen pot opendraaide. Ik word nog steeds onpasselijk als ik eraan terugdenk. En dan had je die periode dat mijn moeder zo van streek was omdat Richard Nixon zo makkelijk herverkozen werd, iets wat ik me nog herinner omdat ik omstreeks die tijd voor het eerst Ritalin uitprobeerde. Die had ik van een jongen bij Cultuurexploratie met een broertje op de lagere school dat volgens hem Ritalin moest nemen van een dokter die niet goed bijhield wat en hoeveel hij al had voorgeschreven. Je had mensen die ze niet zo bijzonder vonden vergeleken met dexies, die Ritalinpillen bedoel ik, maar zelf vond ik ze wel fijn, in eerste instantie omdat ik er ontzettend lang van kon studeren en het dan nog interessant vond ook, dat was echt wel goed spul, maar er viel moeilijk aan te komen, aan Ritalin, vooral toen dat broertje op school blijkbaar opeens helemaal was beginnen te flippen omdat hij zijn pillen niet had geslikt en zijn ouders en de dokter erachter kwamen dat er met de recepten was geknoeid, en opeens was die puistenkop met zijn roze zonnebril die bij zijn locker voor vier dollar per stuk Ritalinpillen verkocht foetsie.

Ik meen me te herinneren dat mijn vader in 1976 hardop voorspelde dat Ronald Reagan president zou worden en dat hij zelfs een bijdrage overmaakte naar zijn campagne – al betwijfel ik achteraf gezien of Reagan in '76 eigenlijk wel kandidaat was. Zo zag mijn leven eruit voor de plotse ommekeer waardoor ik uiteindelijk bij de Dienst zou belanden. Meisjes droegen een pet of een denim hoedje, maar als jongen liep je met een hoed voor aap. Hoeden vonden we belachelijk. En een baseballpet was iets voor rednecks uit het zuiden. Al zag je oudere, meer serieuze mannen soms nog wel een bepaald model kantoorhoed dragen. Mijn vaders hoed herinner ik me na al die tijd haast beter dan het gezicht eronder. Vroeger probeerde ik me vaak voor te stellen hoe mijn vaders gezicht eruitzag als hij alleen was – en dan heb ik het over zijn gelaatsuitdrukking en zijn ogen – en hij in zijn eentje in zijn kantoor in het bijgebouw van de stadsdiensten in het centrum aan het werk was, als er even niemand in de buurt was voor wie hij zijn gezicht in de plooi moest zetten. Ik weet nog hoe mijn vader in het weekend bermuda's met madrasruiten droeg, en zwarte sokken, en hoe hij zo het gazon maaide, en dat ik soms uit het raam keek en zag hoe hij erbij liep en het dan echt pijnlijk vond familie van die man te zijn. Ik weet nog dat iedereen deed alsof hij een samoerai was, en dat we zonder enige aanleiding 'Pardón!' zeiden – dat was wel tof. Als we enthousiast waren of iets goed vonden, zeiden we 'Top'. Aan de universiteit hoorde je per dag wel vijfduizend keer iemand *top* zeggen. Van mijn tijd op DePaul herinner ik me nog een paar pogingen om mijn bakkebaarden te laten staan, en dat ik ze uiteindelijk iedere keer weer afschoor omdat er altijd wel een punt kwam dat ze er als schaamhaar gingen uitzien. De geur van Brylcreem in mijn vaders hoedenband, Deep Throat, Howard Cosells sportcommentaar, en dat je aan beide kanten van mijn moeders hals heel goed de ligamenten kon zien wanneer zij en Joyce lachten. Hoe ze met haar handen wapperde of naar voren leunde. Mams lachte altijd heel erg uitbundig – ze gebruikte haar hele lijf.

Je hoorde ook voortdurend *relaxed* zeggen, maar dat vond ik ook toen al maar een raar woord; het stond me gewoon tegen. Maar waarschijnlijk heb ik het af en toe wel eens onbewust gebruikt.

Mijn moeder is zo'n oudere dame die met de jaren steeds dunner wordt: in plaats van uit te dijen is ze nu taai, knokig en pezig, met priemende gewrichten en jukbeenderen die nog geprononceerder zijn geworden dan ze al waren. Ik herinner me dat ik soms aan een reep gedroogd rundvlees moest denken als ik haar zag, en dat ik me dan heel rottig voelde omdat ik die ongewilde associatie had. In haar jonge jaren mocht ze er best wezen, en dat ze later zo veel gewicht verloor kwam onder meer doordat ze het aan haar zenuwen kreeg – na die toestand met mijn vader ging ze zienderogen achteruit. Toegegeven: een van de redenen dat ze het bij mijn vader voor me opnam als het ging om mijn twijfelachtige houding tegenover school had te maken met de problemen die ik op de lagere school had ondervonden met lezen, toen we nog in Rockford woonden en mijn vader voor de stad Rockford werkte. Midden jaren 60 was dat, op de lagere school van Machesney Park. Ineens kon ik niet meer lezen. Of beter gezegd: eigenlijk kon ik wel nog lezen – mijn moeder wist dat ik het kon omdat we samen kinderboeken hadden gelezen. Maar op school las ik bijna twee jaar lang niets meer, ik telde alleen de woorden in de tekst, alsof lezen niet meer inhield dan woorden tellen. 'Gelukkig kwam Old Yeller toen luid blaffend de everzwijnen verjagen' stond dan bijvoorbeeld voor tien woorden die ik telde, van één tot en met tien, in plaats van gewoon een zin te zijn waardoor je in het boek nog meer van Old Yeller ging houden. Een eigenaardig probleem, dat in die jaren mijn ontwikkeling remde en heel wat nare gevolgen had. Ik schaamde me er ook voor, en het was een van de redenen dat we uiteindelijk naar de omgeving van Chicago zijn verhuisd: het zag er namelijk een tijdje naar uit dat ik naar een speciale school in Lake Forest zou moeten. Van die periode herinner ik me niet veel, behalve dan dat het niet mijn bedoeling of intentie was om al die woorden te tellen, en dat ik er echt niets aan kon doen – het was allemaal erg frustrerend en raar. Het werd erger als ik onder druk stond of nerveus was, zoals dat gaat met dat soort dingen. Maar goed, dat mijn moeder zo voor mij in de bres sprong en me de dingen zelf liet ontdekken en me zelf mijn weg liet zoeken gaat deels terug op die tijd, toen het schooldistrict van Rockford op mijn leesproblemen reageerde met allerlei maatregelen die mijn moeder verre van nuttig of eerlijk vond. Waarschijnlijk gaan haar groeiende bewustwording en haar toetreding tot de vrouwenbeweging in de jaren 70 ook grotendeels terug tot die tijd, toen ze in opstand kwam tegen de bureaucratie van het schooldistrict. Soms verval ik weer in die oude gewoonte en ga ik weer woorden tellen, of beter gezegd: ik tel ze terwijl ik aan het lezen of praten ben, als een soort ruis op de achtergrond of een onbewust proces in je hersenstam, een beetje zoals ademhalen.

Tot nu toe heb ik bijvoorbeeld 3108 woorden gezegd. 3108 woorden tot net voor ik 'tot nu toe' zei, en 3111 als je 'tot nu toe' meetelt – dat doe ik nog altijd. Getallen tel ik als één woord, ongeacht hoe groot het getal is en in hoeveel woorden je het zou schrijven. Niet dat het ook maar iets te betekenen heeft – het is meer een soort cognitieve tic. Ik herinner me niet precies wanneer het begonnen is. Ik weet nog dat ik geen moeite had met leren lezen of met die maan-roos-vis-boekjes waar ze je mee leren lezen, dus het moet na het eerste leerjaar geweest zijn. En ik weet dat mijn moeder als kind, in Beloit, Wisconsin, waar ze opgroeide, een tante had die steeds dwangmatig haar handen waste en dat het uiteindelijk zo erg werd dat ze moest worden opgenomen. Ik meen me te herinneren dat mijn moeder dat tellen op de een of andere manier eerder associeerde met die tante bij de gootsteen dan dat ze me achterlijk vond of dacht dat ik niet in staat was gewoon stil te zitten en te lezen als dat van me werd verlangd, wat kennelijk de visie was van de schooldirectie in Rockford. Maar goed, vandaar dus haar afkeer van traditionele instellingen en onbuigzaam gezag, nog een reden dat ze gaandeweg van mijn vader vervreemdde en hun huwelijk op de klippen dreigde te lopen, en ga zo maar door.

Ik herinner me dat ik, in 1975 of '76 moet dat geweest zijn, één bakkebaard afschoor en een tijdje zo rondliep, in de volle overtuiging, echt waar, dat ik door die ene bakkebaard een non-conformist werd, en dat ik op feestjes lange en diepe gesprekken voerde met meisjes die benieuwd waren wat die enkele bakkebaard 'betekende'. Eerlijk gezegd: van veel van wat ik in die periode allemaal zei en dacht loopt het me echt koud over de rug. Ik herinner me KISS, REO Speedwagon, Cheap Trick, Styx, Jethro Tull, Rush, Deep Purple, en – uiteraard – Pink Floyd. Ik herinner me Basic en Cobol. Cobol, daar draaide de kostencalculatiehardware in het kantoor van mijn vader op. Hij wist ongelooflijk veel over de computers uit die tijd. Ik herinner me van die brede transistorradio's van Sony, en dat veel zwarten uit het centrum van de stad die dan tegen hun oor hielden, terwijl de blanke tieners uit de buitenwijken het bijgeleverde oordopje gebruikten, zoals tegenwoordig bij de CID, en dat dat dopje helemaal vies werd als je het niet dagelijks schoonmaakte. Je had destijds die enorme energiecrisis en recessie en stagflatie – in welke volgorde herinner ik me niet meer, maar wel dat de oliecrisis moet zijn uitgebroken na dat gedoe op Lindenhurst, toen ik weer thuis woonde, want toen ik op een nacht stevig aan het doorzakken was met een paar oude vrienden van school werd de tank van mijn moeders auto afgetapt, iets waar mijn vader logischerwijs niet bepaald om kon lachen. Ik geloof dat de stad New York in die tijd zelfs een poosje bankroet was. En in 1977 was er in Illinois dat desastreuze experiment met de omzetbelasting: die werd opeens progressief, een maatregel waar mijn vader zich behoorlijk over opwond, maar die ik op dat moment niet snapte en waar ik warm noch koud van werd. Later snapte ik natuurlijk wel waarom een progressieve omzetbelasting zo'n ontzettend stom idee is, en waarom de chaos die daarop ontstond de toenmalige gouverneur min of meer zijn baan kostte. Maar ik herinner me niet dat ik daar toen iets van merkte, behalve dan dat het eind '77 in de aanloop naar de kerstperiode onwaarschijnlijk druk was in de winkelstraten en dat je er over de koppen kon lopen. Ik weet niet in hoeverre dat relevant is. Maar ik betwijfel of iemand buiten Illinois daarin geïnteresseerd zal zijn, hoewel de oude garde in het RCC er nog altijd smakelijk om kan lachen.

Ik herinner me mijn werkelijk viscerale afkeer van de meeste commerciële rockmuziek – en van disco, die je, als je tenminste cool wilde zijn, diende te haten, en al die rockbands met een plaatsnaam als naam. Boston, Kansas, Chicago, America – nog altijd komt bij mij dan een bijna lijfelijke afkeer op. En dat ik geloofde dat ik en misschien een of twee van mijn vrienden tot het selecte clubje mensen behoorden dat pas echt begreep wat Pink Floyd wilde zeggen. Het is allemaal erg gênant. Alsof het grootste deel van die herinneringen eigenlijk aan iemand anders toebehoort. Van mijn kindertijd herinner ik me zo goed als niets, alleen een paar rare, losse stroboscopische flitsen. Maar het vreemde is: hoe gefragmenteerder de herinnering, hoe meer ik het gevoel heb dat die authentiek en echt van mij is. Ik ben eigenlijk benieuwd of er iemand is die het gevoel heeft nog dezelfde te zijn als de persoon die hij zich meent te herinneren. Je zou waarschijnlijk gelijk een zenuwinzinking krijgen. Waarschijnlijk zou het niet eens te bevatten zijn.

Ik weet niet of dit al genoeg is. Ik weet niet wat de anderen verteld hebben.

We noemden dat soort nihilisten vroeger *slomo's*.

Ik herinner me dat ik aan de UIC mijn studentenkamer deelde met een tweedejaars, een blitse *mod* uit Naperville die gitaar speelde en ook bakkebaarden en een leren halsveter had. Hij zag zichzelf als non-conformist en als 'actief' lid van de drugsscene op de campus, en vond zichzelf heel vaag en nihilistisch, en hij reed in een – erg coole, moet ik toegeven – Firebird uit 1972 waarvoor, naar later bleek, zijn ouders de verzekering betaalden. Ik kom even niet op zijn naam, met de beste wil van de wereld niet. UIC stond voor de Universiteit van Illinois, campus Chicago, een gigantische universiteit midden in de stad. Ons complex lag centraal aan Roosevelt Road, met vooraan ramen die uitkeken op een drukke chiropodische praktijk – daarvan schiet me ook even de naam niet te binnen – met op het dak, op een sokkel, een enorm verlicht neonbord dat elke werkdag tussen 8.00 en 20.00 uur ronddraaide, met daarop aan de ene kant de naam en het makkelijk te onthouden telefoonnummer, eindigend op 3668, en aan de andere kant het reusachtige silhouet van een felgekleurde menselijke voet – voor zover we de verhoudingen correct konden inschatten was het een damesvoet – en ik herinner me dat mijn kamergenoot en ik een soort ritueel bedachten waarbij we er alles aan zouden doen om te proberen elke avond stipt om 20.00 uur op een bepaalde plaats bij het raam te staan om te kijken hoe de voet uitging en stopte met draaien als de praktijk haar deuren sloot. De voet ging op hetzelfde moment op zwart als de ramen van de praktijk, en onze theorie was dat alles aangesloten was op één centrale schakelaar. Maar het bord stopte niet meteen met draaien. Het was meer een soort uittollen, met een bijna rad-van-fortuinachtige schwung die je in spanning hield over waar het uiteindelijk tot stilstand zou komen. Het ritueel hield in dat we, als het bord met de voet van ons afgekeerd tot stilstand kwam, in de universiteitsbibliotheek zouden gaan studeren, maar dat als het stilviel met de voet – of een aanzienlijk deel ervan – naar ons toe, we dat als een 'teken' zouden opvatten (waarbij de dubbelzinnigheid er uiteraard dik bovenop lag) om onmiddellijk al onze lesopdrachten of eventuele andere verplichtingen te laten vallen en naar De Hoed te trekken, het studentencafé dat op dat moment hip was en ook de plek waar goede bands optraden en waar we aan het bier gingen en muntje ketsten en aan de andere jongens en meisjes met ouders die het inschrijvingsgeld voor hun rekening namen vertelden over het ritueel met de draaiende voet – uiteraard op zo'n manier dat we ons allemaal hippe, nihilistische slomo's konden wanen. Ik vind het heel gênant dat ik me zulke dingen herinner. Ik herinner me dat draaiende bord van die chiropodische praktijk en De Hoed en hoe het er daar uitzag, zelfs hoe het er rook, maar de naam van mijn kamergenoot herinner ik me dan weer niet, hoewel we dat jaar waarschijnlijk toch drie of vier avonden per week met elkaar optrokken. De Hoed leek totaal niet op Meibeyer's, dat zo ongeveer het belangrijkste café is voor routinecontroleurs hier in het RCC en dat ook een hoedenthema en een uitgebreide collectie hoeden heeft, maar daar gaat het om historische IRS- en CPA-hoeden, hoeden voor serieuze volwassenen. Om maar te zeggen dat de gelijkenis puur toeval is. In feite waren er twee Hoeden, het was een franchise – die van de UIC lag op de hoek van Cermak en Western, terwijl de andere in Hyde Park lag en bezocht werd door de meer ambitieuze en consciëntieuze studenten van de Universiteit van Chicago. In onze Hoed noemde iedereen De Hoed in Hyde Park 'De Keppel'. Mijn kamergenoot was zeker geen kwade vent, al bleek al snel dat hij op zijn gitaar eigenlijk maar drie of vier liedjes kon spelen, liedjes die hij zonder ophouden bleef herhalen, en dat hij zijn handeltje in drugs – kapitalisme van het zuiverste water – schaamteloos vergoelijkte als een vorm van maatschappelijk verzet. Zelfs in die tijd wist ik al dat hij zich geheel conform het zogenaamde non-conformisme gedroeg dat eind jaren 70 zo in zwang was, en op bepaalde momenten had ik een bijzonder lage dunk van hem. Misschien dat ik tot op zekere hoogte ook minachting voor hem voelde. Alsof ikzelf zo'n uitzondering was – maar goed, dit soort schaamteloze projecties en psychologische verschuivingen maakten deel uit van de nihilistische hypocrisie van heel die periode.

Ik herinner me dat 7Up werd aangeprezen als 'Uncola', en dat het in de Noxzema-reclames eigenlijk niet om jeugdpuistjes maar om het beest met de twee ruggen ging. Als ik het goed heb waren er ook veel houtprints op dingen die niet van hout waren, en stationwagens met stroken opzij die van hout moesten lijken. Ik herinner me dat Jimmy Carter het land toesprak in een cardigan, en vaag iets over het feit dat Carters broer een slomo en een enorme knurft bleek te zijn, en dat hij de president alleen al door familie van hem te zijn in verlegenheid bracht.

Ik geloof niet dat ik ben gaan stemmen. Eerlijk gezegd: ik herinner me niet meer of ik al dan niet ben gaan stemmen. Waarschijnlijk was ik het van plan en heb ik dat ook overal rondgebazuind, maar werd ik op het laatste moment afgeleid en is het er niet van gekomen. Dat vat die periode wel zo'n beetje samen.

Uiteraard spreekt het waarschijnlijk voor zich dat ik in die jaren een behoorlijk fuifnummer was. Ik weet niet in hoeverre ik daarover iets moet vertellen. Maar ik feestte niet meer of minder dan de rest – nu ik erover nadenk, klopt dat eigenlijk precies: niet meer, maar ook niet minder. Iedereen die ik kende en met wie ik optrok was een slomo, dat wisten we zelf maar al te goed. Raar maar waar, maar op de een of andere manier was het hip je daarvoor te schamen. Uit een vreemd soort narcistische wanhoop. Of je gewoon stuurloos te voelen, aan je lot overgelaten – dat was het romantische beeld dat we koesterden. Ik vond Ritalin wel fijn, ja, en tamelijk zeldzame soorten speed zoals Cylert, maar iedereen had zo zijn eigen favorieten als we de bloemetjes wilden buitenzetten. Ik nam daar geen enorme hoeveelheden van, want de speed die ik graag slikte was moeilijk te krijgen – je moest er zo'n beetje tegenaan lopen. Mijn kamergenoot met zijn blauwe Firebird was geobsedeerd door hasj, daar werd hij naar eigen zeggen altijd zo *relaxed* van.

Nu ik eraan terugdenk betwijfel ik of het ooit in me is opgekomen dat mijn vader over mij waarschijnlijk precies hetzelfde dacht als ik over mijn kamergenoot – en dat ik dus net zo'n conformist was als hij: een hypocriete alternatieveling die in werkelijkheid alleen maar rebels kon zijn op kosten van de samenleving, in dit geval vertegenwoordigd door zijn ouders. Ik wilde dat ik kon zeggen dat ik toen al volwassen genoeg was om de volle reikwijdte van die tegenspraak te vatten, al had ik er waarschijnlijk gewoon een flauwe, nihilistische grap van gemaakt. Maar ik weet ook dat ik me tegelijk soms zorgen maakte over mijn stuurloosheid en passiviteit, en over het feit dat alles zo abstract en vatbaar voor interpretatie leek, en zelfs over mijn herinneringen, die toen al heel wazig en zinloos begonnen te lijken. Mijn vader daarentegen, die herinnerde zich altijd alles heel precies, met name concrete details, en de precieze datum en het precieze uur van afspraken, en uitspraken die niet strookten met eerdere uitspraken. Pas later zou ik inzien dat zijn werk vereiste dat hij goed oplette en alles nauwkeurig bijhield.

Achteraf beschouwd was ik gewoon naïef. Eén voorbeeld: ik wist dat ik loog, maar toch ging ik er zo goed als nooit van uit dat iemand anders misschien ook wel eens tegen mij zou kunnen liegen. Nu pas besef ik hoe arrogant dat is, en hoe onscherp je wereld daardoor wordt. Ik was gewoon nog een kind. Eerlijk gezegd: mijn zelfkennis heb ik grotendeels hier opgedaan, bij de Dienst. Dat mag wat slijmerig klinken, het is wel de waarheid. In de vijf jaar dat ik hier nu werk heb ik echt ontzettend veel geleerd.

Maar goed, ik kan me ook herinneren dat ik wiet rookte met mijn moeder en Joyce, haar vriendin. Die kweekten ze zelf – heel sterk was hij niet, maar dat deed er ook niet echt toe, want van hun kant was het eerder een progressief statement om te laten zien hoe vrijgevochten en geëmancipeerd ze wel niet waren dan een middel om high te worden, en mijn moeder stond er altijd op een joint te roken als ik bij hen op bezoek kwam, en hoewel ik me daar wel een beetje ongemakkelijk bij voelde, kan ik me niet herinneren dat ik ooit geweigerd heb er samen eentje te 'bouwen', al vond ik het wel wat gênant als ze zulke uitdrukkingen gebruikten. In die tijd hadden mijn moeder en Joyce samen een kleine feministische boekhandel, en mijn vader, zo wist ik, zat er behoorlijk mee in zijn maag dat hij de winkel via de scheidingsregeling mee had helpen bekostigen. Ik herinner me nog die keer dat we in hun flat in Wrigleyville een van hun dikke, amateuristisch gerolde toeters – toentertijd in mijn kringen het hippe woord voor een joint, tenminste in Chicago en omstreken – aan elkaar doorgaven, terwijl ik in mijn zitzak zat te luisteren naar mijn moeder en Joyce, die heel levendige, gedetailleerde herinneringen uit hun vroege kindertijd ophaalden en allebei moesten lachen en huilen en dan troostend el-

kaars haar streelden, iets waar ik me niet echt aan stoorde – dat ze elkaar aanraakten of zelfs kusten als ik erbij was – of waaraan ik in ieder
geval rond die tijd al wel gewend was geraakt, en ik weet nog dat ik
op dat moment steeds paranoïder en nerveuzer werd, want toen ik eindelijk met moeite een paar herinneringen uit mijn eigen kindertijd wist
op te roepen was de enige echt levendige herinnering er een aan mijn
catcherhandschoen, een Rawlings, cadeau gekregen van mijn vader,
en hoe ik die met lederolie van hetzelfde merk invette, én aan de dag,
die me nog scherp voor ogen stond, dat ik die door Johnny Bench ge-
signeerde handschoen kreeg, maar ik kon daar bij mijn moeder en
Joyce natuurlijk niet sentimenteel gaan zitten doen over mijn vader en
dat die me een keer iets cadeau had gedaan. Het ergste was nog dat
mijn moeder allemaal herinneringen en anekdotes over míjn kindertijd
begon te vertellen, en ik besefte dat ze zich echt veel meer over mijn
kinderjaren herinnerde dan ikzelf, alsof ze al die herinneringen en ervaringen die strikt genomen de mijne waren op de een of andere manier in beslag genomen of geconfisqueerd had. Uiteraard dacht ik destijds nog niet in termen als *confisqueren*. Dat is meer zo'n woord dat
we hier bij de Dienst gebruiken. Maar meestal was het allesbehalve
aangenaam, zomaar een joint roken samen met mijn moeder en Joyce,
en ik werd er ook altijd helemaal iebel van, nu ik erover nadenk – en
toch deed ik bijna elke keer weer mee. Ik geloof ook niet dat mijn moeder er echt van genoot. Er hing altijd zo'n valse schijn van lol en vrij-
gevochtenheid over het hele gebeuren. Achteraf gezien heb ik het gevoel dat mijn moeder me wilde laten zien dat ze samen met mij een
groei naar volwassenheid doormaakte, alsof we allebei aan dezelfde
kant van de generatiekloof stonden en nog even close waren als toen
ik een kind was. Alsof we allebei non-conformist waren en bij wijze
van spreken onze middelvinger opstaken naar mijn vader. Maar goed,
blowen samen met haar en Joyce vond ik dus altijd een beetje hypocriet. Mijn ouders gingen in februari 1972 uit elkaar, in dezelfde week
dat Edmund Muskie moest huilen tijdens een speech voor zijn presi-
dentscampagne, toen ze die beelden maar bleven herhalen op tv. Ik
weet niet meer waarom hij huilde, maar in ieder geval waren zijn kansen voor een nominatie daarmee verkeken. Het woord *nihilist* hoorde
ik voor het eerst op de middelbare school, tijdens mijn zesde les toneel.
Ik ben er trouwens vrij zeker van dat ik me tegenover Joyce niet vijandig gedroeg, al herinner ik me nog wel altijd een wat prikkelbaar

gevoel als ik met haar alleen was, en opluchting als mijn moeder thuiskwam en ik me tot hen als stel kon richten in plaats van te proberen
een gesprek te voeren met Joyce alleen, waarvoor ik altijd wel wat op
eieren moest lopen omdat er veel meer gespreksthema's en onderwerpen waren om te vermijden dan om over te praten, waardoor het in
een gesprekje met Joyce haast leek alsof je Devil's Head probeerde af
te slalommen met de poortjes maar een paar centimeter uit elkaar.

Pas later zou ik beseffen dat mijn vader in feite een man van de wereld was die behoorlijk grappig uit de hoek kon komen. Terwijl ik toen
denk ik het idee had dat hij nauwelijks leefde, dat hij een robot of een
überconformist was. Hij was wat stijfjes, dat zeker, en een pietje precies, en om een schampere opmerking zat hij nooit verlegen. Hij
behoorde met hart en ziel tot de gevestigde orde en stond stevig met
beide benen aan de andere kant van de generatiekloof – hij was negen-
enveertig toen hij stierf, in december 1977, wat natuurlijk wil zeggen
dat hij was opgegroeid tijdens de Depressie. Maar ik kan me niet herinneren dat ik toen al besefte hoeveel gevoel voor humor hij had – zijn
standpunten pro-gevestigde orde wist hij altijd op een droge, gevatte
manier te brengen, waar ik destijds vermoedelijk niet goed mee uit de
voeten kon. Ik snapte zijn grappen gewoon niet. Waarschijnlijk had ik
in die tijd niet bijster veel gevoel voor humor, maar het kan ook zijn
dat ik alles wat hij zei opvatte als persoonlijke kritiek of een oordeel,
zoals kinderen nu eenmaal vaak doen. Ik wist een paar dingen over
hem, uit mijn kindertijd nog, veelal via mijn moeder. Bijvoorbeeld dat
hij heel, heel verlegen was toen ze elkaar leerden kennen. Eigenlijk
reikten zijn ambities verder dan een technische opleiding, maar er
moest brood op de plank komen – in Korea zat hij bij transport en be-
voorrading, maar hij was al met mijn moeder getrouwd voordat hij in
het buitenland gestationeerd werd, dus toen hij afzwaaide kon hij weinig anders dan onmiddellijk een baan zoeken. Zo deden mensen van
haar leeftijd dat toen, legde ze me uit – als je de juiste persoon ontmoette en ten minste de middelbare school had afgemaakt, dan trouwde je, zonder daar al te lang bij stil te staan of er vraagtekens bij te
plaatsen. Wat ik wil zeggen is: hij was behoorlijk intelligent en tot op
zekere hoogte gefrustreerd, zoals veel van zijn generatiegenoten. Hij
werkte lange dagen omdat hij niet anders kon; zijn eigen dromen werden ondertussen op een laag pitje gezet. Dat heb ik allemaal uit de
tweede hand, van mijn moeder, maar het sloot goed aan bij allerlei

kleine dingen die zelfs mij opvielen. Mijn vader las bijvoorbeeld de hele tijd. Altijd zat hij te lezen. Het was zijn enige hobby, zeker na de scheiding – hij kwam altijd thuis uit de bibliotheek met een stapel boeken met zo'n dikke, doorzichtige geplastificeerde kaft. Ik vroeg me nooit af wat voor boeken dat waren of waarom hij zo veel las – en over hetgeen hij las vertelde hij me nooit wat. Ik weet zelfs niet welke genres hij het liefst las: geschiedenis, detectives, geen idee. Nu ik eraan terugdenk was hij waarschijnlijk heel eenzaam, zeker na de scheiding. De enige mensen die je zijn vrienden kon noemen waren collega's van het werk, en ik denk dat hij het daar eigenlijk saai vond – ik geloof niet dat hij veel affiniteit had met de budgetterings- en bestedingsvoorschriften van de stad Chicago, zeker omdat het niet zijn keuze was om hier te komen wonen – en ik denk dat boeken en intellectuele aangelegenheden voor hem de uitwegen vormden waarlangs hij even aan de verveling kon ontsnappen. Eigenlijk was hij heel intelligent. Ik wou dat ik me meer voorbeelden kon herinneren van wat hij zo allemaal zei – ik vond het, denk ik, destijds allemaal nogal vijandig en normatief, en zag niet in dat hij eigenlijk ook zichzelf op de hak nam. Wat ik me nog wel herinner is dat hij de zogeheten jongere generatie (waarmee hij de mijne bedoelde) 'dat Amerikaanse gewrocht' noemde. Maar dat is geen goed voorbeeld. Het leek soms bijna alsof hij vond dat beide kanten hier de verantwoordelijkheid voor droegen, en dat er met de volwassenen in dit land wel iets mis moest zijn als ze zo'n generatie kinderen konden voortbrengen als die van de jaren 70. Ik herinner me nog dat ik in oktober of november 1976, op mijn eenentwintigste, na mijn eerste poging op DePaul, weer thuiszat – die eerste keer was zeker geen succes geweest. In feite was het een complete afgang. Het kwam erop neer dat me dringend verzocht werd te vertrekken; dat is de enige keer dat me dat is overkomen, want op Lindenhurst, en later aan de UIC, ben ik uit eigen beweging opgestapt. Maar goed, tijdens die periode dat ik niet studeerde werkte ik in de avondploeg bij een Cheese Nabs-fabriek in Buffalo Grove, en woonde ik bij mijn vader in Libertyville. Geen haar op mijn hoofd die eraan dacht in te trekken bij mijn moeder en Joyce in hun appartement in Wrigleyville, waar alle kamers in plaats van een deur een kralengordijn hadden. Maar voor dat geestdodende baantje hoefde ik pas om zes uur in te klokken, en dus hing ik meestal gewoon de hele middag thuis wat rond tot het tijd was om te vertrekken. In die periode moest mijn vader soms een paar dagen weg – zoals dat ook hier bij de Dienst gebruikelijk is, stuurden de financiële afdelingen van de stad Chicago hun technisch personeel naar symposia en bijscholingscursussen die, zoals ik na mijn indiensttreding zou ondervinden, in niets lijken op de grote drinkgelagen in de private sector en meestal juist zeer intensief en werkgerelateerd zijn. Mijn vader zei dat die bijscholingen vooral afstompend waren. Dat was een woord dat hij redelijk vaak gebruikte: *afstompend*. En bij zulke gelegenheden had ik het huis voor mezelf, en je kunt je vast wel voorstellen wat er dan gebeurde, met mij daar alleen thuis, zeker tijdens de weekends, al werd ik eigenlijk geacht op het huis te passen als hij er niet was. Maar ik herinner me dus dat hij op een middag in '76 eerder thuiskwam dan gepland, een dag of twee eerder dan ik dacht dat hij gezegd had: de voordeur ging open, en daar zaten ik en twee zogenaamde oude schoolvrienden die ik nog kende van Libertyville South samen in de woonkamer – die door de wat hoger gelegen veranda en voordeur in wezen één grote zitkuil was die min of meer meteen bij de voordeur begon, een paar treden naar beneden en je stond in de woonkamer; de treden naar boven leidden naar de tweede verdieping. Qua bouwstijl was het een zogeheten verhoogde ranch, net als de meeste andere oudere huizen in onze straat, en een andere, soortgelijke trap leidde van de gang op de tweede verdieping naar beneden, naar de garage, die eigenlijk een deel van de bovenverdieping stutte – wat wil zeggen dat de garage bouwtechnisch gezien een onmisbaar deel van het huis was, meteen hét kenmerk van een verhoogde ranch. Toen hij binnenkwam lagen er twee van ons onderuitgezakt op de sofa, met onze vuile voeten op zijn geliefde salontafel, en het tapijt lag bezaaid met Taco-Bell-verpakkingen en lege bierblikjes – nota bene bier van mijn vader, die twee keer per jaar zijn voorraad in de bijkeukenkast aanvulde en normaal gezien hooguit twee blikjes per week dronk – terwijl wij volledig van de wereld op WGN naar *The Searchers* zaten te kijken en een van mijn maten naar Deep Purple luisterde met mijn vaders speciale stereokoptelefoon voor klassieke muziek. Het speciale eiken of esdoornen salontafelblad zat onder de grote condenskringen van de bierblikjes, want we hadden de verwarming veel hoger gezet dan hij normaal gezien goed vond, dit om energie en kosten te sparen, en die andere maat naast me op de sofa boog zich juist voorover naar onze waterpijp om een ongelooflijke hijs te nemen – hij stond erom bekend dat hij enorme hijsen kon nemen. En een stank dat er hing, niet te filmen. Maar precies op dat moment hoorde ik, in die herinnering dus, opeens het karakteristieke geluid van zijn voetstappen op de brede houten veranda en het geluid van zijn sleutel in het sleutelgat, en een seconde later komt opeens, samen met een golf koude, schone lucht, mijn vader door de deuropening naar binnen, met zijn hoed op en zijn reistas in zijn hand – en ik zat daar maar, wezenloos, totaal in shock, letterlijk op heterdaad betrapt, verlamd, niet in staat om te reageren, maar tegelijkertijd zag ik ieder afzonderlijk beeld van zijn entree afgrijselijk scherp en helder voor ogen – hoe hij daar stond, aan de rand van die paar treden naar de zitkuil, en gewoontegetrouw met een sierlijk gebaar van zowel hoofd als hand zijn hoed lichtte, terwijl hij ons drieën en het hele tafereel in zich opnam – hij maakte er geen geheim van dat hij niet bepaald veel ophad met mijn oude schoolkameraden, dezelfde jongens trouwens met wie ik de bloemetjes aan het buitenzetten was toen de benzinedop van mijn moeders auto gestolen werd en haar tank leeggetapt, en toen we uiteindelijk weer bij de auto kwamen had geen van ons drieën nog een rooie cent op zak en zat er niets anders op dan mijn vader te bellen, die na zijn werk de trein naar ons toe moest nemen om voor de benzine te betalen, zodat ik het R5'je kon terugbrengen naar mijn moeder en Joyce, die de auto deelden en hem nodig hadden voor hun boekhandel – maar goed, wij drieën lagen daar dus onderuitgezakt, apestoned en totaal wezenloos, en om het plaatje compleet te maken had mijn ene maat een tot op de draad versleten T-shirt aan met daarop in koeien van letters FUCK YOU, en die ander begon na zijn gigantische hijs van de schok zo hard te hoesten dat er een pluim wietrook door de woonkamer richting mijn vader dreef – of, om een lang verhaal kort te maken: de hele toestand bevestigde op de vreselijkste manier het vreselijkste stereotype van de generatiekloof en de walging die ouders kunnen voelen voor hun decadente slomo's van kinderen, en ik zie nog steeds voor me hoe mijn vader langzaam zijn tas en attachékoffertje op de grond zette en toen gewoon een tijdlang bleef staan, een eeuwigheid leek het wel, zonder uitdrukking op zijn gezicht en zonder iets te zeggen, en hoe hij toen langzaam en theatraal zijn ene arm hief, ons aankeek en zei: '*Ziet mijn werk, o mens, en beeft!*', en vervolgens zijn reistas weer oppakte en zonder een woord te zeggen de trap opliep naar boven, hun vroegere slaapkamer in, en daar de deur achter zich dichttrok. Hij sloeg er niet mee, maar je kon horen dat hij de deur ferm dichttrok. Hier breekt de herinnering vreemd genoeg abrupt af, hoewel die tot hiertoe steeds gruwelijk helder en gedetailleerd was, alsof de tape ineens ten einde was, en ik weet niet wat er daarna gebeurde, of ik bijvoorbeeld mijn maten naar buiten heb gewerkt en snel die hele zooi probeerde op te ruimen en de thermostaat weer op twintig graden zette, maar ik herinner me wel dat ik me belabberd voelde, niet zozeer omdat ik 'betrapt' was of om wat me boven het hoofd hing, maar omdat het allemaal zo kinderachtig was, ik voelde me een egoïstisch en verwend klein kind en beeldde me in wat voor indruk ik op hem had gemaakt, apestoned tussen al die rommel in zijn zitkuil, met mijn smerige voeten op de bevuilde salontafel die hij en mijn moeder na lang sparen hadden gekocht in een antiekzaak in Rockford, toen ze nog jong waren en het niet al te breed hadden, en waar hij altijd heel voorzichtig mee omsprong en die hij continu inwreef met citroenolie, en het enige wat hij van me vroeg, zei hij, was om er alsjeblieft niet mijn voeten op te leggen en een viltje te gebruiken – een paar seconden lang zag ik precies hoe hij mij moet hebben gezien toen hij daarboven stond te kijken naar wat we in zijn woonkamer hadden aangericht. Het bood geen fraaie aanblik, en ik voelde me nog rottiger omdat hij niet tekeer was gegaan of me de schoen had gewrongen – hij zag er gewoon moe uit, en leek gegeneerd te zijn voor ons alle twee – en ik herinner me dat ik een ogenblik kon voelen wat er door hem heen gegaan moest zijn, en in een flits zag ik mezelf door zijn ogen, wat de hele toestand nog veel erger maakte dan wanneer hij razend was geworden of was gaan schelden, iets wat hij nooit deed, zelfs niet toen hij en ik daarna weer voor het eerst samen in één ruimte waren – ik weet niet meer wanneer dat was, met andere woorden of ik na het opruimen het huis uit glipte of bleef en hem onder ogen durfde te komen. Ik weet niet meer wat ik toen gedaan heb. Ik begreep niet eens wat hij had gezegd, hoewel ik natuurlijk wel begreep dat het sarcastisch bedoeld was, en dat hij met de nodige zelfspot in zekere zin zichzelf de schuld gaf omdat hij het 'werk' had voortgebracht dat in zijn woonkamer zakken en wikkels van Taco Bell op de grond had gegooid in plaats even acht stappen te zetten en ze in de vuilnisbak te gooien. Zij het dat ik veel later, bij een of andere bizarre gelegenheid in het VOC van Indianapolis, toevallig tegen het gedicht aanliep waaruit hij citeerde en mijn ogen vielen bijna uit mijn kop, want ik had nooit geweten dat het een gedicht was – een beroemd gedicht zelfs, van dezelfde Engelse dichter die trouwens ook de originele *Frankenstein* heeft geschreven. Ik wist niet eens dat mijn vader Engelse poëzie las, laat staan dat hij daaruit kon citeren als hij kwaad was. Stille waters, diepe gronden, zou je kunnen zeggen. Ik herinner me niet dat ik ooit heb beseft hoe weinig ik eigenlijk over hem wist, tot hij er niet meer was en het te laat was. Dat soort spijt zie je wel vaker in dat soort situaties, denk ik.

Maar goed, die ene vreselijke herinnering aan hoe ik vanaf de sofa opkeek en mezelf door zijn ogen zag, en de bedroefde, bedachtzame manier waarop hij zijn weerzin uitdrukte – dat vat die periode wel mooi samen, nu ik erover nadenk. Ik herinner me ook nog de namen van die twee vroegere vrienden die erbij waren op die rampzalige dag, maar die zijn natuurlijk verder niet relevant.

Vanaf 1978 werd het leven een stuk energieker, minder wazig en concreter, en achteraf gezien ben ik het waarschijnlijk wel met mijn moeder en Joyce eens dat ik in dat jaar 'mezelf vond' of 'mijn kinderjaren ontgroeide' en langzaamaan initiatieven ging ontplooien en mijn leven eindelijk enige richting gaf, wat natuurlijk zou leiden tot mijn betrekking bij de Dienst.

Hoewel het maar zijdelings te maken heeft met mijn keuze voor de IRS, is het wel zo dat het ongeluk met de metro waarbij mijn vader eind 1977 omkwam, mijn leven opeens gruwelijk overhoophaalde, iets wat ik natuurlijk nooit meer hoop te hoeven meemaken. Mijn moeder was er kapot van en moest kalmeringstabletten slikken, en kon het uiteindelijk psychisch niet opbrengen om mijn vaders huis te verkopen: ze ging weg bij Joyce en de boekhandel en verhuisde weer terug naar hun oude huis in Libertyville, waar ze nu nog altijd woont, tussen de foto's van mijn vader en hen tweeën als jong stel in dat huis. Een hele droevige situatie, en een psycholoog van de koude grond zou waarschijnlijk zeggen dat ze om de een of andere reden zichzelf de schuld van dat ongeluk gaf, al weet ik goed genoeg, meer dan wie ook, dat dat niet zo is en dat er bij dat ongeluk, alles bij elkaar genomen, niemand iets te verwijten viel. Ik was erbij toen het gebeurde – het ongeluk – en het was inderdaad ronduit afschuwelijk. Tot op de dag van vandaag zie ik het allemaal zo helder en gedetailleerd voor me dat het meer een videoregistratie dan een herinnering lijkt, wat bij traumatische gebeurtenissen niet ongebruikelijk is, is mij verteld – en toch kon ik aan mijn moeder niet precies van a tot z vertellen wat er gebeurd was, daar zou ze aan onderdoor zijn gegaan, want ze wist met haar verdriet ook zo al geen raad, hoewel iedereen eigenlijk wel kon zien dat haar tranen voor een groot deel terug te voeren waren op sluimerende conflicten en frustraties over hun huwelijk, over de identiteitscrisis die ze in 1972 op haar veertigste of eenenveertigste doormaakte, en over hun scheiding, allemaal zaken die ze toentertijd niet had kunnen verwerken omdat ze zich met zo veel overgave op de vrouwenbeweging had gestort, op bewustzijnsverruiming en haar nieuwe vriendinnengroep – stuk voor stuk rare veertigplussers, het merendeel met overgewicht – en dan had je uiteraard nog haar nieuwe seksuele identiteit, samen met Joyce, bijna direct na de scheiding, waar mijn vader, dat weet ik wel zeker, zowat aan onderdoor ging, zeker als je weet hoe preuts en conservatief hij meestal was, alhoewel hij en ik er nooit expliciet over hebben gesproken en hij en mijn moeder er op de een of andere manier in geslaagd waren goede vrienden te blijven, en ik hem er nooit iets over heb horen zeggen behalve af en toe wat gemopper over de forse hap uit de alimentatie die naar die boekhandel ging, die hij soms 'die financiële vortex' of gewoon 'de vortex' noemde – maar dat is een lang verhaal. Dus praatten we er bijna nooit over, wat in dit soort gevallen waarschijnlijk niet eens zo ongebruikelijk is.

Als ik mijn vader zou moeten beschrijven, zou ik in de eerste plaats zeggen dat het huwelijk van mijn moeder en vader in mijn omgeving het enige huwelijk was waarin de vrouw duidelijk langer was dan de man. Mijn vader was 1 meter 67 of 68, en niet dik maar gedrongen, zoals veel niet al te grote mannen van eind veertig. Hij woog zo'n 75 kilo, schat ik. Zijn pakken zaten hem als gegoten – zoals bij veel mannen van zijn generatie leek zijn lichaam wel gebouwd om in het pak te zitten. Hij had een paar hele mooie pakken, de meeste met één knoop en een middensplit, heel onopvallend en klassiek, voornamelijk kamgaren doordragers en een of twee van seersucker voor op warme dagen, dagen waarop hij dan ook zijn kantoorhoed thuisliet. Het pleit zeker voor hem – achteraf althans – dat hij niets moest hebben van de zogeheten moderne snit, met een brede das, fellere kleuren en overdreven revers, en trends als een vrijetijdspak of een ribfluwelen blazer vond hij afschuwelijk. Hij liet die pakken niet op maat maken, maar hij kocht ze wel allemaal bij Jack Fagman, een gevestigde, eerbiedwaardige zaak voor herenkleding in Winnetka, waar hij vaste klant was sinds ons gezin in 1964 naar de omgeving van Chicago was verhuisd. Sommige van die pakken waren echt heel mooi. Thuis liep hij graag in zijn 'burgerplunje' rond, zoals hij dat noemde: iets lossere broeken, interlock-tricot hemden, soms onder een spencer – het liefst eentje met argyleruiten. Soms droeg hij een cardigan, hoewel ik denk dat hij wel wist dat een cardigan hem een beetje dikkig maakte. In de zomer had hij soms van die afschuwelijke bermuda's aan, met daaronder nette zwarte sokken, blijkbaar de enige soort die mijn vader had. Eén jasje, een nachtblauwe 46 van ruwe zijde, stamde nog uit zijn jeugd en de tijd dat hij mijn moeder het hof had gemaakt, vertelde ze me – na het ongeluk kreeg ze het al te kwaad als dat jasje terloops ter sprake kwam, laat staan dat ze me kon vertellen wat ik ermee aan moest. In zijn kledingkast hingen verder zijn beste en op twee na beste overjas, ook bij Jack Fagman gekocht, met daartussen nog steeds de lege houten hanger. Hij gebruikte schoenspanners voor zijn nette schoenen en zijn kantoorschoenen; een paar daarvan had hij nog van zijn vader geërfd. (Met 'daarvan' bedoel ik natuurlijk de schoenspanners, niet de schoenen.) Er stond ook een paar leren sandalen dat hij had gekregen voor Kerstmis; hij had ze niet alleen nooit gedragen, maar er zelfs het label niet afgehaald, zo bleek toen ik de taak kreeg toebedeeld zijn kledingkast uit te ruimen. Het zou niet eens bij mijn vader zijn opgekomen verhogende inlegzolen te gebruiken. Ik had toen voor zover ik wist nog nooit een schoenspanner gezien en had geen flauw idee waarvoor zoiets diende, want in die tijd gaf ik niets om mijn schoenen of hoe die eruitzagen.

Mijn vaders haar, dat in zijn jonge jaren blijkbaar lichtbruin of blond was geweest, was eerst donker en daarna steeds grijzer geworden; het had een stuggere textuur dan het mijne, en bij vochtig weer had het de neiging achteraan wat te kroezen. Zijn nek was altijd rood; in het algemeen had hij een roodachtige teint, zoals het gezicht van sommige gedrongen mannen er op latere leeftijd blozend of hoogrood kan uitzien. Die roodheid was waarschijnlijk deels aangeboren, deels psychologisch – zoals veel van zijn generatiegenoten was hij tegelijk rusteloos en erg beheerst in zijn doen en laten, een persoonlijkheidstype A, maar met een dominant superego en met zulke extreme remmingen dat het zich meestal manifesteerde in een overdreven statige en afgemeten manier van bewegen. Bijna nooit stond hij zichzelf een openhartige of uitgesproken gezichtsuitdrukking toe. Maar het was geen rustige man. Niet dat hij in zijn spreken en handelen nerveus was, maar er hing best een intense spanning om hem heen – ik herinner me dat hij altijd lichtjes leek te zoemen als hij stilzat. Achteraf gezien vermoed ik dat hij waarschijnlijk al binnen twee jaar bloeddrukverlagende medicijnen had moeten nemen als dat ongeluk niet gebeurd was.

Het viel op, herinner ik me, dat mijn vaders houding of postuur tamelijk ongewoon oogde voor een man die aan de kleine kant was – veel kleinere mannen hebben namelijk de neiging om kaarsrecht te staan, wat logisch is – ineengezakt is niet het juiste woord, maar het leek wel alsof hij vanaf zijn middel een beetje voorover helde, heel licht maar, wat de indruk versterkte dat hij voortdurend gespannen was of altijd tegen de wind in moest lopen. Ik weet zeker dat ik dat niet zou hebben begrepen als ik niet bij de Dienst was gegaan, waar ik het postuur van sommige oudere controleurs te zien kreeg die al jarenlang, dag in dag uit, aan een bureau of aan een Tingletafel voorover geleund aangiften controleren, in de eerste plaats om die exemplaren eruit te halen die een audit moeten krijgen. Het was met andere woorden het postuur van iemand die dagelijks heel geconcentreerd en doodstil aan een bureau zit te werken, en dat jaren aan een stuk.

Over de eigenlijke inhoud van mijn vaders baan weet ik eigenlijk zo goed als niets, hoewel ik ondertussen maar al te goed weet wat kostencalculatie behelst.

Op het eerste gezicht lijkt mijn keuze voor een loopbaan bij de IRS misschien ingegeven door mijn vaders ongeluk – of, meer humanistisch gezegd, verbonden met het 'verlies' van een vader die zelf ook accountant was. Mijn vaders werkterrein bestond uit boekhoudkundige systemen en processen, wat eigenlijk meer met gegevensverwerking te maken heeft dan met pure accountancy, begreep ik later. Maar zelf ben ik ervan overtuigd dat ik anders ook wel bij de Dienst was terechtgekomen, als ik terugdenk aan de overweldigende gebeurtenis die, en dat herinner ik me nog alsof het gisteren was, mijn blikrichting en instelling volledig veranderde in de daaropvolgende herfst, op een dag tijdens het derde semester na mijn terugkeer naar DePaul, toen ik voor de tweede keer Inleiding tot de Accountancy volgde, naast Amerikaanse Politieke Theorie, ook een vak dat ik op Lindenhurst had laten vallen, vooral omdat ik er eigenlijk nooit echt voor was gaan zitten. Maar waarschijnlijk deed ik dat ook deels – dat introductievak accountancy volgen, bedoel ik – om mijn vader een plezier te doen of hem iets terug te geven, of in ieder geval om de walging te verzachten die ik voor mezelf voelde nadat hij me te midden van dat nihilistische tafereel in zijn woonkamer had aangetroffen. Al een paar dagen na dat fiasco nam ik tussen de forenzen de metro naar Lincoln Park en ondernam een eerste poging om me opnieuw in te schrijven voor de laatste twee jaar – goed voor vier semesters studiepunten – aan DePaul, al kon ik wegens een paar formaliteiten officieel niet eerder dan in de herfst van '77 opnieuw beginnen – ook dat is een lang verhaal. En, omdat ik er nu wel voor ging zitten en mijn trots inslikte en me die afschrijvings- en amortisatietabellen nog eens goed liet uitleggen, slaagde ik dit keer uiteindelijk wel, net als voor de DePaul-versie van Amerikaanse Politieke Theorie – dat ze daar Amerikaanse Politieke Filosofie noemden, hoewel de collegestof bijna gelijk was aan die van het vak op Lindenhurst – in het najaarssemester van 1978, zij het niet bepaald met cijfers om over naar huis te schrijven, aangezien ik voor de eindexamens van deze twee vakken niet aan hard studeren was toegekomen wegens (ironisch genoeg, zou je kunnen zeggen) het tragische ongeluk van mijn vader, dat toevallig plaatsvond tijdens het college van een totaal ander vak dat ik niet eens volgde, maar waar ik tijdens de laatste lesweek voor de kerstvakantie in een moment van stomme verstrooidheid naar binnen was gehobbeld, en waar ik zo ondersteboven van was dat ik nauwelijks in staat bleek te studeren voor de eindexamens van mijn reguliere vakken, hoewel dit keer niet uit nonchalance of laksheid, maar omdat ik voor mezelf had uitgemaakt dat ik langdurig, diep en geconcentreerd denkwerk te verrichten had na de overweldigende ontmoeting met de substituut-jezuïet bij Voortgezette Fiscaliteit, het vak waar ik dus per ongeluk een college van had bijgewoond.

Feit is dat waarschijnlijk alleen een bepaald soort mensen zich aangetrokken voelt tot een carrière bij de IRS. Mensen die, zoals de invallende eerwaarde het die laatste dag bij Voortgezette Fiscaliteit uitdrukte, bereid zijn 'rekenschap af te leggen'. Wat waarschijnlijk betekent dat we bijna van een afzonderlijk psychologisch type kunnen spreken. Het is een type dat je niet vaak tegenkomt – misschien een kans van 1 op de 10.000 – maar als zo'n type uiteindelijk beslist dat hij bij de Dienst wil, dan is het wel zo dat hij dat echt enorm graag wil en heel vastberaden wordt, en als hij eenmaal zijn ware roeping in het vizier heeft en er zich actief toe aangetrokken voelt, kan hij maar moeilijk van dat idee afgebracht worden. En in een land zo groot als de VS is 1 op de 10.000 toch al snel goed voor een flink aantal mensen – zo'n 20.000 – voor wie de IRS aan alle relevante professionele en psychologische criteria voldoet om van een echte roeping te kunnen spreken. Deze pakweg twintigduizend personen vormen de kern of het hart van de Dienst, zij het dat ze niet allemaal een hoge functie bekleden, al doen sommigen dat natuurlijk wel. Dat zijn er dan 20.000, op een totaal van 105.000 werknemers. En het lijdt geen twijfel dat al deze mensen een aantal fundamentele kenmerken gemeen hebben, voorspellende factoren die in de knop aanwezig zijn tot ze op een bepaald moment ontluiken in een ware roeping tot fiscale accountancy, organisatieleer en systeembeheer, waarna ze zich gaan wijden aan het mede in praktijk brengen en afdwingen van de fiscale wetgeving van dit land, zoals vastgelegd in Titel 26 van de Federale Regelgevingscodex en de Herziene Belastingcodex van 1954, alsook in de statuten en bepalingen die in werking traden met de Fiscale Hervormingswet van 1969, de Fiscale Hervormingswet van 1976, de Belastingwet van 1978 en ga zo maar door. Wat die redenen en factoren zijn, en in hoeverre die te rijmen vallen met de specifieke talenten en persoonlijkheidskenmerken waar de Dienst behoefte aan heeft – dat zijn belangrijke kwesties, die de IRS vandaag met actieve inzet wenst te doorgronden en te kwantificeren. Wat betreft mezelf en hoe ik hier terechtgekomen ben, telt vooral dat ik op een gegeven moment ontdekte dat ik ze bezat – die factoren en kenmerken – en dat ik die ontdekking zomaar ineens deed, door iets wat destijds niet meer dan een stomme vergissing leek.

Ik heb nog niets verteld over mijn recreatief drugsmisbruik in die periode en het verband tussen bepaalde soorten drugs en het feit dat ik hier nu zit, wat zeker niet als pleidooi pro drugsgebruik moet worden opgevat, maar gewoon een van de factoren is die me uiteindelijk bij de Dienst deed belanden. Maar het is best ingewikkeld allemaal, en een beetje omslachtig. Het spreekt voor zich dat drugs in het wereldje van de universiteit indertijd een grote rol speelden – dat is algemeen bekend. Ik herinner me dat cocaïne eind jaren 70 op de verschillende campussen in Chicago en omgeving als de meest hippe recreatieve drug werd beschouwd, en gezien mijn vreselijke conformisme in die tijd ben ik er zeker van dat ik meer cocaïne – of 'coke' – gebruikt zou hebben als het effect ervan me had aangestaan. Maar dat was niet het geval – ik bedoel: ik vond cocaïne maar niets. Ik werd er niet euforisch of opgewonden van, maar voelde me eerder alsof ik tien koppen koffie gedronken had op een nuchtere maag. Ik vond het echt vreselijk, hoewel ik vrienden en kennissen had, Steve Edwards bijvoorbeeld, die er lyrisch over waren en zeiden dat ze zich nog nooit zo geweldig hadden gevoeld. Ik begreep daar helemaal niets van. Ik vond het ook maar niets dat iemand die net cocaïne had gesnoven van die uitpuilende ogen kreeg en dat zijn lippen op een vreemde, ongecontroleerde manier op zijn gezicht leken te zwabberen, of dat nietszeggende of banale ideeën opeens ongelooflijk diepzinnig werden gevonden. Die hele cocaïneperiode herinner ik me ongeveer zo: ik sta op een of ander feestje bij iemand die gesnoven heeft en die op die typische, razendsnelle, koortsachtige manier tegen me aanpraat terwijl ik subtiel een stap achteruit probeer te zetten, maar telkens als ik dat doe, zet die persoon er een naar voren, en ga zo maar door, tot hij me op dat feestje met mijn rug tegen een muur heeft gezet en ik letterlijk met mijn rug tegen de muur sta en hij maar doorratelt op een paar centimeter van mijn gezicht, wat ik echt niet prettig vond. Dat had je gewoon soms op feestjes in die tijd. Ik denk dat ik die geremdheid een beetje van mijn vader heb. Lichamelijke nabijheid tot iemand die in de war is of erg opgewonden doet, daar heb ik het altijd al moeilijk mee gehad, wat een van de redenen is dat de afdeling Audits tijdens de selectie- en toewijzingsfase in het VOC niet eens in aanmerking kwam – VOC staat trouwens voor 'Vormings- en Opleidingscentrum', waar ongeveer een kwart van alle huidige contractmedewerkers bij de Dienst boven schaal 9 zijn begonnen, vooral diegenen die zich – net als ik – via een wervingscampagne hebben aangemeld. Momenteel zijn er twee van zulke centra, één in Indianapolis en een ander, wat groter centrum in Columbus, Ohio. Beide VOC's zijn afdelingen van wat meestal de 'School van de Thesaurie' wordt genoemd, aangezien de Dienst strikt genomen een onderdeel is van de Federale Thesaurie. Maar onder die vlag varen nog een heleboel andere diensten, variërend van het Bureau voor Alcohol, Tabak en Vuurwapens tot en met de Geheime Dienst, zodat de School van de Thesaurie nu meer dan tien verschillende opleidingsprogramma's en -faciliteiten omvat, waaronder ook het FLETC – dat is de politieacademie in Athens, Georgia, waar degenen die vanuit het VOC worden toegewezen aan de CID naartoe gaan voor een gespecialiseerde opleiding – samen met agenten van de DEA, de US Marshals en ga zo maar door.

Maar goed, van kalmeringsmiddelen zoals Seconal en Valium viel ik gewoon in slaap, wel veertien uur aan een stuk, dwars door de grootste teringherrie heen, ook die van mijn wekker, dus die stonden ook niet bepaald boven aan mijn favorietenlijstje. Je moet begrijpen dat je in die jaren overal heel gemakkelijk aan grote hoeveelheden drugs kon komen, zeker aan de UIC; de kamergenoot daar met wie ik naar die voet keek en vaak mee in De Hoed zat, was er zowat een levende snoepautomaat voor alle soorten recreatieve drugs, omdat hij goede connecties had met een paar middelgrote dealers in het westen van de stad, over wie hij altijd ontzettend paranoïde en achterdochtig deed als je er hem naar vroeg, alsof dat maffiosi waren in plaats van meestal gewoon jonge stelletjes die in een appartementencomplex woonden. Ik weet dat hij me om één reden graag als kamergenoot had, namelijk omdat de meeste soorten drugs me niet bevielen of zelfs ziek maakten, zodat hij zich niet voortdurend zorgen hoefde te maken dat ik zijn voorraad zou ontdekken – die hij meestal verstopte in twee gitaarkoffers in zijn helft van de kast, wat zelfs een idioot had kunnen bedenken op grond van zijn geheimzinnige gedoe met die kast of van het aantal gitaarkoffers afgezet tegen die ene gitaar die hij er daadwerkelijk uithaalde om er eindeloos zijn twee liedjes op te tokkelen – of hem zou bestelen. Zoals de meeste studentendealers dealde hij geen cocaïne omdat de bedragen die daarbij kwamen kijken te groot waren, om nog maar te zwijgen van die gasten die om drie uur 's nachts strak van de coke op je deur staan te bonken, de reden dat cocaïne meestal verkocht werd door iets oudere types met een leren hoed en een minuscuul rattig snorretje die hun handeltje opzetten in cafés zoals De Hoed en de King Philip, een ander hip café in die jaren, vlak bij de Mercantile Exchange in Monroe Street, waar ook de jongere generatie termijnhandelaars over de vloer kwam.

Mijn kamergenoot aan de UIC was meestal in het bezit van een aardig voorraadje psychedelica, die op dat moment al wijdverbreid waren, maar zelf was ik bang voor psychedelische drugs, vooral omdat ik me herinnerde wat er met de dochter van Art Linkletter gebeurd was – toen ik jong was keken mijn ouders altijd naar zijn shows.

Net als de meeste studenten lustte ik wel een slok, met name bier van de tap, zij het niet zo veel dat ik ervan over mijn nek ging – misselijk zijn is iets wat ik echt niet kan hebben. Liever pijn dan het gevoel te moeten overgeven. Zoals zowat iedereen, met uitzondering van de evangelische christenen en de leden van de CCC, gebruikte ik wel marihuana. In Chicago en omstreken sprak je in die tijd gewoon van wiet of 'stuff'. (Niemand in mijn omgeving noemde cocaïne 'stuff', en al-

leen hippieachtige aanstellers noemden wiet 'hooi', zo'n typisch ja-
renzestigwoord dat toen al helemaal uit de mode was.) Mijn wietge-
bruik was het grootst op de middelbare school, maar aan de universiteit
blowde ik ook nog wel af en toe, al kwam dat denk ik vooral omdat
iedereen dat toen deed – op Lindenhurst bijvoorbeeld zat bijna iedereen de hele dag te blowen, zelfs vol in het zicht op het centrale grasperk
op woensdag – toen beter bekend als 'hasjwoensdag'. Ik zou hieraan
willen toevoegen dat mijn blowdagen, nu ik bij de IRS werk, uiteraard
tot het verleden behoren. Al was het maar omdat de Dienst strikt genomen een wetshandhavende instantie is, en het dus hypocriet en verkeerd zou zijn. Verder gaat de hele cultuur bij Controle dwars tegen
blowen in, want zelfs routinecontroles vergen een zeer scherpe, gestructureerde en methodische geestesgesteldheid, en het vermogen
om je voor lange perioden te concentreren, en ook, nog belangrijker,
het vermogen om te kiezen waarop je je concentreert en wat je negeert,
een vermogen dat blowen bijna volledig teniet zou doen.

Maar in die jaren nam ik sporadisch wel Obetrol, een synthetisch
middel dat verwant is aan Dexedrine, maar waar je niet die afschuwelijke adem en smaak in je mond van kreeg. Het was ook verwant met
Ritalin, maar er viel veel gemakkelijker aan te komen, want Obetrol
was de populairste eetlustremmer die dames met overgewicht midden
jaren 70 kregen voorgeschreven, en dat middel beviel me ook heel
goed, om ongeveer dezelfde redenen waarom Ritalin me die ene keer
zo goed was bevallen, maar ook deels – in die wat latere periode, toen
de middelbare school alweer vijf jaar achter me lag – om redenen die
moeilijker uit te leggen vallen. Mijn affiniteit met Obetrol had te maken met een verhoogd zelfbewustzijn, wat ik bij mezelf vaak 'doubleren' noemde. Het valt moeilijk uit te leggen. Neem nou wiet – sommige mensen zeggen dat ze daar paranoïde van worden. Terwijl het
probleem voor mij, al kon ik er in bepaalde omstandigheden erg van
genieten, veel specifieker lag – van blowen werd ik soms zo hyperbe-
wust van mezelf dat ik bijna niet met anderen in één ruimte kon zitten.
Dat was ook een reden waarom wiet roken met mijn moeder en Joyce
zo gênant en geforceerd aanvoelde – om eerlijk te zijn blowde ik liever
in mijn eentje, en wiet beviel me veel beter als ik in mijn eentje high
kon worden en zomaar wat kon wegdoezelen. Ik zeg dit alleen maar
om het onderscheid aan te geven met Obetrols, die je ofwel als capsule
kon slikken, ofwel kon openbreken om de minuscule bolletjes erin tot

poeder te pletten en dat dan met een rietje of een opgerold bankbiljet te snuiven, zoals je ook met cocaïne doet. Maar Obetrols snuiven brandt vreselijk in je neus, dus als ik ze nam deed ik het meestal op de ouderwetse manier, wat ik voor mezelf 'obetrollen' noemde. Niet dat ik de hele tijd liep te obetrollen, zeker niet – het was recreatief gebruik, en je kon er niet altijd aan komen, het hing ervan af of de zwaarlijvige meisjes uit je colleges of in je studentencomplex hun dieet al dan niet serieus namen, wat, zoals dat nu eenmaal gaat, bij sommigen wel en bij anderen niet het geval was. Eén studente op DePaul van wie ik ze bijna een heel jaar lang kreeg aangeleverd was niet eens zo veel te dik – haar moeder stuurde ze op, vreemd genoeg samen met zelfgebakken koekjes. Haar moeder had kennelijk ernstige psychische problemen met betrekking tot eten en overgewicht die ze op haar dochter probeerde te projecteren, die niet wat je noemt een spetter was, maar die wel cool en blasé reageerde op haar moeders neurose over haar lichaamsgewicht en min of meer een houding had van 'Kan mij het schelen': ze deed haar Obetrols vrolijk voor twee dollar per pil van de hand en deelde de koekjes met haar kamergenote. In mijn studentencomplex woonde ook een figuur die ze op voorschrift nam, voor zijn narcolepsie – soms viel hij zomaar in slaap terwijl hij nog met iets bezig was, dat kon om het even wat zijn, en hij had dus een gegronde medische reden om Obetrol te nemen, want die pillen hielpen kennelijk erg goed tegen narcolepsie – en die gaf me er af en toe een paar als hij in een expansieve bui was, maar ze verkopen of erin dealen deed hij nooit – volgens hem was dat slecht voor zijn karma. Maar meestal viel er best wel aan te komen, al had mijn kamergenoot op de UIC nooit Obetrols in de aanbieding en wrong hij me er voortdurend de schoen over dat ik er zo tuk op was; als ik ernaar vroeg zette hij het refrein van 'Mother's Little Helper' in en zei dan dat iedereen die eraan wilde komen gewoon bij de eerste de beste zwaarlijvige huisvrouw in de wijde omtrek kon aanbellen, wat uiteraard lichtelijk overdreven was. Maar echt populair waren ze niet. Er bestond zelfs geen straattaal of eufemisme voor – als je ernaar op zoek was, moest je de merknaam gebruiken, wat om de een of andere reden vreselijk oubollig klonk, en zelf kende ik te weinig mensen die Obetrol namen om van *obetrollen* een iet of wat hippe term te maken.

Toen ik het daarnet over wiet had, was dat om het onderscheid duidelijk te kunnen maken. Obetrol maakte me heel bewust van mezelf, maar niet op een onaangename manier. Als ik in een kamer zat en een of twee Obetrols met wat water had ingenomen en ze begonnen te werken, zat ik niet meer gewoon in die kamer, maar was ik me ervan bewust dat ik in die kamer zat. Het is zelfs zo dat ik me herinner dat ik vaak dacht of mezelf stilletjes maar toch heel duidelijk toefluisterde: '*Ik zit hier in deze kamer.*' Het valt moeilijk uit te leggen. In die tijd noemde ik dat 'doubleren', maar ik ben er nog altijd niet helemaal uit wat ik daarmee precies bedoelde of waarom het zo diepzinnig en cool was om niet simpelweg in een kamer te zitten, maar me er werkelijk van bewust te zijn dat ik in die kamer zat, in een luie stoel, in een bepaalde houding, luisterend naar een bepaald nummer van een elpee met een hoes met een bepaalde combinatie van kleuren en patronen – ik verkeerde echt in een staat van verhoogd bewustzijn, wat me de mogelijkheid gaf om volledig bewust tegen mezelf te zeggen: '*Op dit moment zit ik in deze kamer. Op de oostelijke muur draait de schaduw van de voet om zijn as. De schaduw van de voet is niet als zodanig herkenbaar vanwege de vervorming door de invalshoek van het licht als gevolg van de positie van de zon achter het logo. Ik zit rechtop in een donkergroene luie stoel met in de rechterarmleuning een brandgat van een sigaret. Het brandgat is zwart en niet helemaal rond. Ik luister naar "The Big Ship"* op Brian Eno's Another Green World, *met op de hoes kleurrijke uitgeknipte figuren in een wit kader.*' Als ik het zo zeg, lijkt zo'n stortvloed aan details misschien oersaai, maar dat was dus niet zo. Op zulke momenten kreeg ik het gevoel dat ik boven water kwam, al was het maar voor even, uit de zee van mijn wazige en stuurloze leven in die jaren. Alsof ik een machine was die zich er ineens van bewust werd een menselijk wezen te zijn dat niet louter en alleen een eindeloze reeks voorgeprogrammeerde handelingen hoefde te verrichten. Het had ook te maken met aandacht, met hoe je naar je omgeving keek. Het was niet zo dat de kleuren feller werden en de muziek intenser, zoals bij andere recreatieve drugs. Intenser werd alleen mijn gewaarwording van mijn eigen aandeel daarin, dat ik daar echt aandacht voor kon opbrengen. Dat ik bijvoorbeeld naar een van de ongeïnspireerd beige of zandbruin geverfde muren van mijn kamer kon kijken en me er tegelijk van bewust kon zijn dat ik ze zag – in dat studentencomplex van de UIC – en dat ik alle dagen tussen die muren woonde en wellicht op allerlei subtiele manieren beïnvloed werd door hun suffe kleur, maar me meestal niet bewust was van het effect dat ze op me hadden, van hoe het aanvoelde om ernaar te kijken, meestal niet eens van hun kleur en hun textuur, omdat ik eigenlijk nooit ergens precies en aandachtig naar keek. Het viel echt op: voor het grootste deel waren de muren glad, maar als je echt aandachtig keek, zaten er ook een heleboel kleine kwaststrepen en klodders op die schilders vaak achterlaten als ze niet per uur maar per opdracht betaald worden en dus een reden hebben om op te schieten. Als je ergens echt goed naar kijkt, kun je bijna altijd zien op welke manier het loon van de maker ervan berekend is. Of van de schaduw van het logo en de manier waarop de stand van de zon die schaduw op dat moment zijn precieze vorm gaf, die vooral leek te krimpen en uit te zetten door het constante draaien van het eigenlijke logo aan de overkant van de straat, of van de verandering die het aan- en uitdoen van de kleine bureaulamp bij de luie stoel teweegbracht in het samenspel van het licht en de schaduwen van de verschillende objecten op de muren en zelfs in de kleurschakering van de muren en het plafond, en daarmee op alles effect had, en ik mij er – door te 'doubleren' – ook van bewust werd dat ik die lamp aan- en uitdeed en alle subtiele veranderingen en het effect ervan op mezelf echt opmerkte, inclusief het feit dat ik wist dat ik ze opmerkte. Kortom: dat ik me van mijn zelfbewustzijn bewust was. Het klinkt misschien abstract of stoned, maar zo was het niet. Zulke momenten waren van een enorme levendigheid. Dat vond ik er ook zo aangenaam aan. Ik kon naar Floyd luisteren, bijvoorbeeld, of zelfs naar een van de grijsgedraaide elpees uit de slaapkamer van mijn kamergenoot, *Sgt. Pepper* bijvoorbeeld, en niet alleen de muziek en iedere noot en maat en modulatie van ieder nummer horen, maar ook met evenveel zelfbewustzijn en onderscheidingsvermogen beseffen dat ik dat aan het doen was, namelijk echt luisteren – *'Nu luister ik naar het tweede refrein van "Fixing a Hole" van The Beatles'* – maar ook dat ik me heel scherp bewust was van de gevoelens en gewaarwordingen die de muziek bij me teweegbracht. Misschien klink ik nu als een geitenwollensokkenhippie, zo eentje die zijn diepste gevoelens wil achterhalen en dat soort dingen. Maar afgaand op mijn ervaringen uit die tijd weet ik dat de meeste mensen eigenlijk voortdurend iets voelen of een bepaalde houding aannemen of aan iets of een detail van iets aandacht schenken, maar dan wel zonder het te beseffen. Het is een automatisme, zoals je hartslag. Soms zat ik daar in een kamer en besefte ineens hoeveel moeite het kostte om alleen al een minuut of zo naar je eigen hartslag te luisteren – haast alsof je hartslag zich aan je aan-

dacht wil onttrekken, als een rockster die de spotlights schuwt. Maar
die hartslag is er wel als je kunt doubleren en je je dwingt er aandacht
aan te schenken. Hetzelfde met muziek: doubleren zorgde ervoor dat
je heel aandachtig kon luisteren en tegelijk echt kon voelen welke emoties de muziek bij je opriep – wat uiteraard de reden is dat we zo graag
naar muziek luisteren, omdat we er iets bij voelen, anders zou het alleen maar lawaai zijn – en die gevoelens niet alleen te hebben terwijl
je luistert, maar je er werkelijk bewust van te zijn, en tegen jezelf te
kunnen zeggen: *'Bij dit nummer voel ik me geborgen en veilig, als een
kleine jongen die net uit bad is getild en in een cocon van warme handdoeken
is gewikkeld die zo vaak zijn gewassen dat ze ongelooflijk zacht zijn, en tegelijk voel ik me triest; in het middelpunt van de warmte bevindt zich een
trieste leegte, zoals bij een lege kerk of een klaslokaal met een heleboel ramen
waardoor je alleen regen ziet vallen op straat, alsof precies in het middelpunt
van dat veilige, omsloten gevoel de leegte ontluikt.'* Niet dat je het per se
op die manier hoefde te zeggen, maar wel dat het tastbaar en aan-
schouwelijk genoeg was om het zo gedetailleerd te beschrijven, mocht
je dat willen. En dat je je van die tastbaarheid ook bewust was. Maar
goed, daarom was ik dus helemaal weg van Obetrol. Het ging er niet
om dat je zomaar wat wegdoezelde bij mooie muziek of op een feestje
iemand met zijn rug tegen de muur zette.

En het was ook niet zo dat je je, als je Obetrol of Cylert nam, alleen
van de goede of plezierige dingen bewust werd. Bepaalde zaken die
erdoor onder je aandacht werden gebracht waren allesbehalve plezie-
rig, maar gewoon de werkelijkheid. Bijvoorbeeld in de kleine woonkamer van mijn gedeelde UIC-kamer zitten luisteren hoe mijn kamer-
genoot-schuine streep-rebel uit Naperville in zijn slaapkamer met een
meisje aan het bellen was – die zogenaamde non-conformist had een
eigen telefoon, betaald door drie keer raden wie – want als er geen
muziek speelde of de tv niet aanstond, kon ik niet anders dan meeluisteren door de dunne muren, waar je zo met je vuist doorheen ging als
je zo'n type was dat wel eens tegen een muur sloeg, en dan moest ik
wel zijn eindeloze, kleffe geleuter aanhoren, waardoor ik niet alleen
ten volle besefte wat voor hekel ik aan hem had en hoeveel plaatsvervangende schaamte ik voelde omdat hij zo geaffecteerd tegen dat meisje praatte – alsof niet iedereen met ogen in zijn kop meteen zag dat
hij veel te hard zijn best deed om hip en opstandig te doen, zonder
ook maar een greintje besef van hoe hij in werkelijkheid overkwam,

namelijk verwend, onzeker en ijdel – en dat allemaal hoorde en voelde,
maar me daar tegelijkertijd ook op een onaangename manier van bewust was, wat betekende dat ik mijn reactie op wat ik allemaal hoorde
heel bewust beleefde, dat het niet zomaar iets was wat zich in mijn
binnenste afspeelde zonder dat ik het tot me liet doordringen. Ik vrees
dat ik het niet goed uitgelegd krijg. Dat je niet anders kon dan tegen
jezelf zeggen: '*Hier zit ik zogezegd* De val *van Albert Camus te lezen voor
het tentamen Literatuur en Vervreemding, maar eigenlijk luister ik geconcentreerd naar Steve, die aan de telefoon indruk probeert te maken op een
meisje, en voor wie ik plaatsvervangende schaamte en minachting voel en die
ik een aansteller vind, terwijl ik me tegelijk pijnlijk bewust ben van al die
keren dat ik mezelf ook een hip en cynisch imago heb proberen aan te meten
om indruk op iemand te maken, wat wil zeggen dat ik niet alleen een hekel
heb aan Steve, wat in alle eerlijkheid ook het geval is, maar dat ik de reden
dat ik een hekel aan hem heb ook moet zoeken in het feit dat er mij bepaalde
gelijkenissen opvallen als ik hem hoor bellen, waardoor ik dingen over mezelf
besef waarvoor ik me schaam, maar ook dat ik niet weet hoe ik ermee kan
ophouden – ik bedoel: wat zou er gebeuren als ik mijn pogingen om zo nihilistisch te doen zou staken, al was het alleen maar tegenover mezelf, wat voor
iemand zou ik dan zijn? En ga ik me dit allemaal wel herinneren als de
Obetrol uitgewerkt is, of ga ik me gewoon opnieuw aan Steve Edwards er-
geren zonder dat ik mezelf daar echt bewust van laat worden, en zo ja, waarom?*' Is het nog te volgen? Soms was het best beangstigend, omdat ik
het dan allemaal pijnlijk helder voor me zag, hoewel ik in die jaren een
woord als *nihilisme* niet in de mond zou hebben genomen zonder te
proberen dat heel hip of als een soort knipoog te laten overkomen,
iets waar ik, in de helderheid van het doubleren, nooit toe in de verleiding zou zijn gekomen, aangezien ik zulke dingen alleen deed als ik
me niet echt bewust was van wat ik deed of waar ik echt op uit was,
alsof ik maar doorging op een vreemd soort robotachtige automatische
piloot. Iets wat ik als ik Obetrol gebruikte – of één keertje Cylert, een
variant die je alleen in tabletten van 10 mg kon krijgen en die ik maar
één keer, op DePaul, had weten te bemachtigen, bij een speciale gelegenheid die zich nooit zou herhalen – meestal wel besefte, namelijk
dat ik me voor het grootste deel eigenlijk niet echt bewust was van wat
er zich rondom mij afspeelde. Alsof je de trein neemt in plaats van zelf
te rijden en goed in de gaten te houden waar je bent, zodat je weet
welke afslag je moet nemen. In de trein kun je gewoon wat zitten doe-

zelen als passagier, zo voelde mijn leven ongeveer aan in die tijd. En als ik stimulerende middelen gebruikte, was ik me daarvan ook bewust, en ook van het feit dat ik dat van mezelf wist. Maar die inzichten waren vluchtig, en als de Obetrol eenmaal was uitgewerkt – wat meestal met zware hoofdpijn gepaard ging – leek het alsof ik me nauwelijks nog iets herinnerde van al die dingen waar ik me bewust van was geweest. De herinnering aan het gevoel dat ik abrupt tot vol bewustzijn was ontwaakt voelde vaag en omzwachteld aan, als iets wat je denkt te zien aan de rand van je gezichtsveld, maar wat aan je blik ontsnapt. Of als een flard van een herinnering waarvan je niet zeker weet of die echt gebeurd is of deel uitmaakte van een droom. Precies zoals ik had voorspeld en gevreesd tijdens het doubleren, natuurlijk. Het was dus zeker niet een en al gratuit plezier, wat ook een reden was dat obetrollen als iets waarachtigs en belangrijks aanvoelde, en niet zomaar lummelig en fijn was, zoals wiet. Die levendigheid was soms ronduit pijnlijk. Bijvoorbeeld als ik niet alleen ontwaakte in het besef van mijn afkeer voor mijn kamergenoot en zijn denim werkhemden en zijn gitaar en al zijn zogenaamde vrienden die af en aan liepen en wel moesten doen alsof ze hem sympathiek en cool vonden om een gram hasj of iets anders van hem los te krijgen, en dan niet alleen afkeer voelde voor de hele woonsituatie, maar zelfs voor het nihilistische ritueel van de voet en De Hoed, dat lang niet zo cool en grappig was als wij ons dat voorstelden – want we deden dat niet een of twee keer, maar echt iedere dag opnieuw; het was niet meer dan een voorwendsel om in plaats van te studeren of de lessen voor te bereiden de slomo uit te hangen terwijl onze ouders ons inschrijvingsgeld, onze huur en onze onkosten betaalden – maar me er tegelijk bewust van werd dat ik er ergens zelf voor had gekozen om samen met Steve Edwards een kamer te delen omdat ik er ergens wel van genoot een afkeer voor hem te voelen en na te gaan wat ik allemaal hypocriet aan hem vond en waarom ik dan die walging en schaamte voelde, en dat er dieperliggende psychologische redenen moesten bestaan waarom ik met iemand samenwoonde, at, optrok en ging feesten voor wie ik weinig waardering of respect had ... wat waarschijnlijk betekende dat ik ook weinig zelfrespect had, en dat ik daarom zo'n conformist was. Maar het punt is dat ik, terwijl ik Steve dat meisje door de telefoon hoorde zeggen dat het zijn diepste overtuiging was dat mannen de moderne vrouw als meer dan alleen een lustobject moesten beschouwen, als het met de wereld tenminste

nog goed wilde komen, dit allemaal voor mezelf uitsprak, heel helder
en bij mijn volle bewustzijn, en dat ik niet zomaar wat zat te zweven
met allemaal gevoelens over hem en reacties op die gevoelens zonder
dat die echt tot me doordrongen. Het kwam er dus in feite op neer
dat ik ontwaakte en inzag hoe weinig bewust ik normaal gezien in het
leven stond, en dat ik wist dat ik opnieuw in slaap zou vallen zodra het
kunstmatige effect van de speed was uitgewerkt. Het was dus zeker
niet zomaar een en al gratuit plezier. Maar met Obetrol had ik echt
het gevoel dat ik lééfde, en dat is waarschijnlijk de reden dat ik het zo
fijn vond. Ik had het gevoel dat ik echt van mezélf was. En niet was
gehuurd of zo – ik weet het niet. Maar die analogie klinkt veel te goedkoop, het lijkt wel zo'n tegeltjeswijsheid. Het valt moeilijk uit te leggen, en ik ben er waarschijnlijk langer dan strikt noodzakelijk bij stil
blijven staan. En ik wil hier uiteraard ook geen pro-drugspleidooi houden. Maar het was belangrijk. Tegenwoordig beschouw ik Obetrol en
andere subcategorieën speed eerder als een soort vingerwijzing of een
wegwijzer naar wat er misschien allemaal mogelijk is als ik erin zou
slagen bewuster en met beide benen in het leven van alledag te staan.
In die zin denk ik dat mijn drugsgebruik een waardevolle ervaring is
geweest, omdat ik in die periode zo lamlendig en stuurloos was dat ik
een niet te missen vingerwijzing nodig had om in te zien dat er, wilde
je als een verantwoordelijke en zelfstandige volwassene in het leven
staan, er heel wat meer bij zou komen kijken dan ik me toen kon voorstellen.

Maar aan de andere kant: het spreekt voor zich dat de sleutel hier
gematigdheid is. Je kon niet de hele tijd Obetrol slikken en bewust
doubleren en toch denken dat je je zaken nog op orde zou krijgen. Zo
herinner ik me dat ik *De val* van Camus niet op tijd uit had, en dat ik
me er op mijn tentamen Literatuur en Vervreemding uit moest zien
te lullen – dat ik met andere woorden de boel belazerde, daar kwam
het in feite op neer – en dat me dat voor zover ik me herinner niets
kon schelen, behalve dan dat ik naast weerzin een soort cynische opluchting voelde toen de onderwijsassistent onder mijn ruime voldoende 'Soms verrassende inzichten!' schreef. Gelul als reactie op gelul dus.
Maar het was zonder twijfel een machtig gevoel – dat alles wat van belang was zich voor mijn ogen afspeelde en dat ik als het ware in volle
vaart, ondergedompeld in al dat zinloze gelul, kon ontwaken en me er
dan opeens bewust van werd. Ik krijg het moeilijk uitgelegd. Weet je

wat het is? Ik denk dat ik door te doubleren op Obetrol mijn eerste glimp heb opgevangen van het soort drijfveer waardoor ik uiteindelijk bij de Dienst zou belanden, geloof ik, en met name hier in het Regionale Controlecentrum, met zijn eigen specifieke problemen en prioriteiten. Het had te maken met ergens aandacht aan schenken en kunnen kiezen waar ik aandacht aan schonk, en me bewust te zijn van die keuze, van het feit dat het een keuze is. Ik ben zeker de slimste niet, maar zelfs tijdens die hele meelijwekkende, stuurloze periode wist ik diep vanbinnen wel dat mijn leven en ikzelf meer behelsden dan de ijdelheid en het basale menselijke streven naar genot waar ik toen op dreef. Dat achter al dat oppervlakkige gelul en kinderachtige gedoe een waarachtige kern verscholen lag die minder abstract, die reëler was dan mijn kleren of mijn zelfbeeld, en die bijna sacraal oplichtte – ik meen het; ik probeer het niet dramatischer te laten klinken dan het was – en dat die volstrekt echte, waarachtige kern niets te maken had met bepaalde driften of begeerten, maar wel met aandacht, met tegenwoordigheid van geest, als ik er maar in zou slagen zonder speed wakker te blijven.

Maar dat lukte me dus niet. Zoals ik al zei kon ik me achteraf meestal niet eens herinneren wat er dan wel zo helder en diepzinnig had geleken aan de zaken waar ik me zo scherp bewust van was geweest in die goedkope, groene luie stoel van een vorige bewoner die na zijn vertrek in die kamer was blijven staan, en die ergens in het frame onder de kussens kapot of wat verbogen was en aan één kant een beetje scheef ging hangen als je achteruit wilde leunen, zodat je er altijd extra rechtop in moest zitten, wat een raar gevoel gaf. Zo'n doubleersessie was de dag daarna altijd in mijn hoofd door een soort waas omfloerst, vooral als ik laat wakker werd – wat meestal het geval was, een effect dat alle amfetaminen normaal gezien op je slaapritme hebben – en bijna direct vanuit mijn bed naar de les moest sprinten en niet eens merkte wie of wat ik allemaal voorbijholde. In wezen was ik zo'n type dat altijd als de dood is om ergens te laat te komen, maar dat niettemin altijd overal te laat lijkt te komen. Als ik ergens te laat kwam, was ik de eerste tijd vaak zo gespannen en opgefokt dat ik niet eens kon volgen wat er gebeurde. Die angst om te laat te komen heb ik van mijn vader. En daar komt nog bij dat die verhoogde staat van bewustzijn en mijn aangescherpte vermogen om dingen te benoemen als ik op Obetrol doubleerde soms uit de hand liepen – *'Nu ben ik me ervan bewust dat ik iet-*

wat vreemd rechtop zit, nu ben ik me ervan bewust dat de linkerkant van mijn hals jeukt, nu ben ik me ervan bewust dat ik de afweging maak of ik al dan niet moet krabben, nu ben ik me ervan bewust dat ik aandachtig na- denk over die afweging en over hoe ik de twijfel of ik al dan niet zou krabben beleef en of en hoe die gevoelens en het feit dat ik me ervan bewust ben mijn bewuste gewaarwording van de intensiteit van de jeuk beïnvloeden.' Ik wil maar zeggen dat je, als je tijdens het doubleren eenmaal een bepaald punt voorbij was, niet meer kon kiezen waar je je aandacht op vestigde, omdat je bewustzijn zo ongeveer ontplofte in een spiegelpaleis van be- wust gevoelde gewaarwordingen en gedachten en bewustzijn van je bewustzijn van je bewustzijn daarvan. Wat neerkwam op aandacht zon- der keuze, wat inhield dat je het vermogen verloor om je helemaal op één ding te concentreren, wat een belangrijke reden was Obetrol maar met mate te gebruiken, vooral 's avonds laat – ik moet toegeven dat ik nog weet dat ik een of twee keer zo de weg kwijtraakte in de gangen van dat spiegelpaleis of de opgestapelde lagen van bewustzijn op be- wustzijn dat ik zomaar mijn plas liet lopen op de slaapbank – op Lin- denhurst was dat, waar je met zijn drieën in een studentenflat woonde, met in het midden van die flat een halfgemeubileerde 'ontvangstruim- te', waar die bank stond – wat ook toen al een duidelijk teken was dat ik mijn prioriteiten uit het oog verloren was en er niet in slaagde mijn zaken op orde te krijgen. Om de een of andere reden zie ik soms nog voor me hoe ik mijn vader probeer uit te leggen hoe ik zo volledig ge- focust kon zijn dat ik op die bank in mijn broek plaste, maar de film breekt af op het moment dat zijn mond opengaat om iets te zeggen, en ik weet 99 procent zeker dat dit geen echte herinnering is – want hoe had hij nou weet kunnen hebben van een slaapbank kilometers verderop in mijn studentenflat op de campus?

Even voor alle duidelijkheid: natuurlijk mis ik mijn vader, en wat er met hem gebeurd is vond ik echt verschrikkelijk, en ik word nog steeds verdrietig als ik bedenk dat hij niet meer heeft mogen meemaken dat ik deze loopbaan heb gekozen, en niet weet hoezeer me dat als mens veranderd heeft en hoe goed een paar van mijn PP-47-prestatie-eva- luaties waren, en dat er geen gelegenheid meer is om met hem van ge- dachten te wisselen over kostencalculatie en forensische accountancy vanuit een onnoemelijk volwassener perspectief.

En toch hadden die flarden hoger bewustzijn, of die nu veroorzaakt werden door de drugs of niet – want het is maar de vraag of dat er à la limite toe doet – wellicht een directer effect op mijn leven, mijn koerswijziging en het feit dat ik in 1979 bij de Dienst begon dan mijn vaders ongeval, en misschien nog meer zelfs dan de overweldigende ervaring die ik had tijdens het afsluitende college Voortgezette Fiscaliteit dat ik per ongeluk bijwoonde in de loop van mijn tweede inschrijving aan DePaul, die uiteindelijk wel gefocust en succesvol zou zijn. Als ik me niet vergis, heb ik dat per ongeluk bijgewoonde afsluitende college al eerder genoemd. Ik zal het daarom kort houden. Op DePaul stonden er op de campus in Lincoln Park twee vrij nieuwe gebouwen die heel erg op elkaar leken en in architectonische zin bijna elkaars spiegelbeeld vormden, en die bovendien onderling verbonden waren, zowel op de begane grond als op de tweede verdieping, waar een passerelle was die wel wat leek op de passerelle hier in het RCC Midden-West. De vakgroepen Accountancy en Politicologie bevonden zich in die twee verschillende, maar identieke gebouwen, waar ik even de naam niet meer van weet. Van die gebouwen, bedoel ik. Voor de vakken op dinsdag en donderdag was het de laatste reguliere collegedag van het najaarssemester van '78, en voor Amerikaanse Politieke Filosofie zouden we de stof nog eens doorlopen voor het eindexamen, dat helemaal uit open vragen zou bestaan, en ik weet nog dat ik op weg naar het college bij mezelf probeerde na te gaan van welke onderwerpen ik zeker wilde dat iemand nog eens zou vragen – dat hoefde niet per se ikzelf te zijn – hoe uitvoerig ze op het examen aan bod zouden komen. Behalve Inleiding tot de Accountancy volgde ik dat semester voornamelijk vakken psychologie en politicologie – dat laatste vooral met het oog op de voorwaarden om een major te kunnen opgeven, wat verplicht was als je wilde afstuderen – maar nu ik me er niet meer gewoon op de valreep probeerde uit te lullen om met de hakken over de sloot te slagen, waren die vakken uiteraard veel moeilijker en tijdrovender. Ik herinner me dat Amerikaanse Politieke Filosofie in de DePaul-variant voornamelijk uitging van de *Federalist Papers* van Madison et al., waarover ik op Lindenhurst al college had gehad, maar waar ik me zo goed als niets van herinnerde. Kort gezegd kwam het erop neer dat ik zo druk bezig was na te denken over het afsluitende college en het eindexamen dat ik me zonder dat ik daar erg in had in de ingang vergiste en weliswaar in het juiste lokaal op de tweede verdieping plaatsnam, maar in het verkeerde gebouw. Dat lokaal was zo'n exact spiegelbeeld van het juiste lokaal in het aangrenzende gebouw, meteen aan de andere kant van de passerelle, dat mijn fout me niet onmiddellijk opviel. En in dat lokaal bleek die dag net het afsluitende college Voortgezette Fiscaliteit plaats te vinden, op DePaul een berucht, aartsmoeilijk vak dat bekendstond als het accountancyequivalent van wat voor studenten exacte wetenschappen Organische Chemie was – de laatste horde waar het kaf van het koren werd gescheiden, een vak met behoorlijk pittige toelatingsvoorwaarden dat alleen toegankelijk was voor masterstudenten en ouderejaars met als hoofdvak accountancy, en waarover het verhaal ging dat het gedoceerd werd door een van de laatste jezuïetenprofessoren op DePaul, zo een in het voorgeschreven zwart-witensemble en met absoluut nul gevoel voor humor, die niet de wens koesterde om door studenten aardig gevonden te worden of de behoefte had om 'een band met hen te smeden'. Op DePaul waren de jezuïeten notoir arelaxed. Mijn vader was trouwens katholiek opgevoed, maar had als volwassene weinig tot niets met de kerk te maken. De familie van mijn moeder was oorspronkelijk luthers. Zelf was ik, zoals veel jongeren van mijn generatie, van huis uit eigenlijk niets. Maar die ervaring in dat identieke leslokaal zou dus een van de meest onverwachte en opzienbarende gebeurtenissen in mijn nog jonge leven blijken, een dag die zo'n diepe indruk heeft gemaakt dat ik me zelfs nog herinner welke kleren ik toen aanhad – een rood-bruin gestreepte trui van acryl, een witte schildersbroek en Timberlands in een kleur die mijn kamergenoot – een laatstejaars scheikunde en een echte studiebol, want voor mij geen Steve Edwardsen en ronddraaiende voeten meer – als 'hondenpoepgeel' omschreef, en waarvan de veters los over de grond sleepten, zoals iedereen in mijn omgeving dat jaar zijn Timberlands droeg.

Ik ben er trouwens van overtuigd, zoals waarschijnlijk de meeste mensen, dat je ergens bewust van zijn iets totaal anders is dan ergens over nadenken. Als ik echt over iets belangrijks nadenk, doe ik dat niet door heel bewust heel lang en onafgebroken op een stoel te gaan zitten, waarbij ik dan van tevoren weet waar ik over na ga denken – bijvoorbeeld *'Ik ga nadenken over het leven, over mijn rol daarin en over wat ik echt belangrijk vind, om daarna concrete, doelgerichte plannen te kunnen maken voor mijn latere loopbaan'* – om daar te gaan zitten nadenken tot ik tot een conclusie kom. Zo werkt het niet. Als ik voor mezelf mag spreken: ik denk het beste na in toevallige, bijna dagdroomachtige vlagen of flarden. Als je een boterham smeert, onder de douche, als je op een smeedijzeren stoel in het foodcourt van het winkelcentrum in Lakehurst op iemand zit te wachten, in de metro, kijkend naar het uitzicht dat voorbijschuift met daarvoor je eigen zwakke weerspiegeling in het raam – en opeens merk je dan dat je over zaken zit na te denken die achteraf belangrijk blijken te zijn. Het is bijna het tegenovergestelde van je ergens bewust van zijn, nu ik erover nadenk. Deze vorm van dagdroomachtig denken kennen we denk ik allemaal en is misschien zelfs universeel, al is het niet iets waar je goed met iemand over kunt praten, omdat het bij nader inzien nogal abstract blijkt te zijn en moeilijk uit te leggen valt. Als je daarentegen besluit nu eens even heel diep en geconcentreerd na te denken, en je gaat zitten met de bewuste bedoeling om je te verdiepen in fundamentele levensvragen als *'Ben ik momenteel gelukkig?'* of *'Wat is eigenlijk echt belangrijk voor me, waar geloof ik echt in?'* of – vooral als een bepaalde vaderlijke autoriteit je daarover net de schoen heeft gewrongen – *'Ben ik in wezen iemand die een waardevolle bijdrage levert of iemand die onverschillig, nihilistisch en losgeslagen is?'*, dan worden die vragen niet zozeer beantwoord als wel doodgeknuppeld, omdat je ze te lijf gaat vanuit veel te veel verschillende gezichtspunten met alle daaraan gekoppelde bezwaren en nuances, zodat ze nog abstracter en nog zinlozer gaan lijken dan daarvoor. Daar is, bij mijn weten althans, nog nooit iemand beter van geworden. Voor zover bekend hebben de apostel Paulus noch Maarten Luther, de auteurs van de *Federalist Papers* noch president Reagan hun leven ooit op die manier een andere wending gegeven – dat gebeurde steeds min of meer bij toeval.

Wat mijn vader betreft moet ik toegeven dat ik niet weet hoe hij precies tot de richting is gekomen die hij zijn leven lang heeft gevolgd. Ik weet niet eens of hij daar wel ooit heel bewust of geconcentreerd over heeft nagedacht. Voor hetzelfde geld was hij zo'n type dat, zoals veel van zijn generatiegenoten, gewoon doorgaat op de automatische piloot. Bepaalde zaken moeten nu eenmaal gebeuren, vond hij, die moest je gewoon doen – zoals iedere dag naar je werk gaan bijvoorbeeld. Maar nogmaals, misschien maakt ook dat deel uit van de generatiekloof. Ik denk niet dat mijn vader zijn werk bij de stad ontzettend graag deed, al zou ik aan de andere kant ook niet met zekerheid kunnen zeggen of hij zich ooit heeft verdiept in fundamentele vragen als *'Vind ik mijn werk prettig? Is dit echt wat ik de rest van mijn leven wil doen? Geeft dit evenveel voldoening als het leven waar ik van droomde toen ik als*

jonge kerel in Korea diende en in het kamp op mijn brits Engelse poëzie las?'
Hij moest zijn gezin onderhouden, en dat was zijn werk, dus stond hij
iedere dag op en vertrok, klaar, en de rest is zelfvoldane prietpraat.
Misschien was hij al vroeg tot die slotsom gekomen. Over de richting
die zijn leven had genomen was hij tamelijk onverschillig, maar uiteraard was dat een heel ander soort onverschilligheid dan die van de losgeslagen kan-mij-het-schelen-slomo's van mijn generatie.

Mijn moeder gooide haar leven dan weer wel radicaal over een andere boeg – maar ook van haar weet ik niet of dat echt het resultaat
was van een potje geconcentreerd nadenken. Ik betwijfel het eigenlijk.
Zo werken die dingen gewoon niet. Uiteindelijk maakte mijn moeder
haar keuzes meestal op emotionele gronden. Dat zag je in haar generatie wel vaker. Ik denk dat ze maar al te graag wilde geloven dat haar
feministische bewustwordingsproces met Joyce en die hele affaire tussen haar en Joyce en de scheiding het resultaat waren van lang en diep
nadenken over belangrijke levensvragen, en dus de consequentie van
een nieuwe levensfilosofie die aan haar bewustwording ten grondslag
lag. Maar in feite besliste ze op basis van emoties. In 1971 had ze een
soort zenuwinzinking, al noemde in die tijd niemand dat zo. En wellicht zou ze zelf het woord 'zenuwinzinking' niet in de mond nemen,
maar eerder van een onverwachte, maar heel bewuste wending in haar
leven spreken. En wat is daar eigenlijk ook op tegen? Ik zou willen dat
ik dat destijds had ingezien, want ik heb me toen vanwege die affaire
met Joyce en de scheiding tegenover mijn moeder soms wel treiterig
en neerbuigend opgesteld. Alsof ik onbewust partij koos voor mijn
vader en me geroepen voelde om het soort treiterige, neerbuigende
dingen te zeggen dat hij zich vanwege een teveel aan zelfdiscipline en
fatsoen niet verwaardigde te zeggen. Zelfs erover speculeren is waarschijnlijk al zinloos – of, in mijn vaders woorden: mensen doen wat ze
doen, en het enige wat erop zit is naar godsvrucht en vermogen de
kaarten te spelen die je zijn toebedeeld. Ik heb nooit met zekerheid
geweten of hij haar echt miste, of verdriet had. Als ik nu aan hem denk,
besef ik hoe eenzaam hij was, en hoe zwaar hij het had als gescheiden
man alleen in dat huis in Libertyville. In bepaalde opzichten voelde
hij zich na hun scheiding waarschijnlijk bevrijd, wat natuurlijk ook zijn
positieve kanten had – hij kon gaan en staan waar hij wilde, en als hij
me ergens de schoen over wrong hoefde hij zijn woorden niet meer
te wikken en te wegen of in discussie te treden met iemand die hoe

dan ook mijn kant zou kiezen. Maar in het psychologische spectrum grenst dit soort vrijheid wel akelig dicht aan eenzaamheid. Op deze manier kun je uiteindelijk alleen tegenover vreemden 'vrij' zijn, en in die zin had mijn vader gelijk toen hij zei dat geld en kapitalisme het equivalent zijn van vrijheid, aangezien iets kopen of verkopen je tot niets verplicht, behalve tot wat er in het contract staat – al heb je dan ook nog het sociaal contract, waarmee eenieders verplichting om naar vermogen belasting te betalen om de hoek komt kijken, en ik denk dat mijn vader zou hebben ingestemd met de volgende uitspraak van meneer Glendenning: 'Echte vrijheid is de vrijheid om de wet na te leven.' Dit is waarschijnlijk nauwelijks te volgen zo. Maar goed, dat is allemaal abstract gespeculeer, want met mijn ouders heb ik het nooit met zoveel woorden gehad over wat ze van hun volwassen leven vonden. Het is gewoon geen onderwerp waar ouders in alle openheid met hun kinderen over spreken, tenminste niet in die tijd.

Maar goed, waarschijnlijk is het beter als ik eerst wat achtergrondinformatie geef. De eenvoudigste manier om een belasting te definiëren is te zeggen dat het bedrag van de heffing het product is van het belastingobject en het belastingtarief. Meestal wordt dat aangeduid met de formule $H = O \times T$, wat je kunt herschikken tot $T = H/O$, en zo kun je bepalen of een bepaald tarief progressief, regressief of proportioneel is. Dat zijn fiscale basisprincipes. De meeste IRS-medewerkers zijn daar zo vertrouwd mee dat we er niet eens meer over hoeven na te denken. Maar goed, de variabele waar het hier op aankomt is de verhouding van H tot O. Blijft die constant, zelfs al wordt O, het belastingobject oftewel de heffingsgrondslag, groter of kleiner, dan spreekt men van een proportionele heffing, ook wel bekend als een vlaktaks. Een progressieve heffing krijg je als de verhouding H/O groter of kleiner wordt naarmate O respectievelijk groter of kleiner wordt – dat is kort samengevat hoe de marginale belastingdruk zoals wij die nu kennen functioneert: je betaalt 0 procent over de eerste 2300 dollar die je verdient, 14 procent over de volgende 1100, 16 procent over de volgende 1000 en ga zo maar door, tot 70 procent over alles boven de 108.300 dollar. Dat is allemaal deel van het belastingstelsel dat de Thesaurie momenteel hanteert: naargelang je jaarlijkse inkomen hoger uitvalt, betaal je meer belastingen. In theorie althans, want uiteraard werkt het in de praktijk niet altijd zo, als gevolg van allerlei legale aftrekposten en tegoeden die deel uitmaken van de huidige belastingwetgeving. Maar goed, progressieve heffingsstelsels kun je weergeven met een stijgend staafdiagram waarin elk staafje een bepaalde belastingschijf voorstelt. Soms hoor je ook wel eens spreken van een getrapte in plaats van een progressieve heffing, maar bij de Dienst is dat niet de gangbare term. Een regressieve heffing krijg je als de verhouding H/O groter en O kleiner wordt, wat betekent dat de hoogste tarieven gelden voor de kleinste bedragen, wat op het eerste gezicht niet bijzonder eerlijk lijkt en zelfs in strijd met het sociaal contract. Maar dat betekent niet dat er geen regressieve heffingen bestaan, al gaat het dan meestal om verborgen heffingen – tegenstanders van staatsloterijen en accijnzen op sigaretten stellen bijvoorbeeld dat het in deze gevallen in feite om verkapte regressieve belastingen gaat. De Dienst neemt hieromtrent geen standpunt in. Maar goed, gezien de democratische idealen van ons land is de inkomstenbelasting zo goed als altijd progressief geweest. Maar aan de andere kant bestaan er ook een paar heffingen die normaal gezien proportioneel of vlak zijn, bijvoorbeeld belastingen op onroerende en roerende goederen, invoerrechten, accijnzen, en vooral ook de omzetbelasting.

Zoals veel mensen in deze contreien zich maar al te goed herinneren, begon Illinois in 1977, een jaar met een hoge inflatie en grote begrotingstekorten, en ook het jaar waarin ik een nieuwe start maakte op DePaul, te experimenteren met een progressieve in plaats van een proportionele omzetbelasting. Dat was waarschijnlijk de eerste keer dat ik zag welke enorme gevolgen de implementatie van een nieuw fiscaal beleid voor het leven van mensen kan hebben. Zoals ik al zei is de omzetbelasting oftewel de btw normaal gezien bijna zonder uitzondering proportioneel. Als ik het goed heb werd de omzetbelasting progressief gemaakt vanuit de veronderstelling dat op die manier de staatsinkomsten konden worden verhoogd zonder de armen nog meer ellende te bezorgen of investeerders af te schrikken, en ook vanuit de veronderstelling dat de inflatie beteugeld kon worden via een belasting op consumptie. Het achterliggende idee was dat hoe meer je kocht, hoe meer belasting je zou betalen, waardoor de vraag zou verminderen en de inflatie teruggedrongen werd. De progressieve omzetbelasting kwam uit de koker van een of andere hoge pief bij de Thesaurie, in 1977. Wie dat precies was, en of hij na de chaos die dat voorstel zou aanrichten al dan niet een bruine helm haalde, dat zou ik niet kunnen zeggen, maar zeker is wel dat zowel de thesaurier-generaal als de gouverneur door het fiasco zijn baan kwijtraakte. Maar los van de vraag wiens fout het uiteindelijk was, bleek het een fiscale blunder van formaat, die eigenlijk gemakkelijk vermeden had kunnen worden als er iemand bij de Thesaurie even de moeite had genomen om met de Dienst te overleggen over de raadzaamheid van het plan. Maar dat overleg is er nooit gekomen, ondanks het feit dat in Illinois zowel het Kantoor van de Regiocommissaris voor het Midden-Westen als een Regionaal Controlecentrum gevestigd is. Hoewel de belastingdiensten in elke staat voor de uitvoering van de lokale belastingwetgeving gebruikmaken van de federale belastingaangiften en de centrale dossiers in het IRS-computersysteem, bestaat er bij de belastingdiensten van Illinois traditioneel een zekere autonomie ten opzichte van en tegelijk een fors wantrouwen tegenover federale instellingen als de IRS, wat soms tot communicatiestoringen leidt. Het rampzalige experiment met de omzetbelasting in Illinois in '77 is daar een schoolvoorbeeld van, en geeft binnen de Dienst nog altijd aanleiding tot flink wat werkgerelateerde grappen en anekdotes. Zoals bijna iedereen hier in Filiaal 047 hun had kunnen vertellen luidt een van de basisregels van een efficiënte fiscale handhaving dat de doorsneebelastingbetaler altijd vanuit financieel eigenbelang handelt. Dat is een economische vuistregel. Voor de fiscus betekent dit dat de belastingbetaler altijd alle wettelijke mogelijkheden zal uitputten om zijn belastingen zo laag mogelijk te houden. Dat is alleen maar menselijk. Of de verantwoordelijke ambtenaren in Illinois snapten dat niet, of ze waren ziende blind voor wat dat in de praktijk voor de omzetbelasting zou betekenen. Misschien was het zo'n typisch geval waarin ze bij de Thesaurie de hele zaak dermate ingewikkeld en theoretisch maakten dat ze de essentie uit het oog verloren, namelijk dat bij een progressieve heffing het belastingobject, O, nooit iets mag zijn dat zich gemakkelijk laat uitsplitsen. Laat het zich wel gemakkelijk uitsplitsen, dan zal de doorsnee-bb zijn economische eigenbelang vooropstellen en alle legale middelen aanwenden om de O in twee of meer kleinere O's te verdelen en zo de vigerende progressieve heffing te vermijden. En dat was precies wat er eind 1977 gebeurde. Met als resultaat: chaos op de winkelvloer. In de supermarkt bijvoorbeeld kochten klanten niet langer drie grote tassen vol boodschappen voor een totaalbedrag van $78, waar ze dan respectievelijk 6, 6,8 en 8,5 procent op betaalden, namelijk over de schijven boven de $5,00, $20,00 en $42,01 – ze hadden nu een goede reden om hun boodschappen over verschillende kleinere aankopen van $4,99 of minder uit te spreiden om zo te kunnen profiteren van de veel aantrekkelijkere 3,75 procent btw op aankopen onder de $5,00. Het verschil tussen 8 en 3,75 procent is voor burgers meer dan voldoende stimulans om aan hun economische eigenbelang te denken. In de winkel zag je dus opeens alle klanten voor iets minder dan $5,00 boodschappen doen, waarna ze naar hun auto holden om hun kleine aankoop in de kofferbak te leggen en weer naar binnen renden om opnieuw voor iets minder dan $5,00 boodschappen te doen, waarna ze weer naar hun auto holden, en ga zo maar door. Het duurde niet lang of er stond een rij voor de kassa tot helemaal achter in de supermarkt. In warenhuizen was het al even erg, en ik weet dat de situatie bij benzinestations al helemaal uit de klauwen liep – nog geen halfjaar nadat de OPEC tot grote consternatie van iedereen de oliekraan had dichtgedraaid en er aan de pomp opstootjes waren ontstaan als gevolg van de rantsoenering, gingen er die herfst in Illinois automobilisten op de vuist omdat ze noodgedwongen moesten wachten op de mensen voor hen in de rij die probeerden te tanken voor $4,99, snel naar binnen holden om te betalen en weer naar buiten kwamen om de teller op nul te zetten en voor nog eens $4,99 bij te tanken, en ga zo maar door. Precies het omgekeerde van relaxed dus, en dat is nog zacht uitgedrukt. De administratieve rompslomp die er bij een omzetbelasting met vier verschillende marginale tarieven komt kijken deed de detailhandel bijna de das om. Wie met een elektronisch kasboek of boekhoudsysteem werkte, zag zijn computersystemen crashen onder de nieuwe last. Bij mijn weten werden de hoge administratiekosten waarmee de nieuwe boekhoudkundige rompslomp gepaard ging doorberekend aan de klant, met als gevolg dat de inflatie in Illinois de pan uit rees, wat bij de consumenten nog meer kwaad bloed zette – consumenten die toch al geïrriteerd waren omdat de progressieve omzetbelasting hen in veel gevallen economisch gezien verplichtte herhaaldelijk in de rij te gaan staan voor de kassa. Hier en daar braken er rellen uit, vooral in het zuiden van Illinois, een streek die aan Kentucky grenst en waar toch al niet bepaald veel begrip of sympathie bestaat voor de noodzaak tot belastingheffing bij de overheid. Cultureel gezien zijn het noorden, midden en zuiden van Illinois haast verschillende landen. Maar in feite was de hele staat in rep en roer. Er werden beeltenissen van de thesaurier-generaal verbrand. Banken konden de vraag naar muntgeld en

1-dollarbiljetten nauwelijks volgen. Wat de administratieve kosten betreft werd een eerste dieptepunt bereikt toen ondernemende bedrijven
een gat in de markt zagen en 'Uitsplitsbaar!' als verkoopargument gingen gebruiken. Zo waren er bijvoorbeeld handelaren in tweede-
handsauto's die grif bereid waren je een auto te verkopen in een hele
reeks kleine, afzonderlijke transacties, voor de voorbumper, het bin-
nenscherm van het rechterachterspatbord, de statorwikkelingen van
de alternator, de bougie en ga zo maar door – de aankoop werd gespreid over duizenden verschillende transacties van $4,99. Naar de
letter van de wet was dat uiteraard toegestaan, en al snel volgden handelaren in duurdere spullen dit voorbeeld – maar toen de vastgoed-
makelaars ook begonnen uit te splitsen liep het pas echt in het honderd. Banken, hypotheekverstrekkers, handelaren in grondstoffen en
obligaties en de lokale Belastingdienst van Illinois zagen met lede ogen
aan hoe de progressieve omzetbelasting hun gegevensverwerkingssys-
temen ontwrichtte – de bestaande technologie ging kopje-onder in
een ware vloedgolf van details over uitgesplitste verkooptransacties.
Na amper vier maanden werd de maatregel alweer ingetrokken. Het
parlement van Illinois keerde zelfs uit kerstreces naar Springfield terug
om de maatregel tijdens een extra zitting in te trekken, want die periode was voor de detailhandel ronduit desastreus geweest – in 1977
liepen de kerstinkopen uit op een regelrechte nachtmerrie waar de
mensen hier vandaag in de rij voor de kassa nog altijd hoofdschuddend
over praten, ook al is het inmiddels jaren geleden. Ongeveer zoals
mensen bij ontzettend warm of zwoel weer samen herinneringen ophalen aan die vreselijke zomers van weleer. Springfield is trouwens de
hoofdstad van Illinois, en herbergt tevens een ongelooflijke hoeveelheid aandenkens aan Lincoln.

Maar goed, in die tijd is ook mijn vader onverwachts om het leven
gekomen bij een metro-ongeluk in Chicago, tijdens de bijna onbe-
schrijflijk grote en chaotische kerstdrukte in december 1977, en het
ongeluk gebeurde nota bene toen hij zoals iedereen op een zaterdag
kerstinkopen moest doen, waardoor het allemaal waarschijnlijk nog
iets tragischer werd. Het gebeurde niet op een van de beroemde verhoogde L-trajecten van het CTA-netwerk – mijn vader en ik waren
uitgestapt op station Washington Square, waar we van een forenzen-
trein vanuit Libertyville zouden overstappen op een metro richting
binnenstad. Ik denk dat we op weg waren naar de museumwinkel van

het Art Institute. Dat bewuste weekend was ik thuis bij mijn vader, herinner ik me, in ieder geval ook omdat ik hard moest studeren voor mijn eerste eindexamenronde na mijn nieuwe start op DePaul, waar ik in een studentencomplex midden in de Chicago Loop woonde, midden in het zakendistrict dus. Achteraf gezien ben ik waarschijnlijk ook terug naar Libertyville gegaan om thuis goed door te blokken, zodat mijn vader zou kunnen zien hoe ik me vol overgave aan mijn studie wijdde, en dan nog wel tijdens een weekend, hoewel ik me niet herinner dat ik me op dat moment van die beweegreden bewust was. En overigens, voor iedereen die dat niet weet: het metronet van de Chicago Transit Authority is een mengelmoes van verhoogde lijnen (het zogenaamde L-circuit), de gebruikelijke ondergrondse lijnen en lightrailverbindingen. Zoals we hadden afgesproken ging ik die zaterdag samen met hem de stad in om hem een kerstcadeau te helpen uitzoeken voor mijn moeder en Joyce – wat voor hem, stel ik me voor, elk jaar opnieuw een hele opgave was – en ik denk ook voor zijn zus, die met haar man en kinderen in Fair Oaks, Oklahoma, woont.

Wat er toen gebeurde, op station Washington Square, kwam in wezen neer op het volgende: om over te stappen richting centrum gingen we de betonnen trap van het metrogedeelte af naar de drommen reizigers en de hitte van het perron – zelfs in december wordt het in de metrotunnels van Chicago vaak erg warm, hoewel uiteraard niet zo ondraaglijk warm als in de zomermaanden, zij het dat je die winterse hitte op het perron moet ondergaan in een winterjas en met een sjaal om, en het was ook extreem druk vanwege de feestdagen en de kerstinkopen, en dit jaar kwam daar nog het gejakker en de chaos door de progressieve omzetbelasting bovenop. Maar goed, ik herinner me dat we nog maar net de trap af waren en ons bij de mensenmassa op het perron hadden aangesloten toen de metro binnensuisde – een en al roestvrij staal en beige plastic, met rond de ramen van een paar wagons zowel intacte als half afgescheurde hulstbestickering – en de automatische deuren met dat typische pneumatische gesis opengingen, waarna de metro even halt hield en het ongeduldige en met talloze kleine aankopen beladen winkelpubliek zich in drommen naar buiten en binnen wurmde. Qua zaterdagmiddagwinkeldrukte was het echt spitsuur. Mijn vader had zijn inkopen 's ochtends al willen doen, voordat de mensenmassa in het centrum helemaal niet meer te overzien zou zijn, maar ik had me verslapen en hij had op mij gewacht, al vond hij dat allesbehalve prettig, wat hij ook duidelijk liet blijken. We zouden uiteindelijk pas na het middageten vertrekken – in mijn geval het ontbijt – en zelfs de trein naar de stad had al afgeladen vol gezeten. Nu we aankwamen op een perron dat nog afgeladener vol stond, en wel op een, zoals de meeste metroreizigers zullen bevestigen, onaangenaam en enigszins stresserend moment, namelijk als de metro stilstaat met de deuren open maar je nooit precies weet voor hoe lang nog terwijl je je ondertussen door de massa op het perron dringt om in te stappen voor de deuren weer dichtgaan. Je wilt ook niet gaan rennen of mensen aan de kant duwen, want rationeel gezien weet je natuurlijk wel dat het niet meteen een kwestie van leven of dood is, dat er zo weer een andere metro komt, en dat het ergste wat je kan overkomen is dat je deze op een haar mist: dat de deuren dichtschuiven op het moment dat jij wilt instappen, waardoor je deze metro dus net mist en een paar minuten langer moet staan wachten op dat drukke, broeierige perron. Maar tegelijkertijd raakt een ander deel van jezelf – althans van mij, en achteraf gezien, dat weet ik zeker, ook van mijn vader – in paniek. De gedachte dat de deuren dichtgaan en de metro met de mensenmassa die wel is binnengeraakt wegrijdt precies op het ogenblik dat jij de deuren bereikt, veroorzaakt een vreemd, onwillekeurig gevoel van benauwdheid of stress – er bestaat niet eens een psychologische term voor, denk ik, hoewel het wellicht te maken heeft met het primaire, prehistorische angstgevoel dat je misschien jouw deel van de jachtbuit van je stam zult mislopen, of dat je opeens moet constateren dat je bij valavond alleen bent achtergebleven in het veld tussen het hoge gras – en achteraf vermoed ik, al hebben we daar helemaal nooit met elkaar over gesproken, dat deze diepgewortelde, onwillekeurige drang om een stilstaande metro te willen halen extra belastend was voor mijn vader, die zelf immers een uiterst stipte en gedisciplineerde planner was die altijd en overal precies op tijd kwam, een man op wie het primaire, beklemmende gevoel misschien iets op een haar te zullen missen extra zwaar drukte – hoewel hij aan de andere kant ook veel belang hechtte aan zijn waardigheid en zelfbeheersing en nooit zou toelaten dat men hem iemand brutaal opzij zou zien duwen of hem en plein public over een perron zou zien rennen met opbollende overjas, zijn hand op zijn donkergrijze hoed en zijn sleutels en kleingeld hoorbaar rinkelend in zijn jaszak, tenzij hij een soort zware, irrationele druk voelde om de metro te halen, want vaak zijn het uitgerekend de meest vooruitziende, gedisciplineerde en gedistingeerde mensen die het meest te lijden hebben onder de druk van wat ze vanwege hun superego verdrongen hebben, en zij kunnen daarom soms opeens op allerhande manieren doorslaan en, als de druk groot genoeg wordt, zich gaan gedragen op een wijze die op het eerste gezicht misschien helemaal niet strookt met het beeld dat je van ze had. Zijn ogen kon ik niet zien, net zomin als de uitdrukking op zijn gezicht; op het perron liep ik achter hem, deels omdat hij in het algemeen sneller liep dan ik – toen ik nog klein was, noemde hij dat 'dreutelen' – al had het die dag ook deels te maken met het feit dat hij en ik weer eens in een onnodige psychologische krachtmeting verwikkeld waren omdat ik me had verslapen en hij daardoor, vanuit zijn gezichtspunt, 'te laat' was, waardoor er een zeker ongeduld school in zijn haastige, snelle tred door het CTA-station, waarop ik reageerde door mijn normale gang opzettelijk amper te versnellen en geen moeite te doen om hem bij te houden, waarbij ik precies ver genoeg achter hem bleef lopen om hem te irriteren, maar net niet zo ver dat hij een reden had om zich om te draaien en me daarover de schoen te wringen, en ook door me de hele tijd wat verdwaasd en apathisch op te stellen – inderdaad ongeveer zoals een dreutelend kind, hoewel ik dat toen natuurlijk nooit zou hebben toegegeven. Het kwam er met andere woorden op neer dat hij gepikeerd was en ik liep te mokken, maar dat geen van ons beiden zich daarvan bewust was, en dat we beiden ook blind bleven voor het feit dat zulke kinderachtige krachtmetingen voor ons heel gewoon waren geworden – achteraf gezien heb ik de indruk dat we aan de lopende band dit soort akkefietjes hadden, waarschijnlijk omdat we niet meer beter wisten. Wat natuurlijk een veelvoorkomende dynamiek tussen vaders en zonen is. Misschien was dat onbewust ook wel deels de reden dat ik maar wat aanmodderde en er de kantjes van afliep op al de universiteiten waarvoor hij, wilde hij ze kunnen betalen, elke werkdag op tijd moest opstaan. Maar uiteraard drong dat allemaal helemaal niet tot me door, laat staan dat een van ons twee dat toegaf of er de ander over aansprak. In zekere zin zou je kunnen stellen dat mijn vader stierf voordat een van ons twee zich ervan bewust werd hoeveel we eigenlijk gehecht waren geraakt aan die kinderachtige rituele conflicten, en hoezeer hun huwelijk had geleden onder het feit dat mijn moeder zo vaak de rol van bemiddelaar op zich had moeten nemen – onbewust speelden we allemaal onze rol, als automaten die hun voorgeprogrammeerde bewegingen uitvoerden.

Ik herinner me nog dat ik hem, toen we ons op het perron haastig een weg baanden door de mensenmassa, zijn ene schouder naar voren zag draaien om zich tussen twee brede vrouwen van Zuid-Amerikaanse afkomst te wurmen die allebei zeer langzaam en met een enorme boodschappentas naar de openstaande metrodeuren liepen, en dat hij met zijn been tegen een van die tassen stootte, waardoor die lichtjes aan de gevlochten hengsels heen en weer begon te schommelen. Ik weet niet of die twee vrouwen daadwerkelijk bij elkaar hoorden of alleen door hun omvang en de drukte van de mensenmassa gedwongen werden zo dicht naast elkaar te lopen. Zij behoorden niet tot degenen die na het ongeval ondervraagd werden, wat wil zeggen dat ze waarschijnlijk al in de metro zaten toen het gebeurde. Op dat moment liep ik maar een meter of twee, drie achter hem aan, en ik haastte me nu echt om hem bij te benen, want de metro naar het centrum hield vlak voor ons stil en ik wilde tot elke prijs vermijden dat mijn vader die zou halen terwijl ik te ver achterop zou zijn geraakt en de deuren voor mijn neus zou zien dichtgaan, en dat ik dan de uitdrukking op zijn met hulstbestickering ingelijste gezicht zou moeten trotseren als we elkaar door de glaspartijen in de deuren zouden aankijken terwijl het metrostel met hem vertrok – ik denk dat iedereen zich wel kan voorstellen hoe gepikeerd en verbolgen hij zou zijn, en gesterkt en zelfs triomferend in onze mentale krachtmeting over dat 'te laat zijn' en je moeten haasten, en ik voelde hoe de gedachte dat hij de metro nog net zou halen terwijl ik die op een haar zou missen me steeds meer benauwde, dus daarom deed ik er op dat moment alles aan om de kloof tussen ons te dichten. Tot op de dag van vandaag weet ik niet of mijn vader doorhad dat ik hem op de hielen zat, of dat ik in mijn haast om hem bij te benen zelf zowat mensen aan de kant duwde en stompte, omdat hij, voor zover ik weet, niet over zijn schouder keek en me het ook niet op een andere manier liet merken toen hij op de deuren afstevende. Tijdens de daaropvolgende rechtszaak werd door de gedaagden dan wel hun raadslieden op geen enkel moment betwist dat de CTA-metrostellen normaal gezien niet zouden mogen kunnen vertrekken als niet alle deuren volledig gesloten zijn. En evenmin probeerde iemand mijn versie van het precieze verloop van de feiten aan te vechten, want ik liep toen hoogstens een meter of wat achter hem aan en had dus, zoals iedereen ook ruiterlijk erkende, alles van vreselijk dichtbij zien gebeuren. De twee deurhelften van de metrowagon waren met hun vertrouwde pneumatische gesis dicht beginnen te schuiven net op het ogenblik dat mijn vader de deuren bereikte, maar toen hij één arm tussen de helften stak om te verhinderen dat ze dicht zouden gaan voor hij naar binnen kon glippen, sloten de deuren zich om zijn arm – kennelijk zo stevig dat de rest van mijn vader zich niet meer tussen de resterende opening naar binnen kon wringen of de deuren zodanig open kon wrikken dat hij zijn arm los kon trekken, wat naar later bleek mogelijk veroorzaakt werd door een storing in het mechanisme dat de kracht waarmee de deuren dichtgingen regelde – en ondertussen was het metrostel al vertrokken, ook al zo'n onbegrijpelijk defect – normaal gezien zorgen speciale zekeringsautomaten tussen de sensoren van de deur en het bedieningspaneel van de bestuurder ervoor dat de metro onmiddellijk vaart mindert als er in een van de wagons een deur geopend is (het moge duidelijk zijn dat we tijdens de rechtszaak naar aanleiding van het ongeluk allemaal heel wat bijleerden over het ontwerp en de veiligheidsvoorschriften van de CTA-metrostellen) – en mijn vader had geen andere keuze dan met de metro mee te draven, steeds sneller en sneller, en de hoed op zijn hoofd los te laten om met zijn vrije vuist tegen de deuren te bonzen terwijl twee, mogelijk zelfs drie mannen in de wagon de kleine opening al trekkend en sjorrend groter probeerden te maken opdat mijn vader toch minstens zijn arm zou kunnen bevrijden. Mijn vaders hoed, die hij met zorg behandelde en op een speciale hoedenstandaard bewaarde, vloog van zijn hoofd en verdween in de opeengeperste mensenmassa, waarin een zichtbaar breder wordende opening of scheur ontstond – vanaf de plek waar ik me bevond zag ik het gebeuren, in de mensenmassa verderop op het perron, terwijl ik zelf aan de rand van het perron stond, omgeven door die massa, steeds verder verwijderd van de steeds breder gapende opening of kloof die mijn vader in de mensenmassa sloeg omdat hij gedwongen was steeds sneller met het optrekkende metrostel mee te rennen, terwijl de mensen achteruitweken of -sprongen om niet op het spoor te belanden. Omdat veel van die mensen ook beladen waren met een heleboel kleine pakjes en afzonderlijk gekochte tassen, vlogen er ook heel wat van die tassen door de lucht, waar ze rondwiekten en op allerlei manieren hun inhoud kwijtraakten boven de steeds bredere kloof in de massa winkelgangers, die zich massaal van hun aankopen ontdeden om mijn vader te ontwijken, zodat de kloof voor een deel de illusie leek te bieden dat het op de een of andere manier cadeaus regende of spoot. Overigens bleek het achterhalen van de oorzaak van het incident om de wettelijke aansprakelijkheid te bepalen onvoorstelbaar ingewikkeld. Uit de productspecificaties van de pneumatische deursystemen werd niet afdoende duidelijk hoe het kon dat de deuren met zo veel kracht waren dichtgegaan dat een gezonde volwassen man zijn arm niet kon bevrijden, wat inhield dat de claim van de fabrikant, die stelde dat mijn vader in gebreke was gebleven omdat hij – misschien vanwege de paniek of een letsel aan zijn arm – geen maatregelen had getroffen om zijn arm los te trekken, zoals redelijkerwijs verwacht had mogen worden, maar moeilijk te weerleggen viel. De mannelijke metropassagiers die op het oog met vereende krachten geprobeerd hadden de deuren van binnenuit open te wrikken, waren daarna samen met de vertrekkende metro verdwenen en zouden nooit opgespoord worden, wat deels te wijten was aan het feit dat de onderzoeksteams van de politie en de vervoersmaatschappij daar later niet bepaald veel werk van maakten, mogelijk omdat al gauw duidelijk was, zelfs daar ter plekke al, dat het ongeval een burgerlijke en geen strafrechtelijke aangelegenheid was. Mijn moeders eerste advocaat liet weliswaar annonces in de *Tribune* en de *Sun-Times* plaatsen waarin deze twee of drie passagiers werden opgeroepen zich te melden om te getuigen in de rechtszaak, maar met het oog op de kosten en de praktische haalbaarheid, zo werd ons gezegd, vielen die annonces behoorlijk klein uit en werden ze ergens in de sectie Zoekertjes achter in de krant geplaatst, en dat gedurende een, zoals mijn moeder achteraf zou stellen, onredelijk kort tijdsbestek, tijdens een slappe periode waarin sowieso al flink wat inwoners van Chicago en omgeving op vakantie waren vertrokken – zodat dit uiteindelijk een extra complicerende factor werd toen dat aanslepende rechtsgeding zijn tweede fase inging.

Op station Washington Square werd de officiële 'plaats van het ongeval' – bij een overlijden wettelijk omschreven als '[de] locatie waar de dood intreedt of de tot de dood leidende verwondingen worden opgelopen' – vastgesteld op 59 meter afstand van het metroperron, in de tunnel richting het zuiden, op een plek waar het CTA-metrostel, zo wees het onderzoek uit, tussen de 82 en 87 kilometer per uur reed toen mijn vaders bovenlichaam de ijzeren sporten raakte van een ladder bevestigd aan de westmuur van de tunnel – die ladder was daar geplaatst om CTA-onderhoudspersoneel toegang te verschaffen tot een kast met multibuscircuits in het tunnelplafond – en het trauma, de verwarring, de shock, het lawaai, het geschreeuw, de regen van kleine, afzonderlijke aankopen en de onoverzichtelijke leegloop van het perron terwijl mijn vader steeds krachtiger en sneller huishield in de opeengeperste menigte kerstshoppers zorgden ervoor dat zelfs het handjevol mensen dat nog aanwezig was – de meesten van hen gewond, of naar eigen zeggen gewond – voor de politie niet langer in aanmerking kwam als 'betrouwbare' getuigen. Kennelijk komt shock vaak voor bij getuigen van een gruwelijke dood. Amper een uur na het ongeval was het enige wat omstanders zich blijkbaar konden herinneren het geschreeuw, kwijtgeraakte kerstinkopen, bezorgdheid om hun eigen veiligheid en levendige, maar onsamenhangende details over de aanblik die mijn vader bood, zijn bewegingen, de rimpelingen in zijn overjas en sjaal als gevolg van de toestromende lucht, en de verwondingen die hij naar verluidt achtereenvolgens opliep naarmate hij steeds sneller naar het einde van het perron werd gesleept en volledig of gedeeltelijk in botsing kwam met een afvalbak van draadgaas, een stuk of wat pakjes en zwevende winkeltassen, de stalen klinknagels van een pilaar, en het stalen of aluminium bagagekarretje van een al wat oudere forens – een karretje dat door de impact op de een of andere manier dwars door de tunnel vloog en op de lijn naar het noorden stuitte en op het derde spoor vonken sloeg, wat de stormloop en de chaos op het perron er alleen maar erger op maakte. Ik herinner me dat een jongeman van Zuid-Amerikaanse of Puerto Ricaanse afkomst die naar het leek een soort strak zwart haarnetje droeg ondervraagd werd met de rechterschoen van mijn vader in zijn hand, een Florsheim-instapper met kwastjes, waarvan het gedeelte bij de tenen en het tussenleer zo afgesleten was door het perronbeton dat de voorkant van de zool was losgeraakt en naar beneden hing, en dat die man niet meer kon zeggen hoe die schoen in zijn hand was beland. Naar later bleek verkeerde ook hij in shock, en het staat me nog duidelijk bij hoe diezelfde jongeman achteraf tijdens de triage op de afdeling spoedeisende hulp – in het Loyola Marymount, op amper een paar straten afstand van het metrostation – op een plastic stoel formulieren probeerde in te vullen op een klembord met een balpen die met een wit koordje aan het klembord bevestigd was, met die schoen nog steeds in zijn hand.

En de rechtszaak aangaande dood door schuld was, zoals ik al zei,

onvoorstelbaar gecompliceerd, hoewel de zaak strikt genomen al vast-
liep in de verkennende juridische fase waarin uitgemaakt moest worden of de stad Chicago, de CTA, de Dienst Onderhoud van de CTA
(het onderzoek wees uit dat de noodremlus van de metrowagon waar
mijn vader tegen zijn wil aan vast hing door vandalen was doorgesneden, al bereikten de deskundigen geen overeenstemming over de vraag
of de forensische bewijslast op een zeer recente dan wel meerdere weken oude daad van vandalisme wees. Kennelijk kun je met microscopisch onderzoek van doorgesneden plastic vezels zowat alles aantonen), de officiële fabrikant van het metrostel, de machinist, zijn directe
baas, hun vakbond (AFSCME) en de meer dan twintig afzonderlijke
onderaannemers en verkopers van de afzonderlijke onderdelen van de
afzonderlijke systemen waarvan de door ons juridische team aangestelde forensische ingenieurs het mogelijk achtten dat ze een rol hadden gespeeld bij het ongeval, als gedaagden in de zaak volledig aansprakelijk, gedeeltelijk aansprakelijk, nalatig of schuldig aan NBVZ
(wat staat voor 'niet-betrachting van de vereiste zorgvuldigheid') waren. Volgens mijn moeder had de contactpersoon van ons juridische
team haar toevertrouwd dat zo'n rist dagvaardingen louter een strategische openingszet was, en dat we uiteindelijk in de eerste plaats tegen
de stad Chicago zouden procederen (de vroegere werkgever van mijn
vader dus, een ironische speling van het lot), met een beroep op de
wetgeving inzake 'onrechtmatige daden van een openbaar vervoerder'
en het precedent in de zaak *Ybarra vs. Coca-Cola*, waarmee de aansprakelijkheid volledig werd afgewenteld op de gedaagde van wie kon worden aangetoond het goedkoopst en efficiëntst in staat te zijn geweest
redelijke stappen te ondernemen ter voorkoming van het ongeval –
wellicht door in het contract tussen de CTA en de officiële metrofa-
brikant striktere kwaliteitsgaranties te eisen voor de deursensoren en
de pneumatische systemen, iets waarvoor, ironisch genoeg alweer, de
verantwoordelijkheid minstens voor een deel lag bij de afdeling Kostencalculatie op het administratief centrum van de stad Chicago, waar
het een van mijn vaders eigen taken was geweest voor bepaalde con-
tractcategorieën van stedelijke diensten de directe kosten af te wegen
tegen de eventuele aansprakelijkheidsverplichtingen – al bleek gelukkig dat de CTA-aankopen van rollend materieel bij Kostencalculatie
getoetst werden door een ander team of detachement. Maar goed, tot
ontzetting van mijn moeder, Joyce en mijzelf werd het al gauw duide-

lijk dat ons juridische team bij het bepalen van de afzonderlijke aan-
sprakelijkheden van de afzonderlijke bedrijven, diensten en stedelijke
entiteiten als voornaamste criterium de financiële draagkracht van die
afzonderlijke gedaagden hanteerde, alsook de door hun respectieve
verzekeraars in soortgelijke zaken getroffen minnelijke schikkingen –
met als gevolg dat het hele proces zich toespitste op cijfers en geld en
het helemaal niet meer ging om gerechtigheid, verantwoording afleg-
gen en voorkomen dat er nog meer mensen een verwijtbare, onwaar-
dige en zinloze dood zouden moeten sterven, en dat in het openbaar.
Eerlijk gezegd weet ik niet zeker of ik het zo wel goed uitleg. Zoals ik
al zei tartte de complexiteit van de rechtsgang iedere beschrijving, en
de jonge medewerker die het juridische team de eerste zestien maanden had aangesteld om ons van de ontwikkelingen en strategiewijzi-
gingen op de hoogte te houden was niet bepaald de helderste of meest
meevoelende raadsman die we ons hadden kunnen wensen. En dat natuurlijk nog los van het feit dat we logischerwijs allemaal erg aangeslagen waren: mijn moeder – wier emotionele gezondheid sinds haar
inzinking dan wel abrupte omslag rond 1971/72, met inbegrip van de
daaropvolgende scheiding, altijd al bijzonder fragiel was geweest –
kreeg van de weeromstuit een reeks disassociatieve shocks of conver-
siestoornissen te verwerken, en daarbij kwam nog dat ze terugkeerde
naar het huis in Libertyville waar ze voor hun scheiding samen met
mijn vader had gewoond, zogezegd 'alleen maar tijdelijk', en als Joyce
of ik haar weer eens vroeg of daar opnieuw intrekken wel zo'n goed
idee was in haar toestand, die psychologisch gesproken in het algemeen niet bepaald florissant was, verzon ze altijd weer een andere reden. Het was zelfs zo dat, al na de eerste reeks deposities in een nevenzaak tussen een van de gedaagden en zijn verzekeraar over de vraag
welk percentage van de kosten voor de verdediging van de gedaagde
in onze hangende zaak krachtens de aansprakelijkheidsclausules gedekt was in het contract tussen die gedaagde en zijn verzekeraar – en
alsof dat alles nog niet ingewikkeld genoeg was, kwam daar nog bij dat
een voormalig vennoot van het advocatenkantoor dat de verdediging
van mijn moeder en Joyce op zich had genomen nu die verzekeraar
vertegenwoordigde, waarvan het nationale hoofdkwartier in Glenview
bleek te liggen, en in die zaak volgde er een suppletoire reeks bewijs-
stukken en conclusies van eis die werden ingediend rond de vraag of
dit feit al dan niet mogelijk een belangenconflict inhield – en juridisch

gezien diende er eerst een uitspraak of een schikking te zijn in deze nevenzaak voordat de voorbereidende deposities in onze eigen zaak van start konden gaan – die inmiddels geëvolueerd was naar de dubbele tenlastelegging burgerlijke aansprakelijkheid en dood door schuld, en die dermate ingewikkeld was dat het alleen al bijna een jaar duurde voordat de pleiters van het team een overeenstemming bereikten over de te voeren procedure – zodat mijn moeders emotionele toestand tegen die tijd van dien aard was dat ze ervoor koos van verdere stappen af te zien, een beslissing waar Joyce het persoonlijk erg moeilijk mee had, maar die zij, Joyce bedoel ik, juridisch gezien niet kon aanvechten of beïnvloeden, waarna er een zeer ingewikkelde huiselijke strijd losbarstte waarin Joyce mij zonder medeweten van mijn moeder probeerde te overreden om de zaak te heropenen met mezelf, als zoon van de overledene, als enige eiser, wat kon omdat ik inmiddels ouder was dan eenentwintig. Maar wegens een complex geheel van redenen – de belangrijkste daarvan zijnde dat mijn ouders me op hun federale belastingaangifte van 1977 allebei als 'persoon ten laste' hadden opgegeven, wat in mijn moeders geval vandaag de dag zelfs bij een routinecontrole onmiddellijk aan het licht zou komen, maar vanwege de primitieve werkomstandigheden bij de toenmalige Dienst aan de aandacht van Controle was ontsnapt – bleek dat ik mijn moeder eerst juridisch *non compos mentis* moest laten verklaren, waartoe een verplichte, twee weken durende psychiatrische opname ter observatie vereist was voordat we daarvan uit handen van een door de rechtbank gemachtigde psychiater een wettelijke verklaring hadden kunnen verkrijgen, iets waar niemand in de familie het hart voor had. Dus werd de hele procesgang na zestien maanden stopgezet, met uitzondering van de rechtszaak die ons voormalige juridische team vervolgens tegen mijn moeder aanspande om de vergoedingen en onkosten terug te vorderen, niettegenstaande de verbintenis die Joyce en mijn moeder hadden ondertekend toch schijnbaar expliciet stipuleerde dat deze kwamen te vervallen, ten faveure van een resultaatafhankelijk honorarium van 40 procent. De ondoorgrondelijke argumenten waarmee ons voormalige team dit contract nietig probeerde te laten verklaren op grond van een of andere dubbelzinnigheid in de juridisch formulering van een subclausule in een document dat ze nota bene zelf hadden opgesteld werden me nooit heel duidelijk uitgelegd, zodat ik niet kon inschatten of het om meer dan louter onbenulligheden ging of niet, omdat ik op dat cruciale

moment in mijn laatste semester op DePaul zat en de sollicitatiepro-
cedure bij de Dienst al liep, en mijn moeder en Joyce zagen zich genoodzaakt opnieuw een advocaat in te schakelen om de verdediging
van mijn moeder op zich te nemen in de zaak die onze voormalige ad-
vocaten aanspanden, een zaak die, geloof het of niet, nog steeds aan-
sleept en door mijn moeder wordt aangevoerd als een van de belangrijkste oorzaken voor haar verhuizing naar Libertyville, waar ze zich
tot op de dag van vandaag min of meer verschanst, alsook voor haar
afgesloten telefoonaansluiting, hoewel er al veel eerder tekenen van
ernstige psychische aftakeling waren, waarschijnlijk zelfs al in de periode waarin de eerste rechtszaak nog volop aan de gang was en ze na
het ongeluk weer in mijn vaders huis trok, want voor zover ik me kan
herinneren had het eerste psychische symptoom betrekking op haar
steeds grotere bekommernis om het welzijn van de vinken of spreeuwen die al jaren hun nest hadden boven een van de binten van de grote,
open houten veranda, een van de voornaamste troeven van het huis
toen mijn ouders lang geleden de beslissing namen om in Libertyville
te gaan wonen, waarna haar obsessie met dat ene nest zich uitbreidde
naar alle vogels uit de buurt, en ze op de veranda en in de voortuin
steeds meer voederplankjes en -buisjes liet plaatsen en steeds grotere
hoeveelheden vogelzaad kocht, en gaandeweg ook allerhande etens-
waar bedoeld voor menselijke consumptie en diverse 'vogelvoorzie-
ningen' die ze ze buiten op de verandatrappen aanbood, met als dieptepunt de meubeltjes van een poppenhuis uit haar kinderjaren in
Beloit, een dierbaar aandenken, wist ik, omdat ik haar er Joyce allerlei
anekdotes over had horen vertellen, dat het haar grootste schat was en
dat ze er als jong meisje miniatuurmeubilair voor had verzameld, een
poppenhuis dat ze jarenlang in de berging van het huis in Libertyville
had bewaard samen met stapels spullen uit mijn vroegste kindertijd in
Rockford, en Joyce, die zich tot op de dag van vandaag een trouwe
vriendin en soms zowat een verpleegster van mijn moeder heeft be-
toond – zelfs toen ze in 1979 tot over haar oren verliefd werd op de
advocaat die hen bijstond in het faillissement van Boekerij Speculum
op grond van de hfst. 13-bepalingen, met wie ze later trouwde en met
wie ze nu, samen met zijn twee kinderen, in Wilmette woont – Joyce
is net als ik van mening dat het in de eerste plaats door al die vervelende, ingewikkelde, cynische en eindeloze juridische complicaties van
na het ongeluk komt dat mijn moeder het trauma van mijn vaders over-

lijden niet heeft kunnen verwerken en niet in het reine is kunnen komen met een heleboel onverwerkte emoties en conflicten uit de periode rond 1971 die door het ongeluk weer aan de oppervlakte kwamen.
Al moet je op een gegeven moment gewoon stoppen met zeuren en
de kaarten spelen die je zijn toebedeeld en verder gaan met je leven,
denk ik dan.

Ik herinner me dat ik mijn vader op een keer toen ik hem tegen betaling hielp met wat karweitjes in de tuin vroeg waarom hij me nooit
eens gewoon wat wijze raad gaf, zoals de vaders van mijn vrienden dat
deden. Destijds beschouwde ik zijn onvermogen om mij wijze raad te
geven als het bewijs dat hij buitengewoon gesloten en geremd was, of
dat het hem gewoon niet echt kon schelen. Achteraf gezien besef ik
wel dat het niet aan het eerste lag, en zeker niet aan het tweede, maar
dat mijn vader, op zijn eigen en eigengereide manier, op sommige ter-
reinen beslist een zekere wijsheid bezat. In dit geval was hij wijs genoeg
om zijn eigen verlangen om wijs over te komen te wantrouwen en er
juist niet aan toe te geven – misschien kwam hij daardoor wat gereserveerd en ongeïnteresseerd over, terwijl het in feite gewoon van veel
zelfdiscipline getuigde. Hij was volwassen; hij had zichzelf stevig in de
hand. Het blijft natuurlijk grotendeels speculatie, maar het beste antwoord dat ik kan bedenken op de vraag waarom hij nooit zoals andere
vaders met wijze raad in het rond strooide, is dat mijn vader begreep
dat raad geven – zelfs wijze raad – voor degene die raad krijgt domweg
niet werkt, dat er vanbinnen niets door verandert en dat er zelfs twijfel
door kan ontstaan wanneer degene die raad krijgt de diepe kloof ge-
waarwordt tussen de betrekkelijke eenvoud van de gegeven goede raad
en de volstrekte ondoorgrondelijkheid van zijn eigen levenspad en situatie. Hoe moet ik dit onder woorden brengen? Als je ervan overtuigd
raakt dat anderen hun leven wél kunnen inrichten op grond van goede
raad en de simpele, glasheldere richtlijnen die daarin zijn vastgelegd,
kan het zijn dat je je vanwege je eigen onvermogen nog slechter gaat
voelen. Het kan aanleiding geven tot zelfmedelijden, dat door mijn
vader denk ik als de grootste vijand van het leven werd beschouwd,
omdat het tot nihilisme kan leiden. Hoewel we het er nooit met zoveel
woorden over hebben gehad – dat had te veel op goede raad geleken.
Ik weet niet meer wat zijn antwoord was die dag. Ik herinner me nog
wel dat ik de vraag stelde, en zelfs waar we stonden en hoe de hark in
mijn handen lag toen ik het vroeg, maar daarna is er een gat. Ik gok

erop, rekening houdend met de dynamiek die er bij mijn weten tussen ons bestond, dat hij met zoveel woorden gezegd zal hebben dat goede raad geven over wat ik al dan niet moest doen vergelijkbaar was met die kinderfabel over dat konijn dat 'smeekt' niet in de doornstruik gegooid te worden. Waar de naam me helaas van ontsnapt. Daarmee bedoelde hij uiteraard dat het naar zijn mening een averechts effect op mij zou hebben. Het zou kunnen dat hij daarbij droogjes lachte, alsof de vraag grappig was omdat ze geen rekening hield met de dynamiek die er tussen ons bestond, en al evenmin met het voor de hand liggende antwoord. Het was waarschijnlijk niet anders gelopen als ik hem gevraagd had of hij dacht dat ik hem of zijn raad niet waardeerde. Misschien deed hij alsof hij het grappig vond dat ik zo weinig zelfkennis had, dat ik niet eens wist dat ik niet tot waardering en respect in staat was. Zoals ik al zei is het best mogelijk dat hij me gewoon niet bijster graag mocht, en dat hij een laconieke, subtiele opmerking maakte om dat feit min of meer voor zichzelf een plaats te geven. Ik kan me voorstellen dat het je zwaar valt als je geen liefde kunt opbrengen voor je eigen kroost. Uiteraard spelen er dan schuldgevoelens mee. Ik weet dat het hem zelfs pikeerde dat ik als een zak hooi tv keek of naar muziek luisterde – niet uit de eerste hand weliswaar, het was een van de dingen waar ik hem met mijn moeder over had horen ruziën. In het algemeen geloof ik best dat ouders instinctief van hun kinderen 'houden', wat er ook gebeurt – de ijzersterke evolutionaire argumentatie die die hypothese ondersteunt valt moeilijk te negeren. Maar hen 'mogen', of hen waarderen als mens, dat lijkt toch nog van een andere orde te zijn. Mogelijk hebben psychologen het bij het verkeerde eind door steeds maar weer te wijzen op de behoefte van het kind aan een liefhebbende vader of ouder. Het lijkt redelijk om ook uit te gaan van de behoefte die het kind heeft om te voelen dat een ouder hem of haar 'mag', want liefde van je ouders op zich is zo automatisch en voorgeprogrammeerd dat het geen goede toets is voor datgene waar een doorsneekind zo angstvallig voor wil slagen. Het verschilt niet zoveel van het religieuze vertrouwen in Gods 'onvoorwaardelijke liefde' voor de mens – omdat de God in kwestie op die manier gedefinieerd wordt als iets wat automatisch en universeel liefheeft, lijkt het niet echt iets met jezelf te maken te hebben, de reden ook dat het zo moeilijk te begrijpen valt waarom gelovigen beweren dat ze steun ervaren omdat ze zich op deze wijze door God geliefd weten. Het punt is niet dat je elk gevoel en iedere emotie persoonlijk moet nemen, maar alleen dat het vanuit simpele psychologische overwegingen moeilijk is dat niet te doen als het om je eigen vader gaat – dat is niet meer dan menselijk.

Maar goed, dat maakt dus allemaal deel uit van hoe ik hier bij Controle ben terechtgekomen – al die onverwachte toevalligheden, bijgestelde doelen en prioriteiten. Uiteraard kunnen dat soort onverwachte dingen op duizend-en-een manieren gebeuren en is het gevaarlijk om er al te veel belang aan te hechten. Ik herinner me een flatgenoot – op Lindenhurst College was dat – die een zelfverklaard christen was. Eigenlijk had ik in die studentenflat op Lindenhurst twee huisgenoten, waarvan de drie kleine eenpersoonsslaapkamers uitkwamen op een centrale gemeenschappelijke 'ontvangstruimte', en een van die twee kamergenoten was dus een christen, net als zijn vriendin. Lindenhurst, de eerste universiteit waar ik studeerde, was wat dat betreft een beetje een eigenaardige plek, want hoewel de studentenpopulatie er vooral uit hippies en slomo's uit Chicago en omstreken bestond, was er ook een overtuigde christelijke minderheid die zich helemaal afzijdig hield van het leven op de campus. 'Christen' stond in dit geval voor 'evangelisch christen', zoals die zus van Jimmy Carter van wie, als mijn geheugen me niet in de steek laat, werd beweerd dat ze op freelancebasis aan duivelsuitdrijvingen deed. Dat de leden van deze evangelische afsplitsing van het protestantisme zichzelf zonder meer 'christenen' noemen, alsof er geen andere christenen zouden bestaan, dat zegt in mijn ogen al genoeg. Die christen was bij ons terechtgekomen via mijn andere flatgenoot, een goede bekende van me, die deze ménage à trois helaas geregeld had zonder dat wij twee elkaar ooit hadden ontmoet. Zelf had ik zeer zeker nooit iemand als die christen als huisgenoot gevraagd, al gebiedt de eerlijkheid te zeggen dat hij zich weinig aantrok van het leven dat ik leidde en de invloed die dat op het samenwonen had. Al zou dat samenwonen sowieso maar van zeer korte duur blijken. Ik herinner me dat hij ergens uit het noorden van Indiana kwam, dat hij zeer actief was in een christelijke organisatie genaamd CCC, de *Campus Crusade for Christ*, en dat hij een uitgebreide collectie chinobroeken, blauwe blazers en bootschoenen bezat – en een glimlach alsof iemand hem in het stopcontact had gestoken. Verder had hij een minstens zo evangelisch-christelijke vriendin, al dan niet platonisch, die erg vaak over de vloer kwam – voor zover ik kon inschatten woonde ze praktisch bij hem in – en ik kan me nog heel gedetailleerd en levendig herinneren dat wij eens gedrieën in de gemeenschappelijke ruimte zaten, die in de nomenclatuur op Lindenhurst de 'ontvangstruimte' heette, maar waar ik vaak, in plaats van me terug te trekken in mijn krappe slaapkamer, op de oude zachte skai bank van flatgenoot nummer drie zat te lezen, te doubleren op Obetrol, of soms wat voor de tv blowde met mijn kleine koperen pijpje, wat tot allerlei voorspelbare woordenwisselingen met die christen leidde, die de ontvangstruimte vaak als een christelijk clubhuis gebruikte en zijn vriendin en al zijn andere kilowattvretende christenvriendjes uitnodigde om onder het genot van een glas Fresca te congregeren over CCC-aangelegenheden of de nakende Apocalyps en ga zo maar door, en die me graag de schoen wrong door erop te wijzen dat de kamer niet voor niets de 'ontvangstruimte' heette als ik vroeg of het niet langzamerhand tijd werd om ergens vreeswekkende foldertjes te gaan uitdelen. Achteraf gezien is het wel duidelijk dat ik diep in mijn hart graag op die christen neerkeek omdat ik zo kon geloven dat de bekrompen zelfingenomenheid van die evangelische types de enige echte antithese of het enige echte alternatief was voor het cynische, nihilistische slomogedrag dat ik destijds begon te cultiveren. Alsof er tussen deze twee extremen niets anders lag – wat ironisch genoeg ook precies was wat die evangelische christenen geloofden. Wat wil zeggen dat ik met die christen veel meer gemeen had dan we ooit zouden hebben willen toegeven. Maar ik was amper negentien en me daar in het geheel niet van bewust. Het enige wat ik toen wist was dat ik die christen achterlijk vond en ervan genoot hem aan te spreken als 'Tandpastaman' en mijn beklag over hem te doen bij mijn andere flatgenoot, die naast zijn studie in een rockgroep zat en normaal gezien niet vaak in de flat te vinden was, en het aan ons overliet om elkaar uit te lachen, te pesten, te veroordelen en te gebruiken om onze eigen wederzijdse zelfingenomen vooroordelen bevestigd te zien.

Maar goed, op een gegeven moment zaten ik, die christelijke flatgenoot en zijn vriendin – strikt genomen misschien zelfs zijn verloofde – met ons drieën in de ontvangstruimte, en om wat voor reden ook – waarschijnlijk zonder enige aanleiding – voelde die vriendin zich ineens geroepen te getuigen van haar 'redding', hoe ze 'herboren' en tot Jezus gekomen was. Ik herinner me bijna niets van haar, behalve dat ze puntige leren cowboylaarzen met een bloemenprint droeg – geen getekende bloemen of hier en daar een gestileerd floramotiefje,

maar een kleurrijk, gedetailleerd, fotorealistisch tafereel van een weiland of een tuin in volle bloei, waardoor haar laarzen veel weg hadden
van een kalender of een ansichtkaart. Voor zover ik me nog herinner
ging haar getuigenis over een dag in een niet nader genoemd verleden,
een dag waarop ze zich naar eigen zeggen zeer terneergeslagen, verloren en ten einde raad voelde en zo'n beetje doelloos rondtrok door
de psychologische woestijn van de decadentie en het materialisme van
onze generatie en ga zo maar door. Geloofsijveraars hebben altijd de
neiging om zich de persoon die ze voor hun 'redding' waren te herinneren – en bij uitbreiding dus ook iedereen buiten hun sekte te beschouwen – als hopeloze, verloren wezens met nauwelijks genoeg eigenwaarde of zelfbesef in hun leven om ermee door te gaan. Het was
een dag waarop ze zomaar wat aan het rondrijden was op een secun-
daire weg in de buurt van haar geboortedorp, in de AMC Pacer van
een van haar ouders, toen ze zonder aanwijsbare oorzaak in contact
kwam met haar diepste zelf en in een impuls de parkeerplaats opreed
van wat een evangelische kerk bleek te zijn, waar toevallig juist een
evangelische dienst aan de gang was, waarna ze – naar eigen zeggen
opnieuw zonder duidelijke oorzaak of reden – gedachteloos naar binnen ging en achter in de kerk plaatsnam op een van de comfortabele
pluchen theaterstoelen die ze in dat soort kerken meestal gebruiken
in plaats van houten banken, en precies op het moment dat ze ging
zitten zei de dominee of de voorganger of hoe ze daar zo iemand ook
noemen heel duidelijk: 'In onze gemeente is er vandaag een ziel die
zich hopeloos verloren en ten einde raad voelt en die moet weten dat
Jezus heel, heel veel van haar houdt', en toen – zo getuigde die vriendin
tegenover ons, in de ontvangstruimte – was ze ontzettend overweldigd
en ontroerd geweest, en had ze diep vanbinnen onmiddellijk een immense, spectaculaire spirituele omwenteling gevoeld, waarbij ze zich,
zei ze, helemaal gerustgesteld, gekend en onvoorwaardelijk geliefd had
geweten, alsof haar leven ineens toch betekenis en richting had gekregen en ga zo maar door, en dat ze bovendien sindsdien niet het minste
gevoel van depressiviteit of leegte had gekend, niet sinds die predikant
of dominee of Joost mag weten hoe ze die voorganger noemen dat ene
moment had uitgekozen om haar de hand te reiken, los van alle daar
gezeten evangelische christenen, die zich koelte toewapperden met
een gesponsorde gratis waaier vol gelikte fullcolouradvertenties voor
de kerk, waarbij hij ze als het ware verbaal aan de kant duwde om die

vriendin in dat ogenblik van diepe spirituele nood rechtstreeks aan te spreken over haar situatie. Ze praatte over zichzelf alsof ze een auto was met nieuwe zuigers en geslepen kleppen. Achteraf gezien bleken er natuurlijk heel wat parallellen met mijn eigen situatie te bestaan, maar op dat moment reageerde ik alleen maar geïrriteerd – ik ergerde me altijd scheel aan die twee, en ik weet ook niet meer hoe het in vredesnaam kwam dat ik die dag met hen in gesprek was geraakt – al weet ik wel nog dat toen ik die vriendin met haar laarzen eerst een koele, sardonische blik toewierp en vervolgens met een guitig glimlachje mijn ene oog dichtkneep voor een vette knipoog en toen pas vroeg waarom ze dacht dat die predikant uitgerekend háár de hand had gereikt, terwijl alle andere aanwezigen in die kerk heel waarschijnlijk precies hetzelfde voelden, omdat nu eenmaal bijna iedere rechtgeaarde Amerikaan zich in de nasleep van Vietnam en Watergate terneergeslagen en gedesillusioneerd, ongemotiveerd, stuurloos en hopeloos verloren voelde, en of het zou kunnen dat, als de predikant of eerwaarde het over een van hoop verstoken en eenzame ziel had, dat eigenlijk te vergelijken was met de horoscopen in de *Sun-Times*, die ook altijd precies zo volstrekt algemeen toepasbaar geformuleerd zijn dat ze de lezers (Joyce bijvoorbeeld, iedere morgen bij een glas groentesap, zelf geperst met behulp van een speciaal apparaat) steevast zo'n lekker unheimisch gevoel van eigenheid en inzicht geven door in te spelen op het feit dat de meeste mensen psychologisch gezien narcistisch zijn en vatbaar voor de illusie dat zij en hun problemen zo uniek en bijzonder zijn dat ze, als ze zich zus of zo voelen, zeker weten dat ze de enigen zijn die zich zo voelen. Het was met andere woorden een retorische vraag – want eigenlijk las ik die vriendin heel neerbuigend de les over het narcisme van al diegenen die in de waan verkeren dat ze uniek zijn, zoals die vadsige industrieel bij Dickens of Horatio Alger die na een copieus maal met zijn handen over zijn pens gevouwen achteroverleunt en zich niet kan voorstellen hoe er op dat moment ergens in de wereld iemand honger zou kunnen lijden. Die vriendin van de christen was tamelijk stevig en had rossig haar, en ik herinner me dat ze aan weerszijden van haar voortanden een rare tand had die een klein beetje voor een van die voortanden stond, wat me tijdens ons gesprek die dag des te meer afleidde omdat ze me een brede, zelfingenomen glimlach schonk en zei dat ze vond dat mijn cynische vergelijking haar kennismaking met Christus die dag en het vitale belang daarvan voor haar innerlijke wedergeboorte op geen enkele manier minimaliseerde of te-nietdeed, zelfs geen klein beetje. Misschien dat ze op dit moment naar de christen keek voor een bevestiging of een 'Amen' of zo – ik kan me niet herinneren wat hij tijdens onze gedachtewisseling deed. Maar wel dat ik haar op mijn beurt een overdreven brede glimlach schonk en 'Kan mij het schelen' zei, terwijl ik me afvroeg waarom ik daar mijn tijd zat te verdoen met die discussie en bedacht dat zij en Tandpasta-man elkaar waard waren – ik weet nog dat ik me niet veel later uit de voeten maakte en ze daar in de ontvangstruimte liet zitten, en dat ik over het gesprek nadacht en me toch wel wat eenzaam en terneerge-slagen voelde, maar me troostte met de gedachte dat ik tenminste ver boven narcistische duikelaars zoals die twee zogenaamde christenen stond. En ik herinner me dat ik een tijdje daarna op een feestje met een rode plastic beker bier in mijn hand iemand over dat gesprek ver-telde, maar wel op zo'n manier dat ik slim en grappig leek en die vrien-din volslagen debiel. In die tijd was ik in bijna elk verhaal of voorval dat ik vertelde de held – en net als met die ene bakkebaard is het iets waar ik nauwelijks aan kan terugdenken zonder me dood te schamen.

Maar goed, het lijkt allemaal al zo lang geleden. Maar dat ik me dat gesprek nog herinner, wijst er denk ik wel op dat er een belangrijke les verborgen lag in het verhaal van de 'redding' van dat christelijke meisje, een les die ik destijds gewoon niet begreep – en om eerlijk te zijn zij en de christen evenmin, denk ik. Natuurlijk was haar verhaal onnozel en onoprecht, maar dat betekent niet dat haar ervaring in de kerk die dag niet had plaatsgevonden, of dat de uitwerking die het op haar leven had niet echt zou zijn. Ik formuleer dit niet heel helder, maar wat haar verhaal betreft had ik het bij het rechte én het verkeerde eind. Ik denk dat het gewoon onmogelijk is om een enorme, plotse-linge, ingrijpende en onverwachte ervaring die je leven helemaal op zijn kop zet in woorden te vatten of aan iemand anders uit te leggen, en dat ligt denk ik aan het feit dat zo'n ervaring écht uniek en per-soonlijk is – hoewel niet uniek op de manier waarop dat christenmeisje dat geloofde. Want de kracht ervan is niet alleen gelegen in het resul-taat van zo'n ervaring op zich, maar ook in de omstandigheden waarin je die ervaring beleeft, en alles in je leven dat tot dat moment heeft geleid en jou tot precies die persoon heeft gemaakt die zich door die ervaring kon laten overrompelen. Is dat nog te volgen? Het is moeilijk uit te leggen. Wat het meisje met het weiland op haar laarzen uit haar verhaal had weggelaten was waarom ze zich indertijd zo terneergeslagen en verloren voelde, en waarom ze dus psychologisch helemaal 'rijp' was om die algemene, op niemand in het bijzonder gerichte opmerking van de voorganger heel persoonlijk op te vatten. Nou ja, misschien kon ze zich echt niet meer herinneren waarom. Maar toch, het enige wat ze vertelde was de dramatische climax van haar verhaal, namelijk wat de opmerking van de predikant in haar had losgemaakt, alsof je alleen de clou van een grap vertelt en toch daverend gelach verwacht. Chris Acquistipace zou het als volgt formuleren: haar verhaal bestond alleen uit data; er was geen feitenpatroon. Maar aan de andere kant: het is natuurlijk best mogelijk dat de 27.994 woorden van mijn levensverhaal tot dusver voor niemand relevant of duidelijk zullen zijn, met uitzondering van mezelf – waardoor het in wezen niet veel verschilt van de poging van dat christelijke meisje om uit te leggen hoe het met haar zover gekomen was, even aangenomen dat ze oprecht was toen ze over die ingrijpende innerlijke kentering vertelde. Want uiteraard is het niet moeilijk om jezelf iets wijs te maken.

Maar goed, zoals ik al zei werd mijn keuze voor de IRS vooral ingegeven door het feit dat ik op DePaul in december 1978 in de verkeerde maar zowat identieke collegezaal belandde en, omdat ik zo opging in mijn concentratie op het afsluitende college over de *Federalist Papers*, mijn fout pas inzag toen de professor binnenkwam. Op dat moment kon ik niet weten of hij echt die schrikkelijke jezuïet was of niet. Pas later kwam ik erachter dat hij niet de vaste docent van Voortgezette Fiscaliteit was – kennelijk was de reguliere professor wegens persoonlijke omstandigheden verhinderd en viel de substituut de laatste twee weken van het semester voor hem in. Vandaar dus mijn aanvankelijke verwarring. Ik herinner me dat ik vond dat de professor, zeker voor een jezuïet, onmiskenbaar in 'burgerplunje' gekleed ging. Hij droeg een donkergrijs, archaïsch-klassiek pak dat best wel eens van flanel geweest kon zijn en een haast monolithische indruk maakte, en als het licht van de tl-lampen er op de juiste manier op viel, glommen zijn keurige schoenen oogverblindend. Hij leek erg wendbaar en nauwkeurig; zijn afgemeten bewegingen waren die van een man die weet dat tijd een kostbaar goed is. Dat was ook ongeveer het moment dat ik besefte verkeerd te zitten en ophield voor mezelf de *Federalist Papers* te doorlopen; het viel me namelijk op dat er in dit lokaal bij de studenten een compleet andere sfeer heerste. Sommigen droegen een das

onder een spencer, een paar van die spencers nota bene met argyleruiten. Voor zover ik kon zien droeg iedereen nette zwarte of bruine
leren schoenen, en alle veters waren netjes gestrikt. Tot op de dag van
vandaag weet ik niet precies hoe ik me in het gebouw heb kunnen ver-
gissen. Normaal raak ik niet zo gauw de weg kwijt, en ik kende Garnier
Hall goed omdat daar ook Inleiding tot de Accountancy werd gegeven.
Maar goed, om even te recapituleren: in plaats van naar mijn afsluitende college politicologie in lokaal 311 in Daniel Hall te gaan, was
ik die dag kennelijk op de een of andere manier in lokaal 311 in Garnier
Hall beland, pal aan de overzijde van de passerelle, en was daar helemaal achterin gaan zitten, op een plek naast een muur vanwaar ik, toen
ik uit mijn overpeinzingen opschrikte en mijn vergissing inzag, alleen
door met veel rumoer boekentassen en gewatteerde jassen aan de kant
te schuiven naar buiten had kunnen lopen – want toen de substituut
binnenkwam was het lokaal tot op de laatste stoel bezet. Later kwam
ik erachter dat een paar van de meest degelijke en volwassen ogende
studenten, die overigens geen rugzak maar een aktetas of een harmonicamap bij zich hadden, masterstudenten bedrijfskunde waren –
Voortgezette Fiscaliteit deed zijn naam dus alle eer aan. Eigenlijk was
de hele vakgroep Accountancy op DePaul oerdegelijk en sterk – De-
Paul stond bekend om zijn ijzersterke accountancy- en bedrijfskunde-
opleiding en getroostte zich veel moeite om daar in folders en ander
promotiemateriaal de loftrompet over te steken. Uiteraard was dat niet
de reden waarom ik me opnieuw aan DePaul had ingeschreven – ik
had zo goed als geen belangstelling voor accountancy, behalve dan,
zoals gezegd, om te slagen voor dat introductievak en daardoor iets te
bewijzen of goed te maken tegenover mijn vader. Maar de accountan-
cyopleiding op DePaul bleek zo hoog aangeschreven te staan dat bijna
de helft van de aanwezige studenten Voortgezette Fiscaliteit zich al
had ingeschreven voor het CPA-examen in februari, al wist ik op dat
moment nauwelijks wat dat accreditatie-examen inhield, en evenmin
dat je er meerdere maanden hard voor moest studeren wilde je kans
op slagen hebben. Zo kwam ik er pas later achter dat het eindexamen
Voortgezette Fiscaliteit in feite was opgezet als een microkosmos van
bepaalde fiscale onderdelen op het CPA-examen. Mijn vader had trouwens ook een CPA-licentie, hoewel hij die bij zijn werk voor de stad
maar zelden echt nodig had. Maar achteraf gezien zou ik niet meer
kunnen zeggen, ook in het licht van alles wat die dag heeft teweegge-

bracht, of ik überhaupt wel naar buiten zou zijn gegaan, zelfs al was dat minder gedoe geweest – zeker niet toen de substituut eenmaal binnenkwam. Misschien was ik hoe dan ook blijven zitten, ook al had ik dat afsluitende college Amerikaanse Politieke Filosofie echt hard nodig. Ik weet niet of ik het überhaupt kan uitleggen. Ik herinner me dat hij gedecideerd binnenkwam en zijn overjas en hoed ophing aan een haak bij de vlaggenstandaard in de hoek. Tot op vandaag zou ik niet met zekerheid durven zeggen of het niet gewoon de zoveelste onbewuste manifestatie van mijn gebrek aan verantwoordelijkheidszin was om zo vlak voor de examens het verkeerde lokaal 311 te komen binnenwaaien. Zulke onverwachte, ingrijpende ervaringen kun je niet op die manier analyseren – zeker achteraf niet, dat is echt enorm lastig (hoewel ik dat uiteraard nog niet besefte tijdens het gesprek met dat christenmeisje met haar laarzen).

Op dat moment wist ik niet hoe oud de substituut was – zoals ik al zei kwam ik er pas later achter dat hij inviel voor de eerwaarde die het college eigenlijk gaf, maar die kennelijk niet werd gemist – ik wist niet eens hoe hij heette. Ervaring met invalkrachten had ik voornamelijk opgedaan op de middelbare school. Qua leeftijd wist ik alleen dat hij zich in dat amorfe (althans voor mij) gebied tussen de veertig en zestig bevond. Ik weet niet hoe ik hem zou kunnen omschrijven, al maakte hij wel meteen indruk. Hij was slank, en in het helle licht van het lokaal zag hij er bleek uit, niet ziekelijk maar lumineus, en hij had kortgeknipt, staalkleurig haar en een gezicht met een behoorlijk markant profiel. In het algemeen leek hij op iemand op een oude foto of daguerreotype. De broek van zijn nette pak had een dubbele bandplooi, wat de indruk dat hij uit één stuk gegoten was nog versterkte. Hij had ook een goede houding, wat mijn vader iemands 'tournure' placht te noemen – mooi rechtop, schouders naar achteren zonder dat dat stijf overkwam – en zodra hij gedecideerd met zijn harmonicamap vol keurig geordend en gelabeld lesmateriaal het lokaal binnenstapte leek het wel of alle studenten accountancy onbewust op hun stoel naar achteren schoven en wat meer rechtop gingen zitten. Hij trok het projectiescherm voor het bord naar beneden zoals je dat bij een rolgordijn zou doen, waarbij hij zijn pochet gebruikte om de handgreep van het scherm vast te pakken. Voor zover ik me herinner zaten er bijna alleen mannelijke studenten in de zaal. Onder wie een handvol Aziaten. Hij nam het lesmateriaal uit zijn map en legde het met een stijf glimlachje klaar op zijn bureau. Maar wat hij in feite deed, was iets wat docenten vaak doen om een lokaal vol studenten een teken van herkenning te geven zonder ze aan te kijken. Zij op hun beurt waren een en al concentratie. Het lokaal leek in niets op een college politicologie of psychologie, het had zelfs niets gemeen met Inleiding tot de Accountancy, waar er altijd afval op de grond lag en studenten onderuitgezakt op hun staartbeen op de rand van hun stoel balanceerden en openlijk naar de klok keken of ongegeneerd zaten te gapen, en waar de docent zich doof hield voor het voortdurende, rusteloze geroezemoes – misschien hoorden gewone professoren dat geluid niet eens meer, of waren ze immuun voor die onverholen blijken van verveling en desinteresse. Maar toen de substituut binnenkwam, veranderde de voltage in de collegezaal meteen. Ik weet niet hoe ik het moet beschrijven. En ik kan evenmin rationeel uitleggen waarom ik daar in het verkeerde lokaal bleef zitten – zoals ik al zei betekende dat immers dat ik het afsluitende college Amerikaanse Politieke Filosofie zou missen. Op dat moment leek dat gewoon een zoveelste lamlendige, ongedisciplineerde gril. Misschien voelde ik gêne dat de invaller me zou zien vertrekken. Als er een belangrijke gebeurtenis plaatsvindt, dringt dat op het moment zelf blijkbaar nooit tot me door; het lijkt me eerder af te leiden van wat ik eigenlijk moet doen – helemaal anders dan bij dat christenmeisje dus. Eén mogelijke verklaring is dat die substituut gewoon iets bijzonders had. In zijn uitdrukking lag dezelfde holle, opgebrande concentratie die je aantreft op foto's van veteranen die in een echte oorlog hebben gediend en gevechtservaring hebben. Zijn ogen namen ons allemaal samen op, als groep. Ik weet nog dat ik me opeens ongemakkelijk voelde over mijn schildersbroek en Timberlands met losse veters, maar als de substituut daar al op reageerde, dan was het hem niet aan te zien. Toen hij op zijn horloge keek om aan te geven dat het college officieel van start ging, deed hij dat met een kordate draai- en duwbeweging van zijn pols, zoals een bokser een directe stoot uitdeelt, waardoor de linkermouw van zijn jasje een beetje omhoogschoof en er een roestvrijstalen Piaget zichtbaar werd – ik herinner me dat ik dat op dat moment een opvallend horloge vond voor een jezuïet.

Het witte scherm gebruikte hij om sheets op te projecteren – anders dan de professor van het introductievak dat ik volgde, gebruikte hij geen krijt – en toen hij de eerste sheet op de overheadprojector legde en in het lokaal de lichten dimde, werd zijn gezicht van onderen verlicht als bij een variétéartiest, waardoor de holle intensiteit van zijn gelaatstrekken nog markanter uitkwam. Ik herinner me dat er in mijn hoofd een soort geladen rust heerste. Het geprojecteerde diagram achter hem stelde een stijgende curve voor met onder de verschillende intervallen een staafgrafiek; de curve was steil aan het begin en bij de top enigszins afgevlakt, een beetje zoals een golf die op het punt staat te breken. Er was geen legenda, en pas later begreep ik dat het diagram de tariefpercentages weergaf van de opeenvolgende inkomensschijven ' voor de federale inkomensbelasting van het jaar 1976. Ik was me heel bewust van mijn omgeving en buitengewoon alert, maar op een andere manier dan wanneer ik doubleerde of Cylert genomen had. Er waren ook een paar grafieken en vergelijkingen, en geannoteerde citaten uit §62 van de Federale Belastingcodex, met veel subparagrafen die te maken hadden met de ingewikkelde regelgeving over het onderscheid tussen aftrekposten 'op' het aangepaste bruto-inkomen tegenover aftrekposten 'van' het ABI, waarvan de substituut zei dat ze de basis vormden voor zowat iedere moderne en efficiënte fiscale langetermijnplanning. Hiermee doelde hij – al zag ik dat pas later in, nadat de Dienst me had aangenomen – op mensen die hun zaken zodanig regelden dat zo veel mogelijk aftrekposten betrekking hadden 'op' het aangepaste bruto-inkomen, aangezien alle aftrekposten, van de basisaftrek tot die voor medische onkosten, werken met een ABI-drempel (waarbij 'drempel' bijvoorbeeld betekende dat, omdat alleen medische kosten hoger dan 3 procent van het ABI aftrekbaar waren, het uiteraard in het belang van de belastingplichtige was om zijn ABI – ook wel zijn '31' genoemd, omdat je je ABI in die tijd op Regel 31 van Formulier 1040 moest opgeven – zo laag mogelijk te houden).

Maar hoe alert en bewust van mijn omgeving ik me ook voelde, ik moet zeggen dat ik me waarschijnlijk bewuster was van het effect dat het college op mij had dan van het college zelf, want logischerwijs ging veel van de stof me boven de pet – ik was immers nog niet eens geslaagd voor Inleiding tot de Accountancy – maar toch lukte het me niet weg te kijken en er onverschillig onder te blijven. Dat lag deels aan de manier waarop de substituut lesgaf, namelijk snel, gestructureerd, nuchter en laconiek, zoals alleen mensen dat kunnen die weten dat wat ze te zeggen hebben zo waardevol is dat ze daar niet ter wille van een 'vlotte' presentatie of de 'studentgerichtheid' van het college afbreuk aan moeten doen. Met andere woorden: zijn betoog was doordrongen van het soort geestdriftige integriteit die zich niet uit in een bepaalde stijl, maar in het totale gebrek daaraan. Ik merkte dat ik opeens en voor het eerst in mijn leven begreep wat mijn vader met 'no-nonsense' bedoelde en waarom dat voor hem iets positiefs was.

Ik herinner me dat het me opviel dat alle aanwezige studenten aantekeningen maakten, en in colleges accountancy wilde dat zeggen dat je één bepaald feit of belangrijk inzicht van de professor moest onthouden en opschrijven terwijl je tegelijk aandachtig genoeg bleef luisteren om ook het volgende belangrijke inzicht te kunnen opschrijven, wat een soort gespannen, gespleten concentratie vereiste waar ik pas een jaar later enigszins bedreven in raakte, toen het VOC in Indianapolis al een hele tijd aan de gang was. De aantekeningen die hier werden gemaakt waren van een compleet andere orde dan die in de humane wetenschappen, waar ik tijdens colleges vooral zat te doedelen en alleen maar algemene, abstracte onderwerpen en ideeën noteerde. Verder hadden de studenten Voortgezette Fiscaliteit een flink aantal vlijmscherp geslepen potloden op hun tafelblad liggen. Ik kwam tot het besef dat ik bijna nooit een scherp potlood bij de hand had als ik er echt een nodig had; ik had nog nooit de moeite genomen ze netjes geslepen op orde te houden. Tijdens het college bestond het enige vleugje van wat je met een beetje goede wil droge humor zou kunnen noemen uit sporadische opmerkingen en citaten die de substituut soms in de grafieken inlaste door ze op de sheet te schrijven, waarna hij ze zonder commentaar op het scherm projecteerde, om vervolgens even te pauzeren terwijl iedereen ze zo snel mogelijk overschreef voor hij op de volgende sheet overging. Eén voorbeeld daarvan staat me nog altijd bij – 'Wat wij nu moeten ontdekken in de sociale sfeer is het morele equivalent van oorlog', met daarachter als enige bronvermelding 'James', en op dat moment dacht ik dat dat verwees naar Henry James – hoewel hij bij het citaat geen enkele toelichting of context gaf, terwijl de zes rijen studenten – sommigen met twee vierkantjes wit licht op de plek waar hun ogen hadden moeten zitten doordat hun bril het licht van de overheadprojector weerkaatste, zodat ze er nogal conformistisch en robotachtig uitzagen, dat viel me enorm op, weet ik nog – het citaat plichtsbewust neerpenden. Of een ander citaat, dat op een andere sheet al voorgedrukt stond en toegeschreven werd aan Karl Marx, zoals bekend de vader van het marxisme –

'De communistische maatschappij geeft mij de mogelijkheid vandaag dit en morgen dat te doen, 's ochtends te jagen, 's middags
te vissen, 's avonds veeteelt te bedrijven en na het eten de kritiek
te beoefenen, *al naargelang ik verkies*' –

met daarbij als enige aantekening de droge opmerking 'cursivering
niet in origineel'.

Wat ik wil zeggen is dat het uiteindelijk veel meer weg had van de
ervaring van dat evangelische meisje met haar laarzen dan ik op dat
ogenblik ooit had kunnen toegeven. En natuurlijk gaat het me niet
lukken om alleen op grond van een verhaal van 2433 woorden over
een persoonlijke herinnering iemand ervan te overtuigen dat echt iedereen aan de lippen van de substituut zou hebben gehangen vanwege
de intrinsieke kwaliteit van het college dat hij gaf, waarbij het afsluitende college Amerikaanse Politieke Filosofie helemaal in het niet viel,
of dat het merendeel van wat de jezuïet (dacht ik toen) zei of projecteerde op de een of andere manier rechtstreeks tot mij gericht leek.
Maar ik kan wel proberen uit te leggen waarom ik 'rijp' genoeg was
om dat op zo'n manier te beleven, omdat ik al voordat ik me in het
lokaal vergiste een soort voorproefje of voorafspiegeling van die ervaring had gehad, al begreep ik pas achteraf dat het een belangrijke ervaring was geweest.

Ik herinner me heel duidelijk dat ik een paar dagen eerder – op
maandag tijdens de laatste reguliere collegeweek van het najaarssemester van 1978 – 's middags nog altijd onderuitgezakt en futloos op
de oude gele ribfluwelen bank in mijn studentenkamer zat. Ik zat er
moederziel alleen, met een nylon trainingsbroek en een zwart Pink
Floyd-T-shirt aan, en probeerde onder het kijken naar de CBS-soap
As the World Turns op onze kleine zwart-wit-Zenith een voetbal op
mijn vinger rond te laten draaien – ik was niet aan het obetrollen en
probeerde me nergens voor te drukken, maar lummelde gewoon maar
wat rond. Ik had ongetwijfeld kunnen lezen en studeren voor mijn examens, maar ik was nu eenmaal een slomo. Ik hing helemaal onderuitgezakt op de rand van de bank te kijken naar *As the World Turns*, zodat
alles wat er op de kleine tv kwam werd ingekaderd door mijn knieën,
terwijl ik de voetbal verveeld liet ronddraaien. Strikt genomen was het
de televisie van mijn flatgenoot, een plichtsbewuste student gezond-
heidswetenschappen, maar die bracht al zijn tijd door in de bibliotheek

van de bètafaculteit, al had hij de moeite genomen om de ontbrekende antenne van de Zenith te vervangen door een speciaal hiervoor verbogen kleerhanger, de enige reden dat ik überhaupt ontvangst had. *As the World Turns* werd door CBS 's middags tussen 1 en 2 uitgezonden. Dat laatste jaar deed ik dat sowieso nog steeds veel te vaak, daar voor die kleine Zenith mijn tijd zitten verdoen, en het gebeurde geregeld dat ik helemaal in de ban raakte van de middagsoaps van CBS, waarin alle personages nogal gezwollen praatten en overdreven emotioneel reageerden zonder dat hun stem ooit leek te haperen of minder gedragen werd, zodat er bijna iets hypnotiserends van uitging, vooral omdat ik op maandag en vrijdag geen college had en het heel verleidelijk was daar gewoon wat te zitten en helemaal meegezogen te worden. Ik herinner me nog dat veel andere DePaul-studenten dat jaar fan waren van de ABC-soap *General Hospital* en met veel gejoel voor de televisie bij elkaar kropen – hun hippe excuus was dat ze die soap eigenlijk hilarisch vonden – maar dat jaar, en waarschijnlijk had dat deels te maken met de beroerde ontvangst van de Zenith, was ik meer een CBS-adept, vooral voor *As the World Turns* en *Guiding Light*, dat op weekdagen na *As the World Turns* werd uitgezonden, om twee uur, en dat in sommige opzichten nóg hypnotiserender was.

Maar goed, daar zat ik dus te proberen die bal op mijn vinger rond te laten draaien terwijl ik naar *As the World Turns* keek, dat heel vaak onderbroken werd voor een reclameblok – vooral in de laatste helft, als ze ervan uitgaan dat je zo wordt meegezogen dat je best nog wel wat meer reclame wilt uitzitten – en aan het eind van elk reclameblok verscheen het herkenningsbeeld van het programma, namelijk een om zijn as draaiende wereldbol bezien vanuit de ruimte, en iedere keer sprak de stem van de CBS-omroeper dan hetzelfde zinnetje, namelijk 'You're watching As the World Turns', en dat leek hij die bewuste dag steeds nadrukkelijker te doen – 'You're watching As the World Turns', tot er bijna ongeloof doorheen klonk – 'You're watching As the World Turns' – tot de naakte waarheid van die zin opeens tot mij doordrong: de wereld draaide maar door, en ik zat erbij en keek ernaar. En dan niet zoals in een ironische metafoor zoals je die vaak in de humane wetenschappen tegenkomt, maar letterlijk wat hij zei, op een heel basaal niveau. Ik weet niet hoe vaak ik dat zinnetje al gehoord had terwijl ik naar *As the World Turns* zat te kijken, maar plotseling besefte ik dat de omroeper er steeds maar weer op wees waar ik mee bezig was. En dat niet alleen. Ik besefte ook dat me dit al ontelbare keren was verteld – zoals gezegd herhaalde de omroeper zijn mededeling na elk reclameblok dat de soap onderbrak – maar nooit was ik me ook maar enigszins bewust geweest van de waarheid van die uitspraak. En tijdens dit moment van bewustwording was ik niet aan het obetrollen, moet ik daaraan toevoegen. Dit was iets anders. Het was alsof de omroeper van CBS rechtstreeks tot mij sprak en aan mijn schouder of been schudde, alsof hij me wakker wilde maken – 'You're watching As the World Turns.' Ik krijg het moeilijk uitgelegd. Want het was niet zozeer de voor de hand liggende dubbelzinnigheid waar ik door getroffen werd. Dit was heel rechttoe rechtaan, waardoor je het op een bepaalde manier minder snel begreep. En ineens kwam dat allemaal keihard binnen. Het zou niet bevattelijker zijn geweest als de omroeper daadwerkelijk had gezegd: *'Je zit op een oude gele bank in een studentenkamer en probeert onder het kijken naar* As the World Turns *een zwart-wit geblokte voetbal op je vingertop te laten ronddraaien, terwijl buiten de wereld verder draait, en je ziet niet eens in dat je dat doet.'* Dát was waar ik door getroffen werd. Dit ging veel verder dan alleen maar de lamlendige slomo uithangen – het leek alsof ik niet eens bestond. Om heel eerlijk te zijn drong het pas drie dagen later tot me door hoe ontzettend dubbelzinnig dat 'You're watching As the World Turns' eigenlijk was – met name de bijna angstwekkende pointe, dat het een enorme passieve tijdverspilling was om naar een soap te kijken waarvan de ontvangst via de kleerhanger niet eens bepaald goed te noemen was, terwijl er ondertussen in de wereld buiten echte dingen gebeurden en daadkrachtige, initiatiefrijke mensen met een kordate no-nonsenseaanpak de boel draaiende hielden – namelijk op donderdagochtend, toen ik onder de douche ineens getroffen werd door die onderliggende betekenis; ik stond op het punt me aan te kleden en me naar het afsluitende college Amerikaanse Politieke Filosofie te haasten – dat was althans mijn voornemen, voor zover ik me daar bewust van was. Mogelijk was dat een van de redenen waarom ik in gedachten verzonken het verkeerde gebouw binnenging. Maar die maandagmiddag was die omroepstem het enige wat tot me doordrong, een stem die steeds opnieuw herhaalde wat ik aan het doen was, namelijk niets, dat ik daar maar wat rondhing als een ongewerveld wezen dat niet eens betrokken was bij de schijnwerkelijkheid op tv, waar ik Victor tegenover Jeanette zag ontkennen de vader van haar kind te zijn (hoewel haar zoon aan dezelfde uiterst zeldzame genetische bloedziekte leed die Victor bijna heel het semester lang in het ziekenhuis had gehouden. Misschien dat Victor zijn eigen ontkenningen in zekere zin echt 'geloofde', was destijds mijn gedachte, herinner ik me, omdat hij me wel zo'n type leek), zo tussen mijn knieën.

Maar het is niet zo dat ik daar toen bewust over nadacht. Het enige waar ik me destijds van bewust werd was de concrete impact die de mededeling van de omroeper op me had, en hoe het me begon te dagen dat al dat stuurloos en luizig rondlummelen als 'slomo', wat veel van mijn kompanen in die jaren zogenaamd tot een nihilistische levenskunst hadden verheven en cool en grappig vonden (dat vond ik zelf ook, tenminste, dat dacht ik toen – het had wel iets romantisch om zo openlijk je eigen ruiten in te gooien en maar wat aan te modderen; ik weet nog dat Jimmy Carter vierkant werd uitgelachen toen hij van een 'malaise' sprak die het land in een wurggreep hield), in feite niet grappig was, helemaal niet grappig zelfs, maar wel angstwekkend, of triest, of nog iets anders – iets wat ik niet kon benoemen omdat er geen woorden voor zijn. Toen ik daar zo zat drong het tot me door dat ik misschien wel een echte nihilist was, dat het dus niet altijd alleen maar om een hippe pose ging. Dat ik mijn tijd verlummelde en bij alles afhaakte omdat niets echt zin had, dat geen enkele keuze beter was dan een andere. Dat ik in zekere zin té vrij was, of dat die vorm van vrijheid in feite niet reëel was – ik kon kiezen wat ik wilde omdat het er uiteindelijk allemaal niet echt toe deed. Maar dat ook dit het resultaat was van een keuze – dat ik er op een bepaalde manier voor gekozen had te geloven dat het er uiteindelijk allemaal niet toe deed. Het voelde allemaal veel minder abstract aan dan ik het nu uitleg. En dit gebeurde dus allemaal terwijl ik daar wat op die bank hing en met die voetbal in de weer was. Maar het punt was natuurlijk dat ikzelf, omdat ik hier zelf voor gekozen had, er evenmin toe deed. Ik geloofde nergens in. Als ik mee wilde tellen, al was het maar voor mezelf, dan zou ik minder vrij moeten worden door te beslissen bepaalde keuzes definitief te maken. Ook al kwam dat neer op louter een wilsbesluit. Al die inzichten volgden elkaar razend snel op, maar bleven erg vaag, en ik kwam niet verder dan het besef dat ik keuzes moest maken die er echt toe deden – want ondertussen probeerde ik ook nog steeds *As the World Turns* te volgen, dat over het algemeen naar het einde toe steeds dramatischer en spannender werd, omdat ze er altijd voor zorgden dat je de volgende dag opnieuw keek. Maar het punt was dat ik in zekere zin besefte dat wat een 'verloren ziel' ook mocht zijn, ik er in ieder geval een was – en dat was bepaald niet hip of grappig. En zoals gezegd zou ik een paar dagen later al per ongeluk aan de verkeerde kant van de passerelle belanden in het laatste college Voortgezette Fiscaliteit – een onderwerp waar ik, dat wil ik benadrukken, in die tijd nul komma nul interesse voor dacht te hebben. Zoals de meeste mensen van buiten het vakgebied stelde ik me fiscale accountancy voor als het domein van pietepeuterige mannetjes met een dikke bril en een uitgebreide postzegelverzameling, zowat het tegendeel dus van hip of cool – en doordat ik die omroeper van CBS die basale werkelijkheid steeds opnieuw zo expliciet had horen benoemen en opeens heel bewust had gehoord wat hij zei, daar op dat kleine scherm tussen mijn knieën door, onder de draaiende bal op mijn vingertop, was ik denk ik in een stemming gebracht waarin ik, al dan niet per ongeluk, iets kon horen wat mijn leven een nieuwe wending zou geven.

Ik weet nog dat aan het eind van het college in de gang op de tweede verdieping de bel ging zonder dat ook maar één van de studenten Voortgezette Fiscaliteit het typische einde-van-de-les-gedrag uit de humane wetenschappen vertoonde waarbij mensen hun spullen bij elkaar rapen of over hun tafeltje leunen om hun tas of koffertje te pakken, zelfs niet toen de substituut de overheadprojector uitschakelde en met een soepele uithaal van zijn linkerhand het projectiescherm omhoog liet gaan en daarna zijn pochet weer in de borstzak van zijn jasje stopte. Iedereen bleef stil en aandachtig zitten. Ik herinner me dat ik bij het aangaan van de plafondlampen even naar de aantekeningen van mijn wat oudere, besnorde buurman keek, die er echt onvoorstelbaar netjes en goed gestructureerd uitzagen, met Romeinse cijfers voor de hoofdpunten van het college, en kleine letters en Arabische cijfers en een ruime insprong voor ondertitels en conclusies. Zijn handschrift leek bijna machinaal, zo netjes was het. En dat ondanks het feit dat die aantekeningen praktisch in het donker waren gemaakt. Een aantal digitale horloges piepten synchroon op het hele uur. Zoals dat ook het geval was in zijn spiegelbeeld aan de andere zijde van de passerelle, lagen er in lokaal 311 van Garnier Hall ongeïnspireerde bruine en beige tegels in dambord- of diamantpatroon, afhankelijk van je perspectief of gezichtspunt. Ik herinner het me nog allemaal haarscherp.

Hier volgen een paar van de belangrijkste aandachtspunten die de substituut tijdens het afsluitende college behandelde, opgesomd in de aantekeningen van de oudere student naast me – al zou het nog meer dan een jaar duren voor ik begreep waar het over ging:

Toegerekend inkomen → Haig-Simons-inkomensbegrip

Totaal genoten inkomen (incl. fictief inkomen) voor fiscale doeleinden

Commanditaire vennootschappen, passieve verliezen

Amortisatie en kapitalisatie → BV 1976 §266

Afschrijvingen → categoriale indeling

Verantwoording op kasbasis < > periode-toerekeningsmethode → consequenties voor ABI

Schenkingen onder levenden en BV '76

Straddletechnieken

4 criteria voor niet-belastbare transacties

Cliëntgeoriënteerde fiscale planning ('Transacties op maat') < > fiscale controlestrategieën IRS ('Samengevoegde transacties')

Zoals gezegd was het de laatste reguliere collegedag van het semester. Aan het eind van de collegereeksen binnen de humane wetenschappen die ik had gevolgd probeerden de jongere professoren dan meestal, natuurlijk niet zonder de nodige zelfspot, tot een zogenaamd hippe samenvatting te komen – *'Meneer Gorton, kunt u alstublieft even kort samenvatten wat we in de afgelopen zestien weken hebben geleerd?'* – alvorens over te gaan tot de vereisten voor het werkstuk, de praktische aspecten van het eindexamen en de samenstelling van het eindcijfer, en eventueel hun beste wensen voor het nieuwe jaar (het was immers twee weken voor Kerstmis). Zo niet bij Voortgezette Fiscaliteit. Toen de substituut zich omdraaide van het opgelaten scherm was er niets in zijn lichaamstaal dat erop wees dat het college beëindigd was of dat hij tot de afsluitende opmerkingen of een samenvatting zou overgaan. Hij stond opvallend stil – veel stiller dan de meeste mensen als ze stilstaan. Tot dusver had hij 8931 woorden uitgesproken, inclusief rekenkundige termen en operatoren. De wat oudere studenten en Aziaten zaten nog allemaal op hun plaats, en het leek wel of de docent erin slaagde oogcontact te maken met ons achtenveertigen tegelijk. Ik was me ervan bewust dat zijn uitstraling, zijn nuchtere, afstandelijke en onbevangen autoriteit, deels op het conto kon worden geschreven van de oudere-jaars, die elk woord en elk gebaar even aandachtig volgden. Het was overduidelijk dat ze de substituut hoog hadden zitten, maar ook dat dit respect wat hem betreft niet wederzijds hoefde te zijn, ook niet voor de vorm. Hij wilde niet per se een 'band' smeden of aardig ge-vonden worden. Maar hij stelde zich ook niet vijandig of neerbuigend op. Hij leek 'onverschillig' te zijn – niet op een zinloze, stuurloze, ni-hilistische manier, maar overtuigd en zelfverzekerd. Het is lastig te omschrijven, al weet ik nog goed dat ik me daar toen scherp van bewust was. Het woord dat door mijn hoofd spookte terwijl hij naar ons keek en wij naar hem, wachtend op wat komen ging – hoewel dat allemaal erg snel gebeurde – was 'geloofwaardigheid', in de zin van het vaak-genoemde gebrek daaraan in de nasleep van het Watergateschandaal, dat ongeveer losbarstte in de tijd dat ik op Lindenhurst zat. Aan het rumoer op de gang van de andere studenten accountancy, economie en bedrijfskunde werd geen aandacht besteed. In plaats van zijn ma-teriaal te verzamelen hield de substituut – die ik op dat moment, zoals ik al zei, aanzag voor een eerwaarde vader in burgerplunje – zijn han-den op zijn rug en keek ons afwachtend aan. Zijn oogwit was uitzon-derlijk wit, zoals normaal gesproken alleen mogelijk is in contrast met een donkere huid. De kleur van zijn irissen ben ik vergeten. Maar hij had de huid van iemand die maar zelden in de zon komt. Zijn natuur-lijke habitat leek flets, ongeïnspireerd tl-licht. Zijn vlinderdas was per-fect symmetrisch en waterpas, terwijl het toch geen voorgestrikte maar een handgeknoopte das was.

Hij zei: 'U verwacht van mij nu wellicht een korte samenvatting. Een aanmoediging.' (Het is niet onmogelijk dat ik hem verkeerd ver-stond en dat hij eigenlijk 'bemoediging' zei.) Hij keek even op zijn horloge, met dezelfde rechthoekige beweging. 'Goed,' zei hij. Er speelde een flauw glimlachje om zijn mond toen hij 'Goed' zei, maar het was duidelijk dat hij geen grapje maakte of al op voorhand pro-beerde te ontkrachten wat hij ging zeggen, zoals destijds veel profes-soren in de humane wetenschappen dat deden, omdat ze bang waren dat zijzelf of hun aansporingen zonder vorm van zelfspot suf zouden overkomen. Pas later, tijdens het opleidingsprogramma in het VOC van de Dienst, werd ik getroffen door het feit dat in alle onderwijsin-stellingen waar ik tot dan toe maar wat had aangemodderd, deze sub-stituut de eerste docent was die het echt niets kon schelen of zijn studenten hem aardig of hip vonden, en ik besefte – toen ik eenmaal bij de Dienst werkte – wat een enorme kwaliteit een dergelijke onverschilligheid kan zijn voor iemand met autoriteit. Achteraf gezien was de substituut misschien wel de eerste persoon in mijn leven die werkelijk 'autoriteit' bezat, meer dus dan louter de macht om je de schoen te wringen omdat de betrokkene nu eenmaal aan de andere kant van de generatiekloof staat, en voor het eerst realiseerde ik me dat 'autoriteit' iets reëels en authentieks kon zijn, dat een echte autoriteit niet hetzelfde was als een vriend of iemand die het beste met je voorhad, maar dat die persoon je desalniettemin vooruit kon helpen, en dat je met een dergelijke autoriteit niet in de 'democratische' zin van het woord op gelijke voet stond, maar dat de relatie toch voor beide partijen waardevol kon zijn. Ik denk niet dat ik het goed uitleg – maar hoe dan ook, ik voelde me persoonlijk aangesproken, en werd op een bepaalde manier door die ogen gemagnetiseerd, wat ik noch prettig, noch onprettig vond, maar waar ik me zeer zeker wel van bewust was. Het was een macht die van hem uitging en die ik hem verleende, uit eigen vrije wil. Respect bleek niet hetzelfde als dwang, hoewel het ook om een soort macht ging. Het was allemaal behoorlijk raar. Ik merkte ook dat hij zijn handen nu op zijn rug hield, alsof hij in het gelid stond.

'Goed,' zei hij tot de studenten accountancy. 'Voordat u hier weggaat en de onvoldragen poging tot een volwaardig leven die u tot op heden uw leven heeft genoemd hervat, zal ik u een aantal waarheden aan de hand doen. Vervolgens zal ik u een gezichtspunt aanreiken van waaruit u optimaal zult kunnen profiteren van deze waarheden.' (Ik begreep meteen dat hij het hoogstwaarschijnlijk niet had over het eindexamen Voortgezette Fiscaliteit.) Hij zei: 'De kerst zult u thuis bij uw familie doorbrengen, en tijdens dat vreugdevolle intermezzo voorafgaand aan de laatste zware inspanning voor het CPA-examen zullen – geloof mij – aarzeling, angst en twijfel uw deel zijn. Dat is niet meer dan normaal. U zult, allicht voor het eerst in uw leven, beducht zijn voor de plagerijen van uw oude makkers over uw komende loopbaan als accountant, en in de instemmende glimlach van uw ouders zult u instemming met uw overgave lezen – mijne heren, dat heb ik ook meegemaakt; ik ken elke steen die u op uw pad zult vinden. Want het uur U komt naderbij. Dat u, in dat zonder meer angstaanjagende intermezzo waarin u vóór de grote sprong naar beneden blikt, voor het eerst droefgeestige voorspellingen te horen zult krijgen over het af-

stompende bestaan waartoe uw beroepskeuze u zal veroordelen, de totale afwezigheid van spanning, de onmogelijkheid te schitteren op de
sportvelden of de dansvloeren zoals in uw "leven" tot op heden.' Ik
geef toe dat ik soms iets niet helemaal doorgrondde – ik denk niet dat
er onder ons veel studenten waren die vaak 'schitterden op de dans-
vloer', maar dat kan ook te wijten geweest zijn aan het generatiever-
schil – hij bedoelde het uiteraard in metaforische zin. In ieder geval
snapte ik maar al te goed wat hij bedoelde toen hij zei dat accountancy
bepaald geen spannende beroepskeuze leek.

De substituut vervolgde: 'U zult uw engagement ervaren als het verlies van keuzemogelijkheden, als een soort sterven, als het einde van
de oneindige mogelijkheden van uw jeugd, van de weelde ongedwon-
gen keuzes te kunnen maken – dat staat u allen te wachten, verzeker
ik u. Het einde van uw jeugd. Een eerste keer sterven. Het is niet meer
dan normaal dat u aarzelt. Of twijfelt.' Hij glimlachte even. 'Daarom
nodig ik u uit, mijne heren, mocht u daartoe genegen zijn, over drie
weken nog eens terug te denken aan dit lokaal, aan dit ogenblik, en
aan de informatie die ik zo dadelijk zal verstrekken.' Hij was duidelijk
geen erg bescheiden of bedeesde man. Maar aan de andere kant: de
manier waarop hij ons tijdens het college Voortgezette Fiscaliteit toesprak was lang niet zo formeel of wollig als mijn woorden misschien
laten uitschijnen – of liever: zijn samenvatting was formeel én ietwat
poëtisch, maar niet op een gekunstelde manier. Het was geen pose:
het vloeide gewoon voort uit wie en wat hij was. Ik herinner me nog
dat ik me afvroeg of hij die truc van Uncle Sam-posters en van bepaalde
schilderijen had afgekeken, namelijk hoe je iemand schijnbaar recht
in de ogen kunt kijken, vanuit welke richting je ook naar hem kijkt.
En of alle zwijgende, ernstige ouderejaars (je kon een speld horen vallen) zich net als ik persoonlijk aangesproken voelden, hoewel dat uiteraard niets had afgedaan aan wat zijn toespraak in mij teweegbracht,
want dát was wat telde, precies zoals al uit het verhaal van die christelijke vriendin was gebleken, als ik maar zo helder was geweest om
echt aandacht op te brengen voor wat ze me had willen vertellen. Maar
zoals gezegd was mijn vroegere zelf, degene die in 1973 of '74 naar
haar verhaal had geluisterd, een nihilistisch kind.

Na een of twee andere opmerkingen vervolgde de substituut, met
zijn handen nog steeds op zijn rug: 'Ik wil u ervan in kennis stellen dat
het door u geambieerde beroep van accountant in wezen heldhaftig

is. En let wel: ik zeg "in kennis stellen", niet "opperen" of "poneren" of "postuleren". De waarheid is dat datgene waar u naar terugkeert, uw kersthymnen en grogs en boeken en voorbereidingen voor het CPA-examen, samen de knop vormen waaruit dit heldendom kan ont-luiken.' Dat greep natuurlijk behoorlijk naar de keel, en iedereen was een en al aandacht. Ik herinner me dat ik toen hij dat zei opnieuw moest denken aan het citaat op het projectiescherm: 'het morele equi-valent van oorlog'. Dat citaat was wat vreemd, maar niet onzinnig. Door erover na te denken, realiseerde ik me, bezon ik me wellicht voor het eerst buiten de context van een verplichte opdracht op het woord "morele" – dat lag deels in de lijn van mijn bewustwordingsproces een paar dagen eerder, toen ik naar *As the World Turns* zat te kijken. De substituut was van niet meer dan gemiddelde lengte. Zijn ogen graas-den noch loensten. De brillenglazen van sommige studenten weer-kaatsten nog altijd licht. Een of twee maakten er nog aantekeningen, maar verder sprak of bewoog er niemand, met uitzondering van de substituut.

Zonder te pauzeren vervolgde hij: 'Veeleisend? Prozaïsch? Mecha-nisch, op het afstompende af? Soms. Meestal eentonig? Misschien. Maar dapper? Eerbiedwaardig? Passend en fijn? Romantisch? Ridder-lijk? Heldhaftig?' Als hij pauzeerde, deed hij dat niet alleen uit effect-bejag – of in ieder geval niet alleen maar. 'Mijne heren,' zei hij, '– waar-mee ik vanzelfsprekend bedoel: laatadolescenten met het verlangen een man te worden – mijne heren, ik doe u een waarheid aan de hand: uur na uur eentonigheid trotseren in een besloten ruimte, dat vergt echte moed. En een dergelijke volharding belichaamt vandaag de dag, dat geef ik u mee, in deze wereld die ik noch u gemaakt hebben, de essentie van heldendom. Heldendom.' Hij keek ostentatief de zaal in om onze reacties te peilen. Niemand lachte; sommigen keken enigs-zins bevreemd voor zich uit. Ik herinner me dat ik zo langzamerhand naar de wc moest. Rechtop in het tl-licht wierp hij geen enkele scha-duw. 'En daarmee,' zei hij, 'bedoel ik dan het ware heldendom, en niet het soort dat u misschien kent uit films of de verhalen uit uw kindertijd. U staat nu bijna aan het eind van uw kindertijd; u bent rijp om de last van de waarheid te dragen. De waarheid dat het heldendom van uw kinderfilms geen ware heldenmoed vergde. Dat was louter theater. Het grote gebaar, het beslissende moment, het doodsgevaar, de vijand van buitenaf, de hevige strijd met een uitkomst die alles beslecht – allemaal bedoeld om heldhaftig over te komen, om een publiek te plezieren en te behagen. Een publiek.' Hij maakte een gebaar dat ik niet kan beschrijven: 'Mijne heren, welkom in de werkelijke wereld – een wereld zonder publiek. Niemand die u toejuicht of bewondert. Niemand die u kan zien. Begrijpt u dat? Dat is de waarheid – het ware heldendom krijgt geen staande ovatie, pleziert niemand. Niemand staat in de rij om dat te komen zien. Niemand is erin geïnteresseerd.'

Hij pauzeerde opnieuw en glimlachte zonder ook maar een greintje zelfspot. 'Het ware heldendom, dat levert u helemaal zelf, op een u toegekende werkplek. Waar heldendom, dat komt neer op minuten-, uren-, weken-, jarenlang in de luwte rechtschapenheid en zorgzaamheid betrachten, heel nauwkeurig en oordeelkundig – zonder dat iemand u gadeslaat of toejuicht. Zo zit de wereld in elkaar. U aan het werk aan een bureau, meer niet. U en de aangifte, u en de kasstroomgegevens, u en de verslaglegging, u en de cijfers.' Zijn toon was volstrekt zakelijk. Opeens besefte ik dat ik geen idee had hoeveel woorden hij had gesproken sinds nummer 8931 aan het eind van het college. Ik was me ervan bewust hoe uitzonderlijk levendig en scherp ieder detail in het leslokaal me voorkwam, alsof alles nauwgezet was getekend en van schaduw voorzien, maar ook hoe mijn concentratie helemaal uitging naar de substituut-jezuïet, die deze bewogen en misschien zelfs een tikkeltje romantische toespraak hield zonder het gebruikelijke theatrale vertoon en die nu stilstond, opnieuw met zijn handen op zijn rug (ik wist dat zijn handen niet gevouwen waren – op de een of andere manier wist ik dat hij met zijn linkerhand zijn rechterpols vasthield), met een gezicht waarop er in het helle licht geen enkele schaduw lag. Het was alsof hij en ik ons ieder aan een ander uiteinde van een soort buis of pijp bevonden, en dat hij zich echt tot mij persoonlijk richtte – hoewel dat natuurlijk in werkelijkheid niet zo geweest kan zijn. In werkelijkheid richtte hij zich namelijk nog het minst van al tot mij, want ik had me niet ingeschreven voor Voortgezette Fiscaliteit en maakte me niet op voor het examen, en zou daarna niet naar huis gaan om daar in mijn tienerkamer aan mijn bureautje keihard te stampen voor het gevreesde CPA-examen, wat de meeste andere aanwezigen vermoedelijk wel zouden doen. Desalniettemin – en dat is iets wat ik graag al eerder had ingezien, omdat het me veel tijd en cynisch aanmodderen had bespaard – is een gevoel een gevoel, en spreken de resultaten voor zich.

Maar goed, intussen zei de substituut, waarmee hij feitelijk de kern-
punten van zijn betoog leek te herhalen: 'Waar heldendom is a priori
onverenigbaar met een publiek of met applaus, en levert niet eens de
erkenning op van de gemene man. In feite,' zei hij, 'hoe minder heldhaftig, spannend, in het oog springend of zelfs interessant of inne-
mend, in de klassieke zin van die woorden, een bepaalde werkzaamheid
op het eerste gezicht lijkt, des te groter de kans dat het een strijdtoneel
kan worden van echt heldendom, waarmee een belofte verbonden is
van een dermate uitzonderlijke vreugde dat die vooralsnog aan uw aller
voorstellingsvermogen ontsnapt.' Het leek alsof er toen opeens een
soort rilling door het lokaal ging, of misschien wel een extatische siddering, die zo snel van de ene laatstejaars accountancy op de andere
masterstudent bedrijfskunde oversprong dat we collectief een ogenblik
lang leken te deinen – hoewel ik er opnieuw niet helemaal zeker van
ben dat het echt zo gegaan is, dat het echt buiten mezelf plaatsvond,
in de collegezaal, en die (mogelijk) collectieve siddering duurde te kort
om me er meer dan alleen maar vluchtig van bewust te zijn. Ik herinner
me dat ik een sterke aandrang voelde om voorover te buigen en de veters van mijn schoenen te strikken, een gedachte die zich niet in een
handeling vertaalde.

Tegelijk gebiedt de eerlijkheid te zeggen dat ik me de substituut-jezuïet herinnerde als iemand die pauzes en korte stiltes inlaste zoals
ook doordeweekse inspirerende sprekers dat doen met hun lichaams-
gebaren en gezichtsuitdrukkingen. Hij zei: 'Scrupuleus en zorgvuldig
waken over ieder apart detail in het wemelende wormennest van gegevens, regelgeving, uitzonderingen en contingentie dat aan iedere
wereldse vorm van accountancy ten grondslag ligt – dat vergt heldenmoed. De belangen van de cliënt behartigen en die belangen afwegen
tegen de strenge ethische normen van de FASB en de bestaande wetgeving – jawel, diegenen te dienen die niet malen om dienstverlening,
maar slechts oog hebben voor resultaten – dat vergt heldenmoed. Misschien hoort u deze harde, bittere waarheid voor het eerst. Zich weg-
cijferen. Opofferingsgezindheid. Dienstbaarheid. Zich wijden aan de
zorg voor andermans geld – dát vergt bescheidenheid, volharding,
mannenmoed, opofferingsgezindheid, eergevoel en sangfroid. Neem
dit ter harte of niet, zoals u verkiest. Leer het nu, of ondervind het
later – de wereld wacht wel. Routine, herhaling, eentonigheid, monotonie, vluchtigheid, inconsequenties, abstracties, ordeloosheid, verve-

ling, levensangst, ennui – dát zijn de te duchten vijanden van de ware held. En te duchten zijn ze, vergis u niet. Want ze zijn echt.'

Toen stak een van de studenten accountancy zijn hand op, en de substituut nam even de tijd om een vraag te beantwoorden over de gecorrigeerde kostenbasis in de fiscale classificatie van giften. Ergens halverwege zijn antwoord hoorde ik de substituut de uitdrukking 'wiegelaar bij de IRS' in de mond nemen. Sinds die dag heb ik die term nooit meer horen gebruiken buiten het Controlecentrum waar ik momenteel werkzaam ben – 'wiegelaar' is Dienstjargon voor een bepaalde categorie controleurs. Achteraf gezien had er bij mij toen al een belletje moeten gaan rinkelen met betrekking tot de ervaring en achtergrond van de substituut. (De 'FASB' bleek overigens een instantie belast met het vastleggen van standaarden voor het presenteren van jaarverslagen en jaarrekeningen, maar dat kwam ik natuurlijk pas te weten toen ik een jaar later bij de Dienst begon.) Maar daarnaast moet ik toch ook een duidelijke paradox in deze herinnering onderkennen, want hoewel wat hij zei over moed en de werkelijke wereld mij echt aangreep, was ik me er niet van bewust dat de gedragenheid en de sprankeling die ik in de woorden van de substituut ontwaarde in feite indruisten tegen de strekking van zijn betoog. Waarmee ik bedoel dat zijn aanmoediging mij weliswaar diep raakte en een ander mens van me maakte, zo blijkt nu, maar dat ik niet echt begreep waar hij het over had. Achteraf gezien lijkt dat eens te meer een bewijs dat ik zonder het te beseffen een 'verlorener' en onbewustere ziel was dan ik toen besefte.

'Ik overdrijf, meent u?' zei hij. 'Cowboys, paladijnen, helden? Mijne heren, ken uw geschiedenis. Vroeger verlegden helden grenzen – zij baanden zich een weg, ze temden, hakten, vestigden, gaven vorm, creëerden. In vroegere samenlevingen brachten helden feiten voort. Want dat is de definitie van een samenleving – een agglomeratie van feiten.' (Hoe meer studenten Voortgezette Fiscaliteit voorzichtig opstonden en vertrokken, hoe sterker uiteraard mijn gevoel werd dat hij mij persoonlijk toesprak. De oudere student bedrijfskunde naast mij, met zijn twee weelderige, perfect getrimde bakkebaarden en zijn ongelooflijk nette aantekeningen, slaagde erin de metalen sluitingen van zijn koffertje geruisloos dicht te drukken. Onder zijn tafel lag er op het rekje van staaldraad een *Wall Street Journal* die hij ofwel niet gelezen had, ofwel na het lezen zo goed had weten op te vouwen dat de krant er onaangeraakt uitzag.) 'Maar nu leven we in het heden, in de moderne tijd,' zei de substituut (en uiteraard was daar weinig tegen in te brengen). 'In de wereld van vandaag staan de grenzen vast en is het leeuwendeel van alle belangwekkende feiten reeds voortgebracht. Mijne heren, vandaag de dag bestaat de heroïsche grens in het ordenen en ontsluiten van die feiten. Classificeren, organiseren, presenteren. Anders gezegd: de koek is reeds gebakken – waar het nu om draait, is het snijden. Mijne heren, u ambieert het mes ter hand te nemen. Het te hanteren. Toe te bedelen. Ieder stuk vorm te geven, de grootte en de diepte van de snede te bepalen.' Hoe gegrepen ik ook was, toch was ik me er onderhand van bewust dat de substituut zijn metaforen een beetje dooreenhaspelde – ik kon me nauwelijks voorstellen dat de overgebleven Aziaten veel snapten van dergelijke typisch Amerikaanse beeldspraak over cowboys en zo. Hij stapte naar de vlaggenstandaard in de hoek van de collegezaal om zijn hoed te pakken, een donkergrijze, zakelijke fedora die al heel wat jaren meeging maar goed onderhouden was. In plaats van hem op te zetten, hield hij de hoed in de lucht.

'Een bakker draagt een muts,' zei hij, 'maar wij, mijne heren, wij dragen een hoed. Wees bereid die hoed te dragen. Mogelijk heeft u zich al afgevraagd waarom echte accountants een hoed dragen? Zij zijn de cowboys van vandaag. Zoals ook u dat zult zijn. Galopperend over de prairie. De oneindige stroom financiële gegevens als een dravende kudde in goede banen leiden. De kolken en cascaden, de te temmen variaties en onwillige nietigheden. U ordent de gegevens, u hoedt ze en stuurt ze waar nodig bij, u leidt ze daarheen waar er behoefte aan bestaat, adequaat en in de voorgeschreven vorm. U handelt in feiten, mijne heren, waarvoor al een markt bestaat sinds de eerste mens uit het oerslijk kroop. Zeg het voort: u bent het – die uitrijdt, de transen bemant, de koek definieert, ten dienste staat.' Je kon onmogelijk over het hoofd zien hoe anders hij er nu uitzag dan in het begin. Het werd nooit echt duidelijk of hij deze laatste aanmoediging of bemoediging had gepland of voorbereid, of dat het allemaal gewoon recht uit zijn hart kwam. Mij viel op dat zijn hoed veel stijlvoller en Europeser was dan die van mijn vader, met een diepere deuk en in de band een veer mét pen – die hoed was minstens twintig jaar oud. Toen hij ter afsluiting zijn armen hief, hield hij die hoed nog steeds in zijn ene hand –

'Van u, mijne heren, verlangt men rekenschap.'

Een of twee van de overgebleven studenten klapten in hun handen, wat altijd een akelig geluid is als het maar om een paar handen gaat – het klonk alsof iemand een pak voor de broek of een paar rake klappen kreeg. Ik herinner me dat ik in een flits iets in een wiegje zag liggen dat tevergeefs met zijn armpjes en beentjes zwaaide, het mondje open en vochtig. En dat ik daarna de passerelle overstak en de trap afliep en in een soort hyperbewuste verdwazing vanuit Daniel Hall naar de bibliotheek ging, helemaal gedesoriënteerd, maar tegelijk heel helder, en daar houdt mijn herinnering aan dat voorval eigenlijk ook meteen op.

Daarna is het eerste wat ik me kan herinneren een bezoek aan de kapper, tijdens de kerstvakantie in Libertyville. En dat ik bij Carson Pirie Scott's in Mundelein een dicht geweven donkergrijs wollen pak zonder split kocht, samen met een broek met dubbele bandplooi en een vierkant, geblokt jasje met brede, ingekeepte revers, dat ik uiteindelijk bijna nooit zou dragen omdat het de neiging had om bij de derde knoop op te bollen, wat als je alle knopen dichtdeed een bijna tuniekachtig effect gaf. Ik kocht ook een paar leren brogues van Nunn Bush en drie overhemden – twee witte en één lichtblauw, van respectievelijk oxford- en Sea Island-katoen. Alle drie hadden ze een buttondown boord.

Behalve dat ik mijn moeder praktisch naar Wrigleyville moest slepen om er kerst te vieren bij Joyce thuis, ging mijn vakantie bijna helemaal op aan het uitpluizen van mijn studiemogelijkheden en de toelatingseisen. Ik herinner me dat ik toen ook heel bewust over een paar zaken diepgaand en geconcentreerd probeerde na te denken. Mijn houding met betrekking tot de universiteit en afstuderen was compleet veranderd. Ineens had ik het gevoel vreselijk achterop te zijn geraakt. Het leek wel wat op het gevoel dat je hebt wanneer je opeens op je horloge kijkt en beseft dat je te laat op een afspraak zult komen, maar dan op veel grotere schaal. Nog één semester en dan zou ik moeten afstuderen, en ik kwam exact negen verplichte vakken tekort voor een major in Accountancy, om nog maar te zwijgen over mijn slaagkansen voor het CPA-examen. Ik kocht een examenreader in een Waldenbooks in het Galaxy Center, het winkelcomplex aan Milwaukee Road. Het CPA-examen werd drie keer per jaar afgenomen en duurde twee dagen, en je kreeg het dringende advies om de volgende vakken te hebben gevolgd: zowel inleidende als voortgezette cursussen Financiele Accounting, Management Accounting, twee semesters Consolida-

tie en Financiële Bedrijfsdoorlichting, Bedrijfsstatistiek – op DePaul
een al even berucht en aartsmoeilijk vak – een solide basis in Gegevensverwerking, zeker één, maar bij voorkeur twee semesters Fiscaliteit, één of meer semesters Economie, met hetzij Trust-Accounting,
hetzij Non-Profit-Accounting. Kandidaten werd in de kleine lettertjes
van een invouwblad aangeraden zich ook in minstens één 'hogere' pro-
grammeertaal te bekwamen, bijvoorbeeld Cobol. Het enige informa-
ticavak dat ik ooit met succes gevolgd had was Kennismaking met de
Wereld van de Computer aan de UIC, waar we voornamelijk een zelfgemaakte versie van Pong hadden gespeeld en onze docent hadden
geholpen met het ordenen van 51.000 hollerithkaarten met project-
gegevens die hij per ongeluk van een gladde trap had laten vallen, en
ga zo maar door. En tot overmaat van ramp ontdekte ik toen ik een
handboek bedrijfsstatistiek doornam dat je daarvoor wiskundige analyse moest beheersen, en ik was niet eens aan trigonometrische functies toegekomen – in mijn laatste jaar op de middelbare school had ik
in plaats van Trigonometrie Perspectieven op Modern Theater gekozen, waarover mijn vader me toen flink de schoen had gewrongen, dat
wist ik nog goed. Mijn afkeer van Algebra II en mijn weigering om
daarna ooit nog een wiskundevak te volgen vormde trouwens de aanleiding voor een van de weinige echt fikse ruzies die mijn ouders in de
jaren voor hun scheiding ooit in mijn bijzijn hebben gehad, wat ook
weer een lang verhaal is, maar ik herinner me nog dat ik mijn vader
hoorde zeggen dat er in de wereld maar twee soorten mensen bestonden – mensen die de mechanismen waar de echte wereld op draait werkelijk doorgronden (namelijk met behulp van wiskunde en de natuur-
wetenschappen, wat uiteraard zijn hele punt was), en mensen die
daartoe niet in staat zijn – en dat ik hoorde dat mijn moeder erg van
streek en aangeslagen was over wat ze mijn vaders onbuigzaamheid en
bekrompenheid noemde, en dat ze antwoordde dat de twee typen in
feite bestonden uit aan de ene kant mensen die zich zo onbuigzaam
en intolerant opstellen dat ze geloven dat er in wezen maar twee soorten mensen bestaan, en aan de andere kant mensen die geloven dat er
allerlei verschillende soorten en variaties van mensen bestaan, allemaal
met hun eigen unieke talenten en levenspaden en -doelen en ga zo
maar door. Die woordenwisseling was begonnen als een doordeweekse
discussie maar al snel ontaard in een hoogoplopende ruzie, en iedereen
die toevallig had staan meeluisteren zou er al snel achter gekomen zijn

dat het echte conflict, aldus mijn moeder, draaide om twee totaal verschillende en onverenigbare wereldbeschouwingen, en de manier waarop je diende om te gaan met degenen die op je rekenden en van wie je verondersteld werd te houden. Het was bijvoorbeeld ook tijdens die bewuste woordenwisseling dat ik mijn vader hoorde zeggen dat ik mijn verstand in mijn luie kont had zitten, wat mijn moeder opvatte als een harteloos en onbuigzaam oordeel over iemand van wie hij verondersteld werd te houden, en die zich gesteund wilde weten, maar achteraf gezien denk ik dat het voor mijn vader misschien de enige manier was om zijn bezorgdheid uit te spreken over het feit dat ik geen enkel initiatief nam en niets van mijn leven maakte, en dat hij niet wist wat hij daar als vader aan kon doen. Het is algemeen bekend dat ouders hun liefde en bezorgdheid vaak op radicaal verschillende manieren uiten. Maar natuurlijk is mijn interpretatie voor een groot stuk louter speculatief – het is uiteraard onmogelijk om na te gaan wat hij echt bedoelde.

Maar goed, de uitkomst van al dat aandachtig nadenken en informatie inwinnen tijdens de kerstvakantie was dat het er alles bij elkaar genomen naar uitzag dat ik helemaal vanaf nul zou moeten beginnen, en dat op mijn nog net geen vierentwintigste. En de financiële situatie thuis was erg precair als gevolg van de juridische verwikkelingen in het hoofdproces over de dood-door-schuld-vraag, dat in die tijd van start zou gaan.

Er was overigens geen denken aan dat ik mijn vaders pakken had kunnen dragen, hoeveel verstelwerk ik er ook aan zou laten verrichten. In die tijd had ik maat 50/100 met kruislengte 84, terwijl het merendeel van mijn vaders pakken maat 46/92/79 was. Nadat Joyce en ik zijn kast, bureau en hobbykamer hadden uitgeruimd, een erg nare ervaring voor ons allebei, belandden zijn pakken en antieke zijden blazer uiteindelijk bij spullenhulp. Tegen die tijd stond mijn moeder, zoals ik eerder al zei, steeds vaker op de uitkijk om de vogels uit de buurt te kunnen gadeslaan bij de voederbuisjes op de veranda en de voederplankjes in de tuin – de woonkamer in mijn vaders huis had een groot raam met een weids uitzicht op de veranda, de tuin en de straat – vaak gekleed in een rode chenille badjas en met grote pluchen pantoffels aan haar voeten; ze verwaarloosde zichzelf en haar huishoudelijke taken, zodat iedereen zich steeds meer zorgen om haar maakte.

Na de vakantie, toen het net begon te sneeuwen, vroeg ik een onderhoud aan met de vicedecaan Academische Zaken (een rasechte jezuïet, gekleed in het voorgeschreven zwart-witte uniform, met aan zijn deurknop een geel lintje) om te praten over mijn ervaring bij Voortgezette Fiscaliteit en het feit dat ik mijn leven een andere wending en focus wilde geven maar te ver achterliep om mijn nieuwe doelstellingen te kunnen verwezenlijken, en ook om de mogelijkheid te opperen om mijn inschrijving misschien met één jaar te verlengen, indien mogelijk met opschorting van betaling van het collegegeld, wat me in staat zou stellen een paar ontbrekende vakken te volgen en alsnog af te studeren als accountant. Maar dat was best pijnlijk, omdat ik namelijk al eens eerder in het kantoor van deze eerwaarde had gezeten, twee of drie jaar eerder, en dat in heel andere omstandigheden, en dat is nog zacht uitgedrukt: toen had hij me namelijk de schoen gewrongen en me gewaarschuwd dat als mijn cijfers er niet snel op vooruitgingen ik DePaul zou moeten verlaten, waarop ik toen, als ik het goed heb, hardop 'Kan mij het schelen' zei, niet bepaald iets wat jezuïeten licht opnemen. Daarom was de houding van de vicedecaan tijdens het gesprek ook betuttelend en sceptisch, en geamuseerd – mijn nieuwe garderobe en zogenaamd veranderde instelling leek hij vooral geestig te vinden, alsof hij er een grap of een kwajongensstreek in zag, of een trucje waarmee ik een extra jaar wilde versieren voordat ik, zoals hij dat zei, 'mijn mannetje' zou moeten staan 'in de echte wereld', en ik zag geen mogelijkheid om hem adequaat en zonder kinderachtig of volslagen getikt te lijken de inzichten en conclusies te beschrijven waartoe ik was gekomen onder het kijken naar een soap en de keer daarna door het verkeerde afsluitende college binnen te hobbelen, en om een lang verhaal kort te maken: hij wees me de deur.

Dat was begin januari 1979, op de dag dat het net was begonnen te sneeuwen – ik kan me nog herinneren dat ik op de terugweg van Lincoln Park naar Libertyville door het raam van de trein vol forenzen grote, losse, aarzelende sneeuwvlokken zag vallen die doelloos in de door de trein veroorzaakte luchtstroom ronddwarrelden, en dat ik dacht: '*Dit is mijn onvoldragen poging tot een volwaardig leven.*' Voor zover ik me nog herinner hingen er in de hele stad gele linten vanwege het gijzeldrama in het Midden-Oosten en de aanvallen op Amerikaanse ambassades. Ik wist nauwelijks wat er in de wereld speelde, onder meer omdat ik sinds die ervaring midden december met die voetbal en *As the World Turns* geen tv meer had gekeken. Niet dat ik na die gebeurtenis bewust had besloten de televisie af te zweren. Ik kan me gewoon niet herinneren dat ik na die dag nog tv heb gekeken. Bovendien vond ik in het licht van de gebeurtenissen van voor Kerstmis ook dat ik te veel achterstand had opgelopen om daar nog meer tijd aan te verspillen. Deels was dat uit angst dat ik me te laat had weten op te laden en te motiveren en dat ik op de valreep nog een cruciale gelegenheid zou 'missen' om mijn nihilisme af te zweren en een ingrijpende, realistische keuze te maken. Dit alles speelde zich bovendien af tijdens wat de ergste sneeuwstorm in de recente geschiedenis van Chicago zou blijken, waardoor er aan het begin van het voorjaarssemester van '79 op DePaul totale chaos heerste en het universiteitsbestuur voortdurend colleges moest schrappen omdat studenten die niet op de campus woonden niet met zekerheid konden zeggen of ze überhaupt in staat zouden zijn de universiteit te bereiken, en de helft van de studentencomplexen bleef noodgedwongen gesloten vanwege bevroren leidingen, en een deel van het dak van mijn vaders huis stortte in onder het gewicht van het dikke pak sneeuw, wat grote structurele problemen met zich meebracht die ik in mijn eentje het hoofd moest zien te bieden omdat mijn moeder te zeer in beslag genomen werd door de logistieke moeilijkheden die ze ondervond bij haar pogingen te verhinderen dat de sneeuw al het vogelzaad dat ze had uitgestrooid bedekte. De meeste CTA-treinen reden niet, en vaak werden er zomaar busdiensten geschrapt als bleek dat de sneeuwschuivers bepaalde wegen niet vrij konden houden, en die eerste week moest ik elke ochtend in alle vroegte naar de radio luisteren om te horen of de colleges die dag al dan niet zouden doorgaan, want zo ja, dan zou ik me erheen moeten zien te ploeteren. Hier moet ik nog bij vermelden dat mijn vader geen auto bezat – hij was een fervent voorstander van het openbaar vervoer – en dat mijn moeder haar Renaultje aan Joyce had gegeven als deel van de vereffeningsregeling voor de boekhandel, waardoor er geen auto beschikbaar was, al kon ik af en toe met Joyce meerijden, al vond ik het erg vervelend om een beroep op haar te moeten doen – ze kwam in de eerste plaats langs om te kijken hoe het met mijn moeder gesteld was, met wie het duidelijk minder ging en over wie we ons allemaal steeds grotere zorgen maakten; later bleek dat Joyce had geprobeerd uit te zoeken welke gespecialiseerde zorg mijn moeder precies nodig zou kunnen hebben en waar ze die kon krijgen, en dat ze tijd noch moeite had gespaard om na te gaan wat de mogelijkheden tot psychologische hulp en opvang in de omgeving waren. Ondanks de sneeuw en de extreem lage temperaturen stond mijn moeder bijvoorbeeld inmiddels niet meer achter het raam op de uitkijk, maar op of bij de trappen naar de veranda, en hield ze zelf de voederbuisjes in haar opgestoken handen, kennelijk bereid om zo te blijven staan tot ze zou bevriezen als er niet iemand ingreep en haar overhaalde weer naar binnen te komen. Langzamerhand was ook het aantal en het geluidsniveau van de vogels een probleem geworden, wat enkele buurtbewoners al te kennen hadden gegeven nog voordat de sneeuwstorm was losgebarsten.

Tot op zekere hoogte ben ik er vrij zeker van dat ik de gunstige voorwaarden van het nieuwe ambitieuze wervingsprogramma van de Dienst voor het eerst hoorde via WBBM, een gortdroge, conservatieve nieuwszender op de korte golf waar mijn vader altijd naar luisterde, maar die in de regio het uitvoerigste weergerelateerde informatieoverzicht bood. 'De Dienst' verwijst uiteraard naar de IRS, de Belastingdienst, bij belastingplichtigen beter bekend als 'de fiscus'. Maar ik meen me ook te herinneren dat ik al eens eerder een advertentie voor dat wervingsprogramma had gezien, en wel op een heel onverwachte, heftige manier die, achteraf gezien, zo heftig en door het lot ingegeven lijkt dat het misschien eerder om de herinnering aan een droom of een fantasie ging, waarin ik in het foodcourt van het Galaxy Center aan een tafeltje zat terwijl Joyce mijn moeder hielp bij het plaatsen van de zoveelste grote, thuis te bezorgen bestelling bij dierenspeciaalzaak Zodiac. Bepaalde elementen in deze herinnering zijn hoe dan ook geloofwaardig. Het klopt dat ik moeite had met al die dieren die in kooien te koop werden aangeboden – met de aanblik van kooien en dingen achter tralies heb ik het altijd al moeilijk gehad – en vaak wachtte ik gewoon buiten in het foodcourt op mijn moeder zolang zij en Joyce bij Zodiac binnen waren. Ik was meegegaan om de zakken zaad te helpen dragen voor het geval thuisbezorging werd geweigerd of uitgesteld wegens het barre weer, dat, zoals veel inwoners van Chicago zich maar al te goed herinneren, behoorlijk lang uitzonderlijk slecht bleef en de hele streek bijna volledig lamlegde. Maar goed, in die herinnering zat ik dus aan een van de vele plastic designtafeltjes in het foodcourt van het Galaxy Center een beetje afwezig naar het patroon van ster- en maanvormige perforaties in het tafelblad te staren toen ik plotseling door een van die perforaties een glimp opving van een *Sun-*

Times die iemand kennelijk onder het tafeltje op de grond had gegooid en die openlag op het vacaturekatern, en wel op zo'n manier dat in die herinnering een lichtstraal van de verlichting in de nok van het food-court door een van de stervormige perforaties in het tafelblad op de krant viel – die zo als het ware door een symbolisch beladen stervormige volgspot beschenen werd – en tussen alle andere vacatures en mededelingen en carrièrekansen er één uitlichtte, namelijk een ingezonden mededeling over de gunstige voorwaarden van het nieuwe wervingsprogramma van de IRS dat in sommige delen van het land van start zou gaan, onder meer in Chicago en omstreken. Ik vermeld deze herinnering gewoon, los van de vraag of die eigenlijk even geloofwaardig is als de meer prozaïsche WBBM-herinnering, als bijkomend voorbeeld van hoe 'rijp' en gemotiveerd voor een loopbaan bij de Dienst ik achteraf gezien geweest moet zijn.

Het wervingskantoor van de IRS voor de agglomeratie Chicago was gevestigd in een soort tijdelijke kantoorruimte in een winkelpand in West Taylor Street, vlak bij de UIC-campus waar ik in 1975/76 een tamelijk vreugdeloos en hypocriet jaar had doorgebracht, en zowat schuin tegenover het opleidingscentrum van de brandweer – de brandweermannen in opleiding waren soms in vol ornaat, met hun laarzen en oliejas aan, in De Hoed te vinden, waar het hun verboden was bruisend water of andere koolzuurhoudende drankjes te bestellen, maar het zou te ver voeren om hier nu uit te leggen waarom. Gelukkig was het bord met de ronddraaiende voet van de chiropodische kliniek niet zichtbaar vanaf deze kant van de Kennedy Expressway. Die gigantische, ronddraaiende voet stond symbool voor een van de kinderachtige zaken die ik maar wat graag achter me wilde laten.

Ik herinner me dat de zon eindelijk was doorgebroken – al bleek later dat het om niet meer dan een tijdelijke luwte of een 'oog' in de storm ging en dat we een dag of twee later nog extremer winterweer te verduren zouden krijgen. Inmiddels lag er meer dan een meter verse sneeuw, en een nog veel dikker pak waar de gemotoriseerde sneeuwschuivers de straten hadden geruimd, waardoor zich aan de kant van de weg gigantische sneeuwbanken hadden gevormd en je je bijna in een tunnel of een kerkschip waande als je het trottoir wilde bereiken, waar je dan vast kwam te zitten als je een gebouw passeerde waarvan de eigenaar te weinig burgerzin bezat om de stoep te ruimen. Ik droeg een breed uitlopende groene ribfluwelen broek waarvan de pijpen al snel bijna tot aan mijn knieën omhoog kropen, en mijn zware Timberlands – die eigenlijk betrekkelijk weinig grip boden, zo ontdekte ik – zaten onder de sneeuw. Het licht was zo fel dat je haast niets meer zag. Het leek wel een poolexpeditie. Als er op het trottoir echt geen doorkomen aan was, moest je maar weer over de sneeuwbanken heen zien te klauteren en op straat verder lopen. Logischerwijs was er weinig verkeer. De straten leken wel ravijnen met volstrekt witte wanden, en de hoge sneeuwbanken en kantoorgebouwen wierpen ingewikkelde, afgeplatte schaduwen die soms staafdiagrammen vormden waar je zomaar overheen liep. Ik had maar een bus kunnen nemen tot aan Grant Park, verder ging hij niet. De rivier was dichtgevroren en lag vol bergen sneeuw die de sneeuwschuivers daar hadden gedumpt. Tussen haakjes: ik weet ook wel dat buiten de wijde omtrek van Chicago waarschijnlijk niemand nog echt geïnteresseerd is in de legendarische winter van 1979, maar voor mij was het een intense, cruciale tijd die me nog ongewoon scherp en gedetailleerd voor de geest staat. Voor mij is de scherpte van die herinnering eens te meer een bewijs voor de duidelijke markering in mijn eigen bewustzijn en levenspad van de periode voor en na het college van de substituut. Dat had niet eens zozeer te maken met de retoriek over heldendom en veedrijvers, want veel daarvan vond ik ook toen al behoorlijk hoogdravend (er zijn grenzen). Ik denk dat de woorden van de substituut onder meer zo veel effect op me hadden omdat volgens zijn diagnose de wereld en de werkelijkheid in wezen al volledig ontdekt en gevormd waren en dat daarmee de grondslagen van onze kennis over de wereld waren gelegd, en dat een betekenisvolle keuze nu alleen kon bestaan in het hoeden, bijeendrijven en organiseren van die stortvloed aan gegevens. Dat raakte bij mij een gevoelige snaar, een snaar waarvan ik amper wist dat ik die had.

Maar goed, het duurde even voor ik het gevonden had. Ik herinner me dat in een paar straten alleen het veelhoekige bord van een paar stopborden boven de hopen sneeuw uitstak, en dat bij meerdere winkelpanden de brievenbusklep was vastgevroren en er een lange tong sneeuw op het tapijt lag. Bij veel onderhouds- en vuilniswagens van de stad Chicago was er een stalen blad op de grille gemonteerd zodat ze dienst konden doen als extra sneeuwschuivers – de toenmalige burgemeester reageerde met alle mogelijke middelen op het aanzwellende protest over de inefficiënte aanpak van de sneeuwoverlast. Op Balbo

Avenue stonden in de voortuinen de overblijfselen van een paar sneeuwpoppen waarvan de hoogte de leeftijd van de makers verried. Bij een paar had de storm een oog of een pijp weggeblazen of de gelaatstrekken gewijzigd – van op een afstandje zagen ze er onheilspellend of gestoord uit. Het was doodstil en zo helwit dat er, als je je ogen sloot, alleen maar een oplichtend bloedrood te zien was. Af en toe hoorde je het geschraap van een sneeuwschop, en in de verte klonk ook een hoog, snerpend geluid waarvan ik me pas later realiseerde dat het afkomstig moet zijn geweest van een of meer sneeuwscooters op Roosevelt Road. Een paar van die sneeuwpoppen droegen vaders versleten of oude nette hoed. Uit één heel hoge, aaneengevroren sneeuwduin stak een uitgeklapte paraplu, en ik herinner me de lange, angstige minuten dat ik een gat groef en in het gat schreeuwde, want het leek haast alsof er iemand met een paraplu onverhoeds al wandelend tot over zijn hoofd was bedolven. Maar het bleek alleen maar om een geopende paraplu te gaan die iemand met het handvat naar beneden in de sneeuwhoop had geduwd, misschien voor de grap of om mensen voor de gek te houden.

Maar goed, het bleek dus dat de Dienst recentelijk een nieuw programma had ingesteld om contractmedewerkers aan te trekken, ongeveer zoals ook het leger nieuwe rekruten werft – met heel veel advertenties en tal van gunstige voorwaarden. Later werd wel duidelijk dat de IRS zo zijn eigen redenen had voor deze fanatieke wervingscampagne en dat die maar voor een deel te maken hadden met de concurrentie uit de hoek van de particuliere accountingbranche.

Trouwens: alleen leken en de media hebben het zonder onderscheid over 'inspecteurs' als ze naar IRS-contractmedewerkers verwijzen. Bij de Dienst worden personeelsleden meestal aangeduid aan de hand van het bureau of de afdeling waar ze aan verbonden zijn, en 'inspecteur' verwijst doorgaans alleen naar degenen bij de CID, de (relatief kleine) inlichtingen- en opsporingsdienst die zich met dermate schandalige gevallen van belastingontduiking bezighoudt dat er bijna niets anders op zit dan de bb in kwestie te vervolgen, vooral om een voorbeeld te stellen en zo een striktere naleving af te dwingen. (Doordat het federale belastingsysteem nog steeds grotendeels op vrijwillige naleving berust, ligt de verhouding tussen de Dienst en de belastingplichtigen psychologisch gezien behoorlijk ingewikkeld. Het publiek moet de indruk hebben dat er uiterst efficiënt en grondig gewerkt wordt, en afgeschrikt worden door een fors systeem van boetes, moratoire rente en, in extreme gevallen, strafrechtelijke vervolging, maar in de praktijk is de CID zo ongeveer het laatste redmiddel, aangezien een gevangenisstraf zelden of nooit extra inkomsten oplevert – een bb in de gevangenis heeft geen inkomen en is uiteraard niet in staat zijn uitstaande schulden te voldoen – terwijl de dreiging met vervolging kan fungeren als een stok achter de deur, zodat fraudeurs alsnog hun achterstand betalen en in de toekomst de wet correct naleven. Bovendien werkt het motiverend ten aanzien van andere belastingplichtigen die met de gedachte spelen om belasting te ontduiken. Voor de Dienst is 'public relations' met andere woorden een cruciaal maar ingewikkeld aspect van zowel zijn missie als efficiëntie.) Zo ook is 'controleur' – zelfs onder fiscalisten in de private sector – de gangbare term voor iemand die bij de Belastingdienst audits uitvoert, of dat nu ter plaatse of vanuit het betreffende districtskantoor gebeurt, terwijl binnen de IRS de functieomschrijving 'auditeur' geldt – een 'controleur' is een werknemer belast met de selectie van bepaalde aangiften voor een eigenlijke audit, hoewel controleurs zelf nooit rechtstreeks met bb's – de belastingbetalers of belastingplichtigen dus – te maken krijgen. Zoals ik al zei vallen de verschillende afdelingen Controle onder de bevoegdheid van de Regionale Controlecentra, waaronder ook het RCC Midden-West in Peoria. Organisatorisch gezien vallen Controle, Audits en de CID allemaal onder de afdeling Compliance. Maar tegelijk is het wel zo dat bepaalde auditeurs uit de middelste rangen binnen de hiërarchie van de Dienst strikt genomen als 'belastinginspecteur' bekendstaan. En het is ook zo dat leden van de Afdeling Interne Inspectie soms als 'inspecteurs' aangeduid worden – de Afdeling Interne Inspectie is zo'n beetje de Dienstversie van wat in andere wetshandhavende instanties Interne Zaken heet. De taak van die 'inspecteurs' of 'agenten' bestaat in het onderzoeken van beschuldigingen van ambtsmisdrijven of criminele handelingen door personeelsleden of diensten binnen de Belastingdienst. Administratief gezien is de AII een onderdeel van de dienst Intern Toezicht, waaronder ook Personeelszaken en Systeembeheer vallen. Wat ik geloof ik wil zeggen is dat de structuur en de organisatie van de Dienst, zoals bij de meeste grote federale instellingen, uitzonderlijk complex is – binnen de dienst Intern Toezicht zijn er zelfs departementen die in het kader van het streven naar maximale efficiency uitsluitend belast zijn met het bestuderen van de interne organisatie-structuur van de IRS.

Gelegen te midden van de duizelingwekkende verzameling kantoor-gebouwen in de Chicago Loop maakte het wervingskantoor van de IRS op het eerste gezicht niet echt een overweldigende indruk. In de-zelfde ruimte bevond zich, naast de hoek gereserveerd voor de IRS, ook een wervingspost van de Luchtmacht, met als enige afscheiding een groot pvc-scherm of -paneel, en het feit dat het Luchtmachtkan-toor bij de receptiebalie telkens opnieuw een georkestreerde versie van het bekende lied 'Off We Go into the Wild Blue Yonder' liet afspelen droeg wellicht bij aan het ongemak dat de rekruteringsambtenaar van de IRS ondervond aan zijn hoofd en gezicht, die van tijd tot tijd kleine spastische tics en grimassen vertoonden, zodat het aanvankelijk moeite kostte om daar niet naar te staren en te doen alsof er niets aan de hand was. De rekruteringsman van de Dienst, die een ongeschoren indruk maakte en bijna over de hele rechterhelft van zijn hoofd een weerbor-stel had, droeg zijn zonnebril ook binnenskamers en had een uitge-smeerde vlek op een van de revers van zijn jasje, en het zou best kunnen dat zijn stropdas – tenzij ik nog moest wennen aan het licht: ik was namelijk het hele eind vanaf de bushalte bij Buckingham Fountain in Grant Park door de oogverblindende sneeuw hiernaartoe geploeterd – in feite een clipdas was. Maar aan de andere kant: zelf zat ik tot aan mijn kruis onder de gesmolten sneeuw en bovendien plakte er bevro-ren vogelzaad aan mijn donsjas, waaronder ik ook nog eens twee ver-schillende zware winterse coltruien droeg, dus waarschijnlijk maakte ikzelf ook niet bepaald een veelbelovende indruk. (Er was uiteraard geen haar op mijn hoofd die eraan dacht mijn nieuwe kleren en schoe-nen aan te trekken om door borsthoge sneeuwduinen te baggeren.) Nog afgezien van de hinderlijke oorlogsmuziek die opklonk van achter het paneel was het in het wervingskantoor van de IRS snikheet en rook het er naar zure koffie en een deodorantstick van een merk dat ik niet kon thuisbrengen. Boven op een overvolle prullenmand lagen een paar lege blikjes Nesbitt's-limonade, met daaromheen op de grond een ben-de papierproppen, wat suggereerde dat iemand tijdens ledige uren ver-frommelde vellen papier in die papiermand had zitten mikken – een tijdverdrijf dat ik maar al te goed kende van de avonden dat ik ging 'studeren' in de UIC-bibliotheek, als het voetenlogo van de chiropo-dische kliniek dat zo had beschikt. Ik herinner me ook een opengemaakte doos donuts met een laagje onsmakelijk dof geworden glazuur. Maar ik was hier niet om een oordeel te vellen, en evenmin om me ergens overhaast op vast te leggen. Ik was hier om te achterhalen wat er klopte van de op het eerste gezicht ongelooflijk gunstige voorwaarden die potentiële werknemers door de IRS voorgespiegeld kregen in de reclameboodschap die ik twee dagen daarvoor op de radio had gehoord of misschien wel in de krant had gelezen. Uiteindelijk bleek dat de rekruteringsambtenaar al meerdere dagen onafgebroken in het kantoor vastzat vanwege de sneeuwstorm, wat wellicht de verklaring was voor zijn belabberde toestand – bij de IRS zijn de kleding- en hygiënevoorschriften tijdens werkuren normaal gezien behoorlijk streng. Steeds als er een van die grote, geïmproviseerde sneeuwschuivers voorbij kwam rijden begon de etalageruit te trillen door het lawaai. Die ruit lag op het zuiden en was niet getint, wat opnieuw een mogelijke verklaring was voor de zonnebril die de rekruteringsambtenaar ophad, waar ik me desondanks ongemakkelijk bij voelde. Zijn bureau werd geflankeerd door vlaggen en een grote standaard met daarop grote stukken bordkarton vol organogrammen en nog meer advertenties, en tegen de muur boven en achter het bureau hing (enigszins scheef) een ingelijste reproductie van het zegel van de Belastingdienst, dat, zo legde de rekruteringsambtenaar uit, de mythische held Bellerophon voorstelde die de Chimaera versloeg, met daaronder op een lange banderol in het Latijn het motto van de IRS, *'Alicui tamen faciendum est'*, wat zoveel betekent als *'Hij is het die een moeilijke, impopulaire taak op zich neemt'*. Het bleek dat Bellerophon al sinds de definitieve invoering van een federale inkomstenbelasting in 1913 als het officiële symbool of embleem van de IRS fungeert, zoals de witkopzeearend symbool staat voor de Verenigde Staten als geheel.

In ruil voor een contract van twee tot vier jaar bood de IRS je, afhankelijk van het specifieke voorwaardenpakket, maximaal $14.450 voor een universitaire of voortgezette technische opleiding. Dat betekende uiteraard $14.450 vóór aftrek van belastingen, voegde de rekruteringsambtenaar van de IRS eraan toe met een glimlach die ik, dat herinner ik me nog, op dat moment niet meteen kon plaatsen. Volgens de uitgebreide regeling die de rekruteringsambtenaar voor mij aankruiste op een uitvouwbare wervingsfolder waar de diverse trajecten die de Dienst aanbood door middel van ingewikkelde diagrammen met stippellijnen en in een extreem klein letterkorps werden toegelicht, bleken er, op voorwaarde dat die voortgezette opleiding uitmondde in een CPA-licentie of een master in Accountancy of Fiscaliteit aan een officieel erkende onderwijsinstelling, nog verschillende bijkomende gunstige voorwaarden te bestaan die aanleiding konden geven tot verlenging van je contract bij de IRS, bijvoorbeeld de mogelijkheid om cursussen te volgen terwijl je als de contractant werkzaam was in een Regionaal Ontvangkantoor of een Regionaal Controlecentrum, waarheen, zo legde de rekruteringsambtenaar uit, werknemers van de Dienst tijdens de eerste paar kwartalen na hun indiensttreding normaal gezien werden gedetacheerd, volgend op iets wat uit zijn mond klonk als het 'FOK'. Om voor het gunstige voorwaardenpakket in aanmerking te komen diende je namelijk in een Vormings- en Opleidingscentrum, oftewel VOC, een twaalf weken durende lessenreeks af te werken – daar sloeg het nogal cynische 'FOK' van de rekruteringsambtenaar op. IRS-werknemers spreken ook bijna altijd van 'de Dienst' en noemen het kantoor waar ze werken hun 'Filiaal', en ze houden de tijd dat ze bij de Dienst werken niet bij in jaren of maanden, maar in de vier belastingkwartalen van de fiscale kalender, die corresponderen met de wettelijk vastgestelde data waarop de kwartaalaangiften van het geschatte inkomen (oftewel 1040-EST-formulieren) uiterlijk verstuurd dienen te zijn, en het enige bijzondere daarbij is dat het tweede kwartaal loopt van 15 april tot 15 juni, en dus maar twee maanden bestrijkt, en dat het vierde kwartaal doorloopt van 15 september tot 15 januari van het daaropvolgende jaar – met als belangrijkste reden dat het laatste kwartaal zo het gehele belastingjaar omvat, tot en met 31 december. Op het moment zelf legde de rekruteringsambtenaar dit alles natuurlijk niet met zoveel woorden uit – het meeste daarvan is gewoon het soort informatie dat je je in de loop van je volwassen loopbaan binnen een organisatie eigen maakt.

Maar goed, ondertussen waren er in het kantoor nog twee andere aspiranten gearriveerd, en ik herinner me nog dat een van hen een laag, uitstulpend voorhoofd had en een felgekleurde sneeuwoverall droeg. De andere, oudere man, die met afplakband of duct tape zijn afgetrapte sportschoenen bij elkaar hield, zat heel erg te rillen, maar dat leek niets te maken te hebben met de temperatuur, en ik kreeg de indruk dat het naar alle waarschijnlijkheid eerder om een nooddruftige of dakloze persoon ging dan om een werkelijke sollicitant – zo kwam hij in ieder geval bij mij over. Tijdens de enigszins formele introductiepresentatie door de rekruteringsambtenaar probeerde ik me te concentreren en tegelijk de beschrijvingen van de verschillende pakketten te bestuderen op de hand-out die ik in mijn hand hield, met als logisch gevolg dat ik bepaalde cruciale details niet meekreeg, want die details werden soms domweg overstemd door de cimbalen en pauken tijdens het crescendo in de Luchtmachtmars aan de andere kant van het paneel. Wij drieën, het publiek van de presentatie, zaten op metalen klapstoelen voor het bureau van de rekruteringsambtenaar, die aanvankelijk naast zijn bureau had postgevat, naast zijn presentatiestandaard – ik herinner me dat de man met het overhangende voorhoofd zijn stoel had omgedraaid en met zijn handen op de rugleuning en zijn kin op zijn vuist naar voren leunde, terwijl de derde toehoorder een donut verorberde, nadat er al een paar in de zijzakken van zijn kaki legerjas waren verdwenen. Ik herinner me dat de rekruteringsman van de IRS voortdurend dingen aanstipte op een gedetailleerd kleurendiagram dan wel uitgetekend schema van de administratieve structuur en organisatie van de Dienst. Of beter: de voorstelling bestond eigenlijk uit meer dan één diagram, en de rekruteringsambtenaar – die meermaals niesde zonder zijn hand voor zijn neus en mond te houden en zelfs zonder even zijn hoofd af te wenden, en die bij bepaalde maten van het niet te negeren 'Off We Go ...' steeds meer last kreeg van kleine neurologische tics of spasmen in zijn gezicht – moest voortdurend andere schema's en organogrammen vooraan op de standaard zetten, en zijn uitleg was zo ingewikkeld, met zo veel verschillende afdelingen, onderafdelingen, departementen, bestuursdiensten en andere coördinerende entiteiten, en ook parallelle of bilaterale subdivisies en ondersteunende diensten voor onder meer technologische bijstand, dat het niet mogelijk leek er een algemeen, laat staan interessant of inspirerend beeld van te krijgen, al deed ik uiteraard bewust mijn best om er zo aandachtig en geboeid mogelijk bij te zitten, al was het maar om te laten zien dat ik iemand was die met de juiste training grote hoeveelheden informatie kon verstouwen en verwerken. Op dat ogenblik was ik me er uiteraard niet van bewust dat de initiële diagnostische screening van de mogelijke nieuwelingen al begonnen was en dat de overdreven complexiteit en de nadruk die de rekruteringsambtenaar tijdens de presentatie op detailkwesties legde deel uitmaakten van een psychologische methode voor 'dispositionele evaluatie' die de Personeelsafdeling van de Dienst al sinds 1967 hanteerde. Ik had ook niet door dat toen de andere mogelijke kandidaat-werknemer (dat wil zeggen degene die niet overduidelijk alleen maar een verwarmde, overdekte plek zocht) vanwege het cryptische karakter van de presentatie langzaam op de rugleuning indommelde, meteen zijn kansen had verspeeld om ooit hoger te klimmen dan de allerlaagste functies bij de IRS. Bovendien moesten er meer dan twintig verschillende formulieren worden ingevuld, waarvan er nogal wat redundant waren – het was mij niet duidelijk waarom we niet gewoon één exemplaar konden invullen en dat dan laten fotokopiëren, maar opnieuw besloot ik mijn mening voor mezelf te houden en gewoon steeds opnieuw dezelfde gegevens in te vullen.

Al met al, en dat ondanks de nauwelijks 6257 woorden die waren gesproken, duurde de inleidende presentatie en aansluitende intake bijna drie uur, waarbij het meermaals voorkwam dat de stem van de rekruteringsambtenaar wegstierf en er een zware, ongemakkelijke stilte viel terwijl hij al dan niet aan het indommelen was – vanwege zijn zonnebril viel dat niet met zekerheid te zeggen. (Later werd mij meegedeeld dat deze onaangekondigde pauzes deel uitmaakten van de initiële screening en de 'dispositionele evaluatie', dat er in het armoedige wervingskantoor een geavanceerd video-observatiesysteem aanwezig was – op een van de verplichte formulieren was in kleine lettertjes in een van de subclausules een 'toestemming tot opname' opgenomen, die ik op dat moment uiteraard niet heb gezien – en dat onze friemel- en geeuwratio's en bepaalde karakteristieke facetten van onze houding, zithouding en gelaatsuitdrukking naar gelang van de context zouden worden geëvalueerd en vergeleken met een aantal psychologische paradigma's en voorspellende formules die in een ver verleden ontwikkeld waren door de onderafdeling Rekrutering en Training van de afdeling Personeelszaken van de dienst Intern Toezicht, opnieuw een erg lang en ingewikkeld verhaal, dat te maken heeft met het zwaartepunt dat de Dienst in de jaren 60 en 70 legde bij het maximaliseren van de 'verwerkingscapaciteit', namelijk de grootst mogelijke efficiëntie bij het aantal aangiften en documenten dat in één belastingkwartaal kon worden verwerkt, gecontroleerd, geaudit en gecorrigeerd. Hoewel de Dienst het concept 'efficiency' vanaf de jaren 80, toen de nieuwe overheidsprioriteiten via de Thesaurie en Driemaal Zes begonnen door te sijpelen, anders zou gaan invullen en het zwaartepunt op inkomstenmaximalisatie in plaats van op capaciteitsverhoging van de verwerkte aangiften kwam te liggen, was de beoogde doelstelling in die tijd – in januari 1979 – in de praktijk van dien aard dat kandidaat-werknemers gescreend werden op een reeks specifieke eigenschappen, waaronder het talent zich ook onder moeilijke omstandigheden te kunnen blijven concentreren, bijvoorbeeld bij uitzonderlijke eentonigheid, complexiteit, verwarring en het volledig ontbreken van bevattelijke informatie. De Dienst zocht, aldus een van instructeurs voor de afdeling Controle in het VOC van Indianapolis, 'radertjes, geen bougies'.

Het schemerde al en het was ook opnieuw beginnen te sneeuwen toen de rekruteringsambtenaar eindelijk te kennen gaf dat de intake erop zat, waarna hij ieder van ons – op dat moment was ons publiek misschien vijf of zes man sterk, want in de loop van de officiële presentatie waren er nog een paar gegadigden komen binnendruppelen – in een grote blauwe IRS-ordner een flinke stapel geniete bundeltjes documenten van samen bijna een riem dik overhandigde. Ter afsluiting zei de rekruteringsambtenaar dat wie nog steeds het idee had geïnteresseerd te zijn, deze documenten thuis grondig diende door te nemen en de volgende dag moest terugkomen – dat was dan op een vrijdag, als ik het goed heb – voor de volgende stap in de procedure.

Eerlijk gezegd had ik me op een sollicitatiegesprek ingesteld en op allerlei vragen over mijn achtergrond, mijn ervaring, mijn ideeën over carrièreplanning en mijn animo om bij de IRS aan de slag te gaan. Ik ging ervan uit dat ze wilden kijken wat voor vlees ze in de kuip hadden, en of ik er niet gewoon op uit was de IRS een studiebeurs af te troggelen. Het was helemaal niet zo raar dat ik had verwacht dat de Belastingdienst – waarvoor mijn vader, die voor zijn baan bij de stad logischerwijs op verschillende manieren met de IRS te maken had gekregen, groot ontzag had – zich zeer gevoelig zou tonen voor de mogelijkheid op welke wijze ook opgelicht of bedonderd te worden, en ik herinner me nog dat ik me tijdens de lange tocht vanaf de bushalte had afgevraagd wat ik moest zeggen als ze zouden doorvragen naar datgene wat er aan mijn belangstelling en doelstellingen ten grondslag lag. Ik maakte me zorgen omdat ik niet wist hoe ik tijdens de sollicitatie mijn ware verhaal kon vertellen zonder dat de IRS-mensen zouden reageren zoals nog niet zo lang geleden de vicedecaan Academische Zaken gereageerd had, en of ze mij op dezelfde manier zouden beoordelen zoals ik dat had gedaan met het christenmeisje met haar bloemetjeslaarzen. Als mijn geheugen me niet in de steek laat, hoefde ik die eerste dag van de procedure bijna niets te zeggen behalve een hallo ter begroeting en het antwoord op een of twee onbenullige vragen – en mijn naam natuurlijk. Zoals gezegd bestond mijn inbreng grotendeels uit het invullen van formulieren, met daarop dan meestal een streepjescode in de linkerbenedenhoek – ik herinner me dat nog zo goed omdat het de eerste keer in mijn leven was dat ik een streepjescode zag.

Maar goed, die ordner vol huiswerk die ik had meegekregen uit het rekruteringskantoor bevatte zulk ongelooflijk dor en cryptisch infomateriaal dat je in feite wel verplicht was iedere regel meermaals te lezen om enig idee te krijgen wat ermee bedoeld zou kunnen zijn. Ik wist echt niet wat ik zag. Ik had al een voorproefje gekregen van authentiek accountingidioom in mijn studieboeken voor de colleges Management Accounting en Auditing I, die – ijs en weder dienende – net waren begonnen op DePaul, maar vergeleken bij de documenten van de Dienst waren die boeken kinderspel. Het dikste bundeltje in de ordner was een op een xeroxapparaat met bijna lege toner afgedrukt document getiteld 'Overzicht der procedureregels', een uittreksel, zo bleek, van Titel 26, §601 van de Federale Regelgevingscodex. Een vijfennegentig woorden tellend fragment uit een bladzijde die ik me herinner te hebben gelezen toen ik het bundeltje die eerste keer willekeurig opensloeg, vooral om een idee te krijgen van wat ik zou moeten proberen te lezen en verwerken, was ¶1910, §601.201a(1)(g), onderafdeling xi:

Voor verzoeken tot stellingname aangaande de classificatie van een organisatie als commanditaire vennootschap met een rechtspersoon als enige hoofdvennoot, cf. IRS-Proc. 72-13, 1972-1 CB 735. Cf. ook IRS-Proc. 74-17, 1974-1 CB 438, alsook IRS-Proc. 75-16, 1975-1 CB 676. IRS-Procedure 74-17 kondigt bepaalde regels af inzake de werking van de Dienst rakende provisionele stellingnamen per brief aangaande de classificatie van organisaties in rechte bekend als commanditaire vennootschap. IRS-Procedure 75-16 omvat een controlelijst van noodzakelijke, doch in verzoeken tot stellingname aangaande de classificatie van organisaties voor fiscale doeleinden frequent geomitteerde informatie.

En zo ging dat eigenlijk die hele bundel door. Op dat ogenblik wist ik ook nog niet dat we in het Vormings- en Opleidingscentrum het 82.556 woorden tellende handboek met *Procedureregels* bijna helemaal uit het hoofd zouden moeten zien te leren, niet eens omwille van de nuttige parate kennis (in de lade rechtsonder van iedere Tingletafel lag immers een exemplaar van het *Belastinghandboek*, waarin ook de *Procedureregels* opgenomen waren, vastgemaakt aan een kettinkje zodat niemand het zou kunnen meenemen of lenen, omdat iedere IRS-controleur geacht wordt te allen tijde het *Belastinghandboek* te kunnen raadplegen), maar als een soort diagnostisch instrument om te zien wie erin slaagde urenlang stil te blijven zitten om zich van die taak te kwijten en wie niet, wat uiteraard relevant was om te bepalen wie het op welke niveaus qua complexiteit en dorheid zou uithouden (wat dan weer verklaart waarom het onderdeel 'Controle' van de VOC-training in het VOC ook wel bekendstond als 'Concentratiekramp'). Het enige wat ik die avond op mijn tienerkamer in mijn vaders huis in Libertyville kon bedenken (mijn studentencomplex op de campus was nog steeds niet toegankelijk omdat een paar bevroren leidingen gesprongen waren – door de sneeuwstorm en de teweeggebrachte schade lagen grote delen van de stad nog altijd helemaal plat) was dat de opdracht die map door te nemen een soort lakmoesproef was die moest helpen bepalen wie er echt gemotiveerd was en wie alleen maar was komen aanwaaien om onder valse voorwendselen een studiebeurs los te peuteren bij de overheid. Ik bleef me maar voorstellen hoe de haveloze man die die middag tijdens de presentatie alle donuts had opgegeten in een steegje lag, in een kartonnen doos waar huishoudelijke apparatuur in had gezeten, en hoe hij één pagina van de bundel las en die dan in brand stak om voldoende licht te hebben voor de volgende pagina. In zekere zin was ik precies hetzelfde aan het doen, denk ik – want wilde ik alle documenten van de Dienst kunnen doornemen, dan moest ik de hele nacht wakker blijven, waardoor ik niet zou toekomen aan de opdrachten voor het accountingcollege de volgende dag. Ik voelde me niet lamlendig, maar romantisch of heldhaftig zou ik het ook niet willen noemen. Het was eerder zo dat ik gewoon moest kiezen wat het belangrijkst was.

Ik las min of meer het hele pak. Ik zal maar niet zeggen hoeveel woorden het in totaal waren. Ik was pas rond 5 uur 's ochtends klaar. Helemaal achterin – of ja, niet helemaal, maar verstopt tussen twee

pagina's uit de motivering van de uitspraak in *Uinta Livestock Corpora-
tion vs. VS*, een rechtszaak uit 1966, bijna achter in de ordner – zaten
nog een paar formulieren die ingevuld dienden te worden, wat mijn
vermoeden bevestigde dat het eigenlijk een soort test betrof om te zien
of we betrokken, geïnteresseerd en mans genoeg waren om ons er helemaal doorheen te ploegen. Ik wil uiteraard niet beweren dat ik alles
even grondig gelezen heb. Een van de weinige onderdelen waar je niet
onmiddellijk glazig bij ging kijken was een gedetailleerde beschrijving
van de Vormings- en Opleidingscentra van de IRS en de beschikbare
startersbanen na de VOC-opleiding, waaraan verschillende voorwaar-
denpakketten en doorstudeermogelijkheden verbonden waren. Er waren twee VOC's, één in Indianapolis en één in Columbus, Ohio, en
de bundel bevatte wel foto's en reglementen van die centra, maar geen
specifieke informatie over hoe het er aan die opleiding aan toeging.
Zoals meestal bij gekopieerde foto's bestonden ook deze afbeeldingen
eigenlijk alleen maar uit een donkere massa met daarin een paar on-
bestemde witte vlekken; je kon niet echt zien wie of wat erop afgebeeld
stond. Anders dan tegenwoordig het geval is, was het in die jaren gebruikelijk dat je, wilde je bij de Dienst hogerop komen, met een vast
contract en een salarisschaal hoger dan S-9, je een twaalf weken durende VOC-opleiding moest doorlopen. Ook diende je lid te worden
van de vakbond voor personeelsleden van de Thesaurie, al stond er
over die vereiste in de bundel niets vermeld. Deed je dat niet, dan was
je in feite een tijdelijke kracht of een seizoenkracht, waar de Dienst
overigens graag mee werkt, vooral op de lagere niveaus bij Aangifteverwerking en Controle. Ik herinner me dat de weergave van de structuur van de Dienst onder het kopje 'Overzicht der IRS-Filialen' veel
eenvoudiger en minder uitgebreid was dan het organigram tijdens de
presentatie van de rekruteringsambtenaar, hoewel ook hier was ge-
bruikgemaakt van behoorlijk wat asterisken en enkele en dubbele lijnen die de diverse delen van het raster met elkaar verbonden, al ontbrak de legenda voor die symbolen gedeeltelijk doordat iemand de
pagina scheef gekopieerd had. De zes belangrijkste knooppunten of
takken van de IRS waren destijds Beheerszaken, Aangifteverwerking,
Compliance, Invordering, Intern Toezicht, de Afdeling Techniek en
iets wat de Facilitaire Dienst heette; die laatste afdeling was trouwens
de enige in het diagram met het woord 'dienst' erin, wat ik op dat moment opvallend vond. Elke tak vertakte zich vervolgens nog eens in

verschillende onderafdelingen – zesendertig in totaal, hoewel de Dienst tegenwoordig uit achtenveertig aparte afdelingen bestaat, sommige daarvan aangestuurd door afzonderlijke diensten, maar met overlappende functies die gestroomlijnd en gecoördineerd worden door de afdeling Afdelingcoördinatie, zelf ook weer een afdeling van – wat enigszins verwarrend is – zowel Beheer als Intern Toezicht. En elke afdeling bleek zelf ook weer te bestaan uit talloze onderafdelingen, maar het letterkorps waarin dat stond was priegelig en moeilijk leesbaar. Bij de afdeling Controle binnen Compliance waren er bijvoorbeeld dienstbetrekkingen – al vereisten alleen de cursief gedrukte betrekkingen (die op die kopie bijna niet te ontcijferen waren) een federaal contract of een VOC-opleiding – bij administratie, dossierbezorging, gegevensinvoer, gegevensverwerking, classificatie, briefwisseling, contact Districtskantoor, contact Regiokantoor, dupliceerfaciliteiten, besteding, terugkoppeling onderzoeksaudits, secretariaat, personeelszaken, terugkoppeling Ontvangkantoren, terugkoppeling Computercentra en ga zo maar door, naast betrekkingen die officieel als 'routinecontroleur' werden omschreven en gegroepeerd (in die tijd althans, want inmiddels hebben de groepen hier in het RCC Midden-West andere namen gekregen) op grond van de aangiftetypes waarin men gespecialiseerd was, in het diagram gecodeerd als 1040, 1040A, 1041, EST en 'Zware Gevallen', wat verwijst naar een ingewikkelde 1040 met meer dan vier annexen of bijlagen. En belastingaangiften voor ondernemingen van het type 1120 en 1120S worden gecontroleerd door speciale controleurs die we bij Controle 'immersionisten' noemen, over wie in de wervende brochure geen informatie te vinden was omdat immersieve controles worden uitgevoerd door een speciale elite-eenheid van controleurs die daar speciaal op getraind zijn en die opereren vanuit een aparte ruimte binnen het RCC-gebouw.

Maar goed, ik weet nog dat het achterliggende idee dus was dat serieuze kandidaten hun best zouden doen de hele inhoud van de ordner door te nemen, en dan achterin op de formulieren zouden stuiten en de relevante delen ervan zouden invullen, en vervolgens ook de moeite zouden nemen om, als het weer het toeliet, de volgende dag om 9.00 uur nog een keer hun opwachting te maken in het wervingskantoor voor wat op het laatste blad 'verdere registratie' werd genoemd. Die nacht sneeuwde het opnieuw aan één stuk door, hoewel niet meer zo hevig als eerst, en om 4.00 uur kon je voor het raam van mijn tiener-

kamer de sneeuwschuivers van de stad Libertyville met een ijzingwek-
kend geluid de sneeuw van het straatbeton horen schrapen, en bij zonsopgang was het gekwetter van de vogels echt ongelooflijk, waardoor
in een paar huizen in onze straat geïrriteerd de lichten aangingen. De
CTA reed ondertussen nog steeds volgens een beperkte dienstrege-
ling, maar ondanks de drukte van de ochtendspits en de ontberingen
van de tocht helemaal vanaf Grant Park kwam ik niet later dan 9.20
uur bij het wervingskantoor aan (weliswaar opnieuw helemaal onder
de sneeuw), waar ik niemand van de voorafgaande dag aantrof behalve
dezelfde rekruteringsambtenaar, die er nog uitgeputter en groezeliger
uitzag en die zijn blik, toen ik binnenkwam en zei klaar te zijn voor
verdere registratie en hem de formulieren overhandigde uit de bundel
die ik had doorgewerkt, van mij naar de formuleren liet gaan en weer
terug, terwijl op zijn gezicht de glimlach verscheen van iemand die op
kerstochtend net een duur cadeau heeft uitgepakt dat hij eigenlijk al
heeft.

§23

De droom: ik zag, in verkort perspectief, rijen gezichten waarop vage emoties speelden als de gloed van een verafgelegen vuur. De onbewogen hopeloosheid der volwassenheid, de verwarring, de spijt. Onder hen waren er een of twee die iets meer leven vertoonden en er in hun doelloosheid ietwat beter uitzagen. Veel anderen zagen er net zo wezenloos uit als de gezichten op muntgeld. Aan de randen van mijn gezichtsveld waren kantoorbedienden druk bezig met de ontelbare kleine taken die komen kijken bij post verzorgen, archiveren, sorteren. Over hun gezicht lag een wezenloze gretigheid, een gedachteloze energie die je ook aantreft bij insecten, onkruid en vogels. De droom leek uren te duren, maar toen ik wakker werd, stonden de armen van Superman (een klok, cadeau gekregen) nog precies hetzelfde als de laatste keer dat ik had gekeken.

Door deze droom probeerde mijn onbewuste me iets bij te brengen over verveling. Ik denk dat ik me als kind vaak verveelde, al beschouwde ik het toen niet als verveling – in die tijd wist ik alleen dat ik me veel *zorgen* maakte. Ik was een kribbige, nerveuze, angstige binnenvetter. Dat waren woorden van mijn ouders, die ik me eigen maakte. Op verregende en eindeloze zondagmiddagen, terwijl mijn moeder en mijn broer naar een recital waren en mijn vader tijdens een wedstrijd van de Bengals op de bank lag te dutten met het libretto van *Norma* opengevouwen op zijn borst, ervoer ik een oeverloze, ongebreidelde saaiheid, een saaiheid die zichzelf overstijgt en omslaat in bezorgdheid. Het staat me niet meer bij waarover ik me zorgen maakte, maar het gevoel herinner ik me wel, namelijk een soort angstvalligheid waarbij juist het ontbreken van een duidelijke aanleiding die angst zo afschuwelijk en alomvattend maakte. Ik keek uit het raam en zag de ruit, niet wat erachter lag. Ik dacht aan de verschillende spelletjes, het speelgoed en de pedagogisch verantwoorde activiteiten waarmee mijn moeder altijd kwam aanzetten, en vanuit mijn verveling vond ik dat dan allemaal niet alleen weinig aanlokkelijk, maar was ik zelfs niet bij machte me voor te stellen hoe iemand ooit überhaupt de energie zou kunnen opbrengen om aan zo'n kinderspelletje te beginnen of lang genoeg stil zou kunnen zitten om een prentenboek te lezen – de hele wereld was apathisch, futloos en ging gebukt onder zorgen. Ik maakte me de woorden en gevoelens van mijn ouders eigen, en speelde met verve mijn rol van nerveuze, tere zoon, voorwerp van mijn moeders zorgen, zo verschillend van mijn broer, de getalenteerde, ambitieuze zoon die na schooltijd zijn pianospel door het huis liet klinken en die zo de schemer buiten de deur hield, waar hij thuishoorde. Na het incident van mijn eigen zoon kwam ik via een psychotherapeutische sessie vrije gedachteassociatie tot een herinnering aan een spreekbeurt over Hector en Achilles in het vijfde jaar, toen we meesterwerken uit de wereldliteratuur lazen, en ik herinnerde me dat ik toen opeens scherp besefte dat mijn familie Achilles was, mijn broer het schild van Achilles, en ikzelf de hiel van de familie, het deel dat mijn moeder stevig vasthield en daardoor van het rijk der heroën uitsloot, en dat dat besef me ineens daagde in het midden van mijn betoog en daarna weer zo snel verdween dat ik niet de tijd had om het vast te houden, al bleef ik mezelf tijdens het grootste deel van mijn puberteit en jongvolwassenheid als een hiel of een voet beschouwen – als ik mezelf bijvoorbeeld in gedachten vermanend toesprak, was dat vaak als 'hiel', en ik moet zeggen dat het eerste wat me aan mensen opvalt vaak hun voeten, schoenen, sokken en enkels zijn. En mijn vader was de uitgeputte, maar standvastige krijger – dag in, dag uit overgeleverd aan een veldtocht waarvan de corrumperende kracht voor een groot deel school in de zinloosheid ervan. Mijn moeders rol in de mythe van Achilles blijft echter onduidelijk. En ik ben er ook niet zeker van of mijn broer besefte dat zijn vingeroefeningen 's middags altijd samenvielen met mijn vaders thuiskomst; in sommige opzichten denk ik dat mijn broers carrière als pianist alleen maar uitgestippeld was op grond van deze ene eis, namelijk dat er licht en muziek zou zijn als mijn vader om 17.42 uur thuiskwam, dat zijn leven er in zekere zin van afhing – elke avond maakte hij een metamorfose door tegengesteld aan die van de zon, van de dood naar het leven.

Het mag geen verrassing heten dat ik op school moeite had met al die rijen nietszeggende gezichten, met de verlichting die geen schaduwen wierp en de ruiten van draadglas, en met het verplichte curriculum gebaseerd op de basisvaardigheden waar men in het Midden-Westen nog aan hechtte: uit het hoofd leren, tabellen stampen, prescriptieve grammatica, schematische zinsontleding – de enige frivoliteit bestond uit het knutselpapieren alfabet boven het bord dat bevestigd was aan een slinger van aaneengeregen kurken. In elk klaslokaal stonden dertig tafeltjes in vijf rijen van zes; in elk lokaal lagen witte tegels aangevuld met vormloze bruine en grijze tegelwolken die niet aaneensloten omdat de tegellegger niet de moeite had genomen om ze op kleur te leggen. In iedere ruimte hing een wandklok van het merk Benrus, een exemplaar zonder secondewijzer, waarvan de minutenwijzer met een schokje versprong en dus niet continue doorliep; het systeem van al die klokken was verbonden met de schoolbel, die om 5 minuten voor het hele uur afging, en dan opnieuw op het uur, en dan nog een keer, maar dringender, om 2 minuten na het uur, waardoor laatkomers werden gesommeerd en het lesbegin werd onderbroken. De school rook naar plaksel, rubberen laarzen en zurige kantinekost, en, naarmate driehonderd zoogdieren de lokalen in de loop der dag verwarmden, een warme, biotische geur van talloze lichamen en het kitmiddel van de tegelvloer. De meeste leerkrachten waren seksloze vrouwen, oud (dat wil zeggen ouder dan mijn moeder) en streng zonder onaardig te zijn, aangevuld met een klein contingent jongere mannen – een van hen, een wiskundeleraar in het vierde jaar, heette nota bene Goodnature – die in het onderwijs terecht waren gekomen vanuit het vage politieke idealisme dat destijds (buiten mijn weten) op de universiteitscampussen in zwang raakte, in een wereld die ver van de mijne afstond. Die jonge kerels waren het ergst, echte drilsergeanten soms, en gedeprimeerd en verbitterd omdat het idealisme dat hen tot ons had gebracht niet kon optornen tegen de gefossiliseerde bureaucratie van het schoolsysteem in Columbus, noch bestand was tegen de lusteloze passiviteit van de kinderen die ze gehoopt hadden te inspireren (lees: indoctrineren) tot een halfzacht liberaal gedachtegoed (het woord *vrede* lag deze mannen in de mond bestorven) dat hun eigen kijk op de wereld zou bevestigen en voortzetten, kinderen die in plaats daarvan zaten opgesloten in zichzelf en in een institutionele monotonie waaraan ze, zonder dat te kunnen benoemen, hun ziel al hadden verloren.

§24

De auteur hier.[1] Ergens midden mei 1985 kwam ik voor de registra-
tieprocedure aan in IRS-Filiaal 047 in Lake James, Illinois.[2] Dat was

[1] Ik ga dit niet iedere keer herhalen als ik, de auteur in levenden lijve, zelf het woord
neem. Voorlopig geef ik het gewoon mee, als een onopvallende vingerwijzing opdat je
nog wijs kunt worden uit de verschillende personages en hoofdstukken in dit boek,
aangezien (zoals toegelicht in het 'Voorwoord van de auteur') de juridische situatie hier
een zekere mate van polyfonie en grilligheid vereist.

[2] In die tijd hield Lake James het midden tussen een buitenwijk van en een zelfstandige
gemeente binnen de agglomeratie Peoria. Hetzelfde geldt voor andere perifere buurt-
schappen zoals Peoria Heights, Bartonville, Sicklied Ore, Eunice etc. Die laatste twee
grensden aan Lake James langs enkele gemeentevrije zones in het oosten en westen.
Die hele structuur van aparte-maar-niettemin-aangehechte districtsgebieden had te
maken met de expansiedrift van de stad, die meedogenloos oprukte naar het omringende vruchtbare akkerland, wat in de loop der jaren kleine, ooit afgelegen agrarische
dorpen binnen de invloedssfeer van Peoria bracht. Ik weet dat die kleine satellietstadjes
elk hun eigen onroerendgoedbelasting en ruimtelijke ordening hadden, maar op veel
andere vlakken (o.a. politionele bevoegdheden) functioneerden ze als perifere districten binnen de agglomeratie Peoria. Dat kon ontzettend gecompliceerd en verwarrend
zijn. Om een voorbeeld te geven: het Regionale Controlecentrum was gelegen aan
10047 Self-Storage Parkway in Lake James, Illinois, maar het officiële postadres van
het RCC luidde 'Regionaal Controlecentrum van de Internal Revenue Service, Peoria,
Illinois, 67452'. Misschien kwam dat doordat het postkantoor in Peoria, gelegen in
G Street in het centrum, een aparte ruimte met wel drie bakken had ingericht voor
het RCC, en daarbij ook nog eens over twee speciale vrachtwagens met extra oplegger

waarschijnlijk op of omstreeks woensdag 15 mei.[3] Hoe dan ook: waar het om gaat is dat ik op een niet nader te specificeren dag in mei naar

beschikte die driemaal daags de voor onbevoegden gesloten achteringang van het RCC kwamen oprijden naar de laad- en loskuilen achter de dependance. D.w.z dat het postadres wel eens in Peoria geweest zou kunnen zijn, simpelweg vanwege het feit dat daar de dagelijkse berg post voor het RCC werd afgeleverd, of m.a.w.: het zou best wel eens, althans dat is de meest waarschijnlijke verklaring, een voortvloeisel geweest kunnen zijn van een afspraak tussen de Posterijen en de IRS. Zoals zo veel eigenaardigheden van het RCC en de Dienst is de achterliggende reden van deze inconsistentie tussen filiaal- en postadres ongetwijfeld ongelooflijk ingewikkeld en idiosyncratisch, en alleen iemand die ze niet allemaal op een rijtje heeft zou er de benodigde tijd en energie in willen stoppen om dat allemaal haarfijn uit te pluizen en te begrijpen. Nog een voorbeeld: het enige voor Lake James enigszins relevante of karakteristieke kenmerk is dat het géén meer heeft. Er bestaat weliswaar een plas die Lake James heet, maar in de praktijk is dat eerder een grote, door landbouwbestrijdingsmiddelen en algenbloei verstikte en kwalijk riekende poel zo'n zeventien kilometer ten noordwesten van het eigenlijke Lake James, veel dichter eigenlijk bij Anthony, Illinois, dat wel een officiële gemeente van Peoria is, met een eigen postcode etc. etc. Anders gezegd: zulke inconsistenties zijn ingewikkeld en raadselachtig, maar ook weer niet zo belangrijk, tenzij je bovengemiddeld geïnteresseerd zou zijn in de geografische bijzonderheden van Peoria (maar de kans dat dat het geval is, daar meende ik van uit te kunnen gaan, is niet bijzonder groot).

3 N.B. Ik zal me niet ontpoppen tot zo'n memoiresschrijver die doet alsof hij zich zelfs het kleinste feitje en voorvalletje nog tot in het laatste fotorealistische detail herinnert. Iedereen weet dat de menselijke geest zo niet werkt; elke andere aanpak is een beledigende kunstgreep in een genre dat pretendeert 100 procent 'realistisch' te zijn. Eerlijk gezegd denk ik dat je recht hebt op iets beters, en dat je intelligent genoeg bent om er begrip voor op te brengen en het misschien zelfs toe te juichen als een memoiresschrijver zo integer is om toe te geven dat hij niet een of andere eidetische gek is. Tegelijkertijd ga ik ook geen tijd verspillen aan geprakkiseer over iedere mogelijke omissie of onnauwkeurigheid in mijn geheugen – een schoolvoorbeeld van dergelijk laakbaar gedub is de monoloog over de beroepskeuze-schuine streep-roeping van 'Irrelevante Chris' Fogle (q.v. hiervoor §22, die overigens sterk geredigeerd en ingekort is), een onderdeel van de wervende/motiverende nepdocumentaire van Personeelszaken in 1984 die uitdraaide op een flop, ten eerste omdat er zo veel tijd en film opgingen aan Fogle en twee à drie andere bazelende dikdoeners, en ten tweede omdat dhr. Tate zijn adjunct, dhr. Stecyk, niet had opgedragen ervoor te zorgen dat verantwoordelijke medewerkers ter plekke ieders antwoord op de 'vraag in het kader van de documentaire' binnen bepaalde redelijke perken zouden houden, wat betekende dat de zogenaamde documentairemaker en zijn crew er alle belang bij hadden om Fogle c.s. door te laten

Peoria afreisde vanuit het huis van mijn ouders in Philo, waarheen mijn kortstondige terugkeer laten we zeggen niet bepaald triomfantelijk was geweest, en waar bepaalde familieleden tijdens de korte tijd dat ik thuis was min of meer onafgebroken ongeduldig op hun horloge hadden zitten kijken. Laten we het er, zonder iemand in het bijzonder te noemen of aan te wijzen, op houden dat de overheersende houding bij mij thuis er een was van 'Wat hebben wij de laatste tijd eigenlijk aan je gehad?', of eerder nog: 'Wat heb je de laatste tijd bereikt/verdiend/gepresteerd dat op een bepaalde (al dan niet denkbeeldige) manier positief op ons afstraalt, zodat we ons kunnen koesteren in de (al dan niet denkbeeldige) prestatie die op ons afstraalt?' Ze leek soms een beetje op een onderneming met winstoogmerk, mijn familie, in die zin dat de waardering die je kreeg gelijke tred hield met je laatste verkoopkwartaal. Maar anderzijds, tja, weet ik veel. In ieder geval boden ze niet aan me naar Peoria te brengen, al is het wel mogelijk dat ze me hebben afgezet bij het busstation, wat in Philo neerkwam op een hoekje van het parkeerterrein van de lokale IGA-supermarkt, dat weliswaar niet zo heel ver weg lag, maar wat in mijn driedelig corduroy pak niettemin een weinig aanlokkelijke wandeling zou hebben betekend, zeker gezien de plakkerige vochtigheid vlak voor zonsopgang (in het zuiden van het Midden-Westen is dat tijdstip, naast zonsondergang, een van de twee spitsuren voor muggenactiviteit, en in die contreien zijn de muggen niet louter hinderlijk maar een factor om terdege rekening mee te houden) en het feit dat ik met twee zware koffers zeulde (het was een paar jaar voordat iemand in de kofferbranche op het idee kwam dat je koffers kon uitrusten met kleine wieltjes en een uitschuifbaar handvat, zodat je ze kon rollen, precies een van die ingenieuze sprongen vooruit die het ondernemerskapitalisme tot zo'n spannend systeem maken – het spoort mensen aan de zaken efficiënter aan te pakken). En daarbovenop had ik nog mijn geliefde aktetas bij me, die ik geërfd had van een al wat ouder, ver familielid, een stafofficier op Hawaï tijdens de laatste jaren van de Tweede We-

ratelen terwijl zij in het ijle staarden en het lopende bedrag berekenden op basis van de getrapte tarieven voor overwerk. De hele onderneming was, naast (dat spreekt voor zich) waardevol archiefmateriaal, één grote pleuriszooi, een van de vele die Tate op zijn naam schreef als hij op zijn bestuurlijke hersenspinsels vertrouwde en niet op Stecyk, aan wie hij normaal gezien al het werk op de afdeling Personeelszaken overliet.

reldoorlog, en die eruitzag als een attachékoffertje (die aktetas dus), zij het dat er geen handvat aan zat, zodat hij alleen onder je arm geklemd gedragen kon worden, en waarin zich allerlei intieme en onvervangbare persoonlijke spullen, toiletartikelen, een doosje met op maat gemaakte oordopjes, dermatologische zalfjes en smeerseltjes en waardevolle papieren bevonden die ieder weldenkend mens bij zich houdt in plaats van ze toe te vertrouwen aan de nukken van het bagagevervoer. De genoemde papieren betroffen onder meer mijn recente correspondentie met de mensen van het Gegarandeerde Studieleningenfonds en de Adjunct-Regiocommissaris voor Personeelszaken van het IRS-Regiokantoor voor het Midden-Westen, alsook een kopie van mijn ondertekende IRS-contract en het Formulier 141-FO met daarin mijn zogeheten 'Filiaaloproep' voor het RCC Midden-West, die ik beide (beide documenten) vanzelfsprekend nodig zou hebben om een IRS-pasje in ontvangst te kunnen nemen; mij was opgedragen dat meteen na mijn aankomst aan de 's-9-Registratiebalie' te doen, en wel op een bepaald vastgesteld tijdstip dat met de hand was ingevuld op een besmeurde, lukraak bestempelde regel onder aan de Filiaaloproep.[4]

(Even een kort terzijde. Zijn ik-gerichtheid en neiging tot geknobbel ten spijt sloeg 'Irrelevante Chris' Fogle in §22 in één opzicht wel degelijk de spijker op de kop. Gezien de werking van de menselijke geest zijn het inderdaad vaak onbeduidende, zintuiglijk markante details die je in de loop der jaren bijblijven – en in tegenstelling tot sommige zogenaamde memoiresschrijvers weiger ik te doen alsof het brein op een andere manier werkt dan in werkelijkheid het geval is. Tegelijkertijd kun je ervan op aan dat ik niet Chris Fogle ben en dat ik niet van plan ben je lastig te vallen met oprispingen van elke gewaarwording of toevallige gedachte die me nog te binnen schiet. Mij is het hier om kunst te doen, niet om simpele reproductie. Wat praatzuchtige collega's als Fogle maar niet wilden inzien, is dat er oneindig veel verschillende soorten waarheid bestaan, en dat sommige daarvan niet met elkaar te

---

4 Het originele, twee pagina's tellende Formulier 141-FO heb ik niet meer in mijn bezit: het werd door de archiefsystemen van Personeelszaken en Interne Toezichtsystemen subafd. Probleemherstel verzwolgen tijdens de menaechmiaanse verwarring na mijn aanvankelijke – abusievelijke – toewijzing aan een vleugel Immersieve Controle, waarvan het verslag zich hieronder tot in de meest pathetische en oerbureaucratische details zal ontvouwen.

rijmen vallen. Een voorbeeld: een volledig accurate, omvattende lijst met de precieze lengte en vorm van elke sprietje gras in mijn gazon is 'waar', maar tevens een waarheid waar geen hond in geïnteresseerd is. Een waarheid wordt pas betekenisvol, de moeite waard etc. door haar relevantie, wat dan weer een scherp onderscheidingsvermogen vergt, net als een zeker gevoel voor context, strekking en achterliggende waarden – anders zouden we net zo goed allemaal computers kunnen zijn die ruwe data bij elkaar downloaden.)

Ergens in de tientallen ingenieuze holstertjes en zijvakjes van de leren aktetas zat ook een ondersteunend document in de vorm van een persoonlijk, intrafamiliaal schrijven van een niet nader genoemd ver familielid dat, zoals je tegenwoordig zou zeggen, een lijntje had lopen naar het IRS-kantoor van de Regiocommissaris voor het Midden-Westen in het noordelijk gelegen Joliet,[5] een schrijven dat ik strikt genomen niet eens in mijn bezit had mogen hebben (en dat er wat gekreukt uitzag nadat het bij een niet nader genoemd en wat directer familielid uit de papiermand was gevist), maar dat ik uit voorzorg als een soort reddingsboei had meegenomen, mocht er zich een bureaucratische noodsituatie voordoen.[6] Over het algemeen was mijn

---

5 N.B. Hoewel daarin eventueel nog naar de kroon gestoken door East St. Louis staan Peoria en Joliet algemeen bekend als de grimmigste, meest verloederde en deprimerende oude fabriekssteden van Illinois,* wat niet toevallig is, aangezien de Dienst daardoor statistisch aantoonbare kostenbesparingen qua voorzieningen en arbeidskracht geniet. Het merendeel van de regionale Hk's, RCC's en Ontvangkantoren is gevestigd in verpauperde en/of leeggelopen steden, een beleid dat terug te voeren is op de grote reorganisatie van de Dienst nadat in 1952 de commissie-King haar rapport aan het Congres had gepresenteerd, eens te meer een bewijs dat binnen de Dienst de onderliggende bedrijfsgerichte kosten-batenaanpak al onder Nixon aan invloed had gewonnen.

* Ter informatie, omdat het in de algehele context relevant kan zijn: omstreeks 1985 waren de vijf grootste steden en agglomeraties in Illinois (met uitzondering van Chicago, dat zowat een afzonderlijk sterrenstelsel vormt), gerekend naar bewonersaantallen, in aflopende volgorde: Rockford, Peoria, Springfield, Joliet en Decatur.

6 Die brief is trouwens nog steeds in mijn bezit, maar mij is verteld dat ik daaruit om juridische redenen slechts één enkele zin mag citeren (op basis van het citaatrecht en 'als proeve' voor de lezer), en de zin die ik gekozen heb stamt uit de tweede alinea, geschreven in feilloos naamplaathandschrift, te weten: 'Hij zal om te beginnen een onbeduidend baantje toebedeeld krijgen, en het zal voor hem zaak zijn zich vervolgens

houding tegenover bureaucratieën dezelfde als die van de meeste doorsnee-Amerikanen: ik haatte ze (die bureaucratieën) en ze boezemden me angst in – ik beschouwde ze min of meer als grote, malende, onpersoonlijke machines, d.w.z.: ze leken zich strikt aan de letter en de regels te houden, net als machines dus, en waren ongeveer even stom.[7] Sinds het Bureau voor Rijvaardigheid van Illinois in 1979 in aanvaring was gekomen met onze verzekeringsagent over de voorwaarden en dekking van mijn voorlopig rijbewijs n.a.v. een dermate belachelijk onbenullig voorval dat je nauwelijks van een aanrijding kon spreken, associeerde ik het woord *bureaucratie* vooral met iemand die uitdrukkingsloos achter een balie zit en niet naar mijn vragen of uitleg over de precieze omstandigheden en misverstanden luistert, maar simpelweg zonder aanziens des persoons naar een of ander handboek of bepaalde regelgeving verwijst terwijl hij op mijn formulier een nummer stempelt dat me alleen nog maar meer vervelend en frustrerend gedoe of kosten zal opleveren. Ik denk dat het geen toelichting behoeft waarom mijn recente aanvaring met het departement Juridische Zaken van de universiteit en dat van de Studentendecaan (q.v. §9 *supra*) niet bepaald geholpen had die indruk te verzachten. Ik had het idee, wat misschien tegen me pleit, dat zelfs het meest indirecte bewijs van een lijntje hogerop van pas zou kunnen komen om me uit een lange grauwe rij wachtende, gezichtloze supplianten te tillen in het geval er zich een probleem of een misverstand[8] voordeed

op te werken door zich een ijverig en aandachtig werknemer te betonen'; in de kantlijn had de niet nader genoemde geadresseerde van deze brief afwezig 'AH!' ofwel 'AHA!' neergekrabbeld, afhankelijk van hoe je het puntige en bijna onontcijferbare handschrift probeerde te ontleden van iemand die onder 'even een cocktailtje voor het avondeten' een volle halvelitertumbler zonder ijsblokjes verstond.

7 Bedenk ook steeds dat het tijdperk van de mainframecomputers, met gegevensopslag op magneetband en ponskaarten etc., destijds nog niet voorbij was; het waren dus nog volop de jaren Flintstone.

8 Ik weet nog dat ik, hoe kinderachtig en irrationeel dat nu ook mag klinken, bij momenten vreesde dat mijn recente wederwaardigheden op de universiteit mogelijk hun weg hadden gevonden naar een duistere, omvattende databank waar de IRS op de een of andere manier toegang toe had, en dat er een bel of sirene zou afgaan zodra ik me bij de balie meldde voor mijn IRS-nummer en -pasje etc. ... een irrationele angst, dat wist ik heel goed, en ook de reden dat ik hem uit mijn bewustzijn probeerde te bannen, hoewel ik nog weet dat ik tegelijkertijd tijdens die eindeloze busrit naar Peoria ruim

in het Regionale Controlecentrum, dat ik me van tevoren al had voorgesteld als een soort oerbureaucratische versie van Kafka's slot, een enorm Bureau voor Rijvaardigheid of een gigantisch departement Juridische Zaken.

Als voorafschaduwing en korte verklaring a.p. geef ik ook meteen nu al toe dat ik me van die aankomst- en registratiedag bepaalde stukken niet goed meer herinner, wat minstens gedeeltelijk veroorzaakt wordt door de stortvloed aan zintuiglijke input, technische gegevens en bureaucratische complicaties die me te wachten stond toen ik aankwam en persoonlijk werd ontvangen en geëscorteerd – met een voorkomendheid die, hoe onverwacht en verwarrend ook, zowat iedereen zich zou hebben laten welgevallen – naar het kantoor van Personeelszaken in het RCC, zonder daarbij de Registratiebalie voor S-9's (waar die zich ook mocht bevinden) aan te doen, waar ik, aldus de bevlekte en slordig getypte Filiaaloproep in mijn aktetas, eigenlijk in de rij had moeten gaan staan. Zoals bijna altijd gebeurt als het menselijk brein overstelpt wordt met een overdaad aan nieuwe gegevens, staan me van die dag slechts flitsen en flarden bij, en in wat volgt zal ik stilstaan bij een paar met zorg uitgekozen en relevante onderdelen daarvan, niet alleen om de sfeer te schetsen bij het RCC en de Dienst, maar ook om uitleg te geven over wat op het eerste gezicht mijn passiviteit zou kun-

de tijd heb genomen om vergeefse plannen en scenario's te construeren, zodat, indien en wanneer de bel of sirene zou klinken, ik kon vermijden op dezelfde dag dat ik vertrokken was naar huis terug te moeten keren en in Philo oog in oog zou komen te staan met degene die toevallig thuis de deur zou opendoen nadat ik had aangeklopt, en die me daar dan op de smoezelige veranda zou zien staan met mijn koffers en aktetas – op sommige momenten bestond die onbewuste vrees, weet ik nog, louter en alleen uit de voorstelling van de gezichtsuitdrukking van het naaste familielid dat toevallig de deur opendeed, me zag staan en zijn mond opende om iets te zeggen, en dat was tijdens die busrit steevast het moment waarop ik me bewust werd van het feit dat ik angstvisioenen had, ze negeerde en weer in het ongelooflijk slappe boek begon dat ik van mijn familieleden 'cadeau' had gekregen bij wijze van nuttige wijze raad en als steuntje in de rug, een 'cadeau' dat me de dag voor mijn vertrek overhandigd werd tijdens het avondeten (een speciaal afscheidsdiner dat, tussen twee haakjes, had bestaan uit [a] kliekjes en [b] gestoomde maïskolven en waar ik, omdat ik net mijn beugel had laten aanspannen, met de beste wil van de wereld geen hap van had kunnen nemen), nadat me eerst op het hart was gedrukt het cadeau voorzichtig uit te pakken, zodat het inpakpapier opnieuw gebruikt kon worden.

nen lijken (in feite was het gewoon verwarring[9]) toen ik geconfronteerd werd met wat, achteraf beschouwd dan, een duidelijk geval van verkeerde toewijzing of persoonsverwisseling lijkt. Op dat moment was het echter allerminst duidelijk, en wie vindt dat ik meteen in de smiezen had moeten hebben dat het om een fout ging en onmiddellijk actie had moeten ondernemen om de vergissing recht te zetten, die verwacht waarschijnlijk ook dat als iemand in zijn omgeving een onregelmatigheid vaststelt, hij die ogenblikkelijk weet te verhelpen, ook al gaan er op dat moment voor zijn ogen opeens honderd flitslampen tegelijk af. Er is m.a.w. een grens aan wat het menselijke zenuwstelsel aan ingewikkelde input kan verstouwen.

Ik herinner me wel nog dat ik daar aan de rand van dat IGA-parkeerterrein stond, in mijn pak en met mijn koffers en tas, terwijl de zon boven de horizon uitsteeg. Voor degenen die nooit een zonsopgang in het Midden-Westen hebben meegemaakt: dat gaat er ongeveer even zachtzinnig en romantisch aan toe als wanneer in een verduisterde kamer opeens de lichten aanfloepen. Dat komt doordat het land zo vlak is dat de opkomende zon door niets in de weg gezeten of gemilderd wordt. Ineens is ze er gewoon. Het kwik stijgt meteen vijf graden; de muggen verdwijnen naar waar het ook moge zijn dat muggen heen gaan om zich te hergroeperen. Iets naar het westen toe wierpen de dakcontouren van de St. Dymphna-kerk een ingewikkeld schaduwpatroon over het halve centrum. Ik dronk een blikje Nesbitt's, 's ochtends zo'n beetje mijn persoonlijke variant op een kop koffie. Het parkeerterrein van de IGA grenst aan de hoofdas van het centrum, die binnen de bebouwde kom een voortzetting is van Route 130 en een enorm fantasievolle naam draagt. Aan de overkant van deze Main Street, vanaf het parkeerterrein gezien, lagen de gestileerde pompen met het ronde sauriërlogo van het Sinclair-tankstation van Clete, waar het kruim van Philo High School op vrijdagavond samenkwam om Pabst Blue Ribbon te drinken en in het onkruid van het aangrenzende terrein kikkers en muizen te zoeken om naar Cletes insectenlamp te mikken, die hij had opgevoerd tot 225 V.

---

9 (en ook, dat geef ik ruiterlijk toe, een zekere mate van doffe opluchting vanwege het schijnbare tegendeel van bellen/sirenes en een eventuele afwijzing op grond van ethische ongeschiktheid of weet ik veel wat mijn onbewuste uit zijn hoge hoed had getoverd; ik denk dat ik banger was geweest dan ik mezelf had durven toegeven)

Voor zover ik weet was dit de eerste keer dat ik een rit maakte met een commerciële busdienst, niet iets wat ik graag nog een keer zou willen meemaken. De bus was niet schoon, en sommige passagiers leken er al ettelijke dagen in te zitten, met alle gevolgen van dien voor hun persoonlijke hygiëne en sociale remmingen. Ik herinner me dat de stoelleuningen abnormaal hoog leken, en dat er een stang van een soort aluminiumlegering was om je voeten op te zetten, en een knop op de armsteun om de stoelleuning naar achteren te laten zakken, een knop die bij mijn stoel niet naar behoren functioneerde. Het klepje van het asbakje in de armsteun kon niet helemaal dicht vanwege de uitpuilende belt kauwgomresten en sigarettenpeuken. Ik herinner me dat er in het voorste gedeelte twee of meer nonnen in habijt zaten, en dat ik bij mezelf dacht dat die nonnen wellicht in een viezige bus van een commerciële busdienst moesten reizen omdat ze bij hun orde de gelofte van armoede hadden afgelegd; toch leek het me ongepast en verkeerd. Een van de nonnen was bezig een kruiswoordraadsel op te lossen. Alles bij elkaar duurde de reis meer dan vier uur, doordat de bus bij een eindeloze serie duffe, Philo-achtige stadjes stopte. Al snel begon de zon te bakken op de deur- en achterzijde van de bus. De airconditioning had nog het meeste weg van een vage geste in de richting van het abstracte idee airconditioning. Met een mes of een leerpriem was er een afzichtelijk staaltje graffiti gekerfd in het plastic van de stoelleuning voor me, waar ik twee keer naar heb gekeken om me daarna met klem voor te nemen er niet meer naar te kijken. Ergens helemaal achter in de bus was er ook een toilet, maar niemand waagde ooit een poging om daar gebruik van te maken, en ik herinner me dat ik in plaats van zelf eens poolshoogte te gaan nemen en te ontdekken waarom dat zo was, heel bewust de afweging maakte dat de passagiers vast een goede reden hadden er geen gebruik van te willen maken. Empirisme heeft zo zijn grenzen. In mijn geheugen is er ook nog een opzichzelfstaande flits van een vrouwenvoet in een teenslipper van polyurethaan met een tatoeage van klimop of prikkeldraad rond een van haar enkels. En een jochie[10] met een korte

---

10 Deze jongen had de eerste minuten nadat ik was ingestapt en in de bus een plaats had uitgekozen met grote ogen naar de staat van mijn linker gezichtshelft zitten staren, waarbij hij geen poging deed om de klinische interesse waarmee kleine kinderen naar je kunnen staren te verbergen of te verhullen, wat ik natuurlijk vanuit mijn ooghoeken had gezien (en op een bepaalde manier ook wel waardeerde).

broek en een rond gezicht in de stoel aan de andere kant van het gang-pad, met rode korsten krentenbaard op zijn knieën en zijn vermoedelijke begeleidster in de stoel naast hem (haar stoelleuning kon wel naar ach-teren), die naar me keek terwijl ik een doosje rozijnen at uit het lunch-pakket dat ik zelf had moeten klaarmaken in de nog donkere keuken, en daarbij met heel zijn hoofd het pad meevolgde dat de rozijn aflegde naar mijn mond, zodat ik me ergens wel afvroeg of ik een paar rozijnen met hem moest delen (uiteindelijk besloot ik van niet: ik was aan het le-zen en had geen zin om te praten, want God mocht weten wat er met dit joch aan de hand was en wat het allemaal zou uitkramen; daar kwam bij dat krentenbaard zoals bekend uitermate besmettelijk is).

Ik zal ons allemaal besparen wat me aan zintuiglijke gewaarwordin-gen zoal bijstaat van het busstation van Peoria – dat even verschrik-kelijk was als ieder ander busstation in een deprimerend stadscentrum hier te lande – en van de meer dan twee uur wachten daar, behalve dan dat er in die extreem drukke ruimte geen ventilatie was, laat staan air-conditioning, en dat er een aantal mannen alleen of in groepjes van twee of drie aan het wachten waren, bijna allemaal in overjas en hoed-dragend, en zo niet, dan hielden ze hun hoed in hun handen of wuifden ze zich er op hun stoel traag koelte mee toe (geen van hen leek de mo-gelijkheid te overwegen zijn jas uit te doen of zijn das wat losser te maken); ik herinner me nog dat ik het toen ook al raar vond dat al die mannen in de kracht van hun volwassen leven het soort kantoorhoed droegen dat je normaal gesproken alleen ziet bij oudere mannen van een zekere standing of komaf. Een paar hoeden zagen er ongewoon of ronduit excentriek uit.

Ik weet nog dat ik, toen ik de ruimte verkende waar de munttelefoon en de snoepautomaten en de toegang tot het toilet zich bevonden, hoogstwaarschijnlijk een levensechte prostituee heb gezien.

En ik herinner me ook nog goed het gekrioel van al die hoeddragende mannen even later in de klamme, van dieseldampen vervulde buiten-lucht bij de haltes; en ook dat er twee bonen-in-tomatensaus-bruine IRS-sedans bij onze halte kwamen voorrijden, waar bleek dat er veel te veel nieuwe of overgeplaatste IRS-werknemers[11] waren, allemaal bepakt

---

11 D.w.z. al die mannen met hun hoeden, hoeden die, zoals ik al snel vermoedde en daarna ook bevestigd kreeg, het handelsmerk waren van de afdeling Controle (zoals platte vierkante schouderholsters voor een zakrekenmachine tot de typische uitrusting

en bezakt, om iedereen in een van beide auto's te krijgen, waarna de ver-
trekvolgorde niet bepaald werd op grond van het opgegeven tijdstip van
aanmelding dat op ieders 141-FO gestempeld stond (wat toch het eer-
lijkst en meest logisch geweest zou zijn), maar op basis van de salarisschaal zoals vermeld in het identiteitsnummer van de Dienst – dat ik
dus niet had, en mijn argument dat mij juist was opgedragen me stipt
om 13.40 uur bij de S-9-Registratiebalie te melden om zo'n identiteitsnummer *in ontvangst te nemen*, maakte geen enkele indruk, misschien
omdat tezelfdertijd enkele andere, iets brutalere werknemers bij de
chauffeur protesteerden door luidruchtig met hun wél voorlegbare IRS-
pasje te zwaaien; en niet veel later stond een flink aantal van ons toe te
kijken hoe de overvolle sedans wegreden van de halte, het drukke stads-
verkeer tegemoet; de meeste andere nieuwe werknemers haalden hun
schouders op en gingen passief en zonder morren weer de hal van het
busstation binnen, maar ikzelf was van mening dat dit niet alleen oneerlijk en slecht georganiseerd was, maar ook een tamelijk bitter voorproefje van hoe het er in een bureaucratie aan toe zou gaan.

Hier volgt trouwens, bij wijze van intermezzo, alvast wat algemene,
verkennende achtergrondinformatie die ik er heel bewust niet heb willen inweven of binnensmokkelen via een of andere inelegante kunstgreep[12] waar veel dertien-in-een-dozijn-memoires zich toe verlagen,
te weten:

Fysiek gezien is het Regionale Controlecentrum Midden-West van
de IRS een (ruwweg) L-vormige constructie, gelegen aan Self-Storage
Parkway in het Lake James-district van Peoria, Illinois. Dat het gebouw alleen ruwweg L-vormig is, komt doordat de twee haaks op elkaar staande gebouwen weliswaar heel dicht bij elkaar liggen, maar

van de afdeling Audits behoorden, oordopjes en gestileerde dasspelden tot die van Systeembeheer etc.), zodat in de groepszalen in het RCC, zowel die voor Routine als voor
Immersieve Controle, aan minstens één muur een pegboard hing met haken voor de
hoeden van de controleurs, aangezien een persoonlijk hoedenrek of een individuele
hoedenhaak aan je Tingletafel hinderlijk was voor de karretjes van de dossierbodes.
12 (bv. een personage dat een ander personage zaken vertelt die ze allebei allang weten,
om zo de lezer die informatie mee te geven – wat ik altijd strontvervelend vind en bovendien uiterst suspect in memoires die 'non-fictie' heten te zijn, hoewel het bestsel-
lerlezers [vreemd genoeg] kennelijk niet kan schelen op deze manier besodemieterd te
worden.

niet in elkaar doorlopen; wel zijn ze op de tweede en derde verdieping met elkaar verbonden door passerelles, elk met een olijfgroene GVK-overkapping tegen guur weer, want vaak worden er belangrijke documenten en ponskaarten over vervoerd. Men was er nog niet in geslaagd in deze verhoogde tunnels een betrouwbaar verwarmings- of aircosysteem aan te leggen, zodat het personeel van dit Filiaal ze in de zomer omschreef als *bataans*, naar verluidt een verwijzing naar de dodenmars van Bataan die plaatsvond op een van de strijdtonelen in de Stille Oceaan tijdens de Tweede Wereldoorlog.

Het grootste van de twee gebouwen, opgeleverd in 1962, herbergt voornamelijk de administratieve kantoren, de gegevensverwerking, het archief en de Facilitaire Dienst van Filiaal 047. Het andere gebouw, daar waar het gros van de aangiftecontroles voor de Regio gebeurt, is geen eigendom van de IRS, maar wordt geleaset van een holdingmaatschappij opgericht door de aandeelhoudersvergadering van een bedrijf genaamd Spiegel Paleis Middenwesten (*sic*), een fabrikant van glas en amalgamen die medio jaren 70, gebruikmakend van de beschermmaatregelen gestipuleerd in hfst. 7 van de Federale Handelswetgeving, van het toneel is verdwenen.

Peoria, dat in 1845 een zelfstandige entiteit werd en misschien het bekendst is als de plaats waar in 1873 het prikkeldraad werd uitgevonden, speelt een centrale rol in de regionale structuur die de IRS voor het Midden-Westen heeft uitgetekend. Door zijn ligging, precies tussen het Regionale Ontvangkantoor van East St. Louis en het kantoor van de Regiocommissaris in Joliet in, zijn de circa 3000 werknemers van het RCC Midden-West in staat jaarlijks zo'n 4,5 miljoen belastingaangiften, afkomstig uit de in totaal negen staten en veertien IRS-districten van de Regio, na te rekenen en te verifiëren.[13] Hoewel de federale organisatiestructuur van de Dienst alles bij elkaar uit zeven Regio's bestaat, zijn er (als gevolg van de spectaculaire administratieve meltdown bij het RCC van Rome, New York, in 1982)[14] momenteel

13 N.B. Ten dele is deze informatie bijna woordelijk overgenomen uit de IRS-informatiemap die nieuwe en overgeplaatste werknemers kregen uitgereikt bij Ontvangst & Registratie: vandaar de wat doodse, bureaucratische toon, die ik niet heb proberen op te smukken of te leuken.

14 Maar ik heb er hier en daar wel enige ter zake doende details ingemoffeld die in het officiële materiaal natuurlijk ontbraken. Het debacle in Rome was niet iets waar

slechts zes Regionale Controlecentra actief, namelijk in Philadelphia, Pennsylvania; Peoria, Illinois; Rotting Flesh, Louisiana; St. George, Utah; La Junta, Californië; en Federal Way, Washington; de Controlecentra krijgen hun belastingaangiften aangeleverd door de desbetreffende Ontvangkantoren in de Regio, ofwel door het centrale informaticaknooppunt van de IRS in Martinsburg, West Virginia.

Anno 1985 waren er in de agglomeratie Peoria diverse bekende bedrijven en ondernemingen gevestigd, waaronder Rayburn-Thrapp Agronomics; American Twine, 's lands op één na grootste fabrikant van touw, ijzerdraad en koord met een kleine diameter; Consolidated Self Storage, dat als een van de eerste bedrijven in het Midden-Westen het franchisemodel toepaste, en wel op het verhuren van opslagruimte; verzekeringsgroep Farm & Home; de in Japanse handen gevallen restanten van Nortex, een fabrikant van zwaar materieel; en het nationale hoofdkantoor van Fornix Industries, een besloten vennootschap die ponsmachines en kaartlezers vervaardigde en die de Amerikaanse Thesaurie destijds tot een van haar laatst overgebleven grote klanten mocht rekenen. De grootste werkgever van Peoria echter, en dat al sinds 1971, het jaar waarin American Twine het exclusieve patent op type 3-prikkeldraad kwijtraakte, was de IRS.

Einde van de onderbreking; terug naar het mnemonische heden.

Na eindeloze pogingen om in die kwalijk riekende hal een werkende munttelefoon te vinden om op iemand van het 'hulpnummer voor werknemers' in te praten, zoals vermeld op Formulier 141-FO (een nummer dat verkeerd of buiten werking was), lukte het me uiteindelijk pas in het vierde of vijfde Dienstvoertuig dat bij het station opdaagde een plaats richting het RCC te bemachtigen, nu al schandalig veel te laat voor het mij toegewezen registratietijdstip, wat me, zo kon ik me voorstellen, allerlei verwijten zou opleveren van dezelfde wezenloos voor zich uit kijkende ambtenaar bij Ontvangst die ook de morele bel/sirene bediende.

Het volgende saillante feit van die dag is dat het verkeer op Self-Storage Parkway, die helemaal om de stad heen loopt, een complete

de Dienst mee te koop liep, zelfs niet intern; het speelde echter een prominente rol in het getouwtrek op de hoogste niveaus over het zogeheten 'Plan' en de implementatie ervan. Het spreekt voor zich dat ik daar die eerste dag geen benul van of belangstelling voor had.

ramp was. Het oostelijke gedeelte van SSP is bezaaid met ketenres-
taurants, zaken als Kmart en autodealers met knipperende neonbor-
den en opzichtige, met kabels in de grond verankerde reuzenballons.
We passeerden een vierbaansafslag naar de zogeheten Carousel Mall,
waarbij je de rillingen over de rug liepen bij het idee alleen al.[15] Achter
al deze commercie ('achter' gezien vanuit het oosten, om de buiten-
rand van de stad heen in zuidelijke richting rijdend, met de traag stro-
mende, dichtgeslibde Illinois die links van de Gremlin in zicht kwam
en weer uit zicht verdween) lag de ruïneuze skyline van het centrum
van Peoria, een staafgrafiek van beroete baksteen, ontbrekende ramen
en een floers van zware vervuiling, hoewel er uit geen van de schoor-
stenen rookpluimen opstegen. (Dit alles jaren voordat er pogingen
werden ondernomen om het oude centrum op te waarderen.)

Het genoemde Dienstvoertuig was een oranjegele tweedeurs AMC
Gremlin uitgerust met een krachtige zweepantenne en op de bestuur-
dersdeur een Dienstzegelsticker. Verboden te roken en/of te eten,
stond er binnenin op waarschuwingsbordjes aangegeven. Het interieur van de wagen was van hard plastic en schoon, maar het was er ontzettend heet en benauwd. Ik merkte dat ik begon te transpireren, wat
natuurlijk helemaal geen aangenaam gevoel is als je in een driedelig
ribfluwelen pak zit. Niemand sprak me aan, men leek mijn aanwezigheid niet eens op te merken – hoewel ik destijds, zoals ik misschien al
eens eerder heb vermeld, last had van een ernstige dermatologische
aandoening en er onderhand min of meer aan gewend was dat men
mij na een aanvankelijke schrikreactie en een uitdrukking van medelijden of afschuw (al naargelang) niet aankeek of opmerkte; ik nam het
m.a.w. allemaal niet meer al te persoonlijk op. Een aanbod om de airconditioning bij te stellen bleef uit, evenals de beleefde standaardvraag

---

15 Een van de freelanceklussen die ik had afgewerkt vlak voordat die krankzinnige toestand met die corpshangmappenkast alle betrokkenen zuur opbrak, bestond uit de eerste twee hoofdstukken van een afstudeerscriptie van een aardige, maar nogal chaotische
laatstejaars sociologie met als onderwerp 'het winkelcentrum als hedendaags functio-
neel equivalent van de middeleeuwse kathedraal' (sommige overeenkomsten waren
zonder meer verbluffend), en winkelcentra kwamen me daarom onderhand de strot
uit, al was dat vaak de enige plek waar je nog naar de film kon, omdat de mooie bio-
scopen in het centrum allemaal over de kop zijn gegaan of zich zijn gaan richten op
achttien jaar en ouder.

of het tochtstroompje van de airco wel voldoende was voor ons op de krappe achterbank, waar tussen mij en een oudere S-11 (bij wie de homburg door de druk van het autodak zowat over zijn ogen werd geperst) een jonge kerel zat met een vooruitstekende kin, gekleed in een grijs polyester colbertje met stropdas, met zijn voeten op de midden-bobbel en zijn knieën tot bijna aan zijn borst, een jongeman van ongeveer mijn leeftijd die al bovenmatig aan het zweten was en die keer op keer de zweetpeentjes van zijn voorhoofd wiste en daarna zijn vingers aan zijn overhemd afveegde met een beweging die vreemd genoeg de indruk wekte dat hij deed alsof hij zich onder zijn colbertje krabde en niet gewoon zijn natte vingers afdroogde. Hij deed dat constant, zag ik vanuit mijn ooghoeken. Het zag er behoorlijk raar uit. Zijn glim-lach was een opgefokte nepgrimas, zijn profiel een zich vertakkende massa kleine druppels, waarvan er om de zoveel tijd een paar op de re-vers van zijn colbertje spatten. Hij had een bijna tastbare aura van span-ning of angst, misschien claustrofobie – ik had het onverklaarbare ge-voel dat ik hem enorm zou kwetsen als ik hem aansprak of vroeg of hij zich wel lekker voelde. Een andere, al wat oudere IRS-werknemer zat voorin naast de bestuurder, beide mannen eveneens zonder hoed (de bestuurder had een monastiek *coupe de zéro*-kapsel) en strak voor zich uit kijkend; geen van hen sprak of bewoog, zelfs niet wanneer het voertuig volledig vastraakte in het verkeer. Van opzij bezien bood de huid aan de onderkant van de kin en het bovenste gedeelte van de hals van de oudere werknemer de scrotale of hagedisachtige aanblik die je wel vaker aantreft bij mannen van gevorderde middelbare leeftijd (zo-als ook bij de toenmalige Amerikaanse president, van wie het gezicht op televisie vaak de indruk gaf dat het zijn hals in smolt, waardoor zijn gitzwarte pompadoerkapsel en zijn harlekijnen rougekonen des te meer detoneerden). Vastzitten in het verkeer wisselden we af met op staatsiesnelheid voortkruipen. De zon beukte voelbaar in op het me-talen dak van de Gremlin; het digitale tijd-en-temperatuurbord van een bankfiliaal, waar we een paar minuten lang met stationair draai-ende motor op uitkeken, liet afwisselend de tijd en de boodschap DAT WILT U NIET WETEN oplichten, vermoedelijk als temperatuuraandui-ding, wat ik als een veeg teken zag voor de Peoriaanse cultuur en het lokale gevoel voor humor. De luchtkwaliteit en de geuren die er zoal opstegen laat ik verder aan je fantasie over.

Nooit eerder had ik zo lang in een overvolle auto gezeten zonder dat de radio aanstond en zonder dat iemand een woord zei, en nog nooit, echt nooit, had ik me zo volstrekt geïsoleerd gevoeld in een situatie waarin ik dicht opeengepakt zat met andere mensen die voortdurend elkaars lucht inademden.[16] Om de zoveel tijd masseerde de IRS-chauffeur zijn nek, die duidelijk stijf was geworden door de vreemde houding waarin hij zijn hoofd moest dwingen om nog iets te kunnen zien tussen de overdaad aan waarschuwingsbordjes op het dashboard. Het spannendste voorval tijdens het eerste deel van de rit: een hevige jeukaanval aan de linkerkant van mijn ribbenkast die aanleiding gaf tot de (begrijpelijke, maar gelukkig ongefundeerde) vrees dat de krentenbaard van de eerdergenoemde jongen in de bus zich op de een of andere manier via de lucht kon verspreiden en dus ook zonder direct contact besmettelijk was, een angst die ik moest onderdrukken omdat er vanzelfsprekend geen mogelijkheid bestond om mijn overhemd uit mijn broek te trekken en te zien hoe het met mijn zij gesteld was. Ondertussen had de oudere IRS-werknemer met zijn wat ouderwetse hoed een harmonicamap opengemaakt en twee à drie donkerbruine insteekmappen op zijn schoot gelegd, waaruit hij eerst verschillende formulieren en documenten doorbladerde die hij vervolgens van de ene naar de andere map verplaatste volgens een voor mij ondoorzichtig schema of systeem, want ik zag het hele gebeuren slechts aan de rand van mijn linker gezichtsveld, gehinderd door de constante cascade van zweetdruppeltjes afkomstig van de neuspunt van de man op de bobbel, die ondertussen was gaan zweten zoals ik tot dan toe alleen mensen op de squashbanen van de universiteit had zien zweten, en één keer een niet nader genoemd ouder familielid dat in 1978 op Thanksgiving een licht hartinfarct kreeg. Ikzelf hield me vooral bezig door met mijn vingers ongeduldig op mijn aktetas te trommelen, die in de tussentijd door de hitte in de Gremlin uitermate zacht en vochtig was geworden en een sussende serie spletsende geluiden afgaf als je erop roffelde – en als je in een verder stille ruimte ergens afwezig op zit te trommelen, ergert iedereen in je buurt zich normaal gesproken al snel groen en geel en is men wel gedwongen het woord tot je te richten, al was het maar om je te vragen ermee op te

16 Goed, ik had binnen ons gezin genoeg zwijgzame autoritten meegemaakt, maar dan schalde er altijd easy listening uit de radio, wat het ontbreken van een gesprek hielp verklaren-schuine streep-verzachten.

houden, maar in de Gremlin zei niemand er wat van en leek het niet eens te worden opgemerkt.

Self-Storage Parkway ligt min of meer als een ring rond Peoria en vormt de grens tussen de eigenlijke stad en de buitenwijken eromheen. Vandaag, anno 2005, zou hij als de zoveelste typische voorstedelijke snelweg met meerdere rijstroken worden beschouwd, inclusief de paradoxale combinatie van een hoge maximumsnelheid en stoplichten om de 500 meter, lichten die daar natuurlijk waren neergezet om consumenten en forenzen een vlottere toegang te bieden tot de aaneenschakeling van winkelbedrijven langs SSP, in ieder geval langs het gehele oostelijke traject ervan dat wij probeerden af te leggen. Vanaf medio jaren 80 is Self-Storage Parkway boven de knooppunten met nationale snelwegen verhoogd aangelegd, en op twee punten kruist hij de tabakskleurige Illinois door middel van bruggen uit de tijd van de New Deal, waarvan de klinknagels inmiddels oranje roest zweetten en die daarom laten we zeggen niet bijster veel vertrouwen inboezemden.

Daar komt bij dat, naarmate we het zuidoosten van de stadsregio Peoria en de niet-publieke toegangsweg tot het Controlecentrum naderden, de verkeersopstopping steeds erger werd. De reden hiervoor was die eerste dag al meteen duidelijk: ambtelijk falen in al zijn gedaanten. Ten eerste. De wegwerkers waren dit deel van Self-Storage Parkway tot drie rijstroken aan het verbreden, maar wegens de wegwerkzaamheden waren de bestaande twee rijstroken beperkt tot slechts één rijstrook: de rechterrijstrook was afgesloten met oranje pylonen, zelfs op die stukken waar niet aan de weg gewerkt werd en de lege rijstrook er goed en berijdbaar bij lag. En zoals bekend rijdt al het verkeer dat over één rijstrook moet even snel als het langzaamste voertuig in de file. Ten tweede. Zoals gezegd waren er om de 250 tot 500 meter stoplichten, maar de aaneengesloten rij verkeer op de rijstrook naar het zuiden was aanzienlijk langer dan de afstand tussen twee willekeurige stoplichten, zodat onze voortgang niet alleen afhing van de kleur van het volgende stoplicht, maar ook van die van de volgende twee of drie lichten. Als het groen werd, schoot je telkens maar een auto of twee, drie op. Het was een typisch voorbeeld van schabouwelijk verkeersmanagement dan wel rampzalige stedenbouw of weet ik veel hoe dat vakgebied heet, en ik voelde hoe het ribfluweel van mijn pak doorweekt raakte waar de stof in contact kwam met de geribbelde plastic zitting van de Gremlin, alsook bij mijn heupen en het bovenste deel van mijn dijen, geplet als ze zaten tegen de menselijke tuinsproeier naast me, die nu zowel hitte als een zurige, paniekerige geur verspreidde, waardoor ik mijn hoofd omdraaide en deed alsof ik me enorm concentreerde op iets wat in het zicht verscheen achter het raam (dat maar half open kon, wat te wijten was aan een ontwerpfout of anders aan een of ander obscuur veiligheidsvoorschrift). Het heeft geen zin het sint-teunis van franchisezaken en winkelcentra en auto-, autobanden- en motoren/jetski-outletzaken en zelfbedieningstankstations met bijbehorende minisupermarkten en bekende fastfoodketens dat we traag voorbij zagen schuiven te beschrijven, omdat je dat tegenwoordig in elke Amerikaanse stad aantreft – economen spreken geloof ik van een 'monocultuur'. Ten derde. Na verloop van tijd bleek dat de afslag van de ringweg naar het Controlecentrum níét voorzien was van stoplichten, hoewel het toen we dichterbij kwamen pijnlijk duidelijk werd dat een groot percentage van de auto's die momenteel voor ons op die ene rijstrook van SSP stonden, ook op weg was en dus diende af te slaan naar het RCC en zijn geasfalteerde oprit. (Het zou nog waanzinnig lang duren voordat eindelijk iemand de moeite nam mij de toch simpele reden daarvoor uit te leggen, nl. dat de twee belangrijkste ploegendiensten in die tijd elk acht uur duurden, respectievelijk van 7.10 tot 15.00 uur en van 15.10 tot 23.00 uur, wat betekende dat al die auto's van de Dienst en zijn werknemers tussen 14.00 en 16.00 uur voor een verkeersdrukte van jewelste zorgden.) Dat hield in dat het Controlecentrum zelf, in combinatie met het ontbreken van een stoplicht en de gebrekkig geplande heraanleg[17] van SSP, aan de basis lag van de monsterfile, ook

17 S-9 Chris Fogle zou later uitleggen (waarbij ik en wie er verder nog allemaal bij was waarschijnlijk met één peddelende hand het schiet-'ns-een-beetje-op-gebaar maakten dat zowat iedereen onwillekeurig maakte als 'Irrelevante Chris' weer eens op dreef was) dat de verbreding van Self-Storage Parkway al een jaar stillag, in de eerste plaats omdat de uitgifte van aanvullende obligaties bij de lokale rechtbank aangevochten werd door een belangengroep van conservatieve burgers uit Illinois die alle belastingmaatregelen met argusogen volgde, en in de tweede plaats vanwege de in deze contreien extreme winterse omstandigheden gevolgd door plotselinge lenteachtige dooiperioden, waarna vaak alles een dag later weer op vroor (geen woord hiervan gelogen), zodat een bepaald deel van de nieuwe, pas aangelegde rijstrook van SSP dat nog niet met een speciaal chemisch dichtingsproduct was behandeld omhoogkwam en begon te barsten, en de rechtbank had de werkzaamheden precies stilgelegd op het

moment dat die beschermlaag zou worden aangebracht met behulp van een bepaald zeldzaam type uiterst kostbaar zwaar materieel dat ruim van tevoren moest worden gehuurd bij één bepaalde gespecialiseerde distributeur in Wisconsin of Minnesota (ik heb nog altijd een zintuiglijke herinnering aan de manier waarop mijn hand bijna onwillekeurig lucht ging scheppen als Fogle zich weer eens in niet ter zake doende details verloor – zijn impopulariteit stond niet in verhouding tot zijn karakter, want hij was een fatsoenlijke vent en bedoelde het vaak té goed; hij was een van de Ware Gelovigen in de lagere echelons, lid van het voetvolk waar de Dienst zo afhankelijk van was omdat zij het ondankbare en loodzware zwoegwerk verrichtten dat de boel dag in, dag uit draaiende hield, en nog altijd vind ik het onrechtvaardig wat hem ten slotte is overkomen, omdat hij die drugs echt nodig had en ze uitsluitend om professionele redenen nam; het ging zeker niet om recreatief gebruik), met als gevolg natuurlijk, vanwege het gerechtelijke bevel en het ontbreken van die beschermlaag, dat er de daaropvolgende winter en lente zware schade ontstond, waardoor de kosten voor de aanleg van de weg twee keer zo hoog uitvielen als aanvankelijk door de wegenbouwer geraamd. Wat inhield dat het een vreselijke heidebrand van rechtszaken en constructieproblemen werd waarvan de last, zoals gebruikelijk, tot in lengte van dagen moest worden getorst door de iele schouders van de sowieso al gefrustreerde forenzen van de stad. Het bleek trouwens dat er nog een reden was dat het verkeer op de omringende SSP voortdurend vastzat, zelfs al voor die rampzalige wegwerkzaamheden, namelijk het feit dat Peoria, niet als stad van en voor mensen maar als armlastige agglomeratie, in de jaren 80 net als veel andere voormalige industriesteden de vorm van een donut had aangenomen: de binnenstad lag er verlaten, kaalgeslagen en uitgestorven bij, terwijl ondertussen een olipodriga van winkelcentra, -plaza's en -ketens, kantoor- en bedrijvenparken, nieuwbouwwijken en appartementencomplexen veel van het stedelijke leven naar de rand van de stad gezogen had. Medio jaren 90 zou er een gedeeltelijke heropleving en opwaardering plaatsvinden langs de kaden in de binnenstad – oude fabriekspanden en pakhuizen werden omgebouwd tot dure koopflats en conceptrestaurants; kunstenaars en yuppen kochten een paar van die panden op om ze op te delen in lofts etc. – zij het dat deze optimistische ontwikkeling vooral in gang werd gezet door de vestiging van drijvende casino's aan de kades waar ooit de grondstoffen voor de fabrieken waren gelost, casino's die niet in handen waren van lokale eigenaren, waardoor de stad Peoria nooit een billijk deel van de bruto opbrengsten zou ontvangen en de verjongingsoperatie van de binnenstad in feite alleen werd aangedreven door incidentele kleine uitgaven die toeristen deden, nl. de personen die de casino's bezochten ... en omdat de corebusiness van casino's eruit bestaat mensen het geld uit de zak te kloppen dat ze normaal gezien in winkels en restaurants uitgeven, betekende dit dat de verhouding tussen de casino-opbrengsten en de uitgaven die toeristen deden omgekeerd evenredig was, wat, gezien de terechte reputatie van casino's dat ze uiterst lucratief zijn, betekende dat iedereen met een beetje hersens in zijn kop de scherpe neerwaartse knik in de opbrengstencurve had kunnen voorspellen waardoor al na een paar al omdat er tal van voertuigen uit de andere, noordelijke richting kwamen die linksaf probeerden te slaan, d.w.z. onze rijstrook moesten kruisen om de oprit van het RCC op te kunnen rijden, waartoe het voertuig dat vooraan in onze rij stond om rechtsaf te slaan moest wachten om vervolgens met een handgebaar het tegemoetkomende voertuig linksaf te laten slaan, wat maar heel weinig bestuurders deden, omdat verkeersopstoppingen vaak de meest agressieve, ikke-en-de-rest-kan-stikken-facetten van de menselijke natuur naar boven halen en paradoxaal genoeg tot gedrag leiden waardoor de file alleen maar langer wordt – en misschien is dit het moment om kort iets op te merken over het gedrag dat we steeds frequenter zagen toen we centimeter voor centimeter de afslag naar het RCC naderden. Sommige privé-auto's[18] schoten uit onze rij naar rechts de krappe, met grind bedekte pechstrook op, waar ze dan flink optrokken en volstrekt illegaal tientallen andere auto's inhaalden, wat op zich nog niet zo'n probleem geweest zou zijn, ware het niet dat de pechstrook naarmate de afslag naar het RCC dichterbij kwam steeds smaller werd en ten slotte helemaal ophield, zodat ze opnieuw links moesten proberen in te voegen, de toegestane rijstrook op, waardoor er op die strook iemand moest stoppen om ze ertussen te laten en het verkeer op de reguliere rijstrook opnieuw stokte ... wat inhield dat de egoïstische, ikke-eerst-auto's de verkeersopstopping die ze probeerden te omzeilen aanzienlijk verergerden; zij wonnen een paar minuten door de file en de vertraging voor alle anderen in de blikkerende rij auto's op onze rijstrook nog wat erger te maken. Na een paar weken dagelijks pendelen op SSP vanuit de betaalbare, door de Dienst geregelde huisvesting[19] wekte dat

jaar de motor achter de revival van de 'Nieuwe Binnenstad' ernstig begon te sputteren, vooral toen de casino's (na wijselijk een redelijke termijn in acht te hebben genomen) hun eigen restaurants en winkels openden. En zo verder ... Zo verging het indertijd veel steden in het Midden-Westen.

18 (in mijn herinnering als zodanig herkenbaar omdat het geen Gremlins, Mercury Montego's of Ford Ecoline-personenbusjes waren. Want de voertuigen uit het wagenpark van de Facilitaire Dienst van het RCC bleken bijna allemaal uit een risicobeslaglegging bij een multimerk-autodealer in het zuidelijk gelegen Effingham te stammen, maar het zou veel te veel tijd kosten dat fatsoenlijk toe te lichten, dus laat ik je dat maar besparen.)

19 Beknopt, noodzakelijk terzijde: tijdens de eerste zes kwartalen dat ze contractueel aan een bepaalde werklocatie werden toegewezen, konden alleenstaande controleurs gebruikmaken van door de Dienst geregelde huisvesting in een aantal oudere appar-

egoïstische, ikke-eerst-gedrag op die pechstrook zo'n weerzin en woede in me op en dat ik me nog steeds, tot op de dag van vandaag, sommige auto's herinner die dat chronisch deden, nl. hetzelfde soort idiote, solipsistische gedrag vertoonden dat massale paniek veroorzaakt als er op een drukbezochte openbare plaats brand uitbreekt, met als gevolg dat de autoriteiten vervolgens bij de toegangsdeuren een hoop verkoolde en vertrapte lijken aantreffen wanneer het vuur of de rellen zijn bedwongen, mensen die niet konden ontsnappen juist vanwege de paniek en het egoïsme waarmee ze allemaal naar buiten stormden en de uitgang blokkeerden en elkaar verdrongen, waardoor iedereen een gruwelijke dood stierf, wat ik eerlijk gezegd ook al die Vega's en Chevettes ging toewensen, en vooral die ene lichtblauwe AMC Pacer met zo'n christelijke sticker van een visje op zijn bollende achteruit[20]

tementencomplexen en omgebouwde motels langs de oostelijke rand van de SSP-ringweg, die in het bezit van de overheid waren gekomen door beslagleggingen of gedwongen verkopen tijdens de recessie van de vroege jaren 80. Daar zit natuurlijk nog een ander lang, ingewikkeld en saai verhaal aan vast, onder meer over het feit dat de huisvestingssituatie enorm gecompliceerd was geworden door de grote aantallen overplaatsingen en personeelsreorganisaties die alle RCC's hadden ondergaan ten gevolge van (a) de ineenstorting en opheffing van het Controlecentrum van de Mid-Atlantische Regio in 1981 en (b) de eerste fasen van het zogenoemde 'Plan', dat, zo bleek, voor het RCC Midden-West meteen gevolgen had. Het punt is echter dat de genoemde huisvesting werd aangeboden om detacheringen eenvoudiger te laten verlopen, en ook bij wijze van financiële tegemoetkoming, omdat de maandelijkse huur in (bijvoorbeeld) Residentie Vissersbaai minstens $150 per maand lager lag dan de toenmalige huurprijzen voor vergelijkbare woningen op de particuliere markt. Mijn redenen om het huisvestingsaanbod te accepteren zullen duidelijk zijn ... al moet ook gezegd dat de IRS vanaf 1986 het verschil tussen de gesubsidieerde huurprijzen en die op de vrije markt als 'emolumenten' ging beschouwen en belasten, wat zoals je je wel kunt voorstellen flink wat kwaad bloed zette bij werknemers van de Dienst, die natuurlijk ook gewoon Amerikaanse staatsburgers en belastingplichtigen zijn, van wie de belastingaangiften elk jaar dan nog extra scrupuleus worden bekeken wegens die in het oog springende '9' aan het begin van ons identiteits- en burgernummer etc. etc. Achteraf gezien was dat hele huisvestingscircus waarschijnlijk niet eens alle extra administratieve strapatsen waard (cf. *infra*), al betekende het een aanzienlijke besparing op mijn maandelijkse huurkosten.

20 We stelden vast dat het bijna altijd privéauto's en -pick-ups waren die in hun egoïstische poging via de pechstrook een paar meter fileleed af te snijden en dan even verderop weer in te voegen de boel ophielden. Dienstvoertuigen, met inbegrip van de

die deze manoeuvre bijna elke ochtend uitvoerde.

Een extra portie bureaucratische stompzinnigheid: in de auto gaven zoals gezegd plastic waarschuwingsbordjes aan dat het verboden was te roken, te eten etc., en dat was zo in alle Dienstvoertuigen die gebruikt werden om werknemers te vervoeren, krachtens eigen regelgeving die ook werd aangehaald rechts onderaan op de bordjes zelf[21] – maar het interieur van zo'n AMC Gremlin was zo krap, en het plastic dat men ervoor gebruikt had zo goedkoop en dun, dat de 20 centimeter hoge bordjes nergens anders konden worden gemonteerd dan op de bovenkant van het dashboard, waardoor ze gedeeltelijk de onderste rand van de voorruit aan het zicht onttrokken en onze bestuurder dwongen een verwrongen houding aan te nemen en zijn getonsureerde hoofd zowat op zijn rechterschouder te leggen als hij tussen twee wettelijk verplichte bordjes door de weg nog wilde zien liggen. Voor zover ik het kon inschatten ging dit alle perken te buiten, zowel qua veiligheid als gezond verstand.

personenbusjes van de Facilitaire Dienst die pendelden tussen het RCC en Residentie Vissersbaai en Residentie Twee Eiken, twee appartementencomplexen in het noorden van Peoria waar wiegelaars gehuisvest waren, weken nooit van de toegestane rijstrook af; die busjes werden bestuurd door chauffeurs zonder vast contract die per uur betaald werden, en die dus op geen enkele manier werden aangemoedigd zich te haasten of sluipwegen te zoeken, wat ons echter weer voor andere problemen stelde, en wel omdat we verplicht waren stipt bij aanvang van de dienst aan onze Tingletafel te zitten; maar vanuit het oogpunt van verkeersdoorstroming was het waarschijnlijk een goede beleidsmaatregel van de Facilitaire Dienst, hoewel het betekende dat de bestuurders die voor de Facilitaire Dienst werkten een ongelooflijk saaie, repetitieve en chiropractisch gezien masochistische baan hadden, geen lid konden worden van de vakbond van de Thesaurie, en niet in aanmerking kwamen voor een ziekteverzekering etc.

21 Wanneer je als controleur op een verloren moment van gekkigheid niet meer wist wat je moest doen en daarom maar de uitgebreide, ingewikkelde regelgeving in het Belastinghandboek begon door te nemen, bleek deze verwijzing naar de dienstvoorschriften een rare fout te bevatten: de aangehaalde regels op de bordjes in de auto's en busjes verwezen naar een bepaling waarin werd gesteld dat de bordjes 'in ieder voertuig op een goed zichtbare, opvallende plaats bevestigd dienen te worden', terwijl de aangehaalde regel die eten, roken etc. in transportvoertuigen in eigendom van de Dienst verbood in feite twee bepalingen daarboven stond. Dat wil zeggen dat de op het bordje aangehaalde regel naar het bordje zelf verwees, en niet naar de bepaling waarvan het bordje eigenlijk de uitdrukking was.

Het Regionale Controlecentrum Midden-West lag een kleine vijf-honderd meter van Self-Storage Parkway vandaan, te midden van een zorgvuldig onderhouden en immens groot en groen gazon, met daar-naast aan weerszijden bomen en dicht struikgewas die als windschutten de belendende maïsvelden afschermden; die vijfhonderd meter be-stonden uit een en al wonderbaarlijk paardenbloemvrij en intens groen gras dat erbij lag als een biljartlaken. Het statige gazon stond in schril contrast met de logge bureaucratische lelijkheid van het RCC zelf, en er was ruimschoots de tijd om daar mijn gedachten over te laten gaan terwijl de Gremlin vooruitschoof en de kerel naast me onophoudelijk ons beiden bleef bedruppen. De oudere man aan de andere kant van de achterbank had op het eerste gezicht een groene vingerhoed op zijn vinger zitten, maar dat bleek een groene telvinger te zijn zoals de mees-te wiegelaars er hier één droegen en die ze allemaal hun 'pc' noemden, wat stond voor 'pinkcondoom'. Een groot 4-H-billboard iets voorbij de eenrichtingsweg naar de ingang van het RCC verkondigde HET IS LENTE, WERK VEILIG OP HET LAND, en ik wist dat het er een van 4-H was omdat er in de periode maart-mei langs de SR-130 even buiten Philo, net voorbij de instantkoffiefabriek, steevast precies zo'n bill-board stond.[22] De jongeren van de 4-H-afdeling in Illinois wasten het

---

22 Met 158 werknemers was de vriesdroog-en-cafeïnetoevoegingsfabriek van Bright Eyes Oploskoffie de enig overgebleven aanspraak die Philo kon maken op industriële activiteit. Bright Eyes, een dochteronderneming van Rayburn-Thrapp Agronomics, was een lokaal koffiemerk met een hoog cafeïnegehalte, dat je overal in het Midden-Westen op de winkelschappen herkende aan het wrede beeldmerk van een ogenschijn-lijk geëlektrocuteerde eekhoorn met twee uitpuilende blakende zonnen in plaats van ogen en kleine cartooneske bliksemschichten die aan zijn uitgespreide ledematen leken te ontsnappen. Toen Rayburn-Thrapp Agronomics in 1991 door Archer Daniels Mid-land Co. werd opgeslokt, nam men Bright Eyes (gelukkig*) uit productie. Meer kan ik hier op juridische gronden niet over zeggen, omdat bepaalde familieleden hebben ge-weigerd de desbetreffende vrijwaringen te ondertekenen. Ik kan er alleen aan toevoe-gen dat ik heel wat meer weet van de chemische samenstelling, de productiemethode en de daarbij vrijkomende geuren van oploskoffie dan een mens vrijwillig zou willen weten, en dat het helemaal niet dat gezellige, opmonterende ontbijtaroma was dat je je misschien in al je naïviteit voorstelt (het had meer weg van verschroeid haar, zeker als de wind verkeerd stond).

* Al in de jaren 70 was er wetenschappelijk bewijs voor het verband tussen kunstmatig versterkte cafeïne en aandoeningen variërend van hartritmestoornissen tot Bellse

hele jaar door auto's en verkochten zelfgebakken cake en taart om deze billboards (komma i.p.v. dubbelepunt *sic*) te kunnen neerzetten, die rond 1985 zo alomtegenwoordig waren dat niemand er nog enige aandacht aan besteedde.[23]

Ik herinner me ook nog dat ik moest gaan verzitten en mijn eigen nek enorm moest buigen om tussen de verplichte, hinderlijke bordjes door het Controlecentrum op te kunnen nemen. Op deze afstand en vanuit de mij geboden perspectieven leek het RCC aanvankelijk uit een eenvoudige rechthoekige structuur te bestaan, met voor zover ik kon zien[24] minstens één gigantische en duizelingwekkend steile zandbruine of beige betonnen gevel, en nog net zichtbaar, zij het perspectivisch vervormd, een deel van het dak van het zijgebouw, dat in het verlengde lag van de toegangsweg oftewel de eenrichtingsstraat die in een lus om de achterzijde van het hoofdgebouw liep, een achterkant die in feite de voorkant van het RCC bleek te zijn, met die kolossale, naar zichzelf verwijzende façade. Op eenzelfde verwarrende manier bleek wat vanuit de verte een goed begaanbare, wat slingerende 'weg' van de ringweg naar en rondom het RCC had geleken eerder een soort landweggetje of oprit te zijn, smal en opgehoogd, met diepe greppels aan de randen en maniakale verkeersdrempels die zo dicht op elkaar waren geplaatst dat je op die toegangsweg onmogelijk harder dan stapvoets kon rijden; je kon zien dat de inzittenden van voertuigen die harder reden bij het nemen van de stuk voor stuk meer dan twintig centimeter hoge verkeersdrempels als lappenpoppen door hun auto werden gesmeten. Een paar honderd meter van SSP verwijderd lagen er aan de toegangsweg verschillende parkeerterreinen van allerlei bescheiden afmetingen, als een armband of tiara bezet met rechthoekig geslepen edelstenen.[25]

parese, en toch duurde het nog tot 1989 voor het tot een collectieve rechtszaak kwam.
23 Ook ironisch was dat er in april 1987 tijdens een tornado net buiten DeKalb een stuk van zo'n VEILIG OP HET LAND-billboard werd afgerukt, en dat een sojabonenboer vervolgens door dat meegezogen brokstuk praktisch onthoofd werd – daarna was het voor die 4-H-borden einde verhaal.
24 (nl. de zuidgevel zoals gezien vanaf SSP, waarop we nu met de snelheid van een kruipende peuter westwaarts gingen)
25 Nogmaals: veel van wat ik hier schrijf stamt uit het notitieboekje waarin deze indrukken werden genoteerd. Ik ben me ervan bewust dat ik de toegangsweg van op een afstandje beschrijf maar hem kwaliteiten toedicht die pas duidelijk zouden worden toen

Vanuit ons gezichtspunt was er geen bord te zien waaruit bleek dat op dit terrein de IRS of een overheidsdienst gehuisvest was (wat, nogmaals, min of meer verklaard werd door het feit dat wat vanaf Self-Storage de voorkant van het RCC had geleken in feite de achterkant was, en dan alleen nog van een van de twee afzonderlijke gebouwen). Het enige wat je zag waren twee kleine houten wegwijzers – ALLEEN UITRIT; ALLEEN INRIT – bij de twee kruisingen van SSP met de afbuigende weg naar/vanuit het RCC. Op het genoemde bord stond ook, zo bleek, het filiaaladres (niet het postadres) van het RCC. Gezien de kromming in de toegangsweg bevond zich de uitrit naar de ringweg zo'n duizend meter verderop naar het westen, bijna in de schaduw van het VEILIG OP HET LAND-billboard. Ik kon de man naast me versneld horen ademen, alsof hij op het punt stond te gaan hyperventileren; we hadden elkaar tot dan toe geen van beiden rechtstreeks aangekeken. Ik zag dat er alleen aan het INRIT-gedeelte van de toegangsweg parkeerplaatsen lagen; het verderop gelegen UITRIT-gedeelte, dat afboog vanaf de achterkant (naar later bleek dus de voorkant van beide losstaande gebouwen) van het RCC, was een eenrichtingsweg die terugleidde naar Self-Storage Parkway, en ook die uitrit moest het stellen zonder stoplicht of wegwijzer, een omissie die opnieuw moeilijkheden en vertragingen opleverde voor forenzen die het RCC vanuit het westen probeerden te bereiken.

Zoals ik misschien al heb gezegd was het inmiddels al veel later dan 13.40 uur, het op mijn Formulier 141-FO aangegeven en bestempelde tijdstip waarop ik me diende aan te melden. Vanzelfsprekend ging dit inzicht met voor de hand liggende en begrijpelijke emoties gepaard, zeker omdat (a) 0,0 procent van mijn vertraging aan mij te wijten was, en (b) hoe dichter we het RCC naderden, hoe langzamer we opschoten in het verkeer. Om mezelf wat af te leiden van al deze feiten en de bijbehorende emoties begon ik een lijst op te stellen van de logistieke enormiteiten die duidelijk werden toen het Dienstvoertuig de inrit dicht genoeg was genaderd en ik door mijn niet-afgedichte zijruit de toegangsweg naar het RCC kon zien liggen. Wat volgt is de bekorte versie van een uitzonderlijk lange, driftige, niet-geïnterpungeerde

we langzaam maar zeker dichterbij kwamen en we er ons uiteindelijk ook zelf op bevonden. Deels is dit een kwestie van stilistische brevitas; deels het gevolg van de schier onmogelijke opdracht in een rijdende auto samenhangende notities te maken.

aantekening[26] in mijn notitieboekje, in ieder geval ten dele geschreven daar in die Gremlin. Te weten:

Naast de tegemoetkomende bestuurders die linksaf sloegen en de abjecte ikke-eerst-types die vanaf de pechstrook weer probeerden in te voegen, bleek er nog een andere, nog belangrijker oorzaak te zijn van de hemeltergende traagheid waarmee onze sliert auto's op Self-Storage in westelijke richting kroop voor we uiteindelijk rechtsaf konden slaan, de toegangsweg van het Controlecentrum op, nl. een opstopping op de toegangsweg zelf, die nog erger, geconstipeerder en vollediger verlamd was dan SSP. Deze werd voornamelijk veroorzaakt door het feit dat de aan de toegangsweg grenzende parkeerterreinen al behoorlijk vol waren en ze, naarmate ze verder op de toegangsweg lagen, nog voller bleken te zijn, onder meer met auto's van IRS-werknemers die speurden naar een beschikbare parkeerplaats. Gezien de extreme hitte en luchtvochtigheid waren de meest gewilde parkeerplaatsen natuurlijk de plaatsen vlak achter[27] het hoofdgebouw, minder dan honderd meter verwijderd van de centrale ingang van het RCC. Werknemers op de meer afgelegen parkeerterreinen waren genoodzaakt helemaal van achteren[28] langs de smalle, door greppels geflankeerde toegangsweg naar die centrale ingang te lopen, wat door de onverharde berm tot een hoop gewankel en molenwiekend gebalanceer leidde, en minstens één werknemer zagen we uitglijden en met een radslag in de afvoergreppel naast de weg verdwijnen, waar hij handmatig moest worden uitgetrokken door een of twee anderen, die daarbij allebei met één hand hun hoed op hun hoofd drukten, waarna de geredde werknemer aan één kant over de hele lengte van zijn pantalon en colbert een enorm smerige grasvlek had zitten en, kennelijk gewond, met zijn begeleiders op de afbuigende weg trekkebenend uit het zicht verdween.[29] De oorzaak van het probleem was even evident

26 (neergekrabbeld met een potlood dat al tijden ongeslepen en stomp was, iets waar ik een hartgrondige hekel aan heb; ik moet onder enorme psychische druk hebben gestaan of geprikkeld zijn geweest, daar ik blijkbaar bereid was met een stomp potlood te schrijven.)

27 Nogmaals: dit 'achter' is vanuit het perspectief vanaf SSP. Omdat we het hoofdgebouw van achteren naderden, lagen de meest gegeerde parkeerplaatsen eigenlijk aan de 'voorkant' van het RCC, hoewel die voorkant dus van Self-Storage af lag.

28 Idem.

als stupide. Gezien de hitte, het gedoe en het gevaar waaraan voetgangers op de toegangsweg werden blootgesteld, was het heel begrijpelijk dat de meeste auto's de meest nabijgelegen parkeerplaatsen schenen te mijden (nabijgelegen van ons uit gezien, dus verder weg van het RCC zelf) en doorreden naar de verder gelegen, meest gewilde plaatsen aan de achterkant, plaatsen die het dichtst bij de hoofdingang van het RCC lagen en daar slechts van gescheiden werden door een weids, betegeld en makkelijk begaanbaar voorplein. Maar als die beste, dichtst bij de hoofdingang gelegen plaatsen bezet waren (wat natuurlijk meestal het geval was, gezien de menselijke hang naar comfort en bovengenoemde factoren; het meest gewilde parkeerterrein is meteen ook het drukst bezette), konden de aanrijdende voertuigen niet zomaar terugrijden via de weg waarlangs ze gekomen waren, om dan maar genoegen te nemen met een wat verder weg gelegen en minder gewild parkeerterrein dat ze in hun queeste naar de beste plaats voorbijgereden waren – want de toegangsweg was natuurlijk over de volle lengte van de boog die hij beschreef een eenrichtingsweg,[30] waardoor voertuigen die op de beste parkeerterreinen geen plek hadden gevonden nu het RCC voorbij moesten rijden tot aan het ALLEEN UITRIT-bord en daar, niet geholpen door een stoplicht, linksaf moesten zien te slaan, weer Self-Storage Parkway op, en een paar honderd meter in oostelijke richting moesten terugrijden naar de oprit van het RCC met zijn ALLEEN INRIT-bord, en dan linksaf moesten proberen te slaan (tegen het tegemoetkomende verkeer in, wat natuurlijk ons eigen slakkengangetje op de rijbaan in westelijke richting nog meer afremde) naar de eigenlijke toegangsweg, teneinde te parkeren op een van de minder

---

29 Laten we niet te veel woorden vuilmaken aan de extra drukte en wanorde veroorzaakt door de voetgangers die zich langs de niet-aflatende stroom auto's op de toegangsweg over de smalle berm voortbewogen, een probleem dat grotendeels met een eenvoudige ingreep had kunnen worden opgelost, nl. door over het smetteloze gazon een voetpad aan te leggen en een ingang te maken aan de voorkant (d.w.z. aan wat de voorkant leek; in feite dus de achterkant) van het gebouw. Samengevat: de grandeur van het gazon bij het RCC was het beste bewijs van de idiote kortzichtigheid van de hele inrichting.

30 Dat moest ook wel: hij was lang niet breed genoeg voor tweerichtingsverkeer, om nog maar te zwijgen van de extra ruimte die de voetgangers innamen die langs de rand van de weg van/naar hun auto probeerden te lopen.

gewilde parkeerterreinen dichter bij de ringweg, om vervolgens aan te sluiten bij de rij voetgangers die koorddansend op de wegberm terugliepen naar de hoofdingang aan de achterkant.

Kortom: het getuigde allemaal van een waanzinnig slechte planning, wat leidde tot stuitende inefficiëntie, ontzettende tijdverspilling en grote frustratie voor alle betrokkenen.[31] Er dienden zich drie voor de hand liggende remedies aan, die ook schetsmatig zijn neergepend in mijn notitieboek, maar ik kan echt niet meer met zekerheid zeggen of ik die aantekeningen daar *in situ* neerkrabbelde tijdens die gekmakende sisyphusiaanse stagnatie in een eeuwig bijna-maar-net-niet, of dat ik ze later die dag maakte – er zouden immers nog genoeg momenten zijn met als enige afleiding het onbenullige boek dat ik tijdens de busrit al bits was begonnen te annoteren. Eén remedie zou erin kunnen bestaan te werken met een systeem van gereserveerde parkeerplaatsen, wat een groot deel van de filevorming en opstoppingen als gevolg van mensen die naar beschikbare parkeerplaatsen speurden zou voorkomen, net als het daarmee verband houdende probleem van werknemers die allemaal afstevenden op de twee of drie parkeerterreinen in de buurt van de centrale ingang (die we vanaf Self-Storage Parkway natuurlijk nog niet hadden gezien; de plaats van de ingang kon worden afgeleid uit de klaarblijkelijke aantrekkingskracht van de parkeerterreinen achter [vanuit ons perspectief] het gebouw, afgaand op het aantal auto's dat ernaartoe reed, wat overduidelijk te maken had met een of ander bijkomend en zwaarwegend voordeel. Aan de rand van mijn

---

31 Toentertijd wist ik nog niet dat het RCC Midden-West, als gevolg van een aantal reorganisaties bij Compliance in verband met de implementatie van het 'Plan', tijdens de laatste twee fiscale kwartalen meer dan driehonderd nieuwe werknemers had mogen verwelkomen. Onder de routinecontroleurs in Residentie Vissersbaai leefde de theorie dat dit een kwetsbaar evenwicht had verstoord in de parkeergelegenheid van het RCC, wat nog verergerd werd door de wegwerkzaamheden aan Self-Storage en de afschaffing, op morele gronden, zo werd gezegd, van gereserveerde parkeerplaatsen voor iedere overheidsdienaar in een salarisschaal hoger dan S-11. Dat laatste was een ideetje uit de koker van de Directeur Personeelszaken van het RCC, dhr. Richard 'Dick' Tate, die gereserveerde parkeerplaatsen als iets elitairs beschouwde dat naar zijn zeggen een funeste uitwerking had op het moreel binnen het RCC. Dat het door DPZ Richard Tate uitgestippelde beleid doorgaans veel meer problemen veroorzaakte dan het oploste, was zo'n notoir syndroom dat wiegelaars doorgaans van 'dicktaten' spraken.

gezichtsveld zag de werknemer naast me er inmiddels uit alsof hij uit een watermassa was getakeld, waardoor het een steeds akeliger vertoning werd dat ik bleef doen alsof ik die ongelooflijke zweetpartij niet in de gaten had.) Een andere ontlastende ingreep kon er natuurlijk in bestaan de toegangsweg te verbreden en er een tweebaansweg van te maken. Ik geef toe dat zo'n ingreep op korte termijn veel extra overlast en opstoppingen met zich mee zou kunnen brengen voor het RCC, vergelijkbaar met die van de verbredingswerkzaamheden aan Self-Storage Parkway, al was het moeilijk voor te stellen dat het verbreden van de toegangsweg even lang zou duren, want die heraanleg zou natuurlijk niet onderhevig zijn aan de voortdurende vertragingen en belangenconflicten die spelen binnen het democratisch proces. De derde remedie zou erin kunnen bestaan het helgroene, uitgestrekte en lege gazon aan de voorkant (dus de eigenlijke achterkant) op te offeren aan ieders welzijn en gemak, met uitzondering misschien van het door het RCC ingehuurde hoveniersbedrijf, en niet alleen een betegeld voetpad aan te leggen, maar misschien zelfs een verbindingslus waarop de auto's op het UITRIT-gedeelte van de weg konden omkeren naar het INRIT-gedeelte zonder tweemaal stoplichtloos linksaf te hoeven slaan, de overvolle ringweg op en af. Om maar te zwijgen van de mogelijkheid om op de twee kruisingen verdorie gewoon een paar simpele stoplichten te plaatsen, want het was moeilijk te geloven dat de IRS bij de bestuurders van Peoria en Illinois niet genoeg in de melk te brokkelen had om dat niet op elk mogelijk moment te kunnen eisen.[32] En dan heb ik nog niets gezegd over het volstrekt bizarre feit dat het (naar bleek) de reusachtige *achterkant* van het RCC was die naar de belangrijkste ringweg rond Peoria gericht lag. Toen we het langzaam maar zeker naderden had dat zowel iets lafhartigs als arrogants, net als premoderne priesters die met hun rug naar het kerkvolk gekeerd de ka-

---

32 In die tijd was ik niet op de hoogte van de bureaucratische schermutselingen tussen de IRS en de staat Illinois, die na de gewraakte invoering van een progressieve omzetbelasting nooit waren gestaakt, een belasting die indertijd in opiniestukken voor de belangrijkste financiële dagbladen door velen, onder wie een aantal topambtenaren bij Driemaal Zes ten tijde van de regering-Carter, tot de grond toe werd afgebrand, waarbij met name het 'denkwerk' achter de nieuwe belastingopzet op de korrel werd genomen, wat behoorlijk wat kwaad bloed zette en tot ver in de jaren 80 tot allerlei onderling gestribbel en infantiel gesteggel leidde.

tholieke mis opdroegen. Alles, van de logistiek tot de meest elementaire beleefdheid, lijkt te dicteren dat de voorkant van een groot overheidsgebouw zich dient te richten naar de mensen die het ten dienste staat. (Hou daarbij steeds in je achterhoofd dat ik de gestileerde voorgevel van het RCC nog niet had gezien, die identiek was aan de façades van de overige zes RCC's in de VS, allemaal opgetrokken ten gevolge van een onopgemerkte overtikfout in het verhoogde bouw- en technologiebudget nadat het IRS-hervormingsplan van de commissie-King was goedgekeurd, een fout die luidde dat er geen 'formele eisen' maar *'formulier*eisen' aan de voorgevel werden gesteld, en wel zo dat die 'optimaal afgestemd' diende te worden 'op de specifieke, door het desbetreffende centrum geleverde diensten'.33)

Over onze eigenlijke aankomst bij de hoofdingang van het centrum die eerste dag zal ik ter samenvatting alleen zeggen dat het een heerlijk spannend gevoel geeft om op een drukke aankomstplek je eigen naam in blokletters op een omhooggestoken bord te zien staan. Me dunkt dat dat deels komt doordat je je uitverkoren en – om die bureaucratische term te gebruiken – bekrachtigd voelt. Het speciale bord, omhooggehouden door een aantrekkelijke, ambtelijk ogende vrouw in een helblauwe blazer, was weliswaar best verrassend na alle infame en vernederende strubbelingen en de daaruit voortvloeiende late aankomst, maar niet dermate verrassend dat iemand redelijkerwijs kon worden geacht het meteen als bewijs van een fout of misverstand te zien – tenslotte beschikte ik over dat eerdergenoemde nepotistische lijntje hogerop alsmede die brief in mijn aktetas.

Dit was ook het moment waarop bleek dat de ogenschijnlijke achterkant van het RCC eigenlijk de voorkant was, en dat de twee orthogonale delen van het centrum niet in elkaar doorliepen, en dat de façade van het hoofdgebouw een zodanig vreemde en intimiderende vorm had dat je ergens wel moest toegeven dat het misschien inderdaad verstandig was om die op het zuiden te bouwen of boven de drukke openbare weg te laten uittorenen. Zelfs afgezien van de drukte en de chaos maakte het uitgestrekte gebied bij de hoofdingang een erg ingewikkelde en desoriënterende indruk. Er stonden vlaggen, gecodeerde wegwijzers en richtingpijlen, dit alles op een weids betonnen voorplein met wat ooit, toen er nog water uit spoot, een fontein was

33 Bonusfeit met dank aan S-9-weetal Robert Atkins.

geweest.34 De rechthoekige schaduw van het hoofdgebouw bedekte bijna het hele voorplein tot aan de twee tegenoverliggende en zeer gewilde parkeerterreinen, beide niet al te groot. En dan had je de minutieus afgewerkte façade, die onmiskenbaar veel geld had gekost en zich uitstrekte van net boven de hoofdingang tot ongeveer het midden van de vierde verdieping; het was een soort afbeelding in tegels of mozaïek van een blanco Belastingformulier 1040 uit 1978, beide pagina's, uitgewerkt tot in de kleinste details, tot en met het vakje bij Regel 31 voor de som van het **'Aangepast bruto-inkomen'** aan de versozijde, en het half-gearceerde vakje 'SALDO' bij Regel 66 aan de rectozijde, een vakje dat schijnbaar fungeerde als raam, overigens net als de rest van de karrenvracht hokjes, vakjes en kaders. De uitwerking was verbluffend gedetailleerd en het crème, saumon en celadon van de offsetdruk uitermate realistisch, zij het enigszins gedateerd.35 En wat de totaalindruk nog overweldigender/desoriënterender maakte, zeker gezien vanaf de lus die de Dienstvoertuigen via de toegangsweg op konden rijden om hun passagiers af te zetten zonder dat ze hoefden te parkeren (waarvoor ze weer naar buiten en terug het terrein op hadden moeten rijden, omdat de parkeerplaatsen tegenover de ingang, aan de andere kant van het voorplein, allemaal bezet waren en er zelfs auto's op hoekplekken stonden, waar dat helemaal niet mocht, met als gevolg dat er auto's waren die hun parkeervak niet meer konden verlaten, laat staan tot bij de uitgang konden komen), bleek de gigantische 1040, die op schaal gebouwd was (dus wat langer in de lengte dan in de breedte), aan de verre uiteinden geflankeerd door een reliëf of een grote, ronde ingevoegde intaglio van een of ander chimerisch strijdtafereel en een Latijnse spreuk die in de donkere schaduw aan de rechterzijde van het gebouw niet te ontcijferen viel, wat het officiële zegel en motto van de Dienst bleken te zijn (waarover me in de contractinformatie die ik had ontvangen niets was verteld [informatie die er zoals eerder vermeld toe neigde nogal cryptisch en streng of dwingend van toon te zijn en die eerlijk gezegd mijn onrust alleen maar aanwakkerde toen ik dat alles in de nooit gebruikte salon bij ons thuis trachtte te verwer-

---

34 (Later bleek dat de fontein kapot was en dat men wachtte op de levering van een moeilijk verkrijgbaar hydraulisch onderdeel.)

35 Formulier 1040 was sinds 1978 wel enigszins veranderd; in de maanden die voor me lagen zouden de finesses van die aanpassingen me maar al te vertrouwd worden.

ken]). Nog een laatste detail: het hele minutieuze façade-ensemble werd weerspiegeld – zij het wat verdraaid en lateraal perspectivisch verkort, waardoor het reliëf en motto dichter bij elkaar leken te liggen dan in werkelijkheid het geval was – door de afzichtelijke spiegelglaszijde van het bijgebouw van het RCC, ook wel de 'dependance' genoemd, dat zo goed als loodrecht op de hoofdfaçade lag en op twee verdiepingen met de westzijde van het hoofdgebouw verbonden was door wat me op dat ogenblik grote groene buizen leken te zijn, ondersteund door oogverblindende (want niet in de schaduw van het hoofdgebouw staande) wouden van ranke geanodiseerde of roestvrijstalen pilaren, die vanuit deze hoek een vreemde en duizendpotige aanblik boden, ook al omdat ze door de spiegelende buitenbekleding van de dependance in oogverblindende kleine en gesplinterde stukjes werden gereflecteerd.

Een of twee platen spiegelglas waren echter gebroken of gebarsten, herinner ik me te hebben opgemerkt.[36]

(En vergeet ook niet dat ik die eerste dag geen weet had van de bouwgeschiedenis of de logistiek van dit RCC-complex; ik probeer mijn herinnering aan het hele gebeuren zo getrouw mogelijk weer te geven, al is het onvermijdelijk een sequentiële beschrijving te geven van allerlei zaken die op dat moment natuurlijk simultaan plaatsvonden – in iedere lineaire taaluiting zit nu eenmaal een zekere vertekening ingebakken.)

Terug naar het menselijke aspect: het weidse betonnen plein rond de hoofdingang, waarvan we onze eerste indrukken opdeden uitkijkend over de colonne van andere bruine en oranje/gele, passagiers spuiende Dienstvoertuigen, was één grote wielende, wemelende massa door elkaar krioelend Dienstpersoneel, allemaal met hun 141-FO in zo'n karakteristieke donkergele IRS-envelop, zeulend met hun bagage en attachékoffers en accordeonmappen, velen van hen met een hoed op, en daarnaast nog heel wat ondersteunend personeel van het RCC of anders van het regionale Hk in gasvlamblauwe blazers met klem-

---

36 N.B. Een gedetailleerde foto van de aansluiting van de spiegelende dependance aan de westzijde van het hoofdgebouw van het RCC, die ik oorspronkelijk ter illustratie als 'Afbeelding 1' in de memoires had willen opnemen, is door de uitgever geschrapt om 'juridische' redenen die (naar ik meen) echt helemaal nergens op slaan. *Hiatus valde deflendus.*

borden en bladen printpapier die ze hadden opgerold tot ad-hocme-
gafoons waar ze door praatten terwijl ze hun klemborden in de lucht
hielden om de aandacht te trekken, met het kennelijke doel nieuwaangekomenen die gelijksoortige taakomschrijvingen in hun 141-FO hadden staan en/of in dezelfde salarisschaal vielen tot homogene groepen
te formeren met het oog op de 'doelgerichte aanmelding' bij de diverse
'Registratiebalies' die waren opgesteld in de entree van het RCC, een
ruimte die, gezien door de glazen deuren van de ingang, verrassend
klein was en een ordinaire aanblik bood, met een paar gammel ogende
klaptafels met daarop als provisorische balieomschrijving telkens een
rechtopstaande en tot een tentje opengevouwen insteekmap – het
maakte allemaal een nogal chaotische indruk, hapsnap en à l'impro-
viste, waaruit je kon opmaken dat er onmogelijk elke werkdag zo veel
nieuwe en/of gedetacheerde werknemers bij het RCC aankwamen,
want dan zou het hele parkeer- en registratiesysteem er veel perma-
nenter en gestroomlijnder uitzien, en niet alsof ze de val van Saigon
nog eens dunnetjes wilden overdoen. En nogmaals: dit alles nam ik
waar en verwerkte ik in niet meer dan een verstrooide flits – nl. toen
de Gremlin zich eindelijk uit de opstopping op de toegangsweg losmaakte, de bijna kille schaduw van het gebouw in reed en dubbel par-
keerde op de hoefijzervormige halve lus vlak bij de ingang37 – omdat,
zoals gezegd, je aandacht zich bijna vanzelf vestigt op een bordje met
je naam erop, vooral als het een van de slechts twee naambordjes is
die in de lucht worden gehouden te midden van die gekmakende bureaucratische warreling voor de hoofdingang, waardoor mijn oog bijna
meteen op de buitenlands ogende vrouw in de felle blazer viel, een
paar passen rechts van de uiterst rechts staande groep nieuwe arrivés
die een kluitje vormden rond een man met een papieren hoorn die een
klembord omhoogstak,38 de vrouw die misschien drie meter onder en

37 Waartoe we genoodzaakt waren omdat vóór ons een aantal andere voertuigen dubbel of zelfs driedubbel geparkeerd stond, en het onmogelijk was om nog verder te rijden, en de bestuurder zette gewoon de auto stil en probeerde met enkele draaiende
bewegingen zijn stijve nek weer los te krijgen, met beide handen nog steeds op het
stuur, terwijl de meer ervaren personeelsleden ondertussen begonnen uit te stappen.
38 Een paar van de mannen in de wemelende massa voor de ingang gingen in hemdsmouwen gekleed, en een dwarrelwind, veroorzaakt door het verschil in temperatuur
binnen en buiten de schaduw van het gebouw, zorgde ervoor dat hun stropdas ofwel
over hun schouder werd geblazen ofwel (een seconde of twee) haaks op hun borst kwam

bijna precies in het midden van het façadevakje waar je bij Regel 31 je ABI moest opgeven tegen de muur leunde, en die een stuk wit karton of een klein uitwisbaar whiteboard omhoohgield met daarop in keurige blokletters de naam DAVID WALLACE. Hoewel ze haar schouders niet liet hangen, sprak er toch vermoeidheid en verveling uit haar houding; haar benen stonden een eindje uit elkaar en haar rug werd ondersteund door de muur, van het stuitje tot aan haar schouderbladen; ze hield het bordje op borsthoogte, en in de lege blik waarmee ze voor zich uit staarde lag interesse noch berusting. Zoals vermeld was ik inmiddels natuurlijk schromelijk (maar geheel buiten mijn schuld) te laat, en de opgelatenheid die dat met zich meebracht, samen met het onbeschrijfelijk spannende gevoel je naam op een bordje te zien staan, zeker als dat bordje omhooggehouden wordt door een exotisch ogende dame, plus parallel daaraan een rist Ozymandiaanse reacties (ontzag, onbegrip) ten overstaan van het op Formulier 1040 geïnspireerde monumentale mozaïek in combinatie met de zelfvoedende chaos van de massa rond de ingang, die samen een soort sensorische en emotionele spanningspiek teweegbrachten die ik me nu levendiger voor de geest kan halen dan alle andere myriaden details en indrukken tijdens de aankomst (duizenden, om niet te zeggen miljoenen indrukken had ik, die me vanzelfsprekend allemaal op hetzelfde moment troffen). Want ze was zichtbaar van buitenlandse afkomst, dat was zelfs in die donkere plas schaduw bij de voet van de façade duidelijk te zien, ondanks het bij tijd en wijle verblindende licht van de spiegelwand van de dependance, waarvan sommige delen stralen zon weerkaatsten terwijl die zich nauwelijks merkbaar van het zuiden naar het westen bewoog. Eerst gokte ik op Indiaas of Pakistaans, uit de hogere kaste – een van mijn kamergenoten in het eerste jaar op de universiteit was een rijke Pakistani met een verrukkelijk borrelig en zangerig accent, al ontpopte hij zich in de loop van het jaar als een onhebbelijke narcist en prototypische eikel.[39] Vanaf de plek waar we uit de Gremlin werden geladen

te staan, als een pijl, alsof ze op hun eigen das gespietst zaten, wat de gedenkwaardigheid van dit parkeerfragment verklaart.

39 De vertegenwoordigster van Personeelszaken, mej. Neti-Neti, bleek Perzisch te zijn, zoals ze het zelf noemde. Zij was degene die door 'Kwijlpaard Bob' McKenzie en een paar anderen in Hindles routinegroep was omgedoopt tot 'de Irancrisis'.

leek ze eerder een opvallende verschijning dan echt knap, al zou je misschien kunnen stellen dat ze op een wat mannelijke manier toch knap was, met een hard gezicht en heel donker haar en ver uit elkaar staande ogen, waar een blik in lag van iemand die 'dienst' had, maar waarbij die 'dienst' niet meer inhield dan daar maar een beetje te staan. Dezelfde gezichtsuitdrukking tref je aan bij beveiligers, universiteits-bibliotheekassistenten op vrijdagavond, parkeerwachters, graansilobe-dieners etc. – ze stond daar in het niets te staren alsof ze op het einde van een pier stond.

Pas toen ik niet langer in die stampvolle Gremlin zat en de lucht van de façadeschaduw bij de ingang aan de voorkant eindelijk op mij neersloeg en voor verkoeling zorgde, werd ik me ervan bewust dat de complete linkerzijde van mijn pak door de overvloedige transpiratie van de jongeman tegen wie ik bijna de hele rit aan geplet had gezeten kletsnat was geworden, maar toen ik om me heen keek om hem op het donker geworden ribfluweel te wijzen en hem een gepaste afkeurende blik toe te werpen, was hij nergens meer te bekennen.

Mej. Chahla Neti-Neti's (zo stond op haar pasje te lezen) gezicht veranderde van uitdrukking, en dat verschillende malen, terwijl ik op haar afstapte met mijn tassen en een mate van oogcontact die onfat-soenlijk was geweest als ze niet een bordje met mijn naam erop in de lucht had gehouden. Hier moet ik misschien even uitleggen, voor zo-ver ik dat nog niet gedaan heb, dat ik in die tijd als laten we zeggen laatadolescent zware huidproblemen had – echt heel erg, in de der-matologische categorie 'ernstig/verminkend'.[40] Ontmoetten of zagen mensen mij voor de eerste keer, dan keek het merendeel van hen (a) kort naar mijn gezicht om daarna weg te kijken, of (b) onwillekeurig aangedaan of vol medelijden, of vol afgrijzen, om vervolgens duidelijk zichtbaar hun best te doen om die uitdrukking te maskeren met een andere uitdrukking die te kennen gaf dat ze die huidproblemen niet zagen ofwel er gewoon niet zo mee zaten. Die hele huidkwestie is een lang en grotendeels niet vermeldenswaardig verhaal, behalve dan om nogmaals te benadrukken dat ik er in die tijd mee had leren leven en me er niet al te veel meer van aantrok, al bleef het erg lastig me hele-

---

40 Het was trouwens die Pakistaanse kamergenoot die me al in de introductieweek van het eerste jaar de weinig vleiende alias toebedacht die me de volgende drie semesters zou achtervolgen, nl. 'Karbonkelkop'.

maal glad te scheren en was het zeker zo dat ik me er meestal scherp van bewust was of mijn gezicht belicht werd, en zo ja, waar de lichtbron zich precies bevond – omdat ik wist dat mijn huid er in bepaalde soorten licht en vanuit bepaalde hoeken echt ontzettend akelig uitzag. Ik weet niet meer of mej. Neti-Neti tijdens die eerste ontmoeting een (a) of een (b)[41] was, misschien omdat mijn aandacht/geheugen in beslag genomen werd door enerzijds de foto van haar gezicht op het IRS-pasje dat aan het borstzakje van haar Personeelszakenblazer bevestigd was, een foto die gemaakt leek in heel fel, bijna magnesiumachtig licht, en ik herinner me dat ik meteen naging hoe de pustelaire cysten en korsten op mijn gezicht er in het afschuwelijke licht op zo'n foto uit zouden zien, want de romige donkere huidskleur van deze Perzische was er donkergrijs door geworden, en haar wijd uit elkaar staande ogen waren overdreven geaccentueerd, zodat ze op die pasfoto wel een poema of een ander vreemdsoortig katachtig roofdier leek, en anderzijds door de gegevens op dat pasje, nl. haar eerste voorletter en familienaam, haar salarisschaal en functie bij Personeelszaken, en een rij met negen cijfers die naar ik later zou begrijpen haar intern gegenereerde BN betrof, dat ook dienstdoet als je interne IRS-nummer.

De reden dat ik überhaupt de tijd heb genomen om de reacties van het type (a) en (b) te noemen is dat alleen daarin een verklaring ligt voor het feit dat mej. Neti-Neti me zo omstandig en respectvol begroette – 'Uw reputatie is u vooruitgesneld'; 'Mede namens meneer Glendenning en meneer Tate zijn we bijzonder verheugd u hier bij

41 Er is trouwens nog een derde algemene, reactieve categorie, nl. zij die in een soort onverholen, geschrokken fascinatie hun ogen over mijn gezicht lieten dwalen. Meestal waren dat mensen die in het verleden zelf te kampen hadden gehad met mildere vormen van huidproblemen en die bijgevolg voor een extreem geval als het mijne bijzonder veel interesse toonden, die (die interesse) hun aangeboren tact of remmingen volstrekt tenietdeed. Het is zelfs gebeurd dat er wildvreemden naar me toe kwamen en over hun eigen vroegere of huidige dermatologische problemen begonnen, in de vaste veronderstelling dat ik interesse of medeleven zou betonen, wat me, geef ik toe, best een ongemakkelijk gevoel bezorgde. Kinderen maken overigens geen deel uit van deze categorie (c) – hun geïnteresseerd gestaar is heel anders van aard, en over het algemeen vallen ze (die kinderen dus) buiten deze hele reactieve taxonomie, omdat hun sociale instincten en remmingen nog niet tot volle wasdom zijn gekomen en je hun reacties of gebrek aan tact onmogelijk persoonlijk op kunt vatten – denk bv. aan dat joch in de bus, dat zelf toch ook overduidelijk met een afstotelijk probleem te kampen had.

ons te mogen verwelkomen'; 'We zijn bijzonder verheugd dat u bereid bent bevonden in ons Filiaal aan de slag te gaan' – zonder dat uit haar gezicht en ogen een dergelijk enthousiasme sprak, zonder enige blijk te geven van warmte of belangstelling voor mijn persoon, bv. voor de vraag waarom ik zo laat was aangekomen en haar genoopt had daar God mag weten hoe lang met dat bord in haar handen te staan, waar ik in haar plaats beslist een verklaring voor had willen horen. Om maar te zwijgen van het feit dat de hele linkerzijde van mijn pak kliedernat was, waar ikzelf toch in ieder geval een bezorgde opmerking over had gemaakt, of de ander in een plas was gevallen of zo. Kortom: het was op zich al verrassend dat ik persoonlijk en in zulke enthousiaste bewoordingen verwelkomd werd, maar het was een dubbele verrassing dat de persoon die deze woorden uitsprak hetzelfde soort onverschilligheid tentoonspreidde als bv. de caissière die je bij het afrekenen 'Een prettige dag nog' wenst, terwijl haar gezichtsuitdrukking aangeeft dat het haar geen sikkepit zou kunnen schelen als je tien seconden later op de parkeerplaats dood neerviel. En die hele dubbel desoriënterende emotieloze monoloog vond plaats terwijl die vrouw me wegleidde onder de vakjes met de **'Gegevens van de belastingconsulent'** aan de voet van de rectozijde van de gigantische 1040, in de richting van een kleinere, minder opzichtige reeks deuren zo'n honderd meter naar het westen in de betegelde RCC-façade.[42] Van zo dichtbij kon je zien dat sommige tegels op de gevel beschadigd en/of smerig waren. Ook konden we diverse vervormde delen van onze weerspiegeling zien in de façade van de dependance recht voor ons (dus naar het oosten toe), zij het op honderden meters afstand, waardoor de gedeeltelijke weerspiegelingen heel klein en onduidelijk waren.

Terwijl we haast de hele façade afliepen kletste mej. Neti-Neti bijna aan één stuk door. Het spreekt voor zich dat al die persoonlijke aandacht en die (verbaal) respectvolle ontvangst voor een simpele S-9 die waarschijnlijk zou worden ingezet om enveloppen te openen of stapels

---

42 Evenmin bood ze aan een van mijn tassen te dragen, ondanks het feit dat de tas aan de arm waarmee ik ook mijn aktetas zo goed en kwaad als dat ging tegen mijn zij geklemd hield almaar tegen de gebutste knie stootte waartegen hij al de godganse dag had gestoten op momenten dat ik mijn tassen van hot naar haar moest dragen, terwijl mijn aan mijn linkerzijde natte kleren ervoor zorgden dat de plek op mijn ribben weer als een gek was beginnen te jeuken.

ondoorgrondelijke dossiers van de ene ruimte naar de andere te versjouwen maar moeilijk te begrijpen viel. Aanvankelijk huldigde ik de theorie dat het niet nader genoemde familielid dat me hier naar binnen had geloodst om zo de invorderingsmechanismen van de Gegarandeerde Studielening uit te stellen, heel wat meer lijntjes had lopen dan ik in eerste instantie had gedacht. Hoewel het feit van die 'vooruitgesneld[e]' reputatie natuurlijk zorgelijk was, zo realiseerde ik me, hotsend en hotsend en achter de buitenlandse dame aan sjokkend in de schaduw van de achter-/voorkant van het gebouw, zeker gezien enkele van mijn irrationele angsten, waar ik hierboven al veel langer bij stil ben blijven staan dan ze toekomt.

Inmiddels zal het wel ongeveer duidelijk geworden zijn dat ik een enorme hap uit ons beider tijd zou kunnen nemen om mijn initiële aankomst en de opeenstapeling van verwarring, miscommunicatie en algehele klerezooi te beschrijven (waaraan ik zelf ook deels bijdroeg doordat ik in de wachtruimte buiten bij het kantoor van Personeelszaken in het RCC een van mijn koffers was vergeten, wat ik pas in de gaten kreeg toen ik al in het shuttlebusje van het RCC naar Residentie Vissersbaai zat, waar mijn door de IRS toegewezen woonruimte was gelegen[43]) op de dag van mijn indiensttreding; het kostte weken om alles weer recht te breien. Hoogstens een paar zaken zijn relevant voor de rest van het verhaal. Een van de kronkels in de werking van het menselijk geheugen is dat wat ons het meest levendig en scherp voor de geest staat meestal niet datgene is wat er het meeste toe doet. De spreekwoordelijke bomen en het bos. Dat komt niet alleen doordat ons geheugen gefragmenteerd is; het heeft denk ik ook te maken met

---

43 Gezien het grote aantal nieuwe en gedetacheerde werknemers dat die dag met bagage aankwam (om redenen die ik pas later zou begrijpen) is het niettemin niet onredelijk om te stellen dat Personeelszaken er beter aan had gedaan het zo in te richten dat iedereen eerst naar zijn woning werd vervoerd, daar zijn bagage kon achterlaten, en pas daarna naar het RCC werd overgebracht voor zijn registratie en informatiesessies. Hoe moeilijk de logistiek van een dergelijke opzet ook zou zijn geweest, het alternatief was dat een enorm aantal IRS-werknemers overal waar ze die eerste dag in het RCC naartoe gingen hun bagage met zich mee moest slepen, dus ook in krappe liftruimten en op de vele trappen, en dat er in de hoek van elke kamer waar pasjes werden uitgereikt en de diverse informatiesessies plaatsvonden grote stapels onbewaakte tassen lagen.

het gegeven dat de algehele relevantie en betekenis van wat er in ons omgaat en om ons heen gebeurt conceptueel is, terwijl de dingen die je meemaakt en die je jaren later het makkelijkst uit je geheugen kunt opdiepen vaak zintuiglijk zijn. We leven tenslotte in een lichaam. Lukrake voorbeelden van herinneringsflarden: langgerekte gangen zonder één enkel raam, het brandende gevoel in mijn onderarmen net voordat ik het niet meer kon houden en de tassen even op de grond moest zetten. De bijzondere klank en cadans van mej. Neti-Neti's hakken op de vloer van de gang, waar lichtbruin linoleum lag met een waslaag die in de stilstaande lucht een sterke geur uitwasemde, en die een eindeloze reeks glimmende parenthetische bogen vertoonde daar waar de conciërge 's nachts in de lege gang zijn boenmachine heen en weer had gezwierd. Het gebouw was een labyrint van gangen, trappenhuizen en branddeuren met bordjes in code. Veel van de gangen leken gekromd, niet recht, en ik herinner me nog dat ik dacht dat dat een perspectivische vertekening was; aan de buitenkant van het RCC was er niets ronds of kroms te bekennen. Kortom: het gebouw was dermate overweldigend ingewikkeld en repetitief dat het onmogelijk is een eerste bezoek tot in de details te beschrijven. En niet te vergeten verwarrend, dat zeker ook: ik weet bv. dat we bij aankomst in eerste instantie een verdieping aandeden die een niveau lager lag dan de hoofdingang en de entree, en wel omdat zich daar, zo bleek, het kantoor van Personeelszaken bevond waar mej. Neti-Neti me (zo werd me later duidelijk) rechtstreeks naartoe diende te brengen zonder acht te slaan op de Registratiebalies bij de entree ... maar ik heb ook een heldere zintuiglijke herinnering aan een bepaald moment dat ik een (weliswaar niet al te hoge) trap ópliep, want toen ik die trap opliep sloeg die ene koffer nog harder tegen de buitenkant van mijn knie, zodat ik me al kon indenken wat voor een gezwollen kanjer van een blauwe plek daar zat. Aan de andere kant: ik neem aan dat het niet onmogelijk is dat ik de volgorde waarin we de verschillende delen van het RCC aandeden door elkaar haal.

Wat ik wel zeker weet is dat mej. Neti-Neti op een gegeven moment kennelijk zelf ook in de war raakte of afgeleid werd en de verkeerde deur opendeed, en in de lichtspleet die vrijkwam voordat ze de zware deur weer sloot, ving ik een glimp op van een langwerpige ruimte vol IRS-controleurs die in lange rijen en colonnes aan vreemd uitziende tafels of bureaus zaten, stuk voor stuk (nl. die bureaus) voorzien van een aan het bureaublad vastgeschroefde reeks verhoogde bakjes en vakjes,44 elk met een aan deze uitwaaierende constructie vastgeschroefde bureaulamp met een verstelbare arm, zodat iedere IRS-controleur aan het werk was in een enge, smalle cirkel, als het ware op de bodem van een put. Rij na rij, uitgestrekt tot een soort vluchtpunt bij de achterste muur van de ruimte, waar een andere deur in afgetekend stond. Dit was, al wist ik dat op dat ogenblik nog niet, mijn eerste glimp van een Immersiezaal, waarvan er in het hoofdgebouw van het RCC een handvol waren. Wat meteen opviel was de stilte die er heerste. Er zaten minstens 150 mannen en/of vrouwen, allemaal heel geconcentreerd en druk bezig, en toch was het er zo stil dat je het scharnier van de deur licht kon horen knarsen toen mej. Neti-Neti die dichtdrukte, tegen de kracht van de pneumatische deurdranger in. Ik herinner me die stilte nog het meest van allemaal, omdat die zowel zintuiglijk als bevreemdend was: begrijpelijkerwijs hebben we de neiging volstrekte stilte met leegte te associëren, niet met grote groepen mensen. Het hele incident duurde echter maar een paar seconden, en daarna vervolgden we gewoon onze ingewikkelde route, waarbij mej. Neti-Neti af en toe andere medewerkers van Personeelszaken, die in hun opvallende felblauwe blazers kleine groepen de andere kant op leidden, groette of toeknikte – wat achteraf gezien nog meer verwarring had moeten stichten, al herinner ik me niet dat ik me daar toen vragen bij stelde; in mij galmde als het ware nog steeds de echo van al die gefocuste, muisstille controleurs.

Dit is waarschijnlijk een goed moment om wat achtergrondinfo te geven m.b.t. stilte en geconcentreerd bureauwerk. Achteraf gezien weet ik dat die stille, onbewogen intensiteit waarmee iedereen op dat ogenblik van die geopende deur belastinggerelateerde documenten bestudeerde iets bij me teweegbracht dat zowel uit angst als opwinding bestond. Het tafereel was van dien aard dat als je die deur over tien, twintig of veertig minuten nog een keer heel even zou opendoen, de aanblik en de stilte precies dezelfde zouden zijn. Zoiets had ik nog nooit gezien. Of eigenlijk had ik dat wel, want op televisie of in boeken

44 Dit waren de beruchte Tingletafels van Controle, waar ik maar al te vertrouwd mee zou worden – hoewel niemand me ooit heeft kunnen vertellen waar dat 'Tingle' vandaan kwam, nl. of het een eponiem was, of een sardonische beschrijving, *tingle* in de zin van 'tintelen', 'tikkelen', 'tingelen', of nog iets anders.

wordt geconcentreerd studie- of bureauwerk vaak op deze manier verbeeld, bv. 'Irving stroopte zijn mouwen op en bracht de hele ochtend achter zijn bureau door om al het papierwerk door te nemen'; 'Pas nadat ze haar rapport had afgemaakt keek het directielid op haar horloge en zag dat het al bijna middernacht was. Ze was zo volledig opgegaan in haar werk dat ze nu pas merkte dat ze het avondeten had overgeslagen en dat ze rammelde van de honger. Gut, waar is de tijd gebleven, zei ze stilletjes in zichzelf.' Of neem gewoon een zin als 'Hij is de hele dag aan het lezen geweest.' In werkelijkheid ziet geconcentreerd bureauwerk er natuurlijk heel anders uit. Ik had enorm veel tijd in bibliotheken doorgebracht; ik wist behoorlijk goed hoe het er bij bureauwerk echt aan toeging. Zeker als de opgelegde taak saai en repetitief was, of taai, of als je er dingen voor moest lezen die niet meteen betrekking hadden op je eigen leven en interesses, of als het werk was dat je deed omdat je dat nu eenmaal moest doen – bv. voor een cijfer, of als onderdeel van een betaalde freelanceopdracht voor een of andere patjepeeër die op skivakantie was. Echt moeilijk bureauwerk doe je met abrupte horten en stoten, in korte, geconcentreerde perioden afgewisseld met veelvuldige bezoekjes aan het toilet, de waterfontein en de snoepautomaat; een constante toevlucht tot de puntenslijper; telefoontjes die je opeens levensnoodzakelijk acht; en verzonken intermezzo's waarin je uitprobeert in welke vormen je een paperclip zoal kunt buigen etc.[45] Dit komt doordat stilzitten en je gedurende langere tijd geconcentreerd aan één enkele taak wijden in de praktijk onmogelijk is. Als je zei: 'Ik heb de hele nacht in de bibliotheek aan een sociologiewerkstuk voor een van mijn cliënten zitten werken', dan bedoelde je eigenlijk dat je er twee à drie uur aan gewerkt had en de rest van de tijd druk was geweest met je potloden (ermee zitten pie-

45 Voor mij persoonlijk is de puntenslijper van primordiaal belang. Ik heb namelijk een bijzondere voorkeur voor bijzonder scherp geslepen potloden, en sommige puntenslijpers zijn een stuk beter om tot die gewenste vorm te komen dan andere, en sowieso worden potloden na een paar zinnen alweer stomp en totaal onbruikbaar, waardoor het noodzakelijk is een groot aantal geslepen potloden naast elkaar te hebben liggen in een strikte volgorde op grond van tijdstip van ingebruikname, resterende lengte etc. Waarmee ik maar wil zeggen dat bijna iedereen die ik kende zulke kleine afleidingsrituelen had, die uiteindelijk allemaal op hetzelfde neerkwamen, namelijk dat ze je afleiding bezorgden.

len, ze slijpen en dan weer netjes op een rij leggen), toiletbezoekjes om te controleren hoe het met je huid gesteld was, en tussen de rekken dwalen om lukraak een band te openen en te lezen over, pak 'm beet, Durkheims theorieën over zelfdoding.

In de glimp die ik van de zaal opving was er van dergelijke afleiding echter niets te merken. Je kreeg het gevoel dat daar mensen aan het werk waren die niet zaten te pielen, die niet bv. een saaie uitleg van een belastingbetaler over een of andere aftrekpost aan het lezen waren en ineens beseften dat ze eigenlijk aan de appel in hun lunchpakket hadden zitten denken en of ze die appel al dan niet hier en nu konden gaan opeten, tot ze beseften dat hun blik over alle woorden op de pagina (of, gegeven de plaats van handeling hier, de rijen met cijfers) was gegaan zonder ze daadwerkelijk te hebben gelezen – en met *lezen* bedoel ik hier doorgronden, of begrijpen, of hoe je het verschil ook moge noemen tussen echt lezen en gewoon je ogen over een reeks symbolen laten gaan. De aanblik van die zaal was bijna traumatisch te noemen. Ik had me altijd al wel gefrustreerd en gegeneerd gevoeld omdat ik zo veel lees- en schrijftijd verknoeide en al te vaak wegdommelde als ik grote hoeveelheden informatie moest opnemen of verwerken. Op de man af gezegd: ik schaamde me omdat ik zo snel verveeld raakte als ik me probeerde te concentreren. Als kind nam ik de betekenis van het woord *concentratie* geloof ik letterlijk en beschouwde ik mijn concentratieproblemen als een bewijs dat ik een buitengewoon verstrooid en ongestructureerd iemand moest zijn.[46] De schuld daarvoor zocht ik voornamelijk in de woonsituatie in mijn ouderlijk huis, waar er altijd veel lawaai en afleiding was en waar iedereen bij elke activiteit die hij of zij ontplooide elke beschikbare radio, stereo of televisie aanzette, zodat ik vanaf mijn veertiende thuis de gewoonte had speciale, op maat gemaakte oordopjes met een hoge dempingswaarde te dragen. Pas nadat ik de leeftijd had bereikt dat ik Philo eindelijk achter me kon laten om aan een zeer prestigieuze universiteit te gaan studeren, begreep ik

---

46 Dit gevoel ongestructureerd te zijn, dat natuurlijk wel meer mensen hebben, werd bij mij nog versterkt door het feit dat ik weinig moeite had om het karakter en de beweegredenen van anderen te analyseren, hun sterke en zwakke punten etc., terwijl al mijn pogingen tot zelfanalyse resulteerden in een jammerlijke janboel van contradictoire en hopeloos ingewikkelde feiten en neigingen waar onmogelijk wijs uit te worden was en waar geen algemene conclusies uit vielen te trekken.

dat het probleem met stilte en concentratie min of meer universeel was, en niet een of andere unieke tekortkoming waardoor ik nooit echt boven mijn bescheiden achtergrond uit zou stijgen en nooit iets zou bereiken. Het was voor mij een echte openbaring toen ik zag hoeveel moeite al die goed geschoolde eerstejaars, afkomstig uit elitaire milieus uit het hele land, zich getroosten om geconcentreerd werk te vermijden, uit te stellen of te beperken. Eigenlijk was de hele sociale structuur op de campus erop gericht precies die studenten te roemen en op een voetstuk te plaatsen die slaagden voor hun vakken en een goed curriculum wisten op te bouwen zonder daar ooit hard voor te hebben moeten werken. Studenten die er de kantjes van afliepen en beslist niet meer deden dan nodig was om op universitaire/ouderlijke goedkeuring te kunnen rekenen, stonden als cool te boek, terwijl studenten die zich daadwerkelijk vol ambitie aan hun taken wijdden en werk maakten van hun intellectuele ontwikkeling het etiket 'blokbeest' of 'stuudje' opgeplakt kregen en zich in de meedogenloze sociale hiërarchie op de universiteit tot de laagste kaste veroordeeld zagen.47

47 Dat herinnert me aan een opmerking tijdens een avondje ouwehoeren met een paar wiegelaars in de kamer van Chris Acquistipace, een sectieleider en een van de weinige wiegelaars op de eerste verdieping van Residentie Vissersbaai die vriendelijk tegen me was of gewoon ruimdenkend genoeg om me niet te negeren, ondanks de administratieve blunder die me in eerste instantie in rang boven alle S-9's op die verdieping plaatste. Het was Acquistipace of Ed Shackleford, wiens ex-vrouw had lesgegeven op de middelbare school, die opmerkte dat wat men in die tijd 'examenstress' begon te noemen in werkelijkheid wellicht vooral bestond uit angst voor evaluatiemomenten met een *afgemeten* tijdsduur, dus ook alle vormen van al dan niet gestandaardiseerde examens, waar je met geen mogelijkheid afleiding kunt zoeken in het eindeloos pielen dat voor 99,9 procent van de mensen die geconcentreerd bureauwerk moeten verrichten zo belangrijk is. Ik kan me echt niet meer herinneren van wie die opmerking nu precies kwam; het was tijdens een discussie over jongere controleurs en televisie en de theorie dat Amerika er in economische zin belang bij had je te bombarderen met impulsen, zodat je niet gewend zou raken aan stilte en concentratie op één enkele taak. Laten we er voor het gemak even van uitgaan dat het Shackleford was. Shackleford merkte op dat bij een dergelijke verlammende 'examenstress' de belangrijkste stressfactor wel eens de stress over de met dergelijke evaluatiemomenten verbonden stilte, rust en afwezigheid van afleiding zou kunnen zijn. Zonder afleiding, zonder zelfs maar de mogelijkheid tot afleiding, slaat een bepaald type mensen de angst om het hart – en het is die angst, niet eens het examen zelf, waar die mensen bang voor zijn.

Wat ik wil zeggen is dat ik pas op de universiteit, waar je meestal een kamer deelde en in elkaars zicht aan je opdrachten werkte, tot het besef kwam dat al dat gepiel en al die afleidingsmanoeuvres en uitvluchten om toch nog maar eens een korte pauze te kunnen nemen iets is waar de meeste mensen wel last van hebben. Op de middelbare school daarentegen komt huiswerk letterlijk neer op dat wat het woord claimt – je doet je werk thuis, in alle beslotenheid, met oordopjes in en VERBODEN TOEGANG-bordjes op de deur en een stoel die je binnen in je kamer onder de deurklink klemt. Hetzelfde geldt voor lezen, dagboekaantekeningen maken, bijhouden hoeveel je al verdiend hebt met je krantenwijk etc. Met je leeftijdsgenoten breng je alleen tijd door in een sociale of recreatieve omgeving, onder meer tijdens de lessen, die op mijn eigen openbare middelbare school intellectueel gezien een lachertje waren. Als je je in Philo intellectueel wilde ontwikkelen deed je dat niet dankzij, maar ondanks de school – wat eigenlijk ook de reden is dat veel van mijn voormalige klasgenoten in Philo zijn blijven hangen en elkaar verzekeringen verkopen, in de supermarkt sterke drank inslaan, televisie kijken en wachten op de onvermijdelijke eerste hartaanval.

Ook tijdens onze kronkelige tocht naar Personeelszaken bleef mej. Neti-Neti maar doorpraten. En de waarheid gebiedt te zeggen dat ik het meeste van wat ze zei vergeten ben. Haar toon was aangenaam en professioneel, maar ze ratelde maar door, zodat je na een poosje min of meer onwillekeurig ophield naar haar te luisteren, zoals je bij een zesjarige zou doen. Waarschijnlijk was er bij dat alles ook wel wat nuttige en ter zake dienende informatie over het RCC, en het is een beetje jammer dat ik die beknopte informatie hier niet kan reproduceren, want dat had voor deze memoires wellicht relevant kunnen zijn en een mooi contrast kunnen vormen met veel van mijn eigen indrukken en herinneringen. Ik weet nog dat ik om de zoveel tijd stilhield om de verschillende koffers van hand te verwisselen en zo het brandende gevoel te verlichten dat ontstaat als je de zwaarste tas gedurende langere tijd steeds aan bv. je rechterzijde draagt, en dat het een paar van dergelijke onderbrekingen duurde voor mej. Neti-Neti begreep wat er aan de hand was en even bleef wachten in plaats van door te lopen en zo'n twintig meter of meer verderop te belanden, waarbij het dan echt absurd werd dat ze nog steeds aan het praten was, omdat er op dat moment werkelijk niemand meer was die naar haar luisterde. Het uitblijven van enig aanbod om te helpen bij het dragen van de bagage was wat mij betreft prima; dat kon worden toegeschreven aan de traditionele genderpatronen, die in het Midden-Oosten behoorlijk rigide waren, wist ik. Maar dat zo'n spraakwaterval met al haar gekakel vooral haar eigen feestje viert dat niets met jou te maken heeft, zoiets wordt pas pijnlijk duidelijk als je achteropraakt en letterlijk afwezig bent terwijl het geklets blijft doorgaan en je slechts bereikt als een stroom onverstaanbare echo's die weerkaatsen in de gang. Het zou niet correct zijn om in verband met deze eerste dag nog veel meer over de Irancrisis te vertellen, omdat ik pas later meer te weten kwam over haar excentrieke gedrag buiten werktijd, gedrag dat zijn oorsprong had in de gewelddadige omwentelingen in het Iran van eind jaren 70, met name toen ze in de maand augustus van 1985 bijna iedere ochtend uit een andere wooneenheid voor wiegelaars leek te komen. Ze had een onopvallend accent en klonk eerder Brits dan Midden-Oosters of exotisch, en haar haar was inktzwart en leek bijna vloeibaar doordat het zo volmaakt steil naar beneden hing – van achteren gezien was het contrast tussen haar haar en het afzichtelijke felblauw van de Personeelszakenblazer het enige interessante of flatterende aan die blazer. Ook herinner ik me, omdat ik zo veel tijd in haar kielzog doorbracht, dat ze lichtjes – alsof de geur niet bij haar, maar bij het jasje van Personeelszaken hoorde – naar een bepaald merk parfumerieketenparfum rook waar een niet nader genoemd gezinslid zich elke ochtend haast van top tot teen met tranentrekkende hoeveelheden mee onderspoot.

In tegenstelling tot de bovenste verdiepingen is het onderste gedeelte van het RCC grofweg onderverdeeld in hexagonale 'vleugels', met corridors die vanuit een centraal punt naar buiten lopen, als de spaken in een misvormd wiel. Zoals je je wel kunt voorstellen lag deze radiale indeling, die in de jaren 70 bijzonder geliefd was, niet onmiddellijk voor de hand, aangezien het RCC-gebouw zelf zuiver rechthoekig was, wat bijdroeg tot de algehele verwarring die eerste dag tijdens onze afdaling naar Registratie.[48] De wildgroei aan bewegwij-

---

48 Opnieuw zou ik pas later te weten komen dat bij de meeste wiegelaars en werknemers van de Facilitaire Dienst in het RCC die hele Registratie/Informatiesessieprocedure bekendstond als '*des*informatie', het zoveelste staaltje suffe kantoorhumor. Aan de andere kant: niemand die het voor het zeggen had, had kunnen verwachten dat ik bij mijn aankomst zo verward en overweldigd zou zijn, want naar bleek had Personeels-

zering bij ieder centraal punt was dermate gedetailleerd en ingewikkeld dat die er louter geplaatst leek om bij eenieder die niet precies
wist wat zijn bestemming was en waarom de verwarring te verhogen.
Deze verdieping had een witte vloer en muren met een sierlijst in slag-
schipgrijs, en een systeemplafond met tl-lampen – dit deel leek wel
een heelal verwijderd van de benedenverdieping erboven. Ter wille
van het nagestreefde realisme is het op dit punt wellicht beter de uitleg
zo beknopt en lapidair mogelijk te houden. Al gebiedt de waarheid
ook te zeggen dat het, omdat ik hier uiteindelijk kwam om te werken –
eigenlijk kun je beter zeggen dat ik hier tot stilstand moest komen, als
een racketball of een stuiterend projectiel, terwijl het puin geruimd
werd van die aaneenschakeling van administratieve misverstanden die

zaken me aangezien voor een volstrekt andere David Wallace, een ervaren specialist
in immersieve controles uit het RCC Noord-Oost in Philadelphia, die naar 047 was
gelokt door middel van een ingewikkeld systeem van schijnoverplaatsingen en bureaucratisch gekonkelfoes. D.w.z. dat er niet één, maar twee David Wallacen waren van
wie de aanstelling op 047 precies in deze week medio mei inging. Het probleem met
het computersysteem dat hier debet aan was wordt uitgelegd in §38. Het spreekt voor
zich dat al deze feiten pas na verloop van talloze misverstanden en bijbehorend gelazer
opgehelderd werden. Dat was ook de werkelijke verklaring voor de voorgeschreven
overvloedige loftuitingen en reverences van mej. Neti-Neti: eigenlijk was het de naam
van die ander geweest, die S-13, die ontologisch gezien op haar whiteboard geschreven
stond, al is 'David Wallace' in de VS niet zo'n courante naam dat men redelijkerwijs
van mij had kunnen verwachten dat ik meteen geraden had dat er een bizarre naams-
en identiteitsverwisseling had plaatsvonden, zeker gezien de algehele verwarring en de
absurditeiten van de 'desinformatie'.

(N.B. Als zuiver autobiografisch terzijde wil ik hier nog opmerken dat het besluit
om voor de teksten die ik publiceer mijn volledige tweede naam te gebruiken zijn oorsprong vindt in deze traumatische ervaring, nl. het trauma dat de schuld van die hele
puinzooi aanvankelijk op mij dreigde te worden afgeschoven, wat natuurlijk klinkklare
onzin was, maar desalniettemin traumatisch voor een twintigjarig groentje met een fo-
bie voor alles wat ook maar enigszins naar bureaucratie rook en met één overtreding,
hoe kwestieus en hypocriet ook, van de zogeheten Code van Academische Eerlijkheid
op zijn kerfstok. Nog jaren later leed ik onder morbide angstvisioenen dat er nog God
mag weten hoeveel andere David Wallacen rondliepen die God mag weten wat aan
het doen waren; en ik wilde nooit meer beroepsmatig worden aangezien voor of verward worden met een andere David Wallace. En als je eenmaal een bepaalde *nom de
plume* hebt aangenomen, dan zit je er min of meer aan vast, hoe vreemd of pretentieus
die naam ook moge klinken in je dagelijks leven.)

zowat tot disciplinaire maatregelen en/of 'ontslag om dringende redenen' had geleid – betrekkelijk eenvoudig geweest zou zijn tot in detail uit te weiden over de ontstaansgeschiedenis van de indeling van
Niveau o49 en het kantoor van Personeelszaken, allemaal informatie
die ik pas later bij elkaar sprokkelde en zeker niet opdeed tijdens het
verdwaasde gescharrel in het spoor van de Irancrisis onmiddellijk na
mijn aankomst. Dat is nog zo'n rare kronkel van het episodische geheugen – de neiging om hiaten te vullen met pas later vergaarde informatie, ongeveer zoals de hersenen automatisch de visuele leemte
aanvullen die ontstaat doordat de oogzenuw aan de achterzijde het
netvlies verlaat. Bv. het feit dat het gekkenhuis bij de hoger gelegen
hoofdingang en de entree van het Controlecentrum, en de meters-
lange rij werknemers, allemaal vermoeid van de reis, allemaal met hoed
en bagage en bruine uitvouwmap met Dienstinformatie en een Fili-

---

49 Het ondergrondse niveau, in 1974-75 (voor een duizelingwekkend bedrag) uitge-
graven ter uitbreiding van het hoofdgebouw, werd Niveau o genoemd, en de begane
grond was daardoor strikt genomen Niveau 1, wat bijdroeg tot de verwarring omdat
niet alle bordjes van voor de uitgraving en uitbreiding waren aangepast. En omdat die
bordjes en plattegronden nog steeds de centrale verdieping op de begane grond als
Niveau o betitelden, de verdieping daarboven als 1, en zo verder, was het moeilijk aan
de hand van die verouderde wegwijzers en 'U bevindt zich hier'-plattegronden de weg
te vinden als je niet eerst elk niveau herijkte door er een niveau bij te tellen: opnieuw
een mooi voorbeeld van eenvoudig te corrigeren institutionele idioterie waarvoor dhr.
Stecyk dankbaar was dat het onder zijn aandacht werd gebracht, maar ook enigszins
gegeneerd omdat hij het niet eerder had opgemerkt en verholpen, maar waar hij desondanks de volle verantwoordelijkheid voor nam, hoewel het strikt genomen de verantwoordelijkheid was van dhr. Lynn Hornbaker van Infrastructuur, die de fout op de
borden al jaren eerder had moeten opmerken en aanpassen, wat ook een van de redenen
was dat de hele procedure om tot een nieuw ontwerp en een nieuwe vormgeving te
komen voordat de bordjes besteld en geleverd konden worden zo moeizaam verliep en
nodeloos ingewikkeld werd – door de bewegwijzeringskwestie zo moeilijk en ingewikkeld mogelijk te maken probeerden Hornbakers naaste medewerkers hun verantwoordelijkheid af te schuiven en te verdoezelen dat ze het probleem met die bordjes al jaren
eerder aangepakt en opgelost hadden moeten hebben, zodat het vraagstuk tegen de
tijd dat het op het bureau van de RCC-directeur belandde gehuld ging in een dermate
ingewikkelde en ondoorgrondelijke wolk van interne memo's en doorslagen dat iedereen die er niet direct mee te maken had al gauw genoegen nam met een vaag begrip
van de grote lijnen ervan.

aaloproep, die zich nu uitstrekte (die rij dus) tot voorbij de zware en hermetische branddeuren[50] tot in de tl-verlichte rotonde die later het centrum van de centrale vleugel van Niveau o bleek te zijn, en die bestond uit pas aangestelde en/of naar het RCC overgeplaatste personeelsleden die wachtten tot er een pasfoto was gemaakt en hun nieuwe IRS-pasje voor Filiaal 047 was afgedrukt en door het lamineerapparaat gehaald, waarna het nog minutenlang haast te heet was om vast te houden, zodat je heel wat personeelsleden zag die hun nieuwe pasje aan één punt vasthielden en er driftig mee wapperden om het te laten afkoelen voordat ze de bretelclip vastmaakten aan hun borstzak (wat onder werktijd te allen tijde verplicht was) ... dat al dat gewemel hier midden in de maand mei in feite te wijten was aan een ingrijpende reorganisatie van alle Compliance-afdelingen, die zich in alle zes de operationele RCC's en in de helft van alle Auditkantoren (die qua omvang nogal verschilden) in de districten voltrok, en die (de reorganisatie) precies een maand na 15 april, de uiterste datum waarop de aangiften van de personenbelasting ingediend moesten zijn, had moeten aanvangen, zodat de Regionale Ontvangkantoren[51] al een begin hadden kunnen maken met de sortering en verwerking van de jaarlijkse massale toevloed van aangiften en de bijgevoegde cheques al waren verwerkt en opgeslagen in een van de zes Regionale Depots van de Thesaurie ... dat hoorde ik allemaal pas later in Residentie Vissersbaai van Acquistipace, Atkins, Redgate, Shackleford e.a., zodat het misleidend zou zijn om hierover nu al in detail te treden of er uitleg bij te geven, omdat op dat moment realistisch gezien nog geen enkele van deze waarheden 'bestond'. Of het feit dat het noodzakelijk bleek een geldig IRS-pasje te hebben om toegang te verkrijgen tot een van de shuttlebusjes die van het Centrum naar de betaalbare, door het Filiaal beschikbaar gestelde woonruimte in twee voormalige appartementencomplexen aan Self-Storage Parkway reden, een van Systeembeheer afkomstige landelijke regel, waardoor het niet per se meneer Tate of meneer Stecyk aangewreven kon worden dat de nieuwaangekomenen overal hun bagage mee naartoe moesten sjleppen, ook als ze in de rij

50 Deze dubbele deuren waren van grijs staal, en dat was ook de overheersende kleur op Niveau o – helwit en matgrijs.
51 (in het Midden-Westen was het ROK destijds gevestigd in East St. Louis, op twee uur rijden naar het zuidwesten)

stonden om een foto voor hun pasje te laten maken en er een nieuw intern burgernummer werd aangemaakt etc., al bleef het irritant en krankjorum dat er geen systeem was uitgedokterd om de bagage van nieuwe werknemers die nog geen pasje hadden in bewaring te geven – al die feiten kwamen achteraf pas vast te staan.

Wat zeer zeker wel een vermeldenswaardige ervaring van die eerste dag kan worden genoemd, is dat ik uiteraard verrast was – en zelfs een beetje opgetogen – dat ik de lange en tergend trage rij die zich van de centrale rotonde op Niveau o uitstrekte tot aan het geïmproviseerde pasjeskantoor kon laten voor wat ze was en in plaats daarvan tot aan het begin van de pasjesrij werd gebracht en onverwijld kon poseren, geflitst werd en mijn hete en geurige gelamineerde pasje inclusief bretelclip uitgereikt kreeg. (Ik wist nog niet wat het negencijferige getal onder de streepjescode betekende, en evenmin dat mijn oude burgernummer, dat ik als meerderjarig Amerikaans staatsburger zo ongeveer vanbuiten kende, nooit meer door iemand gebruikt zou worden; vanuit identificatiestandpunt bekeken bestond het gewoon niet meer.) Net als opgewacht worden door een functionaris met je naam op een bordje streelt het bijna altijd je ego als je persoonlijk naar het begin van een rij wordt gevoerd, ongeacht de vuile of (in mijn geval[52]) walgende blikken je ontvangt van de niet-uitverkorenen in de rij die moeten toekijken hoe je naar voren wordt geleid, weg van het gedrom van al die wachtenden. Daar komt bij dat sommige overgeplaatste personeelsleden in de rij duidelijk een hoge functie bekleedden, en ik was opnieuw zowel vereerd en nieuwsgierig, ja zelfs bezorgd wat voor invloed het verre familielid dat deze baan voor me geregeld had uiteindelijk zou blijken te bezitten, en wat er onderhand zoal aan persoonlijke of biografische informatie over mij bekend was gemaakt, en aan wie. Dit stuk voorkeursbehandeling maakt terecht deel uit van de keten herinneringen aan die dag zelf, zij het dat duidelijk moet worden gemaakt dat het (d.w.z. het feit dat ik persoonlijk naar het begin van de rij werd geleid) wat later op die aankomstdag plaatsvond, nadat mej. Neti-Neti me al via een enigszins andere route langs de centrale rotonde van deze vleugel had meegenomen naar het kantoor van Personeelszaken, dat bestond uit een lange reeks van ver-

52 (Ter info: zo laat in de lente was het met mijn huid altijd uitzonderlijk slecht gesteld in die jaren; in het felle tl-licht daar op Niveau o tekende elke blaar, korst en laesie zich genadeloos af.)

bonden kantoor- en ontvangstruimten in de zuidwestelijke hoek of vertex van Niveau 0.[53] Ze verkeerde in de veronderstelling dat ik op een soort persoonlijke audiëntie bij de ADPZ[54] werd verwacht, maar ofwel had de Irancrisis dit verkeerd begrepen, ofwel had het oponthoud tijdens de reis en in het verkeer ervoor gezorgd dat ik deze afspraak was misgelopen, ofwel had de ADPZ onverwachts een of andere crisis onder het personeel het hoofd moeten bieden. Want nadat we naar dit niveau waren afgedaald, de centrale rotonde waren gepasseerd en daarbij een paar keer op verschillende plaatsen langs de rij voor de pasjes waren gelopen, een aantal labyrintische afslagen hadden genomen, tal van branddeuren hadden geopend, steeds vaker even halt hielden zodat ik het gewicht van mijn bagage kon herverdelen, en ten slotte aankwamen bij Personeelszaken, zagen we daar, aan de andere kant van de gang, dat de wachtruimte, de buitenste kantoren, de kopieerhoek en de eigenaardige, in tweeën gesplitste ruimte met een Univac 1100 en een terminal (per half-duplex Dataphone-lijn verbonden met het Regiokantoor in het noordelijk gelegen Joliet, vernam ik later) zowat uit hun voegen barstten van het IRS-personeel, dat zat, stond, las, in het ijle staarde en al dan niet met de meeste uiteenlopende hoeden fribbelde, en allemaal (zo veronderstelde ik – ten onrechte, naar later bleek, al is het ook zo dat mej. Neti-Neti niets deed om dat vooroordeel te ontkrachten en in plaats daarvan in een zijkantoortje verdween en achteraan aansloot bij een rij blauwe blazers die allemaal wachtten om een hogere ambtenaar[55] van Personeelszaken te kunnen spreken, teneinde er mijn aankomst [in feite

53 Strikt genomen stamt deze logistieke informatie ook van later datum. Die dag had ik je niet kunnen zeggen waar we ons op dat moment bevonden in het gebouw; dat had niemand gekund.

54 Adjunct-Directeur Personeelszaken, de officiële functieomschrijving van dhr. Stecyk. Mijn contract bij de IRS was trouwens noch door dhr. Stecyk, noch door DPZ Richard Tate ondertekend, maar door dhr. DeWitt Glendenning jr., wiens bivalente functieomschrijvingen DRECC (Directeur – Regionaal Controlecentrum) en ARCC luidden (Adjunct-Regiocommissaris voor Controle), maar die door sommigen achter zijn rug 'de Nitwit' werd genoemd.

55 (Dit bleek mevr. Marge van Hool te zijn, de adjudant en rechterarm van dhr. Stecyk, met de wimperloze, uitpuilende, starende ogen van een reptiel of een inktvis, een beest dat je kon doden en verslinden zonder dat zijn uitstulpende, buitenaardse blik ooit veranderde, hoewel mevr. Van Hool echt het zout der aarde bleek te zijn, een klassiek voorbeeld van de waarheid dat iemands uiterlijk bijzonder weinig verraadt over zijn

dus de vermeende aankomst van de overgeplaatste topspecialist] te melden en instructies te ontvangen over hoe het verder moest nu ik die afspraak had gemist. Het was deze assistent van de ADPZ die het interne Formulier 706-IC ondertekende dat toestemming verleende mij direct naar het begin van de rij te brengen ter verkrijging van een pasje, hoewel mej. Neti-Neti er zelf ruim twintig minuten[56] over deed om het begin van de rij voor het kantoor van mevrouw Van Hool te bereiken en haar de kwestie voor te leggen) niets anders deed dan daar op kosten van de belastingbetaler wat te zitten zitten, in een soort klassiek 'haast-je-langzaam'-scenario.

Ondertussen was ik begrijpelijkerwijs moe en gedesoriënteerd, en eigenlijk bijna gaar (wat men vandaag de dag *gestrest* noemt), en meer dan lichtelijk geïrriteerd, en zat ik met een knorrende maag op een net vrijgekomen[57] skai stoel in de grootste wachtruimte, met mijn koffers aan mijn voeten en mijn aktetas op zo'n manier tegen me aangedrukt dat die – dat hoopte ik althans – de klamme plek op de linkerzijde van mijn pak zou bedekken, ondertussen frontaal uitkijkend op het bureau van de afschrikwekkende secretaresse/receptioniste van de ADPZ, mevrouw Sloper, die me op deze eerste dag precies dezelfde ongeïnteresseerde, antipathieke blik toezond waar ik het de volgende dertien maanden mee zou moeten doen, en die (dat herinner ik me maar al te goed) een lavendelkleurig broekpak droeg waartegen de overvloedig aangebrachte rouge en kohl nog afzichtelijker afstaken. Ze was een jaar of vijftig, heel dun en pezig, had hetzelfde asymmetrische bijenkorfkapsel als twee oudere vrouwen in mijn familie en was opgemaakt als een gebalsemde clown – ze kwam rechtstreeks uit een nachtmerrie gestapt. (Het leek wel of haar gezicht met spelden op zijn plaats gehouden werd.) Meerdere keren, op momenten dat er in de

---

intrinsieke menselijke kwaliteiten ... een waarheid die me zeker in die levensfase zeer dierbaar was.)

56 (tijdens die wachttijd was ik er, dankzij momentane zichtlijnen, getuige van dat de Irancrisis eerst een paperback las en op een later moment met behulp van een naaisetje iets aan de ene mouw van haar gasvlamblauwe jasje verstelde – ze was duidelijk iemand die op grond van haar karakter en/of ervaring goed was toegerust om lang in de rij te staan)

57 (d.w.z. nog misselijkmakend warm door langdurig contact met de rug en de billen van een mij volslagen vreemde)

massa personeelsleden genoeg ruimte ontstond om elkaar goed te zien, wierpen deze secretaresse en ik elkaar vluchtige blikken vol wederzijdse haat en afkeer toe. Het is zelfs denkbaar dat ze een paar tellen lang haar tanden naar me ontblootte.[58] Enkele personeelsleden die in die wachtruimte en de aangrenzende gangen zaten of stonden waren verdiept in dossiers of vulden mogelijk werkgerelateerde formulieren in, maar de meesten staarden afwezig voor zich uit of voerden oeverloze, van de hak op de tak springende kantoorgesprekken, van het soort dat (leerde ik) nooit echt op gang komt maar ook nooit lijkt te eindigen. In twee of drie pemfigoïde cysten op mijn kin kon ik mijn hartslag voelen, wat betekende dat het enorme knoerten zouden worden. Op de rand van het bureau van de vreeswekkende secretaresse stond een lijstje met daarin een slecht getekende karikatuur van een woedend gezicht met het onderschrift: '*Werken, tot daaraan toe ... MAAR NIET OP MIJN ZENUWEN!*', dat sommige administratief medewerkers op mijn middelbare school in Philo ook op hun bureau hadden staan, in de volle overtuiging dat iedereen dat geweldig gevat en grappig vond.

Het feit dat ik betaald werd om hier een banaal zelfhulpboek te zitten lezen – volgens mijn contract was mijn loopbaan bij de IRS klokslag twaalf uur 's middags begonnen – terwijl iemand anders betaald werd om samen met mensen die eveneens betaald werden in een lange rij te staan, en dat alleen maar om uit te vissen wat er nu met mij moest gebeuren: het leek allemaal immens spilziek en potsierlijk, een prima illustratie van de mening die onder bepaalde leden van mijn familie sterk leefde, nl. dat de overheid en haar ambtenarenapparaat en regelgeving de meest idiote, spilzuchtige en on-Amerikaanse manier denkbaar was om de zaken aan te pakken, of het nu ging om regelgeving m.b.t. de oploskoffiebranche of het toevoegen van fluoride aan het drinkwater.[59] Te-

---

58 Pas veel later zou ik vernemen dat de zoon van mevr. Sloper tijdens zijn legerdienst bij een auto-ongeluk ernstige brandwonden had opgelopen, en dat de staat waarin mijn huid zich bevond voor haar veel confronterender was dan voor een doorsneemoeder. Op dat moment wist ik alleen dat we elkaar haatten op het eerste gezicht, wat nu eenmaal bij sommige mensen zo is.

59 Zoals twintigers vaak doen, ging ik thuis graag met mijn ouders discussies over hun politieke voorkeuren aan, voorkeuren die ik er dan zelf buitenshuis, zo merkte ik, eigenlijk ook op na bleek te houden. Ik neem aan dat dit betekent dat ik voor mezelf nog geen stabiele identiteit had opgebouwd.

gelijkertijd had ik angstvisioenen dat de vertraging en verwarring er wellicht op duidden dat de Dienst overwoog me ongeschikt te verklaren en te weigeren op grond van een vertekend verslag van mijn zogezegd onverwikkelijke gedrag op de prestigieuze universiteit waar ik verlof had gekregen, met of zonder sirenes. Zoals elke Amerikaan weet is het heel goed mogelijk dat minachting en angst in het hart van de mens naast elkaar bestaan. Het idee dat mensen maar één emotie tegelijk kunnen ervaren is het zoveelste loopje dat memoires met de waarheid nemen.

Om kort te gaan: daar zat ik dus, in die centrale wachtruimte, een eeuwigheid, zo leek het wel, en ondertussen onderging ik allerlei vluchtige, gefragmenteerde indrukken en reacties, waarvan ik hier slechts een paar voorbeelden zal opnemen. Ik kan me nog herinneren dat ik in mijn buurt een man van middelbare leeftijd Bob Marleys 'Simmer Down' hoorde zingen voor een andere man op leeftijd die schuins tegenover me zat aan de andere kant van de ingang naar een van de gangen in het verlengde van de wachtruimte, maar toen ik uit mijn boek opkeek staarden beide mannen strak en met een leeg gezicht voor zich uit, en niets in hun houding gaf te kennen dat ze vonden dat iemand het beter wat kalmer aan kon doen. Uit de radiale gang kwam ten minste één knap meisje gelopen dat via de wachtruimte een andere gang insloeg, een meisje met een romig gelaat en haar in de kleur van kersenhout, met een goedkope pin tot een knotje opgestoken, dat ik in mijn ooghoeken voorbij zag komen (dat meisje dus), maar van wie ik toen ik me omdraaide terwijl ze wegliep door de gang alleen nog maar de rug te zien kreeg. Ik moet bekennen dat ik niet weet aan hoeveel details ik me hier te buiten kan gaan, en hoe ik kan vermijden de wachtruimte en de diverse personeelsleden een vertrouwdheid te fingeren die ik pas later zou verwerven. De waarheid spreken is natuurlijk een stuk lastiger dan de gemiddelde mens denkt. Ik herinner me nog dat er in een van de prullenmanden van de wachtkamer een leeg blikje Nesbitt's lag, wat voor mij een bewijs was dat er in de snoep-en-drankautomaten van het RCC wellicht ook Nesbitt's te krijgen was. Zoals in alle drukke ruimten 's zomers was het ook hier warm en benauwd. De zweetgeur die uit mijn pak opsteeg was niet alleen die van mij; de boord van mijn overhemd krulde wat bij de lange punten.

In de tussentijd had ik die goedkope, op het grote publiek gerichte paperback uit mijn aktetas gehaald en was er met een half oog in aan het lezen – meer verdiende dat vod echt niet – terwijl ik een balpen tussen mijn tanden geklemd hield. Zoals ik wellicht al heb aangestipt had ik dat boek een dag eerder cadeau gekregen van een direct familielid (dezelfde persoon wiens prullenmand de verfrommelde brief aangaande mijn baan bij de IRS bevatte, die ik te danken had aan dat andere, verre familielid). De titel was *Hoe maak je je geliefd? Succesrecepten voor een glansrijke carrière*, en in wezen was ik het alleen aan het 'lezen' om in de kantlijn stekelige, schampere opmerkingen te krabbelen naast iedere flauwiteit, gemeenplaats en tenenkrommende oprisping van zweverig gezwam, wat in feite neerkwam op zowat elke ¶. Ik had me namelijk voorgenomen het boek over een week of twee naar dit familielid terug te sturen, samen met een welbespraakte bedankbrief barstensvol retorische trucs en communicatiestrategieën aanbevolen in het boek – zoals bv. de persoon steeds weer bij zijn voornaam aanspreken, de nadruk leggen op wat je bindt en waar je samen enthousiast over bent etc. – en dit familielid[60] zou het overweldigende sarcasme daarvan pas snappen als hij vervolgens het boek opensloeg en op elke pagina het vitriool van de kantlijn zag druipen. Op de universiteit had ik ooit bepaalde freelance-activiteiten verricht voor iemand die een interdisciplinair vak volgde over de 'handboeken in wellevendheid' uit de Renaissance en de semiotiek van de etiquette, en het idee was om in deze marginalia te alluderen op teksten als *Uitgekozen brieven van Milord Chesterfield aan deszelfs zoon* en de *Galateus* van Della Casa om de impliciete hoon des te vernietigender te maken. Maar dat was louter een fantasie. In werkelijkheid zou ik het boek en de begeleidende brief nooit op de post doen; het was één grote tijdverspilling.[61]

---

60 (dat scherpzinnigheid niet bepaald tot zijn sterke punten kon rekenen – en ik ben echt niet het enige lid van mijn familie dat dit vindt, neem dat gerust van me aan)

61 Wel ving ik een conversatie op die gevoerd werd bij de toegang tot de nauwe gang waar mijn stoel vlakbij stond en waarbij (bij die conversatie dus) twee of misschien drie onzichtbare stemmen betrokken waren, van twee personeelsleden van het RCC die vermoedelijk in weer een andere een rij stonden te wachten in die gang, die ik me nog heel gedetailleerd herinner (die conversatie) omdat de tl-verlichting van de wachtruimte grijswit, verblindend en schaduwloos was, het soort licht waardoor mensen zich van kant willen maken, en ik kon me niet voorstellen negen uur per dag in dergelijk licht te moeten doorbrengen en was dus emotioneel rijp om deze uitwisseling op te vangen, boven al het murmelende geroezemoes in die ruimte uit, ook al kon ik geen van de sprekers zien. En van dat gesprek heb ik daadwerkelijk ter plekke in een soort idiosyn-

Wachtruimten in drukke kantoren hebben een eigen choreografie, en ik weet nog dat de opstelling van zittend en staand personeel op een gegeven moment voldoende veranderde om mij, boven mijn boek

cratisch steno een paar flarden opgetekend op de binnenkant van het omslag van het gepopulariseerde psychologieboek, opdat ik het later in het notitieboekje zou kunnen overschrijven (wat de reden is dat ik het nu zo verdacht gedetailleerd kan navertellen), te weten:

'Dat noem jij kort en bondig?'

'Nou, het punt is gewoon dat ze bij Systeembeheer niet oncreatief zijn. Ze zijn niet allemaal van hetzelfde laken een pak.'

'Niet oncreatief? Wat is dat nu weer voor woord?'

'Neem die op het oog simpele kostenbesparing door de keuze voor tl-verlichting. Het enige wat ze hoefden te doen was de energierekening vergelijken. In Controlecentra hoort tl-verlichting, zo luidde de stelregel. Maar Lehrl ontdekte, in ieder geval in La Junta, dat de efficiency omhoogging als de tl-buizen werden vervangen door een batterij gloeilampen en bureaulampen.'

'Nee, die jongens van Systeembeheer ontdekten alleen maar dat er meer aangiften werden verwerkt nadat de tl-buizen door lampen waren vervangen.'

'Daar zit je weer verkeerd. Lehrls team ontdekte dat de netto-auditopbrengsten van het aantal aangiftes dat maandelijks in het RCC West verwerkt werd een stijgende lijn vertoonden, en dat gedurende de eerste drie kwartalen nadat de gloeilampen waren geïnstalleerd. Vergeleken met dit bedrag was de som van de installatiekosten en de stijging van de maandelijkse energierekening bijna verwaarloosbaar klein, tenminste als je de eenmalige uitgave voor de vervanging van de tl-buizen en de aanpassing van het plafond amortiseerde.'

'Maar ze hebben nooit kunnen bewijzen dat er een direct causaal verband bestond tussen die gloeilampen en de gestegen auditopbrengsten.'

'Hoe zou je zoiets ook moeten bewijzen? De balans van elke Regio telt duizenden bladzijden. De gestegen opbrengsten kwamen uit districtskantoren kriskras verspreid over de hele Regio West. Er zijn te veel variabelen om rekening mee te houden – één simpel verband is onaantoonbaar. Daarom vergt het ook creativiteit. De jongens van Lehrl wisten dat er een correlatie bestond. Ze slaagden er alleen niet in daar iemand op Driemaal Zes van te overtuigen.'

'Dat is jouw interpretatie.'

'Daar willen ze alles gekwantificeerd zien. Maar hoe kwantificeer je het moreel op de werkvloer?'

... en deze aantekeningen zorgden ervoor dat het boekje uiteindelijk toch van enige waarde bleek, maar dan pas decennia later, als geheugensteun. Dus het was tijdverspilling en ook weer niet, al naar gelang je gezichtspunt en context.

uit, rechtstreeks en ongehinderd zicht te bieden op het kantoor van de Adjunct-Directeur Personeelszaken,[62] een kantoor dat eigenlijk niet meer om het lijf had dan een fors uitgevallen houten kantoorhokje dat tegen de achterwand van de wachtruimte was geplaatst en waarvan de ingang zich vlak achter en naast het bureau van de lugubere secretaresse/receptioniste bevond, vanwaar zij een benige lavendelarm naar de deuropening van de ADPZ uit kon (en ook vaak placht te) steken om iemand ervan te weerhouden naar binnen te gaan of aan te kloppen zonder haar hoogstpersoonlijke *nihil obstat*. (Dit illustreerde een onomstotelijke wet van het bureaucratisch bestel: hoe zachtzinniger en efficiënter een hooggeplaatste functionaris was, hoe onplezieriger en cerberusiaanser de secretaresse die je de toegang tot hem/haar ontzegde.) Op mevrouw Slopers bureau stond een telefoon met meerdere lijnen en een hulpstuk aan de hoorn waarmee ze hem (de hoorn) op haar schouder kon laten rusten zodat ze beide handen vrij had voor haar secretariaatstaken, maar dan zonder de vioolachtige nekverdraaiingen die nodig zijn als je een normale telefoon tegen je schouder wilt drukken. De kleine gebogen steun of houder van beige plastic bleek speciaal ontwikkeld voor bepaalde klassen kantoorwerkers bij de federale overheid, in opdracht van het Agentschap voor Veiligheid en Gezondheid op het Werk. Ik persoonlijk had zoiets nog nooit gezien. In het matglazen gedeelte van de deur naar het kantoor achter haar, die op een kier stond, was de naam en de bijzonder lange en ingewikkelde functieomschrijving van de ADPZ gegraveerd (naar wie de meeste wiegelaars in Vissersbaai verwezen met de badinerende bijnaam 'Sir John Feelgood'; het kostte me ettelijke weken voordat ik die Hollywoodverwijzing en -context snapte [ik heb meestal een hartgrondige hekel aan commerciële films]). Wat ik door die op een kier staande deur kon zien was een wigvormige uitsnede van het interieur van het kantoor. Binnen deze spie had ik zicht op een leeg bureau met daarop een bord met de naam en functieomschrijving van de ADPZ, zo breed dat het aan beide kanten over de rand van het bureau uitstak, en een

---

62 Het grote kantoor van de Directeur Personeelszaken zelf lag, vanuit de wachtruimte gezien, helemaal aan het eind van een van de radiale corridors. Later zou ik erachter komen dat dhr. Tate, zoals zo veel oudere leidinggevenden, er de voorkeur aan gaf uit het zicht te werken; hij had maar zelden contact met lager dan als S-15 ingeschaalde collega's.

kleine bolhoed of andere ronde kantoorhoed die schuin aan een van
de uitstekende kanten van het bord hing, waardoor de hoedrand de
laatste letters van het bord bedekte, dat met kapitale stelligheid het
volgende beweerde:

L.M. STECYK VICE-ADJUNCT REGIOCOMMISSARIS CONTROLE – PERSO-
NEELSZAK, wat ik in een andere stemming misschien grappig had gevonden.

Ter verklaring van het hoe en waarom van mijn inkijk in dat kantoor:
het dichtst bij me in de buurt, althans wat betreft het personeel dat
ook ergens op zat te wachten, bevonden zich twee hoedeloze jonge
mannen, gezeten op twee van een stuk of wat lichtelijk verschillende
skai stoelen die aan mijn linkerzijde wat schuin van me af stonden.
Beiden hielden stapels folders vast die van kleurentabs waren voorzien.
Ze leken de universiteit nog niet ontgroeid en droegen alle twee een
overhemd met korte mouwen, een slecht geknoopte stropdas en witte
tennisschoenen, wat een opvallend contrast vormde met de kledingstijl
van de meeste anderen in de wachtruimte, die veel traditioneler, za-
kelijker en volwassener was.[63] Ook deze jongens waren verwikkeld in
een oeverloos gesprek. Geen van hen had zijn benen gekruist; bij allebei prijkte er een setje identieke pennen in hun borstzakje. Vanuit
mijn perspectief gezien reflecteerden hun pasjes de plafondlampen,
waardoor ze onleesbaar werden. In de ruimte waar we zaten was ik de
enige met bagage, en een deel daarvan accapareerde strikt genomen

---

63 Dit waren 'pikkies', kwam ik later te weten, een term die verwees naar het lagere
ondersteunend personeel, vaak seizoenwerkers, die meestal de taak kregen toebedeeld
gegevens in te voeren dan wel op te vragen in/uit de computersystemen van het RCC.
Onder hen waren heel wat studenten van de lokale universiteit of het Peoria College
of Business, dat je bezwaarlijk een prestigieuze opleiding kon noemen. Zoals veel out-
casts of andere marginale groepen bleken pikkies een hechte en exclusieve groep te
vormen, ook als een van hen de taak van dossierbode toebedeeld kreeg en op goede
voet kwam te staan met veel wiegelaars en hooggeplaatste immersionisten, voor wie
ze (de pikkies) alle controlemateriaal en benodigdheden af en aan moesten rijden in
karretjes met daarin afzonderlijke niveaus en bakjes en plateaus die konden worden
uitgeklapt als de verschillende vakjes van een enorme, meerlagige viskoffer, zodat de
karretjes reusachtige Rube Goldberg-achtige uitvoeringen werden van het gebruikelijke winkel- of postkarretje, waarvan er een paar (van die karretjes) geweldig klepperden als ze geduwd werden, vanwege al die bewegende delen en geïmproviseerde vakjes
en onderverdelingen.

een deel van de voetruimte van de dichtstbij gezeten knul, bijna tot bij zijn merkloze sportschoen, en toch leek geen van beiden zich bewust te zijn of zich wat aan te trekken van de bagage, of van mij. Normaal gezien verwacht je tussen jonge mensen in een drukke werkruimte met voor de rest vooral oudere volwassenen een soort spontane, woordeloze camaraderie – zoals ook twee zwarten die elkaar niet kennen vaak even de moeite nemen elkaar toe te knikken of elkaar op een andere manier een blijk van herkenning geven als alle anderen rondom hen blank zijn – maar deze twee deden alsof ik, een bijna-leeftijdsgenoot, lucht was, zelfs nadat ik tweemaal uit *Hoe ... glansrijke carrière* heel gericht hun kant had opgekeken. Het had niets te maken met mijn huidprobleem; ik voelde feilloos aan wat de diverse manieren en redenen waren om niet aangekeken te worden. Deze twee leken erin getraind zich af te schermen van het informatiebombardement om hen heen, zoals forenzen in de metro van de grotere steden aan de Oostkust dat kunnen. De toon van hun gesprek was heel serieus. Bv.:

'Hoe komt het toch dat je steeds zo traag van begrip bent?'

'Traag van begrip, ik?'

'Jezus.'

'Ik heb echt niet het gevoel dat ik traag van begrip ben.'

'...'[64]

'Ik heb echt geen idee waar je het over hebt.'

'Mijn god.'

... maar ik kon niet uitmaken of het een serieuze discussie betrof of gewoon wat cynische, studentikoze ballenknijperij om de tijd te doden. In eerste instantie leek het me stug dat die tweede knul zich er niet bewust van was dat zijn tegenwerping dat hij zich er niet bewust van was traag van begrip te zijn helemaal in de kaart speelde van zijn collega die hem verweet traag van begrip te zijn, nl. dat hij niet snel iets snapte. Ik wist m.a.w. niet zeker of ik al dan niet kon lachen. Op dat moment was ik net bij een ¶ in het boek aanbeland waarin nadrukkelijk werd aanbevolen hard te lachen als iemand in een bepaalde groep een grap maakt, omdat dat min of meer de standaardmanier was om aan te geven dat je bij die groep hoorde of wilde horen, of tenminste aan het gesprek wilde deelnemen; er hoorde een rudimentaire illustratie bij van iemand die net buiten een groepje lachende mensen op een

---

64 (ten teken dat de ander niets zei)

cocktailparty of receptie stond (ze hielden allemaal een laag cognacglas dan wel een slecht getekend martiniglas in hun hand). De pikkies draaiden echter hun hoofd niet om en leken mijn gelach niet eens op te merken, hoewel dat echt wel hard genoeg was om gehoord te worden, ondanks het vele achtergrondlawaai. Maar om de draad weer op te pakken: in het verlengde van mijn blik over de schouder van die ene pik die ontkende traag van begrip te zijn, en dat alleen maar omdat ik min of meer deed alsof ik naar iets anders achter hen aan het kijken was, als iemand die een poging tot oogcontact of een zekere vorm van camaraderie afgewezen weet, genoot ik dus van een momentaan uitzicht op het kantoor van de ADPZ. Het bureau was weliswaar leeg, maar dat gold niet voor het kantoor, want voor het bureau zat een man op zijn hurken voor een stoel waarin een andere man[65] naar voren boog met zijn[66] gezicht in zijn handen. Zijn houding, samen met het geschokschouder onder het colbertjasje, maakten het vrij duidelijk dat de tweede man aan het huilen was. Van de massa personeelsleden in de wachtruimte of in de rijen die nu al vanuit de drie nauwe gangen[67]

---

[65] Beter gezegd: het was iemand van wie ik aannam dat het een man was ... Vanwaar ik zat, dus grotendeels achter de gebogen persoon, leek hij/zij een colbertjasje te dragen waarvan de schoudervulling in die jaren uniseks was.

[66] (opnieuw een aanname van mij)

[67] Waar het op neerkwam was dat deze mensen in een soort preliminaire rij stonden om toegang te verkrijgen tot een van de rijen in een van de drie gangen voor een afspraak met de diverse middelhoge functionarissen van Personeelszaken, zoals mevr. Van Hool, die mej. Neti-Neti juist op dat moment (wat achteraf viel af te leiden uit haar nakende verschijning, met in haar hand een ondertekend Formulier 706-IC) een reeks bondige, resolute instructies gaf over wat er moest gebeuren met en voor de zeer gewaardeerde, ervaren en hooggeplaatste specialist immersieve controles die ze in mij zagen. (N.B. Deze uit het RCC Noord-Oost in Philadelphia overgeplaatste controleur, die niet alleen eveneens David Wallace heette maar volgens het schema pas de volgende dag zou aankomen, was de man die de Irancrisis op grond van haar opdracht eigenlijk had moeten opwachten en escorteren, want het computersysteem van Personeelszaken had, zoals in §38 zal worden uitgelegd, een samenvoegingsfout gemaakt, waardoor die tweede David Wallace, die dus later zou aankomen, administratief-technisch gezien met mij samenviel, wat de verwarring over de dag van aankomst en mijn persoon verklaarde ... zij het dat dit alles vanzelfsprekend post-factumkennis is die ik toen onmogelijk had kunnen hebben of raden, omdat 'David Wallace' in de Verenigde Staten weliswaar geen zeldzame naam is, maar toch ook weer niet zo heel vaak voorkomt. Evenmin wist ik of iemand anders op die bewuste 15 mei – de datum waarop de andere,

oudere en 'waardevollere' David Wallace ter voorbereiding op zijn overplaatsing en vlucht de volgende dag de vakjes van zijn Tingletafel aan het leegruimen was en een door de wol geverfde dossierbode hielp zijn dossiers en ondersteunende documenten te verzamelen en te ordenen, zodat ze onder de andere leden van zijn Immersieteam konden worden verdeeld – dat deze ervaren controleur, toen hij daags nadien op het afgesproken tijdstip aankwam en zich in de entree van het RCC Midden-West wilde inschrijven bij de Registratiebalie voor S-13's, daar niet in zou slagen – nl. zich inschrijven en toestemming krijgen om zich aan te sluiten bij de volgende rij voor zijn nieuwe RCC-pasje – omdat hij volgens de Registratiebalie voor S-13's al ingeschreven was en zijn nieuwe pasje al had gekregen, en dat het IRS-pasje en bijbehorend S-13-nummer (van die andere David Wallace; hij had de zijne twaalf jaar geleden al gekregen) in Peoria al aan mij waren toegewezen, de auteur en 'ware' (voor mezelf dan) David Wallace, die vanzelfsprekend in de verste verte niet kon begrijpen of uitleggen (naderhand) dat het hele gebeuren een betreurenswaardige administratieve flater was en geen welbewuste poging om me uit te geven voor een S-13 ten koste van een man die zich al meer dan twaalf jaar met overgave wijdde aan een baan waarvan de moeilijkheid en de hersenkrakende complexiteit snel daarna tot me zouden doordringen; maar hoe het ook zij: deze puinzooi bleek niet alleen de verklaring van de uitbundige ontvangst en de verkeerdelijk toegewezen hoge salarisschaal en het dito loon (en ik zal niet beweren dat me dat niet aangenaam verraste, zij het natuurlijk ook wel verbaasde), maar ook, in ieder geval ten dele, van het bevreemdende en – voor mij – tot dan toe zowat ongekende intermezzo met mej. Neti-Neti in het besloten duister van de elektriciteitskast in een van de radiale gangen die zich uitstrekten vanuit de centrale corridor op Niveau o, kort nadat ik naar het begin van de pasjesrij was gebracht en mijn pasje had gekregen, waarbij (nl. tijdens het incident in de elektriciteitskast) ze me tegen een aantal warme stoppendozen drukte en me onderwierp aan wat volgens voormalig president W.J. Clinton geen echte 'seks' mag heten, maar voor mij verreweg de meest seksuele ervaring was die me tot bijna 1989 zou overkomen, en dat allemaal vanwege een computer bij Personeelszaken die geen onderscheid maakte tussen twee verschillende interne David Wallacen en mevr. Van Hools instructie aan mej. Neti-Neti om 'mij' (in feite dus de S-13 die ze met veel moeite hadden weggekaapt bij de gespecialiseerde Immersievleugel van het RCC Noord-Oost) volledig 'ter wille te zijn', wat in psychologisch opzicht een zeer beladen term bleek te zijn voor Chahla Neti-Neti, die economisch gezien volwassen was geworden in de sybaritische, maar tegelijkertijd zeer etiquettegebonden en eufemismerijke cultuur van het prerevolutionaire Iran (dat vernam ik vanzelfsprekend pas later), en die zoals veel andere manbare jonge Iraanse vrouwen binnen families met nauwe contacten met de heersende regering seksuele handelingen had moeten 'ruilen' of 'barteren' met hooggeplaatste functionarissen om zichzelf en twee of drie andere familieleden uit Iran weg te krijgen tijdens die gespannen periode waarin de omverwerping van het regime van de Sjah zich aftekende, en voor wie 'ter wille zijn' een snelle, intensieve, bijna spechtachtige pijpbeurt inhield, tot in de wachtkamer reikten, merkte op dat moment ogenschijnlijk niemand dit kleine tableau op, net zomin als het feit dat de deur naar het kantoor van de ADPZ een stukje openstond. De huiler zat op zijn hurken, bijna helemaal[68] met zijn rug naar me toe, maar de man die zich naar hem toe vooroverboog en een hand op een schoudervulling liet rusten en op duidelijk niet onvriendelijke toon iets zei, had een breed, zacht en blozend of rozig gezicht met weelderige bakkebaarden die (meende ik) niets te zoeken hadden op dat wat altmodische gezicht, en toen die man (de leidinggevende, meneer Stecyk) me in de ogen keek (ik was gemakshalve even vergeten dat zichtlijnen per definitie twee kanten op gaan), op hetzelfde moment dat zijn hatelijke secretaresse, die nog steeds in de telefoon praatte, mij langs haar heen zag staren en zich uitrekte en zonder dat ze daarbij eerst hoefde te kijken naar de plaats van de deur of deurklink die met een knal dichtsmeet, verscheen er op zijn gezicht een onwillekeurige uitdrukking van me-dedogen en -leven, een uitdrukking waarvan de spontaneïteit en on-gedwongen oprechtheid bijna ontroerend leek, iets wat ik, zoals hier-boven al uitgelegd, helemaal niet gewend was, en ik heb geen idee hoe mijn eigen gezicht mijn reactie weergaf op dat, zo leek het wel, elek-triserende oogcontact, voordat zijn getroffen gezicht vervangen werd door het matglas van de deur en mijn eigen ogen zich snel weer rich-ten op het boek dat voor me lag. Tot dan toe had mijn gezichtshuid nog niemand een dergelijke uitdrukking weten te ontlokken, nog nooit, en het was de milde uitdrukking op het gezicht van die bureau-cratische *mod* die maar voor mijn geestesoog bleef opdoemen in de duisternis van de elektriciteitskast toen het voorhoofd van de Irancrisis

wat schijnbaar de meest gebruikte methode was om overheidsfunctionarissen te beha-gen van wie je een gunst verlangde maar die je niet in het gezicht wilde of durfde kijken. Desondanks was het behoorlijk opwindend, zij het – om voor de hand liggende rede-nen – ultrakort, en dat verklaart ook waarom het zo lang duurde voordat ik doorhad dat ik een van mijn bagagestukken in de wachtruimte van het kantoor van Personeels-zaken op de grond had laten staan ... allemaal achtergrondinformatie die later ook mej. Neti-Neti's bijnaam 'de Irancrisis' zou helpen verklaren; de vorm van haar borsten te-gen het klamme ribfluweel van mijn bovenbenen blijft een van de meest levendige zin-tuiglijke herinneringen aan die hele pleuriszooi van mijn eerste paar dagen als immer-sionist bij de IRS.
68 (wat eveneens bijdroeg tot de genderverwarring ...)

mijn onderbuik twaalf keer snel achter elkaar raakte en zich daarna tot een ontvankelijke afstand terugtrok, een afstand die op dat geladen moment veel verder weg leek dan in werkelijkheid het geval geweest kon zijn, realistisch gezien.

§25

'Irrelevante Chris' Fogle slaat een blad om. Howard Cardwell slaat een blad om. Ken Wax slaat een blad om. Matt Redgate slaat een blad om. Bruce 'Swingding' Channing hecht een formulier aan een dossier. Ann Williams slaat een blad om. Anand Singh slaat per ongeluk twee bladen tegelijk om en legt er een van terug, wat een iets ander geluid maakt. David Cusk slaat een blad om. Sandra Pounder slaat een blad om. Robert Atkins slaat tegelijkertijd twee afzonderlijke bladen van twee afzonderlijke dossiers om. Ken Wax slaat een blad om. Lane Dean jr. slaat een blad om. Olive Borden slaat een blad om. Chris Acquistipace slaat een blad om. David Cusk slaat een blad om. Rosellen Brown slaat een blad om. Matt Redgate slaat een blad om. R. Jarvis Brown slaat

een blad om. Ann Williams haalt zachtjes haar neus op en slaat een blad om. Meredith Rand prutst aan een nagelriem. 'Irrelevante Chris' Fogle slaat een blad om. Ken Wax slaat een blad om. Howard Cardwell slaat een blad om. Kenneth 'Bij Wijze Van Spreken' Hindle maakt een Memo 402-C(1) los van een dossier. 'Kwijlpaard Bob' McKenzie kijkt even op terwijl hij een blad omslaat. David Cusk slaat een blad om. Een voor een worden alle controleurs in één rij van één bepaalde sectie onbewust aangestoken door een geeuw. Ryne Hobratschk slaat een blad om. Latrice Theakston slaat een blad om. Routinegroep Zaal 2 is in stilte gehuld en felverlicht, een half footballveld lang. Howard Cardwell schuift wat op zijn stoel en slaat een blad om. Lane Dean jr. gaat met zijn ringvinger langs zijn kaaklijn. Ed Shackleford slaat een blad om. Elpidia Carter slaat een blad om. Ken Wax hecht een Memo 20 aan een dossier. Anand Singh slaat een blad om. Jay Landauer en Ann Williams slaan bijna perfect synchroon een blad om, hoewel ze in verschillende rijen zitten en elkaar niet kunnen zien. Boris Kratz schommelt met een zachte, chassidische beweging heen en weer terwijl hij een blad vergelijkt met een kolom getallen. Ken Wax slaat een blad om. Harriet Candelaria slaat een blad om. Matt Redgate slaat een blad om. Omgevingstemperatuur binnen: 26 °C. Sandra Pounder schuift een dossier een miniem stukje op, zodat het blad dat ze bekijkt in een iets andere hoek voor haar ligt. 'Irrelevante Chris' Fogle slaat een blad om. David Cusk slaat een blad om. Elke Tingle een halfrond van twee rijen bakjes. Bruce 'Swingding' Channing slaat een blad om. Ken Wax slaat een blad om. Zes wiegelaars per sectie, vier secties per team, zes teams per groep. Latrice Theakston slaat een blad om. Olive Borden slaat een blad om. Plus administratie en ondersteuning. Bob McKenzie slaat een blad om. Anand Singh slaat een blad om en bijna onmiddellijk daarna nog een. Ken Wax slaat

een blad om. Chris 'Il Maestro' Acquistipace slaat een blad om. David Cusk slaat een blad om. Harriet Candelaria slaat een blad om. Boris Kratz slaat een blad om. Robert Atkins slaat twee afzonderlijke bladen om. Anand Singh slaat een blad om. R. Jarvis Brown haalt zijn rechter- van zijn linkerbeen en slaat een blad om. Latrice Theakston slaat een blad om. Het trage gepiep van de dossierbode met zijn karretje achter in de zaal. Ken Wax legt een dossier boven op de stapel in het bakje Karretje-Uit rechtsboven. Jay Landauer slaat een blad om. Ryne Hobratschk slaat een blad om en vouwt dan de bladzijde dubbel van een computeruitdraai die naast het oorspronkelijke dossier ligt waar hij zojuist een blad van heeft omgeslagen. Ken Wax slaat een blad om. Bob McKenzie slaat een blad om. Ellis Ross slaat een blad om. Joe 'Schoelie' Biron-Maint slaat een blad om. Ed Shackleford opent een la en neemt even de tijd om de juiste paperclip te kiezen. Olive Borden slaat een blad om. Sandra Pounder slaat een blad om. Matt Redgate slaat een blad om en bijna onmiddellijk daarna nog een. Latrice Theakston slaat een blad om. Paul Howe slaat een blad om en ruikt dan heimelijk aan de groene rubberen telvinger op het topje van zijn pink. Olive Borden slaat een blad om. Rosellen Brown slaat een blad om. Ken Wax slaat een blad om. Duivels zijn eigenlijk engelen. Elpidia Carter en Harriet Candelaria steken op exact hetzelfde moment hun hand uit naar hun bakje Karretje-In. R. Jarvis Brown slaat een blad om. Ryne Hobratschk slaat een blad om. Ken 'Bij Wijze Van Spreken' Hindle zoekt een verwijzingscode op. Sommigen met een hand onder hun kin. Robert Atkins slaat een blad om terwijl hij op dat blad nog snel even iets controleert. Ann Williams slaat een blad om. Ed Shackleford bladert in een dossier op zoek naar een bijlage. Joe Biron-Maint slaat een blad om. Ken Wax slaat een blad om. David Cusk slaat een blad om. Lane Dean jr. tuit zijn lippen, ademt diep in en uit en buigt zich over een nieuw dossier. Ken Wax slaat een blad om. Anand Singh sluit en opent een paar keer zijn voorkeurshand terwijl hij een spier in zijn pols bestudeert. Sandra Pounder recht haar rug een beetje, legt haar hoofd helemaal in haar nek om die wat los te maken en leunt weer naar voren om een blad te controleren. Howard Cardwell slaat een blad om. De meesten zitten rechtop maar leunen vanuit het middel naar voren, wat

minder belastend is voor de nek. Boris Kratz slaat een blad om. Olive Borden doet het scharnierende vlaggetje op haar lege bakje 402-C omhoog. Ellis Ross maakt aanstalten om een blad om te slaan, maar blijft dan steken om wat hoger op het blad iets nog een keer te controleren. Bob McKenzie hoest zonder op te kijken wat slijm op. Bruce 'Swingding' Channing punnikt aan zijn onderlip met de klem van een pen. Ann Williams haalt haar neus op en slaat een blad om. Matt Redgate slaat een blad om. Paul Howe opent een la, kijkt erin en doet hem weer dicht zonder er iets uit te halen. Howard Cardwell slaat een blad om. Aan twee muren lambrisering overschilderd met Baker-Miller-roze. R. Jarvis Brown slaat een blad om. Eén sectie per rij, vier rijen per colonne, zes colonnes. Elpidia Carter slaat een blad om. Robert Atkins' lippen bewegen zonder geluid te maken. Bruce 'Swingding' Channing slaat een blad om. Latrice Theakston slaat met een lange purperen nagel een blad om. Ken Wax slaat een blad om. Chris Fogle slaat een blad om. Rosellen Brown slaat een blad om. Chris Acquistipace tekent een Memo 20 af. Harriet Candelaria slaat een blad om. Anand Singh slaat een blad om.

Ed Shackleford slaat een blad om. Twee klokken, twee geesten, vierduizend vierkante meter verborgen spiegels. Ken Wax slaat een blad om. Jay Landauer voelt afwezig aan zijn gezicht. Ieder liefdesverhaal is een spookverhaal. Ryne Hobratschk slaat een blad om. Matt Redgate slaat een blad om. Olive Borden staat op en steekt drie vingers omhoog naar de dossierbode. David Cusk slaat een blad om. Elpidia Carter slaat een blad om. Buitentemperatuur/luchtvochtigheid 35,5 °C/ 74 %. Howard Cardwell slaat een blad om. Bob McKenzie heeft de rochel nog steeds in zijn mond. Lane Dean jr. slaat een blad om. Chris Acquistipace slaat een blad om. Ryne Hobratschk slaat een blad om. Het karretje met het piepende wiel nadert via de rechterkant van de groepszaal. Twee anderen in de derde rij van de sectie staan eveneens op. Harriet Candelaria slaat een blad om. R. Jarvis Brown slaat een blad om. Paul Howe slaat een blad om. Ken Wax slaat een blad om. Joe Biron-Maint slaat een blad om. Ann Williams slaat een blad om.

§26

Een paar woorden over het fenomeen 'schim' dat in de overlevering bij Controle zo'n prominente plaats inneemt. De schimmen die controleurs zien, zijn geen echte geesten. 'Schim' verwijst naar een specifiek soort hallucinatie waaraan routinecontroleurs kunnen lijden als ze in hun geconcentreerde verveling een bepaalde drempel overschrijden. Of beter gezegd: de inspanning om ondanks extreme verveling alert en secuur te blijven kan zo zwaar worden dat er zich stelselmatig bepaalde vormen van hallucineren voordoen.

Een van die hallucinaties staat bij Controle bekend als een 'bezoek van de schim' of gewoon als 'bezoek', in zinnen als: 'Je moet Blackwelder een beetje ontzien. Hij heeft deze middag bezoek gehad, vandaar die tic.' Hoewel de meeste routinecontroleurs in hun loopbaan op een gegeven moment last krijgen van hallucinaties, wordt niet elke controleur 'bezocht'. Het overkomt uitsluitend bepaalde psychologische typen. Eén bewijs waaruit blijkt dat het niet om echte geesten gaat, is dat iedere bezochte werknemer een andere schim te zien krijgt, al hebben die schimmen gemeen dat ze altijd diametraal verschillen van de controleurs die ze bezoeken. Daarom zijn ze ook zo angstaanjagend. Ze treden vaak op als invallen van de verdrongen kant van strikte, gedisciplineerde persoonlijkheidstypen, wat sommige psychoanalytici iemands 'schaduw' zouden noemen. Mannetjesputters krijgen bezoek van grijnzende, schaars geklede vaudevilletravestieten die met klodderige rouge en geklonterde mascara op een nichterig huppeldansje doen. Godvruchtige wiegelaars zien demonen; preutse controleurs zien sletten met wijd opengespreide benen of priapistische gaucho's. Wie smetteloos hygiënisch is, krijgt viezige vlooienbakken op bezoek; ongelooflijk gestructureerde controleurs die graag de puntjes op de i zetten, zien snotterige creaturen met een ontploft kapsel en elastiekjes rond hun vingers die koortsachtig hun Tinglebakjes overhoophalen op zoek naar iets heel belangrijks dat ze verkeerd opgeborgen hebben.

Niet dat het elke dag gebeurt. Schimmen hebben het voornamelijk op specifieke typen gemunt. Echte geesten niet.

Geesten zijn anders. Het gros van de meer ervaren controleurs gelooft in schimmen; slechts een enkeling kent of gelooft in het bestaan van geesten. Dat is begrijpelijk. Geesten kunnen namelijk voor schimmen worden aangezien. In sommige opzichten kunnen schimmen als achtergrond of camouflage dienen waartegen het feitenpatroon van echte geesten nog maar moeilijk te onderscheiden valt. Een beetje zoals die bekende filmgrap over iemand die op Halloween een bezoekje krijgt van een echte geest en hem complimenteert met zijn geweldige kostuum.

In werkelijkheid huizen er in Filiaal 047 twee echte, niet-hallucinatoire geesten in de wiegelzaal. Niemand weet of er in de immersievleugels ook geesten rondwaren; die vleugels zijn werelden op zich.

Hun namen zijn Garrity en Blumquist. Veel van de volgende informatie stamt ex post facto van Claude Sylvanshine. Blumquist is een uitermate bereidvaardige, efficiënte, kleurloze routinecontroleur die in 1980 onopgemerkt overleed aan zijn bureau. Een paar oudere controleurs hebben in de jaren 70 nog met hem samengewerkt bij Routine. De andere geest is ouder. Dat wil zeggen: afkomstig uit een eerdere historische periode. Naar verluidt stond Garrity halverwege de twintigste eeuw aan de lopende band bij Spiegel Paleis Middenwesten. Het was zijn taak om elke sierspiegel van een bepaald model die van de productieband rolde te controleren op onvolkomenheden. Een onvolkomenheid was doorgaans een blaasje of een andere oneffenheid in de aluminium achterplaat waardoor het spiegelbeeld op de een of andere manier vervormd of gedeformeerd werd. Garrity had exact twintig seconden per spiegel. In die dagen stond arbeidspsychologie als vakwetenschap nog in de kinderschoenen en was er nog maar weinig bekend over niet-fysieke vormen van stress. Waar het op neerkwam was dat Garrity, gezeten op een krukje naast een traag voortrollende loopband, zijn bovenlichaam in een ingewikkeld patroon van vierkanten en vlindervormen bewoog om zo van zeer nabij de weerspiegeling van zijn gezicht te controleren. Dit deed hij drie keer per minuut, 1440 keer per dag, 356 dagen per jaar, achttien jaar lang. Naar verluidt bewoog hij zijn bovenlichaam op het eind ook volgens dat ingewikkelde patroon van vierkanten en vlindervormen als hij niet aan het werk was en er geen spiegels te controleren vielen. Blijkbaar had hij zich in 1964 of 1965 verhangen aan een stoombuis in de huidige noordelijke gang, niet ver van de wiegelzaal in de dependance van het RCC. Van alle personeelsleden in 047 is Claude Sylvanshine de enige met gedetailleerde informatie over Garrity, die hijzelf evenwel nooit heeft gezien – en bovendien bestaat het grootste deel van wat Sylvanshine doorkrijgt uit terugkerende gegevens over Garrity's gewicht, riemmaat, de topologie van optische gebreken en het vereiste aantal bewegingen om je te scheren met je ogen dicht. In de wiegelzaal is Garrity de geest die je het snelst met een schim zou verwarren, want hij is een ontzettend storende kletsmajoor, waardoor wiegelaars die hun best doen geconcentreerd te blijven hem vaak aanzien voor de krijsende aap in hun hoofd, de zelfdestructieve kant van hun eigen persoonlijkheid.

Blumquist is anders. Manifesteert Blumquist zich in de buurt van een controleur, dan zit hij daar gewoon. Stil, zonder te bewegen. Alleen het feit dat Blumquist en zijn stoel licht doorschijnend zijn, verraadt dat er iets niet helemaal pluis is. Hij valt niemand lastig. Hij zit je niet ongemakkelijk aan te staren. Je krijgt het idee dat hij het hier gewoon fijn vindt. Hooguit af en toe een beetje verdrietig is. Hij heeft een hoog voorhoofd en milde ogen, die door zijn bril worden uitvergroot. Soms draagt hij een hoed; soms houdt hij zijn hoed vast aan de rand en zit hij daar maar. Met uitzondering van de controleurs die bij elk denkbaar bezoek door het lint gaan – en laten dat nu precies die rigide, kwetsbare typen zijn die sowieso ontvankelijk zijn voor een bezoek van hun schim, zodat er haast een vicieuze cirkel ontstaat – met uitzondering van hen accepteren of, sterker nog, waarderen de meeste controleurs het als Blumquist op bezoek komt. Voor sommigen lijkt hij een voorkeur te hebben, maar op zich is hij best democratisch ingesteld. De wiegelaars vinden hem aangenaam gezelschap. Al wordt er nooit over hem gepraat.

§27

De voorlichtingsruimte voor Routine bevond zich op de bovenste verdieping van het RCC. Je kon er de vlijmende geluiden van matrixprinters horen – één deur verderop lag Systeembeheer. David Cusk was helemaal achterin gaan zitten, onder een airconditioningsrooster waar de bladzijden van zijn trainingspakket en Belastingcodex niet om de haverklap omsloegen. Het was ofwel een ruime zaal, ofwel een klein auditorium. De zaal baadde in fel tl-licht en het was er onheilspellend warm. Voor de twee brede raampartijen op het zuiden waren van die industriële rolgordijnen neergelaten, maar je voelde de hitte van de zon door de gordijnen en het Celotex-dakleer heen branden. Er zaten veertien nieuwe controleurs in een ruimte die plaats bood aan 108 personen, het verhoogde podium niet meegeteld, waarop zich behalve het spreekgestoelte ook bijna precies dezelfde diaprojector met carrousellader bevond die Cusks ouders thuis hadden staan.

De instructrice van Compliance was een dame met steil haar, een beige broekpak en platte schoenen, met op haar jasje links en rechts een verschillende badge. Met haar ene hand drukte ze een klembord tegen haar borst, in haar andere hield ze een aanwijsstok. In de zaal hing geen krijtbord, maar een whiteboard. In het licht van de tl-lampen had haar gezicht de kleur van niervet. Ze werd bijgestaan door een man van de afdeling Personeelszaken van dit Filiaal wiens helblauwe jasje te kort was, zodat zijn polsbeentjes zichtbaar waren. In een straal van zes stoelen met schrijfblad had Cusk geen buren, en net als drie anderen had hij zijn jasje uitgetrokken. De bagage van de controleurs die vandaag pas waren aangekomen stond netjes opgestapeld tegen de achtermuur aan de andere kant van de zaal. In Cusks tas zaten twee potloden, beide zonder gummetje en zo grondig afgekauwd dat je niet meer kon zeggen welke kleur ze ooit hadden gehad. Hij balanceerde op de rand van een aanval, zoals zopas nog in de auto, toen die man met z'n afschuwelijke gezicht dat er bijna gekookt had uitgezien naar hem had zitten kijken terwijl zijn temperatuur opliep en het weinig had gescheeld of hij was over die man heen naar het raam geklauterd om frisse lucht te happen. Of zoals nog geen uur later in de rij voor een badge, waar hij na een paar minuten in de rij al ingesloten was en er niet meer uit kon zonder dat de man met zijn blauwe jasje een heleboel vragen zou stellen die de andere wachtenden zouden horen, wat zeker hun aandacht zou trekken, en tegen de tijd dat hij zich eindelijk onder de twee hete lampen bevond had hij al zo vaak zijn haar van zijn voorhoofd gestreken dat het bijna steil omhoog stond, wat hij pas doorhad toen zijn warme pasje uit het lamineerapparaat rolde en hij de foto onder ogen kreeg.

Op de middelbare school, in het jaar dat zijn punten er spectaculair op waren vooruitgegaan, was Cusk erachter gekomen dat de kans op een aanval kleiner werd als hij nauwgezet en onafgebroken aandacht schonk aan wat er om hem heen gebeurde. Hij had een graduaat in Accounting, behaald aan het Elkhorn-Brodhead Community College. Het probleem was dat hij vanaf een bepaalde graad van opwinding moeilijk nog ergens anders aandacht voor op kon brengen dan voor de dreiging van een aanval. Aandacht schenken aan iets anders dan de angst, dat was alsof je iets zwaars omhooghees met behulp van een katrol en een touw – het was doenlijk, maar erg lastig en vermoeiend, en zodra je het touw liet schieten werd je weer helemaal in beslag genomen door datgene waar je uit alle macht niet aan probeerde te denken.

Op het whiteboard stond het letterwoord SKAAM, vooralsnog zonder toelichting. Een paar controleurs waren vanuit andere vestigingen overgeplaatst of kwamen rechtstreeks van de twaalf weken durende IRS-opleiding in Indianapolis of Rotting Flesh, Louisiana. Hun voorlichting vond elders plaats en duurde minder lang.

Het schrijfblad was aan de zijkant van de stoel vastgeschroefd, wat de toehoorders in een vreemde houding dwong. Op de plek aan de zijkant van het schrijftafeltje waar een rechtshandige eigenlijk zijn elleboog moest plaatsen om aantekeningen te kunnen maken, was een flexibele arm met daaraan een verstelbaar lampje vastgeschroefd.

Het whiteboard was aan de kleine kant, en voor sommige diagrammen die de procedures waar de instructrice uitleg over gaf visueel ondersteunen, moesten de nieuwe S-9's zich behelpen met een klein gedrukt boekje. Veel diagrammen waren zo ingewikkeld dat ze niet op een enkele dubbele pagina pasten en liepen daarom door op de volgende bladzijde.

Eerst moesten er verschillende formulieren worden ingevuld. Een Aziatische man haalde ze op. De mensen van de voorlichting geloofden kennelijk dat opleidingssessies beter verliepen en gemakkelijker te volgen waren bij een duopresentatie. Cusk was een andere mening toegedaan. In zijn beleving was de man met de opvallende polsen en adamsappel een stoorzender die onnodig en afleidend commentaar gaf. Voor Cusk was het veel eenvoudiger en veiliger om aan slechts één ding in zijn omgeving tegelijk aandacht te schenken.

'Waar jullie veel over zullen horen zijn quota's. In de pauzeruimtes, bij de waterkoeler.'

'Het Centrum weet ook welke roddels en achterklap er de ronde doen.'

'Oudere controleurs vertellen graag hoe het eraan toeging in de slechte oude tijd.'

'De Dienst heeft publiekelijk altijd ontkend dat er quota's gehanteerd worden als maatstaf voor iemands prestaties.'

'Want een van de dingen die jullie je zullen afvragen – zo gaat dat nu eenmaal – is: hoe wordt mijn werk eigenlijk geëvalueerd? Op grond waarvan worden mijn kwartaal- en jaarprestaties beoordeeld?'

De lijzige man zette een vraagteken op het whiteboard. Cusks voeten voelden warm aan in zijn nette enkellaarzen – een ervan had een slijtplek, zorgvuldig ingekleurd met een zwarte pen.

De instructrice zei: 'Laten we – puur hypothetisch – even aannemen dat er op een bepaald moment wel quota's werden toegepast.'

'Maar met welk doel?'

'In 1984 verwerkte de Dienst in totaal meer dan zestig miljoen afzonderlijke 1040's. Er zijn zes Regionale Ontvangkantoren en zes Regionale Controlecentra. Reken maar uit.'

'In 1984 verwerkte dit ene Filiaal zevenhonderdachtenzestigduizend vierhonderd aangiften.'

'Nu lijkt die berekening misschien niet helemaal sluitend.'

'Dat komt omdat het niet zestig miljoen gedeeld door twaalf is.'

'Want daarbij is geen rekening gehouden met de factor Martinsburg.'

In hun personeelshandboek stond een kleurenfoto van het Nationale Computercentrum van de IRS in Martinsburg, West Virginia, een terrein met drie omheiningen waarvan er één onder stroom stond, zodat er tijdens de equinoctiale vogeltrek onder dat hek elke ochtend geveegd moest worden.

Het probleem was dat het projectiescherm vóór het whiteboard naar beneden kwam en daardoor telkens als er een diagram of een schema geprojecteerd moest worden alles wat er op het whiteboard geschreven stond aan het zicht onttrok. Er leek ook iets mis met de vergrendeling van het rolmechanisme, waardoor het scherm niet omlaag bleef en de assistent van Personeelszaken zich niet alleen moest bukken om het handvat vast te grijpen en het scherm op zijn plaats te houden, maar er tegelijk ook voor moest zorgen dat zijn schaduw niet op het scherm viel, zodat hij bijna op zijn knieën moest gaan zitten. Op het scherm was een elementaire kaart van de Verenigde Staten geprojecteerd met zes stippen op locaties waarvan de namen door de diffractie van de projectorstraal te wazig waren om leesbaar te zijn. Vanuit elke stip vertrok een lijn met een pijl die eindigde bij een stip wat landinwaarts en iets onder het midden van de Atlantische kust. Een paar nieuwelingen maakten aantekeningen bij de afbeelding, al vroeg Cusk zich af wat er in hemelsnaam te noteren viel.

'Bijvoorbeeld: een aangifte 1040 met een terugbetalingsvordering komt binnen in het Regionale Ontvangkantoor West in Ogden, Utah.' De dame wees het meest linkse blok aan. De man hield een hollerithkaart omhoog, die op het scherm een schaduw wierp die de ingewikkeldste dominosteen aller tijden leek.

Een van de gordijnen voor de ramen op het zuiden zat een beetje scheef op de rol, zodat de rechterzijde van het scherm werd uitgebleekt door het lichtvlak uit de spleet. Een reeks zwart-witdia's begon door de automatische diaprojector te schuiven, maar de projectie was én te snel én door de zon te onduidelijk om er wijs uit te worden. Twee foto's van een tafereel aan een strand of een meer leken uit de toon te vallen, maar ze verdwenen zo snel dat je ze amper in je kon opnemen.

'Jullie ROK is vanzelfsprekend in East St. Louis gevestigd,' zei de man die onderaan bij het scherm op zijn hurken zat. Hij sprak met een accent dat Cusk niet kon thuisbrengen.

'Tijdens het intensieve verwerkingsseizoen –'

'Dat nu op zijn laatste benen loopt –'

'Verloopt de procedure min of meer als volgt: seizoenkrachten laden de voorgebundelde bundels enveloppen uit speciale vrachtwagens, halen er de bundelbandjes af en stoppen de enveloppen in een geautomatiseerde postsorteerder, oftewel GPS, een van de meest recente door Systeembeheer doorgevoerde verbeteringen qua snelheid en efficiency op het gebied van aangifteverwerking, met op piekmomenten bijna dertigduizend enveloppen per uur.' Een reclamefoto van een kamergrote Fornix-machine met een batterij transportbanden, messen en lampen was een paar dia's eerder al op het scherm voorbijgeflitst. 'Tot de volautomatische GPS-processen behoren onder meer sorteren, opensnijden met ultrasnelle roterende messen, de randen van de verschillende soorten aangiften coderen en die op verschillende transportbanden sorteren, waar andere tijdelijke krachten ze handmatig openen –'

'Daarna worden de lege enveloppen in een speciale GPS-scanner geschouwd om er helemaal zeker van te zijn dat ze leeg zijn, waardoor veel administratieve problemen uit het verleden tot het verleden behoren.'

(Op de meeste opnamen viel op het eerste gezicht niets anders te zien dan het gewirwar van een hoop mensen in een grote zaal waar een hoop bakken en tafels stonden. De dia's liepen zo erg uit de pas met de inhoud van de presentatie dat het onmogelijk was aan beide tegelijk aandacht te schenken – de meeste wiegelaars keken dan ook van het scherm weg.)

'Na het openen van de enveloppen worden eerst alle ingesloten cheques en postwissels verwijderd. Die worden gegroepeerd, ingeboekt en vervolgens door een speciale koerier zo snel mogelijk naar het dichtstbijzijnde federale depot overgebracht. Voor de Regio West is dat in Los Angeles. De eigenlijke aangiften worden gegroepeerd op grond van vijf basiscategorieën en hun status.' De man liet het scherm los, en dat rolde met zo'n ruk omhoog dat de voorste rijen bijna van hun stoel opvlogen. De projector stond nog aan, en een foto van een groep zwarte dames met hoornen brilmonturen die gegevens aan het ponsen waren werd op het lichaam van de instructrice geprojecteerd terwijl ze de codes aanwees voor aangiften van bedrijven, 1120; trusts en erfenissen, 1041; vennootschappen, 1065; en de algemeen bekende aangiften voor de inkomstenbelasting voor natuurlijke personen, 1040 en 1040A; plus categorie-S-bedrijven, die ook 1120's indienden.

'Van al deze categorieën zijn voor jullie vooral de aangiften voor de personenbelasting van direct belang, want dat zijn de enige waar jullie mee te maken zullen krijgen.'

'Vennootschappen en fiduciaire instellingen – die laatste omvatten zoals jullie weten erfenissen en trusts – worden op Districtsniveau behandeld.'

Terwijl hij de diaprojector probeerde uit te zetten zei de man van Personeelszaken: 'En 1040's zijn ingedeeld in gewone aangiften en Zware Gevallen – Zware Gevallen zijn aangiften met meer annexen dan alleen A, B en C, of een groot aantal aanvullende annexen of addenda, of in totaal meer dan drie pagina's computeruitdraaien uit Martinsburg.'

'Waarbij gezegd moet worden dat we over de rol van Martinsburg in het hele proces nog niet gesproken hebben,' zei de instructrice.

'Voor jullie is vooral van belang dat de controle van 1040's ingedeeld wordt in Routine en Zware Gevallen, en dat jullie zijn toegewezen aan Routine, waar relatief eenvoudige 1040's en 1040A's behandeld worden – vandaar ook de naam. Zware Gevallen gaan naar de afdeling Immersieve Controle, waar het personeelsbestand uit meer ervaren, uhm, personeel bestaat, een afdeling die in de taakverdeling bij sommige Regio's ook 1065's en 1120's voor bepaalde klassen categorie-S-bedrijven controleert.'

De dame stak haar hand uit, waarmee ze haar instemming te kennen gaf.

Het viel Cusk op dat haast alle informatie die het instructieteam verstrekte ook in het voorlichtingspakket stond, hoewel het duo alles op een enigszins andere manier bracht. Hij zat helemaal rechts in de op twee na achterste rij. Zijn angst voor een aanval werd aanzienlijk getemperd door het feit dat er niemand in zijn buurt zat of in de gelegenheid was hem van dichtbij te bekijken. Vooraan zaten één of misschien twee nieuwe controleurs volledig in de vlakke kolom zonlicht van het beschadigde rolgordijn. Cusk deed zijn uiterste best zich niet voor te stellen hoeveel warmer en meer aan de hitte blootgesteld deze nieuwe of gepromoveerde collega's zich moesten voelen, omdat hij terdege besefte dat andere mensen niet aan *fobische angst* voor aanvallen leden, waarbij hem ook termen als *obsessieve ruminaties, hyperhidrose* en *zichzelf versterkende opwinding van het parasympathisch zenuwstelsel* door het hoofd schoten, stuk voor stuk begrippen uit een diagnose die hij voor zichzelf had gesteld na eindeloze uren verstolen onderzoek – hij had zich zelfs ingeschreven voor een paar cursussen psychologie die hem in wezen helemaal niet interesseerden, alleen maar om een geloofwaardige dekmantel te hebben voor zijn onderzoek – in de bibliotheek van Elkhorn-Brodhead, en het besef van de eigen buitenproportionele angst was een van de tweeëntwintig door hem vastgestelde factoren die hem rijp konden maken voor een aanval, zij het niet een van de doorslaggevende factoren. Het geluid van de deur die achter hem dichtviel, maakte Cusk er voor het eerst op attent dat de drukverandering die hij waarnam niet toe te schrijven was aan de airco die was aangegaan in het bedrukkende lokaal, maar aan een persoon die net was binnengekomen, maar als hij zijn hoofd draaide en keek wie dat was, zou dat ongetwijfeld de aandacht van die persoon op hem vestigen, wat erg roekeloos zou zijn omdat er een redelijke kans bestond dat iemand die te laat aankwam achter hem zou gaan zitten, dicht bij de deuropening waardoor die iemand was binnengekomen, en Cusk vond het geen prettig idee dat iemand met wie hij oogcontact had gehad achter hem zou zitten en eventueel de achterkant van zijn haar zou bekijken, dat nog altijd verdacht klam was. Alleen al bij de gedachte aan het vooruitzicht bekeken te kunnen worden voer er een kleine, hete naschok door Cusks lichaam, en hij voelde hier en daar enkele speldenprikjes zweet opwellen tegen zijn haargrens en onder zijn onderste ooglid, plekken waar meestal het eerste zweet verscheen.

Tegelijk realiseerde Cusk zich dat hij minstens een minuut van de voorlichtingsronde had gemist, en hij dwong zich meteen, met een bijna fysieke krachtsinspanning, zijn gedachten er weer bij te houden. De instructrice van Compliance had het over controlekaarten en stapels aangiften die ergens heen werden gestuurd, waaruit Cusk afleidde dat dat wellicht nog ergens in het Ontvangkantoor zelf gebeurde.

'Eerst worden ze per stapel genummerd, daarna vertrekken ze naar de ponsmachines.' Ze benadrukte de beklemtoonde lettergrepen met haar aanwijsstok, die ongeveer tweemaal zo lang was als een dirigeerstokje.

'Zowel door te stansen als door het toevoegen van gespecialiseerde binaire codes lopen S-9-ponstypisten elke aangifte na en produceren zo een ponskaart met daarop 512 essentiële gegevenspunten, te beginnen met het burgernummer van de bb –'

'Soms wordt er ook van "bic" gesproken. Dat staat dan voor BIC, de Belastingidentificatiecode –' De man nam zowaar de tijd om dit op het whiteboard te schrijven; ondertussen stak de IC twee ponskaarten in de lucht die vanuit Cusks gezichtspunt inwisselbaar leken.

'Hou in je achterhoofd dat zowel de Ontvangkantoren als Martinsburg overgestapt zijn op 90-kolomskaarten,' zei de dame, 'waardoor de rekencapaciteit van het GGS, het Geïntegreerde Gegevenssysteem van de Dienst, aanzienlijk is toegenomen.' De projector schakelde nu door naar een beeld van iets wat er bijna precies hetzelfde uitzag als de kaarten die de S-11 omhooghield, hoewel de gaten in de kaart niet rechthoekig waren, maar rond. Het Fornix-logo aan de zijkant was bijna even groot als de afbeelding van de kaart. 'In sommige gevallen kan dat van invloed zijn op de indeling van de uitdraai die jullie ontvangen bij de aangiften die jullie controleren met het oog op een eventuele audit.'

'Want daar gaan jullie je hier mee bezighouden,' zei de assistent van Personeelszaken: 'aangiften controleren op hun auditpotentieel.'

'Iets waar we het binnen exact acht minuten over zullen hebben,' zei de IC, terwijl ze een quasi-vernietigende blik op de assistent wierp.

Het eerste waar Cusk zich bewust van werd was een buitengewoon aangename geur, komend van ergens achter hem, aangenamer dan de aircolucht in het lokaal en veel prettiger dan de zwakke geur van gerijpte cheddar die in zijn gedachten uit zijn klamme hemd opsteeg.

'In geval de specificaties van de powerskaarten een significante impact hebben op jullie GGS-360, zullen jullie daarover aanvullende instructies ontvangen van jullie Groepsmanager.'

'Je Groepsmanager is degene aan wie je Teamleider rapporteert,' zei de assistent.

'Algemeen gesproken bestaan de gegevens uit een BIC, een beroepscode, personen ten laste, een inkomens- en aftrekpostenclassificatie en een aantal bijgevoegde W-2's, 1099's en soortgelijke informatie.'

'In feite komt dat neer op pure transcriptie,' zei de man. 'Op dat moment is er van controle nog geen sprake.'

'Daarna worden de kaarten overgebracht naar Martinsburg, waar speciale kaartlezers de gegevens doorsturen naar de Centrale Computers, die ze controleren op rekenfouten en de W-2's vergelijken met de inkomensopgaven –'

'En andere veelvoorkomende afwijkingen, die allemaal afgedrukt worden op de interne uitdraai voor iedere aangifte.'

'De computeruitdraaien staan bekend als "Interne Memo 1040-M1's" of gewoon "M1's".'

'Hoewel aan die 1 nog wel de laatste twee cijfers van het jaar van aangifte worden toegevoegd; een 1040-M1-84 is bijvoorbeeld een uitdraai voor een aangifte 1040 uit 1984.'

'Hoewel die nummers eigenlijk naar de classificatie van de aangifte in de Centrale Dossiers verwijzen, want de uitdraai zelf heeft niet echt een referentiecode.'

'In de Centrale Dossiers zou de locatie van een specifieke aangifte dan 1040-M1-79 aangevuld met de BIC van de bb zijn, dus in totaal gaat het om een referentienummer van zeventien karakters.'

'Ze zitten hier niet voor een voorlichting Systeembeheer. Het punt is dat die uitdraai en die aangifte het enige is wat jullie te zien zullen krijgen, aangezien de M1-uitdraai en de aangifte samen het dossier vormen en het werk van routinecontroleurs erin bestaat dossiers te controleren op hun auditpotentieel.'

Langzamerhand begon Cusk de ritmiek van de duopresentatie aan te voelen en oog te krijgen voor de wenken die de instructrice haar kompaan gaf wanneer er onnodig werd uitgeweid of zaken werden behandeld die verhoudingsgewijs minder belangrijk waren. Wat het meest opviel was dat als ze op haar polshorloge keek, de schaduw van de aanwijsstok in haar hand naar de zijkant van het verlichte scherm uitstak en rechtstreeks de schaduw van de assistent aanwees, ondanks het feit dat de twee niet even dicht bij de projector stonden. En de relevante zaken stonden natuurlijk ook in het voorlichtingspakket. In het deel van zijn brein dat zich bewust was van zijn persoonlijke agitatieniveau en zweetpeil, de omgevingstemperatuur, de locatie van de uitgangen, de precieze plaats en zichtlijnen van alle aanwezigen die hem in geval van een aanval eventueel zouden kunnen zien – stuk voor stuk zaken die in elke besloten publieke ruimte een deel van zijn aandacht opeisten, hoe hard hij ook zijn best deed zich te concentreren op wat er officieel op het programma stond – was Cusk zich bewust van een aanwezigheid achter en enigszins boven hem, waarschijnlijk van iemand die in de deuropening stond en nu misschien bedacht waar hij of zij zou gaan zitten. En de waarschijnlijkheid dat het een zij was – want de aangename geur in de lucht, zo kon men redelijkerwijs aannemen, was die van een parfum, en zo niet, dan die van een abnormaal bloemig en verwijfd soort aftershave – zorgde ervoor dat er opnieuw een warmtegolf door Cusks hoofd en hoofdhuid stroomde, zij het nog geen echt zware of alarmerende.

'Het komt erop neer,' zei de IC, 'dat we via de Centrale Dossiers de proef op de som kunnen nemen en er discrepanties uit kunnen lichten die bij een handmatige controle heel wat manuren zouden vergen.'

'Klopt,' zei de assistent. 'Tussen de zes en elf procent van het gemiddelde jaarlijkse aantal 1040's bevat rekenfouten.'

'Maar de Centrale Dossiers bieden ook de mogelijkheid om vergelijkingen te trekken met andere aangiften en aangiften van andere jaren,' zei de IC. 'Om een paar voorbeelden te noemen: Regel 11 en Regel 29 van een 1040 – Ontvangen en betaalde alimentatie.'

'Die staan ook vermeld op jullie Routineprotocol,' zei de assistent van Personeelszaken. 'Maar in feite is dat werk al gedaan op het moment dat jullie het dossier ontvangen. Aangiften van echtelieden worden via de Centrale Dossiers in Martinsburg met elkaar vergeleken. Is er een discrepantie, dan staat dat vermeld op de M1. ... Jullie taak bestaat erin te bepalen of de desbetreffende bedragen al dan niet auditpotentieel hebben.'

'En is dat het geval, dan ook of dat moet gebeuren via een audit per brief door de GB-vleugel van het RCC – Geautomatiseerde Briefwisseling – of dat de Dienst er beter aan doet de aangifte in haar geheel voor een grondige audit terug te sturen naar het lokale Districtskantoor.'

'In wezen,' zei de assistent, 'is dit wat jullie hier doen. Jullie staan in de frontlijn, daar waar de beslissingen genomen moeten worden welke aangiften geaudit zullen worden en welke niet. Daar komt het samengevat in een notendop wel zo ongeveer op neer. En de laatste twee jaar zijn de criteria voor het bepalen van het auditpotentieel ingrijpend veranderd, dus ...'

'Een ander voorbeeld van de rol die Martinsburg in het hele proces speelt,' zei de IC, 'is Regel 10.'

De assistent van Personeelszaken sloeg zichzelf theatraal tegen het voorhoofd. 'Hier werden ze in de jaren zeventig helemaal gek van.'

'Op Regel 10 van een 1040 wordt gevraagd eventuele teruggaven van de lokale belasting en staatsbelasting op te geven, maar alleen als het gaat om de teruggave voor een jaar waarin er afzonderlijke aftrekposten zijn opgegeven –'

'– met name op Regel 34A, op Annex A.'

'Dat zagen bb's natuurlijk als een aansporing om te "vergeten" of ze het jaar daarvoor hun werkelijke aftrekposten afzonderlijk hadden opgegeven of genoegen hadden genomen met het wettelijk forfait. Normaliter ging men ervan uit dat die aftrekken níét afzonderlijk opgegeven waren –'

'– omdat in dat geval de teruggaven niet als inkomsten beschouwd werden.'

'– en vóór de invoering van de Centrale Dossiers kon een clevere bb er inderdaad van uitgaan dat dat niet iets was wat bij Controle nagekeken zou worden. Want om de aangifte van het voorgaande jaar op te vragen moest je een AAO én een 12(A) invullen.'

'Een Aanvraagformulier Aangifte-Opvraging,' preciseerde de assistent.

'Waarna ze de aangifte uit de archieven van het Ontvangkantoor of het Nationale Archiefdepot moesten opduikelen, wat een week duurde, en vaak ellende gaf, en bovenal geld kostte, vooral qua manuren, vervoer en administratiekosten, kosten die meestal veel hoger uitvielen dan de relatief kleine bedragen van zo'n teruggave.'

'Kortom: we konden het ons eigenlijk niet veroorloven om Regel 10 te controleren,' zei de assistent van Personeelszaken. 'Om nog maar te zwijgen van het gehannes als je een aangifte een week in het bakje In van je Tingle liet liggen in afwachting van wat zo'n AAO opleverde.'

'Met de komst van de Centrale Dossiers kan de keuze die de bb op Regel 34A van zijn vorige aangifte heeft gemaakt nu automatisch worden nagegaan – op de uitdraai staat nu expliciet aangegeven of Regel 10 belastbaar is of niet, op basis van de vorige aangiften en de controlerapporten van de verschillende Belastingdiensten.'

'Al zijn de computersystemen van sommige staten niet compatibel met die in Martinsburg.'

In Cusks beleving bedroeg de temperatuur in het lokaal nu 29 °C. Vlak achter hem hoorde hij het onmiskenbare geluid van een stoel die naar beneden geklapt werd en van iemand die ging zitten en zo te horen een of meer stukken bagage of persoonlijke spullen op de stoel naast zich zette en, afgaand op het geluid, haar schrijfmap openritste – want het moest wel een vrouw zijn: er hing niet alleen de geur van bloemetjesparfum, maar ook van make-up, wat in een warm lokaal een karakteristiek, rijk boeket geeft, en ook van een shampoo met bloemextracten, en Cusk voelde echt hoe de twee schijven van haar ogen tegen zijn achterhoofd drukten, want hij wist moeiteloos in te schatten dat zijn hoofd zich zeker deels in haar zichtlijn naar het spreekgestoelte bevond. Als ze de presentatie volgde, zou ze zeker ook naar minstens een deel van Cusks achterhoofd kijken, en naar zijn nek, die duidelijk zichtbaar was onder zijn korte kapsel, wat betekende dat eventuele druppeltjes die van het haar op zijn achterhoofd liepen heel duidelijk zichtbaar zouden zijn.

'Dat is het punt niet. Waar het op aankomt is efficiency en een doelgericht gebruik van de beschikbare middelen, en dat is ook de reden dat we in het komende uur de specificaties en de structuur van de M1 vanuit Martinsburg uitgebreid onder de loep zullen nemen. We kunnen er niet genoeg op hameren: jullie zijn géén inspecteurs. Jullie taak bestaat er niet in om op iedere 1040 elk klein foutje en iedere discrepantie op te sporen en de aangifte vervolgens door te sturen voor een audit.'

'De Districtskantoren, die sowieso maar over heel beperkte auditmogelijkheden beschikken, zouden onder de toevloed bezwijken.'

'Het komt hierop neer: de huidige Auditafdeling beschikt over amper voldoende capaciteit om één zevende procent van alle 1040's en 1120's die dit jaar worden ingediend te controleren.'

'– al zullen jullie je dit jaar voornamelijk buigen over aangiften uit 1984, aangezien er gemiddeld tien maanden liggen tussen aangifte en controle, al hebben ze in de Regio Midden-West die achterstand bijna tot negen maanden weten terug te brengen.'

'Het púnt,' zei de IC met een zekere bitsheid in haar stem, 'is dat het jullie taak is om uit te maken welke aangiften een zo groot mogelijk auditpotentieel lijken te bezitten qua (a) baten en (b) kosten. Twee zaken die vanzelfsprekend met elkaar samenhangen, want hoe ingewikkelder en tijdrovender een audit, hoe hoger de kostprijs voor de Dienst, en hoe lager aan het eind van de rit de netto-opbrengst voor de Schatkist. Tegelijk is het wel zo dat de baten samenhangen met hoe

flagrant de fouten in de aangifte zijn, omdat er vanaf bepaalde drem-
pels nalatigheidsboetes opgelegd worden –'
'– en er rente wordt berekend op alle verschuldigde bedragen –'
'– wat een – soms aanzienlijke – bijdrage levert aan de netto-opbrengst van een audit.'

Hoe erger het werd, hoe kouder de lucht uit het rooster boven hem
had moeten aanvoelen. Maar bizar genoeg was dat niet het geval – hoe
hoger Cusks inwendige temperatuur opliep, hoe warmer de neerwaartse stroom aanvoelde, tot hij zowat een sirocco of de warme lucht
uit een ovenmond leek – loeiheet. Niet dat Cusk echt een aanval had,
maar hij beleefde de initiële, nog flakkerende stadia van een aanval,
wat in bepaalde opzichten erger was omdat het nog beide kanten uit
kon. Hij was nu lichtjes gaan zweten, maar dat was het probleem niet –
het meisje in zijn buurt zat achter hem, en zolang de hitte en het zweet
niet verergerden en overgingen in een volwaardige aanval zouden
eventuele zweetdruppeltjes op zijn achterhoofd door zijn kapsel ge-
maskeerd worden. Alleen als het escaleerde en het een echte aanval
werd en de zweetplekken op zijn hoofdhuid onder zijn haar toenamen
en een dichtheid bereikten waarbij er zich daadwerkelijk druppeltjes
vormden die zich dan over zijn blote nek aan de zwaartekracht over-
gaven, bestond er een reële kans dat dat de vrouw achter hem zou opvallen en dat ze hem weerzinwekkend of raar zou vinden. Bij wijze van
profylaxe kon hij altijd nog achteromkijken om vast te stellen hoe oud
en aantrekkelijk de vrouwelijke controleur was wier parfum hem samen met de weeë leergeur van waarschijnlijk haar portemonnee om-
hulde. De klok in het lokaal hing tegen de achterste muur, wat maakte
dat hij een goed excuus had snel even achterom te kijken.

Op het podium vertelde de assistent van Personeelszaken over de
ingrijpende decentralisatie van de Dienst na de bevindingen van de
commissie-King in 1952, waarbij de achtenvijftig Districtskantoren
veel meer bevoegdheden en autonomie hadden gekregen, en over de
huidige gedeeltelijke recentralisatie van de verwerking en de geautomatiseerde auditfuncties door de nieuwe rol van Martinsburg en de
Regionale Centra, waarbij hij naar 'de gouden jaren van de Regio' verwees en naar iets wat 'het Plan' heette, zaken die Cusk niets zeiden.
Cusk had geen twaalf weken durende introductiecursus gevolgd in de
Nationale Opleidingscentra van de IRS in Indianapolis en in Rotting
Flesh, Louisiana, want beide waren voor heel 1985 al volgeboekt. In

plaats daarvan had hij gereageerd op de advertentie van een wervingscampagne in *Today's Accountant*, een tijdschrift waarop de bibliotheek van Elkhorn-Brodhead een abonnement had. Cusk had daar als parttimer boeken in de rekken gezet om zijn studie te bekostigen.

'Er zijn twee databanken met Centrale Dossiers, namelijk één voor bedrijfsentiteiten en één voor natuurlijke personen, en die databanken worden bijgehouden gedurende een periode van drie jaar –'

'Die drie jaar komen overeen met het auditbereik bij elke aangifte, wat betekent dat we tot 15 april van volgend jaar een audit kunnen uitvoeren op aangiften voor het aanslagjaar 1982 en nog uitstaande belastingen kunnen invorderen – een deel daarvan zal misschien op jullie bureau terechtkomen in het kader van gecoördineerde controleprogramma's geïnitieerd door Compliance of Martinsburg.'

Met de moed der wanhoop probeerde Cusk nu zijn aandacht bij elke lettergreep te houden die bij het spreekgestoelte gearticuleerd werd. Daarin lag zijn enige kans niet te gaan malen over zijn inwendige temperatuur en transpiratie, die nu allebei dusdanig waren toegenomen dat hij een soort hittekeppeltje op zijn kruin voelde, een van de vier belangrijkste symptomen van een echte aanval. Hij wist dat zijn gezicht nu begon te glimmen van het zweet, en dat was de belangrijkste reden dat hij besloten had zich niet om te draaien om de bevalligheid van de vrouwelijke laatkomer achter hem te taxeren – dat had de aanval misschien kunnen voorkomen, maar hem evengoed kunnen aanzwengelen tot een aanval met alles erop en eraan, waarbij hij niet meer in staat zou zijn iets anders te voelen of ergens anders aandacht voor op te brengen dan voor zijn overvloedige gezweet en het gevoel van oncontroleerbare hitte en de volslagen paniek bij de gedachte dat hij zo hevig zwetend zou worden gezien.

De assistent gaf een beschrijving van de 3312 personeelsleden van IRS-Filiaal 047 in termen van de ploegenindeling – 58 procent werkte van 7.10 tot 15.00 uur (I), 40 procent van 15.10 tot 23.00 uur, met daarnaast nog enkele conciërgetaken + fysieke onderhoudstechnische activiteiten 's nachts – alsook op basis van een procentuele opdeling van Controle, Administratie, Gegevensverwerking en Beheer, een beschrijving die Cusk grotendeels miste omdat hij zich inmiddels in de beginstadia van een echte aanval bevond, waarbij zijn aandacht als een telescoop in elkaar schoof en zijn lichamelijke toestand en vochtverlies bijna 90 procent van zijn bewustzijn besloegen. Hij kon horen hoe de vrouw achter hem nerveus en aritmisch met haar balpen klikte, en één keer hoorde hij een geluid dat zo goed als zeker veroorzaakt werd door het van elkaar halen en weer over elkaar slaan van haar zo te horen in panty's gehulde benen, een geluid dat Cusk een afschuwelijke interne hittegolf bezorgde, waardoor onder zijn hemd de eerste druppels van zijn oksels langs de zijkant van zijn romp liepen. Tijdens een aanval boog hij altijd automatisch zijn hoofd en zakte daarbij nu zo ver onderuit op zijn plastic stoel dat het nog net niet opviel. Hij wilde zich voor de vrouw achter hem visueel zo klein mogelijk te maken; Cusk stelde zich haar op dit moment voor als een adembenemend mooi meisje van zijn leeftijd met een zelfbewuste houding en een ongelooflijke innerlijke rust en een rond porseleinen gezichtje met intimiderende, blauwe ogen en een hautaine flair van bijna Europese allure. Cusks droomvrouw, kortom – wat als het ware de rekening was die hij gepresenteerd kreeg omdat hij door zijn angst en opgelatenheid zo verlamd was dat hij zich niet meer kon omdraaien en doen alsof hij naar de klok keek (die nu 15.10 aangaf) om de bedreiging van die vrouw correct in te schatten. Cusk hoorde hoe de instructrice van Compliance naar een bladzijde in het Voorlichtingsboekje van Controle verwees waarvan de dia op het scherm tot in de kleinste details een identieke weergave bleek te zijn, terwijl hij zijn druipende hoofd verder liet zakken en deed alsof hij de betreffende pagina in het boekje bestudeerde, maar ondertussen omzichtig iedere gevallen zweetdruppel wegwreef voordat die een nieuwe tien cent grote plek van het papier zou doen rimpelen, voor het geval dat ooit iemand zijn exemplaar zou moeten lenen en zich zou afvragen wat voor onsmakelijke of griezelige dingen er met het diagram op blz. B-3 waren gebeurd.

Cusk begon de precieze afstand naar de uitgang te ramen, zowel in seconden als in aantal voetstappen, en een ander deel van zijn brein berekende de perspectieven en de zichtlijnen van de aanwezigen en de intensiteit van de hitte op de verschillende punten langs zijn vluchtweg – dat gebeurde als het ware aan de periferie van zijn aandacht. Instinctief begreep hij dat de zaken op de checklist voor Routine vast niet allemaal even belangrijk zouden zijn.

'Het gaat dus om verschillende fases of elementen in het triageproces,' zei de IC, waarna ze even zweeg, zodat de assistent van Personeelszaken 'triage' kon uitleggen aan degenen die niet met die medische term vertrouwd waren. Claude Sylvanshine, drie rijen voor en vier stoelen links van Cusk, probeerde zich het onderscheid te herinneren tussen aftrekposten onder §162 en §212(2) met betrekking tot huureigendommen, maar worstelde tegelijk met gegevensinbreuken over de jaarlijkse neerslag in Zambia voor alle even jaren sinds 1974, en wel in de vorm van felgekleurde kolommen op de bladzijde van een WHO-atlas waarvan de hoofdredacteur aan een bepaalde vorm van psychomotorische verzwakking leed.

'Als je erover nadenkt, is het niet wenselijk om voor een bepaalde aangifte een Memo 20 in te dienen enkel en alleen omdat op Regel 11 het bedrag van de ontvangen alimentatie $200 te laag lijkt.'

'Want de extra verschuldigde belasting op $200 aan inkomsten bedraagt minder dan 5 procent van de bijkomende auditkosten.'

'Wat je wel kunt doen, is een 20(a) opmaken en de aangifte doorsturen naar Geautomatiseerde Invordering voor een audit per brief.'

'Dat zal afhangen van de desbetreffende, door jullie Groepsmanager tijdens de groepsvoorlichting gespecificeerde groepsprocedures, die verder worden toegelicht in het pakket met groepsprocedures.'

'Die dan weer afhangen van de specifieke opdracht van jullie groep.'

Iemand die zijn bagage in de stoel naast Sylvanshine had staan, maar dan een paar rijen naar voren, stak zijn hand op en vroeg hoe bij Routinecontrole de verschillende opdrachten aan bepaalde groepen werden toegewezen. Het eigenaardige was dat Sylvanshine geen last had van gegevensinbreuken over het mysterieuze kind waarmee dr. Lehrl de filialen langsging en dat hij altijd dicht bij zich in de buurt hield, maar waarmee hij nooit een woord leek te wisselen. Sylvanshine wist dat het kind niet van dr. Lehrl zelf was, maar alleen omdat Reynolds hem dat had gezegd. Het was alsof het kind door een soort ondoordringbaar feitenmembraan omgeven werd, of in een feitenvacuüm leefde. De belangrijkste feiten die Sylvanshine doorkreeg over David Cusk, van wie hij niet wist hoe hij heette, waren de afmetingen van de spiegel in het medicijnkastje in zijn badkamer thuis en bepaalde temperatuurmetingen in een dubbele kolom met in de linkerkolom hogere cijfers, uitgelicht in een soort karikaturaal alarmrood.

Op bladzijde 16 stond een organigram van de sectie-team-groep-vleugel-structuur binnen Routinecontrole bij Compliance.

'Normaliter gebeurt de triage als volgt: op de M1-uitdraai uit Martinsburg staan altijd al een paar inconsistenties vermeld, hetzij in de vorm van rekenfouten, hetzij als het resultaat van bijvoorbeeld een vergelijking van Regel 29 in de aangifte van de ex-echtgenoot met Regel 11 in jouw aangifte –'

'Dat is een van de redenen dat een aangifte doorgestuurd wordt naar Controle – Martinsburg ruikt onraad.'

'Andere aangiften worden doorgestuurd op grond van criteria die in jullie ogen vermoedelijk bijna willekeurig zullen lijken.'

'Nog een voordeel van de Centrale Dossiers – 50 procent van de rekenkundige en vergelijkende controles wordt volautomatisch afgewikkeld in Martinsburg, wat een drastische toename betekent van jullie efficiency en van het aantal aangiften dat dit Filiaal kan verwerken tot auditbeslissingen.'

'Hoewel kwantiteit en verwerkingscapaciteit niet langer criteria zijn aan de hand waarvan een Filiaal beoordeeld en geëvalueerd wordt.'

Terwijl hij aan het woord was, trok er een onwillekeurige grimas over het gezicht van de assistent van Personeelszaken. Van die assistent wist Sylvanshine zowel de schoenmaat als het bloedvolume, maar niet zijn naam.

'Vandaag de dag zijn de evaluatiecriteria gericht op het rendement van een audit,' zei de IC.

Zonder ernaar te kijken hield de assistent van Personeelszaken een 12-koloms-Fornixkaart en een blad van een uitdraai omhoog. De IC zei: 'Dit is een voorbeeld van een Memo PP-47, aangevuld met een Submemo, met daarop iemands vleugel, groep, team, detachement en personeelsmarge.'

'"Marge" verwijst naar de ratio tussen de bijkomende belastingopbrengsten na een audit en de daarbij ontstane kosten.'

'– Van onder meer jullie salaris, toeslagen, eventuele huursubsidie enz.'

'– Het is de nieuwe Bijbel,' zei de assistent van Personeelszaken.

Terwijl zijn ogen half wegdraaiden kreeg Sylvanshine over de IC een berg feiten door die hij niet wilde weten, onder meer de karakteristieken van haar mitochondriaal DNA en het feit dat ze daarin heel licht afweek van de norm doordat haar moeder vier dagen voor het middel halsoverkop uit de schappen was gehaald Softenon had geslikt. Instructrice Pam Jensen had een revolver kaliber .22 in haar handtas – ze had zichzelf beloofd na haar 1500ste voorlichtingsronde een kogel door haar verhemelte te jagen, dus als het zo doorging in juli 1986.

'In de slechte oude tijd was dat nog de verwerkingscapaciteit.'

'De gemiddelde routinecontroleur kon toen dagelijks tussen de zevenentwintig en dertig dossiers afhandelen.'

'Vandaag de dag kunnen dat er net zo goed vier of vijf zijn – als je Auditopbrengst/Kosten-ratio snor zit, kun je je verheugen op een uitstekende halfjaarlijkse prestatie-evaluatie.'

'Natuurlijk is het wel zo dat hoe meer dossiers je dagelijks verwerkt, hoe groter de kans dat daar dossiers met een goede ratio bij zitten en dat je een 20 met aanzienlijke extra inkomsten zult kunnen opstellen.'

'Maar het is niet slim je alleen te focussen op het verwerken van zo veel mogelijk dossiers, want dan heb je geen oog meer voor bijzonder lucratieve aangiften.'

'Hoewel we de term "lucratief" hier liever niet in de mond nemen,' zei de IC. 'We spreken liever van "non-compliance", oftewel niet-naleving.'

'Het is namelijk best mogelijk dat er op een aangifte waarbij er overduidelijk sprake is van non-compliance op Regel 23 zo'n laag bedrag wordt aangegeven dat het in feite slimmer is om die te negeren en de volgende aangifte op de stapel te 20'en, omdat die, ook al bevat die maar een paar fouten of inconsistenties, misschien een veel hoger auditrendement oplevert.'

'Maar dat zijn kwesties die beter aan bod kunnen komen tijdens jullie groepsvoorlichting.'

Nu vielen er onmiskenbaar zweetdruppels van Cusks haarpunten, en in zijn binnenste weerklonk een onhoorbare schreeuw.

'Goed,' zei de IC. 'Laten we even pauzeren, zodat jullie je kunnen opfrissen, en daarna gaan we verder met de algemene criteria voor Audit/Non-Audit-beslissingen.'

Er zou een pauze zijn. Met die mogelijkheid had David Cusk geen rekening willen houden. De lichten zouden aangaan. Iedereen zou op hetzelfde moment opstaan en weggaan. Als hij bleef zitten, zou het mooie meisje achter hem zijn doorweekte boord zien en de V-vormige, donkere zweetplek op zijn blauwe overhemd dat hij vandaag met zijn stomme, drieste kop had aangetrokken in plaats van een veilig, onverdonkerbaar wit. Hij zou daar helemaal voorovergebogen zitten en doen alsof hij in zijn voorlichtingspakket de indeling van de M1-uitdraai bestudeerde, met een inwendige temperatuur van ver in de veer-

tig graden, terwijl er rondom zijn hoofd onmiskenbare transpiratie-
druppels van zijn haarpunten vielen die zijn introductiepakket, zijn
hemdsmouwen en de sissende zijkant van het lampenkapje aanstipten –
het was ondenkbaar dat niemand dat zou opmerken. Maar als hij opstond en met de stroom mee langs de aflopende gangpaden naar de
twee zijdeuren liep, was het evengoed ondenkbaar dat men niet zou
zien wat er met hem aan de hand was, wat zeker ook gold voor die
mooie hooghartige Française of wie weet zelfs Italiaanse schone achter
hem. Het doemscenario, kortom. Als hij zo doordacht, zou dat haast
zeker een aanval uitlokken, wat David Cusk tot elke prijs wilde vermijden. Hij dwong zichzelf op te kijken. De hete volgspot die hij op
zich gericht voelde bestond niet. De vrouw achter hem was iemand
met haar eigen sores en lette heus niet op hem – dat verbeelde hij zich
maar. Het enige wat er mis was met zijn hoofd was dat het haar in de
weg zat, dat ze haar bovenbenen bij elkaar moest houden en helemaal
aan de zijkant van haar stoel moest zitten om het spreekgestoelte en
het scherm te kunnen zien, waarop een flikkerende dia van twee verschillende bureaus vertoond werd. Ondertussen probeerde de IC de
projector scherp te stellen met een afstandsbediening die met de projector verbonden was via een kabel die om een van haar benen ver-
strengeld zat.

Aan de vooravond van zijn vertrek was Sylvanshine vergeten de shampoo uit zijn haar te spoelen, wat hem vandaag die vlammende haardos
bezorgde.

David Wallace ondertussen kon allerminst genieten van een algemene
inleiding met een gelikte diapresentatie. In plaats daarvan was hij door
iemand (niet mej. Neti-Neti) – zonder iets te hebben kunnen eten –
naar een klein zaaltje in de dependance van het RCC geloodst waar
hij met vier andere mannen, zonder uitzondering S-13's, naar een presentatie luisterde over de Minimumbelasting op Faciliteiten, die zo te
horen in de jaren 60 was ingesteld door de regering van de Democraat
Lyndon Johnson. De ruimte was klein, benauwd en verstoken van een
whiteboard of projectiemogelijkheden. Toch hing er een penetrante
geur van uitwisbare viltstiften. Alle andere mannen in het zaaltje waren
gekleed in een klassiek pak met hoed, keken heel serieus en waren allen
in het bezit van een notitieblok van de Thesaurie in een simileren rits-

map met op de voorkant in reliëf het zegel en het motto van de IRS, die David Wallace niet had ontvangen, de reden ook dat hij aantekeningen maakte op zijn eigen notitieblok dat hij zo had omgevouwen dat de IGA-prijssticker in de rechterbovenhoek niet zichtbaar was.

De presentatie was gortdroog en voor zover hij kon inschatten van zeer hoog niveau, en werd gegeven door iemand in een zwart pak en een zwart vest boven iets wat veel weg had van ofwel een witte coltrui – wat in zulk warm weer bizar zou zijn geweest – ofwel zo'n afneembare Victoriaanse gesteven kraag die mannen vroeger omdeden en vastknoopten als sluitstuk van het Victoriaanse aankleedprocedé. Hij was zeer kortaf, onpersoonlijk en uiterst zakelijk, maakte een onverbiddelijke, grimmige indruk, en had grote zwarte holten als wangen en donkere kringen onder zijn ogen. Hij leek een beetje op een volkse voorstelling van de dood.

'We zullen echter zien dat BW '78 de expansionistische tendensen van de voorzieningen van '76 herzag door zowel aftrekposten op langetermijnvermogenswinsten als buitensporige afzonderlijk gespecificeerde aftrekposten uit de index van de relevante faciliteiten te lichten.' De term 'faciliteiten' was al verschillende keren gevallen. Het moge duidelijk zijn dat David Wallace niet wist wat die term inhield, laat staan dat dit de uitgekookte manier was waarop het Congres de belastingdruk op een bepaalde inkomensgroep had verlicht zonder aan het belastingtarief zelf te tornen – simpelweg door speciale aftrekposten of voorzieningen toe te staan waarmee bepaalde delen van het inkomen uit de belastinggrondslag werden gehaald; deze voorzieningen stonden bij de Dienst bekend als *faciliteiten*. Voornamelijk dankzij Chris Acquistipace zou David Wallace er uiteindelijk achter komen dat de MBP/AMB-groep belast was met de controle op de correcte naleving van een aantal bijzondere, in de belastingwetten van '76 en '80 ingevoerde bepalingen die moesten voorkomen dat puissant vermogende personen en categorie-S-bedrijven via allerlei fiscale constructies de facto geen cent belasting zouden betalen. De groep immersionisten waaraan David Wallace was toegewezen maakte deel uit van Immersievleugel AB/C (wat stond voor Alternatieve Belasting/Constructies). Het zou behoorlijk gênant zijn hier plompverloren te vermelden hoe lang het duurde voordat David Wallace dat doorhad, zelfs nadat hij ettelijke dagen ogenschijnlijk dossiers had zitten controleren.

'We stippen ook even aan dat de wet van '78 aan de lijst met mogelijke faciliteiten ook het excedent van aftrekposten voor Immateriële Boorkosten tegenover aangegeven inkomsten uit olie- of aardgaswinning heeft toegevoegd, wat een krachtdadige aanpak betekende van de fiscale constructies die de energiesector ten tijde van de oliecrisis medio jaren zeventig had bedacht, dit alles op grond van §312(n) van de herziene Codex.' David Wallace deed alsof hij aantekeningen maakte door simpelweg alles wat de instructeur zei woord voor woord neer te pennen, ongeveer zoals hij had gedaan tijdens de hoorcolleges waar hij tegen betaling aantekeningen maakte voor iemand die zich wegens een skivakantie of een gruwelijke kater genoopt zag een college over te slaan. Het was een van de redenen waarom David Wallace' linkerhand veel gespierder en steviger was – met name de spier tussen zijn duim en wijsvinger, die bol ging staan als de pen tegen het papier werd gedrukt – dan zijn rechter. Meepennen kon hij als de bliksem.

'De voorzieningen die het meest relevant zijn voor uw Memo 20-protocollen zijn die van '78, toen het ABF-belastingtarief werd verhoogd tot 15 procent en de reguliere ABF-heffingskorting werd vastgesteld op een som ten bedrage van minstens (a) $30.000 dan wel (b) 50 procent van de verschuldigde belasting voor *uitsluitend het huidige aanslagjaar*, een voorziening die door de Centrale Dossiers overbodig wordt gemaakt, maar die in de voorzieningen van BW '80 helaas niet zijn aangepakt.'

Een van de S-13's stak zijn pen omhoog – niet zijn hand, alleen zijn pen, met een simpel, cool polsbeweginkje – en stelde een of andere absurd obscure vraag die David Wallace niet noteerde omdat hij zijn hand een paar keer moest openen en sluiten ter verlichting van iets waar hij last van kreeg als hij langer dan een paar minuten meepende: zijn linkerhand vormde dan namelijk een soort automatische schrijversklauw en bleef ook lang nadat hij klaar was met schrijven in die stand staan, soms wel meer dan een uur, waardoor hij die hand dan noodgedwongen in zijn broekzak stopte.

'Met ingang van maart 1981, en behoudens verdere verfijningen inzake fiduciaire instellingen en bepaalde gespecialiseerde bedrijfstakken waaronder, als ik het goed heb, hout, suiker en enkele soorten peulvruchten, zijn de relevante voorzieningen die deze groep met het oog op de ABF-berekening geacht wordt te controleren, met uitzondering van alle afdelingen in de Codex uitgezonderd de rechtstreeks relevante, die u terugvindt in het register in 1M-specificatie 412, de volgende: (1) Het excedent van een versnelde tegenover een lineaire afschrijving van eigendommen onder sectie 1250. (2) Voortvloeiend uit BV '69, het excedent van een amortisatie over zes maanden tegenover een lineaire afschrijving van bepaalde uitgaven verbonden met milieu-investeringen, kinderopvangfaciliteiten, veiligheidsmaatregelen voor de mijnbouw en nationaal historisch erfgoed. (3) Het excedent van een procentuele afschrijving met betrekking tot de uitputting van natuurlijke rijkdommen tegenover de gecorrigeerde grondslag bij afsluiting van het boekjaar. (4) Koersvoordelen op werknemersopties – BV '76. (5) Het excedent van de IBK tegenover de inkomsten uit fossiele brandstoffen, zoals eerder vermeld.' (David Wallace had niet de tijd er zijn eerdere aantekeningen op na te slaan. Hij probeerde woorden en begrippen die hij niet kende te omcirkelen, in de veronderstelling dat hij wel een bibliotheek zou vinden. Deze lijst stond niet in het handboek – ze hadden geen handboek gekregen. Men leek te verwachten dat al die dingen al bekend waren. Om zijn verwarring en angst onder controle te houden had Wallace besloten zichzelf min of meer in een aantekenmachine te veranderen.) '(6) Betreft het excedent van een versnelde tegenover een lineaire afschrijving van eigendommen vallend onder sectie 1245 geleaset aan een derde partij.'

De man stond volkomen stil terwijl hij sprak. David Wallace kon zich niet herinneren ooit iemand te hebben gezien die niet af en toe even onbewust stond te friemelen als hij een groep toesprak. Die lichamelijke onbewogenheid zou David Wallace nog meer tot nadenken hebben gestemd als hij zich maar wat minder paniekerig en overweldigd had gevoeld, en behalve door op de automatische piloot mee te zitten pennen zocht David Wallace zijn toevlucht tot een andere compensatietechniek die hij vaak toepaste als hij zich in een ruimte bevond waar iedereen behalve hij precies leek te snappen wat er werd besproken – wat overigens geregeld was voorgekomen tijdens bepaalde sociale gelegenheden op school in Philo, waar David Wallace niet bij één specifieke kliek had gehoord, maar er bij allerlei verschillende groepjes maar zo'n beetje had bij gehangen, variërend van niet uitzonderlijk getalenteerde sporters tot de leerlingenraad en audiovisuele nerds, waardoor hij vaak werd blootgesteld aan roddels of toespelingen op groepsspecifieke situaties die hij niet onmiddellijk kon plaatsen, maar waarbij hij zich wel verplicht voelde instemmend te staan grijnzen en knikken

alsof hij precies wist waar het over ging. Om nog maar te zwijgen van
die keer dat hij als eerstejaars in een vlaag van absurde halfbezopen
hybris had toegezegd een volledige collegereeks over Existentialisme
en Absurdisme in de Russische Literatuur te volgen en daarbij ook de
verplichte werkstukken te schrijven, allemaal in opdracht van een rijke
en getormenteerde zoon van een rechter aan het Hooggerechtshof van
Rhode Island die zich voor dat vak had ingeschreven, en hij er pas daarna achter was gekomen dat niet alleen de verplichte primaire en secun-
daire literatuur maar ook het werkcollege zelf in het Russisch werd gegeven, een taal waar David Wallace niet de minste notie van had, laat
staan een half gebrabbeld woord van kon spreken, zodat hij niet anders
kon dan daar iedere dinsdag en donderdag van 9.00 tot 10.30 uur met
een brede, starre grijns op zijn gezicht te gaan zitten proberen foneti-
sche aantekeningen te maken van alle ongelooflijk snelle, bovenaardse
geluiden die de anderen in het lokaal uitstootten, tot hij na drie weken
eindelijk een aannemelijke smoes wist te verzinnen om onder de over-
eenkomst uit te komen. Waardoor zijn klant – die nog steeds voor het
vak was ingeschreven – zich voor een wel heel bijzonder existentieel
dilemma geplaatst zag. Hoe dan ook, feit is dat David Wallace in pe-
nibele situaties altijd zijn toevlucht nam tot dezelfde reactie: hij plakte
een geforceerde, brede, zelfverzekerde grijns op zijn gezicht die, althans volgens hem, ongedwongenheid en vertrouwdheid uitstraalde
met wat er rondom hem gaande was, maar die, onzichtbaar voor hem,
door de stijve verwrongenheid en het uitblijven van oogcontact, zeker
ook in combinatie met zijn probleemhuid, eigenlijk meer leek op de
gekwelde grimas van iemand bij wie de huid langzaam van zijn gezicht
wordt gestroopt, al had hij het geluk dat de gedetacheerde S-13-im-
mersionisten en specialisten belastingontwijking van Compliance zo
zeer in beslag werden genomen door belastingontwijkingsopsporings-
procedures – want dat bleek de taak van het team waar David Wallace
ten gevolge van de persoonsverwisseling per vergissing aan was toegewezen, zonder dat hem daarbij overigens enige blaam trof (hoewel deze
informatiesessie misschien het juiste moment was geweest om even zijn
hand op te steken), namelijk de controle en analyse van fiscale constructies van natuurlijke personen en commanditaire vennootschappen
in vastgoed, landbouw en leasesystemen met financiering door een derde, een klein maar belangrijk onderdeel van het plan-Spackman – dat
ze het amper opmerkten en het hun alleen een wat onbehaaglijk gevoel

bezorgde, wat trouwens ook gold voor David Wallace' jeugdigheid, ribfluwelen pak (het IRS-equivalent van een badmuts en Flappie-de-
clownschoenen) en hoedeloosheid.

A/NA, geprojecteerd op een aparte zwart-witdia, was de drijfveer achter en de bestaansreden van Routinecontrole, kregen ze te horen.

'Zijn jullie de politie?'

De assistent van Personeelszaken stak zijn armen in de lucht, wapperde met zijn handen en riep luidkeels: 'Neeee.' Dit was hetzelfde
evangelische nummertje dat Sylvanshine op zijn tweeëntwintigste in
het RCC in Philadelphia had zien opvoeren. De assistent van Personeelszaken bewaarde zijn muntenverzameling in een draagbaar kluisje
achter in zijn moeders of grootmoeders garderobekast, afgaand op de
stijl van de jurken en jassen aan de roede erboven.

'Is het aan jullie om te oordelen over andermans burgerzin?'

'Neeee.'

'Zijn jullie een stelletje sadistische bureaucraten dat bb's naar eigen
goeddunken het leven zuur maakt door hen over te leveren aan de
stress en het ongemak van een audit om zo de nek waar jullie laars op
rust tot de laatste druppel uit te persen?'

'Nee.'

'Bij de IRS van vandaag zijn jullie in wezen zakenmannen.'

'En zakenvrouwen. Zakenlieden. Of beter gezegd: werkzaam bij wat
wij hier zien als een bedrijf.'

'Welke aangiften zijn lucratief om een audit te krijgen?'

'En hoe kun je dat bepalen?'

'Bij Controle hebben de verschillende groepen daar verschillende
methoden voor. In de groepsvoorlichting krijgen jullie daaromtrent
nadere bijzonderheden te horen.'

Assistent: 'Of in jullie team, want sommige Groepsmanagers laten
de verschillende teams met verschillende criteria werken.'

'Die criteria werken als een soort filters – wat laat je passeren, welke
aangiften krijgen een Memo 20 en worden doorgestuurd naar de Districten?'

'Of signalen, vlaggetjes – dat een bepaalde aangifte ten minste een
grondige audit verdient.'

'Het is niet de bedoeling om iedere aangifte onder de microscoop
te leggen.'

'Het gaat erom niet alleen slim, maar ook snel te werk te gaan.'

'En snel wil zeggen dat je soms aan je water voelt dat een bepaalde audit niets zal opleveren.'

'Dat is hét criterium – levert een audit na aftrek van de kosten substantiële extra inkomsten op?'

'Van het idee dat jullie de hoeders van de burgerdeugd zouden zijn kun je dus beter alvast afstand nemen.'

'Net zoals van een andere wijdverbreide misvatting. Heeft iemand een idee wat die zou kunnen zijn?'

David Cusk kon de afschuwelijke, afgrijselijke neiging zijn hand op te steken nog net onderdrukken. Tijdens de pauze, tussen al het gewemel en gedrang tot hij een toilet ontdekte, had zijn overlevingsstrategie er onder meer in bestaan geconcentreerd na te denken over de laatst projecteerde dia op het projectiescherm, die de instructrice nooit helemaal scherp had weten te krijgen, maar waarop naast elkaar twee bureaus of tafels waren afgebeeld, de ene overladen met papieren en formulieren en ook nog een paar felgekleurde dingetjes waaruit af te leiden viel dat het chocoladereepwikkels zouden kunnen zijn, de andere mooi opgeruimd, met nette stapeltjes en gelabelde bakjes. Cusk was er vrij zeker van dat de IC de nadruk wilde leggen op orde en netheid en wilde afrekenen met de opvatting dat een rommelig bureau op productiviteit wijst. In de tussentijd had niemand zijn hand opgestoken. Opnieuw dacht hij eraan zijn hand op te steken, zodat de IC naar hem zou wijzen, over alle zich omdraaiende hoofden heen, wat zou betekenen dat hij welbewust het middelpunt van de belangstelling werd, dus ook die van de exotische Belgische gedetacheerde of emigrante, die Cusk had weten te ontlopen tijdens de (door hem zeer kort gehouden) pauze en van wie hij niet wist dat haar brillenglazen zo dik waren dat hij, mocht hij haar hebben gezien, tevens had kunnen vaststellen dat ze praktisch blind was, zeker voor voorwerpen op meer dan een meter afstand, en dat haar irissen verschrompeld en op een vreemde manier verrimpeld waren, vol scheuren en barsten, als een uitgedroogde rivierbedding – ze was zo exotisch als een brandkraan en had ongeveer dezelfde vorm – en zich lang niet zo veel zorgen had gemaakt dat ze hem daar druipend van het zweet had kunnen zien zitten. In ieder geval bleek dat hij het bij het rechte eind had:

'Die wijdverbreide misvatting is dat harde werkers een rommelig bureau hebben.'

'Zet het maar uit je hoofd dat het jullie taak is zo veel mogelijk informatie te verzamelen en te verwerken.'

'In feite is de rommel en de wanorde op het linkerbureau te wijten aan een teveel aan informatie.'

'Rommel is informatie zonder waarde.'

'Een bureau ruim je op om de nuttige informatie te scheiden van de waardeloze informatie.'

'Wie kan het wat schelen welke wikkel van welke chocoladereep er op welk formulier ligt? Wie kan het wat schelen welke half verfrommelde memo er tussen twee bladzijden van een stellingname steekt die betrekking heeft op een dossier van drie dagen geleden?'

'Informatie is niet per se goed, hou dat in je achterhoofd.'

'Alleen bepaalde informatie is goed.'

'En *bepaalde* wil zeggen *sommige*, niet dat de waarheid ervan al is vastgesteld.'

'Ieder dossier dat je bij Routine controleert zal een spervuur aan informatie bevatten,' zei de assistent van Personeelszaken, met zo'n zware klemtoon op *sper* dat Sylvanshines oogleden ervan gingen knipperen.

'In zekere zin is het jullie taak er bij ieder dossier voor te zorgen dat de waardevolle, relevante informatie wordt gescheiden van de irrelevante informatie.'

'En daar heb je criteria voor nodig.'

'Een procedure.'

'Een procedure om informatie te verwerken.'

'Daar zijn jullie voor aangenomen: gegevensverwerking.'

De volgende dia op het scherm toonde een woord uit een vreemde taal ofwel een zeer complex acroniem, met alle letters zowel vetgedrukt als onderstreept.

'Verschillende groepen en teams binnen die groepen krijgen allemaal lichtjes afwijkende criteria die als leidraad kunnen dienen tijdens jullie zoektocht naar relevante informatie.'

De assistent van Personeelszaken bladerde door zijn geplastificeerde draaiboek.

'Eigenlijk is er nog een voorbeeld van dat informatiegedoe.'

'Ze hebben het onderhand wel begrepen.' De IC draaide haar ene voet soms loodrecht op de richting van haar andere been om er vervolgens driftig mee op de grond te tikken en zo haar ongeduld te uiten.

'Maar het komt direct na die bureaus.'

'Dat spel kaarten, bedoel je?'

'De rij voor de kassa.'

Ze leken te denken dat hun microfoons uit stonden.

'Jezus.'

'Wie wil er nog een voorbeeld horen over het onderscheid tussen informatie verzamelen en informatie *verwerken*?'

Cusk blaakte van zelfvertrouwen, wat vaak het geval was als zijn zenuwstelsel na een reeks aanvallen leek te zijn uitgeput en nauwelijks nog vatbaar was voor prikkels. Hij had het gevoel dat het helemaal geen ramp zou zijn geweest als hij zijn hand had opgestoken en een bij nader inzien fout antwoord had gegeven. 'Kan mij het schelen,' dacht hij. Dat had hij wel vaker als hij zich tiptop voelde en immuun voor een aanval. Twee keer had hij in zo'n extraverte, overmoedige en hidrotisch gezien veilige bui een afspraakje versierd, maar in beide gevallen was hij niet komen opdagen en had hij niets meer van zich laten horen. Hij overwoog zelfs zich om te draaien en zelfverzekerd iets flirterigs tegen het geurige Belgische bikinimodel te zeggen – nu hij opleefde, wilde hij opeens graag in de belangstelling staan.

Op zijn achtste kreeg Sylvanshine gegevens binnen over zijn vaders leverenzymen en een voortschrijdende corticale atrofie, maar hij wist niet wat die gegevens betekenden.

'Daar sta je dan, in de supermarkt, terwijl je boodschappen worden opgeteld. Vanzelfsprekend is ieder product afzonderlijk geprijsd. Vaak zit er een prijssticker op het product, maar soms staat op de verpakking in een hoekje ook de prijs voor de groothandel vermeld, in code – daar zullen we het een andere keer nog over hebben. De caissière voert de prijs van alle boodschappen in, telt alles op, berekent de omzetbelasting – geen progressieve belasting, dit is een actueel voorbeeld – en komt uit op een totaalbedrag, dat je vervolgens betaalt. De vraag is dan wat er meer informatie bevat: het totaalbedrag of de optelsom van de tien afzonderlijke producten – aangenomen dat er in het voorbeeld tien producten in het winkelwagentje lagen. Het antwoord luidt natuurlijk dat het overzicht met alle afzonderlijke prijzen veel meer informatie bevat dan dat ene getal van het totaalbedrag. Maar waar het om gaat is dat die informatie grotendeels irrelevant is. Als je iedere aankoop apart zou betalen, is het natuurlijk een ander verhaal. Maar dat is hoogst ongebruikelijk. De afzonderlijke informatie van iedere prijs afzonderlijk is alleen van belang in de context van het totaalbedrag; in feite is de caissière bezig informatie weg te filteren. Jij komt aanzetten met een overvloed aan informatie, en de caissière verwerkt die aan de hand van een standaardprocedure tot een nuttig stukje informatie – het totaalbedrag, plus de btw.'

'Alleen leken geloven dat informatie iets goeds is, dat hoe meer informatie er is, hoe beter. Een telefoonboek bevat een bult informatie, maar als je iemands nummer zoekt, zit 99,9 procent van die informatie je alleen maar in de weg.'

'Informatie op zich is niet meer dan een maatstaf voor wanorde.' Sylvanshines hoofd veerde omhoog.

'Het doel van een procedure is de informatie in een dossier te verwerken en te reduceren tot louter die informatie die nuttig is.'

'Daarnaast is het zaak om je tijd zo efficiënt mogelijk te gebruiken. Je zult namelijk niet aan elk dossier evenveel tijd kunnen besteden. Het is de bedoeling dat je de meeste tijd spendeert aan dossiers die zo te zien de hoogste netto-opbrengst beloven.'

'Netto-opbrengst, zo noemen we de opbrengst van een audit na aftrek van de kosten van die audit.'

'Het Plan bepaalt dat controleurs geëvalueerd worden op basis van zowel de som van de netto-opbrengsten als de ratio tussen de som van de netto-opbrengsten en de totale kostprijs van de extra audits. De minst gunstige score telt.'

'Die ratio is er om te verhinderen dat een of andere oelewapper het in zijn hoofd haalt bij elk dossier dat op zijn Tingle belandt een Memo 20 in te vullen in de hoop op die manier zijn netto-opbrengst op te krikken.' Cusk bedacht dat een controleur die nooit een Memo 20 invulde tot een ratio van 0/0 zou komen, wat oneindig is. Maar zijn netto-opbrengst zou eveneens 0 bedragen.

'Het doel is erin gelegen procedures te ontwikkelen en te implementeren waardoor jullie zo snel mogelijk kunnen inschatten of een bepaald dossier een grondigere controle verdient of niet –'

'– en een dergelijke controle is ook onderworpen aan bepaalde procedures of één bepaalde procedure, in combinatie met jullie eigen creativiteit en goede neus voor rotte appels –'

'– al moeten jullie aan het begin van je loopbaan nog ervaring opdoen en je talenten ontwikkelen, zodat jullie in het begin vaak zullen terugvallen op procedures die hun deugdelijkheid al bewezen hebben –'

'– veel van die procedures verschillen overigens per groep of per team.'

'Inconsistenties in de Centrale Dossiers, om maar één ding te noemen. Dat is nogal wiedes. Een discrepantie tussen een W-2 bij een 1099 en het gedeclareerde inkomen. Een discrepantie tussen het aanslagbiljet van de belasting in de verschillende staten en een 1040 –'

'Maar hoe hoog mag die zijn? Onder welke drempel laat je een inconsistentie ongemoeid?'

'Allemaal voorbeelden van zaken die tijdens jullie groepsinformatiesessie aan bod zullen komen.'

Sylvanshine wist inmiddels dat twee afzonderlijke paren nieuwe wiegelaars buiten hun weten familie van elkaar waren, waarvan één paar door een affaire vijf generaties geleden in Utrecht.

David Cusk voelde zich nu zo onbevreesd en op zijn gemak dat hij er bijna slaperig van werd. Soms werd het samenspel van de twee instructeurs ritmisch en vloeiend, wat een sussende en kalmerende uitwerking op hem had. Cusks staartbeen voelde een heel klein beetje verdoofd aan doordat hij wat onderuitgezakt op zijn stoel had gezeten met zijn elleboog nonchalant op het uitklapbare schrijfblad; over het hete lampje maakte hij zich al even weinig zorgen als over een weerbericht voor ergens ver weg.

'Wie heeft er een ongewoon laag inkomen of een hogere totale belastingaftrek in vergelijking met voorgaande jaren? Om maar een paar voorbeelden te noemen.'

'En heel belangrijk: wie heeft er in de laatste vijf jaar een succesvolle audit gehad? Op sommige uitdraaien uit Martinsburg staat dat vermeld, maar niet op allemaal.'

'– Soms is het nodig aanvullende gegevens op te vragen uit de Centrale Dossiers.'

'Maar neem daarbij de nodige zelfdiscipline in acht. Kom niet in de verleiding te denken dat je altijd méér informatie nodig hebt. Je kunt erin verzuipen.'

'En er zijn kosten aan verbonden.'

'Je dossierbode en jij moeten goede maatjes worden. De dossierbode is de S-7 die de schakel vormt tussen de controleurs en de vleugel van de Afdeling Techniek, waar gegevensverwerkers extra informatie kun-

nen opvragen uit de Centrale Dossiers, als jij een Gegevensaanvraag-
formulier DR-104 hebt ingevuld.'

'Ze brengen overigens niet alleen dossiers rond. "Dossierbode" is
de historische functieomschrijving.'

'Zij zijn het die de dossiers in omloop houden, met name de afge-
ronde dossiers die jij in het bakje In van je Tingle hebt gelegd.'

'Maar ze brengen geen drankjes en doen geen boodschappen.'

Cusk overwoog de mogelijke voordelen van een loopbaan als dossierbode ingeval zijn werk als controleur te vaak een aanval zou uitlokken of als het te moeilijk zou blijken om de ruimte te verlaten. Het
klonk alsof die bodes haast voortdurend in beweging waren, en voortdurend in beweging betekende voortdurend de gelegenheid om snel
even het toilet binnen te lopen om te kijken of hij niet te veel zweette
en eventueel het zweet van zijn voorhoofd te wissen. Anderzijds verdiende een S-7 waarschijnlijk ook een stuk minder. Het licht gorge-
lende geluid dat Cusk om de vijf minuten ergens achter zich hoorde
was afkomstig van de oogdruppels die automatisch uit Toni Wares bril
spoten.

'Tijdens de groeps- en teaminformatiesessies krijgen jullie de gelegenheid om kennis te maken met de dossierbode van jullie groep of
team.'

'Andere voorbeelden: wie is er werkzaam in een sector waar veel
contant geld in omgaat?'

'Wie heeft er opvallend veel giften aan goede doelen afgetrokken
in vergelijking met het gemiddelde van zijn inkomenssegment?'

'Wie gaat er scheiden? De redenen hiervoor zullen jullie wel horen
als dat voor je groep relevant is, maar bij een audit leveren scheidingen
vaak een buitengewoon hoge netto-opbrengst op.'

'Deels omdat er dan eigendommen te gelde gemaakt worden, deels
omdat de hele situatie vaak al duidelijk wordt door de scheidingspro-
cedure en we bij een audit zonder veel tijd en moeite – en dus kosten –
een verborgen inkomen op het spoor kunnen komen.'

'Wie heeft er uitzonderlijk hoge afschrijvingen die eigenlijk over
een langere periode geamortiseerd hadden moeten worden? Meer dan
40 procent van alle versnelde afschrijvingen op 1040's blijkt tijdens een
audit onwettig of toch minstens discutabel.'

'Om maar een paar kleine, willekeurige voorbeelden van mogelijke
criteria te noemen.'

'Het is onmogelijk om ze allemaal mee te nemen, want dan krijg je je dossiers niet snel genoeg rond.'

'Sommige teams vragen voor elk nieuw dossier de aangiften op van de afgelopen twee jaar. Een intervalcontrole heet dat. Dat is bedoeld om grote schommelingen in het inkomen of pieken in de belastingaftrek op te sporen.'

'Intuïtie speelt hier zeker een rol. Soms voel je gewoon nattigheid. Dan is het verdedigbaar om meer tijd aan een dossier te besteden.'

'Dat is het grote voordeel van menselijke controleurs. Intuïtie, creativiteit.'

'Je hebt er bij die de rotte appels er zo uit halen.'

'De netto-opbrengst die echt grote controleurs draaien – een paar van hen zijn zelfs werkzaam in dit Filiaal – is echt niet terug te voeren op louter giswerk.'

'Een rotte appel die de moeite loont.'

§28

Het personeel van de IRS in 10 wetten

Alle S-9-controleurs willen S-11-controleur worden. Alle S-11-controleurs willen auditeur worden. Iedereen bij Invordering wil bij de CID. Alle auditeurs willen Geschillencommissaris of Supervisor worden. Alle Supervisors willen Groepsmanager worden. Iedereen bij CID wil eigenlijk om het even wat worden, als er maar geen observaties aan te pas komen. Sommige Geschillencommissarissen willen Groepsmanager worden. Alle Groepsmanagers willen Plaatsvervangend Districtshoofd worden, of anders dromen ze ervan opnieuw controleur te zijn, in je eentje aan een bureau en niemand die je lastigvalt. Alle Plaatsvervangende Districtshoofden willen Districtshoofd worden – voor degenen die zeggen van niet moet je uitkijken. Sommige Districtshoofden willen Directeur van een RCC of een ROK of Regiocommissaris worden, maar dat zijn allemaal politieke benoemingen, en het beste wat een Districtshoofd kan doen is de outputcijfers van zijn district zo gunstig mogelijk voor het voetlicht brengen en hopen dat iemand dat opmerkt. Output is de verhouding tussen de geïnde belastingen en de onkosten van het district. Het is de nettowinst van het district. Volgens de PDH's, die rond het DH cirkelen en azen op zijn baan, is de regel heel simpel: presteren of creperen; output of vergeetput; innen of elders beginnen. En elders beginnen komt bijna altijd neer op detachering naar een of ander godvergeten gat.

§29

'Ik kan je maar één verhaal over stront vertellen. Maar het is wel een knaller.'

'Waarom stront?'

'Weet je wat het is met stront? We vinden het walgelijk, maar ook fascinerend.'

'Nou, zo fascinerend vind ik het niet.'

'Het is als kijken naar een autowrak, je kunt je ogen er niet van af-houden.'

'Mijn juffrouw in de vierde klas had geen wimpers. Juffrouw din-ges.'

'Ik bedoel: ik zit me hier ook te vervelen, maar waarom stront?'

'Mijn vroegste herinnering aan stront is hondenstront. Weet je nog, als kind, hoe alomtegenwoordig en dreigend hondenstront was? Er leek wel overal stront te liggen. Elke keer dat je buiten speelde trapte er wel iemand in, waarop alles stilviel en iedereen zoiets had van: "Oké, wie is er ingetrapt?" En dan moest je allemaal je schoenen controleren, en reken maar dat iemand het dan onder zijn schoen had zitten.'

'In de zool, in het profiel gesmeerd.'

'Dat schraap je er van zijn leven niet af.'

'Verse was nat, geel en verschrikkelijk. Ver-schrik-ke-lijk. Maar ou-de drong dieper in de zool. Je moest je schoenen wegzetten tot het was opgedroogd en pas dan kon je proberen het profiel uit te schrapen met een stokje of een roestig oud mes uit de garage.'

'Hoe laat is het?'

'Hoe moeten we hier nu iets door zien? Er kan zo iemand langslopen.'

'Maar je kreeg het er nooit helemaal uit, hoe je ook schraapte. Je kon hoogstens nog proberen de zool onder de kraan te houden om het nat te maken en er dan de rest proberen uit te schrapen.'

'In de garage lagen altijd oude botermessen en koffieblikken vol schroeven en spijkers en van die kleine metalen dingetjes waar niemand van wist waar ze eigenlijk voor dienden.'

'En wie het onder zijn schoen had zitten, en dat werd ontdekt, die verwierf een vreselijk soort macht.'

'Niemand wilde nog iets met hem te maken hebben tot hij het eraf had gekregen.'

'Onmiddellijk het haasje. Een paria.'

'Alsof het iemands fout was als je samen football speelde of pauze had of zo en er eentje de botte pech had om erin te trappen. Dan was hij opeens niet in de stront getrapt, maar zelf zowat stront *geworden*.'

'Zo gemeen gaat het er wel aan toe bij zo'n groep kinderen, op elk moment kun je het doelwit worden, iedereen is constant aan het vechten voor zijn plaats – de ene keer doe jij gemeen tegen iemand, de andere keer ben jij het slachtoffer en doet iemand anders gemeen tegen jou.'

'En niets zo erg als in je broek plassen of poepen onder het honkbal of blikjesvoetbal of weet ik veel wat, door de spanning of omdat je het spel voor geen seconde wil missen, want meteen word je door iedereen uitgejouwd en belachelijk gemaakt. En zo bleef je altijd die jongen die het in zijn broek deed onder het blikjesvoetbal, en er waren maar een paar tackles nodig of iedereen wist dat jij het was, en ook jaren later nog, zelfs op je schoolbal, wist iedereen dat jij dat joch was dat in 1961 in zijn broek had gescheten.'

Niemand zei iets. Het enige geluid was dat van de draaiende spoelen. Door de mist zagen de straatlantaarns er spookachtig uit. Dit was het vierde uur van de derde ploeg in een CID-surveililanceopdracht gericht op Fleur de Coin in Peoria. Er stond geen wind; de mist hing daar maar.

'Maar een vreselijke macht ook die je als kind had, als je stront aan je had zitten – je was dan wel het haasje, maar je kon anderen wegjagen door op ze af te lopen met dat deel van je waar stront op zat; gillend renden ze dan voor je weg.'

De twee agenten die wat jonger waren hadden hun opgevouwen zonnebril met één poot vastgeklemd aan de hals van hun overhemd.

'Dat kinderen zo geobsedeerd zijn door stront en hondenstront en stront aan je hebben zitten zal wel te maken hebben met hun zindelijkheidstraining en hun eigen peutertijd, die ze op die leeftijd nog maar pas achter de rug hebben.'

'Het zou ook de derde klas geweest kunnen zijn. Het duurde wel even voor we doorhadden waarom haar ogen er zo varkensachtig uitzagen. Geen wimpers. Ze had wel haar, op haar hoofd en wenkbrauwen, maar haar ogen waren varkensachtig en wimperloos en blauw.'

Tussen elke opmerking verstreken er soms wel twee minuten. Het was 2.10 uur en zelfs de kleine bewegingen van de agenten oogden loom en verzopen.

'En nu we het er toch over hebben, weet je nog op de middelbare school, als de jongens bij elkaar stonden, dat het er dan altijd op uitdraaide dat je elkaars moeder ging beledigen en dat je dan zei dat je seks met hun moeder had gehad en dat ze er niets van bakte maar er maar geen genoeg van kon krijgen? Waar ging dat nou helemaal over volgens jullie? Zodra we aan het puberen sloegen werd de seksualiteit van onze moeders opeens een punt.'

'Mijn strontverhaal dus. Verstoppertje aan het spelen met een bende kinderen uit de buurt, het schemert. Ik ren naar de buut, struikel over een paar decoratieve houtblokken waar iemand zijn oprit mee heeft afgezoomd en vlieg door de lucht, met mijn handen naar voren om de klap op te vangen; moet jij raden wat er gebeurt.'

'Nee.'

'Toch wel. Met twee handen vol in een grote, verse, dampende gele drol; de geur zit nu nog in mijn neus.'

'Jezus, niet eens aan je schoenen. Aan je handen. Je blote huid.'

'En hoe. Ik heb een stuk of tien levendige herinneringen aan mijn vroegste kindertijd die in mijn geheugen gegrift staan, en dit is er een van. Het gevoel, de kleur, de kledderigheid, de opstijgende stank. Ik schreeuwde, krijste, en iedereen komt natuurlijk aanrennen, maar zodra ze het zien beginnen ze zelf te schreeuwen, keren om en rennen bij me vandaan, en ik huilend en brullend als een soort verschrikkelijk strontmonster achter ze aan, en ik voel me walgelijk goor, maar ergens vanbinnen ga ik ook helemaal op in mijn rol als monster, want het komt door mij dat ze schreeuwen van angst en naar huis sprinten waar

juist de verandalampen beginnen te branden en de kleine namaak-
lampjes langs de inrit aansprongen op de automatische timer; dat uur
van de dag is het.'

'En vooral: je handen zijn nauw verbonden met je eigen gevoel van
identiteit, van wie je bent, wat het allemaal nog erger maakt. Qua nabijheid misschien alleen nog overtroffen door je gezicht.'

'Op mijn gezicht zat geen stront. Ik hield mijn armen recht voor
me uitgestrekt om mijn handen zo ver als menselijk mogelijk was van
me af te houden.'

'Daardoor zag je er natuurlijk nog monsterlijker uit. Monsters houden bijna altijd hun armen voor zich uitgestrekt als ze je achtervolgen.
Ik zou het als een gek op een lopen hebben gezet.'

'En of ze liepen. Ik herinner me dat ik het aan de ene kant net als
zij uitschreeuwde van angst, maar dat ik aan de andere kant brulde als
een monster en er eerst eentje achternazat en daarna als het ware de
aanval afbrak om achter een ander aan te gaan. Er zaten cicaden in de
bomen en die krijsten allemaal in hetzelfde ritme, en ergens speelde
een radio door een open raam. Ik herinner me de stank die opsteeg
van mijn handen en dat die handen er niet meer uitzagen als mijn eigen
handen en dat ik zoiets had van hoe krijg ik dadelijk de deur open zonder die smerig te maken, zelfs als ik aanbelde. Er zou stront op de
deurbel van mijn ouders komen te zitten.'

'Wat heb je toen gedaan?'

'Jezus, en je *ma*? Begon ze te schreeuwen? En jij, stond je daar buiten
te blèren en tegen de deur te trappen? Probeerde je met je elleboog
op de bel te drukken?'

'Ons huis had een klopper. Ik zou echt behoorlijk de lul geweest
zijn.'

'Tien tegen één dat sommige andere kinderen thuis door een kier
in de gordijnen van de woonkamer toekeken hoe jij met uitgestrekte
handen als een kermende Frankenstein van huis tot huis waggelde.'

'Het is niet bepaald een schoen die je zomaar even uit kunt trekken.'

'Ik heb ook een verhaal over stront, maar mooi is het niet.'

'Dat herinner ik me niet meer. De herinnering stopt bij de stront
en mijn handen en dat ik iedereen achternazit, wat raar is, want tot op
dat moment herinner ik het me allemaal heel gedetailleerd. Daar
houdt het opeens op, en ik heb geen idee wat er daarna gebeurd is.'

'Ik neem aan dat ik nog niet heb verteld over dat stel rare gasten waar ik op Bradley mee optrok en hoe we in ons eerste jaar het bizarre idee hadden om bij andere studenten in hun kamer binnen te vallen en ze vast te houden terwijl Dikke Marcus de Woekeraar op hun gezicht ging zitten.'

'Dat zou ik vast wel hebben onthouden.'

'Het was op Bradley; ik hoef jullie niet te zeggen welke van de pot gerukte stunts je dan uithaalt. We waren met zijn vijven of zessen. Het hele stompzinnige idee was begonnen als een soort traditie om rond vier uur 's ochtends de gangen van de eerstejaarsflats af te struinen naar een deur die niet op slot zat en daar met zijn allen binnen te stormen en de vent in dat bed vast te grijpen, waarop Dikke Marcus de Woekeraar dan zijn broek op zijn knieën liet zakken en op zijn gezicht ging zitten.'

'...'

'Gewoon zomaar, dat vonden we hilarisch.'

'Dikke Marcus de Woekeraar?'

'Een boom van een vent uit de buitenwijken van Chicago. Had altijd geld op zak en te leen. Je rekening hield hij bij in een speciaal kasboekje. Een heel zorgvuldige boekhouder, hij kon zonder rekenmachine op de dag af de samengestelde interest berekenen. Nooit gewoon Dikke Marcus, altijd "de Woekeraar". Het was een Jood, maar ik denk niet dat dat er iets mee te maken had. Het was zijn manier om zijn studie te bekostigen, nadat zijn ouders de geldkraan hadden dichtgedraaid – het was niet zijn eerste universiteit, maar ik kan me zijn achtergrond niet meer zo goed herinneren.'

'Waarom ging hij op hun gezicht zitten?'

'Het bizarre was juist de charme ervan. Meer kan ik daar niet over zeggen. Het was gewoon iets waar we op een gegeven moment mee begonnen waren. Het voelt al raar als ik bedenk hoe ik het zou kunnen beschrijven.'

'En hoe reageerde die vent in zijn bed?'

'Nou, die was in ieder geval niet al te happy, wees daar maar zeker van. Het ging allemaal razendsnel: we stormden binnen en hadden hem al vast nog voor hij de tijd had wakker te worden. We grepen allemaal een arm of een been en Dikke Marcus de Woekeraar trok retesnel zijn broek naar beneden en ging op het gezicht van die vent zitten, net zo lang tot die gozer net niet stikte. Daarna gingen we er even snel vandoor als we gekomen waren. Dat was namelijk de clou, dat die gast waarschijnlijk niet eens wist of het allemaal echt was of een nacht- merrie of Joost mag weten wat.'

Ze waren niet ver van de Sticky; de mist kwam als een storm opzet- ten vanaf de rivier. Zelfs de lucht zette zich schrap. Twee rimborstige oudere dames tuurden door het raam van de muntenwinkel.

Ze hadden allemaal zo hun hebbelijkheden, waar misschien alleen Hurd, de nieuweling, zich volledig van bewust was. Inspecteur Lumm pelde tijdens surveillances gewoonlijk met zijn voortanden afwezig en uitdrukkingsloos kleine stukjes dode huid van zijn lip en legde die ver- volgens op het puntje van zijn tong om ze zachtjes uit zijn mond te blazen, zodat ze ergens uit het zicht belandden. Hurd kon zien dat hij er zich totaal niet van bewust was. Gaines knipperde traag, op een fos- siele, gedachteloze manier met zijn ogen, wat Hurd deed denken aan een hagedis op een rots die niet heet genoeg voor hem was. Todd Mil- ler droeg een ribfluwelen jas met een kraag van schapenwol en ver- frommelde steeds opnieuw zijn linkermouw; Bondurant staarde naar een punt tussen zijn schoenen, alsof daar, op de vloermat van het busje, een afgrond lag. Hurd stond ervan te kijken dat niemand rookte. Zelf was hij een complete postordercatalogus van tics en zenuwtrekken.

Een aspirant-inspecteur, die zijn zonnebril aan de hals van zijn over- hemd had hangen, droeg Dr. Martens-kistjes met twaalf vetergaten, die Hurd al meermaals had geteld.

'Hoe kreeg Marcus de Woekeraar zijn broek weer omhoog terwijl jullie allemaal naar buiten renden?'

Er viel een lange stilte waarin Bondurant Gaines aanstaarde alsof hij op de luchtplaats van een gevangenis stond. Gaines zei: 'Heb je wel eens geprobeerd je aan te kleden als je aan het rennen bent? Dat is niet te doen.'

'Die vent dacht vast dat het een droom was, tot hij opstond om zich te scheren en zijn platgedrukte neus en de afdruk van een enorme reet op zijn gezicht zag.'

'Schreeuwde hij?'

'Op een soort gesmoorde manier schreeuwden ze allemaal. Natuur- lijk schreeuwden ze. Maar het punt was dat de oorzaak van hun schreeuw die schreeuw ook smoorde.'

'Een vette mannenreet die vol op hun gezicht landde.'

'Snelheid en stilte waren essentieel voor de hele operatie, wat belangrijk was, want het ging tenslotte om inbraak en een soort aanranding, en Dikke Marcus was al minstens één keer van een universiteit gestuurd, en niemand van ons was om het zo te zeggen goede maatjes met de decaan, en laten we niet vergeten dat het 1971 was en dat de rekruteringsdienst zowat bij de poort stond om je op te wachten als je eraf getrapt werd.'

'Zo kwam Bondurant dus in de oorlog terecht. In Vietnam.'

'Hé eikel, ik was G-2-boekhouder in Saigon. Dat ligt niet bepaald in fucking Vietnam.'

'Maar je zegt dus dat je daarom bent opgeroepen? Omdat je eerstejaars hebt aangerand met de reet van een dikke Jood?'

'Ik zeg alleen maar dat dat op een gegeven moment gewoon gebeurde, en dat we daarna wel vaker zulke expedities ondernamen in de gangen van de lagerejaars, met aanhoudend operationeel succes – tot de dag dat we voor de open deur stonden van een zekere *Diablo*, een gast die iedereen Diablo de Linkshandige Surrealist noemde, een compleet verknipte Puerto Ricaanse muurschilder met een studiebeurs uit Indianapolis die, om je een beeld te geven, zijn studentenbaantje in de mensa kwijtraakte toen hij op een dag kwam werken onder invloed van – zo was ons sterke vermoeden – lsd, en alle plaatsen dekte met alleen maar messen, een jongen die visioenen had en van die grillige, katholieke, fluorescerende muurschilderingen maakte op de muren van de loodsen langs de rivier, een compleet gestoorde gast – Diablo de Linkshandige Surrealist.'

'Heette er bij jullie op de universiteit niemand gewoon Joe of Bill?'

'Met wie bijna nooit iemand een geintje uithaalde, want hij was zo lijp als een looien deur, dat kutlatinootje van nog geen vijftig kilo uit een of andere *barrio* in Indianapolis, maar onderhand was die hele operatie van ons een goed geoliede machine afgesteld op topsnelheid, waar dan nog bij komt dat niemand hem herkende, tot we allemaal naar binnen waren gestormd en onze positie hadden ingenomen rond het bed. Ik herinner me dat ik zijn linkerenkel vasthield, en dat Dikke Marcus op het bed was geklommen en zijn riem losmaakte en zijn voeten aan beide kanten zette van waar normaal gesproken het kussen zich bevond, maar deze gozer gebruikte geen kussen, zelfs geen lakens of hoeslakens; het was gewoon zo'n gestreepte campusmatras.'

De enige echt dikke persoon die Gestine Hurd ooit had gekend was een S-9 bij Speciale Controle die zich de volle twee jaar dat Hurd hem had meegemaakt op het Filiaal in Oneida uitsluitend had beziggehouden met het doorlichten van een firma uit Oneida zelf die zo klein en gespecialiseerd was dat er alleen de ribkartonnen tussenschotjes gefabriceerd werden bestemd voor de dozen om een bepaald type kleine gloeilamp bestemd voor de koperen armatuurtjes die je vastklikt op de bovenlijst van het soort schilderijen dat je vaak in nostalgische interieurs en countryrestaurants aantreft in te verzenden.

'We hadden toen al onraad moeten ruiken, plus dan nog het feit dat Diablo de Linkshandige Surrealist al wakker leek toen we zijn kamer binnenvielen, maar niet rechtop ging zitten of gilde of in zijn ogen wreef of om zich heen sloeg of zich verzette toen we allemaal binnenvielen en iedereen een arm of een been vastgreep en Dikke Marcus de Woekeraar zich op het bed hees en zijn gargantueske witte reet op zijn gezicht liet zakken; hij lag daar maar, doodkalm, met zijn leep glinsterende en compleet gestoorde latino-oogjes. Je wil niet weten hoe het er daar uitzag, wat er allemaal aan de muur hing. Als onze operatie wat minder surreëel en snel was geweest, als we een beetje op de kamer of de uitdrukking op het gezicht van die gast op die matras hadden gelet, hadden we nog kunnen stoppen en opbreken en dan was ons een hoop ellende bespaard gebleven, dan hadden we op de universiteit kunnen blijven en hadden we niet een jaar in fucking Saigon hoeven zitten om er te leren hoe je rekwisities bijboekt. Iets wat ik een hond nog niet zou toewensen.'

De spoelen draaiden langzaam rond en maakten een licht sissend geluid, in drievoud. De uitdrukking op het gezicht van de IRS-inspecteurs was die van een groep welpen bij de scouts tijdens een avondje kampvuurverhalen. Een korte jengel in de tape verbonden met de microfoon in de ingang ging onopgemerkt voorbij.

'Hij wachtte tot de reet van Dikke Marcus de Woekeraar vlak boven zijn ogen hing en zijn gezicht al raakte, maar er nog niet met zijn volle gewicht op rustte, en toen veerde hij omhoog en beet in Dikke Marcus zijn reet. En ik heb het hier niet over een liefdesbeet, maar over een complete rij voortanden die zich als een dobermann frontaal in de bilronding van Marcus' reet groeven, zodat ik helemaal vanaf zijn enkel het bloed van de Surrealist zijn kin kon zien druipen en zag hoe de reet van Dikke Marcus de Woekeraar zich spande terwijl hij terugdeinsde en een gil slaakte waar de ruiten van trilden en waardoor de twee kerels bij Diablo de Linkshandige Surrealist zijn schouders van de schrik tegen de rij oogloze maskers aan vielen die die kleine kutla-tino aan zijn muur had hangen en die allemaal met een hels kabaal naar beneden lazerden, en ik zag het afschuwelijke beeld van die on-voorstelbaar zwaarlijvige kerel die omhoog- en achteruitdeinsde en met zijn hele gewicht zijn reet uit de tanden van Diablo de Linkshan-dige Surrealist probeerde te bevrijden, die, mijne heren, het gewoon vertikte om los te laten, die gast was gewoon een gilamonster, ook toen Dikke Marcus zijn beide handen in zijn neusgaten wrong om hem van zijn reet af te krijgen; en het was uiteindelijk Dikke Marcus' grootste spitsbroeder, Marvin "Spitsbroeder" Flotkoetter, die naar voren boog en zijn tanden in het oor en de wang van Diablo de Linkshandige Sur-realist zette, in een ultieme poging hem los te laten laten, en hij en Diablo waren allebei aan het grommen en Diablo schudde met zijn hoofd en probeerde zo, terwijl er bloed uit zijn neus en zijn oor kwam, een grote hap bil van de reet van Dikke Marcus te scheuren, waarna het bloed met slagaderlijke kracht in alle richtingen uit de reet van Dikke Marcus spoot, op de matras en op zijn broek, en van de angst en de pijn moest Dikke Marcus toen schijten, en zijn geschreeuw lokte iedereen in pyjama en ondergoed met puistencrème en nachtbeugels en al naar de deur die nog openstond, en wat ze daar te zien kregen was iets wat achteraf moet hebben geleken, al besefte niemand van ons dat op dat moment, op een soortement uit de hand gelopen groeps- of gevangenisverkrachting.'

§30

'Het plaatsvervangend DH is zo'n man-van-het-volk-type. Maar wel een mannetje van Glendenning, zeker weten. 907313433, een S-13 met een volledige CPA-licentie en negen jaar op de teller, die Sheehan. Voordat hij afstudeerde was hij auditeur in District 10 in Chicago. Daarna samen met Glendenning overgekomen. Knapt voor Glendenning het vuile werk op, maar is met iedereen dikke maatjes, een en al glimlach en altijd even-goede-vrienden, maar met ogen die dwars door je heen kijken. Banden met Intern Toezicht. Niet erg geliefd. En een echte modepop. Linea recta overgeflitst uit de jaren 70, zou je denken. Een hippe vogel, een echte *mod*.'

Even klonk het geluid van Reynolds die met iets anders bezig was.

'Met bakkebaarden, olifantenpijpen, een vaalblauw werkmanshemd. En zo'n leren halsvetertje. Alles erop en eraan.'

'Je kunt ons de *GQ* besparen hoor, Claude.'

'Op-en-top een mannetje van Glendenning. Maar op zich wel een capabel PDH. Prestatie-evaluaties altijd boven de 8. Geen enkele 7. In '77 na een promotieronde van het Bevorderingscollege ingeschaald als S-11; Glendenning had daar geen hand in. Maar absoluut een mannetje van Glendenning.'

'Dus er staat ons nog wat te wachten?'

'Hij is een uitvoerder. Beheer was zijn eigen keuze; hij heeft er zelf naar gesolliciteerd. Als iets langs de geijkte paden van boven komt, zal hij niet gaan dwarsliggen. Maar helpen zal hij je evenmin. Hij implementeert.'

'Dus als ik het goed begrijp heeft Glendenning in 047 mannetjes te over.' De wat stijgende en afgeknepen intonatie deed vermoeden dat Reynolds zijn das aan het knopen was.

'Glendenning kan op veel steun rekenen bij de Groepsmanagers. Misschien dat Rosebury en Danmeyer van Controle en Kwartaalaangiften samen met hem overgekomen zijn, want ze waren op hetzelfde moment in Syracuse, maar de rest was hier al vóór Glendenning eruit getrapt werd. En het is nog altijd niet duidelijk in hoeverre die steun oprecht is en niet gewoon opportunistisch, al zou dat een goede graadmeter zijn om in te schatten tot waar Glendennings tentakels in 047 precies reiken. Van niemand een kwaad woord over hem, zelfs niet in de wandelgangen. Wat natuurlijk van alles kan betekenen.'

'Je hoeft ons niet te vertellen wat dat allemaal te betekenen heeft' – zonder blikken of blozen. Op Reynolds' grote grijze Motorola was de kinhouder van een viool gesoldeerd, zodat hij die tussen zijn kin en zijn hals kon klemmen en zijn handen vrij had, maar als Sylvanshine dat met zijn eigen toestel probeerde, viel het ding op de grond kapot zodra hij uit verstrooidheid zijn hoofd verkeerd hield, waarna hij een tijd zoet was met uit te zoeken hoe hij zijn vierde telefoon in een jaar tijd kon aanvragen, of hij kreeg er stekende pijn van ergens in de buurt van zijn schouderblad. Hij hield een gewone druktoetstelefoon in zijn ene hand en beet stukjes dode huid van de rand van zijn duimnagel terwijl hij op zijn klembord vellen papieren omsloeg.

'Geloof het of niet, maar Chaney heeft in haar kantoor een foto van haar en Glendenning aan de muur hangen.'

'Chaney.'

'Julia Drutt Chaney, vierenveertig, S-10, 952678315, hoofd Beheerszaken voor 047B in heel het complex. Enorm stevige vrouw. Fors geval. Van het kaliber Stanton in Philadelphia, als je je haar nog herinnert. Altijd in een soepjurk. Als ze over dat binnenplein komt aanzetten zou je zweren dat er een heel theekransje in dat ene kledingstuk geperst zit. Bolle rode wangen. Maar een gehaaide tante, met een presentatie-ev –'

'Het enige wat ons in 047B interesseert is Audits, en dat dan nog alleen maar zijdelings.' Sylvanshine probeerde zich de naam van zijn lerares uit de tweede klas te herinneren, de laatste schakel van een lange keten loze gedachten waarvan hij de tussenliggende al niet meer wist, maar die begonnen was met de slinkse manier waarop Reynolds

erin was geslaagd een paar weken langer in Washington en Martinsburg te blijven en bij Mel Lehrl de vinger aan de pols te houden door
aan te bieden de eerste verslagen van Sylvanshine te analyseren en ze
voor Lehrl tot relevante feitenpatronen terug te brengen, voordat hij
uiteindelijk, als al zijn machinaties zouden zijn uitgeput, Claude op
deze afschuwelijke plek gezelschap moest gaan houden. 'Claudie, mak-
ker, zullen we ons op de biefstuk concentreren en de garnituur even
buiten beschouwing laten?' Die gekscherende toon sloeg Reynolds wel
vaker aan tegenover ondergeschikten of collega's in een lagere salarisschaal, en hij en Claude wisten allebei dat Sylvanshine zou proberen
hem die belediging betaald te zetten. 'De biefstuk is Controle.'

'De AAD bij Controle is Rosebury, Eugene E., veertig, S-13,
907313433, hoogblond, lang, beetje een ronde rug, een bril die niet
goed past of oren die niet symmetrisch zijn, en een beetje een geleerde
uitstraling, al ligt dat waarschijnlijk aan zijn pijp, want het is een pijp-
roker – een mannetje van Glendenning in hart en nieren. Dat haar
van hem, daar is iets mee, dat vind ik maar niets. Een uitvoerder. Waait
met alle winden mee. Zal niet helpen, maar ook niet dwarsliggen.'

'En de andere AD is Yeagle? Yagle?'

'Gary NMI Yeagle. Een "Zeg-Maar-Gary"-type. Rare kwibus. Een
groot, zwaar, paffig gezicht, maar een flinke kin en dan een onderkin
vol vetkwabben, wat er samen met die vooruitstekende kin voor zorgt
dat je het gevoel krijgt dat iemand je een dreun met een smeltende
vuist verkoopt als je hem aankijkt. Negen-, nee, sorry, achtendertig,
en een echte slijmjurk, maar anders dan Sheehan – Sheehan pakt het
bekeken en tactisch aan, terwijl je bij Yeagle de indruk krijgt dat hij
gewoon onzeker is en wil dat iedereen hem aardig vindt omdat anders
zijn wereld instort.'

'Mogelijk een zwakke schakel dus.'

'Het type dat heel verlegen en nerveus is, maar dat als je hem tegenkomt heel tof en joviaal en extravert probeert te doen, wat hem
niet goed afgaat en voor iedereen een pijnlijke bedoening wordt. Je
zou er sneeuw mee kunnen ruimen, met die onderkin.'

'Dus als we in de initiële fases Mels inspanningen verder afstemmen
zou Yeagle een van onze mannetjes kunnen zijn.'

'En wenkbrauwen tot hier. Ik zweer het je. Van die Tolkien-wenk-
brauwen, en dat voor iemand van achtendertig. Kamerbrede glimlach,
die hij tot een geveinsde kwaadaardige grijns of grimas probeert te

vormen door die ongelooflijke wenkbrauwen naar beneden te drukken. Het type dat je hand met twee handen vastgrijpt als hij je de hand schudt. Een S-13, maar al Groepsmanager sinds het tweede kwartaal van '78, dus misschien heeft hij wel iets in zijn mars, al zou ik niet weten wat. Niet het soort draufgänger dat je zou verwachten als Groepsmanager bij Controle.'

'Bevorderd door Glendenning?'

'Over Yeagle heb ik niet heel veel. Misschien dat je beter iemand zijn volledige dossier laat opvragen; wat ik hier heb kunnen vinden vertoont nogal wat hiaten.' Sylvanshines duim bloedde wat en hij keek om zich heen naar iets geschikts om hem mee te betten. Hij en Reynolds wisten allebei hoe hemelsbreed Sylvanshines verslag in vorm en inhoud zou verschillen ingeval hij Merrill Lehrl tegenover zich had, en hoewel Reynolds zich daar ongetwijfeld in zekere mate aan ergerde, woog dat beslist niet op tegen zijn gekscherende toon en wat die impliceerde. Ze wisten allebei dat de rekening nog niet vereffend was. Soms beeldde Sylvanshine zich in dat hij en Reynolds partners waren in een soort traditionele dans, erg statig en met voorgeschreven passen, zodat hun persoonlijkheid alleen in minieme variaties tot uitdrukking kwam. 'Wat slijmen betreft zijn hij en Sheehan contrapunten, maar geen bijster interessante. Het zullen allebei nooit vrienden van me worden. Vorige week droeg Yeagle drie dagen dezelfde das. Altijd met die pijp in zijn hand, ook als hij niet rookt. En er zit een vlek op zijn das, waarschijnlijk van saus of een dressing. Ik moet hem niet, met zijn rare blubberkin. Laatst zag ik hem met de rug van zijn hand een neusgat deppen.'

Keelgeluiden aan de andere kant van de lijn. In de stiltes waren aan de uiterste rand van hun bandbreedte flarden van gesprekken te horen; ze deden Sylvanshine denken aan plukken haar in een stoffige borstel. In de gootsteen stonden stapels borden en halfvolle doosjes afhaalchinees die hij twee dagen geleden al zou gaan opruimen, zo had hij zichzelf bezworen; als hij naar de gootsteen keek, voelde hij zijn adem stokken.

'Zeg maar tegen Mel dat ik alleen aanwijzingen kan aandragen. Yeagle is nog een onbekende factor. Lijkt incapabel, maar dat kan deel uitmaken van zijn algehele tactische positionering. Stel een Informeeltje voor zodra Mel aankomt – in een ontspannen sfeer praat hij misschien wel. Veel verder durf ik op dit moment met Zeg-Maar-Gary niet te gaan.'

'En Glendenning zelf?'

'Die heb ik nog niet gesproken. Altijd druk, druk, druk. Voortdurend in de weer. Lijkt wel doelmatig druk in plaats van ineffectief en in het wilde weg, en als dat klopt, is dat voor Mel zeker van belang.'

'Bedankt.'

Niet echt op de duim zelf, maar Sylvanshine zoog nu wel op de zijkant van zijn duim. 'Zag hem in de gangen van het bijgebouw waar hij en Sheehan allebei hun bureau hebben. Hoe heet dat gebouw ook weer? Voor je het weet raak je hier de weg kwijt. Op basis van de foto's heb je echt geen benul van de wirwar aan vleugels. Lijkt nog het meest op een kleine hogeschoolcampus. Je weet toch dat mijn vader docent was aan een hogeschool?'

'Dus toen je Glendenning zag in een van die vele gangen waar je de naam niet meer van weet ...'

'Niet veel tot nog toe. Grote man, zilvergrijs. Zilvergrijs haar in een strakke scheiding. Het type oudere man dat je "gedistingeerd" of "goed geconserveerd" zou noemen. Gemiddelde lengte, zou ik zeggen. Neus leek wat aan de grote kant, maar dat was en passant en en profil.'

'Zeg eens, Claudie, even serieus: is er een bepaald proces waarmee jij beslist dat ik op een esthetisch oordeel zit te wachten? Is er een procedé waarmee je ergens in je brein beslist dat dit voor Mel nuttige info is als hij met die mensen gaat samenwerken? Dit is niet het geschikte moment, maar denk er eens over na en vertel me dan later eens hoe je er precies toe komt mij eerst allerlei bijkomstigheden over kledij en manier van doen op te dissen voor ik iets te horen krijg waar ik wat aan heb voor mijn werk hier.'

'*Jouw* werk, dat is het hem juist. Indikken. Alles herleiden tot een feitenpatroon, tot wat relevant is. Ruwe gegevens aanleveren, dat is mijn werk. Zo is het toch? Heb ik er soms om gevraagd om als eerste veldwerk te mogen doen? Of vergis ik me?'

Maar het krampachtige geluid kwam van Reynolds, die met zijn vingers onder de knoop van zijn das aan het wroeten was om het bovenste knoopje van zijn hemd dicht te maken, iets waar hij altijd moeite mee had. Tijdens de gebruikelijke tussenpauze bestudeerde Sylvanshine zijn duim, probeerde in te schatten of hij werkelijk bloed proefde – een smaak die hem altijd herinnerde aan die keer toen hij als kind zijn tong tegen een 9V-batterij had gedrukt, maar de precieze associatie

ontging hem – en of de ondefinieerbare stem in het spookachtige gesprek op de lijn die van een man of een vrouw was, en zei toen:

'Hoewel zijn secretaresse – een van de, want het ziet ernaar uit dat
hij er twee heeft, al kan dat ook iemand van Beheer of de contactpersoon van de Groepsmanager zijn – een memo heeft gestuurd die in
Mels postvak In ligt: Welkom en heb van Henzke goede geluiden opgevangen over de opmerkelijke omwenteling in 0104 – dat is Invordering in Philadelphia, de Auto –'

'Moet dat echt? Ik ben er toch zelf geweest?'

'– goede geluiden over de omwenteling bij Invordering in Philadelphia enz., neem s.v.p. contact op met mevr. Oooley – dat is de bureausecretaresse – met mevr. Oooley dus, z.s.m. na aankomst en registratie –'

'Hoe bedoel je? Moet hij als het eerste het beste pikkie een informatiesessie volgen?'

'Heb hem nog niet, die memo ligt nog altijd in Mels postvak In –
een prima postvak trouwens, even groot en in dezelfde rij als dat van
het PDH en boven dat van de GM, zij het nog wel met Mels naam
over iemand anders zijn naam heen getapet. Maar dat hoeft niet per
se een slecht teken te zijn, tenzij het nog niet veranderd is als hij aankomt. En ik heb de FD gevraagd om in dat bijgebouw zijn naam op
zijn deur te zetten; zeg maar dat ik hun persoonlijk het stencil overhandigd heb en hun over zijn probleem met liften heb verteld, zodat
zijn bureau nu op de begane grond is. Zeg maar dat de deur op slot
zit en het raam naar buiten ook en dat je niet naar binnen kunt kijken,
maar dat het op grond van de afstand tussen de deuren links en rechts
behoorlijk ruim lijkt. De dichtstbijzijnde wc ligt jammer genoeg wel
op de tweede verdieping; hij moet maar laten weten of het de moeite
loont om daarover stampij te maken, maar het is dus wel een hoek-
kantoor, zoals gevraagd. Dat zeker niet indikken, je weet dat hij daar
het fijne van zal willen weten. Zeg maar dat de afstand tot de deuren
aan de linker- en rechterzijde respectievelijk 4,6 en 5 m en nog wat is,
ongeveer zoals in Philadelphia dus.'

'Je hebt daar pontificaal in de gang met een meetlint de boel staan
opmeten?'

'Zit niet te zeiken, man. Van de voordeur heb ik al een sleutel, en
voor twee van de overige vier ingangen ook. Voor je naar ons bivak
hier overkomt en ziet waar het is, moeten jij en ik eens een hartig

woordje spreken, anders schrik je je geheid het leplazarus. Residentie
Vissersbaai. Die naam alleen al. Vergeleken hiermee was onze eerste
flat in Rome een palazzo, om je een –'

'Die memo kwam volgens jou dus van de secretaresse of van Glendenning zelf.'

'Het slechte nieuws is dat het niet in het hoofdgebouw ligt, waar
Glendenning en de DH's hun kantoor hebben, maar in dat bijgebouw.
Maar dat noemen ze anders; ze hebben hier eigenaardige namen voor
de gebouwen, net als in Chicago.'

'Je hebt het nog steeds over Mels kantoor.'

'Ik loop gewoon mijn notities door, precies zoals de jou welbekende
procedure dat voorschrijft, precies zoals jij dat ook in Rome deed. Ik
ben bang dat het in het bijgebouw ligt waar ze ook Vennootschappen
doen, en waar de Univac staat. Het is er een beetje een gekkenhuis,
ben ik bang. Beneden liggen de kantoren van de ponstypistes. Zorg
gewoon dat Mel weet waar hij aan toe is en geen gat in zijn broek schijt
als hij ziet waar ze hem in stoppen.'

'Dan herinner je je wellicht ook dat het eerste telefonische verslag
volgens de procedure zo'n tien à twaalf minuten duurt.' Sylvanshine
zag voor zich wat Reynolds op dit moment fysiek aan het doen was,
maar hij kon niet op het juiste woord ervoor komen, ook niet het
woord dat hij er zelf voor gebruikte. En hij had het al evenmin over
het feit dat hij gisteren bij de drive-inbank zijn pasje was kwijtgeraakt,
wat alles bij elkaar genomen misschien Merrill Errol Lehrl wel aanging, maar Reynolds in de verste verte niet, al wist hij nu al wat die
zou zeggen. Soms zaten er rare kleine witte calciumoïde streepjes in
Sylvanshines duimnagel, soms niet. Bij momenten maakte hij zich zorgen over wat die streepjes te betekenen hadden. Hij trok zijn das niet
recht, maar *streek hem glad*, dat was het; op zaterdagen ofwel de licht-
groene ofwel de lichtblauwe met kleine rode ruiten, allebei van kunstzijde en sowieso altijd en overal reteglad. Reynolds deed dat onbewust,
als een tell bij het pokeren, en Sylvanshine had allerlei gelegenheden
laten schieten om ermee te scoren door Reynolds daar fijntjes op te
wijzen omdat hij niet wilde dat Reynolds zich van zijn onbewuste lichaamstaal bewust zou worden, want de kunst die te kunnen lezen betekende macht. In Martinsburg was de grootste slaapkamer voor Sylvanshine omdat het huurcontract op zijn naam stond, maar als ze
eropuit gestuurd werden was de grootste kamer altijd voor Reynolds.

Ditmaal waren de slaapkamers in hun bivak, even afgezien van de morsigheid van Vissersbaai, precies even groot; Claude had meer dan alleen de afstand tussen de deuren gemeten en wist welk gezicht Reynolds zou trekken als hij het zag. Merrill Errol Lehrl regelde zijn logies altijd zelf.

'Heeft Glendenning zelf die memo gestuurd, of was het zijn secretaresse?'

Sylvanshine hield zijn duim horizontaal, zodat er van bovenaf licht op viel, en draaide hem alle kanten op. 'Je hebt echt geen idee hoe warm het hier is. En hoe benauwd. Alsof er iemand recht in je gezicht ademt. Philadelphia in hartje zomer is er niets bij. En de drinkfonteinen in 047 zijn niet gekoeld; het zijn van die lage witte pissijnporseleinen fonteintjes die je soms op lagere scholen hebt, en het water is op kamertemperatuur, heet dus.'

Reynolds ademde krachtig uit, hard genoeg om te weten dat de telefoon het geluid zou overbrengen. 'Sorry voor mijn toon, Claude.'

'Welke toon?'

'Goed? Weer blij?'

'Vriend, je overschat me.'

'Daar zeg je het: we zijn vrienden. We vormen een team. Ik had je de schoen niet mogen wringen door zo'n laatdunkende toon aan te slaan. Het is echt een stressweek. Ik heb al de hele week koppijn van de spanning. Ik zit echt niet lekker in mijn vel. En dat is natuurlijk allemaal geen excuus, daarom nogmaals mijn excuus.'

Als er al streepjes waren, waren ze niet te zien. 'Gestuurd door de secretaresse of de bureausecretaresse, vrees ik. Oooley, Carolyn, of misschien Caroline. Dossier niet lokaliseerbaar, en op de postkamer bij de FD wisten ze van niets. Een vinnig vrouwtje met een droog, strak gezichtje. Met haar pullover als een cape over haar schouders. Maar in het hoofdgebouw staat de airco wel op diepvries, en daar ligt Controle, dus zeg maar tegen Mel dat het goede nieuws is dat er in de werkomgeving zelf airco is, weliswaar zonder hcfk's, maar de ruimte waar de VAX staat wordt wel gekoeld met hcfk's, dus het lijkt erop dat de FD over voldoende middelen beschikt; als je wilt bel ik even op en –'

'Dus die memo kwam van de secretaresse en niet van Glendenning zelf.'

'Ik zou Mel op het hart drukken daar niets achter te zoeken. Glendenning is de laatste tijd twee van de drie dagen afwezig. Sinds vorige week woensdag is hij al twee keer op het RK geweest.'

'Loopt hij daar nu al de deur plat? En trouwens: waarom zeg je dat nu pas, en dan in een terzijde over de pullover van de secretaresse?'

'Afgaand op hoe ze hier voor haar kruipen, is het iemand om rekening mee te houden, die Oooley. Je weet hoe het eraan toegaat in de provincie. Misschien dat zij daar de scepter zwaait, en niet Glendenning; misschien dat zij de échte schakel is. Een kleine foto van een kat op haar bureau, maar voor zover ik heb kunnen zien geen kattenhaar op haar pullover. Raar. En een bril aan een kettinkje om haar nek, zo'n ouderwets zilveren kettinkje, hoe noemen ze dat ook alweer. Mogelijk een invloedrijke factor in het geheel. Voorlopig heb ik alleen naar die kat geïnformeerd en haar een bloem gegeven van een bloemenverkoper op de middenberm van de grote weg hiernaartoe. Naar dit comateuze stadje. Zeg maar tegen Mel dat ik haar al aan het masseren ben.' Hij liet onvermeld dat er de volgende dag op haar bureau van die bloem geen spoor te bekennen was geweest.

Opnieuw liet Reynolds Sylvanshine merken dat hij ademde – 'En stond er in die memo goede geluiden opgevangen van Henzke, van Bill, of van Bill Henzke?'

'Gewoon Henzke.'

'Godver.'

'De andere secretaresse of dat contact of wie of wat het ook moge zijn is er al de hele tijd niet. Nog jong, naar het schijnt, en de beauty van het District, dat hoorde ik van twee verschillende kerels van Invordering die zeiden dat het de moeite loont tussen de middag als Oooley gaat lunchen met een smoes langs te komen, alleen al voor het panorama.'

'Ik heb al sorry gezegd, Claude.'

'Rosebury's secretaresse heet Bernays. Ziet er altijd spierwit uit – ze heeft iets van een afgeleefd trekpaard.'

Iedere draagbare telefoon van Motorola kostte de Dienst $349, oftewel $31 minder dan de winkelprijs, leek op een enorme walkietalkie en woog bijna een kilo, wat nogal suf stond bij iemand die er zo verzorgd en tenger uitzag als Reynolds Jensen jr.

'Goed. Laten we de week eens doorlopen.' Reynolds zou dr. Lehrl kunnen zeggen dat ze elkaar hadden gesproken en dat hij zijn best had gedaan, mocht het volgende week tegenvallen. Als een houthakker die een dansje waagt, zo zag het er volgens Harold Adny uit als Reynolds zich in allerlei bochten wrong om het politieke spel mee te spelen. 'De zeventiende heb ik ter zake doende relevante ik herhaal ter zake doende relevante bio's, personeelsgegevens, evaluaties en indrukken over Controle nodig. Ik lees gewoon de richtlijnen uit de procedure voor. Om wie gaat het? Rosebury bij Beheer, die Yeagle als GM – hoe groot is zo'n groep, een man of twintig? Het budget van Controles is 2,4 keer zo groot als dat in Rome, dus dat is dan hoeveel precies, tweeëntwintig?'

'Vier-, misschien vijfentwintig. Blijkbaar heeft Glendenning een paar onorthodoxe werktijdregelingen met onderbroken diensten uitgedokterd, maar daar heb ik nog geen goede kijk op. Hij heeft al behoorlijk gesnoeid in Controle en het valt te verwachten dat het hier niet bij zal blijven. Laten we zeggen tussen de vier- en zesentwintig, wat dan verdubbeld wordt met nog eens twintig die kaarten ponsen en sorteren tijdens de tsunami in april, hoewel gezegd wordt dat Glendenning alles op alles heeft gezet om echt Dienstpersoneel te krijgen in plaats van tsunamiparttimers, wat begrijpelijk is als je ziet wat voor stad het hier is; het talent ligt hier niet bepaald voor het oprapen.'

'Interessante gegevens. Dat is wat je noemt bruikbaar.'

'Laten we zeggen zesentwintig. Het contact verloopt moeizaam.'

'Erg afgeschermd zeker?'

'Eerder afgestompt. Fulltimers allemaal. Glazig. Ik kom niet op het woord. Gemiddeld na drie jaar opgebrand. Soporeus, dat is het. En o ja' – Sylvanshine keek verschrikt op omdat hij dit vergeten was te zeggen – 'het grote nieuws is dat Glendenning meteen na zijn aankomst heeft besloten alle eerstejaars uit Controle te weren. Nota bene als eerste beleidsdaad.'

'Dat meen je niet.' Bij de Dienst was het traditie dat de alumni van de drie nationale Opleidingscentra van de IRS hun eerste jaren doorbrachten bij Controle, de gruwelijkste, minst populaire afdeling bij de Dienst. Een zeker percentage van hen probeerde daarna zo snel mogelijk de certificeringsexamens te halen, omdat je als belastingambtenaar in schaal 11 je CPA-licentie behaald moet hebben en een promotie naar Audits de meest natuurlijke ontsnappingsroute uit Controle was. Dat Glendenning geen eerstejaars meer toeliet tot zijn Controleafdeling deed iets belangrijks vermoeden, maar geen van beiden wist goed wat. Het was zo belangrijk dat Reynolds niet eens de tijd nam om Sylvanshine de schoen te wringen omdat hij er nu pas over begon. 'Je beseft natuurlijk dat Mel hierover een follow-up zal willen. Zet dat maar meteen met stip bovenaan op de agenda voor volgende week.'

'Akkoord, maar onder voorbehoud.'

'Blij dat je akkoord gaat.'

'Blij dat je blij bent.'

'Prachtig.'

'Al hangt het af van de rest van het verslag, met name wanneer ik het over organisatiestromen en output heb.'

'Prachtig. Hoe ziet die stroom eruit dan?'

'Eerst een zaaltje met Controle voor aangiften personenbelasting: een paar bureaus maar, plus Yeagles kleine matglazen kantoorhokje. Of er schort wat aan de symmetrie van die ruimte, of er is een ruwe opdeling gemaakt – misschien één sectie 1040, één 1040A, een kleinere voor de Zware Gevallen, zoals vroeger bij Keene. Er is ook een afdeling Vennootschappen, die zit apart in een andere zaal.'

'Als ze Vennootschappen al aanpakken, dan zal dat pas naderhand gebeuren; ze hebben net dat experiment met de DIF achter de rug, dus –'

'Vandaar dat ik er niet over begonnen was.'

'Als je dan toch dikke mik bent met dat dametje van Glendenning met haar droge huid, dan moet je toch ook iets hebben over de specificaties.'

'De specificaties zijn een zootje. Ze staan niet eens op ponskaarten. Ze gebruiken van die oude 904's. Die had ik al niet meer gezien sinds het Opleidingscentrum.'

'Wat een verrassing.'

'Ze zitten allemaal in oude donkergroene dossierkasten in een keldercomplex waar zelfs de spinnen zich niet wagen.'

'Maar Mel moet natuurlijk weten dat jij er onverschrokken met je staaflantaarn in afgedaald bent.'

'Vandaag of morgen moet ik ze in Martinsburg door iemand laten invoeren en de gemiddelde waarden laten tabelleren; de specificatie-formulieren zijn een zootje omdat het werk zo periodiek is. Wijs er Mel vooral op dat ze hier aangiften krijgen van zowel het RK als het ROK in St. Louis, voor zover ik heb kunnen vaststellen zonder vaststaande procedures. Zelfs een vast ritme ontbreekt.'

'Je bedoelt dat de vrachtwagens gewoon af en aan rijden en hun aan-giften lossen?'

'Ik heb voorlopige tabellen – met echt heel rare cijfers – voor de laatste zes maanden, van in totaal 1829 aangiften die in 047 door Controle werden nagekeken, maar daar zit echt van alles tussen, van 1040-EZ's tot beestachtig Zware Gevallen met allemaal wel twintig annexen en aansluitingen bij de EST-opgaven waar Danmeyer ze van Rosebury blijkbaar ieder kwartaal in huiveringwekkende golven mee mag over-spoelen.'

'Dat is geen hapklare informatie, Claudie, daar kan ik niets mee.'

'Als je hier bent zul je wel merken hoe dat komt. Het is pure Dickens. In heel de zaal maar één Univac-terminal. De stukken uit Martinsburg worden op uit de kluiten gewassen karretjes binnengereden door van die ouderwetse dossierbodes, waarna de resultaten via een glijgoot twee verdiepingen naar beneden glijden, waar ze door de ponsmeisjes worden voorbereid voor verdere verwerking door Regio en Invordering. En/of Invordering. En de controleurs werken nog met potlood en van die oude NCR-telmachines – hier en daar zie je nog *I like Ike*-stickers zitten, soms zelfs een verdwaald stickertje met *Adlai likes me*. De bureaus hier zijn aan alle kanten omgeven door van die afhangende schuifdingen of opbergbakjes zoals op die foto's van Mel van Philadelphia, toen het daar helemaal uit de klauwen liep. Hier krijgen ze vanuit Martinsburg de gebruikelijke stukken toegespeeld, én EST's, én controleverzoeken van de CID. Ze behandelen hier zulke Zware Gevallen dat ze ze in St. Louis niet eens zouden openmaken. Voor Vennootschapsaudits handelen ze soms meerjarige VA's af. Je kunt hem gerust zeggen dat het hier bijna net zo'n teringzooi is als in Philadelphia. Maar dit –'

'1829 gedeeld door 26 gedeeld door 22 werkdagen, dat is hoeveel, drie per dag?'

'3198 per dag gedeeld door shifts van negen uur min de lunchpauze min het regionale gemiddelde van 45,6 minuten voor andere pauzes is volgens mij zeven uur en 29,4 minuten, en 3,2 gedeeld door 7,5 komt neer op 0,426 6-repetent aangiften per manuur, wat voor deze Regio zo volstrekt gemiddeld is dat –'

'Dus qua productiviteit springen ze er niet uit, wat onze positie tegenover Glendenning misschien wat schaadt, maar wat van Controle in 047 ook een goeie testcase maakt.'

'Nee, Reynolds. Ik bedoel *volstrekt* gemiddeld. Voor Regio 4 is het gemiddelde voor '82, '83 en het stuk van '84 waar Interne de cijfers voor heeft – je gelooft het nooit – 0,426 6-repetent per manuur.'

'Ze zitten *exact* op het gemiddelde?'

'Precies. En voor je iets zegt: zeg maar tegen Mel dat ik dat gedubbelcheckt heb. Alle data rechtstreeks van ponskaarten, verwerkingstotalen en prestatie-evaluaties. Stuk voor stuk implementatiespecificatie 0,426 6-repetent. Alsof –'

'Alsof Glendenning en Rosebury en/of die Yeagle op de een of andere manier zo met de output hebben geknoeid dat die zo volstrekt gemiddeld is geworden dat niemand hen ooit van geknoei zou verdenken.'

'Als je wilt, kan ik het wel nog eens checken, maar moet je me wel eerst even iets laten zeggen over de waterdruk in het appartement hier en een stortbak met de armzaligste spoeling die ik in 12 van de 50 –'

De toon verried dat Reynolds Jensen jr. nu een en al focus en aandacht was, wat betekende dat hij, of hij nu zat of rechtop stond, vanaf zijn middel lichtjes naar voren leunde en niet meer met zijn ogen knipperde. 'Doen. Zeker checken. Dat zal hij sowieso willen, want jij – of alsof Glendenning er op de een of andere manier in geslaagd is de mankracht, de verwerkingscapaciteit en de motivatie precies zo af te stemmen dat Controle bij hem precies op het gemiddelde ligt.'

'Dus als hij die op enig moment wil opdrijven hoeft hij maar even met zijn toverstokje te zwaaien en huppekee.'

'Zou hij echt zo goed zijn?'

'Daarmee zouden hij en/of zijn en Rosebury's team dan geniaal zijn, een Mozart van de productie, met managementmethoden die, als ze eenmaal gekwantificeerd en onderwezen worden, of als de andere Districtshoofden Washington ervan weten te overtuigen dat ze aan te leren zijn –'

'Het hele project zouden kunnen nekken.'

'Vooral als je die controleurs gewoon eens zou kunnen zien. Dit is bepaald geen elitekorps, Reynolds. Niemand hoger dan schaal 11. Tics, spasmen, allerlei zonderling gedrag. Trillende handen. Na de lunch staan ze in de toiletten en bloc hun tanden te poetsen. En gepoetst dat er wordt. Eentje heeft een viool op zijn bureau liggen. Zonder reden. Gewoon, een viool. En er is er ook nog eentje die op zijn hand zonder rubbertje een handpop van een dobermann heeft, en daar hele gesprekken mee voert.'

'Allemaal bijhouden, Claudie.'

'Die mannen zijn lege hulzen, dat bedoel ik. Als Glendenning de capaciteit naar believen kan manipuleren met dat stelletje ongeregeld ... Een paar lijken er wel catatoon. Eentje is er misschien wel een idiot savant. Maar die heb ik nog niet gezien.'

'Wat allemaal niets te maken heeft met de verwerkingscapaciteit.'

'En heb ik het al over de wind hier gehad? Wat voor geluid die maakt door de kieren bij het raam? Over de hitte? Al die kruisvormige plattelandsgehuchten met precies één kruising, die alleen maar uit een graansilo en een pompstation bestaan, met namen als Arrowsmith, Anthony, Shirley, Tolono, Stayne? Er is hier zelfs een gehucht dat Big Thistle heet. Ik herhaal: Big Thistle, Illinois. Kom op jelui, laten we wat gaan bikken in Big Thistle en Fanny eens aan d'r bustier trekken. En klam. Handdoeken drogen niet, en als je op weg naar het werk de airco aanzet beslaat je voorruit als een glas ijsthee. De lucht heeft de kleur van ijsblokjes in een motel – geen kleur, geen diepte. Het lijkt wel een nachtmerrie. En alles is zo plat als een pannenkoek. Hoe ver ligt de horizon op zeeniveau, zo'n 28 kilometer?'

'Focussen, Claudie.'

'Hij heeft me naar de tweede dimensie gedetacheerd, R.J.'

'Je was net zo goed bezig, Claudie.'

'En als ik zou zeggen dat ik je mis?'

'O nee, ga je weer op die toer, dit keer –'

'Weet je hoe de ogen van een stokoude man met staar eruitzien? Die griezelige melkachtige aanblik van hallo-is-daar-iemand? Stel je een heel gezicht voor dat er zo uitziet. Philadelphia was een heksenketel. Hier is het een soort vlies van opperste verveling. Vervelender dan verveling. Het merendeel van die controleurs –'

'Je beseft toch dat dat in zekere zin goed nieuws is?'

'Nou, het ziet er anders allesbehalve goed uit, kan ik je wel –'

'Is er al demomateriaal aangekomen?'

'Van Glendenning mogen ze hun bureau naar eigen smaak inrichten. Naar muziek luisteren als ze willen – roken niet, maar moet je horen: er zijn er hier een paar die aan hun bureau tabak *pruimen*.'

'Waar staan we qua inventaris van de aanwezige hardware?'

'Ooit toevallig met je eigen ogen een gebruikte kwispedoor gezien, Reynolds? Want ik kan je verz –'

'Ik mis jou ook, Claude. Nu blij?'

Eén keer had hij er zo hard op gekauwd dat het geïnfecteerd raakte en afschuwelijk ging smaken. 'Ik heb nog niet wat je noemt een lijst gemaakt.'

'En wat vertel ik Mel?'

'Dat ik hier nog maar een week zit en vreselijk afzie door de primitieve leefomstandigheden in ons bivak, het gebrek aan contactvectoren en de verlammende hitte. Vertel dat maar aan Mel.'

'Tjongejonge, wat zijn we weer dapper in absentia.'

'Zoals je je misschien herinnert staat de enige hardware van betekenis bij Vennootschappen in dat bijgebouw, en behalve dat ik Mels onderkomen heb bekeken, heb ik ook gepost bij Controle. Allemaal volgens het boekje, geloof ik.'

'Ik zat je niet te wringen, Claudie. Laten we er gewoon even snel doorheen gaan. Ik heb nog een lastige rit voor de boeg.'

'Tot nu toe heb ik een Sperry Univac-mainframe gezien, uit de 3- of 4000-serie, met terminals die kennelijk allemaal bij Vennootschappen staan. Verder twee IBM 5486-sorteermachines, en uit diezelfde 5000-serie moeten er ergens ponsmachines en collators staan.'

'En 96-kolomskaarten voor de IBM's.'

'Maar de Univacs draaien nog op 80-koloms. Ze hebben blijkbaar zelf iets in elkaar geflanst waardoor ze die twee kunnen combineren.'

'Dus de controleurs kunnen allemaal met hexadecimale gegevens overweg? Of alleen de ponsmeisjes? Maar die ponsmeisjes komen toch uit de streek, of niet?'

'Ik weet nog niet hoe de opleiding er precies uitziet. Maar we kunnen er toch wel van uitgaan dat ze van maart tot mei voor de tijdelijke krachten in mensentaal vertaald worden?'

'Zelfs in Rome gebruikten ze geen 96- en 80-koloms door elkaar.'

'Dit is een provincienest, dat probeer ik je al de hele tijd aan je verstand te brengen. Mels kantoor ligt vlak bij de Centrale, voor zover ik kan inschatten een allegaartje van allemaal verschillende systemen. Ik heb bijvoorbeeld ergens een Burroughs 1005 printrekenmachine gezien.'

'Maar Burroughs gebruikt toch geen ponskaarten meer?'

'Burroughs werkt al sinds de 900-serie met magneetbanden. Dat zei ik toch? Het is echt een zootje. Eén grote mikmak. In een berging ben ik twee IBM-RPG-systemen tegengekomen met een kluwen coax-kabels die door een slordig en niet-conform gat door het plafond van die berging liep, vermoedelijk om de RPG's compatibel te maken met de Univac. Het is allemaal ontzettend archaïsch en smerig en het zou me niks verbazen als er binnenin aapjes met een telraam aan de touwtjes zaten te trekken.'

'Dat is heel goed nieuws. En Cobol voor de assembler?'

'Momenteel nog onbekend.'

'Goed nieuws wat de hardware betreft dus.'

'En mocht er al iets uit Washington zijn binnengekomen, dan heeft de FD hier daar in elk geval geen weet van.'

'Dus wie weet staat het gewoon op het laadperron te beschimmelen?'

'Dus ik word geacht met een zaklamp tussen mijn tanden de archieven in te duiken, aan de bel te hangen bij Martinsburg om die verwerkingstotalen los te peuteren, Glendennings Geen-Eerstejaars-aanpak te onderzoeken, de hardware in kaart te brengen, en sleutels te jatten om uit de eerste hand verslag te kunnen doen over Mels kantoor, en dat liefst allemaal tegelijk? O ja, en op het laadperron potige kerels uit te horen of er toevallig ook kisten uit Martinsburg bij zijn?'

'Ik stel alleen maar een checklist op voor het rapport van volgende week, Claudie.'

'Ik ben toch zeker geen machine?'

§31

Shinn was lang van gestalte en had heel licht en babyfijn blond haar
dat er door de lange pony uitzag als dat van een vroege Beatle. De
man die naast hem in het Dienstbusje zat was samen met een paar anderen Residentie Vissersbaai uit gekomen terwijl ze in het ochtendroze
allemaal op de stoep op het busje hadden staan wachten. De zoete,
zware, vochtige lucht van een zomerse zonsopgang. De mannen die
naamplaatjes van de Dienst droegen kenden elkaar en stonden met elkaar te praten. Sommigen dronken uit een mok of rookten een sigaret
die ze uittrapten op de stoep zodra het busje verscheen. Eentje had
bakkebaarden en droeg een cowboyhoed, die hij in het busje, twee
banken meer naar voren, had afgezet. Sommigen lazen de krant. Een
aantal mannen in het busje waren misschien al wel vijftig. De ruiten
schoven niet naar beneden, maar openden schuin naar buiten; het was
een eigenaardig vervoermiddel, net een kleine, compacte vrachtwagen
waarin passagiersbanken waren gelast.

Het busje stopte bij nog twee andere appartementencomplexen
langs Self-Storage Parkway; bij een ervan bleven ze een paar minuten
stilstaan, kennelijk om tijd te rekken met het oog op een dienstrege-
ling. Shinn droeg een zachtblauw overhemd. In een gesprek achter
hem zei iemand tegen iemand anders dat als je een kleine inkeping
maakte in het midden van de rand van je teennagel, die niet zou in-
groeien. Iemand anders geeuwde hardop en had kleine rillinkjes. De
man naast Shinn – hun bovenbenen schuurden met wisselende druk
tegen elkaar aan, doordat een kapotte ophanging de bus lichtjes heen

en weer liet schommelen – las een supplement op het BH waarvan Shinn de titel niet kon lezen omdat het zo iemand was die alle brochures die hij las tot een enkele rechthoek vouwde. Op zijn schoot lag een kleine rugzak. Shinn overwoog zich voor te stellen; hij wist niet zeker wat de etiquette in dit geval voorschreef.

Shinn had op de stoep de eerste cola van zijn eerste werkdag bij het Filiaal staan drinken en gevoeld hoe de luchtvochtigheid de kreukels uit zijn kleren trok en ze flodderig maakte; hij had dezelfde kamperfoelie en hetzelfde gemaaide gras geroken als in de buitenwijken van Chicago, en terwijl hij naar het dageraadsgefluit van de vogels in de robinia's had geluisterd waren zijn gedachten alle kanten op gewaaierd, tot het opeens bij hem was opgekomen dat de vogels, die schijnbaar zo vrolijk hun vertrouwde wijsjes kwetterden en vol vertrouwen de komende dag en de natuur bezongen, eigenlijk tegen elkaar zeiden, in een taal die alleen andere vogels konden verstaan: 'Ga weg' of 'Deze tak is van mij!' of 'Deze boom is van mij! Ik maak je af, af, af!' Of andere duistere, meedogenloze kreten uit zelfbehoud – voor hetzelfde geld hadden ze naar oorlogskreten staan luisteren. Die gedachte kwam uit het niets en bedrukte hem, zonder dat hij goed wist waarom.

§32

'Dat kun je me niet vragen.'

Ze probeerde er nog onderuit te komen, maar ik had mijn inwonende zus Julie al op de luidspreker gezet. We bevonden ons allemaal in mijn deel van het kantoorhokje, ik zat aan mijn bureau en de rest stond eromheen. 'Ik heb erover verteld en ze geloven me niet. Ik probeer al de hele tijd te omschrijven hoe unheimisch de gelijkenis is, maar ik krijg het niet uitgelegd, vooral bij Jon, je weet wel, daar heb ik je al over verteld.' Terwijl ik haar probeerde over te halen wisselde ik een blik met Soane. Julie is mijn zus. Haar stem klonk niet helemaal als de hare door de luidspreker – een beetje blikkerig en uitgedroogd. Steve Mead droeg altijd een telvinger om zijn linkerpink. Het constante, rijtende metalen tandartsgeluid van een printer kwam uit de auditzaal het dichtst bij het kantoorhokje, een geluid dat iedereen kippenvel bezorgt wanneer er geprint wordt. Steve Mead, Steve Dalhart, Jane Brown en Likourgos Vassiliou stonden allemaal rond de luidspreker in mijn deel van het hokje, en Soane had zijn stoel wat naar achteren gereden om bij de kring te horen.

'Ik kan het niet op commando. Dan voel ik me zo stom; doe me dat niet aan,' zei Julie.

'Wie heeft er vanochtend drie haarelastiekjes voor je gehaald, hoewel je er maar één had gevraagd?' zei ik, en ik vormde met mijn duim en wijsvinger een cirkel en stak die in de lucht om de anderen aan te geven dat alles in orde kwam.

Aan de andere kant van de lijn bleef het stil.

'Ik heb hun al gezegd dat via de telefoon een deel van het effect verloren zal gaan. Zonder de ogen, zonder het gezicht erbij. Maak je niet druk, niemand verwacht dat het perfect zal gaan.'

'"*What an excellent day for an exorcism, Father.*"'

En dat via een luidspreker. Steve Mead was zichtbaar geschrokken. Ik kon nauwelijks de neiging onderdrukken om te giechelen en op de tafel te slaan, zo opgetogen was ik. Dalhart en Jane Brown keken elkaar aan, lieten hun schouders zakken en rekten zich toen weer uit om aan te geven hoe verbluft ze waren.

'"*Your mother sucks cocks in hell!*"' zei Julie, met overtuiging.

'Echt verbluffend, Nugent.'

'Mijn god' en 'Wat unheimisch,' zei Steve Mead. Die ziet er altijd ontzettend bleek en ziekelijk uit. Een losgekomen kruiskopschroef in een van de steunen aan de achterzijde van de ruggensteun van Soanes stoel stak een beetje uit. Het rijtende geluid van de printer, waar iedereen de zenuwen van kreeg, hield maar aan.

Dale Gastine en Alice Pihl, die hun audits altijd als team uitvoeren, staken hun hoofd boven de rand van het hokje uit om te zien wat er aan de hand was.

'Je zou er haar gezicht bij moeten zien. Ze draait haar ogen helemaal naar boven, wordt krijtwit, zet bolle wangen op, en het – ze lijkt totaal niet op haar tot ze dat doet, en dan wordt het echt unheimisch.' Dit zei ik. Soane, die altijd en overal ontzettend cool en relaxed doet, prutste aan zijn nagelriem met een paperclip uit de papercliphouder.

Julies gewone stem klonk door de luidspreker. Ik vind Jane Brown aantrekkelijk, maar ik weet dat Soane dat niet vindt. 'Zo genoeg?'

'Je zou ze moeten zien. Ze weten niet hoe ze het hebben. Echt tof van je,' zei ik. Jane Brown draagt altijd dezelfde oranje blazer. 'Hun kin hangt bijna op de grond. Dankzij jou heeft mijn geloofwaardigheid een flinke boost gekregen, zusje.'

'We zullen er nog een hartig woordje over spreken als je thuiskomt, daar kun je van op aan, jij snoodaard.'

'Maar kan ze de temperatuur in de kamer tot onder nul laten zakken en *Help* met haar huid schrijven als ze –'

'Nog eentje,' fluisterde Mead, die landbouwaudits doet en naar de balie moet lopen als er een belastingplichtige op de bel drukt om nadere uitleg te vragen (al gaan er hele dagen voorbij zonder dat er een belastingplichtige om nadere uitleg komt vragen) en die een zacht, vierkant gezicht heeft dat eruitziet alsof hij zich nooit hoeft te scheren, ofwel gebruikt hij vochtinbrengende crème.

Ik zei tegen Julie aan de telefoon: 'Nog één keertje, en dan heb je je weer op voortreffelijke wijze van je taak gekweten, zoals gewoonlijk.'

'Daar hou ik je aan.'

Likourgos Vassiliou, die ook buitengewoon bleek is, zeker voor iemand met mediterrane roots, zei tegen Dale Gastine en Alice Pihl: 'Die nieuwe, die Nugent, dat is een man van zijn woord, dat geef ik je op een briefje.'

'"*Can you spare a quarter for an old altar boy, Fadda. Dimmy. Why do you do this to me, Dimmy? Let Jesus fuck you, fuck you!*"'

'Ik krijg er koude rillingen van,' zei Mead.

'Dit was echt de allerlaatste keer,' benadrukte Julie via de luidspreker.

§33

Lane Dean jr. zat in de wiegelzaal van zijn routinegroep in de rij van zijn sectie aan zijn Tingletafel met zijn groene rubbertje op zijn pink en controleerde opnieuw twee aangiften, en daarna nog één, en spande vervolgens tien tellen lang zijn billen terwijl hij zich een warm, mooi strand met rustige golfslag voorstelde, zoals hun vorige maand tijdens de voorlichtingssessie was aangeraden. Daarna werkte hij nog twee aangiften af, wierp een snelle blik op de klok, deed er nog twee, vermande zich en controleerde er drie achter elkaar, spande opnieuw zijn billen, dacht aan het strand en schraapte nu echt al zijn krachten bijeen om er vier achter elkaar te controleren zonder op te kijken, behalve dan om de afgewerkte dossiers en memo's in de twee aangrenzende bakjes Uit in de bovenste rij bakjes te leggen, waaruit de dossierbodes ze zouden meenemen als ze langskwamen. Al na een uur bood het strand een winterse aanblik, koud en grijs met dood wier als het haar van drenkelingen, en zo bleef het ook, wat hij ook probeerde. Daarna nog drie, onder meer een 1040A waarop de som van de aftrekposten op het ABI niet klopte, wat niet stond aangegeven op de uitdraai van Martinsburg, die hij daarom moest amenderen op een Formulier 020-C van het stapeltje uit het bakje linksonder, waarna veel van die informatie nogmaals gevraagd werd op de gewone 20 die je ook nog moest invullen, al ging het louter om een audit per brief en al zou Joliet en niet het District het dossier verder behandelen, en voor die 20 moest hij elke code apart opzoeken op dat uittrekbare geval waarvoor hij zijn stoel in een rare positie aan de kant moest schuiven om het helemaal uit te kunnen trekken. Daarna nog één, en toen hij vervolgens op de wandklok keek, zonk de moed hem in zijn schoenen, omdat er niet zoals hij had gedacht weer een uur voorbij was. Verre van zelfs. 17 mei 1985. Heer Jezus, ontferm U over mij, arme zondaar. Regel 7 van een aangifte toetsen aan W-2's aan de hand van de uitdraai uit Martinsburg, met name het gedeelte waar de perforatie als je de bladzijden ervan wilde losmaken recht door de benodigde gegevens liep, zodat je de uitdraai tegen het licht moest houden en er soms bijna maar naar moest raden, wat volgens zijn sectieleider een chronisch euvel bij Systeembeheer was maar niet wegnam dat de wiegelaar zelf verantwoordelijk bleef. De grap van de week: wat is het verschil tussen een routinecontroleur en een champignon? Geen – ze zitten allebei in het donker en krijgen stront voor de kiezen. Hij wist niet precies hoe dat werkte bij champignons, en of het waar was dat je er paardenmest over moest kiepen. Sheri's kookkunsten waren niet bepaald van dien aard dat er champignons aan te pas kwamen. Weer een aangifte. Hoe vaker je op de klok keek, hoe trager de tijd verstreek, luidde de regel. Geen enkele wiegelaar droeg een horloge, maar hij wist dat sommigen er een in hun zak hadden voor tijdens de pauzes. Op je Tingle was een klok niet toegestaan, net zomin als koffie of frisdrank. Hij kon het niet helpen: de afgelopen week had hij zich voortdurend het geestesleven van de oudere mannen naast hem voorgesteld die dit dag in, dag uit zaten te doen. Staan op maandagochtend op, werken hun toast weg, trekken hun jas aan en zetten hun hoed op, allemaal in de wetenschap waar ze de komende acht uur aan vastzaten als ze eenmaal de deur uitstapten. Dit was verveling zoals hij die nog nooit eerder had ervaren. Hierbij vergeleken leek zijn oude baan als routeplanner bij UPS een dagje Six Flags. Het was 17 mei, nog vroeg in de ochtend, al zou je het nu met een beetje goede wil misschien al net voormiddag kunnen noemen. Ergens verderop piepten de karretjes van de dossierbodes, ter hoogte van de plek waar de vinylpanelen tussen de Tingles van zijn sectie en de sectie van die blonde Aziaat in de volgende rij hem het zicht op de bodes benamen. Een van de karretjes had een lam wiel dat klepperde als de bode ermee reed. Lean Dean haalde dat ene karretje er altijd zo uit. Sectie, team, groep, vleugel, filiaal, divisie. Hij controleerde nog een aangifte, en opnieuw klopte alles als een bus – op de 34A waren er geen afzonderlijke aftrekposten gespecificeerd en de cijfers op de uitdraai voor de W-2 en de 1099 en de Formulieren 2440 en 2441 leken correct – dus vulde hij zijn codes in op de 402, bestemd voor het middelste bakje, en tekende af met zijn naam en IRS-nummer, dat iets in hem nog altijd weigerde te onthouden, zodat hij telkens zijn pasje moest losmaken om het nummer daarvan over te schrijven voordat hij de 402 aan het dossier kon nieten en het uiterst rechts in de bovenste rij in het bakje 402-Uit kon leggen zonder te kijken hoeveel er al in de bakjes lagen, waarna hem ongevraagd te binnen schoot dat *vervelend* eigenlijk letterlijk betekende dat het allemaal te veel werd. Zijn billen deden pijn van de herhaalde oefening, en alleen al bij de gedachte zich dat desolate strand te moeten voorstellen viel hij ten prooi aan radeloosheid. Hij sloot zijn ogen, maar merkte dat hij niet om innerlijke kracht bad, maar alleen zat te kijken naar het rare roodachtige donker met zijn kleine flitsen en vlekken, die een bijna hypnotisch effect hadden als je er echt naar keek. En toen hij zijn ogen weer opende, leek de stapel dossiers in het bakje In nog steeds ongeveer even hoog te zijn als hij om 7.14 uur was geweest, toen hij zijn naam had opgeschreven in het aantekenboekje van de sectieleider en begonnen was, en er lagen niet genoeg dossiers in de bakjes Uit voor de 20's en 402's om ze boven de rand van de bakjes te zien uitkomen, maar opnieuw weigerde hij op te staan om te controleren hoeveel er precies in lagen, want hij wist dat dat alles nog erger zou maken. Hij had het gevoel dat er een groot gat of gapende leegte door hem heen viel en bleef vallen, zonder ooit de grond te raken. In heel zijn leven had hij nog nooit aan zelfmoord gedacht, tot vandaag. Hij controleerde een aangifte en vocht tegelijkertijd een innerlijke strijd uit, tegen de zonde en het affront dat hij daar zelfs maar aan durfde te denken. Het was stil in de zaal, op het geluid van de telmachines en het geklepper van dat ene karretje met dat lamme wiel na, waarmee de bode nu de rij afging met nog meer dossiers, maar in zijn hoofd hoorde hij ook steeds weer het geluid dat een blad papier maakt als je het keer op keer in tweeën scheurt. Zijn zes man sterke sectie besloeg een kwart rij en was afgeschermd met grijze vinylpanelen. Een team bestaat uit vier secties plus de teamleider en een dossierbode, onder hen alumni van het Peoria College of Business. De panelen konden worden verplaatst om de indeling van de zaal te wijzigen. In de belendende zalen zaten vergelijkbare routinegroepen. Helemaal links achter drie andere sectierijen bevond zich het kantoor van de Groepsmanager, met daarnaast het kantoorhokje van de AGM. De rubberen telvingers dienden om voldoende grip te hebben om de aangifteformulieren met bezonnen spoed te kunnen doorbladeren. Je werd verondersteld het rubbertje op het eind van de dag bij je te houden. De tl-lampen wierpen geen schaduw, zelfs niet van je hand als je die uitstak alsof je iets uit een bakje wilde pakken. Doug en Amber Bellman, 402 Elk Court, Edina, Minnesota, die aftrekposten specificeerden alsof hun leven ervan afhing, hadden ervoor gekozen $1 te doneren aan de campagne voor de presidentsverkiezingen. Het duurde een paar minuten om alle gegevens op Annex A te controleren, maar niets wees erop dat een audit iets zou opleveren, ook al schreef de heer Bellman met de hanenpoten van een krankzinnige. Lane Dean had veel minder 20's opgesteld dan eigenlijk zou moeten. Op vrijdag had hij in zijn sectie de minste 20's van iedereen. Niemand had er iets van gezegd. Alle prullenmanden zaten vol papierkrullen uit de telmachines. In het tl-licht hadden alle gezichten de kleur van nat lood. De panelen kon je zo opstellen dat ze een semibesloten hokje vormden, zoals de Assistent-Groepsmanager en zijn Teamleider dat hadden gedaan. Toen keek hij even op, ondanks al zijn eerdere goede voornemens. Over vier minuten zou er weer een halfuur voorbij zijn, en nog een halfuur later zou hij een kwartier pauze hebben. Lane Dean stelde zich voor hoe hij tijdens die pauze met zijn armen zwaaide en wartaal uitsloeg en tien sigaretten tegelijk in zijn mond hield, als een panfluit. Jaar in, jaar uit, met een gezicht in dezelfde kleur als je bureau. Heer Jezus. Koffie was niet toegelaten, dit om te vermijden dat iemand op de dossiers zou morsen, maar tijdens de pauze zou hij in elke hand een grote beker koffie hebben en zich voorstellen dat hij op het terrein buiten het complex schreeuwend rondjes rende. Hij wist dat hij tijdens de pauze in werkelijkheid gewoon in de ontspanningsruimte naar de wandklok zou kijken en ondanks zijn gebeden en inspanningen de wegtikkende seconden zou tellen tot hij weer naar binnen moest om opnieuw dit hier te doen. Keer op keer, steeds maar weer. Het ingebeelde geluid herinnerde hem aan verschillende keren dat hij iemand papier doormidden had zien scheuren. Hij dacht aan de sterke man van een circus die een telefoonboek in tweeën scheurde; hij was kaal, had een krulsnor en droeg een gestreept, lichaamsbedekkend zwempak zoals men dat in een ver verleden droeg. Lane Dean schraapte nogmaals al zijn wilskracht bijeen, vermande zich en controleerde drie aangiften na elkaar, en fantaseerde toen over diverse hoge plekken waar hij van af zou kun-

nen springen. Hij had het idee dat hij inmiddels wel met enige zekerheid kon zeggen dat de hel niets te maken had met vuurpoelen of bevroren troepen. Sluit een man op in een ruimte zonder ramen om routinetaken uit te voeren die net lastig genoeg zijn om je verstand erbij
te moeten houden, maar die niettemin routinetaken blijven, taken
waarbij cijfers komen kijken die geen verband houden met iets waar
hij ooit weet van zou hebben of iets bij zou voelen, een stapel taken
die nooit kleiner wordt, spijker een klok tegen de muur waar hij tegenaan moet kijken en laat hem alleen met zijn gedachten. Zeg hem
zijn kont samen te trekken en aan een strand te denken zodra hij ongedurig wordt, *ongedurig*, precies het woord dat ze zouden gebruiken,
net zoals vroeger zijn moeder. Laat hem met het verglijden van de tijd
zelf uitvinden wat een aanfluiting dat woord was, dat het niet eens in
de buurt kwam. Hij had zijn bureau al afgestoft met zijn mouw en de
foto van zijn zoontje verplaatst, in die kleine rammelende lijst waarvan
het glas een beetje verschoof als je ermee schudde. Hij had ook al geprobeerd het groene rubbertje van pink te verwisselen en de telmachine
machine met zijn linkerhand aan te slaan, alsof hij een beroerte had gekregen en er zich desalniettemin dapper doorheen sloeg. Door het
rubber werd het topje van zijn pink helemaal vochtig en bleek. Thuis
niet in staat stil te zitten, niet in staat ergens langer dan een paar seconden naar te kijken. Op het strand lag nu uitgehard cement in plaats
van zand, en het water was grijs en bewoog amper nog, het trilde alleen
lichtjes, als drilpudding die nog net niet helemaal opgesteven is. Ongevraagd dienden er zich manieren aan om zich met drilpudding van
kant te maken. Lane Dean probeerde het tempo van zijn hartslag te
regelen. Hij vroeg zich af of je met genoeg oefening en concentratie
je hart zou kunnen stilzetten, zoals je ook je adem kon inhouden –
zoals nu bijvoorbeeld. Zijn hartslag voelde gevaarlijk laag aan; hij werd
bang en probeerde zijn hoofd gebogen te houden en zijn ogen helemaal naar boven te rollen en het tempo van zijn hartslag te vergelijken
met de grote wijzer van de klok, maar die leek hopeloos langzaam.
Keer op keer het geluid van scheurend papier. Sommige bodes bezorgden je dossiers met alles wat je nodig had, andere niet. De zoemer
om een dossierbode te laten komen bevond zich net onder de rand
van het metalen bureau en had een snoer dat langs een van de zijkanten
van het bureau en een korte, eraan vastgelaste poot liep, maar die zoemer deed het niet. Volgens Atkins had de wiegelaar die vroeger op die

plek had gezeten, voordat hij was overgeplaatst, er zo vaak op gedrukt dat de zekering was doorgebrand. De rijen vreemde afdrukken vooraan op de vloeilegger, zo had Lane Dean zich gerealiseerd, waren tand-afdrukken die iemand heel voorzichtig voorovergebogen in de rand van die legger had gemaakt, zodat ze heel diep werden en erin zouden blijven staan. Hij dacht dat wel te kunnen begrijpen. Het viel hem zwaar de neiging te weerstaan aan zijn vinger te ruiken; thuis betrapte hij er zich soms op, als hij aan tafel voor zich uit zat te staren. Het gezicht van zijn zoontje werkte beter dan het strand; hij verbeeldde zich dat het jochie allerlei dingen deed waar hij en zijn vrouw daarna over zouden kunnen praten, zoals met zijn vuistje een van hun vingers vast-grijpen, of lachen als Sheri dat verbaasde gezicht trok. Hij zag haar graag met dat knulletje bezig; een half dossier lang hielp het om aan hen te denken, want omdat zij er waren was dit de moeite waard en de juiste keuze geweest, en dat moest hij in gedachten houden, maar het glipte steeds weer weg door het gat dat door hem heen viel. Geen van de twee mannen aan weerszijden van hem leek ooit te friemelen of te bewegen, behalve om iets uit de bakjes boven aan hun Tingle te pakken en op hun bureau te leggen, als machines, en tijdens de pauzes zag je ze nooit in de ontspanningsruimte. Atkins beweerde dat hij na een jaar twee dossiers tegelijk kon controleren en aftoetsen, maar je zag het hem nooit eens daadwerkelijk doen, al kon hij wel een wijsje fluiten en tegelijk een ander neuriën. Nugents zus deed haar *Exorcist*-imitatie via de telefoon. Lane Dean keek uit zijn ooghoek naar een man met een papegaaiengezicht die bij het centrale gangpad tussen de teams zat en een dossier uit zijn bakje pakte, de aangifte eruit nam en de uitdraai eraf haalde, en beide documenten midden op zijn vloeileg-ger schikte. Met zijn zelfgemaakte zitkussen en zijn grijze hoed aan de haak aan het bakje voor de 402's. Lane Dean staarde omlaag zonder het geopende dossier te zien, stelde zich voor die kerel te zijn met zijn trieste kussentje en aangepaste bankierslamp en vroeg zich af wat die in hemelsnaam in zijn vrije tijd deed of had dat tegenwicht bood aan deze dagelijks acht uur durende, geestdodende sleur, die niet eens voor een kwart voorbij was, totdat hij het niet meer kon verdragen en in een vlaag van razernij drie aangiften na elkaar controleerde, waarbij hij mogelijk een paar zaken over het hoofd zag, en dus nam hij de vol-gende aangifte heel langzaam en nauwgezet door en stuitte zo op een discrepantie tussen het op Annex E van de 1040 aangegeven schamele spoorwegpensioen van die goeie ouwe Clive R. Terry en de officiële lijfrentetabellen voor spoorwegbeambten, maar de afwijking was zo miniem dat je niet met zekerheid kon zeggen of de uitdraai van Martinsburg echt een fout bevatte of dat men genoegen had genomen met een ruime afronding omdat het toch maar om een klein bedrag ging en er weinig tijd was, en hij moest zowel een 020-C als een Memo 402-C(1) invullen voordat hij de aangifte naar zijn Groepsmanager kon doorsturen, om te zien hoe die fout moest worden geclassificeerd. Beide dienden aan beide zijden te worden ingevuld, met telkens dezelfde gegevens, en daarna geparafeerd. De hele zaak was onvoorstelbaar futiel en betekenisloos. Hij dacht na over het woord *betekenis* en probeerde zich het gezicht van zijn zoontje voor de geest te halen zonder naar de foto te kijken, maar zijn enige indrukken waren die van het gewicht van een volle luier en de plastic mobiel boven zijn wieg, die draaide in het briesje van de boxventilator in de deuropening. Niemand in zijn parochie had *The Exorcist* gezien; die film druiste in tegen de katholieke leer en was obsceen. Het was geen amusement. Hij stelde zich voor dat de grote wijzer van de klok een bewustzijn bezat en wist dat het als grote wijzer zijn taak was om in alle eeuwigheid rondjes te blijven draaien in een cirkel met cijfers, steeds in hetzelfde trage, onveranderlijke en machinale tempo, nooit eens naar een plek waar hij niet al miljoenen keren eerder was geweest, en dat geestesbeeld van die grote wijzer was zo afschuwelijk dat zijn adem stokte, waarna hij snel rondkeek om te zien of een van de controleurs in zijn buurt dat had gehoord of naar hem zat te kijken. Toen voor zijn ogen het gezicht van zijn zoontje op de foto begon te smelten en langer werd en hij zag hoe het een lange gespleten kin kreeg en het gezicht in amper een paar seconden jaren ouder was geworden, tot het uiteindelijk van ouderdom verschrompelde en van de grijnzende gele schedel eronder afviel, wist hij dat hij half zat te slapen en aan het dromen was, maar niet dat hij zijn eigen gezicht in zijn handen hield, tot hij een menselijke stem hoorde en zijn ogen opende maar niet kon zien bij wie die hoorde, waarna hij vlak onder zijn neus het rubbertje op zijn pink rook. Het was mogelijk dat hij op het opengeslagen dossier had gekwijld.

Je hebt al een voorproefje gehad, zie ik.

Het was een al wat ouder, gezet heerschap met een doorgroefd gezicht en tanden als een tuinhek. Lane Dean had hem vanaf zijn plek nog nooit aan een Tingle zien zitten. De man droeg een hoofdlamp met een beige katoenen band zoals je die soms bij tandartsen ziet, en had een dikke zwarte viltstift in zijn borstzak. Hij rook naar haarolie en eten. Een deel van zijn zitvlak steunde op de rand van Lanes bureau. Hij sprak met zachte stem en verwijderde ondertussen met een recht-gebogen paperclip een rouwrand onder zijn duimnagel. Je kon zien dat hij onder zijn overhemd een onderhemd aanhad; een das droeg hij niet. Hij bewoog zijn bovenlichaam voortdurend in een bepaalde fi-guur, misschien een cirkel, en de kleine bewegingen lieten een zwak visueel spoor achter. Geen van de wiegelaars in een van beide rijen naast hem schonk aandacht aan de man. Dean wierp snel een blik op het gezicht op de foto om er zeker van te zijn dat hij niet meer aan het dromen was.

Al zeggen ze er nooit iets over. Is het je nog niet opgevallen? Ze praten eromheen. Het is te vanzelfsprekend. Zoals praten over de lucht die je inademt, nietwaar? Alsof je zou zeggen: ik zie dit of dat *met mijn ogen*. Wat zou dat voor zin hebben?

Er was iets mis met een van zijn ogen; de pupil van dat oog was gro-ter en veranderde niet, waardoor het oog er star uitzag. Zijn hoofd-lamp brandde niet. Door de langzame bewegingen van zijn bovenli-chaam kwam hij dichterbij en helde daarna weer naar achteren. Het ging langzaam en viel amper op.

Maar nu je al een voorproefje hebt gehad: denk er eens over na, over dat woord. Dat ene, je weet wel. Dean had het ongemakkelijke gevoel dat die vent strikt genomen niet *tegen* hem aan het praten was, wat zou betekenen dat hij eigenlijk aan het oreren was. Dat ene oog keek star langs hem heen. Alhoewel: had hij daarnet niet aan een woord zitten denken? Was dat woord *verwijd* geweest? Had hij dat hardop gezegd? Lane Dean keek behoedzaam om zich heen. De matglazen deur van de Groepsmanager was dicht.

In het Engels duikt het woord plotseling op in 1766. Etymologie onbekend. De Earl of March gebruikt het in een brief om een Franse edelman te beschrijven. Hij kreeg geen navolging, maar dat betekende nog niets. Lane Dean spande zonder reden zijn billen. Het is zelfs zo dat het woord in de eerste drie bewijsplaatsen samen met het adjectief 'Frans' genoemd wordt, *die vervelende klier van een Fransoos*. De Fran-sen hadden natuurlijk *malaise, ennui* – zie bijvoorbeeld Pascals vierde *Pensée*, wat Lane Dean verstond als *pencee*. Hij controleerde het dossier dat voor hem lag op verdwaald speeksel. Eén bil in donkerblauwe werkbroek bevond zich luttele centimeters van zijn elleboog. De man bewoog zachtjes heen en weer, alsof er een spil in zijn middel zat. Het leek wel alsof hij systematisch, aan de hand van een raster, Lane Deans bovenlichaam en gezicht inspecteerde. Zijn gezicht was een en al wenkbrauw. De beige band was doorweekt of bevlekt. Zie de beroemde brieven van La Rochefoucauld of de Marquise du Deffand aan Horace Walpole, met name Brief 96, als ik het goed heb. Maar in het Engels niets voorafgaand aan die March, Earl of. Dat betekent een goede vijf-honderd jaar zonder dat er een woord voor bestond, nietwaar? Hij draaide een klein beetje van Lane Dean weg. Dit was beslist geen vi-sioen of verschijning. Hij had wel van de schim gehoord maar hem nog nooit gezien. De schim als gevolg van hallucinaties vanwege al te langdurige concentratie op steeds hetzelfde, net als bij een woord dat je almaar blijft herhalen tot het lijkt op te lossen in een vreemde taal. Vier Tingles verderop kon je nog net Wax' stugge grijze haren zien. Geen woord voor het Latijnse *accidia*, waar de volgelingen van Bene-dictus zo beducht voor waren. Van het Griekse ακηδία. En de here-mieten en cenobieten in het derde-eeuwse Egypte, bezocht door de zogenoemde *daemon meridianus*, hun gebeden gebroken door zinloos-heid, eentonigheid en het verlangen naar een gewelddadige dood. Nu keek Lane Dean openlijk om zich heen, zo van: wie is die vent? Zijn ene oog was gefixeerd op een punt ergens achter de rij vinylpanelen. Het scheurende geluid was verdwenen, net als het piepende wiel van dat ene karretje.

Het heerschap schraapte zijn keel. Donne noemde het zoals bekend *lethargie*, en een tijdlang leek het min of meer samen te vallen met *me-lancholia, saturninia, otiositas, tristitia* – dat wil zeggen dat het verward werd met traagheid, gevoelloosheid, loomheid, matheid, irritatie, ge-stoordheid en *eremia*, en toegeschreven werd aan spleen – zie bijvoor-beeld Anne Finch' *zwarte geelzucht*, en natuurlijk ook Burton. De man was nog steeds met diezelfde rouwrand in de weer. De quaker-dichter Matthew Green had het, in 1750 geloof ik, over een *mist van spleen*. Haarolie deed Lane Dean altijd aan de kapper denken, aan de ge-streepte paal die in een eindeloze spiraal omhoog leek te gaan, maar als de zaak sloot en het draaien ophield kon je zien dat dat niet zo was. De haarolie had een naam. Niemand onder de zestig gebruikte die. Wax gebruikte een spray voor mannen. Het heerschap leek zich niet bewust van de lome, x-vormige wentelingen van zijn bovenlichaam.

Twee wiegelaars van een team bij de deur met allebei een lange baard en een dophoed zaten aan hun Tingle ook wel op hun stoel te schommelen terwijl ze aangiften controleerden, maar hun geschommel ging sneller en uitsluitend van voor naar achter; dit was iets anders. De controleurs die aan weerszijden van hem zaten keken niet op of om; hun vingers op de telmachines vertraagden geen moment. Lane Dean kon niet zeggen of dat blijk gaf van hun professionaliteit en hun concentratie of van iets anders. Sommigen droegen het rubbertje op hun linkerpink, de meesten op hun rechter. Robert Atkins was tweehandig; hij kon twee verschillende formulieren tegelijk invullen, met elke hand één. Voor zover Dean had kunnen zien had de wiegelaar links van hem de hele ochtend nog niet met zijn ogen geknipperd. En dan duikt het opeens op. *Bore.* Als aan Athena's voorhoofd ontsproten. Naam- en werkwoord, als bijvoeglijk naamwoord gebruikt deelwoord, de hele reutemeteut. Oorsprong eigenlijk onbekend. We weten het gewoon niet. Bij Samuel Johnson vind je er niks over: bij het werkwoord *to bore* noemt hij alleen grondbetekenissen als *boren, uitboren* enzovoorts. En het enige lemma bij Partridge gaat over de voorzetselkeuze bij het predicatief gebruikte deelwoord, want die keuze verraadt iemands sociale klasse, en dat is het enige waar het Partridge om te doen is. Klasse, klasse, altijd maar klasse. De enige Partridge die Lane Dean kende was de Partridge van de tv die iedereen kende. Hij had geen flauw benul waar die vent het over had, maar tegelijkertijd bracht het hem van zijn stuk dat hij zich ook aan soortgelijke gedachten had overgegeven, vele aangiften geleden. Filologen stellen dat het een neologisme was – en dat juist in de tijd dat de industrie opkwam, nietwaar? Net als de massamens, de automatische turbine, de eerste vormen van massaproductie. De tijd dus dat het subject zich door de veelheid van alles overweldigd en nietig en leeg voelde. Heb je *Metropolis* gezien? Daar is Friedkin niets bij. Goed, nu vond Lane het echt eng worden. Hij was niet bij machte iets tegen die vent te zeggen, zelfs niet om hem te vragen wat hij van hem wilde. Ook dat leek wel een nare droom. Na zijn eerste dag had hij 's nachts gedroomd over een stok die steeds doormidden werd gebroken maar nooit kleiner werd. Die Fransman die uitentreuren zijn steen de heuvel opduwt. Zie bijvoorbeeld het standaardwerk over de Engelse taal van L.P. Smith, uit '56 geloof ik, niet? Het was zijn slechte oog, dat bevroren oog, dat leek te inspecteren waar hij zich naartoe boog. Stelt dat bepaalde neologismen *opkomen vanuit hun inherente culturele noodzakelijkheid* – zo formuleert hij dat, geloof ik. Nietwaar? voegde hij eraan toe. Zodra het soort ervaring waarvan je nu een stevig voorproefje hebt gehad mogelijk wordt, vindt het woord zichzelf uit. Het begrip. Hij begon aan een andere nagel. De band van de hoofdlamp, die trouwens steeds meer op een verband begon te lijken, was doorweekt met Vitalis, zo heette dat spul. De naam van de Groepsmanager stond geschilderd op de ruit in zijn deur, op van dat ondoorzichtige gebobbelde figuurglas dat je ook nog aantreft in oudere middelbare scholen. Bij Personeelszaken hadden ze dezelfde deuren. De wiegelzalen hadden metalen brandwerende deuren zonder ruit, met bovenaan een dranger; een recentere uitvoering. Bedenk dat de Oglok op Labrador meer dan honderd verschillende typerende woorden voor sneeuw kennen. Smith stelt aldus dat alles wat voldoende relevantie verwerft uiteindelijk een naam krijgt. Het woord ontspruit aan de culturele druk. Echt heel interessant als je erbij stilstaat. Voor het eerst draaide zijn collega aan de Tingle rechts van hem even zijn hoofd en wierp een blik op de man, maar al even snel draaide hij zich weer om toen het heerschap zijn handen in klauwen veranderde en ze naar de andere wiegelaar uitstak als een demon of een bezetene. Het gebeurde allemaal zo onvoorstelbaar snel dat het Lane Dean haast onwerkelijk voorkwam. De wiegelaar sloeg een blad om van het dossier dat voor hem lag. *Geestdodend*, zoals weer iemand anders het noemde. En jij voortaan ook, nietwaar? In de negentiende eeuw duikt het woord ineens overal op; zie bijvoorbeeld Kierkegaards opmerking *Merkwaardig dat verveling, zelf zo rustig en bezadigd van aard, zulk een kracht heeft om iemand in beweging te zetten*. Toen hij de grote bil van zijn bureaublad liet glijden versterkte die beweging de geur; het was een combinatie van Vitalis en Chinees eten, dat spul in zo'n wit emmertje met een hengsel van metaaldraad, moo goo en nog iets. Het licht vanuit de zaal viel nu anders op het matglas omdat de deur een stukje openstond, al had Lane Dean niet gezien dat de deur was opengegaan. Lane Dean bedacht dat hij zou kunnen bidden.

Dezelfde wentelende rasterbeweging als hij stond. Het ene oog was op de deur van de Groepsmanager gericht, die op een kier stond. Merk ook op dat in het Engels het woord voor *interessant* pas twee jaar later opduikt. In 1768. Let wel, pas twee jaar *later*. Kan dat waar zijn? Hij was halverwege de rij; die kerel met zijn kussentje keek even op en daarna onmiddellijk weer naar beneden. Zichzelf uitvindt, nietwaar?

Niet haar enige uitvinding overigens. Daarna iets wat Lane Dean verstond als *bom appeltiet*. De man verdween toen hij aan het eind van de rij was gekomen. Het dossier met zijn Annex A en B en de uitdraai lagen er nog precies zo bij als eerst, maar de foto van Lanes zoontje lag naar beneden geklapt op het bureaublad. Hij vergunde zich een blik op de klok en zag dat er alweer geen seconde was voorbijgegaan.

§34

BH §781(d) AMB-formule voor vennootschappen: (1) het belastbaar inkomen vóór aftrek van de operationele verliezen (OV), plus of minus (2) alle AMB-correcties, met uitzondering van correcties van het aangepaste huidige inkomen (AHI), plus (3) eventuele belastingfaciliteiten, is gelijk aan (4) het alternatieve minimale belastbare inkomen (AMBI) vóór de OV-aftrek en/of de AHI-correcties, plus of minus (5) eventuele AHI-correcties, is gelijk aan (6) het AMBI vóór de eventuele OV-aftrek, minus (7) de eventuele OV-aftrek (geplafonneerd op 90%), is gelijk aan (8) het AMBI, minus (9) de heffingskortingen, is gelijk aan (10) de AMB-grondslag, minus (11) het AMB-tarief van 20%, is gelijk aan (12) de AMB vóór het AMB-tegoed voor reeds in het buitenland betaalde belasting (AMB-TBBB), minus (13) het eventuele AMB-TBBB (geplafonneerd op 90%, behalve indien Uitzonderingen 781(d) (13-16) van toepassing zijn, voeg in dat geval Memo 781-2432 bij en leg voor aan Groepsmanager), is gelijk aan (14) de voorlopige alternatieve minimumbelasting (VAMB), minus (15) de standaardbelastingverplichting vóór het tegoed minus het standaard-TBBB, is gelijk aan (16) de alternatieve minimumbelasting.

§35

De Groepsmanager van mijn auditgroep en zijn vrouw hebben een kind dat ik alleen maar kan omschrijven als – nijdig. Zijn gezichtsuitdrukking is nijdig, zijn gedrag is nijdig, hoe het boven de fles of speen uit staart – nijdig, intimiderend, agressief. Ik heb het nog nooit horen huilen. Als het kind, een baby nog, voeding krijgt of slaapt, loopt zijn bleke gezicht rood aan en ziet het er des te nijdiger uit. De werkdagen dat onze Groepsmanager het naar het Districtskantoor meebracht, hangend op zijn rug in een nylon papoosebuidel, leek het kind hem te berijden zoals een kornak een olifant. Het hing daar en straalde autoriteit uit. Zijn rug lag tegen die van onze Groepsmanager aan, zijn grote hoofd vond steun in de holte van zijn vaders nek, waardoor meneer Manshardts hoofd naar voren en beneden werd geduwd, in een klassieke houding van geknechtheid. Ze werden een beest met twee gezichten, waarvan er één heel kalm en uitdrukkingsloos was, en volwassen, en het andere nog ongevormd, maar toch onmiskenbaar nijdig. Het kind wiegelde nooit in die buidel, het gaf geen kik. 's Ochtends, als we met de anderen in de gang stonden te wachten op de lift, was zijn blik vlak, onaangedaan en, zo leek het, op een bepaalde manier bijna beschuldigend.

In mijn ervaring bestond het gezicht van het kind voornamelijk uit ogen en een onderlip: zijn neus niet meer dan een kneepje, zijn voorhoofd melkwit en rond, een grote krul plukkerig rood haar, geen wenkbrauwen, geen wimpers, voor zover ik kon zien zelfs geen oogleden. Niet één keer heb ik het met zijn ogen zien knipperen. Zijn gelaatstrekken leken slechts vage suggesties. Het kind had grofweg evenveel gezicht als een walvis. Het beviel me helemaal niet.

In de lift sta ik gewoonlijk vaak in het midden, net achter meneer Manshardt, en op de ochtenden dat het kind hem berijdt en met zijn gezicht naar achteren hangt te kijken, kan ik niet anders dan in die grote, strenge, wimperloze, vurig blauwe ogen staren, en ik moet zeggen dat zulke momenten in de lift allerminst een pretje zijn en vaak voor een groot deel van de werkdag mijn stemming en concentratie beïnvloeden.

In meneer Manshardts kantoor op de tweede verdieping beschikte het kind naast een wieg over een modern, ingenieus en verrolbaar toestel waar het de meeste tijd in doorbracht, een grote, ringvormige constructie van stevig blauw plastic met in het midden van het gat een soort stoffen steunband of zadel, waar de baby dan op werd gezet in een houding tussen zitten en staan in – dat wil zeggen: de beentjes van het kind waren bijna gestrekt, maar de band scheen dan zijn gewicht te dragen. Het toestel of tuig had vier korte, plompe poten met daaronder plastic wielen, en was zo ontworpen dat het kind het op eigen kracht kon voortbewegen, zij het langzaam, ongeveer zoals de verrijdbare stoelen van onze bureaus door middel van stuntelige beenbewegingen heen en weer konden worden gemanoeuvreerd. Het kind echter weigerde het tuig in gang te zetten, althans voor zover ik dat in al die tijd heb kunnen zien, en al evenmin raakte het de in felle primaire kleuren uitgevoerde speeltjes aan of keek het om naar de kleine, grappige, de ontwikkeling bevorderende rinkeldingetjes die in uitsparingen in het blauwe oppervlak van de ring waren gemonteerd. Het kind leek ook nooit geïnteresseerd in de stoffen boekjes, de vuilnis- en brandweerwagens, de met gel gevulde plastic bijtringen, de vernuftige mobielen of de muziek en dierengeluiden uitstotende speeltjes-mettrekkoord waarmee zijn speelruimte overladen was. Het zat schuine streep hing daar maar, roerloos en stom en nijdig te staren naar iedere S-9-auditeur die binnenliep in het matglazen kantoortje van meneer Manshardt – zijn vrouw was geëmancipeerd en had haar eigen carrière – op de dagen dat hij het meenam, waarvoor hij naar verluidt speciaal toestemming had gekregen van het Districtshoofd. In het begin gebeurde het nog vaak dat een S-9 onder een of ander voorwendsel in het kantoor binnenliep en bij de Groepsmanager een wit voetje probeerde te halen door naar de baby te glimlachen en zachte oerkreetjes te slaken, of door een vinger of een pen voor zijn gezicht te houden, wellicht om daarmee de grijpmotoriek te stimuleren. Het kind staarde de auditeur dan alleen maar nijdig aan, intens en neerbuigend tegelijk, met een uitdrukking alsof hij honger had en de auditeur voedsel was, zij het niet helemaal het soort dat hij bliefde. Van sommige kleine kinderen weet je gewoon dat ze zullen uitgroeien tot angstaanjagende volwassenen – deze baby was nu al angstaanjagend. Het was verwarrend en naargeestig om iets wat welbeschouwd nauwelijks een echt menselijk gezicht bezat toch een nijdige, intimiderende, welhaast beschuldigende uitdrukking te zien aannemen. Wat mijzelf betreft, ik had het idee om via zijn baby bij meneer Manshardt in het gevlij te komen al snel opgegeven. Om eerlijk te zijn was ik bang dat Gary Manshardt mijn angst en weerzin voor het kind zou aanvoelen op basis van de mysterieuze en occulte radar waar ouders vaak over lijken te beschikken.

Op meneer Manshardts bureau prijkte in de hoek met persoonlijke spullen een verzameling ingelijste foto's van het kind – op een tapijt, pasgeboren op de kraamafdeling, met een kleine jas met capuchon en laarsjes aan, bloot op zijn hurken op het strand met een rood schepje en emmertje en ga zo maar door – en op al die foto's zag het kind er nijdig uit. Zijn aanwezigheid leek meneer Manshardt niet te hinderen in zijn kantoorwerkzaamheden, die vooral van administratieve aard waren en minder de opperste concentratie vergden waar het eigenlijke auditwerk om vroeg. Was de werkdag eenmaal begonnen, dan leek de Groepsmanager het kind echter grotendeels te negeren en er op zijn beurt ook zelf door genegeerd te worden. Als ik binnenkwam kon ik nog zo mijn best doen, maar het lukte me nooit om contact te maken met het kind. De nylon papoosebuidel hing aan een kledinghaakje naast meneer Manshardts hoed en jasje – hij werkte het liefst in hemdsmouwen, wat ook een privilege van Groepsmanagers was. Soms rook het in het kantoor een beetje naar poeder of pies. Ik wist niet waar of wanneer de GM zijn baby verschoonde, en ik probeerde me vooral niet voor te stellen wat daar allemaal bij kwam kijken en wat de gezichtsuitdrukking van het kind zou zijn als dat moment was aangebroken. Zelf kon ik me niet voorstellen dat ik de baby zou aanraken of er op wat voor manier ook door aangeraakt zou worden.

Als gevolg van de organisatiestructuur van onze auditvleugel in District 040(c) namen de Groepsmanagers in het District om beurten de functie van Geschillencommissaris in eerste aanleg waar, waardoor meneer Manshardt soms zijn jasje weer moest aantrekken om naar beneden te gaan, naar een van de kantoorhokjes van Audits op de eerste verdieping, waar verongelijkte bb's of hun raadslieden hun bezwaren bij de uitkomst van een bepaalde audit toelichtten. En omdat de specificaties in §601 in het *Overzicht der procedureregels* inzake bezwaren en verzoeken tot stellingname bij een audituitkomst stipuleerden dat de desbetreffende S-9-auditeur zelf niet aanwezig mocht zijn bij een beroep in eerste aanleg, was die auditeur logischerwijs de eerste persoon die door meneer Manshardt aan zijn of haar bureau werd benaderd met het verzoek zijn of haar spullen tijdelijk naar het kantoor van de Groepsmanager te verplaatsen en op het kind te passen terwijl meneer Manshardt het beroep afhandelde.

En onvermijdelijk brak uiteindelijk de dag aan dat er een bezwaarschrift werd ingediend tegen een van mijn audituitkomsten toen meneer Manshardt 'aan de beurt' was als Geschillencommissaris van het Filiaal. Gelukkig betrof het aangetekende beroep een audit waar ik zowat acht volle werkdagen mee bezig was geweest op locatie bij Flower Power, een kleine familiezaak gespecialiseerd in de samenstelling en bezorging van boeketten bij officiële gelegenheden, met zulke abnormaal gestegen aftrekposten voor afschrijvingen, bederf en werknemerscompensatie op Annex A, E en G bij Formulier 1120 dat ik me genoodzaakt had gezien – ondanks de vreselijke hooikoorts die me al sinds mijn jeugd plaagt – er de boeken van de afgelopen twee jaar door te lichten en zowel Annex J als Regel 33 op hun 1120 fors ten gunste van de Schatkist aan te passen. Omdat de audit ondubbelzinnig verordonneerd werd door een richtlijn op Formulier 20 van het Regionale Controlecentrum, en omdat de middelen van deze bb wellicht ontoereikend waren om het geheel van aanpassingen, boetes en in rekening gebrachte heffingsrente voor boeketterie Flower Power te voldoen, tenzij er betalingstermijnen werden afgesproken of een andere schikking getroffen werd, was het beroep nauwelijks verrassend of verontrustend te noemen, zo verzekerde meneer Manshardt me op de neutrale, vriendelijke toon die zijn managementstijl kenmerkte. Maar omdat de bespreking van het beroep zou plaatsvinden in het kantoor van de advocaat van Flower Power, gelegen in DeKalb Street, in het centrum van de stad – wat het voorrecht is van bepaalde categorieën bedrijven die een audit ter plaatse krijgen, zoals gestipuleerd in

§601.105 van het OPR – zou meneer Manshardt noodzakelijkerwijs een paar uur afwezig zijn, met als gevolg dat ik een langere tijdspanne in het kantoor van de Groepsmanager zou moeten doorbrengen in het gezelschap van zijn nijdige en angstaanjagende baby, die in het geval van een bezwaarprocedure alleen mocht worden meegenomen naar een bespreking extra muros indien Manshardt en de advocaat van de partij die het bezwaarschrift had ingediend in de loop der jaren een goede verstandhouding hadden opgebouwd, wat bij hem en de advocaat[1] van Flower Power, zei hij, helaas niet het geval was.

De kantoren van de Groepsmanagers waren de enige werkruimten in de auditvleugel op de tweede verdieping die volledig omsloten waren en deuren hadden, wat enige privacy bood. Maar de kantoren zijn niet groot, dat van Manshardt zelf zal niet groter zijn dan tweeënhalf bij tweeënhalf, met hoge matglazen ruiten aan twee zijden – namelijk de zijden die niet raakten aan de dragende muren van het Districtsgebouw – en een in de muur geschroefde, dubbele koperen kledinghaak, een Amerikaanse vlag en een vlag met het motto en zegel van de Dienst rustend in een ingewikkelde vlaggenstandaard in een van de hoeken, alsook ingelijste portretfoto's van de Directeur-Generaal van Driemaal Zes en onze eigen Regiocommissaris, die zijn kantoor aan de andere kant van de stad had. In tegenstelling tot de nogal krappe en onpersoonlijke metalen bureaus van de auditgroep nam Gary Manshardts fineerhouten bureau met zijn Tingle-opstelling vol vakjes en bakjes nagenoeg alle ruimte van het kantoor in beslag die niet aan de baby was toebedeeld, al stond er verder ook nog zo'n grote, multiinzetbare presentatiestandaard waarop Groepmanagers lopende werklast van hun auditeurs aantekenen en ze tevens, in een door het DH opgelegde, kinderlijk doorzichtige Charleston-code,[2] van iedere S-9

---

1 (een joodse dame)

2 De Dienst werkt nu eenmaal met productiequota's. Dat ligt eigenlijk voor de hand. Doordat nogal wat hoge functionarissen op Driemaal Zes echter in het openbaar herhaaldelijk het tegendeel hebben beweerd, is het noodzakelijk dat al deze interne quota's gecodeerd worden bijgehouden en bewaard. Tegelijk beschouwen leidinggevenden de uitkomsten van zulke quota's als een waardevolle prestatiebevorderende factor voor werknemers, wat ook de reden is dat de afdeling Compliance interne codes heeft geautoriseerd en verordend waar de meeste auditeurs belachelijk goed mee bekend zijn. De Charleston-code, waarin de C voor 0 staat, de H voor 1, puntje, puntje, puntje, tot de N die voor 9 staat – is tegenwoordig de meest gebruikte code voor winkeliers die

het totale aantal dossiers, aanpassingen en geconstateerde tekorten bijhouden. De airconditioning werkte goed.

Nu word ik er echter attent op gemaakt dat dit alles niet helemaal
ter zake doet, want waar het om gaat is het volgende: wie schetst mijn
verbazing en consternatie toen ik, nadat ik mijn attachékoffer, dobermannhandpop, bureaunaambordje, hoed, persoonlijke bezittingen,
notitieboekje van de Dienst, uitvouwbare kartonnen opbergdoos met
hollerithkaarten, M1-uitdraaien, Memo 20's, Formulieren 520 en
1120, blanco formulieren en zeker twee dikke mappen vol kruiscon-
troles en verzoekformulieren tot aanvullende informatie naar het kantoor van de Groepsmanager had verhuisd – daarbij zo min mogelijk
in de richting van Gary's gramstorige kind blikkend, dat nog altijd zijn
slabbetje van tijdens het middagpapje droeg en in dat ronde plastic
tuig stond schuine streep zat en op een wijze die ik alleen maar als stu-
dieus of contemplatief kan omschrijven een met gel gevulde ring be-
sabbelde – en er net weer in was geslaagd mijn concentratie terug te
vinden teneinde een lijst op te stellen met verzoeken om ondersteu-

een permanent inventarissysteem bijhouden dat bij elke officiële transactie de nominale
kostprijs van de omzet dient te registreren. Dat wil zeggen dat een prijssticker op een
artikel in pakweg een IGA-dorpssupermarkt zowel de verkoopsprijs in cijfers als de
KO of de eenheidsprijs van de distributeur in Charleston-code bevat, vaak helemaal
onder aan de prijssticker. Derhalve kan iedereen die de code kent, op grond van een
verkoopsprijs van, laten we zeggen, $1,49 en een priegelige TE daaronder, vaststellen
dat de winstmarge op dat product bijna 100 procent bedraagt, en dat zijn vaste IGA-
supermarkt ofwel gerund wordt door afzetters of uitzonderlijk hoge overheadkosten
heeft, mogelijk door een onverstandig geïnvesteerd hefboomkrediet – een veelvoorkomend probleem bij het management van supermarktketens in het Midden-Westen.
Aan de andere kant heeft de Charleston-code het voordeel dat het aandikken van de
KO in Annex A voor een winkelketen de meest gebruikelijke en efficiënte methode is
om Regel 33 naar beneden bij te stellen, vooral als de winkelketen niet dezelfde code
voor de nominale KO hanteert als de code die de distributeur gebruikt voor zijn uitstaande vorderingen – en de meeste distributeurs gebruiken een veel modernere octale
PIS-code. Daarom worden veel audits van grote bedrijven ook zo opgezet dat alle verschillende niveaus van de bevoorradingsketen tegelijkertijd kunnen worden doorgelicht. Zulke gecoördineerde audits worden meestal op het RK uitgevoerd, vaak door
speciaal daarvoor geselecteerde S-13-controleurs uit het Regionale Controlecentrum;
op Districtsniveau voeren we dat type audits niet uit.

nende documenten en voorlopige kwitanties aan een producent die getemperde hengsels produceerde en monteerde voor een bepaald model gegalvaniseerde emmer van Midstate Galvanics in Danville, toen ik het onmiskenbaar volwassen geluid hoorde van een keel die wordt geschraapt, zij het op ontzettend hoge toon, als van een volwassen man die zojuist helium uit een feestballon heeft geïnhaleerd. Het kind was, net als Gary Manshardts vrouw, roodharig, al gaven zijn uitzonderlijke bleekheid en lichtgele pyjama of romper – of hoe die poezelige lichaamsbedekkende chamois gevalletjes met knoopjes die baby's vandaag de dag vaak dragen ook mogen heten – aan zijn haarplukken en krulletjes in het harde kantoorlicht de kleur van geronnen bloed en leken zijn nijdige en geconcentreerde blauwe ogen er bijna pupilloos door; maar dat was nog niet alles, want om deze gruwel van ongerijmdheden compleet te maken had het kind zijn bijtring terzijde gelegd – heel zorgvuldig en weloverwogen, zoals iemand een afgewerkt dossier op zijn bureau weglegt en zich opmaakt om zijn aandacht op een volgend dossier te richten – en die lag nu nat en glimmend naast een rechtopstaand flesje gevuld met, naar het leek, appelsap. Het kind had zijn kleine handjes als een volwassen man voor zich samengevouwen op het levendige blauwe plastic van zijn speeltuig,[3] precies zoals meneer Manshardt of meneer Fardelle of de andere Groepsmanagers of naaste medewerkers van het Districtshoofd hun handen op hun bureau samenvouwden om aan te geven dat jij en de kwestie die jou tot in hun kantoor had gebracht nu op hun volledige aandacht konden rekenen, en schraapte opnieuw zijn keel – want het geluid kwam inderdaad van het kind, van hem, de baby, die zoals de eerste de beste GM verwachtingsvol zijn keel had geschraapt om mijn aandacht te trekken, maar me tegelijkertijd op een subtiele manier terechtwees omdat dat überhaupt nodig was geweest, alsof ik zat te dagdromen of niet helemaal bij de les was – en die, terwijl hij me nijdig aanstaarde, zei – inderdaad: zei, met een hoge en, ondanks de lichtjes slissende *s*, onmiskenbare stem –

'Dus?'

---

3 (Ik kon ook zien dat het ene elastische mouwtje van zijn romper kletsnat was van het speeksel en dat de stof tot zo'n 10 centimeter boven zijn pols donkerder leek dan het andere mouwtje, wat de baby scheen te negeren en waar ik zeker niets van zei of van plan was iets aan te doen.)

Achteraf gezien kwam het aanvankelijk wellicht door de schok, door mijn zo te zeggen perplexheid dat ik op zo'n volwassen toon werd toegesproken door een baby in een luier en een natgekwijlde pyjama, dat ik automatisch antwoord gaf en reageerde zoals ik zou doen op ieder ander verwachtingsvol 'Dus?' van een meerdere bij de Dienst; ik functioneerde zo te zeggen op de automatische piloot:

'Pardon?' zei ik, en we staarden elkaar aan boven ons respectievelijk fineerhouten en helblauwe oppervlak, met een kleine twee meter tl-lucht tussen ons in, beiden nu met onze handen op een identieke manier voor ons samengevouwen, de blik van de baby op een nijdige manier verwachtingsvol terwijl er bij het ademhalen in zijn ene neusgat een kleine, romige snottebel verscheen en weer verdween. Hij keek me recht in de ogen, de opstaande lok op zijn kruin leek een prijskaartje of een bon uit de gleuf van een kassa, zijn ogen waren wimperloos en zonder omtrek of onderkant, zijn lippen samengeperst alsof hij nadacht hoe het nu verder moest, en in zijn flesje sap steeg langzaam en onbekommerd een luchtbel naar het oppervlak – de grote speen was bruin en glansde nog door recent gebruik. Dat grenzeloze, uitdijende moment hield ons gevangen, en alleen de angst om vrijpostig over te komen weerhield me ervan toe te geven aan de neiging om zelf mijn keel te schrapen – en in die schijnbaar eindeloze, verwachtingsvolle tussentijd zag ik in dat ik me onderwierp aan de baby, hem respecteerde, zijn gezag erkende en me daarom schikte en afwachtte, wij tweeën in dat kleine, schaduwloze kantoor van zijn vader, in de wetenschap dat de wil van dat onaanzienlijke witte angstaanjagende ding voortaan mijn wet zou zijn, en ik zijn instrument of werktuig.

§36

Ieder heel mens heeft aspiraties, ambities, plannen, doelen. Het doel van deze ene jongen bestond erin zijn lippen tegen elke vierkante centimeter van zijn eigen lichaam te kunnen drukken.

Zijn armen tot aan de schouders en het grootste deel van zijn benen tot onder de knie, dat was kinderspel, maar na deze lichaamsdelen steeg de moeilijkheidsgraad met de abruptheid van een rif voor de kust. De jongen besefte dat er onvoorstelbare uitdagingen in het verschiet lagen. Hij was zes.

Over de oorspronkelijke animus of 'eerste oorzaak' van zijn verlangen zijn lippen op elke vierkante centimeter van zijn eigen lichaam te drukken valt weinig te zeggen. Op een dag moest hij thuisblijven vanwege zijn astma, en die regenachtige en langgerekte ochtend zat hij ogenschijnlijk wat in zijn vaders reclamefolders te bladeren. Een paar daarvan zouden later de brand overleven. Men ging ervan uit dat de astma van de jongen aangeboren was.

Het buitenste deel van zijn voet onder en rondom de laterale malleolus was het eerste dat daadwerkelijk contorsie vereiste. (Voor het jongetje was de laterale malleolus destijds nog gewoon die rare knobbel op zijn enkel.) Volgens zijn inschatting moest hij zichzelf op de met tapijt bedekte vloer van zijn slaapkamer in een houding plooien waarin de binnenkant van zijn knie op de vloer lag en zijn kuit en voet, voor zover hij dat toen al kon, een bijna perfecte hoek van negentig graden met zijn dijbeen vormden. Daarna diende hij zijn bovenlichaam zo ver mogelijk naar de zijkant over te hellen en zich over de naar buiten gedraaide enkel en het buitenste deel van zijn voet te buigen, om vervolgens zijn nek opzij en naar beneden te draaien en zijn lippen naar voren te stulpen (de voorstelling die de jongen op dat ogenblik van maximaal naar voren gestulpte lippen had, kwam nog niet verder dan het overdreven tuiten waarmee in tekenfilms een kus wordt verbeeld) in de richting van het buitenste deel van zijn voet, waarop hij met afwasbare inkt een roos had getekend. Op een vroege ochtend, terwijl hij zich steeds verder naar de zijkant uitrekte en moest vechten tegen de rechtsdraaiende druk van zijn ribben om nog enigszins te kunnen ademhalen, voelde hij ineens iets knappen boven aan zijn rug – en daarna de pijn, onbeschrijflijke pijn, ergens tussen zijn schouderblad en zijn ruggengraat. De jongen begon niet te schreeuwen of te huilen, maar bleef stil in deze helse positie zitten tot zijn opvallende afwezigheid bij het ontbijt zijn vader naar boven en naar zijn slaapkamerdeur noopte. De pijn en de resulterende dyspneu hielden de jongen meer dan een maand van school. Naar wat er in het hoofd van een vader omgaat als een kind van zes een dergelijke blessure oploopt, kunnen we alleen maar gissen.

De chiropractor van de vader, dokter Kathy, bleek de ergste van de directe symptomen te kunnen verlichten. Nog belangrijker: het was dokter Kathy die de jongen leerde de menselijke wervelkolom als een microkosmos te zien en die hem liet kennismaken met concepten als rughygiëne, houdingsecho en incrementele flexie. Dokter Kathy rook lichtjes naar venkel en kwam heel erg open en beschikbaar en vriendelijk over. Het kind lag op een hoge, gecapitonneerde tafel en plaatste zijn kin in een kleine kom. Ze manipuleerde zijn hoofd, weliswaar heel zachtjes, maar op een manier die dingen teweeg leek te brengen helemaal onder aan zijn rug. Haar handen waren sterk en zacht en als ze de rug van de jongen aanraakte, had hij het gevoel dat ze er vragen aan stelde die ze meteen ook beantwoordde. Aan de muur hingen kleurplaten met daarop explosietekeningen van de menselijke wervelkolom en de omliggende en ermee verbonden spieren, fasciën en zenuwbundels. Nergens een lolly te bekennen. De specifieke stretchoefeningen die dokter Kathy aan de jongen meegaf waren gericht op de splenius capitis, de longissimus cervicis en de dieper gelegen spieren zenuwscheden rond de wervels Th2 en Th3 – met name die delen van zijn rug en nek die hij had geblesseerd. Dokter Kathy droeg een leesbril aan een kettinkje, en een groen vest dat helemaal van stuifmeel gemaakt leek. Je wist meteen dat ze met iedereen op dezelfde manier praatte. Ze drukte de jongen op het hart de oefeningen elke dag uit te voeren en zich er niet door verveling of een verbetering van het ziektebeeld van te laten weerhouden ze gedisciplineerd vol te houden. Op lange termijn was het doel van de revalidatieoefeningen immers niet gelegen in het verlichten van zijn huidige lichamelijke ongemak, zei ze, maar in het bereiken van neurologische hygiëne en harmonie tussen lichaam en geest, iets wat hij later beslist enorm zou waarderen. Aan de vader van de jongen schreef dokter Kathy een kalmeringsmiddel op kruidenbasis voor.

Zodoende betekende dokter Kathy voor het kind niet alleen de officiële kennismaking met incrementele stretchoefeningen, maar ook met de volwassen opvatting om via gestage, dagelijkse discipline vooruitgang te boeken in de richting van een doel op lange termijn. Dit bleek goed uit te pakken. Tijdens de vijf weken dat hij geveld was door een subluxatie van wervel Th3 – vaak had hij er zo veel last van dat zelfs zijn inhalator de astma niet kon verzachten die opkwam telkens als hij pijn of spanning ervoer – maakte het onstuimige, kinderlijke enthousiasme van de jongen plaats voor het besef dat het plan om zijn lippen tegen elke vierkante centimeter van zijn lichaam te drukken niet alleen een maximale inspanning en discipline zou vereisen, maar ook een toewijding die hij zou moeten volhouden gedurende een tijdspanne die hij zich op dat ogenblik (gezien zijn leeftijd) niet kon voorstellen.

Voor één ding had dokter Kathy speciaal de tijd genomen om het de jongen te laten zien: een vrijstaand driedimensionaal model van een menselijke wervelkolom waar op geen enkele manier zorg voor was gedragen. Het zag er donker uit, onvolgroeid, necrotisch en triest. De tuberkels en het zachte weefsel waren ontstoken, de annulus fibrosus van de tussenwervelschijven had de kleur van rotte tanden. Aan de muur achter dit model hing een plaquette of bord met daarop een met de hand beletterde uitleg over wat dokter Kathy graag aanduidde als de twee verschillende betalingsmogelijkheden voor de wervelkolom en de daarmee verbonden nervosa, namelijk *Nu* en *Later.*

De meeste professionele contorsionisten zijn in feite gewoon mensen die geboren zijn met congenitale atrofische/dystrofische aandoeningen van bepaalde grote spiergroepen, of een acute lordotische flexie van de lumbale wervelkolom, of beide. De meerderheid vertoont het teken van Chvostek of andere vormen van ipsilaterale spasticiteit. Om die reden vergt hun 'kunst' slechts weinig inspanning of toewijding. In 1932 documenteerde een groep Britten die onderzoek verrichtte naar de Tamilmystiek het geval van een preadolescente Ceylonese die in staat was haar beide armen tot aan de schouder, haar ene been tot aan de lies en haar andere been tot net boven de patella via haar mond tot diep in haar oesophagus in te brengen, en die haar lichaam vervolgens zonder hulp op die oraal uitstekende knie kon ronddraaien met meer dan 300 tpm. Naderhand is het fenomeen suifagie (d.i. 'zelfinslikken') geïdentificeerd als een zeldzame vorm van inanitieve pica, meestal veroorzaakt door een tekort aan cadmium en/of zink.

Het kostte de jongen alleen al een paar maanden om zich voor te bereiden op de binnenkant van zijn dijen tot aan de lies, uren die hij dagelijks voorovergebogen in kleermakerszit doorbracht, langzaam en incrementeel de verticale ligamenten van zijn rug en nek oprekkend, de spinalis thoracis en de levator scapulae, de iliocostalis lumborum helemaal tot het heiligbeen, alsook de compacte en intransigente gracilis aan de binnenkant van zijn dijen, die samen met de pectineus en de adductor longus samenkomen onder de driehoek van Scarpa en die een ziekmakende pijn door het schaambeen uitstralen als hun flexibiliteitsbereik wordt overschreden. Had iemand de jongen tijdens deze twee tot drie uur durende sessies kunnen gadeslaan, hoe hij zijn voetzolen tegen en over elkaar drukte om zijn pectineus te trainen, hoe hij zich ondertussen nauwelijks merkbaar wiegde en zich daarna in kleermakerszit vooroverboog om te werken aan het grote, hechte membraan van de fascia thoracolumbalis, die zijn heup met de dorsale costae verbond, dan zou die persoon gedacht hebben dat hij aan het bidden was, of catatonisch, of beide.

Zodra hij de meest proximale mikpunten op de voorkant van zijn dijen bereikt en met één of beide lippen beroerd had, waren de bovenste delen van zijn genitaliën eenvoudig. Deze werden uitgebreid gekust en aangeraakt, maar ondertussen concipieerde de jongen al plannen voor het darmbeen en de bilflanken. Na deze resultaten zouden er nog moeilijkere en nog meer nekbelastende contorsies vereist zijn om het binnenste van de billen, het perineum en de bovenste delen van de regio inguinalis te bereiken.

De jongen was nu zeven.

De bijzondere plek waar hij zijn vreemde, maar nu weloverwogen plan nastreefde, was zijn kamer. Die lag op de tweede verdieping en had behangpapier met een jungleprint; het raam bood uitzicht op de boom in de achtertuin. Door die boom viel het zonlicht in de loop van de dag in steeds andere hoeken en met wisselende intensiteit de kamer binnen en verlichtte verschillende delen van zijn lichaam terwijl hij stond, zat, zich in een bepaalde richting boog of op het tapijt van de kamer lag om zich te rekken en op vaste houdingen te oefenen. Het tapijt van zijn kamer was van witte, ruwe wol en had een bontachtig, antarctisch aanzien dat zijn vader niet goed vond passen bij het weerkerende motief van tijger, zebra, leeuw en palm op de muren, maar die bedenkingen hield de vader voor zichzelf.

Om de reikwijdte van gestulpte lippen radicaal te vergroten is systematische training van de fasciën van het kaakbeen noodzakelijk, onder meer van de depressor septi, de orbicularis oris, de depressor anguli oris, de depressor labii inferioris, alsook de spiergroepen van de buccinator, de orbicularis oris en de risorius. Ook de zygomatische spieren zijn erbij betrokken, zij het oppervlakkig. Oefening: haal een draad door een Wetherly-knoop, geleend van je vaders op één na beste regenjas en met een diameter van minstens 4 centimeter; plaats de knoop voor je bovenste en onderste voortanden en sluit je lippen; hou de draad gespannen in een hoek van negentig graden ten opzichte van je gezicht, trek het uiteinde geleidelijk aan steeds strakker en gebruik daarbij je lippen om weerstand te bieden; hou dit twintig seconden vol; ontspan en herhaal; ontspan en herhaal.

Soms zat de vader van de jongen met zijn rug tegen de deur op de vloer net buiten de slaapkamer te luisteren of er binnen iets bewoog. Het is niet duidelijk of de jongen hem hoorde, hoewel het hout van de deur soms knarste als de vader ertegenaan ging zitten of weer opstond of al zittend van houding veranderde. Daarbinnen was de jongen bezig stretchoefeningen uit te voeren door gedurende buitengewoon lange intervallen vaste, verwrongen poses aan te nemen. De vader was een tamelijk zenuwachtige man, met een onrustige, jachtige uitstraling, waardoor het voortdurend leek alsof hij op het punt stond te vertrekken. Hij ontplooide uitgebreide activiteiten als ondernemer en was meestal druk in touw. In het mnemonische plakboek van de meeste mensen was zijn plaats provisorisch, met iets van een stippellijn eromheen – het beeld van iemand die nog snel iets vriendelijks zegt terwijl hij naar een uitgang beent. De meeste klanten vonden dat de vader hen met een zeker onbehagen vervulde. Hij was het effectiefst aan de telefoon.

Toen het kind acht was, begon zijn langetermijndoelstelling zijn fysieke ontwikkeling te beïnvloeden. Zijn leraren merkten veranderingen op in zijn postuur en manier van lopen. Zijn glimlach, die nu permanent leek vanwege de effecten van circumlabiale hypertrofie, zag er bovendien ietwat merkwaardig uit – rigide en veel te breed en, zo luidde de evaluatieve zinsnede van een van de conciërges, 'niet van deze wereld'.

Feiten: zijn hele leven lang had de Italiaanse stigmaticus Padre Pio wonden dwars door het midden van zijn linkerhand en zijn beide voeten. De Umbrische Veronica Giuliani kreeg medische verzorging voor wonden in haar ene hand en in haar zij, wonden die, zo stelde men vast, zich op bevel konden openen en sluiten. De achttiende-eeuwse heilige Giovanna Solimani liet toe dat pelgrims in de wonden in haar handen speciale sleutels staken en omdraaiden, wat bij haar begunstigden naar verluidt de genezing van hun rationalistische wanhoop bespoedigde.

Volgens zowel Bonaventura als Thomas van Celano bestonden de stigmata van Franciscus van Assisi ten dele uit baculiforme materie die eruitzag als uit zijn beide handpalmen gedreven, hard geworden vlees. Als er op de zogenaamde 'spijker' van een van beide palmen druk werd uitgeoefend, verscheen er op de rug onmiddellijk een zwarte uitstulping van verhard vlees, net alsof er een echte zogenaamde 'spijker' dwars door de hand ging.

En toch (feit): handen hebben niet de vereiste anatomische massa om het gewicht van een volwassen mens te torsen. Zowel Romeinse wetteksten als hedendaags onderzoek van geraamten uit de eerste eeuw bevestigen dat bij een klassieke kruisiging de spijkers door de polsen van de persoon in kwestie moesten worden geslagen, en niet door de handen. Vandaar de (citaat) 'onontkoombaar gelijktijdige *waarheid* en *onwaarheid* van de stigmata', zoals de existentialistische theoloog E.M. Cioran het formuleert in zijn *Lacrimi şi sfinţi* uit 1937, dezelfde monografie waarin hij het hart van de mens 'Gods open wonde' noemt.

Alleen het middelste deel van zijn romp, van zijn navel tot aan het zwaardvormig aanhangsel en de zone tussen zijn ribben, vergde al negentien maanden van stretch- en postuuroefeningen, waarvan de meest extreme zeer pijnlijk moeten zijn geweest. In dit stadium waren verdere vorderingen in flexibiliteit zo subtiel dat ze zonder uiterst nauwkeurige dagelijkse metingen niet waar te nemen vielen. Bepaalde elastische uiteinden van de ligamenta flava en de ligamenten van de capsulae en processus in zijn nek en boven aan zijn rug werden voorzichtig maar gedurig opgerekt, waarbij zijn kin halverwege het borstbeen tegen zijn (met afwasbare inkt bestippelde en van pijlen voorziene) borst aan drukte en vervolgens incrementeel naar beneden schoof – één, soms anderhalve millimeter per dag; deze catatonische en/of meditatieve houding hield hij een uur of langer aan.

Terwijl hij in de zomer 's ochtends in alle vroegte zijn oefeningen deed, raakte de boom aan de andere kant van het raam druk bezet met in- en uitvliegende bootstaarten en daarna, in het licht van de opkomende zon, met het scherpe, scheurende geroep van de vogels, wat aan de andere kant van het glas, waar de jongen in kleermakerszit zat met zijn kin op zijn borst, klonk alsof er roestige schroeven werden aangedraaid, of als een op een ingewikkelde manier klemgeraakt object dat nu krassend loskwam. Achter de boom, bezuiden de tuin, lagen de perspectivisch vertekende daken van de naburige huizen en de brandkraan en het straatnaambord van de dwarsstraat, en achter die straat de achtenveertig identieke daken van een sociaal woningbouwproject, met daarachter dan, aan de horizon, de zomen van de groene maïsvelden die begonnen waar de stad ophield. Aan het eind van de zomer werd hun groen grauwer, in de herfst restten er louter nog wat droevige stoppels, en in de winter leek de naakte grond op niets zozeer als op wat hij in feite was.

Op de basisschool, waar de jongen zich voorbeeldig gedroeg, al zijn huiswerk op tijd af was en de vooruitgang die hij boekte steevast op de mediale apex van alle relevante curven lag, was hij onder zijn klasgenoten het soort onopvallende figuur dat zo onopvallend is dat hij niet eens wordt gepest. Al in de derde klas begon de jongen zich als gevolg van zijn toewijding aan zijn doelstelling volgens opvallende fy-

sieke patronen te ontwikkelen; toch vrijwaarde iets in zijn houding en
voorkomen hem op het schoolplein van pesterijen. De jongen nam de
schoolregels in acht en tijdens groepswerk presteerde hij heel behoorlijk. In de schriftelijke evaluaties van zijn socialisatie werd hij niet omschreven als teruggetrokken of afwezig maar als 'kalm', 'ongebruikelijk
evenwichtig' en 'vereenzelvigd' [*sic*]. De jongen zorgde voor problemen noch vreugde en werd amper opgemerkt. Niet bekend is of hij
zich hieraan stoorde. Het overgrote deel van zijn tijd, energie en aandacht ging op aan zijn langetermijndoelstelling en de daarmee samenhangende dagelijkse discipline.

Ook werd nooit precies duidelijk waarom deze jongen zich eigenlijk
wijdde aan de doelstelling om zijn lippen op elke vierkante centimeter
van zijn eigen lichaam te kunnen drukken. Het is niet eens zeker of
hij de doelstelling als een 'prestatie' beschouwde in de gebruikelijke
betekenis van het woord. Anders dan zijn vader was hij geen fervent
Ripley's-lezer, en van de broers McWhirter hij had nog nooit gehoord – dit was beslist geen stunt of recordpoging. Al evenmin was
het een vorm van zelfexaltatie, dat is inmiddels geverifieerd – de jongen
wenste niet bewust iets te 'transcenderen'. Had iemand het hem gevraagd, dan had hij eenvoudigweg geantwoord dat hij besloten had dat
hij zijn lippen op elke denkbare micrometer van zijn eigen, persoonlijke lichaam wilde drukken. Meer zou hij er niet over hebben kunnen
zeggen. Een inzicht in of een conceptie van zijn eigen fysieke onbereikbaarheid voor zichzelf (omdat we nu eenmaal allemaal voor onszelf
onbereikbaar zijn en bijvoorbeeld delen van iemand anders kunnen
aanraken op een manier waarvan we niet eens kunnen dromen dat bij
onszelf te doen) of zijn vaste overtuiging, kennelijk, om door die bar-
rière van onbereikbaarheid heen te breken – om zo, op een in zekere
zin kinderlijke manier, één met zichzelf en autonoom te zijn – dat viel
allemaal buiten zijn bewuste waarneming. Hij was tenslotte nog maar
een kind.

Zijn lippen raakten de bovenste areolae van zijn linker- en rechtertepel
in de herfst van zijn negende jaar. Zijn lippen waren inmiddels opvallend groot en uitstulpend; een deel van zijn dagelijkse training bestond
uit de saaie oefening met knoop en draad, bedoeld om de hypertrofie
van de muscili orbicularis oris te bevorderen. Het vermogen zijn ge-

tuite lippen een knappe 10,4 centimeter vooruit te steken betekende vaak het verschil tussen het al dan niet bereiken van een deel van zijn thorax. Het waren ook deze musculi orbicularis, meer nog dan de buitengewone vorderingen in de buigzaamheid van zijn wervelkolom, die hem in staat hadden gesteld het achterste gedeelte van zijn scrotum en aanzienlijke delen van de papieren huid rond zijn anus te bereiken voor hij negen werd. Deze plaatsen werden aangeraakt en op het vierzijdige diagram in zijn persoonlijke grootboek gemarkeerd. De jongen had de neiging om elke plek waarop hij zijn lippen had gedrukt te vergeten, alsof de vaststelling van hun bereikbaarheid deze plekken voor hem voortaan onwerkelijk maakte en ze voortaan in zekere zin enkel nog op het vierzijdige diagram 'bestonden'.

Volstrekt en tastbaar reëel bleven voor de jongen in zijn elfde levensjaar echter de gedeelten van zijn romp die hij nog in het vizier had genomen: het borstgebied boven de pectoralis minor en het onderste gedeelte van zijn hals, tussen het sleutelbeen en het bovenste deel van het platysma, net als het zachte en eindeloos glooiende landschap van zijn rug (de laterale gedeelten van de trapezius- en achterste deltaspier buiten beschouwing gelaten: die had hij al bereikt toen hij achtenhalf was) dat zich vanaf zijn billen naar boven uitstrekte.

Naar verluidt getuigden vier erkende artsen onafhankelijk van elkaar onder ede dat de stigmata van de Beierse mystica Therese Neumann onder meer bestonden uit corticale dermale structuren dwars door het midden van beide handen. Therese Neumanns bijkomend vermogen tot inedia werd schriftelijk geattesteerd door vier zusters franciscanessen die haar van 1927 tot 1962 beurtelings verpleegden. Zij bevestigden dat Therese bijna vijfendertig jaar lang zonder enig eten of drinken had geleefd; na laboratoriumanalyse bleek dat haar enige gedocumenteerde stoelgang (op 12 maart 1928) uitsluitend bestond uit slijm en empyreumatische gal.

Een Bengaalse heilige die onder zijn volgelingen bekendstond als 'Prahansatha de Tweede' onderging perioden van meditatieve zang waarbij zijn ogen uit hun kassen traden en boven zijn hoofd gingen zweven, slechts verbonden door de dura-materstreng, en vervolgens (nl. de zwevende oogbollen) bewogen in ritmisch gestileerde draaipatronen waarvan westerlingen getuigden dat ze deden denken aan dansende Shiva's met vier gezichten, aan bezworen slangen, aan verstrengelde genetische helices, aan de contrapuntische achtvormige banen van de Melkweg en de Andromedanevel rond elkaar op de perimeter van de Lokale Groep, of (naar men beweerde) aan alle vier tegelijk.

Onderzoek naar algesie bij de mens heeft uitgewezen dat van alle musculoskeletale structuren het beenvlies (periost) en de gewrichtskapsels het gevoeligst zijn voor pijnstimulatie. Pezen, ligamenten en subchrondraal bot worden geclassificeerd als ernstig pijngevoelig, de pijngevoeligheid van spieren en corticaal bot omschrijft men als matig, die van articulair en fibreus kraakbeen als mild.

Pijn is een volstrekt subjectieve beleving en om die reden 'ontoegankelijk' voor de diagnostiek. Overwegingen omtrent het persoonlijkheidstype van de patiënt maken een evaluatie nog complexer. Als vuistregel geldt echter dat het geobserveerde gedrag van een patiënt met pijn als maatstaf kan fungeren voor (a) de intensiteit van de pijn en (b) het vermogen van de patiënt ermee om te gaan.

Enkele wijdverbreide misvattingen over pijn:

• Mensen die in kritieke toestand verkeren of zwaargewond zijn, ervaren altijd intense pijn.
• Hoe heviger de pijn, hoe groter de omvang en ernst van de verwonding.
• Ernstige chronische pijn is symptomatisch voor een ongeneeslijke ziekte.

In feite is het zo dat mensen die in kritieke toestand verkeren of zwaargewond zijn niet noodzakelijkerwijs intense pijn ervaren. Ook is de waargenomen intensiteit van de pijn niet recht evenredig met de omvang of ernst van de verwonding; de correlatie hangt ook af van de vraag of de 'pijnbanen' van het anterolaterale spinothalamische systeem intact zijn en nog binnen aanvaardbare grenzen functioneren. Daarbij komt nog dat de persoonlijkheid van een neurotische patiënt de ervaren pijn kan versterken, en dat een stoïsche of veerkrachtige persoonlijkheid de waargenomen intensiteit kan verminderen.

Niemand vroeg hem er ooit naar. Zijn vader geloofde simpelweg dat hij een excentriek maar erg lenig en soepel kind had, een kind dat Kathy Kessingers gepreek over rughygiëne ter harte had genomen zoals sommige kinderen nu eenmaal dingen ter harte nemen, en dat nu veel tijd spendeerde aan het lenig en soepel maken van zijn lichaam, wat vergeleken bij wat kinderen soms aan het hart gebakken zit verkieslijker was dan veel andere duffe of schadelijke fixaties die de vader kon bedenken. De vader was een ondernemer die via de post motivatietapes verkocht. Hij werkte van thuis uit, maar was vaak weg vanwege allerhande seminars en mysterieuze avondlijke zakelijke afspraken. Het gezin woonde in een op het westen gelegen, groot, rank en hedendaags huis dat eruitzag als de ene helft van een twee-onder-een-kapwoning waar onverhoeds de andere helft van was verwijderd. Het huis had een olijfkleurige aluminium gevelbekleding en was gelegen in een cul-de-sac waarin zich aan de noordzijde een zijingang bevond van het op twee na grootste kerkhof van het district, waarvan de naam in ijzer gesmeed boven de hoofdingang stond, maar niet boven die zijingang.

Het woord dat bij de vader opkwam als hij aan zijn zoon dacht was: *plichtsgetrouw*, wat hem verraste, want het was een behoorlijk ouderwets woord en hij had geen idee waar het vandaan kwam als hij aan hem dacht, daarbinnen, buiten aan de deur.

Dokter Kathy, die de jongen af en toe op consult kreeg in verband met de onophoudelijke profylactische aanpassingen van zijn thoracale wervels, facetgewrichten en ventrale rami, en die een halvegare noch een kwakzalver in een kantoor boven een winkelcentrum was, maar gewoon een gediplomeerd chiropractor die geloofde in de in elkaar grijpende holistische dans van ruggengraat, zenuwstelsel, geest en kosmos, in het universum als een oneindig systeem van neurale verbindingen dat op zijn hoogtepunt een organisme had ontwikkeld dat tegelijkertijd een bewustzijn had van zowel zichzelf als het universum, zodat het menselijk zenuwstelsel de manier werd waarop het universum van zichzelf bewust en aldus '[voor zich]zelf bereikbaar' kon zijn. Dokter Kathy beschouwde de patiënt als een uiterst stille, in zichzelf gekeerde jongen die op een traumatische Th3-ontwrichting reageerde met een grote toewijding aan neurospirituele integriteit die wel eens kon wijzen op een roeping tot een loopbaan in de chiropraxie. Zij was het die de jongen zijn eerste, betrekkelijk eenvoudige stretchhandboeken had gegeven, evenals kopieën van de bekende neuromusculaire diagrammen van B.R. Faucet (©1961, Chiropractische Universiteit van Los Angeles), aan de hand waarvan de jongen zijn vrijstaande, vierzijdige diagram had gemaakt, dat als een wachter voor zijn kussenloze bed stond terwijl hij sliep.

Al sinds zijn eigen adolescentie geloofde de vader rotsvast in INSTELLING als de overkoepelende determinant van DOELSTELLING. Het was een moeilijke periode geweest waarin hij de werken van Dale Carnegie en de Willard and Marguerite Beecher Foundation had ontdekt en hun praktische levensbeschouwingen had aangewend om zijn eigen zelfvertrouwen op te krikken en zijn maatschappelijke positie te verbeteren – een positie waarvan hij, net als van alle intermenselijke contacten en incidenten die er het bewijs van waren, wekelijks grafieken en diagrammen maakte, die hij vervolgens ophing aan de deur van zijn slaapkamerkast om ze gemakkelijker te kunnen consulteren. Amper zelf volwassen en heimelijk gekweld, werkte de vader nog steeds onvermoeibaar aan het op peil houden en verbeteren van zijn instelling om op die manier zijn persoonlijke doelstellingen te kunnen halen. Zo waren er aan de spiegel van het medicijnkastje in de badkamer van het huis, zodat hij niet anders kon dan ze herlezen en ze zich eigen maken als hij zijn toilet maakte, inspirerende spreuken gekleefd, zoals:

GEEN VOGEL VLIEGT TE HOOG, MITS HIJ MET ZIJN EIGEN VLEUGELS VLIEGT – *BLAKE*

LATEN WE ONZE ZIN VOOR INITIATIEF VAREN, DAN WORDEN WE PASSIEF – WILLOZE SLACHTOFFERS VAN DE OMSTANDIGHEDEN DIE HET LOT ONS BESCHIKT – *BEECHER FOUNDATION*

DURF TE SLAGEN! – *NAPOLEON HILL*

DE LAFAARD GAAT OP DE VLUCHT, ZONDER DAT IEMAND HEM VERVOLGT – *DE BIJBEL*

ALLES WAT JE KUNT OF DROOMT DAT JE HET KUNT, BEGIN ERAAN! IN STOUTMOEDIGHEID LIGGEN GENIE, KRACHT EN MAGIE BESLOTEN – *GOETHE*

en meer van dat soort inspirerende citaten en oppeppers, soms vele tientallen, neergepend in nette blokletters op strookjes papier ter grootte van de spreuken in gelukskoekjes en tegen de spiegel getapet bij wijze van geboekstaafde herinneringen aan de persoonlijke verantwoordelijkheid die de vader droeg voor zijn eigen zo verhoopte hoge en stoutmoedige vlucht, zo veel strookjes en stukjes tape soms dat er boven de wastafel in de badkamer nog slechts een paar plekjes van de spiegel zelf zichtbaar waren en de vader zich in bochten moest wringen om genoeg te zien om zich te scheren.

Dacht de vader van de jongen echter aan zichzelf, dan was het eerste woord dat ongevraagd bij hem opkwam altijd: *gekweld*. Deze verborgen kwelling – waarvan de oorzaken hem onnoemelijk complex en proteïsch voorkwamen, en bovendien gerelateerd aan zowel normale mannelijke seksuele driften als een hoogst abnormale persoonlijke zwakte en dito gebrek aan ruggengraat – was eigenlijk over het algemeen relatief eenvoudig te diagnosticeren. Op twintigjarige leeftijd getrouwd met een vrouw van wie hij in die tijd precies één noemenswaardig kenmerk kon noemen, had deze toekomstige vader de echtelijke routines van dit huwelijk haast onmiddellijk eentonig en verstikkend gevonden; en het idee van monotonie en seksuele verplichting (in tegenstelling tot seksuele prestaties) had bij hem een gevoel doen ontstaan dat naar zijn aanvoelen niet veel verschilde van de dood. Zelfs als jonggehuwde leed hij al aan nachtelijke angstaanvallen en schoot hij wakker uit gruwelijk beklemmende nachtmerries met het gevoel niet meer te kunnen bewegen of ademen. Je hoefde echt geen psychiatrische Einstein te zijn om deze dromen te duiden, wist de vader, en na bijna een jaar van interne strijd en complexe zelfanalyse was hij gezwicht en een seksuele relatie aangegaan met een andere vrouw. Deze vrouw, die de vader had leren kennen tijdens een motivatieseminar, was eveneens getrouwd en had zelf ook een klein kind, en ze hadden afgesproken dat dit bepaalde redelijke grenzen en beperkingen oplegde aan hun affaire.

Niet veel later was de vader deze andere vrouw echter ook wat eentonig en benauwend gaan vinden. Doordat ze allebei een eigen leven leidden en elkaar weinig te vertellen hadden, begon de seks op een verplicht nummer te lijken. Het had er alle schijn van dat deze situatie te veel druk legde op de seks zelf, waardoor de lol er al gauw af was. De vader probeerde alles enigszins te laten bekoelen en de vrouw wat minder vaak te zien, waarop ook zij van lieverlee minder geïnteresseerd en toegankelijk leek dan voorheen. Dit luidde het begin van de kwelling in. De vader begon te vrezen dat de vrouw een punt zou zetten achter hun affaire, hetzij om opnieuw monogaam seks te hebben met haar man, hetzij om het met een andere man aan te leggen. Deze angst, die hem kwelde tot in het diepst van zijn ziel, bracht hem ertoe weer toenadering te zoeken tot die vrouw, ook al werd zijn weerzin tegen haar steeds groter. Kortom: de vader verlangde ernaar afstand te nemen van die vrouw, maar wilde niet dat zij afstand kon nemen van hem. Hij voelde zich steeds afgestompter en zelfs misselijk als hij bij die andere vrouw was, maar was hij niet bij haar, dan werd hij gekweld door de gedachte dat zij bij een andere man was. Het leek een patstelling, en steeds vaker kwamen de dromen van verwrongen verstikking terug. De enige remedie die de vader (wiens zoon net vier was geworden) kon bedenken was niet langer afstand te nemen van de vrouw met wie hij een affaire had en plichtsgetrouw aan de affaire vast te houden, maar tegelijk met een derde vrouw een relatie te beginnen, in het geheim en als het ware 'als toemaatje', met als doel – zelfs al was het maar voor even – de afwisseling en de opwinding te voelen van een in alle vrijheid gekozen liaison.

Voor de vader betekende dit het begin van een ware martelgang, met een steeds groter aantal vrouwen met wie hij in het geheim verkeerde en bij wie hij seksuele verplichtingen had, en de onmogelijkheid om een van die vrouwen los te laten of haar zelf aanleiding te geven afstand te nemen en de relatie te verbreken, ook al brachten die relaties hem steeds vaker niet meer dan een soort plichtsgetrouwe eentonigheid qua tijd en energie en de wil om met louter de moed der wanhoop door te gaan.

Het middelste en het bovenste gedeelte van zijn rug waren de eerste zones die zijn lippen met een radicale, misschien zelfs definitieve onbereikbaarheid confronteerden, en die wat betreft flexibiliteit en discipline zo'n uitdaging vormden dat ze in de vierde en vijfde klas een substantieel percentage van zijn innerlijk leven besloegen. En daarachter lag, vanzelfsprekend, als de waterval aan het eind van een lange rivier, het onvoorstelbare vooruitzicht de achterkant van zijn nek te bereiken, de acht centimeter vlak onder het puntje van zijn kin, de galea aponeurotica op de kruin en de achterkant van zijn schedel, zijn voorhoofd en jukbeenderen, zijn oren, zijn neus, zijn ogen – net als het paradoxale *Ding an sich* van zijn eigen lippen; die te bereiken was alsof je een lemmet zou vragen zichzelf te snijden. In het overkoepelende project namen deze plekken een bijna mythische plaats in: de jongen had er zo veel ontzag voor dat hij ze zowat buiten het bereik van zijn bewuste intentie plaatste. Van nature was de jongen geen 'tobber' (anders dan hijzelf, dacht de vader), maar de onbereikbaarheid van deze laatste plekken leek zo immens dat het was alsof hun schaduw zich uitstrekte over heel de langzaam maar zeker geboekte vooruitgang in de richting van zijn sleutelbeen (ventraal) en de lumbale kromming (dorsaal) waar hij zijn hele elfde levensjaar aan wijdde. De jongen besloot die duistere schaduw, die ook op de inspanning als geheel drukte, te zien als iets wat de hele onderneming geen futiliteit of pathos, maar een sombere eerbiedwaardigheid verleende.

Hij wist nog niet hoe, maar bij het naderen van zijn puberteit geloofde hij dat zijn hoofd ooit het zijne zou worden. Hij zou een manier vinden om toegang te verkrijgen tot zijn gehele zelf. In zijn binnenste was er niets wat op twijfel wees.

§37

'Op het eerste gezicht zeker een mooi restaurant.'

'Ziet er behoorlijk mooi uit, ja.'

'Zelf ben ik hier nog nooit geweest. Maar ik had er goede dingen over gehoord van een paar jongens bij Beheer. Ik wilde het al lang een keer proberen.'

'...'

'Hier zitten we dan.'

(Haalt kauwgom uit haar mond en wikkelt die in papieren zakdoek uit handtas.) 'Mm-mmm.'

'...'

'...'

(Legt het bestek nog een beetje rechter.) '...'

'...'

'Denk je dat gesprekken met iemand die je al goed kent vooral zo veel makkelijker verlopen dan gesprekken met een volslagen onbekende vanwege de al eerder uitgewisselde informatie en de gedeelde ervaringen van twee mensen die elkaar goed kennen, of komt het doordat we misschien alleen met iemand die we al goed kennen en die ons goed kent niet heel dat moeizame mentale proces hoeven te doorlopen waarin we alles wat we overwegen te zeggen of waar we tijdens zo'n luchtig gesprek over zouden willen beginnen onderwerpen aan een hyperbewuste kritische analyse en evaluatie, waardoor alles wat we kunnen bedenken om aan de ander te vertellen uiteindelijk saai, idioot of banaal lijkt, of juist veel te intiem of beladen?'

'...'

'...'

'Hoe was je naam ook alweer?'

'Russell. Russell, of soms "Russ", al heb ik eerlijk gezegd een sterke voorkeur voor Russell. Niets tegen de naam Russ, maar ik heb er zelf niets mee.'

'Heb jij misschien een aspirientje bij je, Russell?'

§38

Tot medio 1987 gingen de pogingen van de IRS om tot een geïntegreerd gegevenssysteem te komen gebukt onder systemische bugs en problemen, waarvan er veel nog verergerd werden door pogingen van de Afdeling Techniek om de kosten te drukken door de oude pons- en sorteermachines van Fornix zo aan te passen dat ze met 96-kolomspowerskaarten in plaats van de oorspronkelijke 80-koloms-holleriths konden werken.[1]

1 Wegens de enorme, min of meer continue stroom gegevens die de IRS te verwerken krijgt, waren de computersystemen inderhaast opgezet en moesten ze al even inderhaast worden onderhouden en geüpgraded. De situatie was analoog aan die waarin ingrijpende onderhoudswerkzaamheden aan een snelweg door de grote verkeersstroom zowel noodzakelijk als onmogelijk zijn (want de weg zomaar afsluiten om de hele klus in één keer te klaren, dat gaat niet; al dat verkeer kan met geen mogelijkheid worden omgeleid). Achteraf gezien was het uiteindelijk goedkoper en efficiënter geweest om de hele Belastingdienst korte tijd stil te leggen en in heel het land de gegevens over te hevelen naar een nieuw, modern systeem met harde schijven. Maar destijds leek dat ondenkbaar, zeker in het licht van de spectaculaire meltdown in 1982 van het RCC in Rome, New York, onder de druk van een toenemende verwerkingsachterstand. Veel herstelmaatregelen en upgrades waren tijdelijk, pakten slechts deelproblemen aan en waren, achteraf beschouwd, vreselijk inefficiënt, bijvoorbeeld de verwerkingscapaciteit proberen te verhogen door achterhaalde apparatuur aan te passen aan iets minder achterhaalde ponskaarten (komt nog bij dat powerskaarten ronde en hollerithkaarten vierkante gaatjes hadden, waardoor er allerlei drastische aanpassingen nodig waren aan de Fornix-apparatuur, die sowieso al oud en krakkemikkig was).

Eén welbepaalde bug is in deze context van bijzonder belang. De in Cobol geprogrammeerde systemen van de afdeling Personeelszaken en Opleiding hadden bij de verwerking van promoties van werknemers lange tijd te kampen gehad met 'spookredundanties', zoals ze soms werden genoemd. Vanwege het ongewoon hoge aantal mensen dat werd overgeplaatst en binnen het RCC promotie maakte was het probleem het meest acuut bij Controle. Stel bijvoorbeeld dat de heer John Q. Public, een routinecontroleur in salarisschaal 9, gepromoveerd werd tot schaal 11. Het systeem maakte dan een volledig nieuwe personeelsfile aan, en beschikte daarna over twee afzonderlijke files voor ogenschijnlijk twee afzonderlijke personeelsleden, namelijk John Q. Public (S-9) en John Q. Public (S-11), wat tot onnoemelijk veel gedoe en verwarring leidde, zowel voor de salarisadministratie als voor de planningsprotocollen van Systeembeheer.

In 1984 werd er in de systemen van Personeelszaken, als onderdeel van een meersporige debugoperatie, in alle FILE-secties een GO TO-subroutine ingevoegd: als twee verschillende personeelsleden dezelfde naam en dezelfde IRS-Filiaalcode hadden, herkende het systeem daarna alleen nog de John Q. Public uit de hogere salarisschaal.[2] Dit was zo ongeveer de directe oorzaak van de puinzooi in IRS-Filiaal 047 in mei 1985. David F. Wallace, S-9, 20 jaar, afkomstig uit Philo, Illinois, bestond in de praktijk niet meer; zijn file was gewist, of opgeslorpt in die van David F. Wallace, S-13, 39 jaar, afkomstig uit het RCC Noord-Oost in Rome, New York. Die opslorping vond plaats op het moment dat het Regionale Overplaatsingsformulier 140(c)-RO en het Formulier 141-FO met de Filiaaloproep van David F. Wallace (de S-13) werden aangemaakt, en naar dat moment zouden twee systeembeheerders

---

2 Het probleem dat de leek meteen zal aanwijzen – nl. dat deze ingreep ertoe leidde dat het systeem niet langer in staat was IRS-degradaties te herkennen en te classificeren – was vanuit het standpunt van Personeelszaken in feite betrekkelijk gering. Het is namelijk zo dat, grotendeels dankzij de cao's die het Nationaal Verbond van Werknemers van de Thesaurie had uitonderhandeld, slechts 0,002 procent van de werknemers van de IRS ooit gedegradeerd wordt. In de praktijk waren de voorwaarden en procedurele obstakels om tot degradatie over te gaan in de loop der jaren zo strikt geworden dat ze in veel gevallen niet minder streng waren dan de vereisten voor een ontslag om dringende redenen ... hoewel dat alles slechts bijzaak is en hier alleen vermeld wordt om eventuele verwarring bij de lezer te vermijden.

in twee verschillende Regio's (Noord-Oost en Midden-West) uiteindelijk op zoek moeten gaan in de in totaal 2.110.000 regels opgeslagen
code om de GO TO-opslorping ongedaan te maken. Het spreekt voor
zich dat David F. Wallace (de S-9 die aanvankelijk als S-13 werd beschouwd, ergo de David F. Wallace uit Philo, Illinois) de details hieromtrent pas te weten kwam toen de hele administratieve storm was
gaan liggen en verschillende bespottelijke beschuldigingen weer waren ingetrokken.

Met andere woorden: het probleem was dus niet dat er bij de afdeling Personeelszaken & Opleiding van het Regionale Controlecentrum Midden-West niemand had opgemerkt dat er zich op twee achtereenvolgende dagen twee verschillende David F. Wallacen zouden
aanmelden bij de Registratiebalie in het RCC Midden-West. Het probleem was dat het computersysteem van de afdeling slechts één David
F. Wallace herkende en dus maar één powerskaart en één Registratie-
formulier kon aanmaken, en dat het systeem vervolgens beide personen samenvoegde tot (a) het hogergeplaatste personeelslid dat overkwam uit Philadelphia en (b) het personeelslid dat volgens het systeem
fysiek het eerst zou aankomen, namelijk de twintigjarige jongeling uit
Philo, van wie het systeem ook aangaf, andermaal door een verkeerde
samenvoeging, dat hij zou aankomen vanuit Midway met vlucht 4130
van Continental (aldus de ticket- en reisinformatie die deel uitmaakte
van de aankomstgegevens op Formulier 140(c)-RO), en niet met een
Trailways-bus, meteen ook de reden waarom er op 15 mei niemand
de vermeende vooraanstaande topcontroleur David F. Wallace stond
op te wachten bij het busstation van Peoria om hem naar het RCC te
brengen, en waarom de tweede (d.w.z. de 'echte') David F. Wallace,
die de volgende dag bij het RCC aankwam in een reguliere particuliere
taxi – deze andere, oudere David Wallace was blijkbaar zo lankmoedig
en passief dat het niet eens bij hem was opgekomen dat de RCC-trans-
portdienst zich misschien had vergist, dat hij op basis van zijn rang en
stand recht had op iemand die hem kwam oppikken met een kartonnen
bordje met zijn naam erop, dat hij aan de taxichauffeur in ieder geval
een reçu moest vragen om de rit te kunnen declareren, en dat hij bovendien zijn permanente overplaatsing en verhuizing aanvatte met
(ongelooflijk maar waar) zijn hele hebben en houden in zegge en
schrijve één enkel stuk handbagage – waarom deze oudere, vooraanstaande topcontroleur David F. Wallace bijna twee volle werkdagen

met gexeroxte kopieën van zijn Formulier 141 en zijn sjofele bruine leren koffertje in de entree van het hoofdgebouw van het RCC in diverse rijen moest staan wachten, eerst voor de S-13-Registratiebalie en daarna voor de loketten voor Probleemherstel, en vervolgens in een hoekje van die entree zat, en daarna in de kantoren van Beveiliging in de zuidoostelijke gang van Niveau 1,[3] zonder uitdrukking op zijn neotenische gezicht en met zijn hoed op zijn schoot, niet in staat verder te komen omdat hij volgens het bureaucratische computersysteem al geregistreerd stond en zijn nummer en pasje voor Filiaal 047 al ontvangen had – dus waar was zijn pasje met zijn nummer dan, zo bleef een parttimer van Beveiliging hem vragen elke keer dat hij het computersysteem raadpleegde, want als hij het niet verloren had, hoe kwam het dan dat hij het niet kon laten zien? etc. etc.[4]

3 (dus, ten overvloede, de verdieping op de begane grond van het hoofdgebouw)

4 Wellicht is het nuttig kort in te gaan op twee bijkomende bugs of systemische zwakke plekken of hoe je het ook wilt noemen die bijdroegen tot mijn aanvankelijk verkeerde toewijzing en het daaropvolgende gelazer in Filiaal 047. Het eerste probleem was dat de filelabels van het computersysteem van Personeelszaken, dit wegens beperkingen opgelegd door de herconfiguratie van bepaalde basisprogramma's die moesten worden aangepast aan de 90-koloms-powerskaarten met ronde gaatjes, slechts plaats boden aan de beginletter van iemands tweede naam, wat in het geval van David Francis Wallace, de uit Philadelphia overgekomen topcontroleur, niet volstond om hem in het systeem te onderscheiden van David Foster Wallace, de nieuwe, laaggeplaatste contractmedewerker. Het tweede en veel ernstiger probleem was dat het originele burgernummer van ieder IRS-personeelslid (d.w.z. het BN dat hij of zij als kind had gekregen) altijd gewist wordt en systeembreed vervangen door het nieuwe, door de Belastingdienst uitgereikte BN, dat binnen de IRS tevens dienstdeed als identificatienummer. Het oorspronkelijke BN van ieder personeelslid wordt alleen 'opgeslagen' op het oorspronkelijke sollicitatieformulier – en al die formulieren worden op microfiche gekopieerd en opgeslagen in het Nationale Archiefdepot, maar rond 1981 was het NA al verspreid over een tiental verschillende regionale bijgebouwen en opslagruimten, en het beheer en de organisatie ervan waren dermate slecht geregeld dat het moeilijk was er binnen een aanvaardbare termijn specifieke stukken uit op te vragen. Daar komt bij dat de filelabels van de systemen van Personeelszaken sowieso slechts één BN kunnen bevatten, en het spreekt voor zich dat dit het nieuwe BN wordt, dat zoals gezegd begint met een 9 en ook als intern IRS-nummer fungeert. En doordat 975-04-2012, het nummer dat de nieuwe, laaggeplaatste David F. Wallace kreeg uitgereikt tijdens Versnelde Registratie, hetzelfde IRS-nummer 975-04-2012 was als dat van de oudere, meer vooraanstaande S-13 David F. Wallace, werden de twee werknemers, althans in de ogen

In het Nationale Computercentrum van de IRS in Martinsburg, West Virginia5, was het probleem van de 'spooksamenvoegingen' bij werknemers met dezelfde naam al in 1984 aan het licht gekomen – voornamelijk wegens een vreselijke knoeiboel met twee verschillende Mary A. Taylors in het Regionale Ontvangkantoor Zuid-Oost in Atlanta, Georgia – en programmeurs van de Afdeling Techniek hadden

van het computersysteem, een en dezelfde persoon.

5 Achteraf werd duidelijk dat er zelfs nog een ernstiger systemisch probleem bestond, namelijk dat de computersystemen van de Belastingdienst geïntegreerd waren volgens een model dat in netwerktermen bekendstaat als een 'Gammel Wiel'. Opnieuw zou ik hier een hoop esoterische achtergrondinformatie bij kunnen geven – niet alleen over de snelweg-onderhouden-terwijl-die-in-gebruik-moet-blijven-onderhoudssituatie zoals hierboven geschetst, maar ook over de slechts stukje bij beetje doorgevoerde houtje-touwtjeaanpassingen aan systemen waarvan het onderhoud afhing van het budget van de Afdeling Techniek, dat om een aantal bureaucratische/politieke redenen van jaar tot jaar immens schommelde – maar het punt met dat Gammel Wiel was dat de netwerklay-out van de Afdeling Techniek tot midden jaren 80 leek op een wiel met een naaf, maar zonder velg. Voor de gegevensuitwisseling betekende dit dat alles via het NCC in Martinsburg moest lopen. Een gegevensoverdracht van het RCC Midden-West in Peoria naar het RK Midden-West in Joliet bijvoorbeeld verliep in feite door middel van twee afzonderlijke overdrachten, nl. eerst van Peoria naar Martinsburg, en vervolgens van Martinsburg naar Joliet. Weliswaar hadden de modems en gereserveerde telefoonlijnen in Martinsburg een (voor die tijd) hoge baudrate en waren ze best efficiënt, maar nog steeds traden er bij het 'routen' vaak vertragingen op, waarmee simpelweg bedoeld wordt dat binnenkomende gegevens in het magnetische hart van de Fornix-mainframes in Martinsburg hun beurt moesten afwachten om te worden doorgestuurd. Er trad met andere woorden altijd enige vertraging op. En om begrijpelijke redenen was de wachtrij in de mainframes altijd het langst en de vertraging het grootst in de weken na de massale toevloed van aangiften voor de personenbelasting op 15 april. Als er in het IRS-systeem laterale netwerkverbindingen hadden bestaan – d.w.z. als de computers bij Systeembeheer/Personeelszaken van het RCC Midden-West in staat waren geweest rechtstreeks te communiceren met hun tegenhangers bij Systeembeheer/Personeelszaken in het RCC Noord-Oost in Philadelphia – dan was dat hele David F. Wallace-gedoe veel sneller opgehelderd geraakt (en waren onterechte beschuldigingen onuitgesproken gebleven). (Om nog maar te zwijgen van het feit dat het model van dat velgloze wiel haaks stond op de zo vaak bewierookte decentralisering van de Dienst volgend op het rapport van de commissie-King in 1952, dat in deze context verder niet relevant is, behalve dat het nog maar eens de Rube Goldberg-achtige idiotie van de hele structuur in de verf zet.)

al maatregelen getroffen om een BLOCK- en RESET-sub-subroutine in te voegen die de GO TO-subroutine zou overrulen indien geconfronteerd met de tweeëndertig vaakst voorkomende achternamen in de Verenigde Staten, nl. Smith, Johnson, Williams, Brown etc. Maar volgens de Nationale Volkstelling van 1980[6] kwam Wallace in de lijst van meest frequente achternamen in de VS pas op de 104de plaats, tussen Sullivan en Cole; en iedere GO TO-overruleroutine die rekening hield met meer dan tweeëndertig achternamen liep het gevaar de oorspronkelijke 'spookredundanties' opnieuw in te voeren, zo was statistisch nagerekend. Kortom: de naam David F. Wallace viel in een statistische schemerzone waarin de 'spooksamenvoeging'-bug als gevolg van het initiële debuggen nog steeds voor aanzienlijke problemen en trammelant kon zorgen, vooral in het geval van werknemers die te nieuw waren om te begrijpen waarom al die beschuldigingen werden geuit en uit welke hoek ze kwamen, beschuldigingen gaande van contractuele fraude tot 'identiteitsdiefstal van een immersionist' (dit laatste een aanklacht zonder precedent die wel eens volledig door Dick Tates puinruimers gefabriceerd kon zijn om te verdoezelen waarvan ze op een gegeven moment dachten dat het misschien als nalatigheid of een administratieve fout van de kant van de afdeling Personeelszaken van het RCC uitgelegd kon worden, een angst die uitsluitend gebaseerd was op bureaucratische paranoia, zo gaf zelfs meneer Stecyk, de ADPZ, toe zodra de 'onechte' David Wallace [nl. de auteur][7] bij hem was langsgegaan en min of meer zijn lot in zijn handen had gelegd).

6 (Dat waren de meest recent gepubliceerde gegevens, en de Dienst kon zich uitsluitend op reeds gepubliceerde gegevens baseren, aangezien het nieuwe Univac-systeem van het ministerie van Economische Zaken niet compatibel was met de achterhaalde Fornix-hardware in Martinsburg.)

7 (Nu begrijp je wellicht ook waarom af en toe de toevoeging 'auteur' noodzakelijk is; naar bleek werkten er in het RCC Midden-West dus twee verschillende David Wallacen, maar je mag drie keer raden wie van beiden uiteindelijk van identiteitsdiefstal werd beschuldigd.)

§39

Claude Sylvanshine, speciaal voor deze gelegenheid in het gebouwen-complex van Systeembeheer in Martinsburg aanwezig als voorberei-ding op zijn verkenningswerk in het RCC Midden-West, nam in april twee keer plaats in de geleide-invoertank en probeerde daar, via de luidspreker begeleid door Reynolds, een FOPA[1] uit te voeren op de hoge omes binnen Filiaal 047, waarvan alleen de eerste sessie iets bruikbaars opleverde. De S-9 kreeg inzichtelijke feitenreeksen binnen over de pathologische haat die DeWitt Glendenning jr. koesterde je-gens muggen en die terug te voeren was op zijn jeugd in Tidewater; zijn mislukte poging in 1943 om commando bij de Army Rangers te worden; zijn hevige allergie voor schaaldieren; zijn onmiskenbare overtuiging dat zijn genitaliën op de een of andere manier misvormd waren; zijn aanvaring met de gevreesde Afdeling Interne Inspectie toen hij Districtshoofd van Audits was in Cabin John, Maryland; frag-menten van het huis- en/of praktijkadres van zijn psychiater in een buitenwijk van Joliet; het feit dat hij de verjaardagen van echt alle ge-zinsleden van de Regiocommissaris voor het Midden-Westen uit het hoofd had geleerd; en een boel esoterische informatie over zowel zwaar elektrisch gereedschap als het vervaardigen en opknappen van meubels, wat aanleiding gaf tot een abrupte SIVI[2] met bijzonderheden over de afgezaagde duim van een volwassen man. Op grond hiervan

1 Feitenvergaring op Afstand
2 Spontane Inbreuk van Informatie

concludeerden sommigen bij Systeembeheer dat DeWitt 'de Nitwit' Glendenning, de huidige Directeur van het RCC Midden-West en veelgeziene hielenlikker op het Regiokantoor, ten gevolge van een houtbewerkingsongeval in de hobbysfeer een duim was kwijtgeraakt of binnenkort zou kwijtraken, en uitgaande van dit feit stelden ze bepaalde plannen op en verwachtingen bij.

De waarheid – die Claude Sylvanshine nooit te weten kan en zal komen, ondanks de herhaalde lijst met cijfers over de parabool die uit een slagader spuitend bloed beschrijft, alsook de snelheid waarmee het blad van een staande lintzaag (1420 tpm) bij een bepaalde massa en hoek door de verschillende kegelsneden van een menselijke hand kan gaan – is dat de afgezaagde mannenduim in werkelijkheid vooral betekenis had in het leven en de psyche van Leonard Stecyk, ADPZ van Filiaal 047, die in de praktijk niet alleen zijn eigen werk deed, maar ook veel taken van zijn baas opknapte. Het incident met de afgezaagde duim maakt deel uit van de psychologische ontwikkeling waardoor L.M. Stecyk zou uitgroeien tot een van de meest briljante en bekwame leidinggevenden bij de IRS in de Regio Midden-West, al ligt het incident met de duim inmiddels diep in de heer Stecyks onbewuste verzonken en wordt zijn bewuste leven beheerst door de afdeling Personeelszaken van het RCC en door de donkere wolken die zich samenpakken boven Systeembeheer en Compliance.

Het incident zelf is niet meteen relevant en kan in weinig woorden worden naverteld. Om redenen die inmiddels in bestuurlijke nevelen zijn opgelost, was Hout- en Metaalbewerking destijds in het noorden van het Midden-Westen een verplicht vak voor alle mannelijke vierdeklassers, wat (in Michigan althans) leerlingen die een jaar eerder naar het beroepsonderwijs waren doorgestroomd een laatste gelegenheid bood de jongens die later naar de universiteit zouden gaan te treiteren en te terroriseren. En met name Leonard Stecyk kreeg het op scholengemeenschap Charles E. Potter in de herfst van 1969 bijzonder zwaar te verduren tijdens het derde uur bij Hout en Metaal onder leiding van meneer Ingle. Dat lag niet alleen aan het feit dat Stecyk op zijn zestiende slechts 1 meter 55 lang was en droog aan de haak amper 47 kilo woog, wat hij hoe dan ook niet bleef (droog) als de jongens hem na de gymles in de doucheruimte tegen de tegelvloer werkten en hem helemaal onderplasten, een ritueel dat ze een 'Stecyk Speciaal' noemden – hij zou de annalen van Grand Rapids ingaan als de enige jongen die op school een paraplu meenam in de douche-ruimte. En evenmin kwam het enkel door de speciale veiligheidsbril met AVGW-keurmerk en het zelfgenaaide timmermansschort met daarop in zwierige borduurletters MIJN NAAM IS LEN – VAN HOUT WORD IK ZEN dat hij droeg tijdens de les. En evenmin doordat twee leerlingen aanwezig in het derde uur H&M zware criminelen in de dop waren, van wie er één al eens een week was geschorst omdat hij met een acetyleenbrander een gieteling gloeiend heet had gemaakt, net zolang tot die volkomen kleurloos was geworden, en vervolgens met een uitgestreken gezicht aan Stecyk had gevraagd of hij hem snel even die gieteling bij de figuurzaagmachine wilde komen brengen. Het echte probleem was van praktische aard: Leonard bleek niet de minste aanleg voor of affiniteit met hout- en metaalbewerking te hebben, of het nu ging om eenvoudige dynamica of simpele lastechnieken, basisvaardigheden met een draaibank of de beginselen van timmerwerk op maat. Zeker, schetsen en opmeten kon het joch, zoals meneer Ingle moest toegeven, buitengewoon (op het verwijfde af, vond hij) netjes en nauwkeurig. Maar Stecyk was een ramp als het erop aankwam opdrachten uit te voeren en machines te bedienen, of het nu ging om onder verstek zagen volgens een voorgetekende lijn, of simpelweg om het gladschuren van de bodem van een bijzonder sigarenkistje uit vurenhout dat meneer Ingle (die van sigaren hield) al zijn leerlingen voor hun vader liet maken, maar waarbij de blijkbaar onvoldoende of te weinig mannelijke grip van Stecyk ervoor zorgde dat het kistje als een artilleriestuk uit de bandschuurmachine schoot, door het H&M-lokaal suisde en tegen de betonnen muur uiteenspatte, nog geen drie meter van het hoofd van meneer Ingle, die vervolgens Stecyk (die hij zonder het minste schuldgevoel of voorbehoud hartgrondig verachtte) te verstaan gaf dat de enige reden dat hij hem niet met schortje en al naar Huishoudkunde stuurde was dat hij dan waarschijnlijk de godganse school in de hens zou steken!, waarop een stel struise en gemene vierdeklassers (van wie er één de daaropvolgende herfst van school zou worden gestuurd omdat hij niet alleen een berenklem van het Agentschap voor Natuur- en Wildbeheer naar school had meegenomen, maar het zelfs had bestaan het ding – die vlijmscherpe klem met springveer – voor de deur van de onderdirecteur op scherp te zetten, waar de conciërge het onschadelijk moest maken met behulp van zijn bezemstok, die met zo'n klap doormidden knakte dat de leerlingen in alle klaslokalen in die gang zich rot schrokken en dekking zochten) voorwaar naar Stecyk stonden te wijzen toen ze hem uitlachten.

Aan de andere kant is het ook mogelijk dat het incident met de afgezaagde duim niet eens zozeer Leonard Stecyks karakter vormde of veranderde als wel zijn zelfinzicht (voor zover hij daarover beschikte) en de manier waarop anderen hem zagen. De meeste volwassenen weten dat het onderscheid tussen iemands fundamentele karakter en eigenwaarde en de manier waarop andere mensen dat karakter zien en waarderen vaag en moeilijk te bepalen is, vooral tijdens de adolescentie. Daar komt bij dat Leonard Stecyk zich een deel van de feitelijke omstandigheden en context van het incident niet meer voor de geest kan halen, zelfs niet in dromen of plotse invallen. Het had te maken met het in latten of stroken zagen van een gipsplaat ter versteviging van het deurkozijn of de ophanging van een deur in een binnenmuur. De lintzaag stond op een brede metalen tafel vol verstekaanslagen en gekalibreerde klemmen om de te verzagen plaat vast te zetten, die je dan voorzichtig over het gladde oppervlak moest schuiven zodat het razendsnel roterende blad van de lintzaag de na minimaal twee keer grondig nameten getrokken potloodstreep tot op de millimeter nauwkeurig volgde. Vanzelfsprekend golden er gedetailleerde veiligheidsvoorschriften, door meneer Ingle vastgelegd in zowel de gestencilde Werkplaatsregels als de diverse vetgeletterde waarschuwingsbordjes op en rond de achterkap van de lintzaag, procedures die Leonard Stecyk niet alleen uit het hoofd had geleerd, maar ook had helpen verbeteren door te wijzen op bepaalde tikfouten en ambigue formuleringen in de wel erg lapidaire imperatieven, waarop één kant van meneer Ingles grote gezicht onwillekeurig was gaan schokken en samentrekken, het teken dat de man zich moest inhouden om niet in een van zijn gevreesde woedeaanvallen uit te barsten. De ware reden voor deze overdaad aan waarschuwingsbordjes en gele veiligheidsstrepen op de vloer van de werkplaats was dat meneer Ingle onder zware geestelijke druk stond en gebukt ging onder de voortdurende frustratie en manische woede dat hij en hij alleen verantwoordelijk was als er iemand gewond raakte, en dat in een klas die bestond uit enerzijds wiskundewijven zoals die sukkels van een Stecyk en Moss, en anderzijds langharig tuig in legerjassen dat soms stinkend naar marihuana en pepermuntschnaps kwam aanwaaien en maar wat aanklootte met de regels en het gereedschap, waarvan die zakkenwassers het gevaar weigerden in te zien, en die dus ook binnen de toch overduidelijk gemarkeerde gele streep naar het blote zaagblad van de lintzaag stonden te koekeloeren ondanks het duidelijk op zowel de machine als de vloer aangegeven INDIEN IN WERKING ACHTER STREEP BLIJVEN, zodat er, als je aan de verboden zijkant stond, alleen nog maar een onnadenkende duw of een simpel zwaaiend gebaar met een van je armen nodig was; en terwijl hij dat voor misschien al wel de vijfde keer dit kwartaal luidkeels illustreerde, zagen de jongens hem vanaf de gele lijn een overdreven kinderachtig gebaar maken waardoor zijn rechterhand ongewild in aanraking kwam met het blad van de lintzaag dat, even snel als meneer Ingel had voorspeld, in zijn duim en het omliggende weefsel sneed, van het interdigitale cutane vlies tot aan de abductor pollicis longus, en daarbij ook de polsslagader raakte, wat resulteerde in een enorme waaierende fontein bloed toen meneer Ingel het rode ding naar zijn borst bracht en omviel, grauw van de verlammende traumareflexen en de shock. Net als zowat alle anderen in de klas – overal zag je open monden en grauwe gezichten – die vanaf de gele streep toekeken hoe het bloed ritmisch uit de slagader en de eerste palmaire metacarpalaire slagader omhoogspoot en zelfs op een paar kaki jassen van de langere jongens en op het bedieningspaneel van de kolomboormachine spatte waar ze tegenaan stootten toen ze in een reflex achteruitdeinsden. Dit was wel even wat anders dan het langzame opwellen uit een geschaafde knokkel of het straaltje als iemand je een bloedneus slaat. Dit was slagaderlijk bloed dat onder grote systolische druk omhoogspoot en uitwaaierde vanaf de plek waar de leraar op zijn knieën zat en zijn hand met zijn andere hand tegen zijn borst wiegde en naar de falanx van jongens staarde en iets murmelde wat onverstaanbaar was door de A $\sharp$ van de jankende lintzaag; een paar toekomstige universiteitsstudenten hadden hun mond opengesperd in een schreeuw die wel zichtbaar maar niet hoorbaar was, en helemaal achterin gingen een paar anderen er langs de klemmen van de kolomboormachine halsoverkop vandoor in de richting van de deur, met hun armen in de lucht en wild zwaaiend met hun handen, het universele gebaar van blinde paniek; de rest zocht steun tegen een klasgenoot of een machine, de ogen wijd open en het verstand volledig op nul.

... Met uitzondering van de kleine Leonard Stecyk, die na slechts

een ultrakorte neurale pauze snel en gedecideerd vanuit de flank van
de groep naar voren stapte en met de muis van zijn omzwachtelde hand
op de dubbel gemarkeerde aan-uitknop drukte en in zijn schort en gesteven witte overhemd om de achterkant van de machine heen liep,
daarbij zonder blikken of blozen een uit de kluiten gewassen jongen
opzij duwend die een hoofdband met paisleymotief droeg en met de
zolen van zijn Keds in een plas menselijk bloed stond – dezelfde jongen
die amper een paar dagen eerder Stecyk nog achter het gereedschaps-
bord voor de draaibank met een smidstang had bedreigd – en bijna
hetzelfde moment al naast meneer Ingle leek te staan en de eerste
EHBO-regel voor ernstige bloedingen toepaste, namelijk de wond om-
hooghouden en tegelijkertijd de ernst van het letsel vaststellen op
grond van de vijfpuntenschaal van Ames, zoals vermeld in *Eerste hulp
op de werkvloer* (1962) van de vermaarde verpleegster Cherry Ames,
een boek dat Stecyk in het najaar van '69 als onderdeel van zijn gebruikelijke voorbereiding op het schoolcurriculum uit de bibliotheek
had geleend. Stecyk hield de hand simpelweg zo hoog mogelijk, ongeveer op ooghoogte, terwijl meneer Ingle ineengehurkt en -gezakt
op de grond bleef zitten. Het kan niet genoeg benadrukt worden hoe
snel dit allemaal ging. De duim en het aangrenzende spierweefsel waren niet volledig losgeraakt maar hingen nog vast aan een flap leder-
huid, zodat de eigenlijke duim van meneer Ingle recht naar beneden
wees, als in een parodie op het keizerlijk oordeel, terwijl Stecyk, die
zowel het bloed als de variaties op 'mama' negeerde die verstaanbaar
werden nu de lintzaag steeds minder toeren maakte, eerst met één
hand de riem uit zijn broek trok en vervolgens zijn duimstok voor in-
ches én centimeters uit de speciaal daartoe aangebrachte duimstokzak
van zijn schort haalde, hetzelfde schort dat meneer Ingle zo ridicuul
had gevonden en – na alle protocollen voor zichzelf te hebben doorlopen om à la Cherry Ames te besluiten dat louter manuele druk rondom de pols de bloeding niet zou tegengaan – een kundige tourniquet
met twee knopen fabriceerde (incl. een subtiele toets edwardiaanse frivoliteit in de vier lussen van de strik op de bovenzijde, wat des te op-
merkelijker was gezien het feit dat Stecyk deze moeilijke knoop legde
met dezelfde glibberige scharlaken handen als waarmee hij het gewicht
van een half bewusteloze man ondersteunde) en de bloeding stelpte
door de meetlat slechts anderhalve keer te draaien, dit alles dankzij de
precisie waarmee Stecyk de tourniquet volgens de aanwijzingen in het

boek exact op de palmaire boog van de spaakbeen- en de ellepijpsla-
gader wist te plaatsen. Toen het zaagblad tot stilstand was gekomen,
klonk in de galmende stilte het geluid van een pneumatische krik uit
de introklas Autotechniek in het belendende lokaal. Nu er niet langer
bloed uit de wond spoot, kwam het moment dat meneer Ingle het bewustzijn verloor, zodat het laatste wat de langere jongens zagen was
dat Stecyk meneer Ingles hoofd vasthield als dat van een baby en hem –
of het: het hoofd van die grote man – voorzichtig met één hand naar
de vloer liet zakken terwijl hij met zijn andere hand bij de omhooggehouden pols de tourniquet op zijn plaats hield, een tafereel dat zowel
iets van een dans als iets moederlijks had, maar in de verste verte niets
meisjesachtigs, en dat sommige leerlingen nog dagen of zelfs weken
door het hoofd spookte nadat ze door de leerkrachten Auto- en Elek-
trotechniek opzij waren geduwd en opdracht hadden gekregen het lokaal te verlaten en de man wat ruimte te gunnen; hun optreden was
kordaat en op een volwassen manier daadkrachtig, maar Len probeerden ze niet opzij te dringen of door de hulpleerkracht Huishoudkunde
samen met de anderen en hun rode voetafdrukken uit het lokaal te laten verwijderen, integendeel: als subalterne officieren gingen ze aan
weerszijden van de omhooggehouden arm met de afhangende duim
staan, in afwachting van de instructies die de jongen zou geven met
betrekking tot de vraag of ze op de ambulance moesten wachten of
misschien toch beter konden proberen meneer Ingle in een van hun
goedkope, maar perfect getunede auto's te hijsen en hem zelf naar het
Calvin Memorial te brengen, waarbij ze met Stecyk spraken als met
een gelijke en hij hun antwoordde zonder aarzeling of onderdanig-
heid.

Leerlingen in het beroepsonderwijs zijn doorgaans niet bijster em-
pathisch of emotioneel vaardig, en daarom zou het overdreven zijn
te stellen dat na die dag bij Hout en Metaal 'alles anders werd'. Het
was niet zo dat Leonard Stecyk opeens populair werd, of dat de ruige
jongens uit zijn klas hem opeens uitnodigden mee te doen op de doordeweekse avonden dat ze vandalenstreken uithaalden of opstapdrugs
gebruikten. Een enkeling was niettemin verbaasd – eerder geschokt
dan beschaamd – over zijn eigen passiviteit ten overstaan van deze
traumatische ervaring en de daadkracht van die irritante homofiel.
Het was vreemd. Het waren bikkelharde jongens: ze schrokken niet
terug voor een vechtpartij, werden geregeld afgetuigd door stiefva-

ders en oudere broers. De slimsten onder hen beseften wel dat hun idee over wat een bikkel zijn inhield, over het verband tussen stoerheid en wat er werkelijk toe deed, een knauw had gekregen. Hun getuigenissen van het ongeluk waren verward en verschilden onderling. Meermaals werd er verwezen naar *Lost in Space*, toentertijd een populaire serie. De levenskwaliteit van de toekomstige ADPZ steeg voornamelijk doordat de Stecyk Speciaal goeddeels tot het verleden behoorde en hij in de gangen veel minder onverwachte stompen op zijn spaakbeenzenuw kreeg en ook de meeste andere dagelijkse porties sadisme hem bespaard bleven, vooral omdat de ruige jongens een vreemd soort onbehagen ervoeren als ze Stecyk tegenkwamen of zelfs maar aan hem dachten, en echt sadisme – zoals iedere adolescent weet – vereist nauwe aandacht voor het voorwerp van dat sadistische gedrag. Stecyks optreden die dag maakte hem niet meer, maar minder speciaal; de ruige jongens merkten hem niet langer op en hadden het niet langer op hem gemunt. Het was vreemd, en nog vreemder was hoe snel Stecyk zelf niet meer aan het voorval dacht, zelfs toen meneer Ingle na Thanksgiving op C.E. Potter terugkeerde in zijn nieuwe hoedanigheid als instructeur bij de Chauffeursopleiding, met zijn verminkte rechterhand gehuld in een soort beschermende zwarte handschoen of hoes van polyurethaan, wat hem op school de bijnaam 'Dr. No' opleverde, die hij tot halfweg de jaren 70 zou behouden. Iedereen leek erop gebrand het hele gebeuren te vergeten. Een van de ruige jongens uit het beroepsonderwijs, die twintig maanden later in de regio rond de Plaine des Joncs in Indochina gelegerd zou zijn, was de enige met een scherpe en bewuste herinnering aan Stecyk en Ingles duim die ene dag, namelijk toen een zwaarlijvige dienstplichtige, een jongen die bijna was gezakt voor de stormbaan en die op een keer 's nachts in de barakken flink te grazen was genomen, een patrouille had gehergroepeerd waarvan de korporaal was uitgevallen, en die hen tussen twee afzonderlijke pelotons van het Noord-Vietnamese leger had geloodst om aansluiting te vinden bij de Able-compagnie; hij was gewoon opgestaan en had hun opgedragen alle munitie van de gesneuvelden te verzamelen en zich in gedekte opstelling langs de tegenoverliggende zijde van de kreekbedding terug te trekken, en iedereen had gehoorzaamd – zonder na te denken, om redenen die ze later konden uitleggen noch toegeven – en die ruige jongen had aan Stecyk gedacht, in zijn schortje en met zijn vlinderstrik met paisleymotief (dat laatste een vertekening van het geheugen) en aan het feit, alweer, dat wat ze toen als de wijde wereld hadden beschouwd niet meer was geweest dan een waanwijze jongensdroom.

§40

Cusk was het kantoor van de psychiater binnengeleid en telde nu de dozen Kleenex in de kleine kamer gevuld met rijen dikke boeken en diploma's. De zesde stond op het bureautje in de hoek waaraan de psychiater haar recepten schreef. In de ruimte bevond zich geen kleine wasbak zoals je die soms bij psychiaters aantrof – dagenlang had hij zich gewapend tegen die wasbak. Nadat zijn naam had geklonken, had Cusk de psychiater de hand geschud en was hij gaan zitten op de zachte stoel die ze met haar andere hand had aangewezen. De psychiater trok haar broek iets op bij de knieën en nam plaats aan de andere kant van een glazen salontafel, waar twee dozen Kleenex op stonden. Haar hand had groot, warm en zacht aangevoeld. Haar stoel was van hetzelfde model als die van Cusk – één à twee niveaus minder comfortabel dan een luie stoel – maar leek, tenzij hij het zich inbeeldde, enigszins hoger dan de zijne.

... 'voor spinnen, voor honden, voor post,' somde Cusk op – de psychiater luisterde aandachtig, knikte, maar maakte tot zijn opluchting geen aantekeningen – 'Ik ben bang voor notitieblokken met een spiraalband, zo'n spiraal of draad door de rug; voor vulpennen – maar niet voor viltstiften of balpennen, tenzij de balpen zo'n dure is met eeuwigheidswaarde – Cross, Montblanc, het type dat van goud lijkt – maar dus geen plastic pennen of wegwerppennen.' Nu hij alle dozen Kleenex geteld had, herhaalde Cusk voor zichzelf *'groot, zacht en warm, groot, zacht en warm'*; een mijmerende mantra, net onder het niveau van een bewuste gedachte.

'Ik ben bang voor schijven. Voor gootstenen. Voor zowat alle spiraalbewegingen in vloeistoffen, over de hele linie.'

De psychiater had uitzonderlijk smalle en dunne wenkbrauwen, en als die omhooggingen wilde dat zeggen dat ze het niet helemaal kon volgen –

'Draaikolken, maalstromen, de afvoer van een badkuip,' verduidelijkte Cusk. Een fijne glinstering van zweet lag op zijn bovenlip, maar hij stelde op de tast vast dat zijn voorhoofd droog bleef, voorlopig ging het nog. 'Drankjes waar iemand stevig in geroerd heeft. Doorspoelende toiletten.'

§41

'Je hebt Cardwell gestuurd om hem op te halen?'
    'Ik zie het probleem niet.'
    'Hij is gestoord, Charlie, dat is het probleem.'
    'Hij is een goede chauffeur. Je kunt van hem op aan.'
    'Die gaat de hele weg hiernaartoe tegen die kerel zitten raaskallen; die vent zal nog denken dat het hier stikt van de halfgare apostels. Het is wel een medewerker van Lehrl, Charlie. Jezus.'

§42

Er vielen lange stiltes, afgewisseld met perioden van aandacht.

'Shit man, dan weet ik er nog wel eentje. Maar dit speelde een tijd terug, toen ik in St. Louis studeerde en bij de Reddingsbrigade zat.'

'Laat maar komen.'

'Maar jullie zullen niet alles meekrijgen. Daarvoor hadden jullie er eind jaren zestig echt bij moeten zijn.'

'We waren er toen toch bij?'

'Met erbij zijn bedoel ik niet met je tenen liggen spelen of mee-eters uitknijpen. Ik bedoel er bewust bij zijn, als volwassene. Cultureel gezien.'

'Tegencultureel zul je bedoelen.'

'Nu kan ik zeggen dat je voor mijn part stront kunt gaan happen, Gaines. Maar ik hou me in. Laat ik gewoon zeggen dat als er iets ontzettend cool is en een onmiskenbare kwaliteit bezit, en ik dan zeg dat het ontzettend Beatles is, jullie dat dan niet mee zullen krijgen.'

'Je had het mee moeten maken.'

'Het is iets anders dan platen van de Beatles in je kast hebben staan, wil je zeggen. Je had het zelf mee moeten maken.'

'De blitskikker uithangen.'

'Dat is het nou net. Geen hond die blitskikker zei. Iemand die blitskikker zei of je een rare vogel noemde, die speelden een fantasiewereld na waar hij op CBS een documentaire over had gezien. Ik zeg alleen dat als ik Baxter-Bathing zeg of Owsley of dat Janis altijd die ene jurk droeg, dat jullie dat dan louter als feitenmateriaal zien. Maar het gevoel dat erbij hoort ontbreekt – het is een gevoelskwestie. Dat valt niet te beschrijven.'

'Behalve dan door te zeggen dat het heel erg Beatles is.'

'En soms zijn het niet eens feiten. Stel dat ik Lord Buckley zeg. Of Charles Whitman in Texas, of de gevangenisgospels van Sin Killer Griffin op cassette, of Jesse Jackson in de *Today Show* tegenover J. Fred de chimpansee, in een coltrui waar Martins bloed en hersenweefsel nog op zit, en niemand die er wat van zegt, hoewel *Today* in New York wordt opgenomen, wat dus betekent dat die kloothommel van een Jackson helemaal in die coltrui uit Memphis is komen vliegen om op tv met het bloed van Martin Luther King uit te kunnen pakken – voel je daar iets bij als ik dat zeg? Of *Bonanza*, of *Ik ben nieuwsgierig*, tussen haakjes *Geel*? J. Fred Muggs? Allejezus, *The Fugitive* – als ik het over Richard Kimble en de eenarmige man heb, wat roept dat dan bij jullie op?'

'Nostalgie bedoel je.'

'Nee, methamfetamine hydrochloride. *December's Children* bijvoorbeeld, of *Dharma tuig*, of Big Daddy Cole in het House of Blues in Dearborn, of als ik alleen al denk aan opgeschoren haar en hoornen monturen of opgerolde Levi's met instappers met daartussen bijna tien centimeter wit katoen en de hydrochloride die ik nog altijd proef van toen we in St. Louis op Washington University de Reddingsbrigade vormden. Echt maf om te bedenken dat dat allemaal deel uitmaakt van wie ik ben, maar dat het voor jullie alleen maar woorden zijn.'

'Zo hebben we allemaal onze eigen culturele bakens en psychische bezettingen en dingen die ons nostalgisch stemmen.'

'Het is geen nostalgie. Het is een geheel van verwijzingen waar jij niet eens van weet dat je ze niet kent. Stel dat ik bordeelsluipers zeg – dan gaat er gewoon niets door je heen. Jezus man, bordeelsluipers.'

'Geen lsd?'

'Sorry?'

'Waarom methamfetamine en geen lsd? Acid? Waren wiet en lsd niet dé drugs in dat decennium?'

'Dat bedoel ik dus. Jullie hebben geen flauw benul hoe ingewikkeld en genuanceerd alles was in die tijd. Lsd, dat had je aan de Westkust en in sommige kringen in en om Boston. In Greenwich Village kon je pas aan lsd komen toen Kesey en Leary daar in '67 mee begonnen in de bossen boven New York. Rond '67 waren de jaren zestig al voor-

bij. In het Midden-Westen had je methadon en chemische hallucino-
genen. In St. Louis vormden we een clubje dat goede contacten had
met een paar gasten uit Dogtown; een van de redenen dat ik hier werk
en niet bij een bedrijf is dat niemand van ons in die twee jaar volgens
mij ook maar een boek heeft aangeraakt, waarna ik dus moest verhui-
zen vanwege de Reddingsbrigade en een oudere gast die bizar genoeg
McCool heette en die er per se bij wilde horen, heel wanhopig was
dat, het tegenovergestelde van cool, sneu zeiden we toen, maar dat zal
jullie wel niets zeggen. McCool was de lokale vertegenwoordiger van
Welch Lambeth. Mag ik ervan uitgaan dat Welch Lambeth jullie wél
iets zegt?'

'Een chemiebedrijf. Nu onderdeel van Lilly. In University City,
Missouri. Enorm gediversifieerd aanbod: chemische oplosmiddelen
voor industriële toepassingen, medische benodigdheden, kleefstoffen,
polymeren, chassismallen, noem maar op.'

'Medische benodigdheden indertijd inclusief het spul dat hij soms
meebracht, dan zaten we aan onze stamtafel in de Jägerschnitzel, een
bierkelder waar de meest alternatieve anti-establishmenttypes van de
universiteit rondhingen, maar dus geen mods of blitskikkers, en op
een avond komt die McCool met zijn lange vingers daar tijdens een
potje ouwehoeren binnenlopen met een luchtdicht verpakt doosje van
een kwart kilo dat hij uit een of ander lab had gejat en zegt: "Ik weet
dat jelui hier wel weg mee weten, dus toen ik het zag zei ik bij mezelf
sodejoekels, dit moet nodig worden geëmancipeerd voor de jongens"
en meer van dat soort shit. Sneu, maar kranig, op z'n Eisenhowers. In
de dertig was hij, en al kaal, en wanhopig op zoek om erbij te horen;
wat die gozer als kind moet hebben meegemaakt wil ik niet eens weten.
Zo'n gast die op een feestje naar je toe komt en die je tegen negenen
al zo dronken hebt gevoerd dat hij niet meer op zijn benen kan staan
en die je dan in het busje van de Vliegende Brigade duwt en op zijn
schoenen en sokken na helemaal uitkleedt en daarna achterlaat op het
bankje van een bushalte in East St. Louis, en die dat dan op de een of
andere manier niet alleen nog kan navertellen, maar die de volgende
avond gewoon weer van de partij is in de Jägerschnitzel en je op je
schouder mept en zegt dat hij het een Goeie Bak! vindt, alsof je net
zijn veters in de fik hebt gestoken, zo ontzettend hard deed die gast
zijn best om erbij te horen.'

'Mijn broers hebben me geleerd dat dat het stomste is wat je kunt doen als je ergens bij wilt horen: te hard je best doen. Door schade en schande ben ik wijs geworden. Neem die keer toen ik als kind mee mocht op trektocht en mijn oudste broer zei dat het een gouden kans was om er eindelijk bij te horen, tot bleek dat het geen trektocht was en dat ze gingen vissen, maar ik was doodsbang voor water, en toen ik in de boot wilde stappen –'

'En wij hebben zoiets van: oké, prachtig, maar Eddie Boyce maakt het open en binnenin zitten van die lange goed verpakte dikkartonnen kokers, en in die kokers zitten reageerbuisjes van een kleine tien centimeter met een dubbele stop gevuld met ... zuivere medicinale methamfetamine hydrochloride, in elk ruim drie gram. We zitten daar elkaar een beetje aan te staren en Boyce zijn wenkbrauwen staan zowat boven op zijn kop. McCool probeert niet al te enthousiast te doen, maar zegt: "En? Wat vinden jullie ervan?" Weten jullie wat dat wil zeggen? Er zat 224 gram pure farmaceutische meth in die doos! Hebben jullie enig benul wat voor effect waardeloze versneden meth uit een garagelab al kan hebben op het zenuwstelsel van een twintigjarige?'

'Ik zou het hebben verpatst en me met de opbrengst op de zilvermarkt hebben ingekocht en daarna zou ik de professoren aan hun baard hebben getrokken en hun gezegd hebben dat ik nu in de handel zat en dat ze dat in hun tweedzakken konden steken.'

'We hebben er niet genoeg van verpatst, dat zeg ik maar meteen. Maar wat we wel verkocht kregen richtte een waar slagveld aan. Apenkooi in de collegezalen. Puistenkoppen die anders op de achterste rij zaten en nooit een kik gaven grepen opeens hun docenten bij de kraag en begonnen Marx' meerwaardetheorie op te dreunen als je reinste SS-ondervragers. De kattenkoppen van de Newman Club lagen vol overgave te rampetampen op de trappen van de bibliotheek. De eerste hulp werd overspoeld door ouderejaars filosofie die smeekten of iemand hun hoofd kon afzetten. De mensa was uitgestorven. De complete verdediging van het footballteam draaide de bak in omdat ze de waterdrager van Kansas State hadden gemolesteerd. Studentes met een maagdenvlies als een kluisdeur gingen met de benen wijd in de bosjes achter Lambda Pi. De twee maanden daarna brachten we voornamelijk door in ons busje van de Vliegende Brigade en rukten voortdurend uit na noodoproepen van jongens die een tiende gram van dat spul te pakken hadden gekregen en die nu hun vriendinnetje aan haar nagels aan het plafond zagen hangen en haar engelengebit tot gruis hoorden knarsen. De Vliegende Brigade!'

'Een hele week zonder slaap, helemaal strak van de meth, en van ophouden wilden we niet weten, want ophouden was zoiets als in de hel liggen vergaan van de griep, en in Boyce zijn handpalmen stond permanent een ribbelpatroon gegrift omdat hij het stuur van het busje bijna fijnkneep, en onze oogbollen zagen eruit alsof we ze in de feestwinkel hadden gekocht. Het enige wat we deden qua eten was vol walging zitten rillen als we onderweg een restaurantreclame voorbijreden. Want we kregen elke avond tientallen telefoontjes, we beukten deuren in, checkten de liften, vlogen met vijf treden tegelijk de trappen op en brulden ondertussen het strijdlied van de Vliegende Brigade.'

'Todd, als ik even mag, die Vliegende Brigade, wat –?'

'Nou, toen dat spul zich in al zijn verwoestende kracht en puurheid razendsnel over Dogtown begon te verspreiden hebben we al gauw bij McCool aan de bel getrokken dat we van die brave lieden bij Welch Lambeth toch een soort antidotum nodig hadden.'

'Wat zijn eigenlijk de medische toepassingen van methamfetamine? Obesitas? Onderzoek naar de effecten van slaaptekort? Experimenten met geïnduceerde psychose?'

'En twee of drie dagen later – op het moment dat we zo'n beetje op de grenzen van ons uithoudingsvermogen waren gestuit en we onze ribben konden tellen en de huid rond onze ogen wel hamburgervlees leek – was er dat ene vreselijke incident toen ik alleen was en dacht mooi nu eens alle remmen los en zowat een achtste gram van dat onversneden spul spoot en in een zacht uitgedrukt hele rare stemming raakte, maar één stapje verwijderd van klinische paranoia, en de deurbel gaat en ik doe open met het kettinkje er nog op en ik zie een hoed met plastic bloemen op de rand, en het is een heel klein onschuldig bejaard dametje dat ons in ons gebarricadeerde huurhuis met een mand vol koekjes en staaltjes van toiletartikelen en waardebonnen voor de buurtwinkels welkom heet in de wijk, maar ze kijkt me aan met in haar ene oog zo'n freaky rode hypnotische spiraal en in haar andere een groene, en haar pindagezichtje begint me daar toch opeens verschrikkelijk uit te puilen als de kop van een krokodil en wordt daarna weer normaal en verandert dan meteen weer in een krokodillenkop, en ik zal je de verdere details besparen behalve dan dat ik door dit incident van de universiteit werd getrapt en amper twee maanden later naar Colorado moest verkassen, en daarom noemen ze me bij de Dienst dus Colorado Todd.'

§43

Dinsdagochtend had ik een kno-afspraak en klokte pas om 10.05 uur in. In het complex heerste een nog gelatener stemming dan anders. Iedereen sprak op gedempte toon en leek zich dun te willen maken. Een paar vrouwen die erom bekendstonden bij het minste of geringste bleek te worden zagen bleek. Alle aanwezigen wekten de indruk in slow motion door elkaar te lopen, alsof ze allemaal ergens op reageerden maar zich tegelijk bewust waren van hun reactie en het feit dat ze allemaal reageerden. Mijn aspirine was op. Om de een of andere reden aarzelde ik of ik iemand zou vragen wat er gebeurd was. Ik heb er een hekel aan degene te zijn die nooit weet wat er aan de hand is en die daar dan naar moet vragen; alle anderen lijken altijd wel te weten wat er aan de hand is. Dat verraadt meteen je lage status, dus hield ik me in. Het was al na elven toen ik Trudi Keener, Jane-Ann Heape en Homer Campbell er onder het ordenen van stapels geantedateerde EST-betaalstroken in de Univac-ruimte over hoorde praten.

In een andere Regio had zich een explosie voorgedaan. In Muskegon of in Holland, de bijkantoren van het tiende. Een auto of een lichte bestelwagen die vlak voor het Districtskantoor geparkeerd had, was enige tijd later ontploft. Trudi Keener verwees naar George Molesworthy die had gezegd dat de Posse Comitatus in Michigan bekendstond als uiterst actief én extremistisch. Er was dus een terroristische aanslag op een Filiaal van de Dienst gepleegd, wat in elke noodlijdende landbouwregio tot grote onrust zou leiden. Ik deed alsof ik iets opzocht in het kaartregister, tot ik bang werd dat Jane-Ann zou merken dat ik hen afluisterde en daaruit zou afleiden dat ik het type was dat niet wist wat er aan de hand was en haar beeld van mij in die zin zou bijstellen. Haar haar was vandaag opgestoken in een ingewikkeld krullend en golvend kapsel dat er donkerder uitzag in het blauwige tl-licht van de Univac-ruimte. Ze droeg een bleekblauwe bloes van acetaat en een Schots geruite rok die zo donker was en zo weinig contrast bezat dat je de ruiten nauwelijks kon zien. Over eventuele slachtoffers werd niets gezegd, maar ik kwam wel te weten dat twee of drie werknemers van de afdeling Audit-Coördinatie van de Facilitaire Dienst in 047 aan het begin van hun loopbaan in Michigan hadden gewerkt; ik had niets te maken met Audit-Coördinatie en herkende de namen niet.

Tijdens mijn pauze rook de koffiekamer zurig, wat betekende dat mevrouw Oooley de kannen en de filters niet had schoongemaakt voor ze gisteren had uitgeklokt. Maar een ware goudmijn aan aanwezig personeel. Meneer Glendenning en Gene Rosebury dronken koffie uit hun persoonlijke IRS-mok (vanaf S-13 kreeg je er zo een), en Meredith Rand stond met een plastic vork een beker yoghurt uit de S-9-koelkast te eten (wat wilde zeggen dat Ellen Bactrim weer lepels aan het hamsteren was). Zij drieën voerden het gesprek, en Gary Yeagle en James Rumps en een paar anderen luisterden mee. Ik viel er middenin en deed alsof ik de automaten bestudeerde en daarna alsof ik de munten in mijn hand telde.

'Dat is geen terrorisme. Dat zijn mensen die hun belasting niet willen betalen,' zei Gene Rosebury. Er was nog iets zichtbaar van zijn gebruikelijke Maaloxsnor. Het 'dat' gaf aan dat het gesprek al wel even bezig was en dat ik een heleboel context en informatie had gemist.

'Is het geen aanslag als ik me aangeslagen voel dan?' zei Meredith Rand. Met haar pink veegde ze een restje yoghurt uit haar mondhoek. Het leek betekenisvol dat er niemand lachte, zelfs de S-9's niet. Rands suffe woordspeling was niet zozeer bedoeld om grappig te zijn als wel om iedereen de mogelijkheid te geven te lachen en zo de spanning wat weg te nemen. Niemand maakte van deze mogelijkheid gebruik. Dat leek veelzeggend. Meneer Glendenning droeg een beige pak en een veterdas met op de knoop een turquoise medaillon. De Directeur van het RCC was een man die het gewend was overal in het middelpunt van de belangstelling te staan, al bleek dat bij hem uit een aura van stille beheersing, en niet uit exhibitionisme. Ik kende niemand in het Filiaal die DeWitt Glendenning niet bewonderde of graag mocht. Ik was toen al lang genoeg bij de Dienst om te begrijpen dat dat een van de kwaliteiten van een succesvolle leidinggevende was: dat de mensen je graag mogen. En niet dat je je *gedraagt* alsof men je graag mag, maar dat dat echt zo *is*. Niemand had ooit het gevoel dat meneer Glendenning deed alsof, zoals minder begenadigde leidinggevenden dat soms wel doen, al was het maar om zichzelf een houding te geven, bijvoorbeeld door de slavendrijver te spelen omdat ze het idee hebben dat een goede chef een tiran moet zijn en ze met alle geweld hun persoonlijkheid aan dat idee willen spiegelen. Of zo'n glad mijn-deur-staat-altijd-open-type dat gelooft dat een goede chef een allemansvriend moet zijn en daarom tegen iedereen heel open en vriendelijk doet, al verlangt zijn positie van hem onder meer dat hij mensen terechtwijst of verzoeken weigert wegens besparingen of mensen terugstuurt naar Controle, of andere zaken die helemaal niet sympathiek zijn. Zo'n type brengt zichzelf in een lastig parket, want telkens als hij in het belang van de Dienst iets moet doen waar een ondergeschikte zich ongelukkig of op zijn pik getrapt door voelt, ligt zo'n maatregel emotioneel gezien moeilijk, omdat je dan als vriend een vriend een naaistreek levert, en vaak voelt zo'n leidinggevende zich zo ongemakkelijk bij die situatie en zijn gespleten loyaliteit dat hij kwaad wordt – of doet alsof hij kwaad wordt – op dat personeelslid om die maatregel te kunnen nemen, waardoor het hele voorval op een onaangename manier persoonlijk wordt en de genaaide ondergeschikte zich nog meer gekwetst en rancuneus voelt, wat op den duur de autoriteit van zo'n leidinggevende volledig ondermijnt, en al snel ziet iedereen hem dan als een hypocriet die je met een uitgestreken gezicht een mes in de rug plant, iemand die doet alsof hij je collega en vriend is, maar die je bij de eerste de beste gelegenheid een naaistreek levert. Interessant is dat deze twee stijlen van leiding geven – de onwaarachtige tiran en de hypocriete vriend – in boeken, tv-programma's en strips ook de twee belangrijkste stereotypen zijn bij het portretteren van leidinggevenden. Vermoedelijk is het zelfs zo dat het beeld dat een onzekere leidinggevende van zichzelf heeft deels gebaseerd is op deze stereotypen uit de populaire cultuur.

Meneer Glendenning leek eerder boven deze stereotypen uit te stijgen dan ze te ondermijnen. Zijn beheerste houding stelde hem in staat zichzelf te zijn en als zichzelf op te treden. Hij was een zwijgzame, enigszins onbenaderbare man die zijn baan zeer serieus nam en van zijn ondergeschikten verlangde dat ze dat ook deden, maar hij nam hen ook serieus, en luisterde naar hen, en beschouwde hen als mensen en tegelijk ook als onderdelen van een groter mechanisme waarvan het efficiënt functioneren zijn verantwoordelijkheid was. Dat wil zeggen dat als je ergens mee zat of een voorstel had en je vond dat dat zijn aandacht verdiende, zijn deur *echt* voor je openstond (mits je eerst via Caroline Oooley een afspraak maakte) en dat hij aandachtig naar je zou luisteren, maar of en hoe hij op je verhaal zou reageren, dat hing af van nadere beschouwing, gegevens uit andere bronnen en grotere belangen waar hij rekening mee diende te houden. Met andere woorden: meneer Glendenning *kon* naar je luisteren, omdat hij geen last had van het wankelmoedige geloof dat het een verplichting inhield als hij naar je luisterde en je serieus nam – terwijl iemand in de ban van het slavendrijversmodel je gewoon zou wegwuiven, en iemand in de ban van het *inter pares*-model het gevoel zou hebben dat hij elk voorstel moest overnemen om je niet te bruuskeren, of een ellenlange uitleg moest verzinnen waarom je voorstel niet uitvoerbaar was en daarover misschien zelfs in discussie diende te treden – allemaal om te vermijden dat hij je beledigde, wat een smet zou betekenen op zijn zelfbeeld, namelijk het soort leidinggevende te zijn dat nooit een voorstel van een ondergeschikte zomaar naast zich neerlegt – of kwaad moest worden om zijn gêne te verzachten dat hij niet openstond voor het voorstel van iemand die hij op alle mogelijke vlakken als een vriend en gelijke meende te moeten beschouwen.

Meneer Glendenning was ook een stijlvolle man; zijn kleren zaten hem als gegoten, zelfs als hij in een auto of aan een bureau had gezeten. Al zijn kleren hingen losjes en toch symmetrisch om zijn lichaam, wat ik met Europese kledij associeerde. Als hij koffie dronk, leunde hij altijd met zijn ene hand in zijn achterzak tegen de rand van het buffet. Dat was, naar mijn mening, zijn meest benaderbare houding. Zijn gebruinde gezicht vertoonde zelfs in het tl-licht een blos. Ik wist dat een van zijn dochters als turnster een zekere nationale faam genoot, en soms droeg hij een dasspeld of een borstspeld of iets dergelijks die uit twee horizontale leggers leek te bestaan met een platina gestalte die zich in een ingewikkelde houding over beide leggers boog. Soms stelde ik me voor dat ik de koffiekamer binnenkwam en meneer Glendenning daar alleen aantrof, tegen het buffet geleund en in de koffie in zijn mok turend, verzonken in diep bestuurlijk gepeins. In mijn verbeelding ziet hij er moe uit, niet uitgeput maar afgetobd, gebukt onder de verant-

woordelijkheden van zijn ambt. Ik kom binnen, schenk mezelf wat koffie in en ga naar hem toe, en hij noemt me Dave en ik hem DeWitt
of zelfs D.G., wat, zo gaat het gerucht, zijn bijnaam was bij andere
Districtshoofden en Adjunct-Regiocommissarissen – volgens de ge-
ruchtenmolen wordt meneer G de volgende Regiocommissaris – en
ik vraag hem hoe het gaat en hij neemt me in vertrouwen over een of
ander bestuurlijke impasse, bijvoorbeeld over Lehrl, die vent bij Systeembeheer die voortdurend alle werkruimten en de verbindingen
daartussen aanpaste en herindeelde, wat verschrikkelijk irritant was en
een belachelijke verspilling van tijd betekende, en dat hij als het aan
hem lag die bemoeizieke etter in zijn nekvel zou pakken en hem in
een doos met maar twee luchtgaten terug zou FedEx'en naar Martinsburg, maar dat Merrill Lehrl een protegé en het lievelingetje was van
de Adjunct-Commissaris voor Aangiften en Ontvangst in Driemaal
Zes, die nog een andere belangrijke protegé had, namelijk de Regiocommissaris voor Controle voor het Midden-Westen, aan wie meneer
Glendenning misschien niet formeel, maar wel in de praktijk moest
rapporteren over alles wat binnen Filiaal 047 met Bedrijfscontrole te
maken had, en die het soort rampzalige bestuurder was dat geloofde
in allianties en beschermheren en politieke spelletjes, en die bij machte
was om op grond van een paar voorwendsels die op papier geloofwaardig genoeg zouden zijn het verzoek van 047 om een extra halve ploeg
S-9-controleurs van de hand te wijzen, en alleen D.G. en de RC zouden dan weten dat dat vanwege Merrill Lehrl was, en DeWitt voelde
zich tegenover de overbelaste controleurs verplicht hun wat adem-
ruimte te verschaffen en wat tijd te winnen met het oog op de Officiële
Aanslagberekeningstermijnen, wat, zo toonden twee afzonderlijke onderzoeken aan, eerder bereikt kon worden door ontlasting en uitbreiding dan door motivatie en herindeling (een analyse waar Merrill
Lehrl zich niet in kon vinden, merkte D.G. vermoeid op). In die fantasie zijn mijn en D.G.'s hoofd ietwat naar elkaar toegenegen en praten
we op zachte toon, hoewel er verder niemand in de koffiekamer aanwezig is, waar het lekker ruikt en er geen witte blikken Jewel-koffie
met kaki letters maar blikken fijngemalen Melitta staan, en op dat moment, perfect passend bij het mij in vertrouwen geschetste probleem
van overbelaste en afgeleide controleurs, opper ik D.G. de mogelijkheid om een nieuw type documentscanner van Hewlett-Packard in te
zetten, en daarnaast ook nog de manier waarop de software zou kun-

nen worden aangepast om aangiften en annexen te scannen en er de
complianceregels op toe te passen om zo bepaalde zaken automatisch
te markeren, zodat controleurs niet langer regel na regel vol onbe-
langrijke, correcte gegevens zouden hoeven doorploegen op zoek naar
de dingen die er wel toe doen. D.G. luistert aandachtig, respectvol, en
alleen zijn bescheidenheid en professionele houding weerhouden hem
ervan onmiddellijk de enorme scherpzinnigheid en de mogelijkheden
van mijn voorstel te prijzen en zijn dank en vreugde te uiten over het
feit dat hier uit het niets een S-9-controleur opduikt die *out of the box*
durft te denken, wat niet alleen het werk van de controleurs zal verlichten, maar D.G. ook de vrije hand geeft om die verfoeide Merrill
Lehrl zijn koffers te laten pakken.

§44

Ik leerde het al op mijn een- of tweeëntwintigste, in het Regionale Controlecentrum van de IRS in Peoria, waar ik twee zomers als dossierbode heb gewerkt. Dit, aldus de mensen aldaar die me geschikt achtten voor een loopbaan bij de Dienst, gaf me een voorsprong, namelijk dat ik deze waarheid al inzag op een leeftijd waarop de meeste anderen nog maar beginnen te vermoeden welke wetten er gelden in het volwassen bestaan – dat het leven je niets verschuldigd is; dat het lijden vele gedaanten aanneemt; dat niemand ooit nog zoveel om je zal geven als je moeder; dat het hart van de mens een sul is.

Ik leerde dat de mannenwereld zoals die vandaag de dag bestaat een bureaucratie is. Dat is natuurlijk een gemeenplaats, maar wel een die veel leed veroorzaakt als je er niet van op de hoogte bent.

Maar evengoed ontdekte ik, op de enige manier waarop men überhaupt tot inzicht komt, de basisvaardigheid die nodig is om te slagen in een bureaucratie. En dan bedoel ik werkelijk slagen: goed doen, iets betekenen, dienstbaar zijn. Ik ontdekte wat de sleutel is. Die sleutel is niet gelegen in efficiency of rechtschapenheid of inzicht of wijsheid. En evenmin in politieke geslepenheid, sociale vaardigheden, zuiver IQ, loyaliteit, visie of een van die andere kwaliteiten die in de wereld der bureaucratie als deugden gelden en waar men je op test. De sleutel is een bepaalde eigenschap die aan al die kwaliteiten ten grondslag ligt, ongeveer zoals het vermogen adem te halen en bloed rond te pompen aan elk denken en handelen ten grondslag ligt.

De bureaucratische sleutel die aan alles ten grondslag ligt, is het vermogen om te gaan met verveling. Goed te functioneren in een omgeving die alles wat vitaal of menselijk is buitensluit. Te ademen zonder zuurstof, bij wijze van spreken.

De sleutel is het vermogen, aangeboren dan wel aangeleerd, de andere kant te zien van het routineuze, het nietige, het betekenisloze, het repetitieve, het zinloos complexe. Het vermogen, in één woord, onverveelbaar te zijn. In de jaren 1984 en '85 heb ik twee van zulke mannen ontmoet.

Het is de sleutel tot het moderne leven. Ben je immuun voor verveling, dan is er werkelijk niets wat je niet kunt bereiken.

§45

Toni's moeder was een beetje getikt, net als haar eigen moeder, een beruchte kluizenares en excentriekelinge woonachtig te Huize Wieldop in Peoria. Toni's moeder verkeerde met een lange rij foute mannen in het zuidwesten van de VS. De laatste in die rij gaf hun een lift naar Peoria, waar Toni's moeder weer naartoe wilde nadat haar relatie met de op één na laatste was stukgelopen. Blablabla. Tijdens de rit was de moeder min of meer gek geworden (ze slikte haar pillen niet meer) en had bij een stopplaats de pick-up van die vent gestolen en hem daar alleen achtergelaten.

Zowel de moeder als de grootmoeder had last van chronische aanvallen van catatonie en catalepsie, wat bij mijn weten een symptoom is van een bepaald soort schizofrenie. Van kindsbeen af had het meisje zichzelf vermaakt door zulke aanvallen na te doen, waarvoor je met vertraagde hartslag volkomen stil moest blijven zitten of liggen en op zo'n manier moest ademen dat je borstkas nauwelijks nog bewoog, en een flinke tijd je ogen moest opensperren, zodanig dat je er maar om de zoveel minuten mee knipperde. Dat laatste is het moeilijkst – je ogen gaan branden zodra ze beginnen uit te drogen. Door dat ongemak heen bijten is ontzettend moeilijk ... maar als het je lukt, als je kunt weerstaan aan de bijna onwillekeurige neiging die opkomt als dat branden en uitdrogen op hun ergst zijn, dan scheiden je ogen uit zichzelf vocht af, zonder te knipperen. Uit zelfbehoud produceren ze dan een soort nep- of ersatztranen. Bijna niemand weet dat, omdat de meeste mensen al ophouden voordat ze dat kritische punt bereiken, vanwege het extreme ongemak als je probeert je ogen open te houden zonder te knipperen. Nog afgezien van het feit dat het vaak blijvende schade oplevert. Het meisje noemde het 'doen alsof je dood bent', want zo had haar moeder die aanvallen sussend aan haar proberen uit te leggen toen ze nog heel jong was, ze zei dan dat ze gewoon een spelletje speelde en dat dat spel 'doen alsof je dood bent' heette.

De man die ze hadden laten staan haalde hen in ergens in het oosten van Missouri. Ze reden op een stuk asfaltsnelweg, en het eerste teken dat hij achter hen aan reed was een stel koplampen dat opdoemde toen ze minstens een kilometer lang een glooiing afreden – ze zagen de koplampen verschijnen op het moment dat de wagen achter hen de top had bereikt en verloren ze weer uit het oog toen ze zelf aan de klim van de volgende flauwe helling begonnen.

Zoals Toni Ware het zich herinnert en er die ene keer over vertelde aan X, op een avond die de verjaardag van het voorval bleek te zijn, liep de wagen die de man gehuurd of gevorderd had razendsnel op hen in – hij bleek stukken sneller dan de pick-up, die een camperunit had. De man zat niet achter het stuur van de wagen, maar stond op de motorkap van wat toen hij dichterbij kwam een enorme Mack-truck zonder oplegger bleek te zijn. Van woede en kwaadaardigheid was hij tot wel twee keer zijn normale omvang opgezwollen, en hij hield zijn armen gespreid in een ontzagwekkend gebaar van welhaast oudtestamentische vergelding terwijl hij met een extatische uitbarsting van boosaardige toorn en spot een grimmige *holler* ten gehore bracht (in de archaïsche betekenis van *holler*, iets wat je, net als jodelen, haast als bijzondere kunstvorm kunt beschouwen; ooit was het de manier waarop mensen die helemaal afgelegen in het uitgestrekte heuvelland woonden al schreeuwend met elkaar communiceerden – de manier waarop je andere mensen liet weten dat je er was, want anders kreeg je daar in die heuvels al snel het idee dat je de enige levende ziel was in een straal van meer dan duizend kilometer), waardoor Toni's moeder – die, laat dat nogmaals gezegd wezen, geen toonbeeld van evenwichtigheid was – hysterisch werd en plankgas gaf in een poging die vrachtwagen te snel af te zijn en tegelijkertijd probeerde een flesje voorgeschreven pillen uit haar handtas te halen en de dop met kindersluiting open te draaien, waar de moeder heel slecht in was, zodat Toni het meestal voor haar moest doen – met als gevolg dat hun eigen wagen, die topzwaar was vanwege de camperunit van LEER, van de weg zwenkte en omkantelde in soort veld of terrein vol onkruid, zodat de moeder zo ernstig gewond raakte dat ze half versuft en met haar gezicht onder het bloed lag te kreunen en Toni tegen de ruit aan de kant van de bijrijder kwam te liggen; nog altijd kun je trouwens de afdruk van de raamslinger in haar zij zien als je haar zover krijgt dat ze haar bloes een stukje omhoogtrekt om je die ontstellende indruk te tonen. De wagen belandde op zijn rechterzijkant, en omdat de moeder geen gordel droeg, wat dat soort mensen nooit doet, lag ze half op Toni Ware en drukte haar tegen de ruit, zodat ze zich niet kon bewegen, laat staan kon zien of ze gewond was. Er was niets te horen behalve de vreselijke stilte en het gesis en getik van een wagen die juist een ongeluk heeft gehad, en verder het geluid van sporen of misschien alleen maar een heleboel rinkelend kleingeld toen de man voorzichtig de helling afdaalde naar hen toe. Haar eigen ruit was in de grond geramd en het raam aan de bestuurderskant wees naar de lucht, maar de voorruit, hoewel ontzet en er half uithangend, was veranderd in een verticale spleet van zo'n anderhalve meter waardoor Toni Ware de man die daar zijn vingers stond te knakken en naar de inzittenden van de wagen keek van top tot teen kon opnemen. Toni lag daar met haar ogen opengesperd en vertraagde haar ademhaling en deed alsof ze dood was. De ogen van de moeder waren gesloten, maar ze leefde nog, want je kon haar horen ademhalen, met af en toe, in haar coma of wat het ook wezen mocht, een onbewust kreetje. De man keek Toni een hele poos recht in de ogen – later begreep ze dat hij probeerde uit te maken of ze nog leefde. Het is amper voor te stellen hoe moeilijk het is voor je uit te staren terwijl iemand je recht in de ogen kijkt en toch de indruk te wekken dat je niet terugkijkt. (Dit was de aanleiding voor het verhaal; David Wallace of iemand anders had gezegd dat hij Toni Ware maar een griezelige verschijning vond omdat ze, al was ze dan niet verlegen en keek ze niet van je weg, bij oogcontact de neiging had je niet in de ogen te *kijken*, maar je ogen te *bekijken*; het was een beetje zoals een vis in een aquarium die achter het glas voorbij komt zwemmen naar je terugkeek als je hem in de ogen keek – je wist dat hij zich op de een of andere manier bewust van je was, maar het gaf toch een wat onbehaaglijk gevoel omdat hij zich niet bewust van je leek zoals een mens dat zou zijn als hij je blik opving.)

Toni's ogen waren open. Het was te laat om ze te sluiten. Deed ze dat onverhoeds toch, dan zou de man weten dat ze nog leefde. Haar enige kans bestond erin zo dood te lijken dat de man haar polsslag niet zou controleren en geen stuk glas voor haar lippen zou houden. Alleen als haar ogen open waren en bleven zou ze hem daarvan af kunnen houden – geen mens is bij leven in staat zijn ogen lange tijd open te houden. Er was niemand in de wijde omtrek; de man had alle tijd om door de voorruit te kijken om te zien of ze nog leefden. Haar moeders gezicht lag tegen het hare, maar gelukkig druppelde het bloed in een welving bij Toni's keel; was het in haar ogen gedruppeld, dan had ze zeker onwillekeurig met haar ogen geknipperd. Ze bleef als versteend liggen met haar ogen wijd open. De man klom op de zijkant en probeerde het portier aan de kant van de bestuurder te openen, maar dat zat op slot. De man liep terug en haalde een stuk gereedschap, een koevoet of iets dergelijks, en wrikte de voorruit verder los, waarbij de pick-up hevig heen en weer schudde. Hij ging op zijn zij liggen en schoof voorzichtig door de open voorruit, keek eerst naar de bewusteloze moeder en vervolgens naar het meisje. De moeder kreunde en verroerde zich lichtjes, en de man doodde haar door met zijn ene hand haar neusgaten dicht te knijpen en met zijn andere een smerige olielap stevig op haar mond te duwen, zo hard dat het hoofd van de moeder, die zich onbewust tegen de verstikkingsdood verzette, tegen de zijkant van Toni's hoofd aan schuurde. Toni bleef waar ze was, nauwelijks ademend, met haar ogen nog steeds opengesperd, centimeters verwijderd van de ogen van de man die haar moeder aan het verstikken was, en het duurde meer dan vier minuten voordat de man met de lap zeker van zijn zaak was. Toni bleef zonder te kijken, zonder met haar ogen te knipperen voor zich uit staren, hoewel het gevoel van die droge ogen ondraaglijk moet zijn geweest. En op de een of andere manier slaagde ze erin de man ervan te overtuigen dat ze dood was, want haar neusgaten kneep hij niet dicht en hij gebruikte ook die smerige olielap niet, wat hem hoogstens een minuut of vier, vijf meer zou hebben gekost ... maar omdat een normaal mens daar bij leven niet zo met zijn ogen open kan blijven liggen zonder te knipperen, wist hij het zeker. En dus haalde hij nog een paar waardevolle spullen uit het handschoenkastje, en daarna hoorde ze hem rinkelend weer de helling oplopen, tot de truck met machtig motorgebrul startte en wegreed. Het meisje lag nog ettelijke uren bekneld tussen de deur en haar dode moeder voor er iemand voorbijreed die het wrak zag en de politie belde, en daarna waarschijnlijk nog een hele tijd voor ze ongedeerd, in licha-

melijke zin dan, uit de pick-up kon worden bevrijd en in een ambulance van een liefdadigheidsinstelling werd gelegd.

Jezusmina.

Dus geen gezeik met die meid; die meid is geschonden goed.

§46

Normaal gesproken komt op vrijdagmiddag een zeker percentage van de ontvangers uit vleugel C samen voor happy hour bij Meibeyer's. Zoals in de meeste andere etablissementen aan de noordrand die als stamkroeg voor de Dienst fungeren, duurt happy hour bij Meibeyer's precies zestig minuten en worden er cocktails geserveerd die geïndexeerd zijn naar rato van, bij benadering, de benzinekosten en motorrijtuigenafschrijving nodig voor de 3,7 km lange rit van het RCC naar knooppunt 474 bij Southport. Doorgaans ontmoeten de verschillende niveaus en vleugels elkaar op verschillende locaties; een paar daarvan liggen in het centrum en apen elk op hun eigen manier de stijlvollere horecagelegenheden in Chicago of St. Louis na. De mannen van stavast zijn bijna elke avond te vinden in De Heer, dat pal aan Self-Storage Parkway ligt en volledig in handen is van de plaatselijke Budweiserdistributeur; eerder dan een sociaal gebeuren is het doel aldaar intubatoir. Veel wiegelaars frequenteren dan weer de testosteronrijke studentencafés rond Bradley en het PCB. Voor homo's is er de Ludwig II in de kunstenaarswijk in de binnenstad. De meeste controleurs met kinderen gaan vanzelfsprekend rechtstreeks naar huis, naar hun gezin, hoewel Steve en Tina Geach op vrijdag vaak samen happy hour bij Meibeyer's meepikken. Zowat iedereen voelt de sterke behoefte wat van de opgebouwde stoom af te blazen na een week van ofwel opperste eentonigheid en concentratie, ofwel een ontzettend hoge werkdruk en veel stress, of een combinatie van beide.

Meibeyer's heeft een asgrijze laminaatlambrisering en elektrische bamboefakkels waarvan niemand kan zeggen waar ze vandaan komen maar die wellicht uit een vorig leven stammen, een 412-C Wurlitzer-jukebox, twee flipperkasten, een tafelvoetbalspel en een airhockeytafel, en een kleine, uit voorzorg afgescheiden dartsruimte in de buurt van het halletje waar zich de munttelefoon en de toiletten bevinden. De brede ramen van Meibeyer's kijken uit op de winkelketens langs de snelweg bij Southport en de onoverzichtelijke afritten van het viaduct bij de 474. Volgens Chuck Ten Eyck staat op vrijdag al minstens drie jaar dezelfde man achter de bar. De drankjes zijn wat aan de dure kant omdat werknemers van de Dienst in de regel niet bijster veel of snel drinken, zelfs niet tijdens happy hour, wat zijn weerslag heeft op de prijs die het café moet rekenen om solvabel te blijven. In de winter houdt de eigenaar het parkeerterrein sneeuwvrij met behulp van een op zijn pick-up gemonteerde schuiver. Het neonbord met daarop het embleem van de kroeg, een hoofdeloze deukhoed die tweemaal per seconde een andere stand aanneemt, wordt in de zomer gereflecteerd door iets ongespecificeerds ergens verderop, en verschijnt vervolgens enigszins wazig en op zijn minst tweemaal weerkaatst in de ruiten aan de voorzijde van de kroeg. De hoedrand van Meibeyer's springt op en neer, met op de achtergrond het malarialicht van een invallende schemering, en wolkenstapels en een sterk toegenomen luchtvochtigheid die uiteindelijk maar zelden tot neerspattende regendruppels leiden.

Heteroseksuele invalkrachten en gedetacheerde werknemers, twee categorieën die over het algemeen nog single zijn, komen hier in een gespreid bedje terecht. Robby van Nogh is hier vaak te vinden, zij het niet deze vrijdag. Gerry Moeller komt hier nu al vijf weken aan een stuk sinds hij naar het RCC is overgeplaatst. Harriet Candelaria komt ook vaak, maar gaat bijna altijd na het eerste rondje weer weg als Beth Rath Meredith Rand meebrengt, die Candelaria niet kan uitstaan, zonder dat een van de gedetacheerden ook maar een flauw idee heeft waarom. Steve en Tina Geach, die ieder in een andere groep werken en op verschillende momenten pauze hebben, en die zeer aan elkaar verknocht zijn en het soort huwelijk hebben dat, en daar is iedereen het over eens, de aantrekkingskracht en geloofwaardigheid van dat instituut sterk vergroot voor mensen die in de wieg gelegd zijn voor zo'n hechte, langdurige relatie, komen altijd samen aanrijden in hun roestige Volkswagenbusje, zitten dan naast elkaar en bestellen altijd hetzelfde drankje van hetzelfde merk, en vertrekken gewoonlijk op het moment dat op het eind van happy hour de bel gaat, waarbij ze vaak blijk geven van de opmerkelijke gave elkaar al lopend te omhelzen zonder dat het er klunzig uitziet. Chris Acquistipace en Russell Nugent, Dave Witkiewicz, Joe Biron-Maint, Nancy Johnson, Chahla ('de Irancrisis') Neti-Neti, Howard Shearwater, Frank Brown, Frank Friedwald en Frank De Chellis hebben sinds hun overplaatsing nog geen happy hour bij Meibeyer's overgeslagen. Dale Gastine brengt soms een afspraakje mee. Keith Sabusawa brengt de laatste tijd altijd Shane ('Mr. X') Drinion mee, een overgeplaatste UCON met wie Sabusawa een ruim appartement in Residentie Vissersbaai deelt, samen met nog twee andere gedetacheerden die schijnbaar nooit naar Meibeyer's afzakken. Chris Fogle en Herb Dritz, beiden Annex F-experts ('Inkomsten en uitgaven uit een agrarische activiteit'), scoren qua aanwezigheid een mooie 50 procent. Chuck Ten Eyck en 'Kwijlpaard Bob' McKenzie (samen het langst in het RCC in Peoria werkzaam) zijn altijd van de partij en willen op de een of andere manier altijd het voortouw nemen. R.L. Keck en Thomas Bondurant zijn er normaal gezien ook. Toni Ware en Beth Rath komen meestal wel even langs, en zoals gezegd brengt Beth Rath dan soms de ongelooflijk knappe, maar niet alom geliefde Meredith Rand mee. Rath en Rand werken aan naast elkaar gelegen Tingles in Sabusawa's groep, die zich bezighoudt met nutsbedrijven/surplus; de twee zijn hartsvriendinnen. Drinion, die niet over een auto beschikt, moet net zo lang blijven als Sabusawa, en geen minuut langer. Volgens Sabusawa heeft de UCON uit La Junta, Californië, daar geen problemen mee; zijn antwoord op Sabusawa's vraag of hij na het werk meegaat naar Meibeyer's luidt altijd 'Dat is goed' of 'Waarom niet'. Bij Meredith Rand is het zo dat ze meestal alleen maar komt als haar echtgenoot het heel druk heeft op zijn werk of op zakenreis is. Net als Drinion heeft ze kennelijk geen eigen auto of rijbewijs. Soms kan ze vanuit Meibeyer's met Beth Rath meerijden naar huis, maar meestal wordt ze opgehaald door haar echtgenoot, die ze vermoedelijk al van tevoren vanuit haar vleugel opbelt om te zeggen waar ze zal zijn, maar niemand in Meibeyer's heeft hem ooit ontmoet omdat hij gewoon het parkeerterrein oprijdt en dan naar Meredith Rand toetert, die vaak al een paar minuten voordat de claxon klinkt haar spullen bij elkaar raapt, als een hond (aldus Nancy Johnson) die aan de toonhoogte van naderend motorgeronk kan horen dat zijn baasje eraan komt en al lang voordat de auto de oprit oprijdt voor het raam van de huiskamer heeft postgevat. Ze is al vijf weken achtereen bij Meibeyer's te vinden, wat wil zeggen dat haar echtgenoot het heel druk heeft of veel van huis is. Volgens Sabusawa weet niemand wat hij precies doet.

Het is opvallend hoe de sfeer en dynamiek aan de tafel van vleugel C veranderen als Meredith Rand erbij is tijdens happy hour bij Meibeyer's. In veel opzichten is het een fenomeen dat vaker voorkomt in bars, kroegen en grillrestaurants als een bovengemiddeld knappe vrouw haar opwachting maakt. Meredith Rand is de enige van hooguit een handvol vrouwen in het RCC van wie iedere man die op dit gebied een mening heeft moet bekennen dat ze waanzinnig aantrekkelijk is. Beth Rath is verre van gewoontjes, maar Meredith Rand is een klasse apart. Meredith Rand heeft peilloze groene ogen, buitengewoon fijne gelaatstrekken, een roomzachte, porieloze huid met zo goed als geen lijntjes of andere tekenen van veroudering, en een klaterende waterval van krullend donkerblond haar dat, aldus Sabusawa, zelfs bij homoseksuele of anderszins aseksuele mannen tot oncontroleerbare tics leidt als ze het los draagt en het over haar schouders valt. Ze is een mals lendenstuk, daar is iedereen het roerend – en niet steeds stilzwijgend – over eens. Tijdens sociale gelegenheden levert dat altijd weer opvallende veranderingen op in het gedrag van met name de mannelijke collega's. De bijzonderheden daarvan zijn genoegzaam bekend, een opsomming is overbodig. Het volstaat hier te zeggen dat Meredith Rand de mannen op de vleugel een nogal ongemakkelijk gevoel bezorgt. Ze hebben de neiging nerveus of opvallend stil te worden, alsof ze een spel spelen waarvan de inzet ineens vreselijk hoog is geworden, of worden erg praterig en babbelziek, gaan het gesprek domineren en moppen tappen, en laten dan vaak op een overdreven manier blijken hoe ontzettend op hun gemak ze zich voelen, terwijl het voordat Meredith Rand binnenkwam, een stoel pakte en erbij kwam zitten, niet eens bij iemand zou zijn opgekomen dat te doen. Vrouwelijke controleurs reageren erg verschillend op deze gedragsveranderingen: sommigen kruipen in hun schulp en maken zich zichtbaar kleiner (zoals Enid Welch en Rachel Robbie Towne), anderen bekijken met grimmig leedvermaak welke uitwerking Meredith Rand op de mannen heeft, weer anderen knijpen hun ogen tot spleetjes en hebben de neiging vijandig te gaan zuchten of bits weg te lopen (q.v. Harriet Candelaria).

Vanaf het tweede rondje voelen sommige mannelijke controleurs zich geroepen om voor Meredith Rand een showtje op te voeren, ook al is zo'n vertoning eigenlijk weinig meer dan een paradoxale demonstratie van het feit dat ze géén showtje voor Meredith Rand opvoeren en zich er niet eens bovenmatig van bewust zijn dat ze aan tafel zit. Vooral Bob McKenzie wordt bijna manisch en richt zowat elke opmerking of kwinkslag tot degene aan de linker- of rechterzijde van Meredith Rand, maar spreekt haar nooit rechtstreeks aan en lijkt haar niet eens aan te kijken. Beth Rath, die meestal links of rechts van Meredith Rand zit, vindt deze onhebbelijkheid van McKenzie duidelijk erg irritant of deprimerend, al naar gelang haar stemming.

De afgelopen vier weken leek eigenlijk alleen Shane Drinion niet onder de indruk van die beeldschone vrouw in hun midden. Al is het ook zo dat niemand weet waarvan Drinion dan wel onder de indruk zou zijn. De andere gedetacheerden uit La Junta (Sandy Krody, Gil Haight) omschrijven hem als een zeer gedegen controleur (bij Zware Gevallen en Vennootschapsbelasting), maar een onvoorstelbare droogkloot in de omgang, misschien wel de saaiste man ter wereld. Drinion zit veelal stilletjes en in zichzelf gekeerd op zijn stoel met zijn hand rond een glas Michelob (het tapbier bij Meibeyer's), met een volstrekt uitdrukkingsloos gezicht, tenzij iemand een mop vertelt die op de een of andere manier bedoeld is voor heel de tafel; dan glimlacht Drinion even, waarna zijn gezicht weer uitdrukkingsloos wordt, zij het niet in de zin van glazig of catatonisch. Hij kijkt degene die aan het woord is nadrukkelijk aan. En eigenlijk is nadrukkelijk niet het juiste woord. Zijn blik is niet peilend – hij schenkt degene die aan het praten is gewoon zijn volledige aandacht. Zijn bewegingen, voor zover hij beweegt, wekken de indruk erg gecoördineerd en precies te zijn, maar zijn nooit pietluttig of nuffig. De luttele keren dat er rechtstreeks een vraag of opmerking tot hem wordt gericht geeft hij antwoord, maar hij is zeker niet iemand die uit zichzelf op de praatstoel gaat zitten. En toch is hij niet zo'n type dat in gezelschap steeds kleiner wordt en in zijn schulp kruipt tot je hem amper nog ziet. Er zijn geen aanwijzingen dat hij verlegen of geremd is. Hij is wel aanwezig, maar op een ongebruikelijke manier; hij wordt aan tafel deel van de omgeving, zoals de lucht of het omringende licht. Het zijn 'Kwijlpaard Bob' McKenzie en Chuck Ten Eyck die Drinion de bijnaam 'Mr. X' ('Mr. Extase') hebben toebedeeld.

Het toeval wil dat Drinion en Meredith Rand op een avond in juni tijdens happy hour aan een verder lege tafel bijna recht tegenover elkaar komen te zitten, op een tijdstip waarop een flink aantal andere controleurs al naar huis is vertrokken of andere oorden heeft opgezocht. Maar zij zitten daar nog. Meredith Rand wacht overduidelijk tot ze wordt opgepikt door haar echtgenoot, van wie wordt gezegd dat hij medicijnen of iets dergelijks studeert. Keith Sabusawa en Herb Dritz spelen nog een potje tafelvoetbal terwijl Beth Rath (die een oogje op Sabusawa heeft; ze kennen elkaar al van het IRS-opleidingscentrum in Columbus) toekijkt met haar armen over elkaar en in één hand een smeulende sigaret van een goedkoop merk.

Ze hebben de tafel dus voor zich alleen. Shane Drinion schijnt nerveus noch het tegendeel van nerveus te zijn zoals hij daar in zijn eentje tegenover de bloedmooie Meredith Rand zit, met wie hij persoonlijk nog geen half woord heeft gewisseld sinds hij eind april naar Peoria werd gedetacheerd. Drinion kijkt haar recht in het gezicht, maar niet op een uitdagende of broeierige manier, zoals een Keck of een Nugent dat zou doen. Meredith Rand heeft twee gin-tonics op en is bezig aan nummer drie, iets meer dan anders, maar heeft nog geen sigaret opgestoken. Zoals de meeste gehuwde controleurs draagt ze zowel een verlovings- als een trouwring. Ze beantwoordt zijn blik, maar het is niet zo dat ze elkaar diep in de ogen kijken. Drinions gezichtsuitdrukking zou je aangenaam kunnen noemen, zoals het weer soms ook aangenaam kan zijn. Hij is bezig aan zijn eerste of tweede glas Michelob uit een van de bierkannen die nog op tafel staan; in sommige zit nog een bodempje. Rand heeft Drinion een of twee oppervlakkige vragen gesteld over zijn afkomst. Dat weeshuis van de jeugdzorg in Kansas, dat lijkt ze interessant te vinden, en anders is het wel de ontwapenende eerlijkheid waarmee Drinion zegt dat hij een deel van zijn jeugd in een weeshuis heeft doorgebracht. Rand vertelt kort een anekdote uit haar jeugd, over de keer dat ze zich bij een vriendinnetje thuis met hun handen en voeten omhoogwerkten in de deuropening en daar hoog tussen de stijlen geklemd bleven hangen, voeten gespreid, alsof ze waren ingekaderd, maar later kan ze zich niet meer herinneren waarom ze dat aan Drinion heeft verteld of hoe dat ter sprake is gekomen. Het valt haar wel bijna meteen op wat Sabusawa en veel andere controleurs ook al is opgevallen – namelijk dat Drinion, die in een groter gezelschap sociaal gezien altijd maar half aanwezig lijkt, een bijzondere kwaliteit tentoonspreidt als je een tête-à-tête met hem hebt, namelijk dat je gemakkelijk en goed met hem kunt praten, een eigenschap waarvoor niet echt een geëigend woord lijkt te bestaan, wat eigenlijk best raar is, al geldt dat overigens ook voor de reden dat je zo goed met Drinion kunt praten, want je kunt niet zeggen dat hij charmant, sociaal vaardig of zelfs maar meevoelend is. Hij is, zoals Rand later tegen Beth Rath (maar niet tegen haar echtgenoot) zal zeggen, een behoorlijk vreemde snuiter. Er volgt een korte babbel die Meredith Rand zich later niet zo goed meer herinnert, iets over het feit dat Drinion een uitzendcontroleur is, en over het RCC, de afdeling Controle en de Dienst in het algemeen. – Rand: 'Vind je het leuk werk?' Het lijkt alsof Drinion een of twee tellen nodig heeft om de vraag te verwerken. D: 'Ik vind het net zomin leuk als niet leuk, denk ik.' R: 'Goed, maar is er dan iets wat je liever zou doen?' D: 'Dat zou ik niet kunnen zeggen. Ik heb nog nooit iets anders gedaan. Nee, wacht. Dat klopt niet. Tussen mijn zestiende en achttiende heb ik drie avonden in de week in een supermarkt gewerkt. Ik zou niet liever in een supermarkt werken dan hier.' R: 'In ieder geval betaalt het minder goed.' D: 'Ik vulde de schappen aan met spullen waar ik prijsstickertjes op plakte. Dat was niet echt moeilijk.' R: 'Klinkt saai.' D: '...'

'Het lijkt wel alsof we een tête-à-tête hebben,' is het eerste wat Meredith Rand zich achteraf duidelijk herinnert tegen Shane Drinion te hebben gezegd.

'Dat is een anderstalige uitdrukking voor een intiem gesprek.'

'Nou, ik weet niet hoe intiem het is, hoor.'

Drinion kijkt haar aan, maar niet zoals iemand zou doen die niet goed weet wat hij moet antwoorden. Dit is iets wat hem kenmerkt, namelijk dat hij qua gevoel en gedrag altijd dezelfde is, of hij nu op zichzelf is of in een grote groep. Als hij een klank voortbracht, zou het de vaste, aangehouden toon van een stemvork of een ECG-apparaat bij een hartstilstand zijn, en niet iets met veel variatie.

'Weet je,' zegt Meredith Rand, 'eerlijk gezegd vind ik je best wel interessant.'

Drinion kijkt haar aan.

'Ik vermoed dat je dat niet al te vaak te horen krijgt,' zegt Meredith Rand met een flauw glimlachje.

'Dat is een compliment, dat je me interessant vindt.'

'Waarschijnlijk wel, ja,' zegt Rand, opnieuw met een glimlach. 'Daar

begint het al mee, dat ik zoiets tegen je kan zeggen, dat er iets inte-
ressants aan je is, zonder dat je denkt dat ik je probeer te versieren.'

Drinion knikt, met zijn ene hand om de onderkant van zijn glas. Hij
is enorm rustig, merkt Meredith Rand. Hij zit niet op zijn stoel te wiegelen of te schuiven. Hij ademt door zijn mond; zijn mond hangt een
beetje open. Sommige mensen zien er door zo'n openhangende mond
niet al te snugger uit.

'Om een voorbeeld te geven: stel je voor hoe Kwijlpaard zou reageren als ik zoiets tegen hem zou zeggen,' zegt ze.

'Oké.'

De ogen van Shane Drinion lijken even haast opaak te worden, en
Meredith merkt dat hij er werkelijk mee bezig is: zich voor te stellen
dat zij 'Ik vind je interessant' zegt tegen 'Kwijlpaard Bob' McKenzie.
'Hoe denk je dat hij zou reageren?'

'Bedoel je zijn uiterlijke, zichtbare reactie of hoe hij innerlijk zou
reageren?'

'Zijn uiterlijke reactie wil ik me eigenlijk liever niet voorstellen,'
zegt Meredith Rand.

Drinion knikt. Hij is, dat klopt, niet erg interessant om naar te kijken, qua uiterlijk. Zijn hoofd is iets kleiner dan gemiddeld, en nogal
bol. Niemand heeft hem ooit met een hoed of een jas gezien; hij draagt
altijd een wit overhemd en een spencer. Hij heeft aanzienlijke inham-
men, waardoor zijn voorhoofd erg groot lijkt. Ter hoogte van zijn slapen zitten ook een paar acnelittekens. Zijn gezicht is niet echt welge-
vormd of symmetrisch; zijn neusgaten zijn verschillend van grootte en
vorm, valt haar op, wat meestal funest is voor de mate waarin iemand
knap wordt gevonden. Zijn mond is iets te klein voor de breedte van
zijn gezicht. Zijn haar is van dat saaie of vale soort donkerblond dat
je wel vaker ziet bij een rossig gezicht en een probleemhuid. Hij is het
soort man dat je heel gericht zou moeten bekijken om hem te kunnen
beschrijven. Meredith Rand kijkt hem al een poosje verwachtingsvol
aan.

'Je wilt dat ik beschrijf wat volgens mij zijn reactie zal zijn?' zegt
Drinion. Nu ze niet in het tl-licht van de vleugel zitten, heeft zijn gezicht tenminste niet meer die rauwrode teint waarvan Meredith Rand
ook bij andere mensen om de een of andere reden 's ochtends vroeg
altijd meteen gedeprimeerd raakt.

'Daar ben ik wel benieuwd naar, ja.'

'Ik weet het eigenlijk niet zeker. Toen ik het me voorstelde, had ik de indruk dat hij bang zou worden.'

In de houding van Meredith Rand treedt een kleine verandering op, maar haar gezichtsuitdrukking blijft volstrekt neutraal. 'Hoezo?'

'Ik heb de indruk dat hij bang voor je is. Maar dat is natuurlijk niet meer dan een indruk. Het is moeilijk om dat hier aan tafel uit te leggen.' Hij zwijgt even. 'Dat je zo mooi bent, is voor McKenzie een soort examen waarvoor hij vreest te zullen zakken. Wat dat betreft is hij erg onzeker. Als er anderen bij zijn kan hij opgaan in zijn rol en in de adrenalinerush en vergeten dat hij bang is. Nee, dat klopt niet helemaal.' Drinion zwijgt opnieuw even. Toch lijkt hij niet geïrriteerd. 'Ik heb het idee dat de adrenaline die bij die druktemakerij vrijkomt, de angst in een gevoel van opwinding verandert. In zo'n situatie kan hij het gevoel hebben dat jij het bent die hem opwindt. Daarom doet hij ook zo opgewonden en besteedt hij zo veel aandacht aan je, maar hij beseft donders goed dat de anderen toekijken,' besluit Drinion, en hij neemt een slokje van zijn Michelob, waarbij hij zijn arm bijna in een rechte hoek blijft houden, maar zonder dat hij een stijve hark of een robot lijkt. Zijn bewegingen zijn over het algemeen erg precies en afgemeten. Dat is Meredith Rand ook al opgevallen op het werk, als ze zich ter ontspanning even uitrekt, om zich heen kijkt en ziet hoe Drinion nietjes verwijdert en op zijn Tingletafel verschillende formulieren op verschillende stapeltjes legt. Hij heeft een goede houding, zonder stijfjes of stug over te komen. Hij ziet eruit als een man die nooit rug- of nekpijn heeft. Hij lijkt wat in de war, of nadenkend. 'Angst en opwinding liggen soms dicht bij elkaar.'

'Ten Eyck en Nugent doen precies hetzelfde, hoor, als de hele tafel zo lekker bezig is,' zegt Rand.

Drinion knikt opnieuw, maar nu op een iets andere manier, om aan te geven dat dit niet helemaal is waar ze naar vroeg. Wat echter niet wil zeggen dat hij ongeduldig wordt. 'In een intiem tête-à-tête-gesprek met jou, die indruk heb ik althans, zou hij die angst meer als werkelijke angst ervaren. En het besef daarvan zou hij niet prettig vinden. Als gevoel. Hij zou niet eens zeker weten waar die angst vandaan kwam. Hij zou gespannen zijn, en verward, maar dan zo dat dat niet als opwinding kon worden ervaren. Als je hem zou zeggen dat je hem wel interessant vond, zou hij geloof ik niet weten wat hij moest zeggen. Hij zou niet weten wat er van hem verwacht werd. En ik denk dat juist dat Bob een erg ongemakkelijk gevoel zou bezorgen.'

Drinion blijft haar even aankijken. Over zijn gezicht, dat een beetje vettig is, ligt in het tl-licht van de controleruimten altijd een zekere glans, maar in het indirecte licht van de ramen is dat wat minder. De schakering van het invallende licht doet vermoeden dat er zich stapelwolken hebben gevormd, die indruk heeft Meredith Rand althans, al is ze zich daar amper van bewust.

'Dat zijn rake observaties,' zegt Meredith Rand.

Drinion antwoordt: 'Dat weet ik niet. Ik baseer me hier niet echt op een feitenpatroon of op een observatie uit de eerste hand. Het is maar een vermoeden. Maar mijn vermoeden is, en ik weet ook niet waarom, dat hij best wel eens in huilen zou kunnen uitbarsten.'

Meredith Rand lijkt opeens aangenaam verrast, waardoor haar gezicht letterlijk oplicht. Ze strekt zich uit en tikt met de vingers van haar ene hand beslist op de tafel. 'Ik denk dat je gelijk hebt.'

'Eigenlijk is het best naar om het je voor te stellen.'

'Misschien zou hij wel van zijn stoel vallen en huilend, met zijn handen hysterisch in de lucht zwaaiend wegrennen.'

Drinion zegt: 'Dat zou ik met geen mogelijkheid kunnen zeggen. Al weet ik wel dat je een hekel aan hem hebt. En dat hij je een ongemakkelijk gevoel bezorgt.'

Drinion zit met zijn gezicht naar de ramen aan de voorzijde gekeerd, Meredith Rand kijkt naar het achterste gedeelte van de kroeg, waar zich het halletje en de dartsruimte bevinden, en ook een decoratieve verzameling van allerlei nette of zakelijke hoeden die met de rand zijn vastgelijmd aan een gevernist bord. Meredith Rand leunt iets voorover en doet alsof ze haar kin op de knokkels van haar hand laat rusten, hoewel het gewicht van haar kin en schedel overduidelijk niet echt op die knokkels rust; het is meer een pose dan echt een comfortabele zithouding. 'Maar als ik nu tegen jou zeg dat je interessant bent, hoe neem jij dat dan op?'

'Als een compliment. Een compliment uit beleefdheid, maar evengoed een uitnodiging om het tête-à-tête voort te zetten. Opdat het persoonlijker en openhartiger wordt.'

Rand zwaait licht met haar hand in een gebaar van ongeduld of erkenning. 'Maar, zoals ze zeggen bij een functioneringsgesprek, hoe voel jij je eronder?'

'Nou,' zegt Shane Drinion, 'ik denk dat een dergelijke blijk van be-

langstelling iemand normaliter een goed gevoel geeft. Mits de persoon
die het zegt niet een bepaalde intimiteit wil opwekken die je een ongemakkelijk gevoel bezorgt.'

'Had jij er een ongemakkelijk gevoel bij?'

Drinion zwijgt opnieuw heel eventjes, hoewel hij niet beweegt en
zijn gezichtsuitdrukking niet verandert. Een fractie van een seconde
is er weer haast die leegte of afstandelijkheid. Rand krijgt het gevoel
dat ze tegenover een kaartlezer zit die heel snel en efficiënt een stapel
kaarten scant; er hangt een soort niet-akoestisch gegons om hem heen.
'Nee. Als je het sarcastisch bedoeld had, had ik me er vermoedelijk
wel ongemakkelijk bij gevoeld – dan had ik gedacht dat je boos op me
was of me vervelend vond. Maar je gaf op geen enkele manier te kennen dat je het sarcastisch bedoelde. Dus nee, ik weet weliswaar niet
zeker wat je bedoelde met interessant, maar mensen vinden het per
definitie prettig als andere mensen hen interessant vinden, dus de
nieuwsgierigheid naar wat je precies bedoelt geeft me geen ongemakkelijk gevoel. En als ik het goed heb, was het precies deze nieuwsgierigheid die een opmerking als "Weet je, eerlijk gezegd vind ik je best
wel interessant" wilde opwekken. Het gesprek wordt zo in de richting
gestuurd van datgene wat degene die het zei bedoelde. Want zo komt
de ene persoon te weten wat die ander precies interessant aan hem
vond, wat erg prettig is.'

'Wa –'

'Tegelijkertijd,' gaat Drinion verder, die niet lijkt te hebben gemerkt
dat Rand iets wilde zeggen, terwijl hij haar toch gewoon aankijkt, 'vind
je iemand die jou interessant vindt, bijna louter en alleen op grond van
die interesse in jou, opeens ook een stuk interessanter. Ook dat is een
interessant aspect van het geheel.' Hij houdt zijn mond. Meredith
Rand blijft nog wat langer stil om er zeker van te zijn dat hij nu definitief is opgehouden. Net als haar eigen linkerpink is Drinions linkerpink opvallend bleek en gerimpeld als gevolg van het rubbertje dat alle
controleurs tijdens de werkdag dragen. Ze voelt niet de minste aandrang Drinions kleren aandachtig te bekijken om ze voor zichzelf te
benoemen of te beschrijven. Die spencer alleen al is een flinke afknap-
per. Ze pakt haar met wit kunstleer beklede sigarettenkoker, klikt hem
open en neemt er een sigaret uit; ze zitten toch maar met hun tweeën
aan tafel.

'En jij, vind jij jezelf interessant?' vraagt Meredith Rand. 'Heb jij enig idee waarom iemand je interessant zou kunnen vinden?'

Drinion neemt nog een slokje van zijn glas en zet het weer neer. Meredith Rand merkt dat hij het glas precies in het midden van zijn servetje zet zonder dat hem dat moeite kost en zonder eerst net zo lang te schuiven tot het glas precies in het midden van het servetje staat. En dat Drinion niet gracieus is, zoals een danser of een sportman, maar dat hij toch een zekere gratie bezit. Zijn bewegingen zijn heel precies en afgemeten zonder petieterig te zijn. De glazen die niet op een servetje op tafel zijn gezet, staan in grote, grillige plassen condensvocht. Iemand heeft twee keer achter elkaar dezelfde evergreen geselecteerd op de grote jukebox van Meibeyer's, met zijn concentrische cirkels van rode en witte lichtjes die door een geïntegreerde schakeling aan en uit gaan ter begeleiding van de baslijn van het gekozen nummer.

Shane Drinion zegt: 'Ik vermoed dat ik daar nooit echt bij heb stilgestaan.'

'Weet je waarom ze je Mr. X noemen?'

'Ik heb wel een idee.'

'Weet je waarom Chahla's bijnaam "de Irancrisis" is?'

'Ik heb geen idee.'

'Weet je waarom ze Bob McKenzie "Kwijlpaard" noemen?'

'Nee.'

Meredith Rand ziet dat Drinion naar haar sigaret kijkt. Haar aansteker hangt in een speciale lus aan haar sigarettenkoker, een goedkope van gekorreld nepleer – Meredith Rand heeft de neiging haar sigaretten altijd en overal te vergeten, zodat een dure sigarettenkoker niet zo veel zin heeft. Van de pauzes in de vleugel weet ze dat het zinloos is om Drinion een sigaret aan te bieden.

'En jij? Vind je mij eigenlijk interessant?' vraagt Rand aan Shane Drinion. 'Ik bedoel: los van het feit dat ik zei jou interessant te vinden.'

Drinions ogen zijn op de hare gericht – hij maakt veel oogcontact, maar zonder daarbij uitdagend of flirterig over te komen – en lijkt ondertussen vanbinnen opnieuw op die ponskaartsorteermodus over te schakelen. Drinion draagt een spencer met argyleruiten, een rare, bobbelige broek van polyester en goedkope bruine schoenen, model Wallabee, maar overduidelijk geen Clarks. Op het moment dat ze een rookkring vormt en uitblaast, rukt de koude luchtstroom van de airco die aan flarden. Beth Rath speelt een potje tafelvoetbal met Herb Dritz terwijl Keith Sabusawa op de tv boven de bar de warming-up bekijkt van een honkbalwedstrijd van de Cardinals. Je ziet direct dat Beth liever naast Sabusawa zou zitten, maar niet precies weet in hoeverre ze uiting kan geven aan haar gevoelens voor Sabusawa, die Meredith Rand altijd verbazend lang heeft gevonden voor een Aziaat. Drinion heeft ook de gewoonte om te knikken zonder dat dat knikje beleefdheid of bevestiging uitdrukt. Hij zegt: 'Je bent aangenaam gezelschap, en tot nog toe vind ik het een fijn tête-à-tête. Het geeft me de kans om eens aandacht aan je te besteden, wat normaliter moeilijk ligt omdat het je een ongemakkelijk gevoel lijkt te bezorgen.' Hij wacht even om te zien of ze wat wil zeggen. Drinions gezichtsuitdrukking is niet wezenloos, maar zo nietszeggend, neutraal en ondoorgrondelijk dat het niet veel scheelt. Meredith Rand heeft, zonder dat ze dat zelf helemaal beseft, haar pogingen om kringen te blazen gestaakt.

'Is graag aandacht aan iemand besteden hetzelfde als in iemand geïnteresseerd zijn?'

'Nou, ik zou zeggen dat zowat alles interessant wordt als je het heel aandachtig en van dichtbij bekijkt.'

'Is dat zo?'

'Ik denk van wel, ja.' Drinion zegt: 'Natuurlijk is het des te interessanter om jou aandachtig te bekijken, omdat je aantrekkelijk bent. Aandachtig kijken naar echte schoonheid is bijna altijd aangenaam. Dat kost geen enkele moeite.'

De ogen van Rand zijn ietwat toegeknepen, maar dat is wellicht deels te wijten aan de flarden sigarettenrook die de airco terugblaast in haar gezicht.

Shane Drinion zegt: 'Schoonheid is bijna per definitie interessant, tenminste als je onder schoonheid datgene verstaat wat de aandacht trekt en waardoor die aandacht aangenaam aanvoelt. Hoewel je het had over "geïnteresseerd zijn in iemand", en niet over "iemand interessant vinden".'

'Je weet toch dat ik getrouwd ben?' zegt Meredith Rand.

'Ja. Iedereen weet dat je getrouwd bent. Je draagt een trouwring. Je echtgenoot haalt je bijna dagelijks op bij de zuidingang. Zijn auto heeft een gaatje in de uitlaatpijp, waardoor de motor heel krachtig klinkt. Waardoor de auto krachtiger klinkt dan normaal, bedoel ik.'

Meredith Rand kijkt verre van verguld. 'Misschien snap ik het niet, hoor. Maar als je zonet nog zegt dat het me een ongemakkelijk gevoel bezorgt, waarom dan überhaupt iets zeggen over dat aantrekkelijk zijn?'

'Omdat je me een vraag stelde,' zegt Drinion. 'Ik antwoordde naar wat volgens mij de waarheid is. Het kostte me eventjes om na te gaan wat het juiste antwoord was en wat daar al of niet deel van uitmaakt. En daarna heb ik wat ik dacht ook gezegd. Wat ik heb gezegd is niet bedoeld om je een ongemakkelijk gevoel te bezorgen. Maar het is ook niet bedoeld om je een ongemakkelijk gevoel te besparen – daar vroeg je niet naar.'

'O ja, en jij hebt de autoriteit om te beslissen wat de waarheid is, want ...?'

Drinion wacht even, en in die korte pauze beseft Meredith Rand dat Drinion dat doet om te kijken of dat alles is, en of de afgebroken vraag bedoeld is als een uitnodiging om het antwoord te verschaffen. En dus of ze het sarcastisch bedoelde. Wat dus wil zeggen dat hij uit zichzelf niet aanvoelt of iets sarcastisch is of niet. 'Nee. Ik beschik niet over de autoriteit om de waarheid te verkondigen. Je vroeg me of ik in jou geïnteresseerd was, en ik probeerde te achterhalen wat ik voelde en je dat vervolgens naar waarheid te vertellen, omdat ik aannam dat dat werd verwacht.'

'Mag ik opmerken dat je niet half zo direct of zeg maar gerust bot was het ging over hoe jij je voelde omdat ik je interessant vond?'

Zowel zijn uitdrukking als zijn toon is geen spat veranderd. 'Het spijt me, maar dat laatste snap ik niet helemaal.'

'Ik zei dat je, toen ik aan je vroeg hoe het voelde dat ik je interessant vond, niet zo'n bot antwoord gaf. Je bleef maar rond de pot draaien. Maar nu het om mij gaat moet blijkbaar alles maar gezegd kunnen worden.'

'Nu begrijp ik het.' Opnieuw even een stilte. De rook van het lightmerk smaakt inderdaad nogal dunnetjes in combinatie met de nasmaak van tonic en limoen. 'Het staat me niet bij dat ik bij dat antwoord op de een of andere manier ontwijkend of leugenachtig probeerde te zijn. Misschien lukt het me soms bepaalde dingen beter te formuleren dan andere dingen. Ik denk dat dat voor de meeste mensen opgaat. Bovendien spreek ik normaliter niet zo veel. Ik heb eigenlijk bijna nooit een tête-à-tête. Wellicht dat ik niet zo goed en samenhangend over mijn gevoelens kan praten als de meeste anderen.'

'Mag ik je iets vragen?'

'Ja.'

Het kost Rand inmiddels geen moeite meer om Drinion vol aan te kijken. 'Het komt niet bij je op dat een ander dat wel eens een beetje neerbuigend zou kunnen vinden?'

Als hij nadenkt, kruipen Drinions wenkbrauwen een klein stukje omhoog. Op de tv is de honkbalwedstrijd inmiddels begonnen, wat misschien verklaart dat Keith Sabusawa, die zich gewoonlijk snel uit de voeten maakt als happy hour voorbij is, nog niet vertrokken is, en Shane Drinion dus evenmin. Sabusawa is zo lang dat zijn instappers gedeeltelijk de vloer raken en niet achter de kleine voetsteun aan de onderzijde van de barkruk haken. Ron, de barman, heeft een kleine handdoek en een glas in zijn hand en staat iets af te drogen, maar kijkt ook omhoog naar de wedstrijd en zegt iets tegen Keith Sabusawa, die trouwens hele lijsten met honkbalstatistieken uit zijn hoofd kent; volgens Beth Rath vindt hij troost en rust als hij daar zijn gedachten over kan laten gaan. Twee grote, knipperende flipperkasten staan tegen de muur achter de airhockeytafel, waar de stamgasten van Meibeyer's nooit op spelen, want als gevolg van een chronische storing wordt de lucht te hard door de minuscule gaatjes geblazen en zweeft de puck enkele centimeters boven het oppervlak, zodat het praktisch onmogelijk te voorkomen is dat het ding linea recta van de tafel vliegt. Op de dichtstbijzijnde flipperkast is een amazone in een lycra body bezig een man van wie de ledematen lijken rond te tollen op de maat van de syncopische lichten van obstakels, sluizen en flippers aan zijn haren omhoog te sleuren.

Drinion zegt: 'Die indruk heb ik niet. Maar ik constateer wel dat je boos en van streek bent in reactie op iets wat ik heb gezegd. Dat merk ik wel,' zegt hij. 'Ik krijg de indruk dat je misschien wel een punt zou willen zetten achter dit tête-à-tête-gesprek, ook al is je man er nog niet om je op te halen, maar dat je wellicht niet goed weet hoe je dat moet aanpakken, en daardoor heb je het gevoel dat je in de val zit, reden te meer waarom je je kwaad maakt.'

'En jij, moet jij niet ergens naartoe?'

'Nee.'

Een aardig weetje is dat Meredith Rand strikt genomen hoger geplaatst is dan Drinion, want zij is een S-10 en Drinion een S-9, en dit ondanks het feit dat Drinion als controleur verschillende orden van grootte efficiënter is dan Rand. Zowel zijn dagelijkse aangiftegemiddelde als zijn ratio tussen het totaal aantal gecontroleerde aangiften en de som van de extra opbrengsten na een audit ligt vele malen hoger dan die van Rand. Feit is dat het voor uitzendcontroleurs lastiger is om promotie te maken, omdat promoties meestal tot stand komen op voordracht van een Groepsmanager en UCON's zelden lang genoeg in een en dezelfde vestiging of vleugel verblijven om een zodanige band met hun baas te ontwikkelen dat die bereid is de papierwinkel die bij een voordracht voor promotie komt kijken op zich te nemen. Bovendien leveren uitzendcontroleurs door de bank genomen uitmuntend werk, zodat er binnen de Dienst weinig animo bestaat hen te bevorderen, want bereikt een Dienstmedewerker eenmaal schaal 15, dan krijgt hij een functie bij Beheer en kan hij niet langer van Filiaal naar Filiaal reizen. Een van de zaken die reguliere wiegelaars aan UCON's zo fascinerend vinden is wat hen motiveert om UCON te blijven, ook al weten ze dat dit qua carrière en opslag in feite een doodlopend spoor is. Vanaf 1 juli 1983 bedraagt het verschil tussen het jaarsalaris van een S-9 en een S-10 $3.220 bruto, een mooi zakcentje dus. Zoals veel wiegelaars veronderstelt ook Meredith Rand dat er misschien een bepaald persoonlijkheidstype bestaat dat de voortdurende afwisseling en het ontbreken van hechte banden in het bestaan van een uitzendcontroleur juist aanlokkelijk vindt, net als de steeds weer nieuwe uitdagingen, en dat Personeelszaken over mogelijkheden beschikt om op deze persoonlijkheidskenmerken te testen en zo bepaalde controleurs aan te wijzen als potentiële UCON's. Weliswaar is het UCON-bestaan niet gespeend van een zeker prestige of een bepaalde romantiek, maar voor een stuk is dat romantische inbeelding van gehuwde of anderszins vastgeroeste werknemers met betrekking tot het los-vaste cowboy- of huurlingenbestaan van iemand die bij de bureaucratische gratie van de Dienst van Filiaal naar Filiaal trekt. Sinds het einde van de winter / het begin van de lente van '84 zijn er een heleboel UCON's naar Peoria gedetacheerd – over het waarom doen verschillende theorieën de ronde.

'Blijf je hier altijd rondhangen na happy hour, als Kwijlpaard en zijn kliek vertrekken?'

Drinion schudt van nee. Hij laat in het midden dat hij moet wachten tot Keith Sabusawa besluit te vertrekken. Meredith Rand weet niet of hij dit voor de hand liggende feit niet vermeldt omdat hij weet dat Meredith dat allang weet, of dat deze knakker alles zo verschrikkelijk letterlijk opvat dat hij domweg antwoord geeft op elke vraag die ze stelt, letterlijk, als een machine, dus alleen met een ja of een nee als het om een ja-neevraag gaat. Ze drukt haar sigaret uit in een geel aluminium wegwerpasbakje dat je bij Ron aan de bar moet gaan vragen als je wilt roken, omdat verdwijnende asbakken bij Meibeyer's op een gegeven moment een echte plaag waren, best wel sterk eigenlijk als je ziet wat voor prullen het zijn. Ze dooft de sigaret wat grondiger en met meer gevoel dan ze gewend is, dit om een zeker ongeduld in haar stem kracht bij te zetten terwijl ze de sigaret uitdrukt: 'Goed dan.'

Drinion draait zijn bovenlichaam een stukje naar de bar om te kijken waar Keith Sabusawa precies zit. Rand weet 90 procent zeker dat die beweging niet bedoeld is voor de show of als een of andere non-verbale hint. Buiten staan in het noordwesten in de ondergaande zon reusachtige loodrechte goudgerande wolkenmuren, waarbinnen soms gerommel klinkt en weerlicht flitst. Geen van de aanwezigen in Meibeyer's kan die wolken zien, al kun je altijd wel aan je lichaam merken dat het gaat regenen als je let op sommige onderbewuste fysieke signalen, zoals een prikkeling in je sinussen of een steek in je eksterogen, een eigenaardige opkomende hoofdpijn en een kleine, amper voelbare verandering in de koudestroom uit de airco.

'Zeg het maar: waarom bezorgt dat gedoe over aantrekkelijkheid me volgens jou een ongemakkelijk gevoel?'

'Ik weet het niet zeker. Ik kan alleen maar een vermoeden uitspreken.'

'Kijk eens aan, blijk je toch niet zo rechttoe rechtaan als je op het eerste gezicht zou denken.'

Drinions blik blijft op Meredith Rand gericht, maar zonder dat die uitdagend zou zijn of er iets achter lijkt te zitten. Rand, die als geen ander weet dat je argeloosheid soms beter met de nodige argwaan kunt benaderen, zal tegen Beth Rath zeggen dat het soms was alsof er een koe of een paard naar je keek: niet alleen wist je niet waar die beesten aan dachten als ze je aankeken, en of ze überhaupt wel dachten – als ze naar je keken had je ook geen idee wat ze eigenlijk zagen, maar voelde je je wel helemaal doorzien.

'Goed dan, ik zal het spelletje meespelen,' zegt Meredith Rand. 'Vind je dat ik knap ben?'

'Ja.'

'Vind je me aantrekkelijk?'

'...'

'Nou?'

'Ik vind dat een verwarrende vraag. Ik ken die vraag uit films en uit boeken. Het is een rare formulering, en op een bepaalde manier brengt dat me in de war. Er lijkt om een objectieve mening gevraagd te worden, namelijk of degene met wie je praat jou als aantrekkelijk zou omschrijven. Maar in de context waarin de vraag meestal gesteld wordt, lijkt het bijna altijd een manier om te weten te komen of degene met wie je aan het praten bent zich op seksueel vlak tot je aangetrokken voelt.'

Meredith Rand zegt: 'Nou, soms moet je de dingen iets implicieter formuleren, toch? Sommige zaken kun je er niet zomaar uit gooien, anders komen ze te ranzig over. Kun jij je voorstellen dat iemand tegen jou zegt: "Voel je je seksueel tot me aangetrokken?"'

'Eerlijk gezegd wel, ja.'

'Maar het zou toch vreselijk ongemakkelijk zijn om het zo te stellen?'

'Ik begrijp dat het je een ongemakkelijk of zelfs onprettig gevoel zou kunnen bezorgen, vooral als die ander zich niet seksueel tot je aangetrokken voelt. Ik ben er vrij zeker van dat in die expliciete vraag de suggestie verscholen ligt dat de vraagsteller zich seksueel aangetrokken voelt tot de ander en wil weten of dat gevoel wederzijds is. Dus – ja, dat betekent dat ik het fout had. En er liggen ook vragen en veronderstellingen verscholen in de onderliggende vraag. Je hebt gelijk – zaken die te maken hebben met seksuele gevoelens vormen een onderwerp waarover je niet zonder meer expliciet kunt zijn.'

Rands gezichtsuitdrukking is nu zo betuttelend dat de meeste anderen met wie ze eventueel had kunnen zitten praten het als ergerlijk of irritant zouden ervaren. 'En waarom denk je dat dat zo is?'

Drinion zwijgt even. 'Het heeft er denk ik mee te maken dat een directe afwijzing op seksueel vlak buitengewoon onprettig is, en hoe minder direct je de informatie over de seksuele gevoelens die je voor iemand koestert formuleert, hoe minder direct je je afgewezen zult voelen als er geen corresponderende gevoelens worden geuit.'

'Je bent behoorlijk vermoeiend, weet je dat?' merkt Rand op. 'Om mee te praten.'

Drinion knikt.

'Omdat je wel interessant bent, maar tegelijk ook oersaai.'

'Er is me zeker wel eens gezegd dat men me saai vindt.'

'Dat met dat Mr. Extase?'

'Die bijnaam is overduidelijk sarcastisch bedoeld.'

'Heb je wel eens een date gehad?'

'Nee.'

'Heb je wel eens iemand mee uit gevraagd, of gezegd dat je iemand aantrekkelijk vond?'

'Nee.'

'Word je dan niet eenzaam?'

Een korte stilte, dan: 'Ik denk het niet.'

'Denk je dat je het zou weten als het wel zo was?'

'Dat denk ik wel.'

'Weet je wat er nu op de jukebox speelt?'

'Ja.'

'Kan het zijn dat je homo bent?'

'Ik denk het niet.'

'Je denkt het niet?' zegt Rand.

'Ik denk dat ik eigenlijk niet echt iets ben. Ik denk dat ik nog nooit zoiets gevoeld heb als wat jij met seksuele gevoelens bedoelt.'

Rand kan heel goed emoties aflezen op het gezicht van anderen, en voor zover zij kan zien valt er op dat van Drinion helemaal niets af te lezen. 'Zelfs niet als tiener?'

Opnieuw zo'n korte stilte om te scannen. 'Nee, niet echt.'

'Maakte je je zorgen dat je homo zou kunnen zijn?'

'Nee.'

'Maakte je je zorgen dat er misschien iets mis met je was?'

'Nee.'

'Maakten anderen zich zorgen dat er iets mis was?'

Nog een stilte, neutraal, maar ook weer niet. 'Ik denk het niet.'

'Echt niet?'

'Je bedoelt als puber?'

'Ja.'

'Ik denk dat er toen in zekere zin niemand genoeg aandacht aan me schonk om zich af te vragen wat er in me omging, laat staan dat iemand zich zorgen maakte.' Hij heeft helemaal niet bewogen.

'Zelfs je familie niet?'

'Nee.'

'Werd je daar niet depri van?'

'Nee.'

'Voelde je je eenzaam?'

'Nee.'

'Voel je je ooit eenzaam?'

Rand heeft onderhand zowat geleerd na sommige vragen een korte stilte te verwachten, of die te accepteren als een normaal onderdeel van Drinions gespreksritme. Drinion laat niet merken dat ze dit al eens gevraagd heeft.

'Ik denk het niet.'

'Nooit?'

'Ik denk het niet.'

'Waarom niet?'

Drinion neemt nog een slokje van zijn glas lauw bier. Er is iets aan de afgemetenheid van zijn bewegingen waar Rand met plezier naar kijkt, zonder zich daar evenwel heel bewust van te zijn. 'Ik denk niet dat ik die vraag kan beantwoorden,' zegt de uitzendcontroleur.

'Nou, als je zeg maar merkt dat anderen affaires hebben en een seksleven en jij niet, of dat je ziet dat zij eenzaam zijn en jij niet, hoe zie je dan het verschil tussen jou en de anderen?'

Er volgt een stilte. Drinion zegt: 'Ik denk dat er in wat je vraagt iets dubbels zit. In zekere zin gaat het om een vergelijking. Ik denk meer dat ik, als ik naar anderen kijk en aandacht voor hen heb en me bedenk wat voor mensen het zouden zijn, geen aandacht besteed aan mezelf en wie ikzelf ben. Er is dus eigenlijk geen vergelijking mogelijk.'

'Je vergelijkt nooit iets met iets anders?'

Drinion kijkt naar zijn hand en het glas. 'Ik vind het heel moeilijk voor meer dan één ding tegelijk aandacht op te brengen. Ik denk dat dat een van de redenen is waarom ik bijvoorbeeld geen auto rij.'

'Maar je weet wel wat er op de jukebox speelt.'

'Ja.'

'Maar als je je aandacht bij ons onderonsje houdt, hoe weet je dan wat er op de jukebox speelt?'

Nu volgt er een langere stilte. Na twee tellen scannen ziet Drinions gezicht er ietwat anders uit.

Drinion zegt: 'Nou, hij staat heel hard, en dit nummer heb ik ook al vaker op de radio gehoord, wel vier of vijf keer, en als een nummer op de radio komt noemen ze na afloop vaak de titel van het nummer en de uitvoerder. Ik geloof dat radiozenders op die manier nummers waar copyright op rust kunnen draaien zonder dat ze daarvoor elke keer een vergoeding moeten betalen. Als een nummer gedraaid wordt op de radio is dat onderdeel van de reclame voor de langspeelplaat waar het op staat. Wat eigenlijk best vreemd is. Het idee dat de consument naar de winkel zal gaan om het nummer te kopen als hij het nummer eerst al diverse keren gratis op de radio heeft gehoord, lijkt me enigszins vreemd. Goed, vaak wordt er dan een complete plaat verkocht waar het nummer maar een onderdeel van is, dus het kan zijn dat het nummer op de radio ongeveer functioneert als de trailer van een film, die ze laten zien als stimulus om later een kaartje voor die film te kopen, waarvan de trailer natuurlijk maar een klein stuk laat zien. En dan is er nog de vraag hoe de boekhouding van de platenmaatschappijen de kosten beschouwt die samenhangen met die gratis radiozendtijd. Het lijkt welbeschouwd minder een zaak van dat ene bedrijf dan van verschillende bedrijven onderling. Ongetwijfeld zijn er behoorlijke verzend- en distributiekosten aan verbonden om de radiozenders een opname van het nummer te bezorgen voor ze het kunnen draaien. Kan de platenmaatschappij of het moederbedrijf die kosten afschrijven als de radiozenders geen vergoeding betalen voor het recht om het nummer in de ether te brengen, waardoor er tegenover de gemaakte onkosten geen inkomsten staan? En kunnen die kosten worden opgevoerd als marketing- en reclamekosten als er feitelijk geen geldsom wordt betaald aan de ogenschijnlijke adverteerder, in dit geval de radiozender of het moederbedrijf, maar alleen aan de posterijen of een particuliere verzenddienst? En hoe kan een belastingcontroleur het onderscheid maken tussen zulke kosten en onwettige of aangedikte aftrekposten als er niet gerefereerd kan worden aan een compensatiebedrag waarvan de distributiekosten kunnen worden afgetrokken of waarbij ze kunnen worden opgeteld?'

Meredith Rand zegt: 'Als ik even mag: dit is nu zo'n typisch geval waarom je zeg maar een beetje een saaie indruk maakt. Namelijk dat je geen idee lijkt te hebben van het eigenlijke gespreksonderwerp. Dit heeft echt geen bal te maken met waar we het zojuist over hadden, toch?'

Drinion kijkt wat verbaasd, maar niet beledigd of gegeneerd. Rand zegt: 'Je denkt toch niet dat iemand staat te springen om naar een of ander fiscale riedel te luisteren waar je zelf het fijne niet van afweet?

Zeker als je weet dat we hier op vrijdag samenkomen om te vieren dat we ons twee dagen lang niet druk hoeven te maken over dat soort gezeik.'

Drinion: 'Tenzij je hebt ingeklokt kies je er normaliter niet voor om aan zulke zaken tijd te spenderen, bedoel je dat?'

'Ik heb het over eenzaamheid en mensen die al dan niet aandacht aan je schenken, en jij begint door te drammen over kosten bij radiozenders, en dan blijkt er alleen maar uit te komen dat jij niet eens weet hoe het precies met die regelgeving zit, dat bedoel ik.'

Drinion knikt, nadenkend. 'Ik begrijp wat je bedoelt.'

'Wat gaat er volgens jou eigenlijk door mijn of andermans hoofd als je zo'n voordracht houdt? Ga je er gewoon van uit dat het ons wel zal interesseren? Wie geeft er nu ene moer om radio-accounting als dat niet tot je takenpakket behoort?'

Beth Rath zit nu aan de bar tussen Keith Sabusawa en iemand anders in, ieder op een kruk, in exact dezelfde krukhouding, een houding die Meredith Rand altijd doet denken aan die van een gier. Howard Shearwater staat te flipperen, waar hij naar verluidt erg goed in is – zijn flipperkast is de kast die het verst van hun tafel af staat, en door de gezichtshoek kan Rand niet zien wat het thema van de kast is of hoe die eruitziet. De zon is nog niet helemaal ondergegaan, maar de elektrische bamboefakkels aan de muur branden al stemmig en de tochtstroom uit de aircoroosters lijkt toch wat zachter te zijn gezet. In het honkbal zijn autochtone Peorianen fan van ofwel de Chicago Cubs of de St. Louis Cardinals, de verhouding is ongeveer fiftyfifty, hoewel de Cubsfans de laatste tijd weinig reden tot juichen hebben gehad en hun clubliefde wat meer voor zichzelf houden. Volgens Meredith Rands wederhelft is honkbal op televisie zowat de saaiste kijksport ter wereld. Misschien gaat het regenen, misschien ook niet, wie zal het zeggen. Overal waar een glas heeft gestaan of staat, ligt een plasje condens, veelvormige plasjes die nooit lijken te verdampen. Drinion heeft nog altijd niet gesproken of bewogen en zijn gezichtsuitdrukking is niet wezenlijk veranderd. Dit is haar derde sigaret sinds 17.10 uur. Geen uiteengereten kringen dit keer.

Meredith Rand zegt: 'Waar denk je nu aan?'

'Ik dacht eraan dat je een aantal zinnige opmerkingen heb gemaakt en dat ik voortaan wellicht wat langer moet nadenken over wat iemand denkt als ik aan het woord ben.'

Rand doet wat ze wel vaker doet, namelijk breed glimlachen met heel haar gezicht, op de spieren rond haar ogen na. 'Is dat niet een beetje heel erg betuttelend?'

'Nee.'

'Of bedoel je het sarcastisch?'

'Nee. Maar ik zie wel dat je kwaad bent.'

De twee korte rookslierten uit haar neus doen denken aan slagtanden. Omdat de airco minder lucht aanzuigt, komt er een beetje rook in Shane Drinions gezicht. 'Wist je dat mijn man stervende is?'

'Nee, dat wist ik niet,' zegt Drinion.

Beiden zitten een ogenblik stil en doen met hun gezicht wat ze er in de regel respectievelijk mee doen.

'Moet je niet zeggen hoe erg je dat vindt?'

'Wat?' zegt Drinion.

'Dat zeg je nu eenmaal, al was het maar uit beleefdheid.'

'Nou, ik bedacht hoe dit nieuwe gegeven verband hield met je vraag naar seksuele gevoelens en eenzaamheid. Wetenschap van dit gegeven verandert de context van dat gesprek, lijkt me.'

'Wil je dat ik vraag waarom dat zo is?'

Drinion buigt het hoofd. 'Dat weet ik niet.'

'Dacht je dat de wetenschap dat hij stervende is je kansen op seksueel vlak bij mij zouden kunnen verhogen?'

'Dat was niet bij me opgekomen, nee.'

'Mooi. Heel mooi.'

Beth Rath komt in de richting van de tafel gelopen met haar mond een klein beetje open, misschien om iets te zeggen of erbij te komen zitten, maar Meredith Rand werpt haar een blik toe, waarop Rath zich omdraait en terugkeert naar haar plek op de roodleren kruk aan de bar, waar Ron net de koolzuurpatroon vervangt. Meredith Rand zet haar handtas op tafel en staat op om nog wat te drinken te halen.

'Wil je nog een Heineken of zo?'

'Ik heb deze nog niet op.'

'Je bent niet bepaald een feestbeest, hè?'

'Ik heb al snel genoeg. Mijn maag kan blijkbaar niet zo veel hebben.'

'Bof jij even.'

Rand, Rath en Sabusawa babbelen wat terwijl Ron voor Meredith Rand een gin-tonic inschenkt, wat allemaal aan Drinion voorbijgaat, al ziet hij de mensen aan de bar vaag gereflecteerd in de ramen aan de voorzijde van de kroeg. Niemand heeft een idee hoe hij eruitziet, wat hij met zijn gezicht doet of waar hij naar kijkt nu hij daar alleen aan tafel zit.

'Weet jij wat cardiomyopathie is?' vraagt Rand als ze weer is gaan zitten. Ze kijkt naar haar handtas, wat de vorm betreft meer een zak dan een tas. Haar gin-tonic is al voor de helft op.

'Ja.'

'Ja, wat?'

'Het is geloof ik een hartziekte.'

Meredith Rand tikt taxerend met haar aansteker tegen haar voortanden. 'Je lijkt me iemand die goed kan luisteren. Klopt dat? Wil je een zielig verhaal horen?'

Na even te hebben gewacht zegt Drinion: 'Ik weet niet hoe ik daarop moet antwoorden.'

'Ik bedoel mijn persoonlijke zielige verhaal. Althans een deel ervan. Iedereen heeft wel zijn eigen zielige verhaal. Wil je een deel van het mijne horen?'

'...'

'Eigenlijk is het een ziekte van de hartspier. Cardiomyopathie.'

'Ik dacht dat het hart zelf een spier was,' zegt Shane Drinion.

'Dat wil zeggen dat het geen vasculaire aandoening is. Echt, op dit gebied ben ik inmiddels zo ongeveer een expert. Bij de meeste hartaandoeningen, bij een hartaanval bijvoorbeeld, gaat het om de grote bloedvaten. Bij cardiomyopathie gaat het om de hartspier zelf, het ding dat samentrekt en weer ontspant. Zeker als de oorzaak onbekend is. Wat bij hem het geval is. Ze weten niet waar de oorzaak ligt. Ze vermoeden dat hij op de universiteit een kwaadaardige griep of een ander virus heeft opgelopen dat op het moment zelf wel genezen leek, maar dat zonder dat iemand het wist op zijn myocardium was geslagen, op het spierweefsel van het hart dus, en dat weefsel geleidelijk geïnfecteerd en aangetast heeft.'

'Ik denk dat ik het begrijp.'

'Je denkt nu misschien wat ontzettend verdrietig, verliefd worden en trouwen en dan moeten horen dat je man een ongeneeslijke ziekte heeft – want ja, het is ongeneeslijk. Zoals die rijke vent in die film, hoe heette die ook alweer, behalve dat het daar zijn vrouw is, trouwens best een suf wijf als je het mij vraagt, maar die rijke vent wordt onterfd en noem de hele reut maar op, en hij trouwt met haar, en dan wordt ze terminaal. Een echte tearjerker.' Rands ogen krijgen ook een andere glans als ze haar geheugen afzoekt naar een herinnering. 'Bij cardiomyopathie wordt trouwens, als de zieke uiteindelijk doodgaat, als doodsoorzaak in veel gevallen congestief hartfalen opgegeven.'

Shane Drinion houdt zijn hand rond zijn glas, waar nog een bodempje bier in zit, maar brengt het glas niet naar zijn mond. 'Komt dat doordat de hartspier is aangetast en niet genoeg meer kan samentrekken om het bloed rond te pompen?'

'Ja, en hij had het al vóór we trouwden, zelfs al vóór ik hem ontmoette, en toen was ik nog piepjong, ik was nog maar pas achttien. En hij was tweeëndertig, een afdelingswacht in Zeller.' Ze haalt een sigaret uit de koker. 'Heb je wel eens van Zeller gehoord?'

'Ik neem aan dat je het centrum voor geestelijke gezondheidszorg bedoelt, niet ver van de Exposition Gardens aan Northmoor Road.' Drinions zitvlak zweeft een klein stukje – hooguit één of twee millimeter – boven de zitting van zijn houten stoel.

'Eigenlijk ligt het in University Street, de hoofdingang dan.'

'...'

'Het is een psychiatrisch ziekenhuis. Kun je je daar iets bij voorstellen?'

'Ja, ik heb wel een idee.'

'Zeg je dat nu uit beleefdheid?'

'Nee.'

'Het gesticht. Het gekkenhuis. Het Hilton voor Van Lotje. Wil je weten waarom ik daar was?'

'Ging je op bezoek bij een vriend of een familielid?'

'Mis. Ik was er drieënhalve week patiënt. Wil je weten waarom?'

'Ik weet niet of je me dat nu echt vraagt of dat de vraag bedoeld is als opstapje naar je uitleg.'

Meredith Rand perst haar mond in een sardonische grimas en klikt een paar keer met haar tong. 'Prima. Het is best wel irritant, maar ik moet zeggen dat je ergens wel gelijk hebt. Ik was een *snijder*. Weet je wat een *snijder* is?'

Geen enkel verschil – Drinions gezicht blijft kalm en neutraal zonder de minste aanwijzing dat hij het in de plooi probeert te houden. Meredith Rand heeft behoorlijk goede subliminale voelhoorns voor dit soort dingen – ze is allergisch voor toneelstukjes. 'Ik neem aan dat het iemand is die snijdt.'

'Gaan we lollig doen?'

'Nee.'

'Ik weet niet waarom ik het deed. Dat weet ik trouwens nog altijd niet, maar hij heeft me geleerd dat alle pogingen om de waaroms te analyseren en te begrijpen geen bal uithalen – het enige wat ertoe deed was ermee op te houden, want anders zou ik zo weer op de psychiatrische afdeling belanden – en dat het idee dat ik het kon verbergen onder een pleister en lange mouwen als iets wat alleen mijzelf aanging en niemand anders gewoon arrogante lulkoek was. En gelijk had hij. Waar je het ook doet en hoe voorzichtig je ook te werk gaat, er komt altijd wel een moment dat iemand iets ziet en er iets van zegt, of dat iemand zeg maar wat loopt te lummelen in de gang en doet alsof hij je smeekt om wiskunde te skippen, naar het park te gaan om te blowen en op het standbeeld van Lincoln te klimmen en daarbij iets te hard je arm vastgrijpt zodat er een paar wonden openspringen en het bloed door je lange mouwen heen komt, ook al heb je twee T-shirts aan, waarna iemand de ziekenboeg waarschuwt, ook al zeg je dat ze op moeten rotten omdat het een ongeluk was en dat je nu gewoon naar huis gaat waar ze er wel naar zullen kijken. Er komt altijd een dag waarop iemand aan je gezicht kan zien dat je staat te liegen, en voor je het weet zit je daar, in een helverlichte kamer met je armen en benen bloot, terwijl je je probeert te verantwoorden tegenover iemand met nul gevoel voor humor, eigenlijk een beetje zoals nu met jou.' Een snelle, verbeten glimlach.

Drinion knikt langzaam.

'Dat was best gemeen. Dat had ik zo niet moeten zeggen.'

'Ik heb niet veel gevoel voor humor, dat is waar.'

'Dit is echt anders. Wat ze tijdens zo'n eerste intakegesprek doen is je aan de hand van een juridisch formulier op een wit klembord een hele resem wettelijk verplichte vragen stellen, en als ze je vragen of je wel eens stemmen hoort en je zegt ja natuurlijk, ik hoor nu toch de jouwe die me een vraag stelt, dan vinden ze dat niet grappig, ze laten niet eens blijken dat ze doorhebben dat je een grapje wilde maken en zitten je daar maar aan te kijken. Alsof je een computer voor je hebt en niet verder kunt tot je het vereiste antwoord in de juiste vorm ingeeft.'

'De vraag zelf lijkt ambigu. Welke stemmen bedoelen ze dan bijvoorbeeld?'

'Ze hebben zeg maar drie verschillende afdelingen in Zeller, waarvan er twee gesloten zijn, en die ene waar ze mij als psychiatrisch patiënt in stopten, daar werkte hij ook, op de tweede verdieping, met vooral rijke meisjes uit de Heights die niet meer aten of een heel potje Tylenol hadden geslikt omdat hun vriendje het had uitgemaakt, zulke types, of die iedere keer als ze iets hadden gegeten hun vinger in hun keel staken. Er liepen daar behoorlijk wat kotsertjes rond.'

Drinion blijft haar aankijken. Geen enkel deel van zijn zitvlak of rug raakt nu de stoel nog, hoewel de afstand zo miniem is dat niemand anders het zou kunnen zien, tenzij er opzij een felle lamp werd geplaatst die de smalle spleet tussen Drinion en de stoel zou belichten.

'Je vraagt je misschien af hoe ik daar terechtkwam, want we waren niet bepaald rijk en kwamen al evenmin uit de Heights.'

'...'

'Dat kwam door de goede verzekering via de vakbond van mijn vader. Van 1956 tot de opheffing ervan was hij verantwoordelijk voor de metaaldraadproductie bij American Twine. Hij heeft nooit een dag werk gemist, behalve op een paar van de dagen dat ik in Zeller zat.' Heel even vertrekt Rand haar gezicht vol afgrijzen, hoewel niet meteen duidelijk wordt waarom, waarna ze de sigaret opsteekt die haar al een tijdje vanuit haar hand heeft aangestaard. 'Om je een idee te geven.'

Drinion drinkt de laatste slok Michelob en veegt snel zijn mond af met het servet waar het glas op rustte. Dan legt hij het servet terug en zet het glas weer neer. Zijn bier is al te lang op kamertemperatuur om nog nieuwe condens te veroorzaken.

'En ja, hij zag er al ziekelijk uit toen ik hem ontmoette. Maar niet smerig of zo, het is niet dat hij zeg maar bloed opgaf of hoestend rondliep, maar hij zag er wel bleekjes uit, ook al was het toen winter. En breekbaar, hij leek wel een oude man. Hij was echt ook heel mager, al was het, afgezet tegen al die anorectische meisjes daar, moeilijk om meteen te zien hoe mager hij was – hij was gewoon heel erg bleek en werd snel moe; hij kon niet snel lopen en bewegen. En hij had vreselijk donkere wallen onder zijn ogen. Soms zag hij er moe of slaperig uit, maar het was natuurlijk ook al laat: hij liep de avonddienst op de afdeling, van vijf tot middernacht, als de nachtbewaarder kwam, die we nooit echt te zien kregen, behalve aan het ontbijt of als iemand midden in de nacht een crisis had.'

'Hij was dus geen dokter,' zegt Drinion.

'De dokters waren een lachertje. In Zeller. De psychiaters. Ze kwamen 's middags voor een uurtje of zo, strak in het pak – ze droegen altijd mooie pakken; het waren professionals – en als ze er dan waren spraken ze in de eerste plaats met de verpleegkundigen en de ouders. En als ze eindelijk bij jou langskwamen verliep het gesprek heel vreemd en stroef, alsof ze zeg maar je vader waren of zo. En ze hadden nul gevoel voor humor en hielden de hele tijd één oog op hun horloge. Ook degenen bij wie je half kon vermoeden dat er een mens achter dat pak stak waren meer geïnteresseerd in jou als *geval* dan als persoon. Wat jouw geval te betekenen zou kunnen hebben, zeg maar, of hoe dat al dan niet leek op andere gevalstudies in de leerboeken. Ik zou een boek kunnen schrijven over de psychiatrische staf op zo'n afdeling. Het was echt krankzinnig hoe je met die psychiaters moest omgaan; je werd er regelrecht gestoord van soms. Als je zei dat je het daar verschrikkelijk vond en dat het niet hielp en dat je er weg wilde, zagen ze dat als een symptoom van je ziektebeeld en niet als een aanwijzing dat je er weg wilde. Het was net of je een machineonderdeel was dat ze uit elkaar konden halen om uit te vissen hoe het werkte.' Ze klikt haar sigarettenkoker open en weer dicht. 'En dat was behoorlijk eng, want ze konden documenten tekenen om jou daar te houden of je over te plaatsen naar een nog ergere afdeling. De andere gesloten afdeling was een stuk erger en daar deden verhalen over de ronde, die wil je niet horen. Of ze konden besluiten om je medicijnen te geven waar sommige meisjes zombies van werden; de ene dag waren ze er nog, en de volgende was het licht uit, zeg maar. Zombieachtige verschijningen in chique badjassen van thuis. Het was gewoon allemaal heel erg griezelig.'

'...'

'Maar een horrorscenario was het ook niet, dat konden ze niet maken, ze konden je geen elektroshocks geven zoals in die film, want alle ouders kwamen zowat elke dag op bezoek en wisten wat er speelde. Als je op die afdeling zat werd je niet opge*nomen* in Zeller maar opge*vangen*, en na zeven dagen moesten ze je gewoon weer laten gaan, tenminste als je ouders dat goedvonden. Wat met sommige van die zombiemeisjes ook gebeurde. Maar ze hadden wel de juridische macht formulieren te ondertekenen die je status veranderden in opge*nomen*. De dokters in hun pakken konden dat beslissen, dus die waren het griezeligst.'

'...'

'Komt bij dat het eten er echt onwijs smerig was.'

'Je had jezelf verborgen sneetjes toegebracht bij wijze van psychologische compensatie.'

Meredith Rand kijkt hem strak aan. Ze merkt dat hij net iets rechter lijkt te zitten dan daarnet, omdat de onderkant van de hoedenverzameling aan het zicht onttrokken wordt en ze weet dat ze zelf niet ineengezakt zit. 'Het voelde best goed. Het was akelig en ik wist dat het niet goed kon zijn als ik er zo akelig geheimzinnig over deed, maar het voelde goed. Ik weet niet wat ik er nog meer over kan zeggen.' Elke keer dat ze de askegel aftikt, zijn het drie tikjes met een roodgelakte vinger, steeds even snel en met de sigaret in dezelfde stand. 'Maar ik fantaseerde erover in mijn nek te snijden, in mijn gezicht, wat behoorlijk akelig was, en in de loop van het jaar was ik op mijn armen steeds lager gaan snijden, steeds dichter bij mijn handen, zonder dat ik daar iets aan kon doen, wat ik achteraf wel griezelig vond. Het was goed dat ik daar zat; het was echt wel ziekelijk – dus misschien hadden ze uiteindelijk toch gelijk.'

Drinion zit gewoon naar haar te kijken. Het valt niet te zeggen of het dadelijk gaat regenen of dat het front zal overwaaien. Het licht buiten lijkt nog het meest op de kleur van een gesprongen flitslampje. Binnen is het te lawaaierig om te horen of het dondert. Soms lijkt de airconditioning kouder of hardnekkiger te worden als het gaat onweren, maar dat is nu niet het geval.

Meredith Rand zegt: 'In een gesprek is het normaal de gewoonte om af en toe een geïnteresseerde opmerking te maken, al was het maar om te laten zien dat het je nog interesseert. Anders krijgen mensen het gevoel dat ze maar wat aan het emmeren zijn terwijl die ander aan God weet wat allemaal zit te denken.'

'Maar in je gezicht snijden zou de toestand te veel aan de oppervlakte hebben gebracht,' zegt Drinion.

'Precies. Plus dat ik helemaal niet in mijn gezicht wilde snijden. Dat zou hij me uiteindelijk ook laten inzien, dat mijn gezicht het enige was waarvan ik echt dacht dat het van mij was. Mijn gezicht en mijn lichaam, de buitenste schil. Dat ik zogezegd een *spetter* was. Een van de *spetters* op Central Catholic High. Dat was een van de scholen daar in de buurt. Zo noemden ze ons – de *spetters*. De meesten waren ook cheerleader.'

Drinion zegt: 'Dus je bent katholiek opgevoed.'

Rand schudt haar hoofd en tikt tegelijkertijd haar sigaret af. 'Dat heeft er dus geen bal mee te maken. Dat is niet het soort geïnteresseerde opmerking dat ik bedoelde.'

'...'

'Het hangt samen met wat je over uiterlijk en eenzaamheid zei. Of wat we daarover zeiden. Wat waarschijnlijk moeilijk te begrijpen valt, want als ze je als meisje op de middelbare school knap vinden, zo wordt gedacht, dan sta je al met één voet op de rode loper richting populariteit en erbij horen en al die andere dingen die zogenaamd het tegendeel zijn van eenzaamheid.' Soms stelt ze een directe vraag louter als excuus om onomwonden zijn blik te kunnen beantwoorden: 'Voelde jij je eenzaam op school?'

'Niet echt.'

'Juist ja. Ja, en daar komt bij dat schoonheid een vorm van macht is. Mensen zien je staan. Dat kan heel verleidelijk zijn.'

'Ja.'

Pas achteraf zal Meredith Rand bedenken dat het gesprek met de uitzendcontroleur een bijzondere intensiteit had. Rand, die zich normaal gesproken zeer bewust is van haar omgeving en wat andere mensen rondom haar aan het doen zijn, zal later beseffen dat hele lappen van het tête-à-tête bij Meibeyer's aan iedere setting onttrokken leken. Dat ze zich zo intens betrokken had gevoeld dat ze zich niet bewust was geweest van de opdringerige muziek uit de jukebox of de veel te zware bas die door haar borstbeen dreunde, het onophoudelijke geratel en gerinkel van de flipperkasten en het racevideospel, het honkbal op de televisie boven de bar, de gebruikelijke kakofonie van omringende gesprekken waaruit zich soms verstaanbare flarden losmaakten die om aandacht vroegen en dan weer wegebden in het verstrooide omgevingslawaai van allerlei schreeuwerige stemmen die zelf ook boven het lawaai van de ruimte trachtten uit te komen. De enige manier waarop ze het aan Beth Rath zal kunnen uitleggen, is dat het leek alsof er een soort stolp over hun tafel was gezet waar soms zo goed als niets in doordrong. Al zat ze zeker niet gewoon naar die uitzendman te staren; het had niets hypnotisch. Ze had ook niet in de gaten hoeveel tijd er verstreek of verstreken was, iets hoogst ongebruikelijks voor Meredith Rands doen.* De beste hypothese die Meredith Rand zal kun-

---

* Meredith Rand wordt niet minder bevallig of mooi als ze met iemand anders spreekt over de tijd dat ze zichzelf ritueel sneed en over haar gedwongen opname in opvang-

nen formuleren is dat het kwam doordat 'Mr. X' zo nauwgezet en intensief aandacht schonk aan wat ze zei – een intensiteit die niets flirterigs of amoureus had; dit was een heel ander soort intensiteit – al was het ook zeker waar dat Meredith Rand aan die tafel bij Meibeyer's absoluut nul amoureuze of seksuele gevoelens voor Shane Drinion had ervaren. Dit was echt iets compleet anders.

'Degene die me dat vertelde, die me dat duidelijk maakte, dat was hij. 's Avonds, na het eten, als alle groepsgesprekken en bezigheidstherapie achter de rug waren en de dokters in hun mooie pakken naar huis gingen en er nog maar één verpleger aanwezig was voor de apotheek, op hem na dan. Hij droeg een witte afdelingsjas met een sweater en van die plastic sportschoenen en een grote sleutelbos. Door die sleutelbos hoorde je hem in de gang al van ver aankomen zonder dat je hem zag. We zeiden altijd tegen hem dat het leek of die sleutelbos meer woog dan hijzelf. Sommige meiden maakten het hem echt heel erg lastig, want eigenlijk kon hij ze helemaal niets maken.'

'...'

'Na het bezoekuur was er 's avonds niet veel te doen behalve tv kijken in de gemeenschappelijke ruimte of pingpongen op een tafel met een heel laag net, zodat zelfs de meiden die zwaar onder de medicijnen zaten het gevoel kregen dat ze er wat van bakten, en het enige wat hij hoefde te doen was de medicijnen checken en bepalen wie voor hoe lang de telefoon mocht gebruiken, en op het eind van zijn dienst moest hij over iedereen evaluaties invullen, wat gewoon een kwestie van routine was, tenzij iemand een crisis had gehad.'

'Dus je hield hem nauwlettend in het oog, zo lijkt het,' zegt Shane Drinion.

'Niet dat hij zo knap was, als je tenminste in dat soort categorieën

---

centrum Zeller. Maar ze ziet er opeens wel ouder en afgetobder uit. Je kunt je niet alleen voorstellen, maar ook echt zien hoe haar gezicht er op haar veertigste zal uitzien – wat tenslotte, zoals we allemaal weten, slechts een andere vorm van schoonheid zal zijn, een weliswaar minder algemeen aanvaarde, maar een onverbiddelijker of meer 'verdiende' vorm van schoonheid, waarbij de beginnende lijntjes en kleine onvolmaaktheden haar mooie trekken niet ontsieren, maar juist omkaderen, en de groeven tonen in een gezicht dat door de tijd gevormd is en niet willekeurig gestanst. Meredith Rands neus en het kleine kuiltje in haar kin glanzen lichtjes in de rode gloed van de namaakvlammen aan de muren.

wilt denken. Sommige meiden noemden hem Het Lijk. Die moesten zo nodig voor iedereen een gemene bijnaam verzinnen. Of Magere Hein. Het enige wat ze zagen was zijn uiterlijk. Al leek het inderdaad wel of zijn kleren aan de binnenkant op geen enkele manier zijn lichaam raakten; ze hingen gewoon los aan zijn lijf. Hij liep alsof hij in de zestig was. Maar hij was grappig, en hij praatte echt met je. Als iemand ergens over wilde praten, en dan bedoel ik echt praten, dan ging hij met haar in de spreekruimte naast de keuken zitten om te praten.'

Meredith Rand heeft een aantal standaardmanieren om haar sigaret te doven, die allemaal even grondig zijn, of dat nu met een paar driftige drukbewegingen gaat of meer langzaam schurend vanaf de zijkant. 'Hij dwong er niemand toe. Het was echt niet zo dat hij je aan je mouw meetrok voor een tête-à-tête of dat hij op je wilde oefenen. De meeste meiden lagen zomaar wat voor de tv te vegeteren en degenen die er wegens drugs zaten moesten naar het drugsbusje voor hun afspraak. Als je met hem een gesprek onder vier ogen had in de spreekruimte moest hij zijn voeten meestal op tafel leggen, dezelfde tafel waar de dokters voor de ouders hun dossiers op uitspreidden. Hij leunde dan helemaal achterover en legde zijn sportschoenen op tafel, naar eigen zeggen omdat hij een slechte rug had, maar eigenlijk was het vanwege de cardiomyopathie, die hij op onverklaarbare wijze had opgelopen aan de universiteit, wat ook de reden was dat hij zijn opleiding niet had afgemaakt en dit luizige baantje als afdelingswachter in een gekkenhuis was gaan doen, al was hij ongeveer zevenduizend keer slimmer en stond hij veel meer open voor wat er echt met iemand aan de hand was dan al die peuten en logen bij elkaar. Die zagen iedereen door hun psycho-medische vergrootglas dat in het beste geval één centimeter groot was – alles wat daarbuiten viel, dat zagen ze niet of dat verdraaiden en vervormden ze op zo'n manier dat het alsnog in hun straatje paste. En doordat hij zijn voeten in die flutschoenen van Kmart gewoon op tafel legde zag hij er in ieder geval uit als een mens, als iemand met wie je echt kon praten en niet iemand die alleen maar een diagnose van je probeerde op te stellen of die je etiologie naging zodat er iets kon worden gezegd dat hij in zijn kraam kon passen. Echt totaal belachelijk, die schoenen.'

'Mag ik een vraag stellen?'

'Waarom stel je die vraag niet gewoon in plaats van mij eerst nog eens ja, dat mag te laten zeggen?'

'Ik begrijp wat je bedoelt.'

'Ja?'

'Door zijn voeten op te tillen stimuleerde hij de bloedsomloop?'

'Was dat je vraag?'

'Is dat niet het soort bevestigende, geïnteresseerde vraag waar je het net over had?'

'Jezus christus,' zegt Rand. 'Ja, het was voor zijn bloedsomloop. Al wist indertijd geen mens waar het voor was. Het was heel aannemelijk dat hij een slechte rug had. Het zag er in ieder geval niet al te best uit. Het enige wat je met zekerheid kon zeggen was dat dit iemand was die niet al te fit was.'

'Hij zag er breekbaar uit, vooral voor iemand van zijn leeftijd.'

Rand werpt nu af en toe haar hoofd in haar nek en iets opzij, heel snel, alsof ze haar lokken herschikt zonder die aan te raken, wat sommige pubermeisjes constant doen zonder zich daar per se bewust van te zijn. 'Het is trouwens van hem dat ik het woord *etiologie* heb. En hij legde uit waarom die dokters niet anders konden dan zo afstandelijk en stijfjes te zijn; dat hoorde gewoon bij hun baan. Hij dwong niemand tot een gesprek, maar soms leek het alsof hij er één iemand uitpikte, en hij zorgde ervoor dat je moeilijk nee kon zeggen. De avonden konden behoorlijk lang duren, en het hielp niet bepaald om wat naar *Maude* te zitten kijken met een stel meiden dat suïcidaal was of zwaar onder de pillen zat.'

'...'

'Herinner jij je *Maude* nog?'

'Nee.'

'Mijn moeder was gek op die serie. Het was zowat het laatste ter wereld waar ik naar wilde kijken daar. Als haar man kwaad werd en "Maude, *zitten!*" zei, dan ging ze zitten, als een hond, en dan klonk er een ingeblikte schaterlach op de lachband. Lekker feministisch. Of *Charlie's Angels*, dat was een regelrechte belediging als je een feminist was.'

'...'

'Hij begon trouwens met me te praten in de roze kamer, de isoleerruimte, waar ze je opsloten als je onder permanent toezicht werd geplaatst omdat je suïcidaal was, want de wet schreef dan voor dat je vierentwintig uur per dag geobserveerd moest worden, of als je disciplinair gezien je boekje te buiten was gegaan en ze zeiden dat je een gevaar opleverde of een verstorende invloed had – dan konden ze je daar opsluiten.'

'De roze kamer omdat dat de kleur van de kamer was?' vraagt Drinion.

Meredith Rand glimlacht koeltjes. 'Baker-Miller-roze, om precies te zijn. Experimenten hadden namelijk uitgewezen dat roze een kalmerend effect heeft, en voor je het wist hadden ze in elk godvergeten gekkenhuis de isoleerruimte roze geschilderd. Dat heeft hij me ook verteld. Hij legde de kleur uit van de kamer waar ze me hadden opgesloten; die had een aflopende vloer met in het midden een soort middeleeuwse afvoer. Ik ben nooit onder permanent toezicht geplaatst, mocht je je dat afvragen. Geen idee of je ondertussen niet zowat van je stoel bent gemieterd, zo van jezus die is gestoord, die zat op haar zeventiende in Zeller.'

'Dat dacht ik niet, nee.'

'Tegen een van de dokters had ik wel gezegd – en niet eens tegen mijn eigen dokter, niet degene die door mijn vaders verzekering vergoed werd: het was een andere dokter die langskwam en *inviel* voor de dokter als die verhinderd was, ze vielen de hele tijd voor elkaar in, zodat je in zeg maar vijf dagen tijd met wel drie verschillende dokters te maken kreeg, en die moesten dan hun dossiers en aantekeningen en wat weet ik nog allemaal op de tafel uitspreiden, anders wisten ze niet eens wie je was – en die dokter bleef maar met een stalen gezicht bezig me aan de praat te krijgen over hoe ik als kind *misbruikt* en *verwaarloosd* was, wat nooit het geval is geweest, en uiteindelijk heb ik dus tegen hem gezegd dat hij van de ratten besnuffeld was en dat hij me ofwel kon geloven als ik hem de waarheid vertelde, ofwel de pot op kon. Waarna hij ervoor zorgde dat ik een nachtje in de roze kamer kon doorbrengen, echt een belachelijke reactie. Niet dat ze me naar binnen sleepten, me daar dumpten en de deur dichtsloegen – iedereen deed best wel aardig en vriendelijk. Maar een van de bizarre dingen als je in een psychiatrisch ziekenhuis verblijft is dat je na een tijdje het gevoel krijgt dat het toegestaan is om er zomaar alles uit te gooien waar je mee zit. Je krijgt zeg maar het gevoel dat het helemaal prima is of dat het op een bepaalde manier zelfs van je verwacht wordt dat je je gestoord of asociaal gedraagt, wat eerst ook echt bevrijdend en goed aanvoelt; zo'n gevoel van genoeg mooi weer gespeeld, genoeg gedaan alsof, wat hartstikke goed voelt, behalve dat het op den duur erg verleidelijk en gevaarlijk wordt, omdat je toestand er echt door kan verslechteren – sommige remmingen zijn goed, zijn normaal, zei hij, en ook dat het syndroom waarbij sommige mensen uiteindelijk zogezegd *geïnstitutionaliseerd* raken deels te wijten is aan het feit dat ze op jonge leeftijd in een gekkenhuis belanden of daar terechtkomen tijdens een kwetsbare fase, als hun zelfbeeld nog niet vaststaat en nog niet veerkrachtig genoeg is, en dan gaan ze zich gedragen zoals ze denken dat iemand in een gekkenhuis geacht wordt zich te gedragen, en na een tijdje *zijn* ze echt zo, en dan zitten ze gevangen in het instituut, het *instituut* geestelijke gezondheidszorg, en dan komen ze er nooit meer echt uit.'

'En dat vertelde hij je. Hij waarschuwde je voor asociale scheldpartijen bij de psychiater.'

Haar ogen zien er nu anders uit; ze ondersteunt haar kin met haar hand, waardoor ze wel zeven jaar jonger lijkt. 'Hij vertelde me best veel. Ontzettend veel eigenlijk. Die avond dat ik in de roze kamer zat hebben we zo'n twee uur met elkaar gepraat. Achteraf kunnen we er allebei om lachen – hij was veel meer aan het woord dan ik, niet zoals het hoort dus. Na een tijdje zaten we daar iedere avond, dat werd al gauw vaste prik, gewoon wat te pr –'

'Gingen jullie telkens naar de isoleerruimte?'

'Nee, ik was daar alleen die ene avond, en mijn reguliere dokter, dat moet ik hem nageven, die zorgde ervoor dat zijn invaller een tuchtmaatregel kreeg opgelegd omdat hij me had laten opsluiten; hij sprak van reactief handelen.' Rand zwijgt en tikt met haar vingers tegen de zijkant van haar wang. 'Shit, nu ben ik mijn draad kwijt.'

Drinion blikt heel even omhoog. '"We zaten daar iedere avond, dat werd al gauw vaste prik."'

'In de spreekruimte, nadat het bezoekuur was afgelopen en degenen die door het lint waren gegaan vanwege een of ander akkefietje tijdens het bezoek gekalmeerd waren of onder de pillen zaten. Daar zaten we dan te praten, al moest hij om de zoveel tijd opstaan om te checken waar iedereen was, en om te controleren dat niemand in andermans kamer zat en te zorgen dat iedereen die zijn medicijnen moest krijgen naar de apotheek ging. Door de week was het elke avond raak, dan deed hij wat hij altijd deed, namelijk aan het drinkfonteintje een blikje cola vullen met water, want hij gebruikte geen beker maar een colablikje, en dan gingen we aan tafel zitten en zei hij: "Hé Meredith, wil

je de intense toer op of gewoon wat praten?" en dan deed ik alsof ik
daar diep over moest nadenken en zei dan zo van: "Nou euh, vanavond
de intense toer graag."'

'Mag ik iets vragen?'

'Grrr. Zeg het maar.'

'Moet ik hieruit afleiden dat *intens* refereert aan het snijgedrag en
je redenen daarvoor?' vraagt Drinion. Zijn handen liggen nu met de
vingers ineengevlochten op tafel, wat bij de meeste mensen gepaard
gaat met een zowel gebogen als ineengezakte rug, maar bij Drinion
niet – zijn houding blijft dezelfde.

'Mis poes. Daar was hij te slim voor. Over het snijden spraken we
niet vaak. Dat was nergens goed voor. Het was niet iets waar je rechtstreeks over kon beginnen. Wat hij – meestal vertelde hij gewoon allerlei dingen over mij.'

Een van Drinions ineengestrengelde vingers beweegt lichtjes. 'Hij
stelde geen vragen?'

'Wat ik zei: nee dus.'

'En daar werd je niet kwaad om? Dat hij meende jou dingen over
jezelf te kunnen vertellen?'

'Het grote verschil met de anderen was dat hij gelijk had. En dat
gold zo'n beetje voor alles wat hij zei.'

'Voor hetgeen hij je over jezelf vertelde.'

'Dat deed hij eigenlijk vooral in het begin, om vertrouwen op te
bouwen. Dat vertelde hij me later – hij wist dat ik daar niet lang zou
blijven, in Zeller, en hij wist dat ik er behoefte aan had om met iemand
te praten en dat hij me heel snel moest laten weten dat hij me begreep,
dat hij me kende, en dat hij me niet zag als een probleem of het zoveelste geval dat geanalyseerd moest worden om zijn eigen carrière
vooruit te helpen, want hij wist dat ik zo over die dokters en psychologen dacht, en volgens hem deed het er niet toe of ik gelijk had of
niet, het punt was dat ik er zo over dacht, het was zeg maar een van
mijn afweermechanismen. Hij zei dat hij nog maar zelden iemand had
zien voorbijkomen met zulke sterke afweermechanismen. In Zeller.
Los van regelrechte psychoten bedoel ik dan, want die waren niet of
nauwelijks aanspreekbaar, maar meestal werden die bijna meteen weer
overgeplaatst; alleen in uitzonderlijke gevallen had hij een gesprek onder vier ogen met echte psychoten. Bij psychoses gaat het eigenlijk om
afweermechanismen en overtuigingen die zo sterk zijn dat de persoon

in kwestie er niet meer uit komt en ze als werkelijkheid gaat ervaren, en dan is het meestal al te laat, omdat de hersenfuncties een verandering ondergaan. De enige hoop voor zo iemand bestaat uit medicijnen en roze muren zo ver het oog reikt.'

'Hij voelde je goed aan, wil je zeggen.'

'In die roze kamer, terwijl ik daar op het bed zat en zoiets had van jezus christus er zit een *afvoer* in de vloer, vertelde hij meteen twee dingen over mezelf die alleen ik wist en niemand anders. Echt helemaal niemand,' zegt Meredith Rand. 'Het was echt niet te geloven. Hij sloeg de spijker op de kop.'

'...'

'En nu vraag jij je af om welke dingen het ging.'

Drinion houdt zijn hoofd weer lichtjes scheef. 'Bedoel je dat je wilt dat ik je vraag welke dingen dat waren?'

'Mooi niet.'

'Iets zegt me dat je die dingen bijna per definitie nooit aan iemand zult vertellen.'

'Bingo. Juist. Mooi niet. Niet dat ze zo vreselijk interessant zijn,' zegt ze. 'Maar dat deed hij dus. Hij wist ervan, en reken maar dat ik vanaf dat moment een en al aandacht was. Oortjes gespitst, zeg maar. Dat kon ook moeilijk anders.'

Drinion zegt: 'Dat begrijp ik.'

'Precies. Dat hij me kende, me begreep, en me graag wilde begrijpen. Mensen zeggen dat de hele tijd: *begrijpen, ik begrijp je, help ons alsjeblieft je te begrijpen.*'

'Ik heb het tijdens dit gesprek ook al verschillende keren gezegd,' zegt Drinion.

'Weet je hoe vaak?'

'Zeven keer, al denk ik maar vier keer in de betekenis waar jij naar lijkt te verwijzen, als ik je goed begrijp.'

'Is dat grappig bedoeld?'

'Dat ik daarnet weer het woord *begrijpen* gebruikte?'

Rand trekt een geïrriteerd gezicht en kijkt eerst naar links en dan naar rechts, alsof er nog steeds andere mensen bij hen aan tafel zitten.

Drinion zegt: 'Niet als ik de manier waarop jij het woord *begrijpen* bedoelt correct inschat, namelijk dat het voor jou niet verwijst naar het begrijpen van een uitspraak of iemands bedoeling, maar eerder naar het begrijpen van de persoon zelf, wat me niet zozeer cognitief lijkt als wel een kwestie van empathie, en ik denk zelfs dat *mededogen* het woord is dat je met dit soort begrijpen bedoelt.'

'Het punt is,' zegt ze, 'dat hij dat echt deed. Maakt niet uit welk woord je ervoor gebruikt. Niemand wist van de dingen die hij me vertelde – een ervan wist ik denk ik zelf niet eens helemaal, tot hij het daar zo cru ter sprake bracht.'

'Dat maakte indruk op je,' zegt Drinion behulpzaam.

Rand negeert hem. 'Hij was een geboren therapeut. Hij zei dat het zijn roeping, zijn kunst was. Zoals voor anderen schilderen of goed kunnen dansen of uren aan één stuk hetzelfde zitten lezen zonder te bewegen of afgeleid te worden een roeping is.'

'...'

'Zou jij van jezelf zeggen dat je een roeping hebt?' vraagt de FICON aan Shane Drinion.

'Ik denk het niet.'

'Hij was geen dokter, maar als hij op de afdeling iemand zag van wie hij dacht dat hij die kon helpen, dan probeerde hij dat. Anders kon hij net zo goed een doodgewone bewaker zijn, zei hij.'

'...'

'Op een keer zei hij dat hij eigenlijk meer een soort spiegel was. Tijdens onze intense gesprekken. Als hij gemeen of stom leek, dan betekende dat eigenlijk dat je jezelf gemeen en stom vond. En als hij op een keer erg slim en gevoelig leek, dan wilde dat zeggen dat je die dag zelf slim en gevoelig was – hij liet je gewoon je eigen weerspiegeling zien.

Hij zag er vreselijk uit, maar dat was deels ook wel de kracht van daar met hem te zitten en er samen intensief aan te werken. Hij zag er zo ziekelijk en uitgeteld en kwetsbaar uit dat je nooit het idee kreeg dat je tegenover een arrogante, normale, gezonde, rijke dokter zat die zijn oordeel al klaar had en blij was niet in jouw schoenen te staan en je gewoon als een geval zag dat hij moest zien te klaren. Bij hem was het echt alsof je met een mens praatte.'

'Het was overduidelijk dat hij enorm veel indruk op je maakte, je toekomstige echtgenoot, in die moeilijke periode.'

'Zit je nu ironisch te doen?'

'Nee.'

'Denk je nu o jee, daar hebben we weer zo'n probleemmeisje dat op haar zeventiende verliefd wordt op een therapeutachtige vaderfiguur die in haar ogen de enige is die haar *begrijpt*?'

Shane Drinion schudt zijn hoofd precies twee keer. 'Dat denk ik niet, nee.' Even komt bij Rand de gedachte op dat hij zich misschien zonder dat ze dat ergens aan kan merken kapot zit te vervelen.

'Want dat is gewoon achterlijk,' zegt Meredith Rand. 'Dat is echt een cliché als een koe, en waar je me ook voor aanziet, zo zat het dus in ieder geval niet in elkaar.' Ze zit nu eventjes helemaal rechtop. 'Weet je wat een monopsonie is?'

'Ik denk het wel.'

'Wat dan?'

Shane Drinion schraapt voorzichtig zijn keel. 'Het omgekeerde van een monopolie. Met slechts één koper en verschillende verkopers.'

'Oké.'

'Onder meer aanbestedingen voor overheidscontracten. Toen de Dienst vorig jaar in La Junta de kaartlezers liet upgraden, was dat volgens mij een voorbeeld van een monopsonistische marktsituatie.'

'Oké. Nou, dat legde hij me dus ook uit, zij het in een meer persoonlijke context.'

'Je bedoelt in metaforische zin,' zegt Drinion.

'Heb je een idee wat dat met eenzaamheid te maken zou kunnen hebben?'

Nog zo'n kort moment van inwendig scannen. 'Ik kan begrijpen dat het tot wantrouwen zou kunnen leiden, omdat er bij contractonderhandelingen wel eens wordt gesjoemeld en oneerlijke kostprijsberekeningen worden gemaakt en dergelijke meer.'

'Je neemt alles wel heel letterlijk op, weet je dat?'

'...'

'Oké, dan zal ik het letterlijk houden,' zegt Meredith Rand. 'Stel je bent knap, en er zijn dingen die je daar fijn aan vindt – je krijgt veel aandacht, je valt op en de mensen praten over je, en als je ergens binnenloopt voel je de atmosfeer veranderen, en dat vind je fijn.'

'Het is een vorm van macht,' zegt Drinion.

'Maar tegelijkertijd heb je ook minder macht,' zegt Meredith Rand, 'omdat je macht volledig gebaseerd is op je uiterlijk, en op een gegeven moment realiseer je je dat dat uiterlijk een soort pantser is waar je altijd in zit, een soort gevangenis, en dat niemand je ooit los van dat knappe uiterlijk zal zien of beoordelen.'

'...'

'Niet dat ik zelf echt vond dat ik zo ontzettend knap was,' zegt Meredith Rand. 'Zeker niet op de middelbare school.' Tussen haar vingers rolt ze een sigaret heen en weer, die ze niet opsteekt. 'Maar ik wist maar al te goed dat de rest van de school me knap vond. Zo rond mijn twaalfde is het begonnen, de opmerkingen over hoe knap en mooi ik wel niet was, en op de middelbare school was ik een van de spetters, en iedereen wist wie dat waren, daar bestond wel een soort consensus over, zowel buiten als binnen de lesuren: ik was knap, ik was begeerlijk, ik hoefde maar met mijn vingers te knippen. Snap je?'

'Ik denk het wel,' zegt Shane Drinion.

'Want dit verstonden we namelijk onder intens – mijn uiterlijk en hoe knap ik was, daar spraken hij en ik echt over. Het was de eerste keer dat ik er echt met iemand over sprak. Zeker met een man. En dan heb ik het niet over "Je bent zo mooi, ik hou van je" en dan een tong die je oor binnenglijdt. Alsof dat alles was wat je wilde horen, dat je mooi was, waarna je blijkbaar in katzwijm hoorde te vallen en je moest laten pakken.'

'...'

'Als je mooi bent,' zegt Meredith Rand, 'is het soms knap lastig om respect op te brengen voor mannen.'

'Dat kan ik begrijpen,' zegt Drinion.

'Want eigenlijk krijg je nooit te zien hoe ze in het echt zouden kunnen zijn. Want als jij erbij komt, veranderen ze op slag; als ze eenmaal besloten hebben dat je mooi bent, veranderen ze. Het is zoals bij natuurkunde – als je erbij bent om het experiment te bekijken, stuurt dat zogezegd de resultaten in de war.'

'Er is een paradox in het spel,' zegt Drinion.

'Maar na een tijdje ga je het nog fijn vinden ook. Je geniet van die aandacht. Zelfs als ze een verandering ondergaan, weet je dat dat door jou komt. Jíj bent aantrekkelijk, tot jóú voelen ze zich aangetrokken.'

'Vandaar die tong in je oor.'

'Maar bij sommigen blijkt het het tegenovergestelde effect te hebben. Ze gaan je nog net niet ontwijken. Ze zijn bang of nerveus – het maakt dat ze iets van je willen, en ze zijn gegeneerd of bang dat ze dat willen – ze kunnen niet met je praten of je aankijken of ze beginnen al een nummertje op te voeren, zoals Kwijlpaard Bob, van dat flirterige seksistische gedoe waarvan ze denken dat ze het doen om indruk op je te maken, terwijl ze eigenlijk alleen maar indruk willen maken op de andere jongens om te laten zien dat ze niet bang zijn. En dan heb je nog niet eens iets gezegd of gedaan; het is al genoeg dat je er bent en hocus pocus pats, iedereen gedraagt zich anders.'

'Klinkt knap lastig,' zegt Drinion.

Meredith Rand steekt de sigaret die ze in haar handen houdt aan. 'En dan komt daar nog bij dat de andere meiden de pest aan je hebben; ze kennen je niet eens en praten niet met je, maar ze besluiten dat ze de pest aan je hebben, alleen omdat alle jongens zo reageren – alsof je een bedreiging voor ze vormt, of ze gaan ervan uit dat je een kakkineuze trut bent, zonder dat ze ook maar de moeite willen nemen om je te leren kennen.' Ze heeft de gewoonte om bij het uitblazen van de rook haar hoofd af te wenden en pas daarna weer voor zich uit te kijken. De meeste mensen vinden haar erg direct.

'Ik was zeker geen dom blondje,' zegt ze. 'Ik was goed met cijfers. Op mijn dertiende won ik de algebraprijs. Maar natuurlijk kon het niemand wat schelen dat ik slim was of goed in wiskunde. Zelfs de mannelijke leerkrachten zaten te staren of werden nerveus of hijgerig en flirterig als ik na de les of zo naar ze toe kwam om iets te vragen. Alsof er met vette letters SPETTER op mijn voorhoofd geschreven stond en niemand ooit méér in me zou kunnen zien.

Oké,' zegt Meredith Rand. 'Begrijp me niet verkeerd. Het is zeker niet dat ik mezelf echt zo knap vind. Ik zeg niet dat ik mooi ben. Eigenlijk heb ik altijd gedacht dat ik helemaal niet zo mooi ben. Om te beginnen zijn mijn wenkbrauwen te dik. Niet dat ik de hele dag met een pincet in de weer ben, maar ze zijn wel te dik. En als ik in de spiegel kijk is mijn hals zeg maar twee keer zo lang als bij een normaal mens.'

'...'

'Niet dat het iets uitmaakt.'

'Nee.'

'Nee wat?'

'Nee, ik begrijp dat het niet echt iets uitmaakt,' zegt Drinion.

'Maar dat doet het dus wel. Je snapt het niet. Heel dat gedoe rond mooi zijn is een soort valstrik, zeker op die leeftijd. Je hebt iets hebberigs in je dat echt van die aandacht geniet. Jíj bent bijzonder, jíj bent begeerlijk. Je gaat al snel denken dat die knapheid, dat jíj dat bent, alsof dat alles is wat je in je mars hebt of wat je bijzonder maakt. In je merkspijkerbroek en je strakke truitjes die je in de droger kunt stoppen zodat ze nog strakker zitten. En dan zo de show stelen.' Niet dat Meredith Rand op het werk verhullend of slonzig gekleed gaat. Het zijn keurige ensembles, niets extravagants, maar nog altijd moeten heel wat controleurs in het Filiaal even slikken als ze langsloopt, vooral in de wintermaanden, als de extreem droge lucht ervoor zorgt dat haar kleren door de statische elektriciteit aan haar lichaam plakken.

Ze zegt: 'De andere kant van de medaille is dat het je gaandeweg duidelijk wordt dat je alleen maar een stuk vlees bent. En niets anders. Heel lekker en gewild vlees, daar niet van, maar ze zullen je nooit serieus nemen en je zult nooit zeg maar bankdirecteur of zo worden omdat ze nooit in staat zullen zijn verder te kijken dan je lijf en je mooie snoetje: ze hebben alleen oog voor je schoonheid en die brengt hun hoofd op hol, en het is lastig om daar niet in te worden meegezogen en je te schikken in je rol door jezelf ook alleen maar op die manier te zien.'

'Je bedoelt mensen te gaan zien en op ze te reageren in de mate waarin ze aantrekkelijk zijn of niet?'

'Nee, néé.' Je kunt merken dat Meredith Rand veel moeite zou hebben om te stoppen met roken, omdat ze dat roken – het uitblazen van de rook, het bewegen van haar hoofd – nogal eens gebruikt om over te brengen wat ze voelt. 'Ik bedoel jezelf beginnen te zien als een stuk vlees, en te geloven dat je enige kwaliteit je uiterlijk is, de manier waarop je het hoofd van de jongens en de mannen op hol brengt. Wat je gaat doen zonder dat je het zelf in de gaten hebt. En dat is griezelig, omdat het tegelijkertijd ook als een pantser aanvoelt; je weet dat je meer in je hebt, dat voel je zelf heel goed aan, maar niemand anders zal dat ooit te weten komen – niet eens de andere meisjes, die of de pest aan je hebben of bang voor je zijn, omdat je een monopsonie bent, en als ze zelf spetters of cheerleaders zijn dan zijn ze je concurrentes en hebben ze het gevoel dat ze van die jaloerse kattige streken moeten uithalen waar jongens echt geen idee van hebben, maar neem van mij aan dat het er echt wreed aan toe kan gaan.'

Het feit dat Drinions ene neusgat iets groter is dan het andere wekt soms de indruk dat hij zijn hoofd een beetje scheef houdt, ook al is dat niet zo. Het effect ervan is ongeveer hetzelfde als van dat door de mond ademen. Meredith Rand vat het ontbreken van een gezichtsuitdrukking meestal op als gebrek aan aandacht, als iemands gezicht totaal wezenloos wordt als je met hem praat en hij doet alsof hij luistert maar eigenlijk niet echt luistert, maar bij Drinion lijkt er iets anders aan de hand. En ofwel verbeeldt ze het zich, ofwel is Drinion werkelijk steeds rechter en hoger gaan zitten, maar in ieder geval lijkt hij iets langer dan toen het tête-à-tête begon. Een verzameling met allerlei ouderwetse fedora's, homburgs en andere zakelijke hoedenmodellen die op de een of andere manier zijn vastgelijmd of -geniet op een gelakt bord van palissanderhout dat aanvankelijk nog boven Drinions hoofd te zien was op de tegenoverliggende muur van Meibeyer's, wordt nu deels aan het zicht onttrokken door zijn kruin en de weerborstel op de apex van zijn bolle hoofd. Drinion is inmiddels lichtjes gaan zweven, wat alleen gebeurt als hij ergens volledig in opgaat; het is maar een lichte levitatie, en niemand kan zien dat zijn zitvlak een eindje boven de zitting van de stoel zweeft. Op een avond komt iemand het kantoor binnen en ziet Drinion ondersteboven boven zijn bureau zweven terwijl hij in opperste concentratie naar een ingewikkelde belastingopgave tuurt, Drinion die zich per definitie van zijn levitaties niet bewust is, omdat die alleen plaatsvinden als zijn aandacht ergens volledig door in beslag genomen wordt.

'Wat deel uitmaakt van het gevoel in een pantser opgesloten te zitten,' vervolgt Meredith Rand. 'Het typische gevoel waar tieners sowieso vaak last van hebben, namelijk dat anderen je nooit zullen kennen of van je zullen houden om wie je werkelijk bent, omdat ze niet kunnen zien wie je werkelijk bent, en om de een of andere reden laat je dat ook niet toe, al heb je het gevoel dat je heel graag zou willen dat ze dat wel zagen. Maar tegelijkertijd is het een gevoel waarvan je weet dat het stomvervelend en onvolwassen is, echt iets voor een slechte B-film, zo van "Snif, snif, niemand houdt van me om wie ik ben", dus ergens ben je je er ook wel van bewust dat je eenzaamheid stom is en banaal, ook al voel je je echt rot en eenzaam, zodat je op den duur ook aan jezelf een pesthekel krijgt. Daar spraken we dan over, daarover sprak hij met mij, en dat wist hij allemaal zonder dat ik hem er iets over had gezegd: hoe eenzaam ik was, en hoe dat snijden iets te maken had met knap zijn en het gevoel eigenlijk geen recht van klagen te hebben, maar dat ik me desondanks tegelijk diep ongelukkig voelde omdat ik ervan overtuigd was dat mijn wereld zou instorten als ik niet knap zou zijn, omdat ik dan gewoon een stuk vlees zou zijn dat niemand lustte in plaats van een stuk vlees waar ze van gingen watertanden. Alsof ik voor altijd aan dat etiket vastzat en toch echt geen recht van klagen had, want kijk eens naar al die meiden die jaloers waren en dachten dat iemand die knap is nooit eenzaam kon zijn of problemen kon hebben, en als ik toch klaagde waren die klachten banaal, hij leerde me het woord *banaal*, en *tête-à-tête*, en hoe dat kan bijdragen aan de eenzaamheid – de waarheid van een uitspraak als "Ik ben alleen maar een stuk vlees, anderen gaan alleen maar met me om omdat ik mooi ben, het kan niemand wat schelen wie ik vanbinnen echt ben, ik ben eenzaam" is volkomen saai en banaal, iets uit *Ladies' Home Journal* of een ander suf vrouwenblaadje, niet mooi of uniek, niet bijzonder. En dat was de eerste keer dat ik de littekens en het snijden beschouwde als iets wat de minder mooie innerlijke waarheid aan de oppervlakte bracht, aan de buitenkant, hoewel ik ze tegelijkertijd verborgen hield onder lange mouwen – al is je eigen bloed eigenlijk best mooi als je er goed naar kijkt, ik bedoel als het aan de oppervlakte komt, al moet de snee dan wel heel zorgvuldig zijn, fijn en niet te diep, zodat het bloed langzaam als een lijntje opwelt en je het pas na dertig seconden of zelfs langer hoeft af te vegen omdat het begint uit te lopen.'

'Doet het pijn?' vraagt Shane Drinion.

Meredith Rand blaast de rook nogal fel uit en kijkt hem strak aan. 'Hoe bedoel je doet het pijn? Ik doe het niet meer. Sinds ik hem heb ontmoet niet één keer. Omdat hij me dit allemaal min of meer uit de doeken deed en me zei waar het op stond, namelijk dat het uiteindelijk niet uitmaakte waarom ik het deed of wat het te betekenen had of waar het voor stond.' Haar blik is koel en zakelijk. 'Waar het om ging is dat ik het deed en er nu mee moest ophouden. Meer niet. In tegenstelling tot de dokters en de groepsgesprekken die allemaal draaiden om je gevoelens en het waarom, alsof je bij toverslag kon stoppen als je wist waarom je het deed. Volgens hem was dat de grote leugen die ze allemaal voor zoete koek slikten en ook de reden dat die dokters en de gangbare therapieën voor mensen zoals wij zo'n tijdverspilling waren – ze dachten dat een diagnose gelijkstond aan genezing. Dat het vanzelf zou ophouden als je wist waarom je het deed. Wat echt ongelooflijke kul is,' zegt Meredith Rand. 'Je houdt alleen op als je ophoudt. Niet als je wacht tot iemand het je gaat uitleggen en even met zijn toverstokje zwaait en je er opeens hocus pocus pats mee ophoudt.' Ze maakt een sardonisch gebaar met haar sigarettenhand als ze pats zegt.

Drinion: 'Het klinkt alsof hij je echt heel goed geholpen heeft.'

'Hij was heel cru,' zegt ze. 'Bleek dat crue iets te zijn waar hij trots op is – het is zijn truc om duidelijk te maken dat het geen truc is. Maar daar kwam ik pas later achter.'

'...'

'Je begrijpt natuurlijk wel dat iemand met zo veel begrip en mededogen voor wat er werkelijk in je omgaat iets losmaakt bij iemand die het als haar grootste probleem zag dat er nooit van haar leven iemand door haar knappe uiterlijk heen naar haar ware zelf zou kijken. Wil je weten hoe hij heet?'

Drinion knippert één keer met zijn ogen. Hij knippert niet vaak met zijn ogen. 'Ja.'

'Edward. "Ed Rand, uw gesjeesde geneeskees," zei hij altijd. Dus je begrijpt wel dat ik helemaal rijp was om verliefd op hem te worden.'

'Ik denk het wel.'

'Dan hoef ik het verder niet uit te leggen,' zegt Meredith Rand. 'Als hij een geilneef of een engerd was die het altijd zo aanpakte, was het trouwens een ideale methode geweest om knappe jonge meisjes verliefd op hem te laten worden. Ga ergens werken waar iedereen met zichzelf overhoopligt en zich eenzaam voelt en van de ene crisis in de andere sukkelt en pik er de jonge grietjes uit, bij wie het fundamentele probleem waarschijnlijk altijd om hun uiterlijk draait. Dus het enige wat hij hoefde te doen, als hij slim was, en hij had al honderden meisjes langs zien komen die totaal in de knoop zaten en zichzelf uithongerden, die kleding stalen uit het winkelcentrum, die eindeloos bleven eten, of die snijders waren of drugs gebruikten, of er steeds vandoor gingen met oudere zwarte kerels en steeds opnieuw door hun ouders weer naar huis werden gesleept of weet ik veel wat, je begrijpt wel wat ik bedoel, maar die allemaal eigenlijk in essentie hetzelfde probleem hadden, elke keer dat er een van hen werd opgenomen, wat de officiële reden ook mocht zijn, namelijk dat ze zich zeg maar niet echt gezien of begrepen voelden, en dat was de oorzaak van hun eenzaamheid en de aanhoudende ellende waardoor ze zichzelf gingen snijden, of zich volvraten, of juist niets meer aten, of achter de vuilniscontainer achter de kantine het hele basketbalteam één voor één een pijpbeurt gaven, wat een van de cheerleaders – dat weet ik honderd procent zeker – tijdens heel ons derde jaar om de haverklap deed, hoewel ze nooit echt bij de spetters hoorde omdat iedereen haar zo'n enorme slettenbak vond; nogal wat spetters hadden de schurft aan haar.' Rand kijkt Drinion heel even in de ogen om te zien of er een zichtbare reactie is op het woord *pijpbeurt*, maar die blijft voorlopig uit. 'En het zou een fluitje van een cent zijn om ze in een spreekruimte te loodsen en ze een en ander over henzelf te vertellen waar ze zich echt kapot van zouden schrikken en waar ze versteld van zouden staan omdat ze daar nog nooit met iemand over hadden gesproken, al was het natuurlijk supereenvoudig om dat eruit te halen, want alle problemen kwamen uiteindelijk altijd op hetzelfde neer.'

Drinion vraagt: 'Zei je hem dat ook, tijdens de therapeutische sessies die onder de noemer intens vielen?'

Rand schudt haar hoofd en dooft tegelijkertijd haar Benson & Hedges. 'Het waren geen therapeutische sessies. Hij had de pest aan die term, aan al die terminologie. Het waren gewoon tête-à-têtes, gewoon wat praten.' Opnieuw hetzelfde aantal druk- en gedeeltelijke rolbewegingen om de sigaret te doven, zij het met minder kracht dan toen ze even schoon genoeg van Shane Drinion leek te hebben. Ze zegt: 'Dat was volgens hem misschien wel alles wat ik nodig had, gewoon zonder gelul eens met iemand praten, wat de dokters in Zeller zeg maar niet inzagen of niet konden inzien omdat anders de hele structuur in elkaar zou mieteren, want je had daar te maken met dokters die vier miljoen jaar medicijnen hadden gestudeerd en coschappen hadden gelopen, en met verzekeringsmaatschappijen die grof geld betaalden voor de diagnose, de BT en de strikt therapeutische behandelingen, het maakte allemaal deel uit van de institutionele structuur, en als iets eenmaal geïnstitutionaliseerd was ging het deel uitmaken van een soort kunstmatig organisme dat net als een persoon wilde overleven en in zijn eigen behoeften voorzien, behalve dan dat het niet om een persoon ging maar om het tegendeel van een persoon, omdat er vanbinnen niet meer zat dan de wil om institutioneel te overleven en te groeien – hij zei moet je maar eens kijken naar het christendom en de Kerk.'

'Maar mijn vraag was of je met hem sprak over je mogelijke verdenking, de mogelijkheid dat hij je in werkelijkheid helemaal niet begreep of om je gaf, maar een engerd was?'

In de loop van het gesprek kijkt Meredith Rand af en toe kritisch omlaag naar haar vingernagels, die amandelvormig zijn, te kort noch te lang, en glanzend rood gelakt. Shane Drinion kijkt in de regel alleen naar haar handen als Rand dat ook doet.

'Dat hoefde niet eens,' zegt Rand. 'Hij begon er zelf over. Edward. Hij zei dat het gezien mijn probleem een kwestie van tijd was voor het bij me zou opkomen dat hij me misschien niet begreep of om me gaf en me alleen maar begreep zoals een monteur een machine begrijpt – in die tijd, mijn tweede week in het gekkenhuis, droomde ik haast iedere nacht over allerlei machines, met tandwielen en wijzerplaten, waar de dokters en de zogenaamde therapeuten over wilden praten zodat ik de symboliek ervan zou inzien, maar waar hij en ik allebei om moesten lachen omdat het er zo dik bovenop lag dat een idioot had kunnen zien waar het mee te maken had, maar volgens hem konden de dokters daar niets aan doen, het was niet dat ze dom waren of zo, zo werkte de institutionele machine gewoon bij patiënten die in behandeling waren, en de dokters konden niet anders dan belang hechten aan die dromen, net zoals een piepklein machineonderdeel niet anders kan dan steeds opnieuw die ene piepkleine taak of beweging verrichten om zo de machine als geheel draaiende te houden.' In het RCC heeft Rand de reputatie dat ze weliswaar een lekker ding is, maar ook getikt en oersaai, en dat ze van geen ophouden weet als je haar een luisterend oor biedt; de eeuwige vraag is dan ook of ze haar man moeten benijden of beklagen. 'Maar hij begon erover voor ik ook maar de kans kreeg om erover na te denken.' Ze klikt haar koker van wit kunstleer open, maar neemt er geen sigaret uit. 'Wat moet ik zeggen best wel verrassend was, want ik had voor mijn achttiende al zulke vervelende ervaringen beleefd met griezels, geilaards, sportfreaks en studentenjochies met hun "Ik hou van jou"'s op de eerste date dat ik heel wantrouwig en cynisch was geworden ten opzichte van de dubbele agenda die kerels erop na houden, en onder normale omstandigheden had ik vanaf het moment dat die bleke, iele zaalwacht aandacht aan me begon te besteden een verdedigingsmuur opgetrokken en allerlei enge, deprimerende mogelijkheden overwogen.'

Heel even verschijnt er een frons op Drinions rode voorhoofd. 'Was je nu achttien of zeventien?'

'Uhm,' zegt Meredith Rand. 'Juist.' Als ze zich jonger voordoet dan ze is, begint ze soms snel en toonloos te lachen, als in een reflex. 'Ik was nog maar pas achttien. Ik werd achttien op mijn derde dag in Zeller. Mijn vader en moeder kwamen tijdens het bezoekuur nog langs met een taart en toeters en ze probeerden er een echt feestje van te maken, zo van hieperdepiep, wat zo gênant en deprimerend was dat ik niet wist hoe ik moest reageren, een week geleden word je zeg maar hysterisch om een paar sneetjes en stop je me in het gesticht, en nu wil je doen alsof het een vrolijk verjaardagsfeestje is, let maar niet op dat kind dat in de roze kamer ligt te schreeuwen als je de kaarsjes uitblaast en het elastiekje van het hoedje onder je kin doet, en dus deed ik gewoon gezellig mee, want ik wist echt niet hoe ik kon zeggen dat het totaal verknipt was dat ze zoiets hadden van hartelijk gefeliciteerd, Meredith, hieperdepiep hoera.' Terwijl ze aan het vertellen is, kneedt ze het vlees van haar ene arm met de hand van de andere. Soms, als Drinions ineengevlochten handen voor hem op het tafelblad liggen, wisselt hij af en toe welke duim bovenop ligt. Wat zijn glas bier was is inmiddels leeg, op een halve cirkel schuimachtig spul langs de rand van de bodem na. Meredith Rand heeft nu de keuze uit drie verschillende dunne rietjes om op te kauwen; een ervan is aan één kant al grondig plat gekauwd. Ze zegt:

'Hij begon er dus zelf over. Hij zei dat het op een bepaald moment toch bij me zou opkomen, dus als ik echt op de intense toer wilde, konden we er net zo goed over praten. Hij lanceerde altijd van dat soort kleine bommetjes, en toen ik daar zo zat van:' – ze trekt een gezicht als een snoek op zolder – 'haalde hij met een zucht zijn voeten van tafel en liep met zijn klembord naar buiten voor zijn ronde – hij was verplicht iedereen om het kwartier te controleren en te noteren waar iedereen zich bevond en na te gaan of er niemand een vinger in haar keel stak of kussenslopen aan elkaar aan het knopen was om zich mee te verhangen – hij liep gewoon naar buiten en liet me daar in de spreekruimte waar er niets te doen of te zien was wachten tot hij terugkwam, wat vaak een hele tijd duurde omdat hij zich nooit echt lekker voelde, en als er geen verpleegkundige of iemand anders aanwezig was die hem in de gaten kon houden dan liep hij heel langzaam en leunde om de zoveel tijd tegen de muur om op adem te komen. Hij zag zo wit als een spook. Komt nog bij dat hij al die diuretica slikte, waardoor hij de hele tijd moest piesen. Maar als ik hem ernaar vroeg, zei hij alleen maar dat het iets persoonlijks was en dat we hier niet zaten om over hem te praten, dat het er niet toe deed, omdat hij alleen maar een soort spiegel voor mij was.'

'Je wist dus niet dat hij cardiomyopathie had?'

'Hij zei alleen maar dat hij medisch gezien een wrak was, maar dat het voordeel van een lichamelijk wrak zijn was dat hij er even slecht uitzag als hij zich in werkelijkheid voelde, en dat het onmogelijk was om dat weg te stoppen of te doen alsof hij minder wrakkig was dan hij zich voelde. Wat nogal een verschil was met mensen zoals ik: hij zei dat de meeste mensen alleen maar duidelijk konden maken dat ze een wrak waren door in te storten en in een plek als Zeller te worden gestopt, waar moeilijk te ontkennen viel, niet voor jezelf, niet voor je familie en voor niemand anders niet, dat je een wrak was, zodat het in zekere zin een verademing was als ze je in het gekkenhuis stopten, maar hij zei dat gegeven de omstandigheden, met name de verzekering, het geld en de manier waarop instituten zoals Zeller werken, dat het gegeven de omstandigheden vrij zeker was dat ik hier niet erg lang zou blijven, en wat zou ik doen als ik weer buiten in de echte wereld stond, waar je al die scheermesjes en breekmesjes had en T-shirts met bange mouwen. Met lange mouwen.'

'Mag ik je iets vragen?'

'Hou je vooral niet in.'

'Ging je daarop in? Toen hij jouw vermoeden ter sprake bracht dat zijn hulp aan jou en de intense gesprekssessies die hij met je had gerelateerd waren aan je uiterlijk?'

Rand klikt haar witte sigarettenkoker open en dicht. 'Ik zei zoiets als: dus je wilt beweren dat je hier even bezorgd en geïnteresseerd bij mij had gezeten als ik een moddervette puistige trien met een centenbakkie was? En hij zei dat hij dat echt niet kon zeggen, hij had in de loop der jaren met allerhande mensen gewerkt, ook met meisjes, en soms waren dat onopvallende types, soms waren ze knap, het had meer te maken, zei hij, met hoe gesloten ze waren. Als ze weinig loslieten over hun echte problemen – of als ze gewoon hartstikke psychotisch waren en een of ander glanzend, angstaanjagend standbeeld met vier gezichten zagen als ze hem aankeken – dan kon hij niets beginnen. Het ging alleen als hij voelde dat ze iets uitstraalden waardoor hij het idee kreeg dat hij ze misschien echt wel begreep en misschien echt van mens tot mens met ze kon praten en hulp kon bieden in plaats van ze over te laten aan de onvermijdelijke institutionele doktersmolen.'

'Vond je dat een bevredigend antwoord op je vraag?' zegt Drinion, voor zover Meredith Rand kan zien zonder ook maar de geringste uitdrukking van ongeloof of afkeuring.

'Nee, ik zei iets sarcastisch als bladiebla het zal wel, maar hij zei dat zijn echte antwoord nog moest komen, hij wilde me niet met een kikker in het riet sturen omdat hij wist hoe belangrijk het voor me was, hij begreep heel goed dat ik bang en wantrouwig was of hij ook nog bezorgd zou zijn en aandacht zou kunnen opbrengen als ik niet knap was, want volgens hem was dat eigenlijk mijn fundamentele probleem, dat me nog zou kunnen opbreken als ik ontslagen werd uit de afdeling en waar ik mee moest leren omgaan, want zo niet dan zou dat weer een poosje Zeller betekenen, of erger. En vervolgens zei hij dat het bijna bedtijd was en dat we er voor vandaag mee moesten stoppen, en ik had zoiets van: eerst vertel je me dat er een fundamenteel probleem is waar ik mee moet leren omgaan of anders is het terug naar af, en dan is het opeens van oogjes dicht en snaveltje toe? Ik was woest. En de volgende twee of drie avonden was hij er niet eens, ik wist echt niet meer waar ik het had, en 's avonds was er alleen die andere vent van de weekenddienst, en het dagpersoneel laat nóóit iets los, het enige wat die zien is hoe overstuur je bent en ze noteren dat je overstuur bent, maar niemand kan het echt wat schelen waarom je zo overstuur bent, ze willen niet eens weten wat je vraag is, want als je een patiënt bent beschouwen ze je niet meer als een volwaardige persoon en hoeven ze je niets te vertellen.' Rand legt een uitdrukking van gefrustreerde distantie in haar gezicht. 'Bleek dat hij in het ziekenhuis had gelegen – het echte ziekenhuis; als de ontsteking erger wordt, pompt het hart het bloed niet helemaal uit de kamers, zo'n beetje als bij congestief hartfalen, zoals ze dat noemen; je moet aan de zuurstof en je krijgt hele zware ontstekingsremmers.'

'Je maakte je dus zorgen,' zegt Drinion.

'Maar op dat moment wist ik dat nog niet, ik wist alleen dat hij er niet was, en toen werd het weekend, dus het duurde ontzettend lang voor hij weer terugkwam, en toen hij er weer was, was ik zo woest dat ik in de gang niet eens met hem wilde praten.'

'Hij had je laten zitten.'

'Nou,' zegt Rand, 'ik trok het me nogal aan dat hij me op sleeptouw had genomen en al die zware therapeutische dingen had gezegd en toen zomaar verdwenen was, alsof het allemaal maar een sadistisch spelletje was, en toen hij de week daarna terugkwam en in de televisieruimte iets aan me vroeg deed ik net of ik aan de buis gekluisterd zat, of hij lucht voor me was.'

'Je wist niet dat hij in het ziekenhuis had gelegen,' zegt Drinion.

'Toen ik erachter kwam hoe ziek hij was voelde ik me daar best wel rot over; ik had het gevoel dat ik me als een verwend kind had gedragen, of als zo'n meisje dat op de dag van het schoolbal gedumpt wordt.

Maar ik besefte ook dat hij me heel dierbaar was, ik had zowat het gevoel dat ik niet zonder hem kon, en los van mijn vader en een handvol vrienden toen ik klein was kon ik me niet herinneren hoe lang het geleden was dat ik het gevoel had gehad dat iemand me echt heel dierbaar was en dat ik niet zonder die iemand kon. Vanwege die poespas rond knap zijn.'

Meredith Rand zegt: 'Is het je wel eens overkomen dat je er pas achter kwam dat iemand je heel dierbaar was toen diegene er niet meer was en dat je zoiets had van mijn god, wat moet ik nu in hemelsnaam beginnen?'

'Niet echt.'

'Nou ja, hoe dan ook, het maakte dus nogal wat indruk. Toen ik uiteindelijk zoiets had van nou goed dan wat maakt het ook uit en weer met hem in de spreekruimte begon te praten, zei ik tegen hem dat het best wel eens zou kunnen dat ik het gevoel had gekregen dat ik hem kwaad had gemaakt en hem van me had vervreemd toen ik hem vroeg of hij ook van die intense tête-à-têtes met mij zou hebben als ik een dikke troela of een schele otter was geweest. Dat hij daarom kwaad was afgehaakt, of dat hij uiteindelijk had ingezien dat ik zo cynisch en wantrouwend ten opzichte van mannen stond die toch alleen maar geïnteresseerd in me waren vanwege mijn uiterlijk dat hij uiteindelijk tot de conclusie was gekomen dat het hem niet zou lukken me te laten denken dat hij echt om me gaf zodat hij me zou kunnen pakken of gewoon zijn ego zou kunnen opkrikken omdat er een zogenaamd mooi meisje gek op hem was en om hem gaf en zijn naam in mooie grote ronde schrijfletters in haar dagboek noteerde, of iets anders waar hij op kickte. Ik denk dat al die lelijke gedachten aan de oppervlakte kwamen omdat ik kwaad was omdat ik dacht dat hij zomaar was verdwenen en me had laten stikken. Maar hij nam het heel goed op; hij zei dat hij op grond van mijn probleem wel inzag waarom ik me zo voelde, waarna hij me denk ik nog een tijdje in de waan liet dat hij die dagen niet naar zijn werk was gekomen om mij te laten inzien wat mijn probleem eigenlijk was en mij de tijd te gunnen dat zelf uit te vissen en het voor mezelf te benoemen.'

'Heb je hem ooit om uitleg gevraagd?' vraagt Drinion.

'Vaak genoeg. Het vreemde is dat ik me na al die tijd niet meer kan herinneren of hij het er uiteindelijk zelf uit gooide of het aan mij overliet om erachter te komen,' zegt Meredith Rand, die haar blik nu de hele tijd ietsje omhoog moet richten om Drinion in de ogen te kunnen kijken, wat ze als ze erop zou letten behoorlijk vreemd zou vinden gezien hun beider lengte en plaats aan tafel, 'wat nu mijn zogenaamde "fundamentele probleem" was.' Er verschijnt een lichte frons op Drinions voorhoofd. Ze draait haar hand op een procedurele of samenvattende manier om: 'Patiënte, die als zeer knap wordt beschouwd, wil aardig worden gevonden om meer dan alleen haar uiterlijk en voelt woede omdat men haar niet aardig vindt of van haar houdt om redenen die niets met haar uiterlijk te maken hebben. Maar in werkelijkheid wordt wat ze doet en wie ze is alleen in háár ogen volledig bepaald door haar uiterlijk – ze is zo wantrouwig en woest dat ze het niet eens zou toelaten als op een keer iemand echt oprecht en zonder verborgen agenda om haar zou geven, ook al kreeg ze het op een presenteerblad aangeboden, en wel omdat zíj, de patiënte zelf, diep vanbinnen niet kan geloven dat iemand om haar kan geven los van haar uiterlijk of sexappeal. Behalve haar ouders dan,' vult ze aan, 'die aardig zijn, maar niet al te snugger, maar goed, dat zijn haar ouders – we hebben het nu over alle anderen.' Ze maakt een soort concluderend gebaar dat al dan niet ironisch bedoeld is. 'De patiënte is in wezen haar eigen fundamentele probleem, en alleen zíj kan dat oplossen, en alleen als ze ophoudt zich steeds maar eenzaam te willen voelen en medelijden met zichzelf te hebben en de hele tijd "Ik ben zo zielig en eenzaam, niemand begrijpt hoe zwaar ik het heb, snotter, snotter" loopt te sniffen.'

'Eerlijk gezegd bedoelde ik iets anders met die uitleg.' Ondertussen oogt Drinion aanzienlijk langer dan bij aanvang van hun tête-à-tête. De rij hoeden op de muur achter hem wordt nu bijna geheel aan het zicht onttrokken. Het is ook best raar dat iemand je zo onophoudelijk blijft aanstaren zonder dat je je nerveus of uitgedaagd of zelfs opgewonden voelt. Het komt pas later bij Rand op, als ze naar huis wordt gebracht, dat ze zich tijdens het tête-à-tête met Drinion wel sensueel geprikkeld voelde, maar helemaal niet nerveus of opgewonden was, dat ze het oppervlak van de stoel tegen haar achterste en rug en de onderkant van haar benen voelde, en de stof van haar rok en de zijkant van haar schoenen tegen de zijkant van haar voeten in haar panty's, waarvan ze ook de fijne textuur kon voelen, en haar tong die langs haar tanden en haar verhemelte streek, de luchtstroom uit de airco tegen haar haargrens en de andere tochtstromen in de kroeg tegen haar gezicht en armen, en de nasmaak van sigarettenrook. Op een of twee momenten had ze zelfs even het gevoel gehad dat ze de exacte vorm van haar oogballen tegen de binnenkant van haar oogleden kon voelen als ze met haar ogen knipperde. De enige ervaring waar het haar in de verte aan deed denken had te maken met de kat die ze als kind had gehad voordat hij door een auto werd aangereden, en dan vooral de manier waarop ze met die kat vaak op schoot zat en hem aaide en het snorrende gespin en de warme textuur van de kattenpels en de spieren en botten daaronder tot in de kleinste details kon voelen, en hoe ze vaak de tijd vergat als ze zo de kat zat te aaien en hem kon voelen, met haar ogen halfgesloten, alsof ze aan het indommelen was of er lethargisch bij zat, terwijl ze zich juist allesbehalve lethargisch voelde – ze had het gevoel klaarwakker te zijn en te barsten van het leven, en tegelijkertijd was het tijdens die tien of twintig minuten dat ze daar heel langzaam haar kat zat te aaien alsof ze haar naam en adres en zowat alle zogenaamd belangrijke dingen uit haar leven vergat, wat iets totaal anders was dan wegdoezelen, sjonge, wat had ze van die kat gehouden. Ze miste het zijn gewicht te voelen, dat met niets te vergelijken viel, licht noch zwaar was hij geweest, en soms bleef ze zich nog twee of drie dagen zo voelen zoals ze zich nu voelt, zoals de kat.

'Je bedoelt dat met dat gepakt worden?'

Drinion: 'Ik denk het.'

Meredith Rand: 'Het kwam erop neer dat hij zei dat hij ten dode opgeschreven was, zo zei hij dat, hij was *ten dode opgeschreven* en stond *met één been in het graf*, wat dus wilde zeggen, zei hij, dat hij helemaal niet op die manier achter me aan zat. Zelfs als hij zou willen had hij gewoon niet de energie om met me de koffer in te duiken.'

Shane Drinion: 'Hij lichtte je dus over zijn toestand in?'

Meredith Rand: 'Niet met zoveel woorden; hij zei dat het me eigenlijk niets aanging, behalve voor zover het doorwoog op mijn probleem. En ik zei dat ik zo langzamerhand ging denken dat al die toespelingen op "mijn probleem" zus en "mijn probleem" zo, zonder eruit te gooien wat er dan zogenaamd aan de hand was, bedoeld waren om me om God weet welke reden aan het lijntje te houden of zo, en dat ik niet precies kon zeggen waarom hij dat deed of waar hij op uit was, maar dat het moeilijk was om niet op den duur te gaan denken dat het ergens best wel eng of gluiperig was, en dat heb ik hem toen ook in zijn gezicht gezegd. Tegen die tijd hield ik me al lang niet meer in.'

'Dat snap ik niet helemaal,' zegt Drinion. 'Speelde zich dit allemaal af voordat hij je ronduit zei wat volgens hem je echte probleem was?'

Meredith Rand schudt haar hoofd, maar het is nu dubbel onduidelijk waar ze precies op reageert. Een van de dingen waar de controleurs onder elkaar over klagen is dat ze vaak ellenlange verhalen afsteekt en dan op een gegeven moment de draad kwijtraakt, waardoor het praktisch onmogelijk is je gedachten erbij te houden en niet af te haken, omdat je geen idee hebt waar ze in godsnaam naartoe wil. De conclusie van heel wat alleenstaande controleurs in het Filiaal luidt dat ze gewoon geschift is, heel geschikt om vanuit de verte likkebaardend naar te kijken, dat wel, maar beslist een vrouw om op een veilige afstand te houden, zeker tijdens de pauzes, als elk moment van ontspanning kostbaar is, want ze kan soms nog vervelender zijn dan het werk zelf. Ze zegt: 'Inmiddels waren we zover dat zowat elke man in Zeller me probeerde te versieren of met me aan wilde pappen, van de afdelingswacht overdag tot de mannen op de eerste verdieping tijdens BT, wat om verschillende redenen echt strontvervelend was. Al wees hij me er fijntjes op dat het interessant was dat ik als patiënt in een psychiatrisch centrum, ondanks het feit dat ik me zat op te vreten over al die aandacht, toch maar mooi mascara bleef opdoen. Waarmee hij, dat moet je hem nageven, wel een punt had.'

'Ja.'

Ze wrijft met de muis van haar hand in haar ene oog om aan te geven dat ze moe is of dat ze de draad van het verhaal weer wil oppakken, al geeft Drinion op geen enkele manier te kennen dat hij verveeld of ongeduldig is. 'Daarbij kwam nog dat de dokters in Zeller rond die tijd gingen verkondigen dat ze mijn zogenaamde hechte band met die ene afdelingswacht – zij zagen ook wel dat iedereen de hele tijd met me probeerde aan te pappen en me stond te begluren – en al die intense tête-à-têtes onder vier ogen als te afhankelijk en ongezond beschouwden, maar in plaats van míj daarover aan te spreken begonnen ze hém allerlei vragen te stellen en hém het leven zuur te maken, zodat we voortaan moesten wachten tot iedereen 's avonds helemaal opging in de tv om in het trappenhuis van de afdeling te kunnen praten, waar het niet zo opviel en waar hij dan meestal op het beton van het trapportaal ging liggen met zijn voeten omhoog, steunend op de tweede of derde tree, niet vanwege zijn rug, zo gaf hij toen wel toe, maar om zijn bloed te laten circuleren. Die eerste dagen hebben we in dat trappenhuis vaak lang zo zitten praten over mijn wantrouwen tegenover zijn motieven en waarom hij dit überhaupt deed, avonden achtereen, en toen vertelde hij wel wat meer over zichzelf en hoe hij als student cardiomyopathie had gekregen, maar hij zei er ook altijd bij dat hij daar best over wou praten als ik daar behoefte aan had, geen probleem, maar dat we onderhand wel in een soort vicieuze cirkel waren beland omdat ik alles wat hij zei kon wantrouwen en er een soort verborgen agenda achter kon vermoeden, ook al was het natuurlijk evengoed mogelijk dat ik vond dat het er juist heel eerlijk en open aan toeging, maar dat het in zijn ogen noch intens, noch effectief was omdat hij eerder het gevoel had dat we gewoon om het probleem heen bleven draaien in plaats van echt naar het probleem te kijken, waarbij hij zei dat hij dacht – omdat hij ten dode opgeschreven was en niet echt deel uitmaakte van de hele institutionele mallemolen – dat hij misschien wel de enige persoon in Zeller was die me echt kon vertellen hoe de vork in de steel zat, namelijk dat mijn fundamentele probleem er volgens hem op neerkwam dat ik volwassen moest worden.'

Hier stopt Meredith Rand even om Shane Drinion aan te kijken, in de verwachting dat hij gaat vragen wat die diagnose eigenlijk inhield; maar dat vraagt hij niet. Het lijkt alsof hij ergens in berust, of besloten heeft de eigenzinnige manier waarop Meredith Rand zich het verhaal herinnert als voldongen feit te accepteren, of tot de conclusie is gekomen dat elke poging om haar kant van het tête-à-tête een bepaalde structuur op te leggen het tegenovergestelde effect zou sorteren.

Ze zegt: 'En natuurlijk werd ik woest over dat "volwassen worden" en zei ik tegen hem dat hij de pot op kon, maar eigenlijk meende ik dat niet, want inmiddels had hij me ook gezegd dat hij had opgevangen dat ik binnenkort ontslagen zou worden, daar werd al over gesproken in het behandelteam, al kwam natuurlijk niemand op het idee om tegen mij te zeggen wat er speelde, en dat mijn moeder druk bezig was een ambulante behandeling voor me te regelen in de privépraktijk van een van de dokters, die enorm druk bezet was en wiens therapie bovendien niet helemaal gedekt werd door mijn vaders verzekering, waardoor het een enorm gedoe werd, een bureaucratische nachtmerrie die nog wel even zou aanslepen, maar het begon toen wel tot me door te dringen dat ik hier niet eeuwig zou blijven, dat ik hem misschien al de volgende week of de week daarop niet meer zou zien en dat het dan afgelopen zou zijn met onze intense gesprekken, en dat ik hem daarna misschien helemaal nooit meer zou zien – ik realiseerde me dat ik niet wist waar hij woonde, dat ik godgloeiende niet eens zijn achternaam wist. Dat kwam allemaal keihard binnen, en bij de gedachte alleen al word ik bijna weer hysterisch, want ik had al eens meegemaakt hoe het voelde als ik opeens een paar dagen niet met hem kon praten en niet eens wist waar hij was, en daarom begon ik echt heel hysterisch te doen en ik speelde zelfs met de gedachte om iets scherps te fabriceren en me zonder dat ik het eigenlijk echt wilde te snijden, gewoon om wat langer in dat gekkenhuis te mogen blijven, hoewel ik heel goed wist hoe totaal mesjogge dat was.' Ze kijkt even op om te zien of Drinion reageert op al deze informatie. 'Wat echt gestoord was, en eigenlijk denk ik dat hij wel wist wat er bij mij speelde en hoe belangrijk hij intussen voor me geworden was, dus hij had extra handvatten of ammunitie om te zeggen dat ik gewoon moest kappen met die onzin – ik zat toen op de trap naar de derde en hij lag op zijn rug op de vloer van het trappenhuis met zijn voeten vlak naast me, waardoor ik de hele tijd werd aangestaard door de onderkant van zijn schoenen, die van Kmart kwamen en plastic zolen hadden – en dat dat "volwassen worden" nú moest gebeuren, pronto, en dat ik moest ophouden met dat kinderachtige gedoe omdat ik er helemaal kapot aan zou gaan. Hij zei dat de meisjes die in Zeller behandeld werden allemaal hetzelfde waren, dat we geen van allen ook maar een flauw idee hadden wat dat inhield: volwassen zijn. Dat klonk echt ontzettend betuttelend en normaal gezien moet je daar bij een achttienjarige echt niet mee aankomen. Dus ja, dat werd een behoorlijk pittige discussie. Zijn punt was dat kinderachtig en kinderlijk niet hetzelfde is, want kijk maar eens, zei hij, hoe een echt kind speelt of een kat aait of naar een verhaal luistert en je ziet meteen dat het zowat het tegendeel is van waar wij daar in Zeller mee bezig waren.' Shane Drinion leunt een beetje voorover. Zijn zitvlak hangt nu bijna 4,5 centimeter boven de zitting van de stoel; de gummiachtige zolen van zijn kantoorschoenen, die aan de randen ietwat donker zijn gekleurd als gevolg van hetzelfde proces waardoor vlakgom donker kleurt, bungelen net boven de tegelvloer. Had er geen colbertje over zijn stoelleuning gehangen, dan hadden Beth Rath en de anderen door de forse spleet tussen zijn broek en de zitting van de stoel licht kunnen zien schijnen. 'Het was eerder uitleggen dan discussiëren wat hij deed,' zegt Rand. 'Hij zei dat er een bepaald stadium in het leven is waarop je zeg maar wordt afgesneden van het onbewuste geluk en de magie van je kinderjaren – hij zei dat alleen zwaar getroebleerde of autistische kinderen die kinderlijke vreugde nooit hebben gekend – maar later in je volwassen leven en je puberteit blijkt het mogelijk om die gelukzalige vrijheid die je als kind had achter je te laten, maar ondertussen wel nog compleet onvolwassen te blijven. Onvolwassen in die zin dat je blijft wachten op of verlangen naar een soort toverpapa of mythische redder in nood die jou ziet staan en je echt kent en begrijpt en van je houdt, zoals ouders van hun kind houden; iemand die je komt redden en je beschermt. Ook tegen jezelf. En al die tijd bleef hij maar geeuwen en zijn schoenen tegen elkaar klappen, terwijl ik dan keek hoe de zolen heen en weer wiegden. Hij zei dat deze vorm van onvolwassenheid vaak voorkomt onder jonge vrouwen en meisjes; bij mannen ziet het er wat anders uit maar eigenlijk komt het op hetzelfde neer, namelijk het verlangen naar iemand die je afleidt van wat je bent verloren en die je richting geeft en beschermt. Maar dat klonk best wel banaal, alsof hij het regelrecht uit een handboek psychologie had, dus ik zei zoiets van nou nou, moet dat nu mijn fundamentele probleem voorstellen? Zit ik daar al die tijd al in spanning op te wachten? En hij zegt nee, dat is het fundamentele probleem waar iedereen mee worstelt, de reden ook dat meisjes zo geobsedeerd zijn door hun uiterlijk en of ze iemand aan zich kunnen binden die genoeg van hen houdt om hen te willen redden. Míjn fundamentele probleem, zei hij, en dit heeft betrekking op het fundamentele probleem waar ik je net over vertelde, was de valstrik die ik zo zorgvuldig voor mezelf had gespannen dat ik er zeker van kon zijn nooit echt volwassen te hoeven worden en eeuwig als een kind kon blijven wachten op iemand die me zou redden omdat ik er nooit achter zou komen dat niemand me kón redden, omdat ik het mezelf onmogelijk had gemaakt te krijgen wat ik volgens mezelf zo hard nodig had en verdiende, zodat ik altijd kwaad en ervan overtuigd kon blijven dat mijn eigenlijke probleem was dat niemand ooit mijn ware ik zou zien en van me zou houden zoals ik echt was en zoals ik dat nodig had, zodat ik voor altijd mijn probleem zou kunnen koesteren en vasthouden en strelen en in de waan kon blijven dat dát het echte probleem was.' Rand kijkt met een ruk omhoog naar Shane Drinion. 'Vind je dat banaal?'

'Ik weet het niet.'

'Dat vond ik toen dus eigenlijk wel,' zegt Meredith Rand. 'Ik zei tegen hem dat hij me echt enorm geholpen had en dat ik nu precies wist wat ik moest doen als ik uit Zeller ontslagen werd, namelijk braaf ja en amen knikken en de diagnose omzetten in genezing. Sjonge jonge, wat stond ik bij hem in het krijt.'

Drinion zegt: 'Je reageerde heel erg sarcastisch.'

'Ik was woest!' zegt Meredith Rand, iets harder dan nodig. 'Ik zei hem kijk nou toch eens aan, als puntje bij paaltje kwam had het er toch alles van weg dat hij precies hetzelfde was als al die diagnose-staat-ge-lijk-aan-genezing-dokters in hun strakke pakken, behalve dan dat zijn diagnose ook nog eens beledigend was, of nee, hij zou het natuurlijk eerlijk noemen en zo nog meer lol beleven als hij mensen kon kwetsen. Ik was echt woest! En hij moest lachen en zei dat ik mezelf eens bezig moest zien – hij kon zien hoe ik eruitzag omdat hij op de grond lag en ik zoals altijd om het kwartier over hem gebogen stond om hem overeind te helpen zodat hij de gang weer in kon glippen om met zijn klembord een controlerondje te lopen. Hij zei dat ik eruitzag als een klein kind dat zojuist zijn speeltje is afgepakt.'

'Waardoor je waarschijnlijk nog kwader werd,' zegt Drinion.

'Hij zei zoiets als goed dan, prima, hij zou het me uitleggen als aan een kind, aan iemand die zo verstrikt is in het probleem dat ze niet eens inziet dat het echt háár probleem is en niet dat van de wereld. Ik wilde graag aardig gevonden en gewaardeerd worden, maar niet alleen vanwege mijn uiterlijk. Ik wilde dat mensen verder zouden kijken dan mijn uiterlijk en dat sexy zijn zodat ze zouden zien wie ik werkelijk was, als een mens, zeg maar, en dat ik heel veel woede en zelfmedelij-den voelde omdat niemand dat deed.'

In de kroeg kijkt Meredith Rand even op naar Drinion. 'Ze keken niet verder dan de buitenkant,' zegt hij, om aan te geven dat hij begrijpt wat ze bedoelt.

Ze buigt haar hoofd. 'Maar in werkelijkheid was alles buitenkant geworden.'

'Jouw buitenkant?'

'Ja, omdat daaronder allemaal gevoelens en conflicten schuilgingen over de buitenkant, en woede over hoe ik eruitzag en hoe dat op de mensen overkwam; het enige wat vanbinnen zat was die constante kwaadheid omdat ik maar niet gered werd, en dat dat kwam door mijn knappe uiterlijk, wat als je erover nadenkt, zei hij, eigenlijk heel on-aantrekkelijk is – niemand ziet het zitten om een relatie aan te gaan met iemand die zwelgt in zijn eigen woede. Wie heeft daar nou zin in?' Rand maakt in de lucht een soort ironisch tadaa!-gebaar. 'Dus, zei hij, had ik het zo gespeeld dat de enige reden dat iemand zich tot mij als mens aangetrokken kón voelen mijn uiterlijk was, dus precies datgene wat me kwaad en eenzaam en verdrietig maakte.'

'Waardoor je, psychologisch gezien, volledig klem zat.'

'Hij vergeleek het met een zelfgebouwde machine die je een elektrische schok gaf zodra je "Au!" zei. Natuurlijk wist hij dat ik vaak over machines had gedroomd. Ik weet nog dat ik hem maar bleef aankijken en hem zo'n dodelijke blik gaf waar alle spetters op school erg bedreven in waren, alsof degene naar wie je kijkt in rook zou moeten opgaan of ter plekke dood neervallen. Terwijl hij dat allemaal zei lag hij nog steeds op de grond met zijn voeten op de trap. Zijn lippen waren een beetje blauw, de cardiomyopathie werd steeds erger en in het trappenhuis in Zeller hingen van die afschuwelijke lange tl-buizen, waardoor hij er nog slechter uitzag, eerder grauw dan bleek, met van dat witte schuimachtige spul op zijn lippen omdat hij niet van zijn blikje water kon drinken als hij op zijn rug op de grond lag.' Aan haar ogen valt af te lezen dat ze hem kennelijk echt opnieuw *in situ* in het trappenhuis van Zeller ziet liggen. 'Eerlijk gezegd zag hij er eng, onappetijtelijk en afstotelijk uit, als een lijk, of zo iemand op een foto van mensen in van die streepjespakken in een concentratiekamp. En het bizarre was dat ik heel veel om hem gaf, ondanks het feit dat hij er zo onappetijtelijk uitzag. Echt heel erg onappetijtelijk,' zegt ze. 'En dat ik zo vast verstrikt zat in mijn probleem dat ik niet kon omgaan met echte, waarachtige, niet-seksuele of niet-romantische of niet op het uiterlijk gerichte belangstelling, als die me dan eindelijk eens te beurt viel – hij had het over zichzelf, wist ik, hoewel hij het niet met zoveel woorden zei; dat was iets waar we het zoveel dagen eerder al over hadden gehad, en onze tijd raakte stilaan op, dat wisten we allebei. Ik zou ontslagen worden en hem nooit meer terugzien. En toch heb ik toen echt nog best afschuwelijke dingen gezegd.'

'Daar in dat trappenhuis?' zegt Shane Drinion.

'Omdat ik diep vanbinnen, zei hij, mezelf alleen kon zien in functie van mijn knappe uiterlijk. Ik vond mezelf zo banaal en middelmatig dat ik me niet kon voorstellen dat er afgezien van mijn ouders iemand belangstelling zou kunnen opbrengen voor iets wat niet te maken had met hoe ik eruitzag, namelijk als een spetter. Ik was enorm kwaad, zei hij, omdat iedereen alleen maar belangstelling voor mijn uiterlijk had, omdat dat het enige was wat hun kon schelen, maar volgens hem was dat een rookgordijn, een stukje toneel van de menselijke geest, want wat me echt dwarszat was dat ik precies hetzelfde voelde: jongens en mannen gingen op precies dezelfde manier met mij om als ik met mezelf omging, en in werkelijkheid was ik eigenlijk kwaad op mezelf, al kon ik dat niet zien – ik projecteerde het op die geilaards die me op straat nafloten of al die zweterige jongens die er alleen maar op uit waren me te pakken of de andere meiden die me een kreng vonden omdat ik mezelf zo'n ontzettende spetter vond.'

Een kort moment van stilte, gevuld met louter het rumoer van de flipperkast, de honkbalwedstrijd en de geluiden van mensen die het ervan nemen.

'Is dit saai?' vraagt ze Drinion opeens. Ze is zich er niet van bewust hoe ze naar Drinion kijkt op het moment dat ze die vraag stelt. Een ogenblik lang lijkt ze bijna iemand anders. Opeens is het bij Meredith Rand opgekomen dat Shane Drinion misschien een van die aimabele, maar uiteindelijk oppervlakkige mensen is die je alle aandacht líjken te geven maar in werkelijkheid hun aandacht de godganse tijd naar heinde en verre laten afdwalen, met daarbij waarschijnlijk ook de afweging dat hij hier niet beleefd ja-knikkend zou zitten luisteren naar dit ongelooflijk saaie geklets, narcistisch geklets dan nog wel, als het hem niet de gelegenheid bood om Meredith diep in haar peilloze groene ogen te kijken, naar haar verfijnde gelaatstrekken te staren en ook nog wat decolleté mee te pikken, want toen om 17.00 uur de zoemer ging, had ze meteen haar volant afgedaan en haar bovenste knoopje losgemaakt.

'Vind je dat? Is het saai?'

Drinion antwoordt: 'Nee, voor het overgrote deel niet.'

'Welk deel is dan wel saai?'

'Saai is niet het juiste woord. Je hebt de neiging bepaalde onderdelen van je verhaal te herhalen, of ze verschillende malen in een licht gewijzigde vorm ter sprake te brengen. Die delen bieden geen nieuwe informatie, dus kost het meer moeite om je aandacht erbij te houden, hoew –'

'Maar welke stukken dan? Wat vertel ik volgens jou dan zoal dubbel?'

'Ik zou het zeker niet saai noemen. Het is eerder zo dat het dan meer moeite kost om je aandacht erbij te houden, hoewel het niet correct zou zijn die moeite als onplezierig te omschrijven. Maar de onderdelen die wel nieuwe informatie of inzichten opleveren, dat zijn stukken die je aandacht vasthouden zonder dat dat moeite kost.'

'Hoezo, vind je dat ik maar wat doorwauwel over hoe mooi ik zogenaamd ben?'

'Nee,' zegt Drinion. Hij houdt zijn hoofd een klein beetje scheef. 'In die delen waar je hetzelfde essentiële punt of gegeven in licht gewijzigde vorm herhaalt, is het onderliggende motief naar mijn aanvoelen je zorg dat wat je meedeelt misschien onduidelijk of oninteressant is en daarom op zo veel mogelijk manieren opnieuw gezegd en belicht moet worden, zodat je er zeker van bent dat de luisteraar je echt begrijpt – en dat is oprecht interessant, ook in affectieve zin, en hangt op een interessante manier samen met hetgeen Ed je in het verhaal dat je vertelt op het eerste gezicht bijbracht, en in dat opzicht zijn zelfs de repetitieve of redundante elementen interessant en kost het weinig moeite om er gericht en aandachtig naar te luisteren, in ieder geval wat mij betreft.'

Meredith Rand neemt nog een sigaret. 'Het lijkt haast alsof je een tekstje afleest.'

'Het spijt me als het zo overkomt. Ik probeerde mijn antwoord op je vraag toe te lichten, omdat ik de indruk kreeg dat ik je met mijn antwoord gekwetst heb en het gevoel had dat een nadere uitleg dat eventueel kon verhinderen. Of je woede zou temperen indien je kwaad was. Volgens mij was er gewoon een misverstand als gevolg van een miscommunicatie naar aanleiding van het woord *saai*.'

Haar glimlach is tegelijk spottend en niet spottend. 'Dus ik ben niet de enige die zich zorgen maakt over misverstanden en steeds uit emotionele overwegingen probeert misverstanden te vermijden.' Maar ze merkt dat hij het meent; hij praat haar niet naar de mond. Dat voelt Meredith gewoon. Tegenover Shane Drinion zitten en zijn ogen en aandacht op je gericht weten brengt een bijzonder gevoel teweeg. Het is geen opwinding, maar toch intens, een beetje alsof je bezuiden Joliet Street naast het transformatorstation staat.

'Als ik mag vragen,' zegt Drinion, 'spreekt men als je emoties over jezelf op andere mensen projecteert eigenlijk van projectie? Of eerder van verschuiving?'

Ze trekt opnieuw een gezicht. 'Hij haatte dat soort woorden. Hij zei dat ze deel uitmaakten van het circulaire systeem van de geïnstitutionaliseerde geestelijke gezondheidszorg. Hij zei dat dat woord alleen al tegenstrijdig was – het *instituut* geestelijke gezondheidszorg. Dat was de volgende avond, in de dienstlift dit keer, omdat iemand op de trappen op een andere verdieping de avond ervoor onze stemmen had gehoord, want het trappenhuis was een en al staal en beton en het echode er behoorlijk, en Ed kreeg geloof ik een uitbrander van de hoofdverpleegkundige omdat hij het blijkbaar aanmoedigde dat ik me zo aan hem hechtte, wat ze ongezond waren gaan vinden sinds de keer dat ik in alle staten was toen hij er twee dagen niet was – het bleek dat ze op het punt stonden hem de zak te geven, vooral omdat hij er soms niet meer aan toekwam om elk kwartier een controleronde te lopen en een meisje een vinger in haar keel had gestoken en haar avondeten had uitgekotst en iemand een plas braaksel had gevonden – Ed was er niet aan toegekomen omdat hij in het trappenhuis had gelegen en het moeilijker was om op te staan als hij helemaal uitgestrekt met zijn voeten op de trap lag, zelfs als ik hem overeind hielp, waardoor hij op den duur die controlerondes helemaal liet zitten. Een paar meiden waren ook echt stikjaloers op onze gesprekken, dat ik zeg maar zijn lieveling was of zo, en ze begonnen een vette roddel bij de behandelteams dat ik altijd deed alsof ik in het geheim met hem moest praten en hem dan ergens naartoe sleepte om stiekem wat te gaan foezelen. Een paar van die meiden waren echt ongelooflijk achterbaks, zulke secreten had ik van mijn leven nog niet meegemaakt.'

'...'

'Het was ook de dag dat ik ontslagen werd, of dat me verteld werd dat ik de volgende dag ontslagen zou worden; mijn ouders hadden dat geregeld, en de dag daarna waren er zo'n zeven miljoen formulieren in te vullen voor ik naar huis mocht. Mijn moeder had hemel en aarde bewogen om een van de dokters te laten tekenen voor ambulante behandeling, bladiebla. Niemand gebruikte 's avonds de dienstlift na de dienbladen met het avondeten, dus maakte hij hem open zodat we op de bodem konden gaan zitten, waar metalen ribbels of zo in zaten, waardoor je er niet op kon gaan liggen. Het stonk er enorm, nog erger dan in het trappenhuis.

Hij zei dat het de laatste avond was, het laatste gesprek, en toen ik weer zei dat ik de intense toer op wilde zei hij dat het zover was, we zouden elkaar na deze keer waarschijnlijk nooit meer zien of ontmoeten. Ik vroeg hem wat hij bedoelde. Maar ik was helemaal van de wap. Ik was degene met een dubbele agenda. Het was zover. Ik wist dat ik niet iets kon flikken zodat ik mocht blijven, ik wist dat hij me dan zou doorhebben en me keihard zou uitlachen. Maar ik was bereid om toe te geven dat ik amoureuze gevoelens voor hem had – dat ik me tot hem aangetrokken voelde, ook al was dat toen niet echt zo, niet in seksuele zin, hoewel dan later weer bleek dat ik die gevoelens wel had. Ik kon gewoon niet tegenover mezelf toegeven wat ik voor hem voelde, vanwege mijn probleem. Al ben ik daar nu eigenlijk niet meer zo zeker van,' zegt Meredith Rand. 'Getrouwd zijn is totaal iets anders dan op je zeventiende tot over je oren in een identiteitscrisis zitten en iemand idealiseren die je echt begrijpt en om je geeft.' Ze ziet er nu veel meer als zichzelf uit. 'Maar hij was de eerste man bij wie ik zeg maar het gevoel had dat hij me de waarheid zei, die er geen dubbele agenda op na hield en zich ging aanstellen of heel zweterig of geïntimideerd ging doen en die bereid was om me echt te begrijpen, me te kennen en die gewoon eerlijk zei wat hij zag. En hij kende me echt – zoals ik al zei had hij me al die dingen over mijn moeder en de buurman verteld die verder niemand wist.' Haar gezicht verstrakt weer wat, of verstart, terwijl ze Drinion aankijkt, met tussen haar vingers een sigaret, die ze niet aansteekt. 'Is dit een van die delen die ik volgens jou telkens weer herhaal?'

Drinion schudt lichtjes zijn hoofd en wacht tot Meredith Rand verdergaat. De hyperaantrekkelijke FICON blijft hem aankijken.

Drinion zegt: 'Nee. Ik denk dat het verhaal oorspronkelijk ging over hoe je uiteindelijk met hem getrouwd bent. Trouwen veronderstelt vanzelfsprekend dat je je tot elkaar aangetrokken voelt en ook amoureuze gevoelens voor elkaar koestert, dus als je voor het eerst ter sprake brengt dat je bereid was om onder ogen te zien dat je je tot hem aangetrokken voelde, dan is dat nieuwe en hoogst relevante informatie.' Zijn gezichtsuitdrukking is onveranderd gebleven.

'Dus het is niet saai?'

'Nee.'

'En je hebt zelf nooit gevoelens van amoureuze aantrekkingskracht gehad?'

'Niet waar ik me bewust van was, nee.'

'En als je ze ooit had, zou je je daar dan bewust van zijn?'

Drinion: 'Ik denk het wel, ja.'

'Dus met dat antwoord begeef je je toch wel een beetje op glad ijs?'

'Een beetje wel ja, misschien,' zegt Drinion. Later zal ze bedenken dat hij helemaal niet uit het veld geslagen leek. Het leek erop dat hij simpelweg de informatie in zich opnam en een plaats gaf. En dat (Rand zal zich dit niet zozeer realiseren als wel herinneren, als onderdeel van heel de zintuiglijke herinnering aan hoe zij Drinion een beetje in de zeik nam en de eigenaardige manier waarop hij reageerde als ze dat deed, wat ze min of meer naar believen kon doen omdat hij in zekere zin een compleet wereldvreemde sul was) de hoedenverzameling op de achterwand, op de bovenkant van de bol van een visserspet in de bovenste rij na, nu volledig aan het zicht onttrokken werd.

'Hoe dan ook,' zegt Meredith Rand. Dezelfde hand die de onaangestoken Benson & Hedges vasthoudt, ondersteunt ook haar kin, wat er niet heel comfortabel uitziet. 'Dus ik weet dat ik die laatste avond in de lift niet echt naar hem luisterde en niet zeg maar echt betrokken was bij wat hij zei, omdat ik worstelde met al die gevoelens en innerlijke conflicten over de aantrekkingskracht die hij op me uitoefende en ook helemaal van de wap was omdat ik hem nooit meer zou zien, want de ambulante behandeling die ik blijkbaar zou krijgen zou plaatsvinden op de eerste verdieping, waar alle dokters hun eigenlijke kantoor hadden, en hij had alleen in de avonden dienst op de tweede verdieping, die een gesloten afdeling was. Alleen al door het idee dat ik niet wist waar hij woonde was ik totaal van slag. Plus het feit dat ik wist dat ze hem misschien binnenkort de zak zouden geven omdat hij nauwelijks nog zijn controleronden kon lopen, want er was gedoe geweest met een van de kotsers die al een paar keer had gekotst terwijl hij dat niet had gemerkt, plus het feit dat ik wist dat hij de mensen daar in Zeller niet verteld had over zijn gezondheidstoestand, de cardiomyopathie, die min of meer onder controle was toen ze hem in dienst hadden genomen, die indruk had ik althans, maar die van kwaad tot erger ging –'

'Maar jou had hij toch nog altijd niet verteld over zijn cardiomyopathie, of wel?'

'Nee, klopt, maar hoe het ook zij, de mensen daar in Zeller waren er niet van op de hoogte, en ze dachten gewoon dat hij niet goed genoeg voor zichzelf zorgde, of dat hij altijd een kater had of lui was, echt heel erg allemaal. Dus in gedachten zit ik me daar suf te piekeren en me af te vragen wat er zou gebeuren als ik nou eens mijn T-shirt uittrok en hem om de hals vloog, zou hij dat oké vinden, zou hij dan echt helemaal over de zeik gaan of me gewoon keihard uitlachen, en

hoe ik ervoor kon zorgen dat we elkaar zouden terugzien en intense
gesprekken konden blijven hebben als ik ontslagen was en terug moest
naar mams en Central Catholic, en stel dat ik hem zei dat ik van hem
hield, stel dat hij zou doodgaan als ik weer thuis was en ik niet eens
zou weten dat hij dood was omdat ik niet wist wie hij was of waar hij
woonde? Het schoot door mijn hoofd dat ik niet eens wist wat hij eigenlijk voor me voelde, voor mij als mens, en niet gewoon voor het
zoveelste meisje dat hij hielp, en of hij me zeg maar interessant vond,
of slim, of knap. Ik kon me nauwelijks voorstellen dat iemand die me
zo goed leek te begrijpen en me de waarheid zei niet dergelijke gevoelens voor me koesterde.'

'Je bedoelt amoureuze gevoelens.'

Rand fronst haar wenkbrauwen een beetje. 'Hij was een vent, toch?
Maar toen realiseerde ik me dat ik zo eigenlijk precies deed wat volgens
hem mijn fundamentele probleem was – door aan hem te denken en
hem niet te willen verliezen omdat ik geloofde dat hij me kon redden
en dat ik hem aan me kon binden door hem seksueel te prikkelen omdat dat het enige was wat ik in me had.

En ik weet nog dat hij me toen op een gegeven moment een soort
overhoring gaf over de onderwerpen die we zoal behandeld hadden.
Voor de grap, maar wel met een serieuze ondertoon.' Ze steekt eindelijk de sigaret aan. 'Later gaf hij toe dat het kwam omdat hij dacht
dat hij die cardiomyopathieaanval niet zou overleven – bleek dat hij
soms dagenlang buiten adem was, alsof hij aan het rennen was, terwijl
hij daar gewoon op de grond lag; geen wonder dat zijn lippen blauw
waren – en hij zei dat hij ervan uit was gegaan dat hij me nooit meer
zou zien en nooit meer zou kunnen achterhalen of het had geholpen
wat hij had gedaan, hij wilde zich voor hij stierf troosten met de gedachte dat hij in zijn leven dan toch minstens één iemand een klein
beetje geholpen had. En door die bekentenis raakte ik natuurlijk helemaal van slag, ik kon niet bedenken of het beter was om met een ruime voldoende voor die overhoring te slagen of te zakken als een baksteen, wilde ik hem terugzien. Zelfs al deed hij alsof die hele
overhoring een geintje was, alsof ik een kleuter was die overhoord
werd door een kleuterjuf. Tegelijk bloedserieus zijn en zichzelf relati-
veren, daar was hij echt een meester in – dat was ook een van de redenen waarom ik van hem hield.'

Drinion: 'Hield?'

'Vraag één bijvoorbeeld: wat hebben we geleerd over onszelf snijden, juffrouw? En ik zei zoiets als we hebben geleerd dat het er niet toe doet waarom ik mezelf snij of wat de psychologische beweegredenen achter het snijgedrag zijn, of dat nou zeg maar geprojecteerde zelfhaat is of iets anders. Het innerlijk aan de oppervlakte laten komen. We hebben geleerd dat het enige wat ertoe doet is het niet te doen. Ermee te kappen. Niemand anders kan ervoor zorgen dat ik ermee kap; alleen ik kan besluiten ermee op te houden. Want wat de achterliggende institutionele reden ook moge zijn, het is en blijft mezelf pijn doen, want ik ben het die gemeen doet tegen mezelf, en dat was heel kinderachtig. Het was en bleef jezelf zonder enig respect behandelen. En de enige manier waarop je gemeen tegen jezelf kunt zijn is door diep vanbinnen te verwachten dat iemand anders je in volle galop komt redden, iets waar alleen kinderen in geloven. In werkelijkheid was het namelijk zo dat ik er nooit van zou kunnen uitgaan dat iemand anders aardig tegen me zou zijn of met respect met me zou omgaan – dat was zijn hele punt over volwassen worden, dat je dat besefte – of dat iemand anders me zou zien of behandelen op de manier waarop ik dat wilde, dus was het aan míj om ervoor te zorgen dat ik mezelf zag en behandelde alsof ik echt de moeite waard was. Dat heet dan ophouden kinderachtig te doen en je verantwoordelijkheid nemen. De echte verantwoordelijkheden die ik droeg waren die tegenover mezelf. En als tevreden zijn met mijn uiterlijk daar deel van uitmaakte, deel van wat ik diep vanbinnen de moeite waard vond, dan was dat prima. Ik kon tevreden zijn met mijn uiterlijk zonder mijn uiterlijk tot het enige te maken wat voor me pleitte, of me te wentelen in zelfbeklag als mensen de kolder in hun kop kregen door mijn uiterlijk. Dat was mijn antwoord.'

Shane Drinion: 'Maar zoals ik het begrijp, ervoer je toen eigenlijk dat iemand anders wél aardig voor je was en je bejegende alsof je de moeite waard was.'

Rand glimlacht zo dat het lijkt dat ze glimlacht ondanks zichzelf. Ze trekt nu ook iets harder en sensueler aan haar sigaret. 'Ja, nou dat was precies wat er door mijn hoofd ging toen ik daar in die lift keek hoe hij daar lag en tegelijk antwoord gaf op zijn overhoring, in alle oprechtheid, maar in mijn hoofd was ik helemaal van slag. Eerlijk gezegd had ik echt het gevoel dat hij de man was die volgens hemzelf helemaal niet kon bestaan, behalve dan als object van een soort kinderachtig verlangen, dat hij precies de man was die ik volgens hem nooit zou vinden. Ik had het gevoel dat hij van me hield.'

'Dus je was in een intens emotioneel conflict verwikkeld,' zegt Shane Drinion.

Rand grijpt met haar handen naar haar hoofd en trekt heel even het gezicht van iemand die een zenuwinzinking krijgt. 'Ik vertelde hem dat andere mensen er niet toe deden, dat het er niet toe deed waarom ze zich al dan niet tot me aangetrokken voelden en of ze echt om me gaven, en dat ik gewoon fatsoenlijk met mezelf moest leren omgaan, mezelf moest behandelen alsof ik de moeite waard was, van mezelf moest houden op een volwassen manier – en dat was allemaal waar, dat had ik echt allemaal geleerd, maar ik zei het ook allemaal vanwege hem, omdat hij wilde dat ik dat zei zodat hij het gevoel zou krijgen dat hij me echt geholpen had. Maar als ik zei wat hij wilde dat ik zei, betekende dat dan dat hij weg kon gaan en dat ik hem nooit meer zou terugzien, en dat hij me nooit zou missen, omdat hij zou denken dat het prima met me ging en zou blijven gaan? Maar toch hield ik mijn mond. Ik wist dat als ik zei dat ik van hem hield of mijn kleren uittrok en hem daar ter plekke zou kussen hij zou denken dat ik nog steeds met dat kinderachtige probleem zat, dat ik een waardevolle en integere belangstelling in mij als persoon nog altijd verwarde met seks en amoureuze gevoelens, en hij zou denken dat hij zijn tijd had verprutst en dat het hopeloos was, dat ik een hopeloos geval was en dat hij me niet had weten te bereiken, en dat kon ik hem niet aandoen – als hij doodging of ontslagen werd, dan kon ik hem dit tenminste nog meegeven, de wetenschap dat hij me geholpen had, hoezeer ik ook echt het gevoel had dat ik misschien verliefd op hem was, of hem nodig had.' Ze drukt haar sigaret uit zonder de eerdere driftige bewegingen, haast teder bijna, alsof ze vol vertedering ergens anders aan denkt. 'Ik had opeens zo'n gevoel van: mijn god, dit bedoelen mensen dus als ze zoiets hebben van "Zonder jou ga ik dood, je bent heel mijn leven", je weet wel, "Ik kan niet leven, als ik moet leven zonder jou", zoals in dat liedje van Harry Nilsson' – ze neuriet 'Can't live (if living is without you)'. 'Al die verschrikkelijke countryliedjes waar mijn vader naar luisterde in zijn werkplaats in de garage, die altijd over iemand ging die zich tot een geliefde richtte die ze waren kwijtgeraakt en waarom en hoezo ze niet zonder die persoon konden leven, hoe vreselijk hun leven nu was, en de hele tijd maar zuipen omdat het zo vreselijk pijn deed zonder die persoon, wat ik niet te harden zo banaal vond, maar ik zei er nooit iets van, al vond ik het ongelooflijk dat hij ernaar kon luisteren zonder braakneigingen te krijgen. Hij zei trouwens dat als je naar die liedjes luistert en de *jou* door *mij* vervangt, dat je dan begrijpt dat ze eigenlijk zingen over het verlies van een deel van henzelf of over het verraad dat ze telkens weer plegen ten opzichte van zichzelf vanwege wat ze denken dat andere mensen willen, tot ze vanbinnen gewoon dood zijn en niet eens weten wat *mij* betekent, en dat is de reden dat de enige manier waarop ze erover kunnen nadenken, de reden ook dat ze zich zo doods en verdrietig voelen, is te denken dat ze iemand anders nodig hebben en niet zonder die ander kunnen leven – eigenlijk precies zoals een baby, die ook dood zou gaan als er niemand was om hem vast te houden, te voeden en zorg voor hem te dragen, wat volgens Ed trouwens helemaal niet zo toevallig was.'

Op Drinions voorhoofd liggen hele lichte gedachterimpels. 'Ik snap het niet helemaal. Ed legde je in de lift de ware betekenis van country-and-westernliedjes uit? Dus je vertelde hem over die songteksten en dat je op dat moment de gevoelens in die songteksten begreep?'

Rand kijkt om zich heen, mogelijk op zoek naar Beth Rath. 'Wat? Nee, dat kwam pas later.'

'Dus jullie zagen elkaar na de lift nog terug?'

Rand houdt de rug van haar hand in de lucht om haar trouwring te laten zien. 'Tuurlijk.'

Drinion zegt: 'Is er eventueel bijkomende informatie waardoor dat ook voor mij begrijpelijk wordt?'

Rand lijkt zowel afgeleid als geïrriteerd. 'Nou, professor Einstein, blijkbaar ging hij dus toch niet dood.'

Drinion draait op tafel zijn lege glas rond. Op zijn voorhoofd staat een afgetekende rimpel. 'Maar je bent een tijd bezig geweest het conflict te beschrijven tussen het bekennen van je liefde en je eigenlijke motieven, en hoe overstuur je was en hoe ongemakkelijk je je voelde door het vooruitzicht hem nooit meer terug te zien.'

'Ja, jezus, ik was zeventien. Ik maakte altijd van alles een enorm drama. Ze brengen me naar huis, ik blader de telefoongids door en daar staat hij, gewoon in de telefoongids. Het appartementencomplex waar hij woonde lag maar op een goede tien minuten van bij ons thuis.'

Drinions mond is opengesperd op de wijze van iemand die iets wil vragen, maar niet eens weet waar te beginnen en dat slechts nonverbaal, door middel van zijn gezichtsuitdrukking te kennen geeft.

Rand steekt haar arm in de lucht om Beth Raths aandacht te trekken.

'Enfin, zo heb ik hem dus leren kennen.'

§47

Toni Ware stond bij de munttelefoon aan de rand van het parkeerterrein. Het was geen cel, gewoon een toestel aan een paal. Ze leunde licht tegen de voorbumper van haar auto, die blonk. Een van de honden stak zijn kop boven de achterbank uit; toen ze hem een ogenblik onbewogen aanstaarde, zakte hij weer uit het zicht. Op de voorste passagiersstoel lag een tiental gewone bakstenen, elk met een Port-Betaald-kaart van een ander marketingbureau erbij. Ze was een vrouw van gemiddelde lengte, eerder bleek dan lelieblank, met een lichtbeige trenchcoat die klapperde en opbolde in de wind. De man aan de andere kant van de lijn herhaalde haar ingewikkelde bestelling, die een paar meter aan koperen ø12-buizen betrof, schuin afgesneden en in stukken van tien centimeter; de hoek van het snijvlak moest 60 graden zijn. Deze vrouw beschikte over wel twintig verschillende stemmen; op twee na klonken die allemaal warm en aangenaam. Ze hield haar hand niet voor de hoorn om de wind af te schermen, maar liet hem in de telefoon razen. Iedereen heeft zijn eigen hebbelijkheden aan de telefoon; die van haar bestond erin naar de nagelriemen van de hand die de hoorn niet vasthield te kijken en ze met de duim van die hand een voor een te bevoelen. Op de parkeerplaats van de minisupermarkt waren vier vrouwen aanwezig, en door een opening in het raam tussen de reclame voor kratten bier was ook de buste van een caissière van de winkel present. Twee vrouwen stonden bij de pompen; een andere vrouw wachtte in een zandbruine Gremlin tot er een pomp vrijkwam. Ze droegen plastic kapjes tegen de wind. Het duurde even omdat Toni

moest wachten tot de ijzergroothandel haar creditcard had geverifieerd, wat betekende dat de zaak een krappe marge had en zich niet
eens de vier uur vertraging op de overboeking kon permitteren, wat
betekende dat ze kwetsbaar waren. Onbewust probeert iedereen elk
object uit de sociale sfeer dat hij tegenkomt snel te scannen. Soms gebeurt dat uit angst voor het dreigingspotentieel van elk nieuw gegeven;
in andere gevallen gaat het om seksueel potentieel, winstpotentieel,
esthetische kwaliteit, statusindicatoren, macht en/of vatbaarheid voor
dominantie. Bij Toni Ware gebeurde dat scannen heel gedetailleerd
en grondig; het had uitsluitend betrekking op de vraag of het object
al dan niet kwetsbaar was. Op het eerste gezicht leken haar haren grijs-
blond, of het soort droog blond dat in bepaald licht haast grijs lijkt.
Als er mensen naar buiten kwamen, beukte de wind tegen de deur; ze
zag hoe de harde stoten hun gezichten raakten en registreerde hun
onbewuste kleine heb-ik-alles-nog-bij-me-gebaartjes terwijl ze zich zo
klein mogelijk maakten en vooruit probeerden te komen. Het was niet
bijzonder koud, maar door de wind *voelde* het koud aan. De kleur van
haar ogen wisselde al naar gelang de lenzen die ze droeg. Het credit-
cardnummer dat ze de man gaf was het hare, maar de opgegeven naam
en het identiteitsnummer als zodanig behoorden niet aan haar toe. De
twee honden hadden dezelfde naam, maar wisten altijd precies wie er
bedoeld werd als ze riep. Haar liefde voor haar honden was hoog boven
al het andere verheven en bepaalde haar leven. De stem die ze gebruikte bij ijzergroothandel Butts was jonger dan zijzelf, op het kinderlijke af, waardoor handelaren van wie de emotionele intelligentie
niet in de eerste plaats op uitbuiting was gericht zich vaderlijk gingen
gedragen – bevoogdend en teder tegelijk. Toen hij haar bestelling bevestigde, zei ze: 'Mooi. Fantastisch. Jeu-euh', waarbij ze dat 'Jeu-euh'
poneerde, niet riep. Het was een stem die ervoor zorgde dat de luisteraar zich iemand met lang blond haar en olifantenpijpen voorstelde
die haar hoofd een beetje schuin hield en zelfs gewone opmerkingen
een vragende toon meegaf. Ze speelde het spel meestal op het scherp
van de snede – een valse indruk wekken die niettemin concreet en tot
in de puntjes beheerst was. Het voelde aan als kunst. Het oogmerk
was niet vernietiging. Chaos is al net zo saai als strikte orde: een ravage
is nu eenmaal niet bepaald interessant te noemen. De caissière van de
winkel schonk iedere klant een koel glimlachje en maakte een kort
praatje. Toni Ware had in drie jaar tijd al twee keer meegewerkt aan

een onderzoek naar de zaak, waarvan de naam QWIK 'N' EZ luidde –
het logo op het uithangbord leek verdacht veel op het obertje van Bob's
Big Boy – en die als een van de eerste tankstations langs de snelweg
de pompbediening had afgeschaft en een kleine supermarkt had geïn-
troduceerd waar je sigaretten, frisdrank en andere meuk kon Qwik-
shoppen. Omdat er geweldig veel contant geld in omging, kwamen ze
ieder jaar na de lokale DIF-analyse opnieuw op de lijst, maar ze waren
brandschoon, en ter plekke een audit doen werd als salarisverspilling
beschouwd, want de bonnetjes klopten als een bus en de boekhouding
was net rommelig genoeg om te zien dat er niet mee werd geknoeid
door de eigenaar, die tot de pinkstergemeente behoorde en op de tweede afrit van de 74 al was begonnen aan de bouw van een tweede Snelweggezwel, zoals Bondurant ze noemde, en biedingen had lopen op
nog eens twee van zulke kavels.

Ze had twee vaste lijnen, een lompe draagbare telefoon en twee IRS-
telefooncodes, maar voor persoonlijke doeleinden gebruikte ze munt-
telefoons. Ze was niet aantrekkelijk, maar ook niet lelijk. Met uitzondering van een zekere anemische intensiteit op haar gezicht was er
niets wat haar aantrekkelijker of afstotelijker of opzienbarender maakte dan al die andere vrouwen uit Peoria die in de bloei van hun leven
'leuk' waren genoemd, maar die nu niemand meer zag staan. In haar
contacten bleef ze graag onder de radar. Alleen iemand die zelf de telefoon had willen gebruiken, had haar misschien de telefoon zien op-
hangen. Twee vrouwen en een man met een flanellen overhemd en
een bietenkop stonden te tanken. In een van de auto's zat een kind te
huilen, het gezichtje in de kreukels. Door de autoruiten werd het gehuil een pantomime. De moeder had een hol gezicht en staarde onaangedaan langs de benzinetank heen; terwijl de slang benzine in de
auto pompte, streek ze haar plastic kapje glad. De mastringen en staaf-
gewichten van het vlaggenkoord van de vlaggenmast klepperden lus-
teloos in de wind. Achter haar het zachte, stationaire gebrom van haar
eigen auto, en de twee honden die in dezelfde houding neerzaten. Bij
het passeren van de zijruit rechtsachter hield ze haar pas in om oogcontact te maken met het kind en dat rood aangelopen verbeten gezichtje, en hoewel op dat moment heel het parkeerterrein en de hele
straat intens oplichtten, viel er van haar eigen gezicht geen enkele intentie af te lezen, en in haar hoofd weerklonk een niet-connotatieve

toon, als van een klok die zojuist heeft geslagen. Interessant hoe sommige mensen bij hun benzinetank staan en wachten tot die vol is, terwijl anderen, zoals die gezette vrouw vooraan, dat niet kunnen en zich moeten bezighouden met allerlei klusjes zoals de voorruit afwisseren of met blauwe doekjes de remlichten schoonmaken, omdat ze niet stil kunnen staan wachten. De man hield zelf het vulpistool vast en ging voor een rond bedrag. De helft van het gezicht van het kind werd afgesneden door de reflectie van de lucht in de ruit en de vlag die hoog boven haar opbolde. En ze hield van het geluid van haar eigen voetstappen, het compacte geluid en de trilling die het veroorzaakte in haar tanden. ø12 was stevig genoeg om er helemaal in te gaan en zacht genoeg om dat zonder al te veel lawaai te doen; drie bij de voet, dat zou voor elk soort boom voldoende moeten zijn.

Het binnenste van het Gezwel baadde in helwit supermarktlicht en was zo ingedeeld dat de frisdrank achterin achter glazen deuren stond, met daarvoor twee oost-west-georiënteerde gangpaden vol standaardpakken merkkoffie en dierenvoer en versnaperingen, en met de gebruikelijke prullaria en rookwaren achter de oranje kassabalie, waar een jonge vrouw in een spijkerhemd en een rode bandana die ze in een slavenknoop met achteraan konijnenoortjes had gelegd, vroeg welke pomp en daar vervolgens het bier en de snuiftabak bij optelde en het wisselgeld via een goot van geanodiseerd aluminium in een stalen bakje liet glijden. Achter de deur aan de achterzijde van het tweede gangpad bevonden zich het magazijn en het kantoor van de manager. De grotere ketens hadden sinds kort videocamera's geïnstalleerd, maar deze Gezwellen waren nog blind. Er waren vijf andere Amerikaanse staatsburgers in de zaak en daar kwam nog een zesde bij toen de vrouw minus kind binnenkwam om te betalen, en terwijl Toni genoeg artikelen bij elkaar zocht om een tas te kunnen vullen, keek ze of ze al dan niet op elkaar reageerden, en opnieuw bekroop haar het gevoel dat ze altijd had tegenover vreemden in een ruimte die ze binnenliep, dat alle aanwezigen goede bekenden van elkaar waren en dat ze verwantschap en gelijkenis met elkaar ervoeren op grond van wat ze gemeen hadden, namelijk dat ze niet háár waren. Geen van hen werd op wat voor manier dan ook door haar geraakt. Een blik Topdog Connaisseur Rund kostte 69 cent, wat gezien de groothandelsprijs en overhead hun een fikse 20 procent marge opleverde. De vrouw aan de kassa, die begin dertig was en haar molligheid had omgezet in die van een plattelandsmoedertje, inclusief appelwangetjes, een bulderende lach en een aardse, opgeruimde seksualiteit, vroeg of ze ook had getankt.

'Helemaal vol,' zei Toni. 'Ben maar even gestopt om te bellen en 's van die rotwind af te zijn.'

'Ja, 't waait wat af vandaag.' De vrouw achter de balie glimlachte en telde er het hondenvoer dat Toni later zou weggooien bij met behulp van een afgeprijsde NCR 1280 waar dagelijks een nieuwe kassarol in ging die ze in cilinderblikken bewaarden en die je om de bonnetjes te controleren tijdens een audit helemaal moest uitrollen, waardoor het kantoortje vol kwam te liggen met 25 meter lange papierstroken, als een feestelijk versierde driemaster die het zeegat kiest.

'Ja, ik wierd bijkans van de weg geblazen toen ik aan kwam rijden,' zei Toni. De vrouw achter de balie leek er niet van bewust dat Toni Ware krek hetzelfde accent en krek dezelfde cadans in haar stem probeerde te leggen. De veronderstelling dat alle anderen precies zo zijn als jij. Dat jij de wereld bent. De vloek van het consumentenkapitalisme. Het zelfgenoegzame solipsisme.

'Die honden van jou weten er zeker wel raad mee?'

'Breek me de bek niet open. Vreten dat ze doen.'

'Dat ware dan $11,80.' Een glimlach waar lang op geoefend was om zo oprecht over te komen. Alsof ze zich Toni nog zou herinneren als ze eenmaal de deur had opengeduwd en net als de rest onder de vlag naar haar auto wankelde. En waarom dat ouderwetse *ware*? Het onvolgroeide gedrocht achter haar stonk naar haarolie en een ontbijtwalm; ze stelde zich de stukjes vlees en ei in zijn baard en snor en onder zijn nagels voor en haalde een biljet van de Schatkist tevoorschijn.

'Eentje met twee nullen,' zei de vrouw achter de balie, alsof ze in zichzelf sprak, en ze drukte de toetsen in met dat beetje extra kracht dat je bij een 1280 wel nodig hebt.

Het volgende ogenblik stond Toni alweer buiten aan de zijkant van de winkel, aan het zicht vanaf het parkeerterrein onttrokken door de Kluckman ijsautomaat, met de flappen van het plastic tasje die tussen haar schoenen wapperden en tegen haar benen sloegen terwijl ze een Kleenex uit haar handtas haalde, het zakdoekje tweemaal in tweeën scheurde en één zo'n kwart strak om haar pink wond, waarvan de slagaderrood geverfde nagel perfect en amandelvormig was. Diep in de rechterneusholte, en dan een grondige draaibeweging, met als oogst onder meer een normaal stuk snot, half kleverig, half hard, met binnenin rechts zelfs een spoor van een haarvat. Het enige wat iemand in een winkel of een rij wachtenden over haar zou kunnen opmerken was een vage emotionele abstractheid of onthechting die niet de onthechting was die samengaat met het vinden van vrede of een persoonlijke band met Jezus Christus, Onze Heer. Dat ze zorgvuldig onder de linkerkraag van haar roomkleurige jas afveegde, met genoeg kracht om het wat uit te smeren, maar niet zo hard dat ze het uit elkaar trok of de noga in het midden vervormde. De geplastificeerde vlakheid die haar omgaf deed denken aan aircolucht, vliegtuigkost, transistorklanken. Dit louter en alleen om de tijd te doden voordat haar bestelling bij ijzerhandel Butts klaarstond. De voorraadruimte die ze binnenliep bevatte niet meer dan papierwaren en grote kartonnen dozen en borax tegen de kakkerlakken bij de overgang tussen de vloer en de muur, en uit de halfopen deur van het kantoortje van de manager met zijn pin-ups en een *Peace-with-Honor*-poster van een adelaar met een wipneus en kantoorstoppels walmde blauwe rook van een Dutch Masters-sigaar en gedempt countrygetjangel uit een zakradio. De manager die de dagdienst draaide droeg geen naamplaatje (de vrouw aan de kassa heette 'Cheryl'), zat onderuit met zijn voeten op zijn bureau iets te lezen wat ze al wel had verwacht; hij had een groot en bol voorhoofd en zo'n typische hoge en veel te harde knipperfrequentie van iemand die lijkt ineen te krimpen als hij met zijn ogen knippert, wat een neurologische buts deed vermoeden, zij het een kleintje. Hij haalde zijn voeten snel van tafel en stond onder veeltonig stoelgepiep op, omdat haar timide klopje en de energie waarmee ze door de deuropening gewankeld kwam al de argeloze geschoktheid aankondigde die van haar persoon moest uitgaan. Ze had alle kleur uit haar gezicht laten stromen en op de terugweg van de zijkant naar de winkelpui haar ogen wijd tegen de wind in opengesperd om ze vochtig te maken, en ze hield haar schouders opgetrokken en haar armen uitgespreid ten teken van haar stomme ontzetting over wat haar was overkomen. Ze leek zowel kleiner als groter dan ze in werkelijkheid was, en de manager met de knippertic bleef roerloos staan, kwam niet achter zijn bureau vandaan en kon niet eens de moed verzamelen om te reageren tijdens haar doortrapte betoog, dat haperig en hypoxisch was en een verhaal schetste waarin ze een geregelde, neen, vaste klant was in dit Snelweggezwel genaamd QWIK 'N' EZ en niet alleen altijd waar had gekregen voor het zuurverdiende geld dat ze bijeenschraapte door thuis verstelwerk te doen, het enige wat ze als alleenstaande moeder van twee kinderen kón doen, ondanks haar opleiding tot juridisch secretaresse tijdens haar vijf jaar avondschool indertijd toen ze haar blinde moeder verzorgde die aan een slopende terminale ziekte leed, dus niet alleen waar voor haar geld had gekregen en benzine, maar ook altijd een prettige en goede service van de meiden achter de kassa, tot – hier een siddering waarop de manager, die nog de resten van een Little Debbie-muffin in zijn linkerhand hield, zich genoopt zag tot aan de zijkant van zijn bureau te lopen om haar te troosten, tot hij de vijf centimeter smurrie bij haar linkerkraag zag, het resultaat van meerdere dagen zonder wattenstaafjes en het constante gevoel bijna te moeten niezen en hoe dan ook een godsgruwelijk gore snotklodder – tot vandaag, zojuist, daarnet, en ze wist niet hoe ze het moest zeggen maar – haar eerste impuls was om halfblind van de tranen naar huis te rijden en de jas waarvoor ze maanden zonder jas had rondgelopen voordat ze hem kon kopen zodat haar twee schatjes van kinderen zich in de kerk niet voor haar hoefden te schamen in de afvalcontainer van het sociale woningcomplex te gooien en de rest van de dag te bidden opdat God haar zou helpen inzien wat de zin was van het zinloze geweld dat ze zojuist had moeten meemaken, om daarna voortaan tot in lengte van dagen deze QWIK 'N' EZ te mijden wegens de vernedering en gruwel, maar nee, ze had in deze zaak altijd een goede service en waar voor haar geld gekregen en daarom ervoer ze het bijna als haar plicht, hoe gênant en vernederend ook, om er hem verslag van te doen, te vertellen wat zijn werkneemster achter de kassa had gedaan, hoe onbegrijpelijk dat ook was geweest, in de eerste plaats voor haarzelf, want zelf had ze zich toch normaal en zelfs voorkomend gedragen en geprobeerd heel vriendelijk tegen haar te zijn en ze had niets anders gewild dan de artikelen af te rekenen die ze hier had willen kopen, maar die vrouw had, terwijl ze het wisselgeld pakte en haar recht in de ogen keek, een vinger van haar andere hand in haar neus gestopt en die hand naar haar uitgestoken ... en ... hier verloor ze zich in gesnik en een soort hoog gejammer en ze keek naar de kraag van haar jas, waarvoor ze op een bepaalde manier, die indruk wekte ze althans, vol afschuw terugdeinsde, alsof ze de groen bekwakte jas alleen nog niet had uitgedaan omdat ze dat niet aandurfde, ondertussen wel merkend dat de klonisch knipperende blik bleef rusten op de rode sliert bloed in de kledder snot, waardoor die er nog goorder uitzag, waarna ze zich omdraaide en naar buiten wankelde, alsof ze te overstuur was om verdere uitleg te geven of aan te dringen op genoegdoening, en zo strompelde ze verder totdat het liedje over whisky en hartzeer uit de transistor op de achtergrond vervaagde en ze zich weer in het helwitte licht van de winkel zelf bevond, en toen het snelle, tevreden stemmende klakken van haar hakken in het gangpad en op het parkeerterrein terwijl de opgestoken hand en het vervagende tot-ziens-tot-de-volgende-keer van de vrouw aan de kassa onbeantwoord bleven en de manager daar stond en zijn schrik langzaam tot woede opwerkte, en de jongens achterin zaten nog steeds stil en gedwee als gargouilles, ook nadat ze de auto in was gesprongen en nog net niet wegstoof, voor het geval de manager de kassa al had bereikt, wat ze niet waarschijnlijk achtte, maar met zo'n hysterische ruk de parallelweg op driftte dat de ene hond tegen de andere werd aangesmeten en ze zelf met haar rechterhand steun moest zoeken tegen de zak met stenen, half het refrein van het countrydeuntje neuriënd, de besmeurde jas bij één schouder al bijna uit, op weg naar de brievenbus.

§48

'Het is allemaal een beetje mistig.'
    'Daar hebben we alle begrip voor, meneer.'
    'Het is denk ik goed dat jullie weten dat ik helemaal van slag ben.'
    'Daar zijn we ons terdege van bewust.'
    'Nee. Nee. Ik bedoel binnenin. Van slag vanbinnen.'
    'Ik denk dat ze daar wel rekening mee houden, meneer, en dat er alles aan gedaan –'
    'Van onderen bedoel ik.'
    'Misschien moet u het aan ons voorleggen zoals u gegevens zou doorgeven, meneer.'
    'Je weet toch wat dat is: *van onderen?* Snappen jullie wat ik bedoel?'
    'Dat zijn gewoon de naweeën, meneer. Neem gerust alle tijd.'
    'Het was op de jaarlijkse picknick. Dat is toch waar jullie op uit zijn?'
    'Dat weten we al, meneer.'
    'Ieder jaar, in de zomer. In Coffield Park, gefinancierd met obligaties. De jaarlijkse picknick van Controle. Kapot gefrituurde kip en aardappelsalade. Mimosa-eieren belegd met snippers paprika, geloof ik, net druppels gestold bloed – walgelijk. Grote gegarneerde waaiers vleeswaren. Al die proteïnen. Controleurs eten als beesten, dat weten jullie vast wel. Auditeurs kunnen beter maat houden. Dat weten jullie vast ook. De variantie in –'
    'We hebben daar ongetwijfeld rapporten over ontvangen, meneer.'
    'En allerlei gegrild eten. Op van die rare in de grond verankerde parkbarbecues, ook gefinancierd met obligaties. Knakworstjes en sta-

pels hamburgers op blinkend wit papier. Grote wolken, hele zwermen insecten op het eten op tafel. Vliegen die hun kleine pootjes tegen elkaar wrijven. Weten jullie wat dat wil zeggen, als een vlieg dat doet? Zoemende horzels boven de afvalbakken. Stukken watermeloen met mieren erop. Als ze hun pootjes zo tegen elkaar wrijven?'

'...'

'Voor een insect is zo'n rauwe burger net een bloedspoor in het water, mannen.'

'U was bezig de etenswaren van de picknick op te sommen, meneer.'

'IJsthee, Kool-Aid-limonade. Er zat frisdrank in een koelbox die de GM had meegebracht. En drilpudding in een primaire kleur. Rood, groen of rood-groen. Het idee van die picknick is de werksfeer te verbeteren, door het interpersoonlijke kader eens te veranderen.'

'Niets mis met een picknick, meneer.'

'Dat je elkaars gezin en kinderen eens ziet. Die kinderen. Het komt anders niet bij je op dat ook S-9's kinderen hebben, dat ze stoeien met hun kinderen, al die Regel 40'jes. En toch zijn ze er, ieder jaar weer. De moeders hadden spelletjes bedacht. En flesjes bier in een koelbox die Marge van Hools man had meegebracht.'

'We hebben meneer Van Hool al gesproken, meneer.'

'En overal muggen. De gemeenste soort, van die rotbeesten met harige poten en zo groot dat ze een schaduw hebben. Je hoort ze wel maar ziet ze niet. Tot het te laat is. Overal beten, waar je ook – en de mannen van Audits, die waren een of ander kinderspelletje aan het spelen met zo'n vliegende schijf van Hasbro. Zo'n aerodynamische schijf, met felle kleuren, van Hasbro, waar hadden –?'

'Een frisbee misschien, meneer?'

'Hasbro, als ik het goed heb inmiddels onderdeel van een bedrijf genaamd United Amusements, zogenaamd gevestigd in St. Paul, maar met aanzienlijke tegoeden in belastingparadijzen.'

'...'

'En jullie weten net zo goed als ik wat dat maar al te vaak betekent.'

'En u heeft niets ongewoons opgemerkt in verband met die ijsthee of drilpudding?'

'Dus ze denken dat het aan de drilpudding lag.'

'Dat valt buiten onze bevoegdheid, meneer.'

'Voor zover ik me herinner zaten er piepkleine marshmellows in de drilpudding. Zo'n overdreven felle primaire kleur, die drilpudding. De vliegen hebben hem niet aangeraakt, maar die smerige muggen ... mijn god als jullie –'

'Ja, meneer.'

'Ik moet zeggen dat ik helemaal van slag en geagiteerd ben.'

'We zullen dat nog eens duidelijk noteren, meneer de directeur, om er extra aandacht op te vestigen.'

'Ik geloof niet dat het al helemaal is uitgewerkt.'

'Gaat u vooral verder, en neem gemakshalve aan dat wij degenen in het midden zijn.'

'Ik heb al met de politie gesproken, geloof ik, tenzij dat ook nog aan de effecten lag.'

'Dat was al uren geleden, meneer. Wij zijn van de Dienst. Ik ben agent Clothier, dit is onderzoeksagent Aylortay.'

'Aangenaam kennis te maken, meneer, al is het zonde dat het onder deze omstandigheden moet gebeuren.'

'Jullie zijn van de CID?'

'Nee, meneer, van Inspectie, uit Chicago, Filiaal 1516.'

'Ze hebben jullie hierheen gestuurd.'

'Iedereen zit er natuurlijk erg mee, meneer.'

'Muggen zijn naalden met vleugels.'

'Ik weet niet helemaal zeker hoe ik daarop moet antwoorden, meneer.'

'Er was niemand van de CID op de picknick.'

'Nee, meneer, zoals u zich misschien nog herinnert had de CID dit weekend een bijscholingscursus forensische accountancy in het Regiokantoor, meneer.'

'In de regel zijn CID'ers nogal op zichzelf.'

'Inderdaad, meneer.'

'Houden zich een beetje afzijdig, als je begrijpt wat ik bedoel. Overgeven.'

'Overgeven, meneer?'

'Als ze hun poten tegen elkaar wrijven. Het ziet er onschuldig uit, maar feitelijk braken vliegen dan verteringssappen op hun poten om die op het voedsel uit te smeren. Vliegen behoren tot de dieren die voorverteren. Muggen doen precies hetzelfde.'

'Meneer, ik –'

'Ze geven in je over. Daardoor ontstaat die bult. Ze verteren je bloed eerst voor en zuigen het er daarna pas uit. Grote krengen met harige poten. Wist je dat ze zich voortplanten in de velden? Naalden met vleugels. Een ziektevector. De meest exquise. Hele beschavingen zijn eraan ten onder gegaan. Ken je geschiedenis.'

'We zijn ons terdege bewust van de insectenproblematiek in deze contreien, meneer.'

'Ik stond te barbecueën. Braadworsten en burgers. Al een hele poos. Ze hadden me een schort gegeven. Met iets grappigs van voren. Op een picknick of op het kerstfeest neem je een zekere onbetamelijkheid voor lief. Iedereen springt dan een beetje uit de band, snap je?'

'Dus u vermoedt dat u gedurende de eerste stadia van de picknick het vlees stond te grillen, meneer? Dat zou namelijk stroken met de versie van meneer Van Hool.'

'De ijsthee was zelfgemaakt, niet die afschuwelijke ijsthee uit een pakje waar dan zo'n vies schuimvliesje op komt drijven.'

'En hoeveel mensen op de picknick zou u zeggen dat er van die ijsthee gedronken hebben, meneer?'

'Een heleboel. Logisch met die hitte. Niemand heeft trek in prik als het warm is, behalve natuurlijk de kinderen, en dan krijgen ze een plakkerige mond, wat dan weer de muggen aantrekt door de suiker in de prik.'

'Jezus, Clothier, komt hij weer met zijn muggen.'

'Ekdichtbay.'

'Niets ten nadele van de CID natuurlijk. Een onmisbaar deel van het systeem. Goede, hardwerkende jongens. Niettegenstaande alle rommelzaken, een jammerlijke verspilling van middelen en personeel, had het RK cijfers met betrekking tot –'

'Dus u zegt ons eigenlijk: mocht er een gemene noemer zijn, dan zou u eventueel die ijsthee aanwijzen.'

'We hebben er allemaal van gedronken. Smoorheet was het. Wie wil er nou bier bij zo'n zon? Hoort een van jullie beiden ook een – een geluid?'

'Maar zelf zegt u dat u niemand die ijsthee heeft zien maken of zien meebrengen naar de picknickplek?'

'Een tank. Een verdeler. Van oranje, gekorreld plastic, met een tuit als de spon op een vat, ja?'

'Die ijsthee, bedoelt u.'

'Ik kan me niet herinneren dat ik me ooit zo geagiteerd heb gevoeld. Het is alsof.'

'Ze hebben ons gezegd dat het een tijdje bij vlagen zal opkomen, meneer, tot uw bloedpeil gestabiliseerd is.'

'Voor u het weet voelt u zich weer kiplekker, meneer, dat zeiden ze ons.'

'Ik doe mijn best het fijn te vinden van dienst te kunnen zijn. Voor onze jongens.'

'Clothier, wat zeg –'

'U was bezig ons het vat met de ijsthee te beschrijven, meneer.'

'Een oranje tank met Gatorade op de zijkant. Een paar oudere kinderen waren door het dolle heen; die dachten natuurlijk dat er Gatorade in zat.'

'Niet één kind heeft van de thee gedronken.'

'De controleurs noemen hun kinderen hun Regel 40-grut. Want dat is de Regel waar je onkosten voor personen ten laste van Formulier 2441 op je 1040 moet invullen. Een paar kinderen waren Invorderingetje aan het spelen. Niet ver van het hoefijzerwerpen. Een paar oudere kinderen. Pandrecht uitoefenen op het speelgoed, een risico-inschatting en -beslaglegging op de borden van een paar kleuters; zoals gewoonlijk werd er weer flink wat afgehuild.'

'Als u nu zou moeten zeggen wanneer u voor het eerst ongewone uitwerkingen opmerkte of iets afwijkends, wanneer zou dat dan volgens u zijn, meneer?'

'Vreselijk om kinderen zoiets te leren. Invordering is Ghents probleem. Was Ghents probleem. Ik mijd Invordering.'

'Begrijpelijk, meneer, vanuit ons perspectief.'

'Trouwens, zijn dat zonnebrillen?'

'Wij dragen geen enkele vorm van oogbescherming, meneer.'

'Mijn neus jeukt als de neten.'

'Ik ben bang dat we u op geen enkele manier mogen aanraken, meneer.'

'Normaal gezien heb ik mijn gedachten veel meer op een rij dan nu.'

'Neem gerust alle tijd.'

'Het zag er afschuwelijk uit. Met wolken tegelijk. Grote wolken, hele volken muggen. Muggen zijn namelijk een geduchte ziektevector. Ken je geschiedenis. Ze planten zich voort in de bomen. Toen ik in een van de schaduwen keek zag ik dat twee van de kleintjes al helemaal onder zaten. Een sluier van die beesten, in hun ogen, in hun neus, ze werden compleet verstikt – ik zag er eentje vallen; het kon niet eens schreeuwen. Pendletons bloedeigen Regel 40.'

'Dus u zegt: dat was het eerste waarneembare signaal van eventuele effecten.'

'Ik had een hele lange vork vast, moet je weten.'

'Voor bij de barbecue bedoelt u, meneer.'

'Kom op, Norm, we taaien af. Die vent is nog altijd van de wereld. Krab effe aan zijn neus en we zijn weg.'

'Omentjemay, Aylortay.'

'De *Culex* en malaria. De *Aedes aegypti* en dengue. Lees. Het staat geschreven. Vork of geen vork.'

'Voor uw barbecuebezigheden in het zuidoostelijke kwadrant van de picknickzone op deze schets, meneer.'

'Een héle lange vork. Jullie hebben geen idee. Met puntige tanden. Je zag de schaduw.'

'En was u – kon u op dat ogenblik zien of de controleurs of hun gezinsleden zich op de een of andere manier vreemd gedroegen, of zich met de ijsthee inlieten, meneer?'

'Maar wat me wel opviel was het bestek. Op de tafels. Op de geruite tafelkleedjes. Er lagen alleen maar messen. Geen lepels, geen vorken. *Ik* had de vork. Mes, bord, mes, mes. Op iedere plek drie vlijmscherpe messen. Er zijn jaren dat de borden wegwaaien door de wind. Maar dit jaar niet, kan ik je verzekeren.'

'Dus dat was een effect, of u nam een effect waar, meneer, kunt u dat preciseren?'

'Fechner heeft een glazen oog.'

'U doelt waarschijnlijk op inspecteur Fechner. U heeft hem de messen op tafel zien leggen, meneer?'

'Is zijn oog kwijtgeraakt in de oorlog. Zo zegt hij dat zelf: "Een oog kwijtgeraakt." Het *idee*. Hela, jongens, heeft er toevallig iemand mijn *oog* gezien?'

'Dus u heeft noch één, noch meerdere personen de tafel zien dekken met alleen maar messen, meneer?'

'Norm, serieus, welke messen? We taaien af.'

'Als ik me niet vergis is dat een soldatenterm. Agent Taylor. Dacht je dat ik niet wist wat dat te betekenen heeft?'

'Ik heet Aylortay, meneer. Aangenaam kennis te maken, meneer, al is het zonde dat het onder deze omstandigheden moet gebeuren.'

'Ze kwamen uit de *bomen*.'

'Ze kwamen abseilen, meneer. Die raid zou wel eens strategisch geweest kunnen zijn, dat is alles wat we weten.'

'Er waren wedstrijdjes eiergooien en zaklopen – maar het ei bewoog niet eens; het bleef gewoon in de lucht hangen. De driebeensrace was aan de gang toen ze uit de bomen kwamen zetten, en ze probeerden nog weg te lopen om bij hun kinderen te komen, maar hun benen zaten aan elkaar vastgebonden. Het was een vreetfestijn voor die muggen – en ik stond daar met mijn lange vork te zwaaien.'

'En u zei dat u zag hoe inspecteur Fechner last kreeg van de verontreinigde thee.'

'Dus het lag aan de thee.'

'Ik ben bang dat dat buiten ons terrein valt, meneer. Wij verzamelen gegevens.'

'Over de messen.'

'Inderdaad een bijzonder mooie messenset, meneer. Zou u die eens willen bekijken?'

'Wie zit hier eigenlijk achter? Wie zijn jullie eigenlijk?'

'U was aan het vertellen over inspecteur Fechner en zijn glazen oog.'

'Hij stond bij de koelbox met het bier van Van Hool; hij had zijn glazen oog eruit gehaald en je zag dus alleen die kas.'

'En zagen die messen er toevallig ... *zo* uit, meneer?'

'Eduldgay, Aylortay. Ognay ietnay ijdensnay.'

'Dacht je dat ik geen Latijn kon?'

'Goed te horen dat u Latijn kunt, meneer.'

'Wie is die man links en rechts van u?'

'Probeer gefocust te blijven, meneer. Ik weet dat het lastig is.'

'Fechner stond bij die box met zijn ene oog eruit en was bezig ... flesjes bier te openen met zijn oogkas. Met die lege oogkas als flesopener. Flesje erin en naar beneden duwen. En al die Regel 40'jes stonden gewoon toe te kijken – vreselijk!'

'Inspecteur Fechner zal snel weer helemaal de oude zijn, meneer. Ze hebben het oog teruggevonden en hij wordt weer zo gezond als een vis.'

'Lag er ook vis op de barbecue, meneer?'

'Stak de kroonkurk in zijn oogkas en trok dan de fles naar beneden, en de kinderen maar juichen en in hun handen klappen omdat de kroonkurk in de kas bleef steken. Een klein grijs zonnetje in dat oog. Oog om oog!'

'En ik zeg dat we hem er gewoon hier en nu uit snijden. Je ziet hem gewoon zitten, Clothier, kijk dan!'

'Scopolamine zeggen jullie. Loco van de gifplanten. Parentis. Mens sano in corpus. En geen plastic messen, hoor. En mag ik even opmerken dat jullie daar fraaie schedels onder die huid hebben zitten, jongens.'

'En zag u inspecteur Drinion voor het laatst vóór de strategische raid, meneer, of erna?'

'Drinion zat aan tafel. Hij hield de tafel bezet zoals dat heet. Zat te slapen, leek het wel. Drinion doet nooit mee. Ze raakten hem niet aan, de muggen. Zijn kin in zijn hand.'

'Dat bedoelt u vast niet letterlijk, meneer.'

'Kijk eens naar dit gewette lemmet. Kijk eens naar deze 18 centimeter, ouwe zeur. Vijf sterren op het blad, roestvrij en ijsgehard en Zwilling J.A. Henckels, Solingen BRD, zie je? Weet je wat dit is?'

'Ik voel me nog altijd beroerd. De controleurs – in één grote kronkelende kokende hoop op de grond.'

'Door die driebeensrace bedoelt u, meneer, niet dat wat Miriam vroeger uw "derde been" noemde, toen ze dat been nog begeerde, voor ze ervan walgde, of niet soms, meneer?'

'Abseilen, dat deden ze. Aan touwen in de bomen. Victor Charlie. Een kronkelende massa S-9-controleurs – massaal copulerende controleurs, met mijn eigen ogen gezien – het staat allemaal in mijn verslag op een Formulier 923(a) ter melding van onbetamelijk gedrag; bij Inspectie kennen jullie die 923(a)'s maar al te goed, of niet soms?'

'Dus u zag dit alles terwijl u bij de barbecue stond, meneer.'

'Ik kon de uitwerking van de thee waarnemen in geopende oogkassen en een massaal uitzinnig orgieachtig copuleren en rampetampen onder de bomen, onder de tafel, onder het gegooide ei, aan beide uitgangen van de hoefijzergrot. Zelfs onder mijn barbecue zag je billen op en neer gaan.'

'En als ik het goed heb zei u dat u een schort droeg, meneer.'

'Snijden, Clothier. Snij hem er gewoon af.'

'Dus u zegt dat op dat moment iedereen, mogelijk met uitzondering van de kinderen, onmiskenbaar te lijden had onder de effecten.'

'Zelfs de knakworstjes lagen te kronkelen en te wippen. Vlezig, stotend, glanzend, vochtig, op de barbecue, op mevrouw Kagles aluminiumschotel, in de lucht. En ik stond daar met mijn vork alles in me

op te nemen, tot ze opeens uit de *bomen* kwamen, waar ze zich voortplanten! Voortplanten, altijd maar voortplanten!'

'Ik denk dat we nu een heel behoorlijk beeld hebben van de situatie
gezien vanuit uw specifieke gezichtspunt, meneer.'

'U weet dat het niet meer weggaat, meneer? Niet echt. Het blijft
zo. Kijkt u me eens aan. Voortaan zult u er zo uitzien. Voor altijd. Dat
kwamen we u vertellen. We zullen hem er nu meteen afsnijden als u
wilt. Zegt u het maar.'

'Naalden met vleugels. Messen met vleugels, allemaal dansend op
hun scherpe punt, muggensluiers die de boel verduisteren. De hemel
is niet langer de hemel.'

'Hij wil het niet, Clothier.'

'De lucht ziet er niet langer wit van.'

'Wen er maar aan, impotente ouwe flikker. Ja, precies: *flikker*.'

'Oelhouwesmay, Taylor.'

'Je moet weten dat ik mijn vrouw haar huid eraf heb zien halen. Nu
jullie toch helemaal hiernaartoe gekomen zijn, hè? Stroopte de blanke
huid van haar arm af als een operahandschoen. Pelde haar gezicht eraf,
van boven naar beneden.'

'*Zo*, meneer?'

'Ik denk dat ik maar eens overga naar het volgende punt van de de-
briefing, meneer. Met grote dank dat u tijd voor ons heeft vrijgemaakt.'

'Alsof die van jou is, hè, Nitwit? Hè?'

'Ik ben nog nooit zo van slag geweest. Ik geloof niet dat het beter
wordt.'

'U weet toch wat dokters doen? Als u slaapt. Van boven naar beneden, alsof u een oude weke druif achter in de koelkast bent die iemand
heeft vergeten weg te gooien. DeWitt, voor de duizendste keer.'

'Ik noteer het, meneer, samen met de waardering van Inspectie voor
uw medewerking onder deze omstandigheden.'

'Kom op, blijf daar niet gewoon liggen, zeg iets. Vertel hun wat ze
willen weten of ze snijden hem eraf. Dat hebben ze nog net niet met
zoveel woorden gezegd. Ben je helemaal gek?'

'En ik weet dat ze terug zullen komen en er alles aan zullen doen
om u op uw gemak te stellen tot hem eraf gaat, meneer. Ik bedoel beter
gaat. Met uw bloedpeil.'

'Ik ben naakt. Weten jullie dat? Hieronder?'

'Misschien zal het niet nodig blijken u later nogmaals te ondervragen, meneer, maar misschien ook wel. Zodra de effecten minder opvallen, begrijpt u?'

'Als een geschoren poedel. Spiernaakt. Adamskostuum.'

'Schiet op, vertel het. Het is *Duits*.'

'Ja. En jazeker, ik heb een penis. Penis.'

'Ik haat dat woord, Clothier.'

'Vreselijk woord, hè? Penis? Echt iets om met een dikke rubberen handschoen vast te pakken, en alleen als het echt niet anders kan.'

'Nou, nou, DeWitt, ouwe deugniet! Ik ben wel een vrouw, weet je nog?'

'Laten we het eens samen zeggen, jongens. Penis penis penis penis penis.'

'Je bent het niet vergeten – o, DeWitt, *hij* is *prachtig*.'

'Probeer gewoon wat te rusten, meneer.'

'Zijn naam is – dat verklap ik lekker niet. Wat denken jullie daarvan? Dat doe ik niet.'

'Ik herinner me nog de keer toen je zo naar *mij* keek.'

'Hij heeft een naam. Zijn naam is – dat verklap ik lekker niet. Hij is van mij. Mijn derde been, noemt Miriam hem. Maar nooit uit het voorhoofd. Het is geen masker. Ze beginnen bij de kin. Hupsakee. Daar is de gevleugelde naald!'

'Ullenwezay, Aylortay?'

'Mijn zuiger jeukt dus ik steek hem er *diep* in voor ik overgeef.'

'Niet in mij, DeWitt. Het is alsof je diep in mij overgeeft. Zelfs je gezicht staat ziek. Als je het gewoon eens zou kunnen zien, dan –'

'Miriam is frigide, moet je weten.'

'Ik sluit de boel af als ik wegga, meneer, dat schrijft de procedure nu eenmaal voor.'

'Sinds onze derde. Vreselijke bevalling. Doodgeboren. Blauw en koud. Weten jullie hoe we het genoemd hebben?'

'Taylor?'

'Ja, precies. Taylor. Een flinke kleine Clothier, net als zijn vaartje.'

'Ik wil het gewoon niet. Alsjeblieft, daarom hoef je me toch niet te pijnigen?'

'Zullen we ... ziezo, meneer.'

'Sindsdien haar belangstelling verloren. Frigide. Droog als een goede martini, zou Bernie Cheadle zeggen.'

'Nou, ajuus dan, meneer.'

'Goddank hebben we ons werk nog, hè jongens? En onze hobby's.
En ons klushok thuis, nietwaar? Naalden en vleugels in elkaar knut-
selen voor het nut van het algemeen. Nietwaar, Aylor?'

'Ik kom wel terug met meer van hetzelfde als u niet braaf stil blijft
liggen, meneer, en als u niet wacht tot ze het komen halen, meneer,
zodat u er ZO! kunt uitzien. Eén keer stevig trekken en ze is eraf.'

'Ze zal zeggen *Trek er zelf maar aan, ouwe viezerik.*'

'Daar voelt u bijna niets van. Hiermee krijg je ze op kantoor wel
aan het lachen, hè meneer?'

'Ik kan inademen, maar het is alsof ik niet kan uitademen.'

[Stemmen op de gang.]

'Mijn klushok *is* helemaal op orde, *echt*, je zou het eens moeten *zien*.'

[Stemmen op de gang.]

'Ik vind er alles *meteen* terug.'

[Stemmen op de gang.]

'Jullie zullen wel zien.'

[Stemmen op de gang.]

§49

Fogle zat te wachten in de kleine ontvangstruimte bij het kantoor van de Directeur. Niemand wist wat het te betekenen had dat Merrill Errol Lehrl gebruikmaakte van meneer Glendennings kantoor. Glendenning en zijn naaste medewerkers waren naar het RK in Joliet; misschien was het niet meer dan een gul, hoffelijk, collegiaal gebaar dat Lehrl van meneer Glendennings kantoor gebruik mocht maken. Mevrouw Oooley zat niet achter haar bureau in de ontvangstruimte; haar plaats werd ingenomen door een van Lehrls assistenten, iemand met Reynolds als voor- of achternaam. Hij had een deel van Carolines spullen verplaatst, dat viel meteen op. In de ruimte lag een groot vloerkleed met ingewikkelde geometrische patronen die het een Turks of Byzantijns aanzien gaven. De plafondlampen waren uit; iemand had in het kamertje her en der wat lampen neergezet en zo een paar aantrekkelijke oases geschapen in een verder mistroostig te noemen atmosfeer. Fogle vond gedimd licht mistroostig. De andere medewerker van dr. Lehrl, Sylvanshine, zat rechts van Fogle, zodat beide assistenten zich net buiten Fogles blikveld bevonden en hij ze niet tegelijk kon zien – als hij naar een van hen wilde kijken moest hij zijn hoofd een beetje draaien. Wat nogal vaak nodig was, omdat ze hem om wat voor reden dan ook meenden te moeten briefen. Ze vormden daarbij een tandem. Maar in zekere zin praatten ze via Fogle ook met elkaar. Richtten ze zich rechtstreeks tot Chris Fogle, dan hadden ze de neiging om ietwat didactisch te worden, al was het tegelijkertijd niet helemaal oninteressant. Reynolds en Sylvanshine waren allebei goed op de hoogte van de diverse carrièretrajecten en cv's van veel hooggeplaatste functionarissen. Dat kon je van assistenten op nationaal niveau verwachten; ze hadden iets weg van koninklijke hovelingen. De meeste namen die ze noemden betroffen mensen die op het NK in Washington werkten; Fogle kende er maar een paar van. De assistenten spraken snel en enthousiast, zoals men dat gewend was bij de Dienst, overigens zonder dat van hun beider gezicht enthousiasme, laat staan interesse viel af te lezen over het huidige onderwerp, dat ingeleid werd met een minicollege over de twee fundamenteel verschillende manieren waarop iemand binnen de IRS-bureaucratie kon opklimmen tot een belangrijke post met veel verantwoordelijkheid. De bureaucratische aerodynamica en methoden om hogerop te komen leverden controleurs altijd genoeg gespreksstof op; onduidelijk was of Reynolds en Sylvanshine niet wisten dat dit voor Fogle bekend terrein was, of dat het hun gewoon niet kon schelen. Fogle bedacht dat het, ongeacht het Filiaal waar ze normaal gezien werkten, ontzettende eikels moesten zijn.

Eén manier om je op te werken tot een leidinggevende functie boven S-17, aldus de twee assistenten, was door rustige, gestage proeven van je competentie en loyaliteit af te leveren, een redelijke mate van initiatief te tonen en adequate intermenselijke vaardigheden tentoon te spreiden jegens de mensen boven en onder je enz., en zo via promoties gestaag hoger op de ladder te klimmen.

'Het minder bekende alternatief is de revelatie.'

'Zo'n revelatie is een onverwacht lumineus idee of een plotse innovatie waardoor je je op de hoogste niveaus in de kijker speelt. Zelfs op nationaal niveau.' Je kreeg het gevoel dat ze anderen aan het nabauwen waren.

'Dr. Lehrl is van het tweede type. Het revelatietype.'

'Sta ons toe even de achtergrond te schetsen.'

'Het is alweer een poos geleden. Moet ik het precieze jaartal noemen?'

Het heen en weer tussen Reynolds en Sylvanshine was strak geritmeerd. Er ging geen tijd verloren. Hun vragen hadden iets van een ingestudeerd toneelstukje. Als dr. Lehrl al in hoogsteigen persoon achter die matglazen deur zat, was het onduidelijk of Reynolds en Sylvanshine dachten dat hij kon verstaan wat ze zeiden.

'De details doen er niet toe. Hij maakte deel uit van een onbetekenende auditgroep in een district ergens in de rimboe, en hij kreeg een idee.'

'Op dat moment zat hij binnen die groep nota bene niet eens op 1040's. Hij hield zich bezig met kleine bedrijven en categorie-S'en.'

'Maar het idee heeft wel te maken met 1040's.'

'Met name vrijstellingen.'

'Een gebied waar u niet onbekend mee bent, neem ik aan.' Geen spoor van een accent, bij geen van beiden.

'Om een voorbeeld te geven: u weet misschien wel dat belasting-plichtigen tot 1979 personen ten laste gewoon aan de hand van hun naam konden opgeven.'

'Op de 1040 van toen.'

'Personen die tot hun last komen. Kinderen of ouders voor wie de belastingplichtige zorg draagt.'

'Ik denk dat we ervan uit mogen gaan dat hij weet wat personen ten laste zijn, Claude.'

'Maar weet u hoe zo'n 1040 er toen uitzag? De belastingplichti-ge moest voor zijn kinderen op Regel 5c alleen hun voornaam invul-len, en voor eventuele anderen hun naam en verwantschapsrelatie op 5d.'

'Vandaag is dat natuurlijk 6c en 6d. We hebben het nu over 1977.'

'Maar waar het hier om gaat is de naam en de verwantschap. U ziet meteen het probleem.'

'Die kon je met geen mogelijkheid controleren,' zei Sylvanshine.

'Achteraf beschouwd lijkt het absurd,' zei Reynolds.

'Maar dat het nu zo vreselijk naïef lijkt, komt precies door die re-velatie. Want die gegevens vielen gewoon niet te controleren.'

'In de praktijk was dat onbegonnen werk. Op basis van louter een naam en de verwantschap.'

'Men ging ervan uit dat de aangiften te goeder trouw werden inge-vuld. Er bestond niet echt een manier om na te gaan of die personen ten laste echt bestonden.'

'In ieder geval geen efficiënte.'

'Ja, natuurlijk ging men ervan uit dat de belastingplichtige ervan uit zou gaan dat we het *konden* controleren, maar in de praktijk konden we dat niet. Niet echt. Niet afdoende.'

'Vooral omdat het er bij de gegevensverwerking nog heel primitief aan toeging. Je kon wel nagaan of de vermelde personen ten laste in de loop der jaren plausibel bleven, maar dat vergde flink wat tijd en bood geen uitsluitsel.'

'Misschien was er een kind achttien geworden. Of er was een oudere persoon ten laste overleden. Of er was een kind geboren. Wie moest daar allemaal achteraan gaan? Niemand die daar de manuren voor overhad.'

'Goed, als er een audit kwam en er bleken personen ten laste te zijn verzonnen, dan zat de indiener echt in de penarie en volgde er strafrechtelijke vervolging plus rente en boetes. Maar dat waren altijd toevalstreffers. De personen ten laste op zich vormden geen aanleiding voor een audit.'

'Iedere persoon ten laste verhoogde de belastingvrije som met als ik het goed heb tweehonderd dollar.'

'Bij u en uw collega's bij Controle inmiddels bekend als de standaardaftrek.' Beide assistenten waren eindtwintigers, maar ze praatten met Fogle alsof ze een flink stuk ouder waren dan hij. 'Maar vóór '78 sprak men van de belastingvrije som.'

'Maar het was dus in '77.'

Sylvanshine zond Reynolds een blik waarin het ongeduld tot uiting kwam door de duur en niet door de uitdrukking. Vervolgens zei hij: 'Mocht dit pietluttig of onbenullig klinken, weet dan dat het hier om niet minder dan $1,2 miljard gaat.'

'Meer dan een *miljard*, en dat door één simpele aanpassing.'

Fogle vroeg zich af of hij moest vragen welke aanpassing dat dan wel mocht wezen, of ze hem als een soort aangever in hun act hadden opgenomen, of ze echt zo goed op elkaar waren ingespeeld.

Sylvanshine zei: 'Zelfs als laaggeplaatste S-9 zag dr. Lehrl in dat belastingplichtigen onvoldoende aangemoedigd werden om personen ten laste correct op te geven. Aangemoedigd door de Dienst. Achteraf beschouwd ligt het in zekere zin voor de hand.'

'Op zoiets komen alleen genieën, zoiets is een revelatie.'

'En zijn oplossing lijkt zo simpel. Hij stelde simpelweg voor belastingplichtigen voortaan het burgernummer van iedere persoon ten laste te laten opgeven.'

'Dus een BN achter iedere naam.'

'Want in de database van Martinsburg was in die tijd alles gekoppeld aan het BN.'

'Wat het er in de praktijk niet heel veel makkelijker op maakte het daadwerkelijk te controleren.'

'Maar dat kon de modale belastingplichtige niet weten. Die verplichting droeg enorm bij aan zijn angst betrapt te worden op een fantoomkind of -ouder.'

'En dat allemaal vanwege dat simpele BN.'

'Dr. Lehrls voorstel zorgde er met andere woorden voor dat belastingplichtigen wat personen ten laste betreft extra aangemoedigd werden om de regels na te leven.'

'En het was heel eenvoudig en vrijwel kosteloos. Gewoon "en burgernummer" toevoegen aan de instructies bij 5c en 5d.'

'Zijn Districtshoofd had gelukkig genoeg benul om een revelatie te herkennen en speelde het voorstel door naar het RK, dat het op de rol zette voor de jongens van Compliance aan 666 Independence Avenue in Washington.'

'Ze konden nauwelijks geloven dat niemand daar eerder was opgekomen.'

'Het belastingjaar waarin de maatregel in werking trad was '78, via paragraaf 151(e) van de Codex. Dus '79 was het eerste jaar dat er nieuwe aanwijzingen op de 1040's stonden. Zes-komma-negen miljoen personen ten laste gingen in rook op.'

'Op de 1040's in heel het land.'

'Hatsiekidee, weg ermee.'

'Vergeleken met de aangiften van '77.'

'Er werd geen strafrechtelijke vervolging ingesteld. Iedereen deed alsof zijn neus bloedde en alsof die nepopgaven er nooit waren geweest.'

'In het eerste jaar leverde dat $1,2 miljard op.'

'Een revelatie uit het boekje dus.'

'En ook politiek gezien een geniale zet. Er zijn immers verschillende soorten revelaties.'

'En dit waren twee vliegen in één klap.'

'Want al kostte het zo goed als niets om de maatregel in te voeren, er was wel een amendement nodig op paragraaf 151 van de Amerikaanse Belastingcodex, en voordat dat bekrachtigd kon worden moest een naaste medewerker van de Drievoudige God het in het Huis van Afgevaardigden door het Belastingcomité loodsen.'

'Wat inhield dat het idee druk besproken werd op het allerhoogste niveau in Driemaal Zes.'

'En vanuit het niets werd dr. Lehrl na amper twee kwartalen vier

salarisschalen omhoog en over het regionale niveau heen gekatapul-
teerd, en kon hij direct in Washington bij Systeembeheer aan de slag
als de meest waardevolle –'

'Nou, een van de meest waardevolle, om correct te zijn, want je hebt
ook nog — in —.'

'Maar dat is een heel ander verhaal, daar gaat het om iemand die
zich rustig en via de geëigende kanalen heeft opgewerkt.'

'Hoe dan ook: een van de meest waardevolle allrounders van Systeembeheer.'

'Als een soort interne consultant.'

'Zeker sinds het Plan.'

'Zeker bij Systeembeheer-Personeelszaken.'

'En daar komt u in beeld, meneer Fogle.'

'Waar het eigenlijk op neerkomt is dat hij naar verschillende Filialen
wordt gestuurd om de opbrengst te maximaliseren.'

'In feite reorganiseert hij de boel.'

'Een man met ideeën.'

'Meer return voor je geld.'

'Weliswaar voorlopig vooral op Districtsniveau.'

'Maar dit is zeker niet zijn eerste Regiokantoor.'

'Over een paar van die klussen mogen we niets zeggen.'

'Spreekverbod.'

'Je kunt hem zien als iemand van Personeelszaken, of van Systeembeheer.'

'Systeembeheer-Personeelszaken, daar komt het op neer.'

'Maar hij valt onder Systeembeheer. Hij werkt onder auspiciën van
de Adjunct-Commissaris Systeembeheer. Hij is het instrument van de
ACS, zou je kunnen zeggen.'

'Maar hij loopt niet aan de leiband van een of andere structuur.'

'Kan goed mensen lezen.'

'Alles bij elkaar genomen is hij een beheerder.'

'Of eigenlijk eerder een beheerder van de beheerders.'

'Zoals u misschien wel weet, heette de afdeling Systeembeheer vroeger Beheer.'

'Wat inderdaad een wat vage term is.'

'Zelf zou hij zich waarschijnlijk eerder een cyberneticus noemen.'

'De Dienst is tenslotte een systeem opgebouwd uit een veelheid aan
systemen.'

'Hij wordt naar verschillende Filialen uitgezonden om daar via her-structureringen het onderste uit de kan te halen. Hij zoekt manieren om de productiviteit te stroomlijnen en op te krikken, bottlenecks aan te pakken, kinken uit kabels te halen. Dat vereist grondige kennis van automatisering, personeelszaken, ondersteunende logistiek én all-round systeembeheer.'

'Hij gaat waarheen ze hem sturen. Zijn opdracht bestaat uit niet meer dan een Filiaalcode. Zijn opdrachtmemo's zijn altijd maar een regel lang.'

'De eerste fase bestaat uit feitenonderzoek. Het terrein verkennen.'

'Hij is een geniale stimulator. Iemand die stimulansen creëert. Uit-zoekt waardoor mensen nog een tandje bij zetten.'

'Hij haalt je uit elkaar alsof je een machientje bent.'

'En die Regel 5 was heus niet zijn enige revelatie. Dat was maar een voorbeeld. Eigenlijk is hij gewoon een genie, met name als het erom gaat medewerkers te motiveren en stimulansen te bedenken en syste-men in te richten om dat doel te bereiken.'

'Hij zal u op de proef stellen.'

'Als u daar binnengaat.'

'Hij leest mensen. Soms is dat een beetje griezelig.'

'Bereid u daar op voor, met andere woorden.'

'Maar probeer niet zenuwachtig over te komen, alsof u zich schrap zet voor een bombardement aan testvragen.' Fogle wist dat in bepaalde oosterse culturen zelfs de kleinste zakelijke beslommering voorbereid moest worden met ontwijkend ritueel gepalaver. Alleen een idioot zou zich niet hebben afgevraagd of dat hier nu ook het geval was, dan wel of Reynolds en Sylvanshine gewoon stomvervelend waren en heel veel tijd nodig hadden om hun punt te maken, als er al een punt was. Fogle was al meer dan een halfuur weg van zijn tafel. Sylvanshine ging door. 'Want zo werkt het niet. Het is niet zo'n soort proef.'

'Geef hem anders een voorbeeld,' zei Reynolds tegen Sylvanshine terwijl hij een hoofdbeweging maakte naar Fogle, alsof er nog iemand anders was die hij mogelijkerwijs zou kunnen bedoelen.

'Oké.' Sylvanshine keek Chris Fogle met enig aplomb doordringend aan. 'Waar hebt u uw opleiding genoten?'

'Uhm, wat voor soort opleiding?'

'Uw universiteit. Uw alma mater.'

'In feite heb ik aan verschillende universiteiten gestudeerd.'

Het was onmogelijk uit te maken of Sylvanshine ongeduldig was. Hij had geen enkele zenuwtrek waar Fogle dat aan had kunnen zien. 'Kies er maar een.'

'UIC. DuPage. DePaul.'

'Prachtig. DePaul. Dus hij stelt die vraag en u zegt DePaul, en dan zegt hij: "Aha, de Blue Demons." En het zijn niet de Blue Demons, maar de Blue Devils. Wijst u hem op zijn fout?'

'Eigenlijk zijn het wel de Blue Demons. De Blue Devils is het team van Duke.'

Een tel stilte. 'Maakt niet uit. Maakt niet uit hoe het team heet – hij zegt de foute naam. Dus de vraag is: wijst u hem op zijn fout?'

Fogle keek van Sylvanshine naar Reynolds. Hun jasjes waren niet identiek, kon hij zien, maar hun overhemden en broeken wel. Reynolds zei: 'Nou, zegt u het maar.'

'Of ik hem op zijn fout wijs?' vroeg Fogle.

'Dat is de vraag.'

'Ik snap de vraag niet helemaal.'

'Zeker wel. Het goede antwoord is dat u hem wel degelijk op zijn fout wijst,' zei Sylvanshine. 'Omdat het om een proef gaat. Hij wil kijken of u een hielenlikker bent, een gemakkelijk te intimideren jaknikker.'

'Een sycofant,' zei Reynolds.

'Dat was de test?'

'Als hij Blue Devils zegt en u gewoon knikt en glimlacht, zal hij niets zeggen, maar ondertussen bent u voor die ene proef wel mooi gezakt.'

Fogle keek even omhoog op de klok. 'Is er meer dan één dan?'

'Ja en nee,' zei Sylvanshine. 'Het gaat allemaal ontzettend subtiel. Je hebt het helemaal niet in de gaten. Maar zolang je tegenover hem zit, stelt hij je op de proef en test hij je. Tot je weer naar buiten gaat.'

'En dan nog iets,' zei Reynolds, waardoor Fogle weer gedwongen werd zijn hoofd om te draaien. 'Binnen zult u zien dat er ook een kind aanwezig is. Van een jaar of acht.'

Een moment stilte. Reynolds en Sylvanshine wisselden een onpeilbare blik. Sylvanshine had een heel dun, keurig gesoigneerd snorretje.

'Is het dr. Lehrls kind?' vroeg Fogle uiteindelijk.

'Vraag hem daar niet naar. Daar gaat het om. Dat kind zit ergens in een hoek te lezen of te spelen. U moet het gewoon negeren. U mag er hem niet naar vragen en u brengt het ook niet ter sprake. Het kind negeert u, u negeert het kind.'

'Misschien is er ook een handpop. Dat is een overblijfsel van zijn tijd bij Audits waar hij aan vast blijft houden. Een gril, zo u wilt. Als ik u was, zou ik die handpop evenmin ter sprake brengen.'

'Voor alle duidelijkheid,' zei Sylvanshine, 'het is niet zijn kind.'

Fogle keek peinzend voor zich uit.

'Het is het kind van een van dr. Lehrls naaste medewerkers uit zijn tijd in Danville,' zei Reynolds. 'Dr. Lehrl heeft het gewoon graag in de buurt.'

'Ook als de vader er niet bij is.'

'Het is een lang en saai verhaal. Maar voor u is het enige wat telt dat u dat kind moet negeren, en u moet het zelf weten, maar volgens ons doet u er goed aan ook die dobermannhandpop te negeren.'

Fogles ooglid begon opnieuw als een gek te trillen, wat geen van beide assistenten kon zien. Hij zei: 'Het punt is ... mag ik iets vragen?'

'Zegt u het maar.'

'Dat met dat universiteitsteam – waarom vertelt u me dat?'

Reynolds, achter het bureau gezeten, trok even aan een van zijn manchetten. 'Hoe bedoelt u?'

'Nou, als het een test is als hij me ernaar vraagt, waarom vertelt u dan van tevoren wat ik moet zeggen? Druist dat niet in tegen het idee van zo'n test?'

Sylvanshine sloeg met enig aplomb het dossier boven op de stapel naast hem open en maakte een aantekening. Reynolds leunde achterover in Caroline Oooleys stoel en hief glimlachend zijn armen: 'Mooi. Touché.'

'Pardon?'

'U hebt ons te pakken. U bent geslaagd. De proef hield in: bent u een sycofant, iemand die zo graag in een goed blaadje wil staan bij die hoge pief uit Washington dat hij dit soort weggevertjes meteen in zijn zak steekt en binnengaat en precies doet wat wij hebben gezegd?'

'Wat u niet hebt gedaan,' zei Sylvanshine.

'Maar ik ben nog geeneens binnen geweest,' zei Fogle.

'In plaats daarvan wijst u ons op een logische inconsistentie.'

'Weliswaar een frappante inconsistentie.'

'Maar u zou versteld staan als u wist hoeveel er zijn die dat niet doen. Hoeveel S-9's gewoon naar binnen scharrelen en dr. Lehrl op zijn zogenaamde fout wijzen, die zo zijn hielen willen likken.'

'Of erger.'

Zijn ooglid voelde aan als het ooglidequivalent van klappertanden. 'Dus dít was de test?'

'Met vlag en wimpel geslaagd.'

Doordat hij zich nadrukkelijk gewonnen had gegeven en zijn armen ter felicitatie omhoog had gehouden, staken Reynolds manchetten ongelijkmatig onder de mouwen van zijn jasje uit; hij trok ze weer recht.

'Oké, maar mag ik dan nog een andere vraag stellen?'

'Die knul is op dreef,' zei Sylvanshine.

'Als ik binnenga, vraagt dr. Lehrl me dan naar mijn opleiding? Of verzint u dat maar?'

'Laten we dat eens omdraaien,' zei Sylvanshine.

Dus nu moest hij weer in de richting van Sylvanshine kijken, die op zijn plek bij het tijdschriften- en brochuretafeltje nog altijd in dezelfde houding zat, zag Fogle.

Sylvanshine zei: 'Stel dat u daar binnengaat en dat hij tijdens het gesprek op een bepaald moment het verkeerde footballteam noemt – wat doet u dan?'

'Want,' zei Reynolds, 'als u hem niet op zijn fout wijst, bent u een hielenlikker, maar als u het wel doet, bent u misschien evengoed een hielenlikker, want dan maakt u gebruik van vertrouwelijke informatie die wij u hebben gegeven.'

'En hij heeft een broertje dood aan hielenlikkers,' zei Sylvanshine, nogmaals het dossier openend.

'Maar is hij eigenlijk wel daarbinnen?' zei Fogle. 'Samen met een of ander mysterieus kind dat ik als niet aanwezig moet beschouwen? En is dat weer zo'n test – negeer ik dat kind of niet, afgaand op wat u me net verteld heeft?'

'Eén ding tegelijk,' zei Reynolds. Hij en Sylvanshine keken Fogle heel ingespannen aan; voor het eerst dacht Fogle dat ze dat trillende ooglid misschien konden zien. 'Hij noemt ze de Blue Devils – wat doet u?'

§50

Een kantoor als zovele. Koofverlichting met dimbare tl-lampen, modulaire wandrekken, het bureau haast een abstractie. Het gefluister van onzichtbare ventilatie. Je bent een geoefend waarnemer en er valt niets waar te nemen. Een open blikje Tab waarvan de kleur schril afsteekt tegen het beige en wit. De roestvrijstalen haak voor je jasje. Geen foto's of diploma's, nergens een persoonlijke toets – de counselor werkt nog niet lang in het Filiaal of is iemand van buitenaf. Een vrouw met grote ogen in een prettig gezicht en haar dat grijs begint te worden, in een comfortabele stoel die identiek is aan de jouwe. Soms geven uitpuilende ogen een gezicht iets griezeligs en starends; bij de counselor is dat niet het geval. Op het aanbod je schoenen uit te trekken ben je niet ingegaan. De knop naast de dimmer is de bediening van je stoel; hij helt achterover en je voeten gaan omhoog. Het is belangrijk dat je je op je gemak voelt.

'Je hebt ook een lichaam, dat moet je goed beseffen.'

Ze heeft geen notitieschrift, zo blijkt. En gezien zijn ligging in het noordwestelijke deel van het gebouw zou het kantoor normaal gesproken een raam moeten hebben.

Als de stoel twee derde achteroverhelt, voel je je eigen gewicht niet meer. Aan de hoofdsteun is een strook wegwerppapier bevestigd. Je kijkt tegen de naad van de wand en het systeemplafond aan; de punten van je schoenen zijn nog net zichtbaar in de onderste rand van je gezichtsveld. De counselor kun je niet zien. De naad lijkt breder te worden wanneer de lampen gedimd worden tot de gloed van zodiakaallicht.

'We beginnen met ons te ontspannen en ons bewust te worden van ons lichaam.'

'We gaan eerst aan het lichaam werken.'

'Niet je best gaan doen je te ontspannen.' Haar stem klinkt geamuseerd en is zacht zonder soft te zijn.

Omdat we allemaal zonder ophouden ademhalen, is het wonderlijk wat er gebeurt als iemand anders aangeeft hoe en wanneer je moet ademen. En hoe levendig iemand zonder een greintje fantasie kan zien dat wat hem verteld wordt er gewoon is, en compleet met leuning en rubberen antislipstrips naar beneden en naar rechts wentelt, een duisternis tegemoet die voor jou terugwijkt.

Het lijkt in niets op slapen. Haar stem onveranderd en nog steeds even dichtbij. Ze spreekt heel rustig, en is er gewoon, net als jij.

Aantekeningen en marginalia

In het manuscript van *De bleke koning* heeft David Foster Wallace honderden opmerkingen, observaties en overkoepelende ideeën opgetekend. Een paar van deze marginalia laten doorschemeren in welke richting de plot van deze roman had kunnen gaan. Andere bieden aanvullende informatie over de achtergrond van de personages en hoe die zich zouden ontwikkelen. Veel van deze informatie is tegenstrijdig en roept vragen op. In sommige aantekeningen staat bijvoorbeeld dat het DeWitt Glendenning is die controleurs met bijzondere gaven naar Peoria haalt; elders wordt gezegd dat Merrill Errol Lehrl dat doet. Een opmerking bij hoofdstuk 22 doet vermoeden dat Chris Fogle een cijferreeks kent die hem, als hij die opzegt, het vermogen tot volledige concentratie verschaft, maar in geen van de hoofdstukken waarover we beschikken, blijkt dat Fogle over dat vermogen beschikt. (Misschien is deze vaardigheid de reden dat Fogle wordt opgeroepen voor een ontmoeting met Merrill Lehrl in hoofdstuk 49.) Deze keuze uit de aantekeningen is hier opgenomen in de hoop dat de notities een ruimer inzicht geven in de ideeën die David in *De bleke koning* verkende, en laten zien hoezeer het nog een roman in wording was.

De selectie begint met aantekeningen bij specifieke hoofdstukken, daarna volgen enkele aantekeningen uit andere delen van het manuscript.

    – M.P.

§7 Sylvanshine wil koste wat kost bij de CID – daarom wil hij slagen voor het CPA-examen. Een CPA is nodig als je bij de CID wilt, net zoals je jurist moet zijn voor de FBI. Sylvanshine oefent voor de spiegel – 'Handen omhoog! Thesaurie!'

3 grote spelers – Glendenning, die ene kerel van HRM die van Glendenning begaafde controleurs moet vinden, Lehrl. Maar we krijgen ze niet te zien, alleen hun medewerkers en wegbereiders.

§12 Het was Lehrls idee Stecyk te laten overkomen om de controleurs hoorndol te maken.

§13 *Rijp* is bij de IRS een van de woorden voor de gemoedstoestand waarin controleurs worden gebracht zodat ze maximale aandacht aan hun aangiften kunnen schenken.

voetnoot 34 Het beeld van de draak bewaakt altijd iets onbetaalbaars. Ondanks al zijn eindeloze introspecties en analyses beschouwde deze andere jongen de aanvallen nooit als een vorm van huilen met het hele lichaam of verdriet op zich – vanwege het einde van de kindertijd, vanwege het door de maatschappij geëiste gespleten zelf, vanwege x-aantal mogelijke trauma's en vervreemdingen. De walging van anderen was een ranzige projectie van zijn diepste geheim, dat de draak zowel bewaakte als belichaamde – hij had geen besef van genade.

§15 Sylvanshine is feitenhelderziend, en Lehrl, die in het occulte gelooft, stuurt hem op pad om de allerbeste S-7-wiegelaars te vinden en samen te brengen in één groep om daarmee, wanneer A/NADA desalniettemin betere opbrengstresultaten behaalt, Driemaal Zes te kunnen overtuigen. Dan zou de volgorde van Sylvanshines aankomst herschreven moeten worden ... S wil zijn CPA halen omdat alle anderen bij Interne Toezichtsystemen hun CPA al hebben gehaald? Of wil hij daarmee juist weg bij de Dienst?

§19 Uiteindelijk zijn het de mannen van HRM die vervangen worden door computers – ze zijn te snel afgeleid, te veel met bijzaken bezig.

Zoon van Glendenning op marineschip voor de kust van Iran? Als de dood dat hij zijn leven op het spel zet voor een Amerika dat het niet meer waard is om voor te vechten.

§22 'Irrelevante Chris' alleen irrelevant als het over hemzelf gaat? Over alle andere thema's/onderwerpen gefocust & interessant en ter zake? In het RCC geldt hij als een prima kerel zolang je hem niet over zichzelf laat praten – dan ben je de sjaak?

Fogle: ontpopt zich bij de IRS als de onuitstaanbare goedzak die Stecyk als kind was?

'Filminterview' een schijnvertoning? Het gaat erom Chris Fogle de cijferformule te ontfutselen die volledige concentratie mogelijk maakt? Het gaat erom dat hij zich die niet kan herinneren – had hij zijn gedachten er niet bij toen hij toevallig de reeks documenten las die samen de cijferreeks vormden waardoor hij, als hij deze reeks in zijn hoofd hield, naar believen zijn aandacht en interesse kan vasthouden? Moet er met een soort smoes toe worden overgehaald? Nadeel van de cijfers is barstende hoofdpijn.

§24 Richard 'Dick' Tate is Directeur Personeelszaken. Ned Stecyk is zijn Adjunct-Directeur. Tate verzet zich tegen Lehrl en ITS omdat hij uit is op macht en invloed – geen macht als er minder levend personeel is.

Glendenning ineffectief – verdwaald in een waas van burgerschapsidealisme – het RCC wordt feitelijk gerund door Tate en Stecyk, en iemand van Informatiebeheer.

Als DW en Stecyk oogcontact maken terwijl Stecyk die man troost bij hem in zijn kantoor, verspreidt zich een blik van enorm mededogen en sympathie over Stecyks gezicht, vooral wegens afschuwelijke huid DW. Zo komt Stecyk DW op het spoor en hij probeert aardig tegen hem te zijn, ervan uitgaand dat hij al zijn hele leven gemeden wordt en getraumatiseerd is. DW verontwaardigd – van hem kunnen mensen die zo oppervlakkig zijn om iemands huid als de alfa en omega van zijn waarde en persoonlijkheid beschouwen de tering krijgen; hij heeft ze niet nodig – maar is vervolgens niet te beroerd Stecyks vriendelijkheid uit te buiten.

Zodra hij zijn plek heeft gevonden heeft David Wallace de neiging om uit het raam te kijken, en dan ziet hij in het andere, meer prestigieuze gebouw iemand terugkijken bij het raam van het computercentrum. Met jampotglazen. Hun blikken kruisen elkaar, maar hun wegen kruisen elkaar nooit en ze spreken nooit met elkaar.

Lichtblauwe Pacer met sticker van visje achterop. Het is de auto van Lane Dean – die zich 's ochtends als een gek moet haasten omdat hij (of Sheri, zijn vrouw) naar de vroege ochtenddienst gaat en daardoor altijd bijna te laat te komt (Dean is minder overtuigd christen sinds hij in het RCC werkt, bij Sheri is het omgekeerd) – die deze manoeuvre bijna elke morgen maakt.

§26 Stecyk weet het van Blumquist. Hij was in het RCC toen Blumquist stierf. Hij kwam nog maar net van de IRS-academie in Columbus en werkte als Sectieleider bij Routine. Het was zijn taak de wiegelaars te ondervragen (in 1978?) die ongeveer drie dagen hadden doorgewerkt terwijl Blumquist stokstijf aan zijn bureau zat, overleden. Sommigen voelden zich hier schuldig over. Een paar vroegen overplaatsing aan. Op een gegeven moment ontdekt Stecyk dat controleurs hogere maandelijkse auditopbrengsten behalen als Blumquist bij hen zit, niet om te praten of om hen af te leiden, maar gewoon door zijn aanwezigheid en er *samen* met hen te zitten. Huldigt de theorie dat dubbele controleteams meer dan kostendekkend zouden kunnen zijn – het nettoresultaat van de auditopbrengsten zou wel eens hoger kunnen liggen dan de verdubbelde salariskosten. Maar hoe breng je dit idee aan de man? De DPZ van het RCC zou dan willen weten hoe dit aan het licht is gekomen ... hoe kan Stecyk een geest als bewijs aanvoeren? Of misschien was het een idee van een eerdere adjunct bij PZ die in de problemen kwam omdat het RK aannam dat hij met twee echte controleurs de proef op de som had genomen, wat een dubbel salaris zou inhouden. Is dat een geloofwaardige verhaallijn?

Wat voor iemand is Stecyk eigenlijk als volwassene? Nog steeds ongelooflijk aardig, maar geen gigantische sukkel meer?

Wat bedroefder? Iemand die populair-psychologische platitudes
in het rond strooit? Waardoor is hij zich gaan realiseren dat al
dat aardig zijn uit zijn jeugd eigenlijk sadistisch, pathologisch
en zelfgericht was? Dat andere mensen ook aardig willen worden gevonden en eens iemand een plezier willen doen, en dat
hij in zijn gulheid hopeloos zelfgericht is geweest? Liet hij in
het universiteitsteam de andere ploeg steeds maar scoren omdat
hij 'aardig' wilde zijn en kreeg hij de scheidsrechter op bezoek – iemand gekleed in zwart en wit, net als de jezuïet van Irrelevante Chris Fogle op de universiteit – die hem botweg zei
dat het allemaal bullshit was en dat ware wellevendheid iets anders was dan pathologische gulheid, omdat hij in zijn pathologische gulheid geen rekening hield met de gevoelens van degenen die het voorwerp van die gulheid waren? Stecyk had op
kruispunten verkeersopstoppingen veroorzaakt omdat hij altijd
iedereen voor liet gaan? Of scheidsrechter die Stecyk op won-
derbaarlijke wijze inzicht verschaft over hoe zijn moeder zich
vroeger voelde toen Stecyk elke ochtend in alle vroegte opstond om het huishouden voor haar te doen – alsof ze nutteloos
was, alsof het gezin dacht dat ze het niet aankon etc. Stecyk
vertelt David Wallace het verhaal van de vlinder – als je hem
uit de cocon helpt wanneer hij voor zijn leven lijkt te vechten,
worden zijn vleugels niet stevig genoeg en overleeft hij het niet.

Pathologisch aardige mensen behoren tot de persoonlijkheidstypen die zich aangetrokken voelen tot de IRS omdat het
zo'n meedogenloos, onpopulair beroep is – geen dankbaarheid,
wat het gevoel van zelfopoffering alleen maar vergroot.

Sylvanshine heeft een andere visie op Blumquist. Sylvanshine
is tot de conclusie gekomen dat een aantal van de beste controleurs – de meest oplettende, de grondigste – uitgerekend diegenen zijn die in het verleden een of ander trauma of verlatings-
complex hebben opgelopen. Het is zijn taak om intuïtief te
duiden wie de besten zijn, zodat ze auditie kunnen doen voor
de test tegen A/NADA. Blumquists ouders, zo blijkt later, waren christenfundamentalisten – het soort dat ventilatoren en
matrassen luxeproducten vindt. Ze hadden een speciale straf:
hij moest in de salon urenlang met zijn gezicht naar de – kale –
muur staan. Dit was zijn trauma. Er hing een spiegel aan de an-

dere muur achter hem; die weerspiegelde alleen zijn rug. Dit is het beeld dat Sylvanshine binnenkrijgt van Blumquist: het zicht op zijn rug in zijn kindertijd, roerloos, met een houten sierlijst eromheen. Blumquist haalde productiecijfers die stukken hoger lagen dan die van alle anderen, maar had meer dan eens een promotie naar een hogere schaal en een managementfunctie geweigerd. Sylvanshine is op zoek naar een soortgelijke uitmuntende routinecontroleur om de reeks tests af te werken tegen het A/NADA-programma en de digitale computer. Van de recentelijk overgeplaatste controleurs behoren er meerdere tot de als beste geteste routinecontroleurs die nog in de RCC's werkzaam zijn. Lehrls jongens van Systeembeheer willen een eerlijke test: de computer en A/NADA tegen de allerbeste routinecontroleurs die ze kunnen vinden ... wanneer A/NADA ze dan verplettert, maakt dat de test des te overtuigender.

§30 LEHRL & PRO-TECHNIEK vs. GLENDENNING & DISTRICTSHOOFDEN: het project vervangt menselijke controleurs door computers, analoog aan Lehrls uitvinding van het Geautomatiseerde Invorderingssysteem – de Districtshoofden zijn tegen omdat ze tot de oude IRS-als-burgerschap-garde behoren, terwijl de nieuwe school er een bedrijfsfilosofie op na houdt: opbrengsten maximaliseren, kosten minimaliseren. Hamvraag: is de IRS in wezen een bedrijfsentiteit of een *moreel* instituut.

Charles Lehrl informatiseert Controle zoals hij bij Invordering het GIS heeft geïnformatiseerd – de experimenten die plaatsvonden in Rome en Philadelphia. Bedacht de informatieverwerkingsprocedure die W2's en 1099's met aangiften vergelijkt – en maakte zo het werk van controleurs overbodig.

Reynolds & Sylvanshine (geliefden? huisgenoten?) hengelen als hovelingen of kinderen naar de aandacht en gunst van Lehrl – zo komen ze de tijd door tussen al het eentonige IRS-gekonkel.

Reynolds & Sylvanshine wonen samen – ongeveer zoals Rosencrantz & Guildenstern in *Hamlet*. Ze bezitten een ongelooflijk mooie reproductie van Gerard ter Borchs *Vaderlijke vermaning* (71 × 73 cm, Rijksmuseum, Amsterdam) die ze overal waar ze wonen aan de muur hangen – of anders een ongelooflijk knappe vervalsing, het werk van een van de beste schilderimitatoren in het naoorlogse Amerika.

§38 Wegens puinzooi is DW pro aanpassing computersystemen IRS – Stecyk wil menselijke controleurs behouden?

§43 Er is geen bom. Bleek dat er in werkelijkheid een lading nitraathoudende kunstmest tot ontploffing was gebracht. Opnieuw *dreigt* er iets enorms te gebeuren, maar uiteindelijk gebeurt er niets.

Dit loopt uit op een ramp – men denkt dat de scanners de controleurs kunnen *vervangen* – hun banen lopen gevaar: wedstrijd tussen Drinion & scanner georganiseerd.

§46 Rand werkzaam bij Probleemherstel i.p.v. Controle? Want haar knapheid haalt bij appellanten de lont uit het kruitvat en zorgt dat ze minder keet schoppen dan ze anders zouden doen? Nog een coup bij Personeelszaken door X, de geniale talententoewijzer?

Drinion kwam als kind een keer thuis en ontdekte dat heel het gezin verdwenen was – dat wordt althans gefluisterd. Veel dingen over Drinion, de manier waarop hij aandacht opbrengt, moeten impliciet blijven, of pas na veel langere tijd duidelijk worden.

Reputatie Meredith Rand bij de IRS: ze is knap maar een eersteklas zeurkous, ze gaat maar door, doodvermoeiend gezelschap – ze opperen de mogelijkheid dat haar echtgenoot een soort gehoorapparaat heeft dat hij naar believen kan uitzetten.

Tijdens de laatste ontmoeting van Rand en Drinion in het boek vraagt Drinion: 'Wil je de intense toer op of gewoon wat praten?' Rand barst in tranen uit.

Raakt Rand geobsedeerd door Drinion (ziet hem als een soort redder?) net zoals ze in het ziekenhuis geobsedeerd was door Ed Rand?

Gebouwen van RCC in een afgelegen buurtschap van Peoria dat 'Anthony, Illinois' heet? Wie is Sint-Antonius? De tornado raast maar door ...

Einde deel 1. In deel 2 (volgt nog?) beschrijft Rand, in het kort, hoe hun romance begon (of Rath of nog iemand anders, of het blijkt uit een samenvatting overgebracht via verschillende vertellers): M.R. had het gevoel dat ze Rand nodig had, of eigenlijk had ze medelijden met hem omdat hij ziek en onaantrekkelijk was (thuis vertoonde hij nog meer afstotelijke symptomen) en binnenkort zou doodgaan. Verwachtte steeds dat hij binnenkort zou doodgaan. En ze zag hoe eenzaam en treurig zijn leven was, net als zijn flat. En daarom trouwde ze met hem, op haar negentiende ... Maar hij ging niet dood, hij is niet doodgegaan, en nu voelt M.R. zich ellendig, alsof ze in de val zit, vooral omdat Ed haar niet dankbaar is en haar keihard zou uitlachen als ze hem ooit zou proberen duidelijk te maken dat hij dankbaar zou moeten zijn, dat het uit medelijden was geweest – Rand zou zeggen dat ze in werkelijkheid medelijden met zichzelf had, en dat trouwen met iemand die met één been in het graf stond een heel goede manier was om zich én veilig én heroïsch te voelen.

Elke dag voeren ze aan het einde van de dag hetzelfde gesprek:

'Hoe was je dag?'

'Ik werk in een psychiatrisch ziekenhuis. Hoe denk je dat mijn dag was?'

Het is grappig noch intiem, geen grapje tussen hen twee – ze zitten al 6 jaar met elkaar opgescheept in hun relatie, die geen ontwikkeling of verandering doormaakt, en Rand is op zoek naar iemand die haar kan redden, haar eruit kan halen.

* * *

Een belangrijke vraag luidt: menselijke controleurs of machines. Sylvanshine is op zoek naar de beste menselijke controleurs die hij kan vinden.

Embryonale schets:

2 Grote spanningsbogen:

1. Aandacht opbrengen, verveling, ADD, Machines vs. mensen bij uitvoeren stompzinnig werk.

2. Individu zijn vs. deel uitmaken van een groter geheel – belasting betalen, 'einzelgänger' in IRS vs. teamspeler.

David Wallace verdwijnt na 100 blz.

Centraal staat: Realisme, monotonie. Verhaallijn een reeks situaties die tot iets zouden kunnen leiden, maar uiteindelijk gebeurt er niets.

David Wallace verdwijnt – wordt een wezen van het systeem.

Algemene richting: Oude garde IRS is overtuigd van het eigen grote gelijk, belastingontduikers zijn klaplopers, belasting betalen is een deugd, of reageren er hun eigen psychologische problemen af: woede, rancune, een onderdanige houding t.o.v. autoriteiten etc. Of anders zijn het kleurloze overheidsdienaren die er zich veilig voelen, prototypische ambtenaren. Nieuwe garde IRS bestaat niet alleen uit goede accountants, maar ook uit goede strategische, zakelijke planners: het doel is de opbrengsten te maximaliseren – wars van burgerdeugden, wars van morele strijdvaardigheid bij de belastinginning. De nieuwe bij PZ in RCC Peoria is van de nieuwe garde: hem gaat het erom personeel te vinden en de boel zo te organiseren dat controleurs de inkomsten maximaliseren die Audits/Invordering kunnen opleveren. Zijn bereidheid om te experimenteren / nieuwe wegen te bewandelen leidt paradoxaal genoeg tot een sterk mysticisme: een bepaalde reeks cijfers die controleurs helpt zich beter te concentreren etc. Ultieme vraag is of mensen dan wel machines beter controles kunnen uitvoeren, en wie er beter in slaagt de efficiency te maximaliseren door de aangiften eruit te halen die wellicht een audit nodig hebben en inkomsten zullen genereren.

Drinion is *gelukkig*. Het vermogen aandacht op te brengen. Het blijkt dat deze gelukzaligheid – iedere seconde opnieuw + dankbaar voor het geschenk van het leven, een bewust leven bovendien – de keerzijde is van verpletterende, vermorzelende verveling. Schenk nauwgezet aandacht aan het saaiste wat je kunt bedenken (belastingaangiften, golf op tv) en er zal zich, in golven, een ongekende verveling van je meester maken waar je nog net niet aan kapotgaat. Hou je je staande, dan is het net alsof je van zwart-wit in kleur stapt. Als water na dagen in de woestijn. Constante gelukzaligheid, in iedere vezel.

STECYK?

Sylvanshine heeft een tegenhanger. Dat is een kopstuk bij Personeelszaken in het RCC (voorstander van menselijke controleurs vs. computers en de DIF). Hij is op zoek naar immersionisten. Topexperts die erbij gehaald kunnen worden om ingewikkelde aangiften te controleren, ongevoelig voor het soort verveling dat ieder ander met verlamming zou slaan. (Of het is Stecyk, een controleur die zich met hart en ziel wijdt aan zijn werk – gehaat, een abstracte toepassing van rechtschapenheid en deugd – constant op zoek waar hij kan helpen. Hij is het die naar het kantoor van Meckstroth gaat met het idee hoe de cheques rechtstreeks naar de bank gestuurd kunnen worden, om zo tijd en geld te besparen.) Stecyk nu bij Personeelszaken en Personeelsopleiding?

Ze zijn zeldzaam, maar ze zijn in ons midden. Mensen die een bepaalde constante staat van concentratie en aandacht kunnen bereiken en vasthouden, ondanks het werk dat ze doen. De eerste die Stecyks aandacht trok zat in de bibliotheek van het Peoria College of Business, in de leeszaal: een Aziatische jongen in een van de leesstoelen die er een stuk comfortabeler uitzien dan ze zitten, met gebogen rug en gekruiste benen, zijn enkel op de knie, lezend in een studieboek statistiek. Stecyk komt twintig minuten later terug, zit die jongen nog altijd in dezelfde houding te lezen. Stecyk loopt achter hem langs om er zeker van te zijn dat die jongen al enkele pagina's gevorderd is. Zijn aantekeningen zijn nauwkeurig en staan in een minuscuul net handschrift in de linkerkantlijn. Een uur later zit die jongen nog steeds in dezelfde houding hetzelfde boek te lezen, nu 14 pagina's verder.

Een beveiligingsbeambte op de stoep van een kredietvereniging. De hele dag in de houding. Niet kunnen lezen of een praatje maken. Alleen toekijken hoe mensen naar binnen en buiten gaan, een knikje geven als hij een knikje krijgt. In het pseudo-politie-uniform van Midstate Security. Mocht er iets gebeuren. Stecyk loopt een paar keer naar binnen en buiten om de beveiligingsbeambte te kunnen bekijken. Indrukwekkend hoe de beambte hem steeds aandachtiger opneemt, wat betekent dat hij het feit dat Stecyk abnormaal vaak naar binnen en buiten gaat heeft opgemerkt. Hij is in staat <u>aandacht op te brengen</u>, zelfs in deze ongetwijfeld onnoemelijk saaie baan.

Halve finale meditatiekampioenschappen Midden-Westen. Deelnemers worden aan een ECG gekoppeld – het gaat erom wie het langst thèta-golven kan opwekken en aanhouden.

Vrouw aan de lopende band van American Twine telt het aantal zichtbare lussen touw aan de buitenkant van een kluwen touw. Tellen, tellen, almaar tellen. Als de stoomfluit gaat, stormen alle arbeiders zowat naar de uitgang. Zij blijft nog even, verzonken in haar werk. Het gaat om het vermogen ergens in op te gaan, om <u>immersie</u>.

Woord van de vertalers

We fill pre-existing forms and when we fill them we change them and are changed. Het motto van *De bleke koning* geldt evengoed ons, vertalers. Ook wij hebben invulling gegeven aan een voorgegeven vorm, hebben die veranderd en zijn daarbij zelf een ander mens geworden. Deze meerduidige zin (*form* slaat immers ook op een 'formulier') is meteen een goed voorbeeld van wat er in ons werk op het spel staat. Bij vertaling gaan soms florituren en boventonen verloren, zeker, maar evengoed kan blijken over welke onvermoede registers het Nederlands beschikt – bijvoorbeeld om de wereld tot leven te wekken die David Foster Wallace met zijn hoogsteigen Peoria heeft geschapen.

We willen al degenen bedanken die ons bijstonden aan onze respectievelijke schrijftafel, in Harelbeke en Amsterdam: het Expertisecentrum voor Literair Vertalen, Peter Bergsma, Ellis van Midden, Ulrich Blumenbach, de lijsters op wallace-1 en boekvertalers.nl, Molly Schwartzburg (Harry Ransom Center), deelnemers aan het Work in Process-congres (Universiteit Antwerpen), MOMU Antwerpen, Stichting Computermuseum, Museum Waalsdorp, Martijn Knol, Johan Sonnenschein, Floris Goerlandt, Charlotte Verduyn, Laurence Taillieu, Tineke Lecluyse, Miriam Verrijdt, en al die familieleden, vrienden, kennissen en volslagen onbekenden die hielpen met het zoeken naar het juiste woord, de juiste zin.

– IANNIS GOERLANDT & DANIËL ROVERS

Over de auteur

David Foster Wallace (1962–2008) groeide op in de staat Illinois, waar hij opviel als getalenteerde tennisser. Hij studeerde Engels en filosofie aan Amherst College, en zijn afstudeerproject aldaar werd zijn debuutroman *The Broom of the System*. Na een vervolg van zijn studie aan de University of Arizona en een kort verblijf aan Harvard was hij werkzaam als docent creatief schrijven, eerst in Illinois, later aan Pomona College in Californië. In 1996 werd zijn tweede roman *Infinite Jest* gepubliceerd. Daarna volgden onder meer de verhalenbundel *Brief Interviews with Hideous Men* en de essaybundel *Consider the Lobster*. Naast zijn debuutroman werden de toespraak *Dit is water* en het essay *Superleuk, maar voortaan zonder mij* in het Nederlands vertaald; het literaire tijdschrift *yang* publiceerde het essay 'Federer als religieuze ervaring'. David Foster Wallace ontving verschillende prijzen, waaronder een MacArthur Fellowship en de Lannan Literary Award, en was lid van de adviesgroep voor *The American Heritage Dictionary of the English Language*. Bij zijn dood liet hij het onvoltooide manuscript van *De bleke koning* na.